# Nuevo Testamento

# Renacer

## con Salmos y Proverbios

*Una nueva oportunidad para volver a empezar*

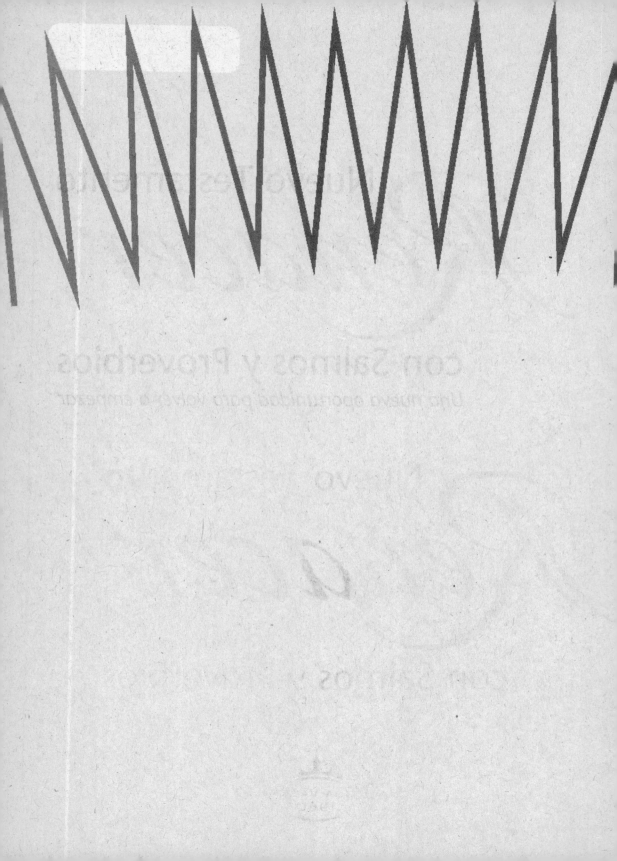

# Nuevo Testamento

# Renacer

## con Salmos y Proverbios

REINA-VALERA
1960

Nuevo Testamento con Salmos y Proverbios «Renacer»
© Sociedades Bíblicas Unidas, 2005.

Texto bíblico: *Reina-Valera 1960*™ © Sociedades Bíblicas en América Latina, 1960. Derechos renovados 1988, Sociedades Bíblicas Unidas. Antigua versión de Casiodoro de Reina (1569), revisada por Cipriano de Valera (1602). Otras revisiones: 1862 y 1909.

Traducción de notas y ayudas bíblicas en español
© Sociedades Bíblicas Unidas, 2005.

Original en inglés *"The Life Recovery New Testament"* © 2002 by Tyndale House Publishers, Inc., Wheaton, IL 60189. Todos los derechos reservados.

Notas y ayudas bíblicas originales en inglés © 1998 por Stephen Arterburn y David Stoop. Todos los derechos reservados.

Los Doce Pasos que se usan en el Plan de lecturas devocionales de los Doce Pasos se adaptaron de los Doce Pasos de Alcohólicos Anónimos.

| ISBN | Catálogo | Cubierta |
| --- | --- | --- |
| 1-932507-79-5 | RVR383 Renacer | Tapa dura colores |
| 1-932507-80-9 | RVR380 Renacer | Tapa rústica colores |

REINA-VALERA
1960

Reina-Valera 1960™

AMERICAN BIBLE SOCIETY
www.biblias.com
ABS-5/05-27,910-DP1

SOCIEDADES
BÍBLICAS
UNIDAS
www.labibliaweb.com

Impreso en Estados Unidos de América

# CONTENIDO

# LOS LIBROS DEL NUEVO TESTAMENTO CON SALMOS Y PROVERBIOS

# LOS LIBROS DEL NUEVO TESTAMENTO EN ORDEN ALFABÉTICO

# LOS DOCE PASOS

1. Confesamos que éramos impotentes ante nuestras dependencias y que nuestra vida se había vuelto inmanejable.

2. Llegamos a creer que un Poder superior a nosotros podía devolvernos el sano juicio.

3. Tomamos la decisión de poner nuestra voluntad y nuestra vida en las manos de Dios.

4. Sin miedo, hicimos un profundo y audaz inventario moral de nosotros mismos.

5. Confesamos a Dios, a nosotros mismos y a los demás la naturaleza exacta de nuestros defectos.

6. Estuvimos completamente listos para que Dios eliminara todos estos defectos de carácter.

7. Le pedimos a él humildemente que eliminara nuestras imperfecciones.

8. Hicimos una lista de todas las personas a las que habíamos lastimado y estuvimos dispuestos a reparar el daño hecho a cada una de ellas.

9. Reparamos directamente el daño a todas las personas siempre que fue posible, excepto cuando hacerlo implicaba lastimarlos a ellos o a otros.

10. Continuamos haciendo nuestro inventario personal y cuando nos equivocamos, lo admitimos inmediatamente.

11. Tratamos, por medio de la oración y la meditación, de mejorar nuestra comunión consciente con Dios, pidiendo solamente conocer su voluntad para nosotros y el poder para llevarla a cabo.

12. Luego de experimentar un despertar espiritual como resultado de estos pasos, tratamos de llevar este mensaje a otros y practicar estos principios en todos nuestros asuntos.

*Los Doce Pasos que se usan en el Plan de lectura devocional de los Doce Pasos se adaptaron de los Doce pasos de Alcohólicos Anónimos.*

# LOS DOCE PASOS DE ALCOHÓLICOS ANÓNIMOS

1. Reconocimos que éramos impotentes ante el alcohol; que nuestra vida se había vuelto inmanejable.

2. Llegamos a creer que un Poder superior a nosotros mismos podía devolvernos el sano juicio.

3. Tomamos la decisión de poner nuestra voluntad y nuestra vida en las manos de Dios, como lo entendamos.

4. Sin temor, hicimos un profundo y audaz inventario moral de nosotros mismos.

5. Confesamos a Dios, a nosotros mismos y a los demás la naturaleza exacta de nuestros defectos.

6. Estuvimos completamente listos para que Dios eliminara todos estos defectos de carácter.

7. Le pedimos a él humildemente que eliminara nuestras imperfecciones.

8. Hicimos una lista de todas las personas a las que habíamos lastimado y estuvimos dispuestos a reparar el daño hecho a cada una de ellas.

9. Reparamos directamente el daño a todas las personas siempre que fue posible, excepto cuando hacerlo implicaba lastimarlos a ellos o a otros.

10. Continuamos haciendo nuestro inventario personal y cuando nos equivocamos, lo admitimos inmediatamente.

11. Tratamos, por medio de la oración y la meditación, de mejorar nuestra comunión consciente con Dios, según lo entendamos, pidiendo solamente conocer Su voluntad para nosotros y el poder para llevarla a cabo.

12. Luego de experimentar un despertar espiritual como resultado de estos pasos, tratamos de llevar este mensaje a los alcohólicos y practicar estos principios en todos nuestros asuntos.

# GUÍA PARA EL USUARIO

El Nuevo Testamento es un libro para la recuperación. Nos recuerda el Antiguo Testamento, que narra la forma en que comienza el mundo y como Dios lo creó para que fuera bueno. Luego nos relata la entrada en escena del pecado a través de las malas decisiones de la obra cumbre de la creación de Dios: la raza humana. El Antiguo Testamento detalla las consecuencias fatales del pecado y la caída y los comienzos del programa de Dios para nuestra recuperación.

El Nuevo Testamento completa esta historia a través de la asombrosa vida y sacrificial muerte del hijo de Dios, Jesucristo. Es por medio de él que podemos descubrir la fuente y el poder para lograr nuestra propia liberación. Las Escrituras nos ofrecen el único camino hacia la salud total: el programa de Dios para el perdón, la reconciliación y la sanidad.

Cada aspecto del Nuevo Testamento "Renacer" lleva a los lectores a los poderosos recursos para la recuperación que se encuentran en el Nuevo Testamento:

**PLANES DE LECTURA DEVOCIONAL**

Cada devocional está cerca del texto que comenta y dirige al lector al siguiente devocional en la cadena de lectura. Para dar un vistazo a vuelo de pájaro, vea los índices al final de este libro.

✳ El **Plan de lecturas devocionales de los Doce Pasos** incluye cincuenta y dos devocionales de base bíblica que se desarrollan en base a los Doce Pasos.

Para comenzar este plan de lecturas, vaya a la página 73.

✳ El **Plan de lecturas devocionales sobre los Principios de Recuperación** está compuesto por cuarenta devocionales de base bíblica, elaborados a partir de importantes principios en el proceso de recuperación.

Para comenzar este plan de lecturas, vaya a la página 7.

✳ El **Plan de lecturas devocionales de Oración por la Serenidad** está formado por dieciséis devocionales de base bíblica relacionados con la Oración por la Serenidad.

Para comenzar este plan de lecturas, vaya a la página 13.

**RESEÑAS BIOGRÁFICAS DE RECUPERACIÓN**

En esta sección se reseñan a veinte personajes y sus relaciones y, de sus propias vidas, se obtienen importantes lecciones sobre la recuperación. Para un vistazo rápido, vaya al índice de las Reseñas Biográficas de Recuperación en la página 622.

MATERIAL
DE INTRODUCCIÓN
PARA LOS LIBROS
DE LA BIBLIA

Cada libro del Nuevo Testamento con Salmos y Proverbios va precedido por artículos de gran ayuda.

✲ La **Introducción** al libro presenta el contenido y temas desde el punto de vista de la recuperación.

✲ **El Panorama** da una visión panorámica del libro en forma de bosquejo.

✲ **En esencia** provee información histórica vital para el libro.

✲ Los **Temas sobre recuperación** presentan y discuten importantes temas para las personas que están en proceso de recuperación.

COMENTARIOS
Y NOTAS SOBRE
LA RECUPERACIÓN

Numerosas notas sobre la recuperación apoyan el texto bíblico, las que señalan pasajes y pensamientos importantes para la recuperación. Las notas aparecen al pie de cada página y están en el Índice temático del Nuevo Testamento "Renacer", que comienza en la página 597.

✲ Las **Reflexiones** para la recuperación que van después de diversos libros de la Biblia ofrecen un comentario adicional. Las notas de esta sección están ordenadas por temas. Los temas que se discuten se encuentran en el Índice de las Reflexiones para la Recuperación, que comienza en la página 627.

ÍNDICES

El Índice temático del Nuevo Testamento "Renacer" guía al lector a las importantes notas, reseñas biográficas, devocionales y temas sobre la recuperación relacionados con más de un centenar de términos importantes para los problemas que se presentan en el proceso de recuperación.

✲ El **Índice de Reseñas Biográficas de Recuperación** enlista y localiza las veinte reseñas biográficas de recuperación que aparecen en la Biblia.

✲ El **Índice de Devocionales sobre los Doce Pasos** enlista y ayuda a localizar los cincuenta y dos devocionales basados en los Doce Pasos.

✲ El **Índice de Devocionales sobre los Principios de Recuperación** enlista y ayuda a localizar los cuarenta devocionales sobre los Principios de Recuperación.

✲ El **Índice de Devocionales de Oración por la Serenidad** enlista y ayuda a localizar los dieciséis devocionales de Oración por la Serenidad.

✲ El **Índice de las Reflexiones para la Recuperación** enlista y ayuda a localizar los diversos temas discutidos en la sección de Reflexiones de este Nuevo Testamento.

# PREFACIO

El Nuevo Testamento es el mejor libro que se ha escrito sobre recuperación. En sus páginas encontramos a numerosos individuos que han alcanzado restauración gracias a la sabiduría y el poder de Dios. Conocemos al Dios que espera con sus brazos abiertos que todos regresemos a él, busquemos su voluntad y recuperemos la maravillosa vida que tiene para cada uno de nosotros.

Muchos de nosotros sólo estamos despertando al hecho de que la recuperación es una parte esencial de la vida. Es el sencillo pero desafiante proceso de buscar diariamente la voluntad de Dios en lugar de insistir en seguir nuestro propio camino. La recuperación es dejar que Dios haga por nosotros lo que nosotros no podemos hacer por nuestra propia cuenta, mientras que a la vez damos los pasos necesarios para acercarnos más a nuestro creador y redentor. Es permitir que Dios sane nuestra alma herida para que podamos ayudar a otros en el proceso de curación. Todos necesitamos tomar parte en este proceso; es parte inherente de ser humanos.

Emprendamos juntos el viaje hacia la curación y una nueva fortaleza, fortaleza que no encontramos en nosotros mismos, sino que hallamos por medio de la confianza en Dios al permitirle que dirija nuestras decisiones y nuestros planes. Este viaje nos llevará a lo largo de los Doce Pasos y otros materiales que tienen el objetivo de ayudarnos a ver con claridad las provisiones que nuestro poderoso Dios nos ofrece para la recuperación. El Nuevo Testamento "Renacer" enriquecerá nuestra experiencia y ampliará nuestra comprensión del Dios que nos ama y envió a su Hijo a morir para que lleguemos a curarnos.

Sin Dios no hay recuperación sino sustitutos desilusionadores y continuos fracasos. Nuestra oración es que los recursos contenidos en estas páginas nos ayuden a entender mejor quién es Dios y cómo quiere curar nuestro quebrantamiento y ponernos en el camino hacia la salud total.

# NUEVO

## TESTAMENTO

# SAN

# MATEO

## EL PANORAMA

Muchos judíos en tiempos de Jesús albergaban alguna forma de «esperanza mesiánica». Estaban sufriendo a manos de sus opresores romanos y se aferraban a la creencia de que surgiría un Salvador que vendría a liberarlos. Basándose en las promesas del Antiguo Testamento acerca de un rey libertador, esperaban con entusiasmo la llegada del Mesías.

Dios quería que el mundo aceptara a Jesús como el Mesías y Salvador. Por medio de la ascendencia de Jesús, el nacimiento virginal, el cumplimiento de las profecías del Antiguo Testamento, las enseñanzas y los milagros, Dios mostró quién era Jesús. No obstante, durante el ministerio terrenal de Jesús la mayoría de las personas no estuvo dispuesta a encarar la realidad de quién era él. En lugar de recibirlo como su tan esperado Mesías, lo crucificaron. Y en lugar de encontrar libertad, permanecieron en estado de opresión.

Para lidiar con nuestros problemas tal vez hayamos enfocado nuestras esperanzas en varios «libertadores». Algunos de nosotros todavía estamos buscando en nuestra adicción la liberación de nuestro dolor interior. Esta es una decisión que sólo nos lleva a un sufrimiento mayor. Algunos anhelamos «libertad» a través de programas de recuperación que enfatizan la «autorrealización», pero estos programas sólo nos alejan del verdadero Libertador. El Evangelio de Mateo deja claro que nuestra única esperanza para la recuperación se encuentra en Jesús el Mesías.

Jesús se merece nuestra confianza y nuestra entrega al tratar de recuperarnos de nuestra dependencia y de nuestros pecados. Cuando confiamos en el poder del perdón obtenido por medio de su muerte y la esperanza de la nueva vida que se encuentra en su resurrección, tenemos verdadera esperanza de una recuperación auténtica. Pero depositar nuestra confianza en Dios depende de nosotros. Debemos abandonar nuestro rechazo egoísta y permitirle a Jesús ser el rey de nuestra vida. Sólo él merece ese honor y esa responsabilidad.

## EN ESENCIA

PROPÓSITO: Comprobar que Jesús era el Mesías prometido y mostrar que Dios ofrece recuperación a todo ser humano por medio de él. AUTOR: Según una tradición muy antigua, Mateo, el apóstol y antiguo recaudador de impuestos. DESTINATARIOS: Mateo escribió principalmente a lectores cristianos procedentes del judaísmo. FECHA: Probablemente entre 60 y 65 d.C. ESCENARIO: Mateo enfatizó el cumplimiento de muchas profecías del Antiguo Testamento en la persona de Jesucristo. Esto hace de este evangelio el enlace entre el Antiguo y el Nuevo Testamento. VERSÍCULO CLAVE: «No penséis que he venido para abrogar la ley o los profetas; no he venido para abrogar, sino para cumplir» (5.17). PERSONAS Y RELACIONES CLAVE: Jesús en relación con sus antepasados, María y José, Juan el Bautista, los discípulos de Jesús, y los líderes judíos y romanos.

## TEMAS SOBRE RECUPERACIÓN

*El poder de la resurrección:* A veces buscamos el poder para la recuperación dentro de nosotros mismos. No queremos depender de un poder que esté fuera de nosotros. Pero nuestro poder interior sólo puede ser tan fuerte como lo seamos nosotros, y ya hemos reconocido que somos impotentes. Dios mostró su poder, en los Evangelios, de muchas maneras, pero el ejemplo definitivo fue en la resurrección de Jesucristo. En su victoria sobre el pecado y la muerte, Jesús estableció sus credenciales como rey, y su poder y autoridad sobre todo mal. Esa es la clase de poder que necesitamos en la recuperación. Y está disponible para nosotros cuando le entregamos nuestra vida a él.

*La importancia de la esperanza:* Sin esperanza estamos en un estado deplorable; la esperanza es la fuerza motora detrás de toda recuperación. Si no tenemos esperanza, no tendremos la posibilidad de recuperación. Entender quién es Jesús nos da a cada uno de nosotros una esperanza que puede trascender aun la más profunda desesperación. En el evangelio de Mateo vemos y oímos el mensaje de esperanza que está disponible para todos, y no solamente para un selecto grupo de personas. La resurrección de Jesús establece el fundamento de nuestra esperanza pues en ella Dios demostró su poder sobre la muerte.

*Los peligros de las actitudes negativas:* Con frecuencia las personas dicen que creerían si tan sólo pudieran ver un milagro. Pero como señala Mateo, muchas personas negaron la verdad sobre Jesús a pesar de los milagros que él hizo en beneficio de ellos. Nuestro sistema de rechazo está muy bien establecido. Dios puede lidiar con nuestras dudas y temores, pero el cinismo y la incredulidad nos alejan de su poder transformador. Seamos como los discípulos, que permanecieron asombrados en el monte de la transfiguración y se preguntaron qué clase de hombre era Jesús. Ese tipo de apertura facilita el proceso de recuperación.

*El reino de Dios, modelo de recuperación:* Jesús vino a la tierra para establecer su reino. Sin embargo, su pleno dominio sólo se materializará cuando él regrese. Su reino estará constituido por todos aquellos que, con fe, hayan vuelto sus vidas a Dios y hayan decidido seguirlo. Comenzamos el proceso de recuperación creyendo en él. Pero vivir como hijos del Rey requiere actos de fe y confianza en todo momento. Ocurre lo mismo con la recuperación. Así como en esta vida nunca vivimos en plenitud la realidad del reino de Dios, tampoco completamos realmente la recuperación. Esperamos ese día cuando veremos a Jesús cara a cara y sabremos que nuestra recuperación está completa... en él.

---

### Genealogía de Jesucristo

**1** ¹ Libro de la genealogía de Jesucristo, hijo de David, hijo de Abraham.

² Abraham engendró a Isaac, Isaac a Jacob, y Jacob a Judá y a sus hermanos.

³ Judá engendró de Tamar a Fares y a Zara, Fares a Esrom, y Esrom a Aram.

⁴ Aram engendró a Aminadab, Aminadab a Naasón, y Naasón a Salmón.

⁵ Salmón engendró de Rahab a Booz, Booz engendró de Rut a Obed, y Obed a Isaí.

⁶ Isaí engendró al rey David, y el rey David engendró a Salomón de la que fue mujer de Urías.

⁷ Salomón engendró a Roboam, Roboam a Abías, y Abías a Asa.

⁸ Asa engendró a Josafat, Josafat a Joram, y Joram a Uzías.

⁹ Uzías engendró a Jotam, Jotam a Acaz, y Acaz a Ezequías.

¹⁰ Ezequías engendró a Manasés, Manasés a Amón, y Amón a Josías.

¹¹ Josías engendró a Jeconías y a sus hermanos, en el tiempo de la deportación a Babilonia.ᵃ

¹² Después de la deportación a Babilonia, Jeconías engendró a Salatiel, y Salatiel a Zorobabel.

¹³ Zorobabel engendró a Abiud, Abiud a Eliaquim, y Eliaquim a Azor.

¹⁴ Azor engendró a Sadoc, Sadoc a Aquim, y Aquim a Eliud.

¹⁵ Eliud engendró a Eleazar, Eleazar a Matán, Matán a Jacob;

¹⁶ y Jacob engendró a José, marido de María, de la cual nació Jesús, llamado el Cristo.

¹⁷ De manera que todas las generaciones desde

---

**1.11** ᵃ 2 R. 24.14-15; 2 Cr. 36.10; Jer. 27.20.

**1.1-16** El árbol genealógico de Jesús, el Dios-hombre sin pecado, estaba lejos de ser perfecto. Judá engendró a Fares de su nuera Tamar, pensando que ella era una prostituta (1.3; véase Génesis 38); Salmón se casó con Rahab, una antigua prostituta en Jericó (1.5; véase Josué 6); y David sostuvo una relación adúltera con Betsabé, la esposa de Urías (1.6; véase 2 Samuel 11). A través de la historia, Dios ha usado gente imperfecta para hacer su voluntad. Él estaba más interesado en la actitud de sus corazones que en los

# JOSÉ Y MARÍA

La confianza, si se ha roto, puede restablecerse; pero esto no ocurre de forma automática. El proceso exige trabajo y entrega, especialmente si la infidelidad ha amenazado la relación. Este fue el reto que enfrentaron José y María.

María quedó embarazada meses antes de la boda que planificaban. Como José sabía que este no era su hijo, dio por sentado que María le había sido infiel. Aunque estaba angustiado por las dudas y el enojo, eligió terminar el compromiso de la forma más discreta posible. Él era un hombre justo y misericordioso, y no quería lastimar o avergonzar a María.

Sin embargo, Dios tenía otros planes. Envió a un ángel para hablarle a José y asegurarle que el bebé de María había sido concebido de forma sobrenatural por el Espíritu Santo. El niño se llamaría Jesús y sería el Salvador del mundo, aquel que ofrecería recuperación espiritual a todos. Como José creyó a Dios, su perspectiva cambió. El compromiso mutuo de José y María de entregarse a Dios y confiar en él sirvió de fundamento sobre el cual se restablecería la confianza entre ambos.

Con humildad y gozo, María y José comenzaron una nueva vida juntos. José hizo todo lo posible para proteger a María y al bebé Jesús cuando este nació. Se convirtió en un padre amoroso que le enseñó a su hijo con esmero el oficio de carpintero. María fue una madre solícita y cariñosa. Esta relación demuestra que es posible restablecer la confianza y restaurar el amor en relaciones que alguna vez fueron muy frágiles.

Los Evangelios narran la historia de José y María, especialmente Mateo 1—2 y Lucas 1—2. María también se menciona en Hechos 1.14.

**FORTALEZAS Y LOGROS:**
- La relación mutua entre José y María se fundamentaba en su entrega a Dios.
- Estuvieron abiertos a la voluntad de Dios y dispuestos a cambiar sus opiniones.
- Obedecieron a Dios a pesar de la vergüenza que experimentarían.

**DEBILIDADES Y ERRORES:**
- José no le dio a María el beneficio de la duda al comienzo de su embarazo.
- No entendieron la necesidad de Jesús de pasar tiempo en la casa de su Padre.

**LECCIONES PARA NUESTRA VIDA:**
- Las relaciones no deben destruirse por dudas no confirmadas.
- La confianza siempre puede restablecerse si Dios es el centro de las relaciones personales.
- Las cosas no son siempre lo que parecen.
- La confianza en Dios es indispensable para fundamentar la confianza entre las personas.

**VERSÍCULOS CLAVE:**
«José... quiso dejarla secretamente. Y pensando él en esto, he aquí un ángel del Señor le apareció en sueños y le dijo: José, hijo de David, no temas recibir a María tu mujer, porque lo que en ella es engendrado, del Espíritu Santo es» (Mateo 1.19-20).

---

Abraham hasta David son catorce; desde David hasta la deportación a Babilonia, catorce; y desde la deportación a Babilonia hasta Cristo, catorce.

## Nacimiento de Jesucristo

**18** El nacimiento de Jesucristo fue así: Estando desposada María su madre con José,*b* antes que se juntasen, se halló que había concebido del Espíritu Santo.

**19** José su marido, como era justo, y no quería infamarla, quiso dejarla secretamente.

**20** Y pensando él en esto, he aquí un ángel del Señor le apareció en sueños y le dijo: José, hijo de David, no temas recibir a María tu mujer,

**1.18** *b* Lc. 1.27.

---

errores que hubieran cometido. A Dios nunca lo engañan ni lo desaniman los errores pasados de las personas. Esto debe concedernos la esperanza de que Dios puede darnos un futuro productivo sin importar lo destructivo que haya sido nuestro pasado. Para empezar de nuevo, debemos reconocer nuestros pecados y dedicar nuestra vida a Dios.

**1.18-19** Ante las implicaciones del embarazo de María, José reaccionó decidiendo romper su compromiso. Aunque él era un hombre de principios y bien intencionado, su decisión mostró falta de visión (véase 1.20-23). Las actitudes y las decisiones basadas en información incompleta son problemas críticos cuando se trata de la recuperación. La paciencia, la honestidad y la perseverancia en la comunicación son cruciales para prevenir errores de consecuencias importantes, como la ruptura de relaciones personales.

porque lo que en ella es engendrado, del Espíritu Santo es.

**21** Y dará a luz un hijo, y llamarás su nombre[c] JESÚS,[1] porque él salvará a su pueblo de sus pecados.[d]

**22** Todo esto aconteció para que se cumpliese lo dicho por el Señor por medio del profeta, cuando dijo:

**23** He aquí, una virgen concebirá y dará a luz un hijo,

Y llamarás su nombre Emanuel,[e]

que traducido es: Dios con nosotros.

**24** Y despertando José del sueño, hizo como el ángel del Señor le había mandado, y recibió a su mujer.

**25** Pero no la conoció hasta que dio a luz a su hijo primogénito; y le puso por nombre JESÚS.[f]

## La visita de los magos

**2** **1** Cuando Jesús nació en Belén de Judea en días del rey Herodes, vinieron del oriente a Jerusalén unos magos,

**2** diciendo: ¿Dónde está el rey de los judíos, que ha nacido? Porque su estrella hemos visto en el oriente, y venimos a adorarle.

**3** Oyendo esto, el rey Herodes se turbó, y toda Jerusalén con él.

**4** Y convocados todos los principales sacerdotes, y los escribas del pueblo, les preguntó dónde había de nacer el Cristo.

**5** Ellos le dijeron: En Belén de Judea; porque así está escrito por el profeta:

**6** Y tú, Belén, de la tierra de Judá,

No eres la más pequeña entre los príncipes de Judá;

Porque de ti saldrá un guiador,

Que apacentará[1] a mi pueblo Israel.[a]

**7** Entonces Herodes, llamando en secreto a los magos, indagó de ellos diligentemente el tiempo de la aparición de la estrella;

**8** y enviándolos a Belén, dijo: Id allá y averiguad con diligencia acerca del niño; y cuando le halléis, hacédmelo saber, para que yo también vaya y le adore.

**9** Ellos, habiendo oído al rey, se fueron; y he aquí la estrella que habían visto en el oriente iba delante de ellos, hasta que llegando, se detuvo sobre donde estaba el niño.

**10** Y al ver la estrella, se regocijaron con muy grande gozo.

**11** Y al entrar en la casa, vieron al niño con su madre María, y postrándose, lo adoraron; y abriendo sus tesoros, le ofrecieron presentes: oro, incienso y mirra.

**12** Pero siendo avisados por revelación en sueños que no volviesen a Herodes, regresaron a su tierra por otro camino.

## Matanza de los niños

**13** Después que partieron ellos, he aquí un ángel del Señor apareció en sueños a José y dijo: Levántate y toma al niño y a su madre, y huye a Egipto, y permanece allá hasta que yo te diga; porque acontecerá que Herodes buscará al niño para matarlo.

**14** Y él, despertando, tomó de noche al niño y a su madre, y se fue a Egipto,

**15** y estuvo allá hasta la muerte de Herodes; para que se cumpliese lo que dijo el Señor por medio del profeta, cuando dijo: De Egipto llamé a mi Hijo.[b]

**16** Herodes entonces, cuando se vio burlado por los magos, se enojó mucho, y mandó matar a todos los niños menores de dos años que había en Belén y en todos sus alrededores, conforme al tiempo que había inquirido de los magos.

**17** Entonces se cumplió lo que fue dicho por el profeta Jeremías, cuando dijo:

**18** Voz fue oída en Ramá,

Grande lamentación, lloro y gemido;

Raquel que llora a sus hijos,

Y no quiso ser consolada, porque perecieron.[c]

**19** Pero después de muerto Herodes, he aquí un ángel del Señor apareció en sueños a José en Egipto,

**20** diciendo: Levántate, toma al niño y a su madre, y vete a tierra de Israel, porque han muerto los que procuraban la muerte del niño.

**21** Entonces él se levantó, y tomó al niño y a su madre, y vino a tierra de Israel.

**22** Pero oyendo que Arquelao reinaba en Judea en lugar de Herodes su padre, tuvo temor de ir allá; pero avisado por revelación en sueños, se fue a la región de Galilea,

**23** y vino y habitó en la ciudad que se llama Nazaret,[d] para que se cumpliese lo que fue dicho por los profetas, que habría de ser llamado nazareno.[e]

---

**1.21** [c] Lc. 1.31. [1] Esto es, *Salvador.* [d] Sal. 130.8. **1.23** [e] Is. 7.14. **1.25** [f] Lc. 2.21. **2.6** [1] O, *regirá.* [a] Mi. 5.2. **2.15** [b] Os. 11.1. **2.18** [c] Jer. 31.15. **2.23** [d] Lc. 2.39. [e] Is. 11.1.

**2.3-8, 12-18** El rey Herodes fue un tirano que podía embelesar y manipular a otros para lograr sus propósitos. Pensó que podría obtener información sobre la identidad y el paradero del Mesías de parte de los magos fingiendo interés en él y deseo de adorarlo. Frecuentemente, gente abusiva u opresora nos «seguirá el juego» en las primeras etapas de nuestra recuperación, esperando vencer más adelante cualquier resistencia que ofrezcamos a su control. Necesitamos tener cuidado y evitar a estas personas, tal como hicieron los magos y José.

## Predicación de Juan el Bautista

**3** **1** En aquellos días vino Juan el Bautista predicando en el desierto de Judea,

**2** y diciendo: Arrepentíos, porque el reino de los cielos*a* se ha acercado.*b*

**3** Pues éste es aquel de quien habló el profeta Isaías, cuando dijo:

Voz del que clama en el desierto:
Preparad el camino del Señor,
Enderezad sus sendas.*c*

**4** Y Juan estaba vestido de pelo de camello, y tenía un cinto de cuero alrededor de sus lomos;*d* y su comida era langostas y miel silvestre.

**5** Y salía a él Jerusalén, y toda Judea, y toda la provincia de alrededor del Jordán,

**6** y eran bautizados por él en el Jordán, confesando sus pecados.

**7** Al ver él que muchos de los fariseos y de los saduceos venían a su bautismo, les decía: ¡Generación de víboras!*e* ¿Quién os enseñó a huir de la ira venidera?

**8** Haced, pues, frutos dignos de arrepentimiento,

**9** y no penséis decir dentro de vosotros mismos: A Abraham tenemos por padre;*f* porque yo os digo que Dios puede levantar hijos a Abraham aun de estas piedras.

**10** Y ya también el hacha está puesta a la raíz de los árboles; por tanto, todo árbol que no da buen fruto es cortado y echado en el fuego.*g*

**11** Yo a la verdad os bautizo en agua para arrepentimiento; pero el que viene tras mí, cuyo calzado yo no soy digno de llevar, es más poderoso que yo; él os bautizará en Espíritu Santo y fuego.

**12** Su aventador está en su mano, y limpiará su era; y recogerá su trigo en el granero, y quemará la paja en fuego que nunca se apagará.

## El bautismo de Jesús

**13** Entonces Jesús vino de Galilea a Juan al Jordán, para ser bautizado por él.

**14** Mas Juan se le oponía, diciendo: Yo necesito ser bautizado por ti, ¿y tú vienes a mí?

**15** Pero Jesús le respondió: Deja ahora, porque así conviene que cumplamos toda justicia. Entonces le dejó.

**16** Y Jesús, después que fue bautizado, subió luego del agua; y he aquí los cielos le fueron abiertos, y

*El Plan de lectura devocional sobre los Principios de Recuperación comienza aquí.*

# Gratificación diferida

LEA MATEO 4.1-11

Quizás estemos buscando atajos hacia la felicidad. El camino de la vida a veces nos lleva por lugares dolorosos que preferiríamos evitar. Algunos nos hemos desviado de la senda correcta, engañados por la esperanza de encontrar vías más rápidas y más fáciles hacia «la buena vida».

Jesús enfrentó esta misma tentación. Él estaba destinado a convertirse en el Rey de toda la tierra. El plan estaba trazado: Él vendría a la tierra como hombre, viviría sin pecado, moriría para pagar por nuestros pecados, resucitaría de entre los muertos y regresaría al cielo para esperar a aquellos que serían de él. Luego, regresaría a la tierra para reclamar a su pueblo y su legítimo lugar como Rey de reyes. Satanás le ofreció un atajo: «Otra vez le llevó el diablo ... y le mostró todos los reinos del mundo y la gloria de ellos, y le dijo: Todo esto te daré, si postrado me adorares. Entonces Jesús le dijo: Vete, Satanás, porque escrito está: Al Señor tu Dios adorarás, y a él sólo servirás» (Mateo 4.8-10). Si Jesús hubiera caído en esta trampa, habría pecado y habría perdido todo.

Necesitamos tener cuidado con aquellos «atajos» que nos sacan, aunque sólo sea un paso, de la voluntad de Dios. Se nos advierte: «Resistid al diablo, y huirá de vosotros» (Santiago 4.7). Podemos mostrar esta resistencia no haciendo caso de ofrecimientos que parezcan «demasiado buenos para ser ciertos». En la vida no existen realmente remedios instantáneos. El camino a la recuperación puede ser largo y difícil, pero muchos lo han recorrido antes que nosotros y han tenido éxito. Mientras nos mantengamos en él, dando un paso a la vez, encontraremos las cosas buenas de la vida que Dios tiene para nosotros.

***Vaya a la página 11, Mateo 6.***

---

**3.2** *a* Dn. 2.44. *b* Mt. 4.17; Mr. 1.15. **3.3** *c* Is. 40.3. **3.4** *d* 2 R. 1.8. **3.7** *e* Mt. 12.34; 23.33. **3.9** *f* Jn. 8.33. **3.10** *g* Mt. 7.19.

---

**3.1-2** Juan el Bautista predicó un mensaje muy antiguo: el arrepentimiento. El pueblo pudo haber ignorado fácilmente ese mensaje diciendo: «Ya he oído esto antes» o «Dejaré de pecar mañana». Pero Juan presentó una nueva razón de la necesidad de un inmediato giro moral de ciento ochenta grados: «el reino de los cielos? se ha acercado». El arrepentimiento exige una evaluación sincera de uno mismo. El sentido de urgencia en el mensaje de Juan es similar al de la urgente necesidad de recuperación. No hay momento como el presente para encarar la realidad y cambiar nuestra conducta autodestructiva.

vio al Espíritu de Dios que descendía como paloma, y venía sobre él.

**17** Y hubo una voz de los cielos, que decía: Este es mi Hijo amado, en quien tengo complacencia.*h*

## Tentación de Jesús

**4** **1** Entonces Jesús fue llevado por el Espíritu al desierto, para ser tentado por el diablo.*a*

**2** Y después de haber ayunado cuarenta días y cuarenta noches, tuvo hambre.

**3** Y vino a él el tentador, y le dijo: Si eres Hijo de Dios, di que estas piedras se conviertan en pan.

**4** El respondió y dijo: Escrito está: No sólo de pan vivirá el hombre, sino de toda palabra que sale de la boca de Dios.*b*

**5** Entonces el diablo le llevó a la santa ciudad, y le puso sobre el pináculo del templo,

**6** y le dijo: Si eres Hijo de Dios, échate abajo; porque escrito está:

A sus ángeles mandará acerca de ti,*c*

y,

En sus manos te sostendrán,
Para que no tropieces con tu pie en piedra.*d*

**7** Jesús le dijo: Escrito está también: No tentarás al Señor tu Dios.*e*

**8** Otra vez le llevó el diablo a un monte muy alto, y le mostró todos los reinos del mundo y la gloria de ellos,

**9** y le dijo: Todo esto te daré, si postrado me adorares.

**10** Entonces Jesús le dijo: Vete, Satanás, porque escrito está: Al Señor tu Dios adorarás, y a él sólo servirás.*f*

**11** El diablo entonces le dejó; y he aquí vinieron ángeles y le servían.

## Jesús principia su ministerio

**12** Cuando Jesús oyó que Juan estaba preso,*g* volvió a Galilea;

**13** y dejando a Nazaret, vino y habitó en Capernaum,*h* ciudad marítima, en la región de Zabulón y de Neftalí,

**14** para que se cumpliese lo dicho por el profeta Isaías, cuando dijo:

**15** Tierra de Zabulón y tierra de Neftalí,
Camino del mar, al otro lado del Jordán,
Galilea de los gentiles;

**16** El pueblo asentado en tinieblas vio gran luz;
Y a los asentados en región de sombra
de muerte,
Luz les resplandeció.*i*

**17** Desde entonces comenzó Jesús a predicar, y a decir: Arrepentíos, porque el reino de los cielos*j* se ha acercado.*k*

**18** Andando Jesús junto al mar de Galilea, vio a dos hermanos, Simón, llamado Pedro, y Andrés su hermano, que echaban la red en el mar; porque eran pescadores.

**19** Y les dijo: Venid en pos de mí, y os haré pescadores de hombres.

**20** Ellos entonces, dejando al instante las redes, le siguieron.

**21** Pasando de allí, vio a otros dos hermanos, Jacobo hijo de Zebedeo, y Juan su hermano, en la barca con Zebedeo su padre, que remendaban sus redes; y los llamó.

**22** Y ellos, dejando al instante la barca y a su padre, le siguieron.

**23** Y recorrió Jesús toda Galilea, enseñando en las sinagogas de ellos, y predicando el evangelio

---

**3.17** *h* Is. 42.1; Mt. 12.18; 17.5; Mr. 9.7; Lc. 9.35.   **4.1** *a* He. 2.18; 4.15.   **4.4** *b* Dt. 8.3.   **4.6** *c* Sal. 91.11.   *d* Sal. 91.12.
**4.7** *e* Dt. 6.16.   **4.10** *f* Dt. 6.13.   **4.12** *g* Mt. 14.3; Mr. 6.17; Lc. 3.19-20.   **4.13** *h* Jn. 2.12.   **4.15-16** *i* Is. 9.1-2.
**4.17** *j* Dn. 2.44.   *k* Mt. 3.2.

---

**3.16-17** Después del bautismo de Jesús, se manifestó el Espíritu Santo en forma visible y el Padre elogió a su Hijo. De este modo se muestra a Jesús en perfecta armonía con su Padre y con el Espíritu Santo. Aunque los que estamos tratando de recuperarnos nunca tendremos perfecta unidad en nuestras relaciones de amistad, sí podemos obtener apoyo de aquellos que estén a nuestro lado. Al estudiar la Biblia, la carta de amor que Dios envió a la humanidad, vemos muchísimas pruebas de su amor ilimitado por nosotros. Saber lo mucho que nos ama nuestro Padre celestial puede ayudarnos a compensar la falta de amor y apoyo de nuestras relaciones terrenales.

**4.3-7** Satanás no dudaba de que Jesús fuera el Hijo de Dios. Él apeló a necesidades reales y posibles dudas que eran comunes a toda la humanidad. Como nosotros, Jesús necesitaba comida, seguridad, protección, sentirse importante y realizado. Si Jesús hubiera flaqueado en su humanidad, Satanás habría cuestionado tanto el derecho de Jesús a gobernar como su perfección como el único Dios-hombre. Del mismo modo, Satanás y sus huestes atacarán los puntos más débiles de todos los que estamos tratando de recuperarnos. Es importante que nos mantengamos en guardia contra estos ataques.

**4.12-16** El camino a la recuperación por medio de Jesucristo está disponible para todos, no sólo para los «religiosos». Él puede sanar a cualquiera, independientemente de su historia pasada, afiliación religiosa o nacionalidad. Jesús mismo lo demostró al pasar sus primeros años en la región de Galilea. Los judíos de esa región no eran considerados «buenos judíos» por los que vivían en Judea debido al contacto de aquellos con los muchos gentiles que residían allí. No obstante, Jesús les mostró que Dios los amaba. Y continúa mostrando su amor a todos los que confían en él, sin importar quiénes seamos ni cuán grandes sean nuestros pecados pasados.

del reino, y sanando toda enfermedad y toda dolencia en el pueblo.[l]

**24** Y se difundió su fama por toda Siria; y le trajeron todos los que tenían dolencias, los afligidos por diversas enfermedades y tormentos, los endemoniados, lunáticos y paralíticos; y los sanó.

**25** Y le siguió mucha gente de Galilea, de Decápolis, de Jerusalén, de Judea y del otro lado del Jordán.

### El Sermón del monte: Las bienaventuranzas

**5** **1** Viendo la multitud, subió al monte; y sentándose, vinieron a él sus discípulos.

**2** Y abriendo su boca les enseñaba, diciendo:

**3** Bienaventurados los pobres en espíritu, porque de ellos es el reino de los cielos.

**4** Bienaventurados los que lloran,[a] porque ellos recibirán consolación.

**5** Bienaventurados los mansos,[b] porque ellos recibirán la tierra por heredad.

**6** Bienaventurados los que tienen hambre y sed[c] de justicia, porque ellos serán saciados.

**7** Bienaventurados los misericordiosos, porque ellos alcanzarán misericordia.

**8** Bienaventurados los de limpio corazón,[d] porque ellos verán a Dios.

**9** Bienaventurados los pacificadores, porque ellos serán llamados hijos de Dios.

**10** Bienaventurados los que padecen persecución por causa de la justicia,[e] porque de ellos es el reino de los cielos.

**11** Bienaventurados sois cuando por mi causa os vituperen y os persigan, y digan toda clase de mal contra vosotros, mintiendo.[f]

**12** Gozaos y alegraos, porque vuestro galardón es grande en los cielos; porque así persiguieron a los profetas[g] que fueron antes de vosotros.

### La sal de la tierra

**13** Vosotros sois la sal de la tierra; pero si la sal se desvaneciere, ¿con qué será salada? No sirve más para nada, sino para ser echada fuera y hollada por los hombres.[h]

### La luz del mundo

**14** Vosotros sois la luz del mundo;[i] una ciudad asentada sobre un monte no se puede esconder.

**4.23** [l] Mt. 9.35; Mr. 1.39.  **5.4** [a] Is. 61.2.  **5.5** [b] Sal. 37.11.
**5.6** [c] Is. 55. 1-2.  **5.8** [d] Sal. 24.4.  **5.10** [e] 1 P. 3.14.
**5.11** [f] 1 P. 4.14.  **5.12** [g] 2 Cr. 36.16; Hch. 7.52.
**5.13** [h] Mr. 9.50; Lc. 14.34-35.  **5.14** [i] Jn. 8.12; 9.5.

**PASO 9**

### Hagamos las paces

LECTURA BÍBLICA: Mateo 5.23-25

**Reparamos directamente el daño a todas las personas siempre que fue posible, excepto cuando hacerlo implicaba lastimarlos a ellos o a otros.**

Todos sufrimos quebrantamiento en nuestras vidas, en nuestra relación con Dios y en nuestras relaciones con los demás. El quebrantamiento tiende a sobrecargarnos y nos puede hacer que recaigamos fácilmente en nuestra adicción. La recuperación no será completa sino cuando subsanemos todas las áreas de quebrantamiento.

Jesús nos enseñó: «Por tanto, si traes tu ofrenda al altar, y allí te acuerdas de que tu hermano tiene algo contra ti, deja allí tu ofrenda delante del altar, y anda, reconcíliate primero con tu hermano, y entonces ven y presenta tu ofrenda» (Mateo 5.23-24).

El apóstol Juan escribió: «Si alguno dice: Yo amo a Dios, y aborrece a su hermano, es mentiroso. Pues el que no ama a su hermano a quien ha visto, ¿cómo puede amar a Dios a quien no ha visto?» (1 Juan 4.20).

Gran parte del proceso de recuperación incluye reparar el quebrantamiento en nuestras vidas. Esto requiere que hagamos las paces con Dios, con nosotros mismos y con aquellas personas de las que nos hayamos alejado. Mantener asuntos sin resolver en nuestras relaciones personales puede impedirnos estar en paz con Dios y con nosotros mismos. Una vez que hayamos pasado por el proceso de hacer enmiendas, debemos mantener nuestras mentes y corazones abiertos en caso de que haya otras personas que quizás hayamos pasado por alto. Dios con frecuencia nos recordará cuáles amistades necesitan nuestra atención. No debemos demorarnos en buscar a aquellos a quienes hayamos ofendido y procurar reparar el daño que hemos causado. ***Vaya a la página 127, Lucas 19.***

**5.3-5** No podemos experimentar una recuperación bendecida por Dios sin genuina humildad. El orgullo se interpone con frecuencia en nuestro camino mientras tratamos de lidiar con problemas dolorosos y con una dependencia destructiva. Si no podemos reconocer nuestros problemas y pecados, no puede haber una cura real para nosotros. Cuando nos humillamos ante Dios, nos lamentamos y nos afligimos por nuestros errores y fracasos. Al hacer esto, experimentaremos el maravilloso consuelo que sólo Dios puede ofrecer (véase 2 Corintios 1.3-5).

**15** Ni se enciende una luz y se pone debajo de un almud, sino sobre el candelero,*i* y alumbra a todos los que están en casa.
**16** Así alumbre vuestra luz delante de los hombres, para que vean vuestras buenas obras, y glorifiquen a vuestro Padre que está en los cielos.*k*

## Jesús y la ley

**17** No penséis que he venido para abrogar la ley o los profetas; no he venido para abrogar, sino para cumplir.
**18** Porque de cierto os digo que hasta que pasen el cielo y la tierra, ni una jota ni una tilde pasará de la ley, hasta que todo se haya cumplido.*l*
**19** De manera que cualquiera que quebrante uno de estos mandamientos muy pequeños, y así enseñe a los hombres, muy pequeño será llamado en el reino de los cielos; mas cualquiera que los haga y los enseñe, éste será llamado grande en el reino de los cielos.
**20** Porque os digo que si vuestra justicia no fuere mayor que la de los escribas y fariseos, no entraréis en el reino de los cielos.

## Jesús y la ira

**21** Oísteis que fue dicho a los antiguos: No matarás;*m* y cualquiera que matare será culpable de juicio.
**22** Pero yo os digo que cualquiera que se enoje contra su hermano, será culpable de juicio; y cualquiera que diga: Necio, a su hermano, será culpable ante el concilio; y cualquiera que le diga: Fatuo, quedará expuesto al infierno de fuego.
**23** Por tanto, si traes tu ofrenda al altar, y allí te acuerdas de que tu hermano tiene algo contra ti,
**24** deja allí tu ofrenda delante del altar, y anda, reconcíliate primero con tu hermano, y entonces ven y presenta tu ofrenda.
**25** Ponte de acuerdo con tu adversario pronto, entre tanto que estás con él en el camino, no sea que el adversario te entregue al juez, y el juez al alguacil, y seas echado en la cárcel.
**26** De cierto te digo que no saldrás de allí, hasta que pagues el último cuadrante.

## Jesús y el adulterio

**27** Oísteis que fue dicho: No cometerás adulterio.*n*
**28** Pero yo os digo que cualquiera que mira a una mujer para codiciarla, ya adulteró con ella en su corazón.
**29** Por tanto, si tu ojo derecho te es ocasión de caer, sácalo, y échalo de ti; pues mejor te es que se pierda uno de tus miembros, y no que todo tu cuerpo sea echado al infierno.*o*
**30** Y si tu mano derecha te es ocasión de caer, córtala, y échala de ti; pues mejor te es que se pierda uno de tus miembros, y no que todo tu cuerpo sea echado al infierno.*p*

## Jesús y el divorcio

**31** También fue dicho: Cualquiera que repudie a su mujer, dele carta de divorcio.*q*
**32** Pero yo os digo que el que repudia a su mujer, a no ser por causa de fornicación, hace que ella adultere; y el que se casa con la repudiada, comete adulterio.*r*

## Jesús y los juramentos

**33** Además habéis oído que fue dicho a los antiguos: No perjurarás,*s* sino cumplirás al Señor tus juramentos.*t*
**34** Pero yo os digo: No juréis en ninguna manera;*u* ni por el cielo, porque es el trono de Dios;*v*
**35** ni por la tierra, porque es el estrado de sus pies;*w* ni por Jerusalén, porque es la ciudad del gran Rey.*x*
**36** Ni por tu cabeza jurarás, porque no puedes hacer blanco o negro un solo cabello.
**37** Pero sea vuestro hablar: Sí, sí; no, no; porque lo que es más de esto, de mal procede.

## El amor hacia los enemigos

**38** Oísteis que fue dicho: Ojo por ojo, y diente por diente.*y*
**39** Pero yo os digo: No resistáis al que es malo; antes, a cualquiera que te hiera en la mejilla derecha, vuélvele también la otra;
**40** y al que quiera ponerte a pleito y quitarte la túnica, déjale también la capa;
**41** y a cualquiera que te obligue a llevar carga por una milla, ve con él dos.

---

**5.15** *i* Mr. 4.21; Lc. 8.16; 11.33.   **5.16** *k* 1 P. 2.12.   **5.18** *l* Lc. 16.17.   **5.21** *m* Ex. 20.13; Dt. 5.17.
**5.27** *n* Ex. 20.14; Dt. 5.18.   **5.29** *o* Mt. 18.9; Mr. 9.47.   **5.30** *p* Mt. 18.8; Mr. 9.43.   **5.31** *q* Dt. 24.1-4; Mt. 19.7;
Mr. 10.4.   **5.32** *r* Mt. 19.9; Mr. 10.11-12; Lc. 16.18; 1 Co. 7.10-11.   **5.33** *s* Lv. 19.12. *t* Nm. 30.2; Dt. 23.21.
**5.34** *u* Stg. 5.12. *v* Is. 66.1; Mt. 23.22.   **5.35** *w* Is. 66.1. *x* Sal. 48.2.   **5.38** *y* Ex. 21.24; Lv. 24.20; Dt. 19.21.

---

**5.21-22, 27-29** La ira y la lujuria son dos trampas peligrosas que nos amenazan a todos de una u otra forma. Las emociones intensas y los deseos deben tratarse de adentro hacia afuera. Quienes estamos consumiéndonos por la ira, la lujuria o alguna otra conducta adictiva, por lo general pensamos que podemos controlarlas. Pero a la larga e invariablemente perdemos el control. Jesús demuestra cómo los patrones de conducta dominados por la ira y la lujuria son serios y demasiado poderosos para que podamos controlarlos solos. Podemos comenzar la ruta hacia la victoria confesando que somos impotentes y acudiendo a nuestro poderoso Dios en busca de ayuda.

**42** Al que te pida, dale; y al que quiera tomar de ti prestado, no se lo rehúses.

**43** Oísteis que fue dicho: Amarás a tu prójimo,*z* y aborrecerás a tu enemigo.

**44** Pero yo os digo: Amad a vuestros enemigos, bendecid a los que os maldicen, haced bien a los que os aborrecen, y orad por los que os ultrajan y os persiguen;

**45** para que seáis hijos de vuestro Padre que está en los cielos, que hace salir su sol sobre malos y buenos, y que hace llover sobre justos e injustos.

**46** Porque si amáis a los que os aman, ¿qué recompensa tendréis? ¿No hacen también lo mismo los publicanos?

**47** Y si saludáis a vuestros hermanos solamente, ¿qué hacéis de más? ¿No hacen también así los gentiles?

**48** Sed, pues, vosotros perfectos, como vuestro Padre que está en los cielos es perfecto.*a*

## Jesús y la limosna

**6** **1** Guardaos de hacer vuestra justicia delante de los hombres, para ser vistos de ellos;*a* de otra manera no tendréis recompensa de vuestro Padre que está en los cielos.

**2** Cuando, pues, des limosna, no hagas tocar trompeta delante de ti, como hacen los hipócritas en las sinagogas y en las calles, para ser alabados por los hombres; de cierto os digo que ya tienen su recompensa.

**3** Mas cuando tú des limosna, no sepa tu izquierda lo que hace tu derecha,

**4** para que sea tu limosna en secreto; y tu Padre que ve en lo secreto te recompensará en público.

## Jesús y la oración

**5** Y cuando ores, no seas como los hipócritas; porque ellos aman el orar en pie en las sinagogas y en las esquinas de las calles, para ser vistos de los hombres;*b* de cierto os digo que ya tienen su recompensa.

**6** Mas tú, cuando ores, entra en tu aposento, y cerrada la puerta,*c* ora a tu Padre que está en secreto; y tu Padre que ve en lo secreto te recompensará en público.

# Perdón

LEA MATEO 6.9-15

Algunos de nosotros centramos tanto nuestra atención en nuestros fracasos personales en la recuperación que no lidiamos con el dolor que hemos sufrido a manos de otros. Por otro lado, otros centramos demasiado nuestro interés en las formas en que nos han maltratado y tratamos así de excusar nuestras conductas. Ambas maneras de enfrentarnos a abusos pasados nos dejan con un bagaje emocional que entorpecerá el progreso de nuestra recuperación. Perdonar a otros es parte importante de la entrega de nuestra voluntad a Dios.

Jesús les enseñó a los discípulos: «Vosotros, pues, oraréis así: Padre nuestro que estás en los cielos, santificado sea tu nombre. Venga tu reino. Hágase tu voluntad, como en el cielo, así también en la tierra. El pan nuestro de cada día, dánoslo hoy. Y perdónanos nuestras deudas, como también nosotros perdonamos a nuestros deudores. Y no nos metas en tentación, mas líbranos del mal... Porque si perdonáis a los hombres sus ofensas, os perdonará también a vosotros vuestro Padre celestial; mas si no perdonáis a los hombres sus ofensas, tampoco vuestro Padre os perdonará vuestras ofensas» (Mateo 6:9-15).

Recibir perdón por las faltas que hemos cometido contra otros no excusa nuestras acciones ni las enmienda. Cuando perdonamos a otros por las ofensas que cometieron contra nosotros, no los excusamos por lo que han hecho. Sencillamente reconocemos que nos han lastimado de manera injusta y le entregamos el asunto a Dios. Esto nos ayuda a enfrentar la verdad acerca de nuestro propio dolor. También nos deja sin excusas para continuar con nuestra conducta compulsiva debido a lo que otros nos han hecho. ***Vaya a la página 29, Mateo 15.***

**5.43** *z* Lv. 19.18.   **5.48** *a* Dt. 18.13.   **6.1** *a* Mt. 23.5.   **6.5** *b* Lc. 18.10-14.   **6.6** *c* Is. 26.20.

**5.43-48** Cuando amamos a nuestros enemigos podemos estar seguros de que estamos progresando en la recuperación. Amar a nuestros enemigos no significa que nos tienen que caer bien, pero sí quiere decir que debemos perdonarlos y desear lo mejor para ellos. Si albergamos ira y amargura hacia otros, sólo estamos lastimándonos a nosotros mismos, y tales emociones obstaculizan el progreso de nuestra recuperación. Dios nos amaba aun cuando éramos sus enemigos (véase Romanos 5.8); él nos ama a pesar de que estamos muy lejos de ser perfectos. La recuperación no es perfeccionismo; es desarrollar la habilidad de seguir a Dios y moldear nuestras decisiones y acciones de acuerdo con su voluntad para nosotros.

**6.5-8** La oración pública se presta para muchas distorsiones y abusos. Algunas personas usan una jerga «de iglesia» que suena muy majestuosa e impresiona a los demás, pero no a Dios. Otros piensan que la clave

**7** Y orando, no uséis vanas repeticiones, como los gentiles, que piensan que por su palabrería serán oídos.

**8** No os hagáis, pues, semejantes a ellos; porque vuestro Padre sabe de qué cosas tenéis necesidad, antes que vosotros le pidáis.

**9** Vosotros, pues, oraréis así: Padre nuestro que estás en los cielos, santificado sea tu nombre.

**10** Venga tu reino. Hágase tu voluntad, como en el cielo, así también en la tierra.

**11** El pan nuestro de cada día, dánoslo hoy.

**12** Y perdónanos nuestras deudas, como también nosotros perdonamos a nuestros deudores.

**13** Y no nos metas en tentación, mas líbranos del mal; porque tuyo es el reino, y el poder, y la gloria,*d* por todos los siglos. Amén.

**14** Porque si perdonáis a los hombres sus ofensas, os perdonará también a vosotros vuestro Padre celestial;

**15** mas si no perdonáis a los hombres sus ofensas, tampoco vuestro Padre os perdonará vuestras ofensas.*e*

## Jesús y el ayuno

**16** Cuando ayunéis, no seáis austeros, como los hipócritas; porque ellos demudan sus rostros para mostrar a los hombres que ayunan; de cierto os digo que ya tienen su recompensa.

**17** Pero tú, cuando ayunes, unge tu cabeza y lava tu rostro,

**18** para no mostrar a los hombres que ayunas, sino a tu Padre que está en secreto; y tu Padre que ve en lo secreto te recompensará en público.

## Tesoros en el cielo

**19** No os hagáis tesoros en la tierra, donde la polilla y el orín corrompen,*f* y donde ladrones minan y hurtan;

**20** sino haceos tesoros en el cielo, donde ni la polilla ni el orín corrompen, y donde ladrones no minan ni hurtan.

**21** Porque donde esté vuestro tesoro, allí estará también vuestro corazón.

## La lámpara del cuerpo

**22** La lámpara del cuerpo es el ojo; así que, si tu ojo es bueno, todo tu cuerpo estará lleno de luz;

**23** pero si tu ojo es maligno, todo tu cuerpo estará en tinieblas. Así que, si la luz que en ti hay es tinieblas, ¿cuántas no serán las mismas tinieblas?

## Dios y las riquezas

**24** Ninguno puede servir a dos señores; porque o aborrecerá al uno y amará al otro, o estimará al uno y menospreciará al otro. No podéis servir a Dios y a las riquezas.[1]

## El afán y la ansiedad

**25** Por tanto os digo: No os afanéis por vuestra vida, qué habéis de comer o qué habéis de beber; ni por vuestro cuerpo, qué habéis de vestir. ¿No es la vida más que el alimento, y el cuerpo más que el vestido?

**26** Mirad las aves del cielo, que no siembran, ni siegan, ni recogen en graneros; y vuestro Padre celestial las alimenta. ¿No valéis vosotros mucho más que ellas?

**27** ¿Y quién de vosotros podrá, por mucho que se afane, añadir a su estatura un codo?

**28** Y por el vestido, ¿por qué os afanáis? Considerad los lirios del campo, cómo crecen: no trabajan ni hilan;

**29** pero os digo, que ni aun Salomón con toda su gloria*g* se vistió así como uno de ellos.

**30** Y si la hierba del campo que hoy es, y mañana se echa en el horno, Dios la viste así, ¿no hará mucho más a vosotros, hombres de poca fe?

**31** No os afanéis, pues, diciendo: ¿Qué comeremos, o qué beberemos, o qué vestiremos?

**32** Porque los gentiles buscan todas estas cosas; pero vuestro Padre celestial sabe que tenéis necesidad de todas estas cosas.

**33** Mas buscad primeramente el reino de Dios y su justicia, y todas estas cosas os serán añadidas.

**34** Así que, no os afanéis por el día de mañana, porque el día de mañana traerá su afán. Basta a cada día su propio mal.

---

**6.13** *d* 1 Cr. 29.11.    **6.14-15** *e* Mr. 11.25-26.    **6.19** *f* Stg. 5.2-3.    **6.24** [1] Gr. *Mamón.*
**6.29** *g* 1 R. 10.4-7; 2 Cr. 9.3-6.

---

para que Dios conteste la oración es la repetición, por lo que la reducen casi a un cántico o a una especie de mantra. Ambas actitudes son desacertadas porque suponen que la oración tiene que ver más con la técnica que con las actitudes y realidades internas. La comunicación sincera e íntima con Dios, sea privada o pública, recibe recompensa y tendrá un profundo efecto en nuestro avance hacia la recuperación.

**6.12, 14-15** El verdadero perdón es parte esencial de cualquier programa de recuperación. Con frecuencia tenemos dificultad para superar el enojo y la amargura contra quienes nos hayan maltratado o hayan abusado de nosotros. Sin embargo, pedirle a Dios que perdone nuestros defectos y pecados personales es hipocresía a menos que estemos dispuestos a perdonar a otros. Perdemos el derecho al perdón de Dios al negarle el perdón a los demás, en detrimento de nuestro programa de recuperación. Eso no sólo es egoísta sino también autodestructivo.

*El Plan de lectura de Devocionales de Oración*
*por la Serenidad empieza acá.*

SEÑOR, concédeme serenidad
para aceptar las cosas que no puedo cambiar,
valor para cambiar las que sí puedo
y sabiduría para reconocer
la diferencia entre ambas. AMÉN

Es fácil volver a caer en la tendencia a preocuparnos por el mañana, dependiendo de los «qué pasaría si» o de los «si tan solo». Cada día trae una multitud de cosas que no podemos cambiar; siempre habrá circunstancias que estén más allá de nuestro control. También debemos enfrentar la realidad de quiénes somos: seres humanos confinados dentro de un lapso de vida que llamamos «hoy». Es tentador negar el presente, pero escapar de la realidad es parte de la locura de nuestra manera de ser adictiva.

Jesús dijo: «¿Y quién de vosotros podrá, por mucho que se afane, añadir a su estatura un codo? Así que, no os afanéis por el día de mañana, porque el día de mañana traerá su afán. Basta a cada día su propio mal» (Mateo 6.27,34). El profeta Jeremías dijo: «Por la misericordia de Jehová no hemos sido consumidos, porque nunca decayeron sus misericordias. Nuevas son cada mañana; grande es tu fidelidad» (Lamentaciones 3.22-23). Puesto que la gracia de Dios viene en dosis diarias, esa es la mejor forma de encarar la vida.

Necesitamos preguntarnos en cada momento de nuestra vida: «¿Estoy aceptando este momento tal cual es, o estoy fingiendo, tratando de escapar hacia el pasado o hacia el futuro?» Cada día tiene algo en lo que podemos encontrar gozo; y también hay promesas para los problemas de ese día. El salmista escribió: «Este es el día que hizo Jehová; nos gozaremos y alegraremos en él» (Salmo 118.24). Nosotros también podemos encontrar gozo, fuerza y sanidad cuando aceptamos las realidades de cada día. *Vaya a la página 27, Mateo 14.*

Vivir un día a la vez es una disciplina en la cual todos debemos centrar nuestra atención cuando vivimos el proceso de recuperación.

## El juzgar a los demás

**7** **1** No juzguéis, para que no seáis juzgados.

**2** Porque con el juicio con que juzgáis, seréis juzgados, y con la medida con que medís, os será medido.[a]

**3** ¿Y por qué miras la paja que está en el ojo de tu hermano, y no echas de ver la viga que está en tu propio ojo?

**4** ¿O cómo dirás a tu hermano: Déjame sacar la paja de tu ojo, y he aquí la viga en el ojo tuyo?

**5** ¡Hipócrita! saca primero la viga de tu propio ojo, y entonces verás bien para sacar la paja del ojo de tu hermano.

**6** No deis lo santo a los perros, ni echéis vuestras perlas delante de los cerdos, no sea que las pisoteen, y se vuelvan y os despedacen.

## La oración, y la regla de oro

**7** Pedid, y se os dará; buscad, y hallaréis; llamad, y se os abrirá.

**8** Porque todo aquel que pide, recibe; y el que busca, halla; y al que llama, se le abrirá.

**9** ¿Qué hombre hay de vosotros, que si su hijo le pide pan, le dará una piedra?

**10** ¿O si le pide un pescado, le dará una serpiente?

**11** Pues si vosotros, siendo malos, sabéis dar buenas

7.2 *a* Mr. 4.24.

dádivas a vuestros hijos, ¿cuánto más vuestro Padre que está en los cielos dará buenas cosas a los que le pidan?

**12** Así que, todas las cosas que queráis que los hombres hagan con vosotros, así también haced vosotros con ellos; porque esto es la ley y los profetas.

### La puerta estrecha

**13** Entrad por la puerta estrecha; porque ancha es la puerta, y espacioso el camino que lleva a la perdición, y muchos son los que entran por ella;

**14** porque estrecha es la puerta, y angosto el camino que lleva a la vida, y pocos son los que la hallan.

### Por sus frutos los conoceréis

**15** Guardaos de los falsos profetas, que vienen a vosotros con vestidos de ovejas, pero por dentro son lobos rapaces.

**16** Por sus frutos los conoceréis. ¿Acaso se recogen uvas de los espinos, o higos de los abrojos?

**17** Así, todo buen árbol da buenos frutos, pero el árbol malo da frutos malos.

**18** No puede el buen árbol dar malos frutos, ni el árbol malo dar frutos buenos.

**19** Todo árbol que no da buen fruto, es cortado y echado en el fuego.*b*

**20** Así que, por sus frutos los conoceréis.*c*

### Nunca os conocí

**21** No todo el que me dice: Señor, Señor, entrará en el reino de los cielos, sino el que hace la voluntad de mi Padre que está en los cielos.

**22** Muchos me dirán en aquel día: Señor, Señor, ¿no profetizamos en tu nombre, y en tu nombre echamos fuera demonios, y en tu nombre hicimos muchos milagros?

**23** Y entonces les declararé: Nunca os conocí; apartaos de mí, hacedores de maldad.*d*

### Los dos cimientos

**24** Cualquiera, pues, que me oye estas palabras, y las hace, le compararé a un hombre prudente, que edificó su casa sobre la roca.

**25** Descendió lluvia, y vinieron ríos, y soplaron vientos, y golpearon contra aquella casa; y no cayó, porque estaba fundada sobre la roca.

**26** Pero cualquiera que me oye estas palabras y no las hace, le compararé a un hombre insensato, que edificó su casa sobre la arena;

**27** y descendió lluvia, y vinieron ríos, y soplaron vientos, y dieron con ímpetu contra aquella casa; y cayó, y fue grande su ruina.

**28** Y cuando terminó Jesús estas palabras, la gente se admiraba de su doctrina;

**29** porque les enseñaba como quien tiene autoridad, y no como los escribas.*e*

### Jesús sana a un leproso

**8** **1** Cuando descendió Jesús del monte, le seguía mucha gente.

**2** Y he aquí vino un leproso y se postró ante él, diciendo: Señor, si quieres, puedes limpiarme.

**3** Jesús extendió la mano y le tocó, diciendo: Quiero; sé limpio. Y al instante su lepra desapareció.

**4** Entonces Jesús le dijo: Mira, no lo digas a nadie; sino ve, muéstrate al sacerdote, y presenta la ofrenda que ordenó Moisés,*a* para testimonio a ellos.

### Jesús sana al siervo de un centurión

**5** Entrando Jesús en Capernaum, vino a él un centurión, rogándole,

**6** y diciendo: Señor, mi criado está postrado en casa, paralítico, gravemente atormentado.

**7** Y Jesús le dijo: Yo iré y le sanaré.

**8** Respondió el centurión y dijo: Señor, no soy digno de que entres bajo mi techo; solamente di la palabra, y mi criado sanará.

---

**7.19** *b* Mt. 3.10; Lc. 3.9.   **7.20** *c* Mt. 12.33.   **7.23** *d* Sal. 6.8.   **7.28-29** *e* Mr. 1.22; Lc. 4.32.   **8.4** *a* Lv. 14.1-32.

---

**7.7-11** La oración nos puede enseñar perseverancia. Estos tres mandatos («pedid», «buscad» y «llamad») se refieren a hábitos positivos que debemos desarrollar. Persistiremos en oración con aspiraciones realistas una vez que valoremos el tipo de padre que oye nuestras oraciones. Muchos de los que estamos en recuperación sufrimos a causa de padres muy problemáticos y hasta abusivos, que con frecuencia nos dieron «piedras» y «serpientes». Por consiguiente, debemos repensar completamente nuestro concepto de Dios, para verlo como un padre que da cosas buenas a sus hijos. Al ir descubriendo el carácter amoroso de Dios, seremos motivados a pedirle el regalo de la recuperación.

**7.15-20** El buen fruto que debe estar produciendo nuestra vida es «amor, gozo, paz, paciencia, benignidad, bondad, fe, mansedumbre, templanza» (Gálatas 5.22-23). Sin embargo, en el penoso período de la adicción no tenemos paz y estamos completamente descontrolados. Si hacemos un inventario moral sincero reconoceremos que los frutos de nuestra vida no son los que Dios tiene en mente para nosotros. Una vez que admitamos nuestras faltas, podremos iniciar la recuperación y esforzarnos para producir el fruto que Dios quiere que produzcamos.

**8.2-4** La sanidad del leproso demostró la habilidad de Jesús para producir la recuperación física al instante, como respuesta a la fe. Jesús le encomendó luego al agradecido leproso que fuera que lo examinaran de inmediato, y le ordenó mostrar públicamente su liberación y su fe. La recuperación emocional y espiritual por lo general requiere un proceso más largo que el de la sanidad física del leproso. No obstante, ambos programas de recuperación tienen los mismos puntos de partida y de llegada. El mismo Jesús que sanó instantáneamente al leproso es también el autor y perfeccionador del proceso de recuperación (véase Hebreos 12.2).

**9** Porque también yo soy hombre bajo autoridad, y tengo bajo mis órdenes soldados; y digo a éste: Ve, y va; y al otro: Ven, y viene; y a mi siervo: Haz esto, y lo hace.

**10** Al oírlo Jesús, se maravilló, y dijo a los que le seguían: De cierto os digo, que ni aun en Israel he hallado tanta fe.

**11** Y os digo que vendrán muchos del oriente y del occidente, y se sentarán con Abraham e Isaac y Jacob en el reino de los cielos;*b*

**12** mas los hijos del reino serán echados a las tinieblas de afuera; allí será el lloro y el crujir de dientes.*c*

**13** Entonces Jesús dijo al centurión: Ve, y como creíste, te sea hecho. Y su criado fue sanado en aquella misma hora.

### Jesús sana a la suegra de Pedro

**14** Vino Jesús a casa de Pedro, y vio a la suegra de éste postrada en cama, con fiebre.

**15** Y tocó su mano, y la fiebre la dejó; y ella se levantó, y les servía.

**16** Y cuando llegó la noche, trajeron a él muchos endemoniados; y con la palabra echó fuera a los demonios, y sanó a todos los enfermos;

**17** para que se cumpliese lo dicho por el profeta Isaías, cuando dijo: El mismo tomó nuestras enfermedades, y llevó nuestras dolencias.*d*

### Los que querían seguir a Jesús

**18** Viéndose Jesús rodeado de mucha gente, mandó pasar al otro lado.

**19** Y vino un escriba y le dijo: Maestro, te seguiré adondequiera que vayas.

**20** Jesús le dijo: Las zorras tienen guaridas, y las aves del cielo nidos; mas el Hijo del Hombre no tiene dónde recostar su cabeza.

**21** Otro de sus discípulos le dijo: Señor, permíteme que vaya primero y entierre a mi padre.

**22** Jesús le dijo: Sígueme; deja que los muertos entierren a sus muertos.

### Jesús calma la tempestad

**23** Y entrando él en la barca, sus discípulos le siguieron.

**24** Y he aquí que se levantó en el mar una tempestad tan grande que las olas cubrían la barca; pero él dormía.

PASO **4**

### Señalar con el dedo

LECTURA BÍBLICA: Mateo 7.1-5

**Sin miedo, hicimos un profundo y audaz inventario moral de nosotros mismos.**

Probablemente ha habido momentos en los que hemos ignorado nuestros pecados y problemas, y hemos señalado a otros con el dedo. Quizás no estemos en sintonía con nuestros asuntos internos si todavía estamos culpando a otros por nuestras decisiones morales. O tal vez tratemos de evitar la autocrítica haciendo inventarios morales de la gente que nos rodea.

Cuando Dios le preguntó a Adán y a Eva sobre su pecado ellos apuntaron el dedo hacia otro: «Y Dios le dijo: ¿Quién te enseñó que estabas desnudo? ¿Has comido del árbol de que yo te mandé no comieses? Y el hombre respondió: La mujer que me diste por compañera me dio del árbol, y yo comí. Entonces Jehová Dios dijo a la mujer: ¿Qué es lo que has hecho? Y dijo la mujer: La serpiente me engañó, y comí» (Génesis 3.11-13). Culpar en primer lugar a otros para así defendernos parece ser propio de la naturaleza humana. También podemos tratar de evadir nuestros problemas evaluando y criticando a otros. Jesús nos dice: «¿Y por qué miras la paja que está en el ojo de tu hermano, y no echas de ver la viga que está en tu propio ojo? ¡Hipócrita! saca primero la viga de tu propio ojo, y entonces verás bien para sacar la paja del ojo de tu hermano» (Mateo 7.3,5).

Mientras estemos en este paso, debemos recordar constantemente que este es el momento de la *auto*crítica. Debemos cuidarnos de culpar y examinar la vida de otros. Habrá oportunidad de ayudar a otros en el futuro una vez que nos hayamos responsabilizado de nuestra propia vida. ***Vaya a la página 285, 2 Corintios 7.***

---

**8.11** *b* Lc. 13.29.   **8.12** *c* Mt. 22.13; 25.30; Lc. 13.28.   **8.17** *d* Is. 53.4.

---

**8.5-13** La sanidad del siervo del centurión romano tiene mucho que enseñarnos a todos los que estamos en recuperación. El oficial entendió y reconoció humildemente su necesidad, y creyó que Jesús podía sanar a su joven siervo, aun a distancia. Jesús se maravilló, pues una fe como esa era rara aun entre el pueblo escogido de Dios, los judíos. Aquí vemos que Jesús vino a traer liberación para todos: judíos o gentiles, hombres o mujeres, ricos o pobres, religiosos o no religiosos. Con la ayuda de Dios, todos podemos tener esperanza de recuperación, sin importar quiénes seamos o qué hayamos hecho.

**25** Y vinieron sus discípulos y le despertaron, diciendo: ¡Señor, sálvanos, que perecemos!
**26** El les dijo: ¿Por qué teméis, hombres de poca fe? Entonces, levantándose, reprendió a los vientos y al mar; y se hizo grande bonanza.
**27** Y los hombres se maravillaron, diciendo: ¿Qué hombre es éste, que aun los vientos y el mar le obedecen?

## Los endemoniados gadarenos

**28** Cuando llegó a la otra orilla, a la tierra de los gadarenos, vinieron a su encuentro dos endemoniados que salían de los sepulcros, feroces en gran manera, tanto que nadie podía pasar por aquel camino.
**29** Y clamaron diciendo: ¿Qué tienes con nosotros, Jesús, Hijo de Dios? ¿Has venido acá para atormentarnos antes de tiempo?
**30** Estaba paciendo lejos de ellos un hato de muchos cerdos.
**31** Y los demonios le rogaron diciendo: Si nos echas fuera, permítenos ir a aquel hato de cerdos.
**32** El les dijo: Id. Y ellos salieron, y se fueron a aquel hato de cerdos; y he aquí, todo el hato de cerdos se precipitó en el mar por un despeñadero, y perecieron en las aguas.
**33** Y los que los apacentaban huyeron, y viniendo a la ciudad, contaron todas las cosas, y lo que había pasado con los endemoniados.
**34** Y toda la ciudad salió al encuentro de Jesús; y cuando le vieron, le rogaron que se fuera de sus contornos.

## Jesús sana a un paralítico

**9** **1** Entonces, entrando Jesús en la barca, pasó al otro lado y vino a su ciudad.
**2** Y sucedió que le trajeron un paralítico, tendido sobre una cama; y al ver Jesús la fe de ellos, dijo al paralítico: Ten ánimo, hijo; tus pecados te son perdonados.

**3** Entonces algunos de los escribas decían dentro de sí: Este blasfema.
**4** Y conociendo Jesús los pensamientos de ellos, dijo: ¿Por qué pensáis mal en vuestros corazones?
**5** Porque, ¿qué es más fácil, decir: Los pecados te son perdonados, o decir: Levántate y anda?
**6** Pues para que sepáis que el Hijo del Hombre tiene potestad en la tierra para perdonar pecados (dice entonces al paralítico): Levántate, toma tu cama, y vete a tu casa.
**7** Entonces él se levantó y se fue a su casa.
**8** Y la gente, al verlo, se maravilló y glorificó a Dios, que había dado tal potestad a los hombres.

## Llamamiento de Mateo

**9** Pasando Jesús de allí, vio a un hombre llamado Mateo, que estaba sentado al banco de los tributos públicos, y le dijo: Sígueme. Y se levantó y le siguió.
**10** Y aconteció que estando él sentado a la mesa en la casa, he aquí que muchos publicanos y pecadores, que habían venido, se sentaron juntamente a la mesa con Jesús y sus discípulos.
**11** Cuando vieron esto los fariseos, dijeron a los discípulos: ¿Por qué come vuestro Maestro con los publicanos y pecadores?[a]
**12** Al oír esto Jesús, les dijo: Los sanos no tienen necesidad de médico, sino los enfermos.
**13** Id, pues, y aprended lo que significa:[b] Misericordia quiero, y no sacrificio.[c] Porque no he venido a llamar a justos, sino a pecadores, al arrepentimiento.

## La pregunta sobre el ayuno

**14** Entonces vinieron a él los discípulos de Juan, diciendo: ¿Por qué nosotros y los fariseos ayunamos muchas veces, y tus discípulos no ayunan?
**15** Jesús les dijo: ¿Acaso pueden los que están de bodas tener luto entre tanto que el esposo está con ellos? Pero vendrán días cuando el esposo les será quitado, y entonces ayunarán.
**16** Nadie pone remiendo de paño nuevo en vestido

---

**9.10-11** [a] Lc. 15.1-2.   **9.13** [b] Mt. 12.7.   [c] Os. 6.6.

---

**8.23-32** En este pasaje, Jesús mostró su poder tanto sobre el clima como sobre el reino demoníaco. En ambos casos, los discípulos aprendieron a tener fe en el extraordinario poder de Dios. Puesto que Jesús tiene la facultad de calmar una poderosa tormenta y librar a las personas de la influencia diabólica, ciertamente también puede darnos poder en el proceso de recuperación. Podemos experimentar el poder de Dios reconociendo primeramente lo impotentes que somos y entregándole luego nuestras vidas a él.
**9.1-7** Los líderes religiosos judíos pensaron que era blasfemo que Jesús pretendiera perdonar pecados, pero consideraban que era sencillamente imposible que sanara al paralítico. Al hacer lo imposible —sanar al paralítico— les dejó claro a sus críticos que él también tenía el poder para perdonar pecados. Implícito en sus acciones está la afirmación de su deidad, pues sólo Dios puede perdonar pecados. Conocer esta verdad debe darnos el valor de acudir a Jesús en busca de ayuda. Como Hijo de Dios, Jesús tiene el poder de ofrecer perdón y recuperación a todos los que confíen en él.
**9.14-17** Jesús contrastó, usando dos analogías, el ritualismo religioso que no puede salvar con el verdadero poder espiritual que puede transformar una vida. El paño nuevo y el vino nuevo representan el poder para la

viejo; porque tal remiendo tira del vestido, y se hace peor la rotura.

**17** Ni echan vino nuevo en odres viejos; de otra manera los odres se rompen, y el vino se derrama, y los odres se pierden; pero echan el vino nuevo en odres nuevos, y lo uno y lo otro se conservan juntamente.

## La hija de Jairo, y la mujer que tocó el manto de Jesús

**18** Mientras él les decía estas cosas, vino un hombre principal y se postró ante él, diciendo: Mi hija acaba de morir; mas ven y pon tu mano sobre ella, y vivirá.

**19** Y se levantó Jesús, y le siguió con sus discípulos.

**20** Y he aquí una mujer enferma de flujo de sangre desde hacía doce años, se le acercó por detrás y tocó el borde de su manto;

**21** porque decía dentro de sí: Si tocare solamente su manto, seré salva.

**22** Pero Jesús, volviéndose y mirándola, dijo: Ten ánimo, hija; tu fe te ha salvado. Y la mujer fue salva desde aquella hora.

**23** Al entrar Jesús en la casa del principal, viendo a los que tocaban flautas, y la gente que hacía alboroto,

**24** les dijo: Apartaos, porque la niña no está muerta, sino duerme. Y se burlaban de él.

**25** Pero cuando la gente había sido echada fuera, entró, y tomó de la mano a la niña, y ella se levantó.

**26** Y se difundió la fama de esto por toda aquella tierra.

## Dos ciegos reciben la vista

**27** Pasando Jesús de allí, le siguieron dos ciegos, dando voces y diciendo: ¡Ten misericordia de nosotros, Hijo de David!

**28** Y llegado a la casa, vinieron a él los ciegos; y Jesús les dijo: ¿Creéis que puedo hacer esto? Ellos dijeron: Sí, Señor.

**29** Entonces les tocó los ojos, diciendo: Conforme a vuestra fe os sea hecho.

**30** Y los ojos de ellos fueron abiertos. Y Jesús les encargó rigurosamente, diciendo: Mirad que nadie lo sepa.

**31** Pero salidos ellos, divulgaron la fama de él por toda aquella tierra.

## Un mudo habla

**32** Mientras salían ellos, he aquí, le trajeron un mudo, endemoniado.

**33** Y echado fuera el demonio, el mudo habló; y la gente se maravillaba, y decía: Nunca se ha visto cosa semejante en Israel.

**34** Pero los fariseos decían: Por el príncipe de los demonios echa fuera los demonios.*d*

## La mies es mucha

**35** Recorría Jesús todas las ciudades y aldeas, enseñando en las sinagogas de ellos, y predicando el evangelio del reino, y sanando toda enfermedad y toda dolencia en el pueblo.*e*

**36** Y al ver las multitudes, tuvo compasión de ellas; porque estaban desamparadas y dispersas como ovejas que no tienen pastor.*f*

**37** Entonces dijo a sus discípulos: A la verdad la mies es mucha, mas los obreros pocos.

**38** Rogad, pues, al Señor de la mies, que envíe obreros a su mies.*g*

## Elección de los doce apóstoles

**10** **1** Entonces llamando a sus doce discípulos, les dio autoridad sobre los espíritus inmundos, para que los echasen fuera, y para sanar toda enfermedad y toda dolencia.

**2** Los nombres de los doce apóstoles son estos: primero Simón, llamado Pedro, y Andrés su hermano; Jacobo hijo de Zebedeo, y Juan su hermano;

**3** Felipe, Bartolomé, Tomás, Mateo el publicano, Jacobo hijo de Alfeo, Lebeo, por sobrenombre Tadeo,

**4** Simón el cananista, y Judas Iscariote, el que también le entregó.

## Misión de los doce

**5** A estos doce envió Jesús, y les dio instrucciones, diciendo: Por camino de gentiles no vayáis, y en ciudad de samaritanos no entréis,

**6** sino id antes a las ovejas perdidas de la casa de Israel.

---

**9.34** *d* Mt. 10.25; 12.24; Mr. 3.22; Lc. 11.15.   **9.35** *e* Mt. 4.23; Mr. 1.39; Lc. 4.44.   **9.36** *f* 1 R. 22.17; 2 Cr. 18.16; Zac. 10.2; Mr. 6.34.   **9.37-38** *g* Lc. 10.2.

---

recuperación que ofrece Jesús. El vestido viejo y los odres viejos se refieren a los estilos de vida ritualistas y a las apariencias externas, características de muchos judíos en tiempos de Jesús. Jesús podría haber estado hablando fácilmente a quienes hoy día necesitamos recuperación. Los ajustes pequeños y externos no nos darán alivio de nuestra adicción. Necesitamos algo nuevo: la total recuperación en Jesucristo.

**9.18-33** Más milagros prueban que Jesús es el Mesías y la fuente de recuperación para todo tipo de personas heridas. Jesús le devolvió la vida a una niña y detuvo la hemorragia crónica de una mujer. Luego sanó a dos ciegos y a un hombre mudo poseído por demonios. Jesús mostró su poder para ayudar a gente que estaba viviendo, o aun muriendo, bajo el poder de demonios personales. No importa cuál sea el problema, reconocer nuestra necesidad y acudir a Dios con fe son los primeros pasos hacia la recuperación.

**7** Y yendo, predicad, diciendo: El reino de los cielos se ha acercado.

**8** Sanad enfermos, limpiad leprosos, resucitad muertos, echad fuera demonios; de gracia recibisteis, dad de gracia.

**9** No os proveáis de oro, ni plata, ni cobre en vuestros cintos;*a*

**10** ni de alforja para el camino, ni de dos túnicas, ni de calzado, ni de bordón; porque el obrero es digno de su alimento.*b*

**11** Mas en cualquier ciudad o aldea donde entréis, informaos quién en ella sea digno, y posad allí hasta que salgáis.

**12** Y al entrar en la casa, saludadla.

**13** Y si la casa fuere digna, vuestra paz vendrá sobre ella; mas si no fuere digna, vuestra paz se volverá a vosotros.

**14** Y si alguno no os recibiere, ni oyere vuestras palabras, salid de aquella casa o ciudad, y sacudid el polvo de vuestros pies.*c*

**15** De cierto os digo que en el día del juicio, será más tolerable el castigo para la tierra de Sodoma y de Gomorra,*d* que para aquella ciudad.*e*

### Persecuciones venideras

**16** He aquí, yo os envío como a ovejas en medio de lobos;*f* sed, pues, prudentes como serpientes, y sencillos como palomas.

**17** Y guardaos de los hombres, porque os entregarán a los concilios, y en sus sinagogas os azotarán;

**18** y aun ante gobernadores y reyes seréis llevados por causa de mí, para testimonio a ellos y a los gentiles.

**19** Mas cuando os entreguen, no os preocupéis por cómo o qué hablaréis; porque en aquella hora os será dado lo que habéis de hablar.

**20** Porque no sois vosotros los que habláis, sino el Espíritu de vuestro Padre que habla en vosotros.

**21** El hermano entregará a la muerte al hermano, y el padre al hijo; y los hijos se levantarán contra los padres, y los harán morir.*g*

**22** Y seréis aborrecidos de todos por causa de mi nombre;*h* mas el que persevere hasta el fin, éste será salvo.*i*

**23** Cuando os persigan en esta ciudad, huid a la otra; porque de cierto os digo, que no acabaréis de recorrer todas las ciudades de Israel, antes que venga el Hijo del Hombre.

**24** El discípulo no es más que su maestro,*j* ni el siervo más que su señor.*k*

**25** Bástale al discípulo ser como su maestro, y al siervo como su señor. Si al padre de familia llamaron Beelzebú,*l* ¿cuánto más a los de su casa?

### A quién se debe temer

**26** Así que, no los temáis; porque nada hay encubierto, que no haya de ser manifestado; ni oculto, que no haya de saberse.*m*

**27** Lo que os digo en tinieblas, decidlo en la luz; y lo que oís al oído, proclamadlo desde las azoteas.

**28** Y no temáis a los que matan el cuerpo, mas el alma no pueden matar; temed más bien a aquel que puede destruir el alma y el cuerpo en el infierno.

**29** ¿No se venden dos pajarillos por un cuarto? Con todo, ni uno de ellos cae a tierra sin vuestro Padre.

**30** Pues aun vuestros cabellos están todos contados.

**31** Así que, no temáis; más valéis vosotros que muchos pajarillos.

**32** A cualquiera, pues, que me confiese delante de los hombres, yo también le confesaré delante de mi Padre que está en los cielos.

**33** Y a cualquiera que me niegue delante de los hombres, yo también le negaré delante de mi Padre que está en los cielos.*n*

### Jesús, causa de división

**34** No penséis que he venido para traer paz a la tierra; no he venido para traer paz, sino espada.

**35** Porque he venido para poner en disensión al hombre contra su padre, a la hija contra su madre, y a la nuera contra su suegra;

**36** y los enemigos del hombre serán los de su casa.*o*

**37** El que ama a padre o madre más que a mí, no es digno de mí; el que ama a hijo o hija más que a mí, no es digno de mí;

**38** y el que no toma su cruz y sigue en pos de mí, no es digno de mí.*p*

---

**10.7-15** *a* Lc. 10.4-12.　**10.10** *b* 1 Co. 9.14; 1 Ti. 5.18.　**10.14** *c* Hch. 13.51.　**10.15** *d* Gn. 19.24-28.　*e* Mt. 11.23-24. **10.16** *f* Lc. 10.3.　**10.17-21** *g* Mr. 13.9-12; Lc. 12.11-12; 21.12-16.　**10.22** *h* Mt. 24.9; Mr. 13.13; Lc. 21.17. *i* Mt. 24.13; Mr. 13.13.　**10.24** *j* Lc. 6.40.　*k* Jn. 13.16; 15.20.　**10.25** *l* Mt. 9.34; 12.24; Mr. 3.22; Lc. 11.15. **10.26** *m* Mr. 4.22; Lc. 8.17.　**10.33** *n* 2 Ti. 2.12.　**10.35-36** *o* Mi. 7.6.　**10.38** *p* Mt. 16.24; Mr. 8.34; Lc. 9.23.

---

**10.16-26** Los que estamos viviendo para Dios y procurando recuperarnos podemos sentirnos como ovejas en medio de lobos. Pero cuando la sabiduría y la honradez definen nuestra conducta y nuestras relaciones, podemos hacer frente a malentendidos y persecuciones inevitables. Jesús sufrió mucho a manos de hombres impíos, y aquellos que se han entregado a él con frecuencia reciben el mismo trato. Si perseveramos en nuestra obediencia a la voluntad de Dios para nosotros, recibiremos una gran recompensa en el cielo (véase 5.11-12).

# MATEO Y SIMÓN EL ZELOTE

Se ha dicho que los opuestos se atraen; sin embargo, con la misma frecuencia los opuestos se repelen. Las diferencias entre personas a menudo resultan en relaciones complementarias en las cuales las fortalezas de una persona compensan las debilidades de la otra. No obstante, en algunos casos las diferencias sólo producen conflictos continuos. Las relaciones matrimoniales con frecuencia constan de dos opuestos y esto da por resultado o un excelente trabajo en equipo o un terrible conflicto.

Dos de los doce discípulos de Jesús, Mateo y Simón el Zelote, eran polos opuestos. Mateo era un judío que trabajaba para el gobierno romano como recaudador de impuestos. A las personas que tenían ésta ocupación se las conocía por su corrupción. Se hacían ricos exigiendo de su propio pueblo oprimido impuestos exagerados. Estos recaudadores de impuestos no necesariamente eran religiosos y, demás está decir, eran odiados y despreciados por sus compatriotas, quienes los consideraban traidores.

Como lo indica su nombre, «el Zelote» Simón era un fanático religioso. Este término se usaba a veces para designar a las personas con gran celo por la ley de Moisés y la tradición religiosa judía. También podía identificar a alguien que pertenecía al partido religioso-político conocido como los zelotes, que quería destronar al gobierno romano. Por lo tanto, Simón debió haber estado fuertemente opuesto a la ocupación romana de Judea, mientras que Mateo era una parte integral de ese gobierno. Está claro que estos dos hombres estaban en posiciones opuestas.

Tanto Mateo como Simón conocieron a Jesús y se dieron cuenta de lo vacías e inútiles que eran sus ocupaciones. Ambos renunciaron a lo que habían sido para seguir a Cristo con fe y experimentaron una nueva vida: una vida que se desarrolló de adentro hacia fuera. Ambos fueron transformados por el Dios de la recuperación y se convirtieron en personas que podían amar y aceptar a aquellos que eran diferentes de ellos.

**FORTALEZAS Y LOGROS:**
- Evidentemente tanto Mateo como Simón eran hombres muy capaces.
- Ambos estuvieron dispuestos a reconocer que necesitaban cambiar.
- Ambos convirtieron a Jesús en el centro de sus vidas y esto los capacitó para trabajar con personas muy diferentes de ellos.

**DEBILIDADES Y ERRORES:**
- Antes de seguir a Jesús, a ambos los impulsaban motivaciones mezquinas.
- Como recaudador de impuestos, probablemente Mateo había usado su posición para quitarles dinero a los pobres.
- Como zelote, es posible que Simón haya justificado el uso de violencia para alcanzar sus fines políticos.

**LECCIONES PARA NUESTRA VIDA:**
- El éxito económico no puede reemplazar la necesidad de tener una relación con Dios.
- Si Cristo es el centro de una relación entre personas, no hay diferencias que no puedan superarse, por muy grandes que sean.
- Las diferencias pueden servir para fortalecer las relaciones y no deben usarse como excusa para destruirlas.

**VERSÍCULO CLAVE:**
«[Los discípulos] subieron al aposento alto, donde moraban ... Mateo ... Simón el Zelote» Hechos 1.13.

La historia de los apóstoles Mateo y Simón el Zelote se encuentra en los Evangelios. En Hechos 1.13 también se menciona a ambos.

---

**39** El que halla su vida, la perderá; y el que pierde su vida por causa de mí, la hallará.q

## Recompensas

**40** El que a vosotros recibe, a mí me recibe;r y el que me recibe a mí, recibe al que me envió.s

**41** El que recibe a un profeta por cuanto es profeta, recompensa de profeta recibirá; y el que recibe a un justo por cuanto es justo, recompensa de justo recibirá.

**42** Y cualquiera que dé a uno de estos pequeñitos un vaso de agua fría solamente, por cuanto es dis-

**10.39** q Mt. 16.25; Mr. 8.35; Lc. 9.24; 17.33; Jn. 12.25.   **10.40** r Lc. 10.16; Jn. 13.20.   s Mr. 9.37; Lc. 9.48.

**10.39** La única manera de encontrar vida (y tener el control de ella) es sometiéndonos a Dios por medio de Jesucristo. Vivir para nosotros mismos nos convierte en esclavos del éxito material, el trabajo, el alcohol, el sexo ilícito o cualquier otra conducta destructiva. Hemos perdido el control de nuestras vidas y estamos en problemas. Al acudir a Jesús, le permitimos que nos limpie de nuestra adicción y nos muestre el camino a una vida verdadera: una vida libre de cualquier dependencia destructiva. Si obedecemos a Dios, encontraremos significado en nuestra vida presente y eterna paz con Dios.

cípulo, de cierto os digo que no perderá su recompensa.

## Los mensajeros de Juan el Bautista

**11** **1** Cuando Jesús terminó de dar instrucciones a sus doce discípulos, se fue de allí a enseñar y a predicar en las ciudades de ellos.

**2** Y al oír Juan, en la cárcel, los hechos de Cristo, le envió dos de sus discípulos,

**3** para preguntarle: ¿Eres tú aquel que había de venir, o esperaremos a otro?

**4** Respondiendo Jesús, les dijo: Id, y haced saber a Juan las cosas que oís y veis.

**5** Los ciegos ven, los cojos andan, los leprosos son limpiados, los sordos oyen,*a* los muertos son resucitados, y a los pobres es anunciado el evangelio;*b*

**6** y bienaventurado es el que no halle tropiezo en mí.

**7** Mientras ellos se iban, comenzó Jesús a decir de Juan a la gente: ¿Qué salisteis a ver al desierto? ¿Una caña sacudida por el viento?

**8** ¿O qué salisteis a ver? ¿A un hombre cubierto de vestiduras delicadas? He aquí, los que llevan vestiduras delicadas, en las casas de los reyes están.

**9** Pero ¿qué salisteis a ver? ¿A un profeta? Sí, os digo, y más que profeta.

**10** Porque éste es de quien está escrito:
He aquí, yo envío mi mensajero
  delante de tu faz,
El cual preparará tu camino delante de ti.*c*

**11** De cierto os digo: Entre los que nacen de mujer no se ha levantado otro mayor que Juan el Bautista; pero el más pequeño en el reino de los cielos, mayor es que él.

**12** Desde los días de Juan el Bautista hasta ahora, el reino de los cielos sufre violencia, y los violentos lo arrebatan.

**13** Porque todos los profetas y la ley profetizaron hasta Juan.*d*

**14** Y si queréis recibirlo, él es aquel Elías que había de venir.*e*

**15** El que tiene oídos para oír, oiga.

**16** Mas ¿a qué compararé esta generación? Es semejante a los muchachos que se sientan en las plazas, y dan voces a sus compañeros,

**17** diciendo: Os tocamos flauta, y no bailasteis; os endechamos, y no lamentasteis.

**18** Porque vino Juan, que ni comía ni bebía, y dicen: Demonio tiene.

**19** Vino el Hijo del Hombre, que come y bebe, y dicen: He aquí un hombre comilón, y bebedor de vino, amigo de publicanos y de pecadores. Pero la sabiduría es justificada por sus hijos.

## Ayes sobre las ciudades impenitentes

**20** Entonces comenzó a reconvenir a las ciudades en las cuales había hecho muchos de sus milagros, porque no se habían arrepentido, diciendo:

**21** ¡Ay de ti, Corazín! ¡Ay de ti, Betsaida! Porque si en Tiro y en Sidón*f* se hubieran hecho los milagros que han sido hechos en vosotras, tiempo ha que se hubieran arrepentido en cilicio y en ceniza.

**22** Por tanto os digo que en el día del juicio, será más tolerable el castigo para Tiro y para Sidón, que para vosotras.

**23** Y tú, Capernaum, que eres levantada hasta el cielo, hasta el Hades*1* serás abatida;*g* porque si en Sodoma*h* se hubieran hecho los milagros que han sido hechos en ti, habría permanecido hasta el día de hoy.

**24** Por tanto os digo que en el día del juicio, será más tolerable el castigo para la tierra de Sodoma,*i* que para ti.

## Venid a mí y descansad

**25** En aquel tiempo, respondiendo Jesús, dijo: Te alabo, Padre, Señor del cielo y de la tierra, porque escondiste estas cosas de los sabios y de los entendidos, y las revelaste a los niños.

---

**11.5** *a* Is. 35.5-6. *b* Is. 61.1.  **11.10** *c* Mal. 3.1.  **11.12-13** *d* Lc. 16.16.  **11.14** *e* Mal. 4.5; Mt. 17.10-13; Mr. 9.11-13.  **11.21** *f* Is. 23.1-18; Ez. 26.1—28.26; Jl. 3.4-8; Am. 1.9-10; Zac. 9.2-4.  **11.23** *1* Nombre griego del lugar de los muertos. *g* Is. 14.13-15. *h* Gn. 19.24-28.  **11.24** *i* Mt. 10.15; Lc. 10.12.

---

**11.2-6** La duda es una realidad molesta para los que estamos en recuperación. Dudamos de nosotros y de los demás. Aun Juan el Bautista dudó de que Jesús fuera el Mesías prometido, el que vendría a ofrecer sanidad física y espiritual a su pueblo. Jesús aclaró las dudas de Juan mostrando sus sanidades y restauraciones milagrosas. Un *currículum vitae* tan impresionante también debe convencernos de que Jesús está dispuesto y disponible para suplir nuestras más grandes necesidades de recuperación y rehabilitación.

**11.16-19** Cuando asumimos una actitud de negación, tendemos a resistir a quienes desafíen nuestras zonas de comodidad. Encontramos excusas para no aceptar un buen consejo sin importar qué hagan o digan quien nos lo dé. Nos volvemos cínicos y tratamos de justificar nuestras inconsistencias. El mensaje de recuperación resulta muy placentero y esperanzador para algunos, y demasiado directo y realista para otros. La recuperación misma es demasiado rígida para los que estamos acostumbrados a hacer las cosas a nuestra manera; o demasiado liberadora para los que venimos de un trasfondo legalista. Sin embargo, tales perspectivas son sólo excusas ciegas que nos impiden enfrentar nuestra necesidad de recuperación.

**26** Sí, Padre, porque así te agradó.

**27** Todas las cosas me fueron entregadas por mi Padre,*j* y nadie conoce al Hijo, sino el Padre, ni al Padre conoce alguno, sino el Hijo,*k* y aquel a quien el Hijo lo quiera revelar.

**28** Venid a mí todos los que estáis trabajados y cargados, y yo os haré descansar.

**29** Llevad mi yugo sobre vosotros, y aprended de mí, que soy manso y humilde de corazón; y hallaréis descanso para vuestras almas;*l*

**30** porque mi yugo es fácil, y ligera mi carga.

## Los discípulos recogen espigas en el día de reposo

**12** **1** En aquel tiempo iba Jesús por los sembrados en un día de reposo; y sus discípulos tuvieron hambre, y comenzaron a arrancar espigas*a* y a comer.

**2** Viéndolo los fariseos, le dijeron: He aquí tus discípulos hacen lo que no es lícito hacer en el día de reposo.

**3** Pero él les dijo: ¿No habéis leído lo que hizo David, cuando él y los que con él estaban tuvieron hambre;

**4** cómo entró en la casa de Dios, y comió los panes de la proposición,*b* que no les era lícito comer ni a él ni a los que con él estaban, sino solamente a los sacerdotes?*c*

**5** ¿O no habéis leído en la ley, cómo en el día de reposo los sacerdotes en el templo profanan el día de reposo, y son sin culpa?*d*

**6** Pues os digo que uno mayor que el templo está aquí.

**7** Y si supieseis qué significa:*e* Misericordia quiero, y no sacrificio,*f* no condenaríais a los inocentes;

**8** porque el Hijo del Hombre es Señor del día de reposo.

## El hombre de la mano seca

**9** Pasando de allí, vino a la sinagoga de ellos.

**10** Y he aquí había allí uno que tenía seca una mano; y preguntaron a Jesús, para poder acusarle: ¿Es lícito sanar en el día de reposo?

**11** El les dijo: ¿Qué hombre habrá de vosotros, que tenga una oveja, y si ésta cayere en un hoyo en día de reposo, no le eche mano, y la levante?*g*

**12** Pues ¿cuánto más vale un hombre que una oveja? Por consiguiente, es lícito hacer el bien en los días de reposo.

## PASO 3

### Sumisión y descanso

LECTURA BÍBLICA: Mateo 11.27-30

**Tomamos la decisión de poner nuestra voluntad y nuestra vida en las manos de Dios.** Cuando nuestras cargas resulten pesadas y descubramos que nuestra forma de vivir nos está llevando a la muerte, quizás por fin estemos dispuestos a dejar que otro gobierne el timón. Tal vez hayamos trabajado con ahínco para encaminar nuestra vida por el sendero correcto pero todavía sintamos que siempre terminamos en callejones sin salida.

Proverbios nos dice: «Hay camino que al hombre le parece derecho; pero su fin es camino de muerte» (14.12). Cuando nos iniciamos en nuestra conducta adictiva, probablemente estábamos buscando placer o una manera de superar nuestro dolor. Al principio, el camino parecía correcto, pero no tardamos mucho en ver que íbamos por la ruta equivocada. Para entonces ya éramos incapaces de cambiar de rumbo por nosotros mismos. Jesús dijo: «Venid a mí todos los que estáis trabajados y cargados, y yo os haré descansar. Llevad mi yugo sobre vosotros, y aprended de mí, que soy manso y humilde de corazón; y hallaréis descanso para vuestras almas; porque mi yugo es fácil, y ligera mi carga» (Mateo 11.28-29).

Llevar un yugo implica estar unido a otro para trabajar juntos. Aquellos que están unidos por un yugo tienen que ir en la misma dirección, al hacerlo, su trabajo se torna considerablemente más fácil. Cuando decidamos de una vez por todas someter nuestra vida y nuestra voluntad a la dirección de Dios, nuestras cargas se volverán llevaderas. Cuando le permitamos a él guiar nuestras vidas, «hallaremos descanso» para nuestra alma. Él conoce el camino y tiene la fuerza para hacernos cambiar de rumbo y colocarnos en el camino hacia la recuperación.

***Vaya a la página 211, Hechos 17.***

---

**11.27** *j* Jn. 3.35. *k* Jn. 10.15. **11.29** *l* Jer. 6.16. **12.1** *a* Dt. 23.25. **12.3-4** *b* 1 S. 21.1-6. **12.4** *c* Lv. 24.9. **12.5** *d* Nm. 28.9-10. **12.7** *e* Mt. 9.13. *f* Os. 6.6. **12.11** *g* Lc. 14.5.

---

**12.1-8** Las leyes divinas fueron creadas para nuestro bien, para satisfacer de forma compasiva las necesidades de su pueblo. Seguir las leyes de Dios al pie de la letra puede fácilmente violar las razones mismas por las que Dios las estableció en primer lugar. Dios ordenó el día de reposo para proteger a su pueblo del exceso de trabajo, pero los fariseos aplicaron esta ley de manera tan rígida que el día de reposo

13 Entonces dijo a aquel hombre: Extiende tu mano. Y él la extendió, y le fue restaurada sana como la otra.

14 Y salidos los fariseos, tuvieron consejo contra Jesús para destruirle.

## El siervo escogido

15 Sabiendo esto Jesús, se apartó de allí; y le siguió mucha gente, y sanaba a todos,

16 y les encargaba rigurosamente que no le descubriesen;

17 para que se cumpliese lo dicho por el profeta Isaías, cuando dijo:

18 He aquí mi siervo, a quien
  he escogido;
Mi Amado, en quien se agrada
  mi alma;
Pondré mi Espíritu sobre él,
Y a los gentiles anunciará juicio.

19 No contenderá, ni voceará,
Ni nadie oirá en las calles su voz.

20 La caña cascada no quebrará,
Y el pábilo que humea no apagará,
Hasta que saque a victoria el juicio.

21 Y en su nombre esperarán los gentiles.*h*

## La blasfemia contra el Espíritu Santo

22 Entonces fue traído a él un endemoniado, ciego y mudo; y le sanó, de tal manera que el ciego y mudo veía y hablaba.

23 Y toda la gente estaba atónita, y decía: ¿Será éste aquel Hijo de David?

24 Mas los fariseos, al oírlo, decían: Este no echa fuera los demonios sino por Beelzebú, príncipe de los demonios.*i*

25 Sabiendo Jesús los pensamientos de ellos, les dijo: Todo reino dividido contra sí mismo, es asolado, y toda ciudad o casa dividida contra sí misma, no permanecerá.

26 Y si Satanás echa fuera a Satanás, contra sí mismo está dividido; ¿cómo, pues, permanecerá su reino?

27 Y si yo echo fuera los demonios por Beelzebú, ¿por quién los echan vuestros hijos? Por tanto, ellos serán vuestros jueces.

28 Pero si yo por el Espíritu de Dios echo fuera los demonios, ciertamente ha llegado a vosotros el reino de Dios.

29 Porque ¿cómo puede alguno entrar en la casa del hombre fuerte, y saquear sus bienes, si primero no le ata? Y entonces podrá saquear su casa.

30 El que no es conmigo, contra mí es;*i* y el que conmigo no recoge, desparrama.

31 Por tanto os digo: Todo pecado y blasfemia será perdonado a los hombres; mas la blasfemia contra el Espíritu no les será perdonada.

32 A cualquiera que dijere alguna palabra contra el Hijo del Hombre, le será perdonado; pero al que hable contra el Espíritu Santo, no le será perdonado, ni en este siglo ni en el venidero.*k*

33 O haced el árbol bueno, y su fruto bueno, o haced el árbol malo, y su fruto malo; porque por el fruto se conoce el árbol.*l*

34 ¡Generación de víboras!*m* ¿Cómo podéis hablar lo bueno, siendo malos? Porque de la abundancia del corazón habla la boca.*n*

35 El hombre bueno, del buen tesoro del corazón saca buenas cosas; y el hombre malo, del mal tesoro saca malas cosas.

36 Mas yo os digo que de toda palabra ociosa que hablen los hombres, de ella darán cuenta en el día del juicio.

37 Porque por tus palabras serás justificado, y por tus palabras serás condenado.

---

**12.18-21** *h* Is. 42.1-4.  **12.24** *i* Mt. 9.34; 10.25.  **12.30** *i* Mr. 9.40.  **12.32** *k* Lc. 12.10.  **12.33** *l* Mt. 7.20; Lc. 6.44. **12.34** *m* Mt. 3.7; 23.33; Lc. 3.7. *n* Mt. 15.18; Lc. 6.45.

---

se convirtió en un riguroso día de abnegación, precisamente lo contrario de lo que Dios quiere. Los fariseos usaron la palabra de Dios con propósitos restrictivos y esclavizantes, en lugar de hacerlo para traer libertad y equilibrio espirituales. En su misericordia, Dios nos ofrece recuperación y esperanza en vez de condenación. Si Dios hubiera querido aplastarnos con legalismos, nunca habría enviado a Jesús a morir por nosotros. Nos habría dejado morir en nuestros pecados.

**12.17-21** Siglos antes, el profeta Isaías había descrito al Mesías (Isaías 42.1-4). Mateo reconoció lo bien que Jesús cumplía esa profecía. Este pasaje ofrece un poderoso mensaje de esperanza para los que estamos en recuperación. Jesús el Mesías es nuestro siervo al igual que nuestro líder. Él es lo suficientemente fuerte para dirigir y juzgar a las naciones, pero lo suficientemente tierno para cuidar al débil y al desamparado. Él es la esperanza de salvación para el mundo y nuestra esperanza de recuperación.

**12.22-32** Sólo Dios, a través de Jesucristo, puede ofrecernos el poder que necesitamos para la recuperación. Si buscamos ayuda en cualquier otra fuente nuestra recuperación va a ser, en el mejor de los casos, limitada. La Nueva Era, otros enfoques seculares y hasta el ocultismo también ofrecen recuperación. Es trágico que la recuperación cristocéntrica sea puesta en duda por muchos que la necesitan con urgencia, pero es aún más trágico que a quienes encuentran su liberación por medio de Cristo luego se les diga que todo es mentira. El camino de Dios para la recuperación es a través de Jesucristo; por medio de él recibimos el poder que necesitamos para nuestra recuperación y rehabilitación.

## La generación perversa demanda señal

**38** Entonces respondieron algunos de los escribas y de los fariseos, diciendo: Maestro, deseamos ver de ti señal.*o*

**39** El respondió y les dijo: La generación mala y adúltera demanda señal;*p* pero señal no le será dada, sino la señal del profeta Jonás.

**40** Porque como estuvo Jonás en el vientre del gran pez tres días y tres noches,*q* así estará el Hijo del Hombre en el corazón de la tierra tres días y tres noches.

**41** Los hombres de Nínive se levantarán en el juicio con esta generación, y la condenarán; porque ellos se arrepintieron a la predicación de Jonás,*r* y he aquí más que Jonás en este lugar.

**42** La reina del Sur se levantará en el juicio con esta generación, y la condenará; porque ella vino de los fines de la tierra para oír la sabiduría de Salomón,*s* y he aquí más que Salomón en este lugar.

## El espíritu inmundo que vuelve

**43** Cuando el espíritu inmundo sale del hombre, anda por lugares secos, buscando reposo, y no lo halla.

**44** Entonces dice: Volveré a mi casa de donde salí; y cuando llega, la halla desocupada, barrida y adornada.

**45** Entonces va, y toma consigo otros siete espíritus peores que él, y entrados, moran allí; y el postrer estado de aquel hombre viene a ser peor que el primero. Así también acontecerá a esta mala generación.

## La madre y los hermanos de Jesús

**46** Mientras él aún hablaba a la gente, he aquí su madre y sus hermanos estaban afuera, y le querían hablar.

**47** Y le dijo uno: He aquí tu madre y tus hermanos están afuera, y te quieren hablar.

**48** Respondiendo él al que le decía esto, dijo: ¿Quién es mi madre, y quiénes son mis hermanos?

**49** Y extendiendo su mano hacia sus discípulos, dijo: He aquí mi madre y mis hermanos.

**50** Porque todo aquel que hace la voluntad de mi Padre que está en los cielos, ése es mi hermano, y hermana, y madre.

## Parábola del sembrador

**13** **1** Aquel día salió Jesús de la casa y se sentó junto al mar.

**2** Y se le juntó mucha gente; y entrando él en la barca, se sentó,*a* y toda la gente estaba en la playa.

**3** Y les habló muchas cosas por parábolas, diciendo: He aquí, el sembrador salió a sembrar.

**4** Y mientras sembraba, parte de la semilla cayó junto al camino; y vinieron las aves y la comieron.

**5** Parte cayó en pedregales, donde no había mucha tierra; y brotó pronto, porque no tenía profundidad de tierra;

**6** pero salido el sol, se quemó; y porque no tenía raíz, se secó.

**7** Y parte cayó entre espinos; y los espinos crecieron, y la ahogaron.

**8** Pero parte cayó en buena tierra, y dio fruto, cuál a ciento, cuál a sesenta, y cuál a treinta por uno.

**9** El que tiene oídos para oír, oiga.

## Propósito de las parábolas

**10** Entonces, acercándose los discípulos, le dijeron: ¿Por qué les hablas por parábolas?

**11** El respondiendo, les dijo: Porque a vosotros os es dado saber los misterios del reino de los cielos; mas a ellos no les es dado.

**12** Porque a cualquiera que tiene, se le dará, y tendrá

---

**12.38** *o* Mt. 16.1; Mr. 8.11; Lc. 11.16. **12.39** *p* Mt. 16.4; Mr. 8.12. **12.40** *q* Jon. 1.17. **12.41** *r* Jon. 3.5. **12.42** *s* 1 R. 10.1-10; 2 Cr. 9. 1-12. **13.2** *a* Lc. 5.1-3.

---

**12.43-45** La recuperación incompleta puede dejar a una persona «peor que al principio». Deshacernos de lo que nos causa daño es sólo la mitad de la batalla. Cuando nos deshacemos de una adicción o de alguna dependencia, se produce un vacío en el lugar de nuestra vida que antes ocupaba nuestra vieja conducta. Debemos llenar ese vacío con el Espíritu de Dios, y con acciones y actitudes piadosas por medio de la oración y la lectura de la palabra de Dios. De otra manera, una nueva adicción o dependencia podría ocuparlo y causar aun más problemas en nuestra vida.

**13.1-9, 18-23** La parábola del sembrador y los cuatro tipos de terrenos se aplica directamente a la recuperación. Las diversas respuestas a la «semilla» del evangelio son como las muchas respuestas a la recuperación. Algunos la aceptan completamente; otros, sólo a medias o temporalmente; y aun otros dejan pasar la oportunidad, negando que necesiten recuperarse. Por lo general, varias pruebas aclaran en qué categoría de recuperación encajamos. Si anhelamos tener éxito en la recuperación y experimentar una nueva vida, debemos permitir que Dios prepare el terreno de nuestro corazón, y lo deje listo para recibir su mensaje de sanidad.

**13.10-17** La explicación de Jesús acerca de por qué enseñaba con parábolas e ilustraciones se ajusta muy bien a la dinámica de la recuperación y la negación. Quienes respondamos con fe a lo que ya sabemos, recibiremos más entendimiento al ir avanzando en la recuperación. Quienes no respondan apropiadamente se volverán cada vez más y más ciegos y endurecidos espiritualmente a causa de la negación.

más; pero al que no tiene, aun lo que tiene le será quitado.*b*

**13** Por eso les hablo por parábolas: porque viendo no ven, y oyendo no oyen, ni entienden.

**14** De manera que se cumple en ellos la profecía de Isaías, que dijo:

De oído oiréis, y no entenderéis;

Y viendo veréis, y no percibiréis.

**15** Porque el corazón de este pueblo
se ha engrosado,
Y con los oídos oyen pesadamente,
Y han cerrado sus ojos;
Para que no vean con los ojos,
Y oigan con los oídos,
Y con el corazón entiendan,
Y se conviertan,
Y yo los sane.*c*

**16** Pero bienaventurados vuestros ojos, porque ven; y vuestros oídos, porque oyen.

**17** Porque de cierto os digo, que muchos profetas y justos desearon ver lo que veis, y no lo vieron; y oír lo que oís, y no lo oyeron.*d*

### Jesús explica la parábola del sembrador

**18** Oíd, pues, vosotros la parábola del sembrador:

**19** Cuando alguno oye la palabra del reino y no la entiende, viene el malo, y arrebata lo que fue sembrado en su corazón. Este es el que fue sembrado junto al camino.

**20** Y el que fue sembrado en pedregales, éste es el que oye la palabra, y al momento la recibe con gozo;

**21** pero no tiene raíz en sí, sino que es de corta duración, pues al venir la aflicción o la persecución por causa de la palabra, luego tropieza.

**22** El que fue sembrado entre espinos, éste es el que oye la palabra, pero el afán de este siglo y el engaño de las riquezas ahogan la palabra, y se hace infructuosa.

**23** Mas el que fue sembrado en buena tierra, éste es el que oye y entiende la palabra, y da fruto; y produce a ciento, a sesenta, y a treinta por uno.

### Parábola del trigo y la cizaña

**24** Les refirió otra parábola, diciendo: El reino de los cielos es semejante a un hombre que sembró buena semilla en su campo;

**25** pero mientras dormían los hombres, vino su enemigo y sembró cizaña entre el trigo, y se fue.

**26** Y cuando salió la hierba y dio fruto, entonces apareció también la cizaña.

**27** Vinieron entonces los siervos del padre de familia y le dijeron: Señor, ¿no sembraste buena semilla en tu campo? ¿De dónde, pues, tiene cizaña?

**28** El les dijo: Un enemigo ha hecho esto. Y los siervos le dijeron: ¿Quieres, pues, que vayamos y la arranquemos?

**29** El les dijo: No, no sea que al arrancar la cizaña, arranquéis también con ella el trigo.

**30** Dejad crecer juntamente lo uno y lo otro hasta la siega; y al tiempo de la siega yo diré a los segadores: Recoged primero la cizaña, y atadla en manojos para quemarla; pero recoged el trigo en mi granero.

### Parábola de la semilla de mostaza

**31** Otra parábola les refirió, diciendo: El reino de los cielos es semejante al grano de mostaza, que un hombre tomó y sembró en su campo;

**32** el cual a la verdad es la más pequeña de todas las semillas; pero cuando ha crecido, es la mayor de las hortalizas, y se hace árbol, de tal manera que vienen las aves del cielo y hacen nidos en sus ramas.

### Parábola de la levadura

**33** Otra parábola les dijo: El reino de los cielos es semejante a la levadura que tomó una mujer, y escondió en tres medidas de harina, hasta que todo fue leudado.

### El uso que Jesús hace de las parábolas

**34** Todo esto habló Jesús por parábolas a la gente, y sin parábolas no les hablaba;

**35** para que se cumpliese lo dicho por el profeta, cuando dijo:

Abriré en parábolas mi boca;
Declararé cosas escondidas desde
la fundación del mundo.*e*

### Jesús explica la parábola de la cizaña

**36** Entonces, despedida la gente, entró Jesús en la casa; y acercándose a él sus discípulos, le dijeron: Explícanos la parábola de la cizaña del campo.

**13.12** *b* Mt. 25.29; Mr. 4.25; Lc. 8.18; 19.26.   **13.14-15** *c* Is. 6.9-10.   **13.16-17** *d* Lc. 10.23-24.   **13.35** *e* Sal. 78.2.

Asombrosamente, Dios continúa ofreciendo recuperación aun a los que le han dado la espalda en actitud negativa. Cuando estemos listos para preguntarle a Dios qué hacer, él estará allí con la respuesta (véase Santiago 1.5).

**13.24-30, 36-43** La parábola del trigo y la cizaña se aplica a quienes estamos deseando recuperarnos. A fin de cuentas, hay dos tipos de personas en el mundo: algunos se someten a la voluntad de Dios y experimentan la rehabilitación que él ofrece en Jesucristo; los otros, sean o no conscientes de ello, han entregado el control a Satanás. Este contraste, crudo pero realista, muestra que si no escogemos a Dios,

**37** Respondiendo él, les dijo: El que siembra la buena semilla es el Hijo del Hombre.

**38** El campo es el mundo; la buena semilla son los hijos del reino, y la cizaña son los hijos del malo.

**39** El enemigo que la sembró es el diablo; la siega es el fin del siglo; y los segadores son los ángeles.

**40** De manera que como se arranca la cizaña, y se quema en el fuego, así será en el fin de este siglo.

**41** Enviará el Hijo del Hombre a sus ángeles, y recogerán de su reino a todos los que sirven de tropiezo, y a los que hacen iniquidad,

**42** y los echarán en el horno de fuego; allí será el lloro y el crujir de dientes.

**43** Entonces los justos resplandecerán como el sol en el reino de su Padre. El que tiene oídos para oír, oiga.

### El tesoro escondido

**44** Además, el reino de los cielos es semejante a un tesoro escondido en un campo, el cual un hombre halla, y lo esconde de nuevo; y gozoso por ello va y vende todo lo que tiene, y compra aquel campo.

### La perla de gran precio

**45** También el reino de los cielos es semejante a un mercader que busca buenas perlas,

**46** que habiendo hallado una perla preciosa, fue y vendió todo lo que tenía, y la compró.

### La red

**47** Asimismo el reino de los cielos es semejante a una red, que echada en el mar, recoge de toda clase de peces;

**48** y una vez llena, la sacan a la orilla; y sentados, recogen lo bueno en cestas, y lo malo echan fuera.

**49** Así será al fin del siglo: saldrán los ángeles, y apartarán a los malos de entre los justos,

**50** y los echarán en el horno de fuego; allí será el lloro y el crujir de dientes.

### Tesoros nuevos y viejos

**51** Jesús les dijo: ¿Habéis entendido todas estas cosas? Ellos respondieron: Sí, Señor.

**52** El les dijo: Por eso todo escriba docto en el reino de los cielos es semejante a un padre de familia, que saca de su tesoro cosas nuevas y cosas viejas.

### Jesús en Nazaret

**53** Aconteció que cuando terminó Jesús estas parábolas, se fue de allí.

**54** Y venido a su tierra, les enseñaba en la sinagoga de ellos, de tal manera que se maravillaban, y decían: ¿De dónde tiene éste esta sabiduría y estos milagros?

**55** ¿No es éste el hijo del carpintero? ¿No se llama su madre María, y sus hermanos, Jacobo, José, Simón y Judas?

**56** ¿No están todas sus hermanas con nosotros? ¿De dónde, pues, tiene éste todas estas cosas?

**57** Y se escandalizaban de él. Pero Jesús les dijo: No hay profeta sin honra, sino en su propia tierra y en su casa.*f*

**58** Y no hizo allí muchos milagros, a causa de la incredulidad de ellos.

### Muerte de Juan el Bautista

**14** **1** En aquel tiempo Herodes el tetrarca oyó la fama de Jesús,

**2** y dijo a sus criados: Este es Juan el Bautista; ha resucitado de los muertos, y por eso actúan en él estos poderes.

**3** Porque Herodes había prendido a Juan, y le había encadenado y metido en la cárcel, por causa de Herodías, mujer de Felipe su hermano;

**4** porque Juan le decía: No te es lícito tenerla.*a,b*

**5** Y Herodes quería matarle, pero temía al pueblo; porque tenían a Juan por profeta.

**6** Pero cuando se celebraba el cumpleaños de Herodes, la hija de Herodías danzó en medio, y agradó a Herodes,

**7** por lo cual éste le prometió con juramento darle todo lo que pidiese.

**8** Ella, instruida primero por su madre, dijo: Dame aquí en un plato la cabeza de Juan el Bautista.

**9** Entonces el rey se entristeció; pero a causa del

---

**13.57** *f* Jn. 4.44.    **14.4** *a* Lv. 18.16; 20.21.    **14.3-4** *b* Lc. 3.19-20.

---

estamos escogiendo, de hecho, a Satanás. Si ya hemos emprendido una forma de recuperación pero todavía no le hemos entregado nuestra vida a Jesucristo, aún tenemos que dar un paso más para experimentar la victoria disponible en el programa divino de recuperación.

**13.53-58** Debemos luchar siempre contra las ideas preconcebidas que otros tienen de nosotros. Podríamos alejarnos de nuestra familia problemática o de nuestro grupo de amigos y comenzar un exitoso programa de recuperación. Pero al regresar, no debería sorprendernos si encontramos que otros ignorando hacen caso de nuestro mensaje de recuperación y nos echan en cara que somos *sólo* esto o aquello, o *simplemente* el muchacho con el que ellos iban a la escuela. No nos escucharán porque están demasiado cerca de la persona que antes fuimos y no pueden ver a la persona en la que nos hemos transformado por medio de la gracia de Dios. Cuando les hablemos de nuestra historia de recuperación a los que conozcan nuestro pasado, puede tomarles algo de tiempo convencerse de nuestra sinceridad y de nuestra nueva vida.

juramento, y de los que estaban con él a la mesa, mandó que se la diesen,

**10** y ordenó decapitar a Juan en la cárcel.

**11** Y fue traída su cabeza en un plato, y dada a la muchacha; y ella la presentó a su madre.

**12** Entonces llegaron sus discípulos, y tomaron el cuerpo y lo enterraron; y fueron y dieron las nuevas a Jesús.

## Alimentación de los cinco mil

**13** Oyéndolo Jesús, se apartó de allí en una barca a un lugar desierto y apartado; y cuando la gente lo oyó, le siguió a pie desde las ciudades.

**14** Y saliendo Jesús, vio una gran multitud, y tuvo compasión de ellos, y sanó a los que de ellos estaban enfermos.

**15** Cuando anochecía, se acercaron a él sus discípulos, diciendo: El lugar es desierto, y la hora ya pasada; despide a la multitud, para que vayan por las aldeas y compren de comer.

**16** Jesús les dijo: No tienen necesidad de irse; dadles vosotros de comer.

**17** Y ellos dijeron: No tenemos aquí sino cinco panes y dos peces.

**18** El les dijo: Traédmelos acá.

**19** Entonces mandó a la gente recostarse sobre la hierba; y tomando los cinco panes y los dos peces, y levantando los ojos al cielo, bendijo, y partió y dio los panes a los discípulos, y los discípulos a la multitud.

**20** Y comieron todos, y se saciaron; y recogieron lo que sobró de los pedazos, doce cestas llenas.

**21** Y los que comieron fueron como cinco mil hombres, sin contar las mujeres y los niños.

## Jesús anda sobre el mar

**22** En seguida Jesús hizo a sus discípulos entrar en la barca e ir delante de él a la otra ribera, entre tanto que él despedía a la multitud.

**23** Despedida la multitud, subió al monte a orar aparte; y cuando llegó la noche, estaba allí solo.

**24** Y ya la barca estaba en medio del mar, azotada por las olas; porque el viento era contrario.

**25** Mas a la cuarta vigilia de la noche, Jesús vino a ellos andando sobre el mar.

**26** Y los discípulos, viéndole andar sobre el mar, se turbaron, diciendo: ¡Un fantasma! Y dieron voces de miedo.

**27** Pero en seguida Jesús les habló, diciendo: ¡Tened ánimo; yo soy, no temáis!

**28** Entonces le respondió Pedro, y dijo: Señor, si eres tú, manda que yo vaya a ti sobre las aguas.

**29** Y él dijo: Ven. Y descendiendo Pedro de la barca, andaba sobre las aguas para ir a Jesús.

**30** Pero al ver el fuerte viento, tuvo miedo; y comenzando a hundirse, dio voces, diciendo: ¡Señor, sálvame!

**31** Al momento Jesús, extendiendo la mano, asió de él, y le dijo: ¡Hombre de poca fe! ¿Por qué dudaste?

**32** Y cuando ellos subieron en la barca, se calmó el viento.

**33** Entonces los que estaban en la barca vinieron y le adoraron, diciendo: Verdaderamente eres Hijo de Dios.

## Jesús sana a los enfermos en Genesaret

**34** Y terminada la travesía, vinieron a tierra de Genesaret.

**35** Cuando le conocieron los hombres de aquel lugar, enviaron noticia por toda aquella tierra alrededor, y trajeron a él todos los enfermos;

**36** y le rogaban que les dejase tocar solamente el borde de su manto; y todos los que lo tocaron, quedaron sanos.

## Lo que contamina al hombre

**15** **1** Entonces se acercaron a Jesús ciertos escribas y fariseos de Jerusalén, diciendo:

**2** ¿Por qué tus discípulos quebrantan la tradición de los ancianos? Porque no se lavan las manos cuando comen pan.

**3** Respondiendo él, les dijo: ¿Por qué también vo-

---

**14.15-21** El Señor alimentó en más de una ocasión a multitudes hambrientas (véase también 15.32-39). Jesús no sólo es capaz de hacer lo imposible, sino que también se preocupa por nuestras apremiantes necesidades humanas. Él ha asumido el compromiso de satisfacer nuestras necesidades físicas básicas, ¡pero está mucho más comprometido en la satisfacción de nuestras necesidades emocionales relacionadas con nuestra recuperación! Jesús no lo hizo todo solo; sus discípulos lo ayudaron a satisfacer las necesidades del pueblo. Con frecuencia Jesús suple para nuestras necesidades por medio de instrumentos humanos. Dios puede estar llevando a cabo nuestra recuperación a través de amigos preocupados o de otros que están sufriendo como nosotros. Nunca debemos rechazar la ayuda de los amigos cristianos. Si tenemos la oportunidad de animar a otros que estén en recuperación, podemos estar agradecidos porque Dios ha escogido usarnos.

**14.22-23** Pasar tiempo a solas para centrarnos en nuestras tareas y orar es necesario si estamos participando en cualquier tipo de programa prolongado de recuperación. Aunque podamos sentir que estamos perdiendo el tiempo, es importante «recargar las baterías», tanto física, como emocional y espiritualmente. Si no lo hacemos, vamos a «quemarnos». Puesto que Jesús pasó tiempo a solas para orar y fortalecerse, nosotros debemos seguir su ejemplo.

**15.1-20** Algunas personas nos despreciarán o nos criticarán por nuestra dependencia y nuestra necesidad

*SEÑOR, concédeme serenidad para aceptar las cosas que no puedo cambiar, valor para cambiar las que sí puedo y sabiduría para reconocer la diferencia entre ambas. AMÉN*

Si esperamos a que todos nuestros temores desaparezcan antes de dar algún paso, nunca progresaremos significativamente hacia la recuperación. El valor no es ausencia de temor. Tener valor significa aprovecharnos del poquito de fuerzas que haya en nosotros mismos, encontrar maneras de animarnos, sin importar lo insignificantes que sean, y aferrarnos obstinadamente al plan que Dios tiene para nosotros. Tener valor no significa estar libres de temor. Significa encontrar la fuerza necesaria para dar el siguiente paso.

E l hecho de que Dios trate con nuestros defectos puede aterrorizarnos. Podemos permanecer atrapados en patrones de vida destructivos por temor al cambio.

Los discípulos estaban aterrados cuando vieron a Jesús caminar sobre las aguas. «Entonces le respondió Pedro, y dijo: Señor, si eres tú, manda que yo vaya a ti sobre las aguas. Y él dijo: Ven. Y descendiendo Pedro de la barca, andaba sobre las aguas para ir a Jesús. Pero al ver el fuerte viento, tuvo miedo; y comenzando a hundirse, dio voces, diciendo: ¡Señor, sálvame! Al momento Jesús, extendiendo la mano, asió de él» (Mateo 14.28-31).

Pedro reunió el coraje necesario para dar un paso y aventurarse a una nueva experiencia. Cuando ya no pudo más, llamó a Jesús y encontró la ayuda que necesitaba. Sólo tenemos que armarnos de valor para dar el siguiente paso. Esto no significa que no tengamos miedo o que no necesitemos ayuda. Lo que sí quiere decir es que con la ayuda de Dios podemos hacerlo. Todo lo que necesitamos es el valor para dar solo un paso más. ***Vaya a la página 45, Mateo 26.***

---

sotros quebrantáis el mandamiento de Dios por vuestra tradición?

**4** Porque Dios mandó diciendo: Honra a tu padre y a tu madre;*a* y: El que maldiga al padre o a la madre, muera irremisiblemente.*b*

**5** Pero vosotros decís: Cualquiera que diga a su padre o a su madre: Es mi ofrenda a Dios todo aquello con que pudiera ayudarte,

**6** ya no ha de honrar a su padre o a su madre. Así

habéis invalidado el mandamiento de Dios por vuestra tradición.

**7** Hipócritas, bien profetizó de vosotros Isaías, cuando dijo:

**8** Este pueblo de labios me honra;
 Mas su corazón está lejos de mí.

**9** Pues en vano me honran,
 Enseñando como doctrinas, mandamientos
 de hombres.*c*

**15.4** *a* Ex. 20.12; Dt. 5.16. *b* Ex. 21.17; Lv. 20.9. **15.8-9** *c* Is. 29.13.

---

de recuperación. Asumirán una postura farisaica porque ellas están cumpliendo con todas sus obligaciones «religiosas», mientras que nosotros estamos lejos de ser un modelo de feligrés. Jesús dice que las actividades externas no se corresponden necesariamente con la rectitud interior. Si hacemos todo lo correcto con un corazón orgulloso y egoísta, Dios nos juzgará. Si hemos aceptado a Jesús en nuestro corazón y, con humildad, estamos tratando de recuperarnos, Dios se complace de nosotros sin importar lo que otros puedan decir.

**10** Y llamando a sí a la multitud, les dijo: Oíd, y entended:

**11** No lo que entra en la boca contamina al hombre; mas lo que sale de la boca, esto contamina al hombre.

**12** Entonces acercándose sus discípulos, le dijeron: ¿Sabes que los fariseos se ofendieron cuando oyeron esta palabra?

**13** Pero respondiendo él, dijo: Toda planta que no plantó mi Padre celestial, será desarraigada.

**14** Dejadlos; son ciegos guías de ciegos; y si el ciego guiare al ciego, ambos caerán en el hoyo.*d*

**15** Respondiendo Pedro, le dijo: Explícanos esta parábola.

**16** Jesús dijo: ¿También vosotros sois aún sin entendimiento?

**17** ¿No entendéis que todo lo que entra en la boca va al vientre, y es echado en la letrina?

**18** Pero lo que sale de la boca, del corazón sale;*e* y esto contamina al hombre.

**19** Porque del corazón salen los malos pensamientos, los homicidios, los adulterios, las fornicaciones, los hurtos, los falsos testimonios, las blasfemias.

**20** Estas cosas son las que contaminan al hombre; pero el comer con las manos sin lavar no contamina al hombre.

### La fe de la mujer cananea

**21** Saliendo Jesús de allí, se fue a la región de Tiro y de Sidón.

**22** Y he aquí una mujer cananea que había salido de aquella región clamaba, diciéndole: ¡Señor, Hijo de David, ten misericordia de mí! Mi hija es gravemente atormentada por un demonio.

**23** Pero Jesús no le respondió palabra. Entonces acercándose sus discípulos, le rogaron, diciendo: Despídela, pues da voces tras nosotros.

**24** El respondiendo, dijo: No soy enviado sino a las ovejas perdidas de la casa de Israel.

**25** Entonces ella vino y se postró ante él, diciendo: ¡Señor, socórreme!

**26** Respondiendo él, dijo: No está bien tomar el pan de los hijos, y echarlo a los perrillos.

**27** Y ella dijo: Sí, Señor; pero aun los perrillos comen de las migajas que caen de la mesa de sus amos.

**28** Entonces respondiendo Jesús, dijo: Oh mujer, grande es tu fe; hágase contigo como quieres. Y su hija fue sanada desde aquella hora.

### Jesús sana a muchos

**29** Pasó Jesús de allí y vino junto al mar de Galilea; y subiendo al monte, se sentó allí.

**30** Y se le acercó mucha gente que traía consigo a cojos, ciegos, mudos, mancos, y otros muchos enfermos; y los pusieron a los pies de Jesús, y los sanó;

**31** de manera que la multitud se maravillaba, viendo a los mudos hablar, a los mancos sanados, a los cojos andar, y a los ciegos ver; y glorificaban al Dios de Israel.

### Alimentación de los cuatro mil

**32** Y Jesús, llamando a sus discípulos, dijo: Tengo compasión de la gente, porque ya hace tres días que están conmigo, y no tienen qué comer; y enviarlos en ayunas no quiero, no sea que desmayen en el camino.

**33** Entonces sus discípulos le dijeron: ¿De dónde tenemos nosotros tantos panes en el desierto, para saciar a una multitud tan grande?

**34** Jesús les dijo: ¿Cuántos panes tenéis? Y ellos dijeron: Siete, y unos pocos pececillos.

**35** Y mandó a la multitud que se recostase en tierra.

**36** Y tomando los siete panes y los peces, dio gracias, los partió y dio a sus discípulos, y los discípulos a la multitud.

**37** Y comieron todos, y se saciaron; y recogieron lo que sobró de los pedazos, siete canastas llenas.

**38** Y eran los que habían comido, cuatro mil hombres, sin contar las mujeres y los niños.

**39** Entonces, despedida la gente, entró en la barca, y vino a la región de Magdala.

### La demanda de una señal

**16** **1** Vinieron los fariseos y los saduceos para tentarle, y le pidieron que les mostrase señal*a* del cielo.

**2** Mas él respondiendo, les dijo: Cuando anochece, decís: Buen tiempo; porque el cielo tiene arreboles.

---

**15.14** *d* Lc. 6.39.   **15.18** *e* Mt. 12.34.   **16.1** *a* Mt. 12.38; Lc. 11.16.

---

**15.32-38** El relato de la alimentación de los cuatro mil es parecido al de la previa alimentación de cinco mil y, al mismo tiempo, diferente (véase 14.15-21). En ambos casos Jesús se preocupó por quienes tenían necesidad; tomó una pequeña cantidad de comida y alimentó a un gran número de personas; usó a los discípulos para distribuir los recursos y al final sobró mucho más de lo que tenían al principio. Como la causa de la preocupación era de alguna manera distinta, así como también eran distintos el lugar y la cantidad de gente que debía ser alimentada, vemos que Jesús ajustó sus recursos para enfrentar situaciones y necesidades diferentes. Podemos contar con que Dios mostrará una preocupación similar y un ilimitado poder para apoyarnos en nuestro proceso de recuperación.

**16.1-4** Los fariseos tenían el tipo de actitud que con frecuencia es un obstáculo para la recuperación. Querían que Jesús les mostrara señales milagrosas para probar que él era el Mesías. Cometemos el mismo

**3** Y por la mañana: Hoy habrá tempestad; porque tiene arreboles el cielo nublado. ¡Hipócritas! que sabéis distinguir el aspecto del cielo, ¡mas las señales de los tiempos no podéis!

**4** La generación mala y adúltera demanda señal;*b* pero señal no le será dada, sino la señal del profeta Jonás.*c* Y dejándolos, se fue.

## La levadura de los fariseos

**5** Llegando sus discípulos al otro lado, se habían olvidado de traer pan.

**6** Y Jesús les dijo: Mirad, guardaos de la levadura de los fariseos*d* y de los saduceos.

**7** Ellos pensaban dentro de sí, diciendo: Esto dice porque no trajimos pan.

**8** Y entendiéndolo Jesús, les dijo: ¿Por qué pensáis dentro de vosotros, hombres de poca fe, que no tenéis pan?

**9** ¿No entendéis aún, ni os acordáis de los cinco panes entre cinco mil hombres,*e* y cuántas cestas recogisteis?

**10** ¿Ni de los siete panes entre cuatro mil,*f* y cuántas canastas recogisteis?

**11** ¿Cómo es que no entendéis que no fue por el pan que os dije que os guardaseis de la levadura de los fariseos y de los saduceos?

**12** Entonces entendieron que no les había dicho que se guardasen de la levadura del pan, sino de la doctrina de los fariseos y de los saduceos.

## La confesión de Pedro

**13** Viniendo Jesús a la región de Cesarea de Filipo, preguntó a sus discípulos, diciendo: ¿Quién dicen los hombres que es el Hijo del Hombre?

**14** Ellos dijeron: Unos, Juan el Bautista; otros, Elías; y otros, Jeremías, o alguno de los profetas.*g*

**15** El les dijo: Y vosotros, ¿quién decís que soy yo?

**16** Respondiendo Simón Pedro, dijo: Tú eres el Cristo, el Hijo del Dios viviente.*h*

**17** Entonces le respondió Jesús: Bienaventurado eres, Simón, hijo de Jonás, porque no te lo reveló carne ni sangre, sino mi Padre que está en los cielos.

## F*e*

### LEA MATEO 15.22-28

A veces la locura de vivir con nuestras propias adicciones o con gente que actúa de maneras extrañas puede hacer que nos desesperemos por encontrar ayuda. Cierta vez, Jesús trató con una mujer que llegó hasta él impulsada por su desesperación.

«Y he aquí una mujer cananea que había salido de aquella región clamaba, diciéndole: ¡Señor, Hijo de David, ten misericordia de mí! Mi hija es gravemente atormentada por un demonio. Pero Jesús no le respondió palabra. ... Él respondiendo, dijo: No soy enviado sino a las ovejas perdidas de la casa de Israel. Entonces ella vino y se postró ante él, diciendo: ¡Señor, socórreme! Respondiendo él, dijo: No está bien tomar el pan de los hijos, y echarlo a los perrillos. Y ella dijo: Sí, Señor; pero aun los perrillos comen de las migajas que caen de la mesa de sus amos. Entonces respondiendo Jesús, dijo: Oh mujer, grande es tu fe; hágase contigo como quieres. Y su hija fue sanada desde aquella hora» (Mateo 15.22-28).

Fue necesario tener mucho valor para que esta mujer siquiera le hablara a Jesús debido al racismo de la época. La despreciaban y la ridiculizaban por tratar de poner fin al tormento de su familia; pero ella no se rindió. Ella creía que Jesús era el único que podía ayudarla y nada podía disuadirla. Nuestra desesperación puede llevarnos a una fe sincera que puede sernos de gran ayuda en la recuperación. ***Vaya a la página 31, Mateo 16.***

**16.4** *b* Mt. 12.39; Lc. 11.29. *c* Jon. 3.4-5.   **16.6** *d* Lc. 12.1.   **16.9** *e* Mt. 14.17-21.   **16.10** *f* Mt. 15.34-38.
**16.14** *g* Mt. 14.1-2; Mr. 6.14-15; Lc. 9.7-8.   **16.16** *h* Jn. 6.68-69.

error cuando esperamos una cura instantánea o una intervención sobrenatural en nuestra vida. Buscar remedios inmediatos para los problemas de toda la vida es equivalente a buscar una «señal del cielo». Mantenernos victoriosos sobre nuestra adicción toma con frecuencia toda una vida de esfuerzo. Cuando reconozcamos esta verdad, nos desanimaremos menos ante las dificultades del proceso de recuperación. También seremos más conscientes de las pequeñas victorias que Dios nos da a lo largo del camino.

**16.13-17** Hay muchas respuestas para la pregunta «¿quién es Jesús?», pero sólo una de ellas es correcta. La revelación de que Jesús es el Mesías prometido y el Hijo de Dios viene de Dios mismo, no de ninguna fuente humana. De igual manera, la comprensión de que el Dios de la Biblia es el poder superior que necesitamos para la recuperación es una revelación que viene de la palabra de Dios. Poner la confianza para nuestra recuperación en cualquier otro poder sólo nos llevará a la desilusión y al fracaso.

**18** Y yo también te digo, que tú eres Pedro,[1] y sobre esta roca[2] edificaré mi iglesia; y las puertas del Hades no prevalecerán contra ella.

**19** Y a ti te daré las llaves del reino de los cielos; y todo lo que atares en la tierra será atado en los cielos; y todo lo que desatares en la tierra será desatado en los cielos.[i]

**20** Entonces mandó a sus discípulos que a nadie dijesen que él era Jesús el Cristo.

### Jesús anuncia su muerte

**21** Desde entonces comenzó Jesús a declarar a sus discípulos que le era necesario ir a Jerusalén y padecer mucho de los ancianos, de los principales sacerdotes y de los escribas; y ser muerto, y resucitar al tercer día.

**22** Entonces Pedro, tomándolo aparte, comenzó a reconvenirle, diciendo: Señor, ten compasión de ti; en ninguna manera esto te acontezca.

**23** Pero él, volviéndose, dijo a Pedro: ¡Quítate de delante de mí, Satanás!; me eres tropiezo, porque no pones la mira en las cosas de Dios, sino en las de los hombres.

**24** Entonces Jesús dijo a sus discípulos: Si alguno quiere venir en pos de mí, niéguese a sí mismo, y tome su cruz, y sígame.[j]

**25** Porque todo el que quiera salvar su vida, la perderá; y todo el que pierda su vida por causa de mí, la hallará.[k]

**26** Porque ¿qué aprovechará al hombre, si ganare todo el mundo, y perdiere su alma? ¿O qué recompensa dará el hombre por su alma?

**27** Porque el Hijo del Hombre vendrá en la gloria de su Padre con sus ángeles,[l] y entonces pagará a cada uno conforme a sus obras.[m]

**28** De cierto os digo que hay algunos de los que están aquí, que no gustarán la muerte, hasta que hayan visto al Hijo del Hombre viniendo en su reino.

### La transfiguración

**17** **1** Seis días después, Jesús tomó a Pedro, a Jacobo y a Juan su hermano, y los llevó aparte a un monte alto;

**2** y se transfiguró delante de ellos,[a] y resplandeció su rostro como el sol, y sus vestidos se hicieron blancos como la luz.

**3** Y he aquí les aparecieron Moisés y Elías, hablando con él.

**4** Entonces Pedro dijo a Jesús: Señor, bueno es para nosotros que estemos aquí; si quieres, hagamos aquí tres enramadas: una para ti, otra para Moisés, y otra para Elías.

**5** Mientras él aún hablaba, una nube de luz los cubrió; y he aquí una voz desde la nube, que decía: Este es mi Hijo amado, en quien tengo complacencia;[b] a él oíd.

**6** Al oír esto los discípulos, se postraron sobre sus rostros, y tuvieron gran temor.

**7** Entonces Jesús se acercó y los tocó, y dijo: Levantaos, y no temáis.

**8** Y alzando ellos los ojos, a nadie vieron sino a Jesús solo.

**9** Cuando descendieron del monte, Jesús les mandó, diciendo: No digáis a nadie la visión, hasta que el Hijo del Hombre resucite de los muertos.

**10** Entonces sus discípulos le preguntaron, diciendo: ¿Por qué, pues, dicen los escribas que es necesario que Elías venga primero?[c]

**11** Respondiendo Jesús, les dijo: A la verdad, Elías viene primero, y restaurará todas las cosas.

**12** Mas os digo que Elías ya vino,[d] y no le conocieron, sino que hicieron con él todo lo que quisieron; así también el Hijo del Hombre padecerá de ellos.

**13** Entonces los discípulos comprendieron que les había hablado de Juan el Bautista.

### Jesús sana a un muchacho lunático

**14** Cuando llegaron al gentío, vino a él un hombre que se arrodilló delante de él, diciendo:

**15** Señor, ten misericordia de mi hijo, que es lunático, y padece muchísimo; porque muchas veces cae en el fuego, y muchas en el agua.

**16** Y lo he traído a tus discípulos, pero no le han podido sanar.

**17** Respondiendo Jesús, dijo: ¡Oh generación incrédula y perversa! ¿Hasta cuándo he de estar con vosotros? ¿Hasta cuándo os he de soportar? Traédmelo acá.

---

**16.18** [1] Gr. *Petros.* [2] Gr. *petra.* **16.19** [i] Mt. 18.18; Jn. 20.23. **16.24** [j] Mt. 10.38; Lc. 14.27. **16.25** [k] Mt. 10.39; Lc. 17.33; Jn. 12.25. **16.27** [l] Mt. 25.31. [m] Sal. 62.12. **17.1-5** [a] 2 P. 1.17-18. **17.5** [b] Is. 42.1; Mt. 3.17; 12.18; Mr. 1.11; Lc. 3.22. **17.10** [c] Mal. 4.5. **17.12** [d] Mt. 11.14.

---

**17.1-8** Aun antes de su transfiguración, Jesús era ya el glorioso Hijo de Dios. Pero Pedro, Jacobo y Juan nunca lo habían visto de esa manera. Después de su experiencia en el monte de la transfiguración, estos discípulos nunca más considerarían a Jesús algo menos que el Hijo de Dios sin que eso se convirtiera en una negación de inmensas proporciones. A través de las palabras de Mateo y el testimonio de otros creyentes, nosotros también somos testigos de la gloria de Dios en Jesucristo. Negar su autoridad sobre nuestras vidas es asegurar el fracaso de cualquier programa de recuperación. Jesús es el único que puede transformar una vida hecha pedazos.

**17.14-21** Esta narración del fracaso de los discípulos al intentar echar fuera un demonio nos enseña una lección muy importante sobre el papel de la fe en la recuperación. Jesús criticó a los discípulos por su falta de

**18** Y reprendió Jesús al demonio, el cual salió del muchacho, y éste quedó sano desde aquella hora.
**19** Viniendo entonces los discípulos a Jesús, aparte, dijeron: ¿Por qué nosotros no pudimos echarlo fuera?
**20** Jesús les dijo: Por vuestra poca fe; porque de cierto os digo, que si tuviereis fe como un grano de mostaza, diréis a este monte: Pásate de aquí allá, y se pasará;*e* y nada os será imposible.
**21** Pero este género no sale sino con oración y ayuno.

## Jesús anuncia otra vez su muerte

**22** Estando ellos en Galilea, Jesús les dijo: El Hijo del Hombre será entregado en manos de hombres,
**23** y le matarán; mas al tercer día resucitará. Y ellos se entristecieron en gran manera.

## Pago del impuesto del templo

**24** Cuando llegaron a Capernaum, vinieron a Pedro los que cobraban las dos dracmas,*f* y le dijeron: ¿Vuestro Maestro no paga las dos dracmas?
**25** El dijo: Sí. Y al entrar él en casa, Jesús le habló primero, diciendo: ¿Qué te parece, Simón? Los reyes de la tierra, ¿de quiénes cobran los tributos o los impuestos? ¿De sus hijos, o de los extraños?
**26** Pedro le respondió: De los extraños. Jesús le dijo: Luego los hijos están exentos.
**27** Sin embargo, para no ofenderles, ve al mar, y echa el anzuelo, y el primer pez que saques, tómalo, y al abrirle la boca, hallarás un estatero;*1* tómalo, y dáselo por mí y por ti.

## ¿Quién es el mayor?

**18** **1** En aquel tiempo los discípulos vinieron a Jesús, diciendo: ¿Quién es el mayor en el reino de los cielos?*a*
**2** Y llamando Jesús a un niño, lo puso en medio de ellos,
**3** y dijo: De cierto os digo, que si no os volvéis y os hacéis como niños, no entraréis en el reino de los cielos.*b*
**4** Así que, cualquiera que se humille como este niño, ése es el mayor en el reino de los cielos.

# Gratificación diferida

LEA MATEO 16.24-26

Algunos de nosotros somos adictos al caos. Tal vez estemos tan acostumbrados a los períodos de crisis que no sepamos cómo disfrutar la calma. Una vida en recuperación puede parecer aburrida al compararla con las viejas andanzas. Quizás hasta extrañemos la emoción y el peligro. Puede parecernos que las recompensas tardan demasiado en llegar.

El apóstol Pablo dijo: «No nos cansemos, pues, de hacer bien; porque a su tiempo segaremos, si no desmayamos» (Gálatas 6.9). La hierba mala brota rápidamente. La buena cosecha crece más lento y debe cuidarse con regularidad, aun antes de que podamos ver algún retoño. Sólo con el tiempo disfrutaremos del fruto.

Jesús sugirió que ampliemos nuestra perspectiva aun más allá, con vistas a la eternidad: «Entonces Jesús dijo a sus discípulos: Si alguno quiere venir en pos de mí, niéguese a sí mismo, y tome su cruz, y sígame. Porque todo el que quiera salvar su vida, la perderá; y todo el que pierda su vida por causa de mí, la hallará. Porque ¿qué aprovechará al hombre, si ganare todo el mundo, y perdiere su alma? ¿O qué recompensa dará el hombre por su alma?» (Mateo 16.24-26).

Es la voluntad de Dios que tengamos una vida gratificante y plena. Quizás nos resulte más fácil ajustarnos a nuestra nueva manera de vivir si recordamos que rehusar placeres inmediatos traerá una cosecha de ricas recompensas en esta vida y en la venidera. ***Vaya a la página 43, Mateo 25.***

---

**17.20** *e* Mt. 21.21; Mr. 11.23; 1 Co. 13.2. **17.24** *f* Ex. 30.13; 38.26. **17.27** *1* Moneda correspondiente a cuatro dracmas. **18.1** *a* Lc. 22.24. **18.3** *b* Mr. 10.15; Lc. 18.17.

---

fe en el poder de Dios para sanar al muchacho. No necesitamos una gran cantidad de fe para comenzar el proceso de sanidad en nuestra vida; necesitamos «fe como un grano de mostaza» para efectuar el cambio. La oración y la fe en Dios son las herramientas para la recuperación. ¡Con ellas podemos mover montañas!
**18.2-6** Al llamar al niño y pedirle que se acercara, Jesús reveló su amor por cada uno de nosotros. Nos advirtió que un terrible juicio caería sobre aquellos que lastimaran a sus seguidores o hicieran que estos perdieran su fe. Esto es alentador para quienes hayamos sufrido injusticias y abusos de parte de otros, especialmente cuando éramos niños. No tenemos que albergar odio en nuestro interior o gastar energías soñando con la venganza. Dios juzgará a quienes nos hayan herido. Debemos concentrarnos en la recuperación, no en el castigo de la gente que nos haya lastimado.

**5** Y cualquiera que reciba en mi nombre a un niño como este, a mí me recibe.

### Ocasiones de caer

**6** Y cualquiera que haga tropezar a alguno de estos pequeños que creen en mí, mejor le fuera que se le colgase al cuello una piedra de molino de asno, y que se le hundiese en lo profundo del mar.

**7** ¡Ay del mundo por los tropiezos! porque es necesario que vengan tropiezos, pero ¡ay de aquel hombre por quien viene el tropiezo!

**8** Por tanto, si tu mano o tu pie te es ocasión de caer, córtalo y échalo de ti; mejor te es entrar en la vida cojo o manco, que teniendo dos manos o dos pies ser echado en el fuego eterno.*c*

**9** Y si tu ojo te es ocasión de caer, sácalo y échalo de ti; mejor te es entrar con un solo ojo en la vida, que teniendo dos ojos ser echado en el infierno de fuego.*d*

### Parábola de la oveja perdida

**10** Mirad que no menospreciéis a uno de estos pequeños; porque os digo que sus ángeles en los cielos ven siempre el rostro de mi Padre que está en los cielos.

**11** Porque el Hijo del Hombre ha venido para salvar lo que se había perdido.*e*

**12** ¿Qué os parece? Si un hombre tiene cien ovejas, y se descarría una de ellas, ¿no deja las noventa y nueve y va por los montes a buscar la que se había descarriado?

**13** Y si acontece que la encuentra, de cierto os digo que se regocija más por aquélla, que por las noventa y nueve que no se descarriaron.

**14** Así, no es la voluntad de vuestro Padre que está en los cielos, que se pierda uno de estos pequeños.

### Cómo se debe perdonar al hermano

**15** Por tanto, si tu hermano peca contra ti, ve y repréndele estando tú y él solos; si te oyere, has ganado a tu hermano.*f*

**16** Mas si no te oyere, toma aún contigo a uno o dos, para que en boca de dos o tres testigos*g* conste toda palabra.

**17** Si no los oyere a ellos, dilo a la iglesia; y si no oyere a la iglesia, tenle por gentil y publicano.

**18** De cierto os digo que todo lo que atéis en la tie-rra, será atado en el cielo; y todo lo que desatéis en la tierra, será desatado en el cielo.*h*

**19** Otra vez os digo, que si dos de vosotros se pusieren de acuerdo en la tierra acerca de cualquiera cosa que pidieren, les será hecho por mi Padre que está en los cielos.

**20** Porque donde están dos o tres congregados en mi nombre, allí estoy yo en medio de ellos.

**21** Entonces se le acercó Pedro y le dijo: Señor, ¿cuántas veces perdonaré a mi hermano que peque contra mí? ¿Hasta siete?

**22** Jesús le dijo: No te digo hasta siete, sino aun hasta setenta veces siete.*i*

### Los dos deudores

**23** Por lo cual el reino de los cielos es semejante a un rey que quiso hacer cuentas con sus siervos.

**24** Y comenzando a hacer cuentas, le fue presentado uno que le debía diez mil talentos.

**25** A éste, como no pudo pagar, ordenó su señor venderle, y a su mujer e hijos, y todo lo que tenía, para que se le pagase la deuda.

**26** Entonces aquel siervo, postrado, le suplicaba, diciendo: Señor, ten paciencia conmigo, y yo te lo pagaré todo.

**27** El señor de aquel siervo, movido a misericordia, le soltó y le perdonó la deuda.

**28** Pero saliendo aquel siervo, halló a uno de sus consiervos, que le debía cien denarios; y asiendo de él, le ahogaba, diciendo: Págame lo que me debes.

**29** Entonces su consiervo, postrándose a sus pies, le rogaba diciendo: Ten paciencia conmigo, y yo te lo pagaré todo.

**30** Mas él no quiso, sino fue y le echó en la cárcel, hasta que pagase la deuda.

**31** Viendo sus consiervos lo que pasaba, se entristecieron mucho, y fueron y refirieron a su señor todo lo que había pasado.

**32** Entonces, llamándole su señor, le dijo: Siervo malvado, toda aquella deuda te perdoné, porque me rogaste.

**33** ¿No debías tú también tener misericordia de tu consiervo, como yo tuve misericordia de ti?

**34** Entonces su señor, enojado, le entregó a los verdugos, hasta que pagase todo lo que le debía.

**35** Así también mi Padre celestial hará con voso-

---

**18.8** *c* Mt. 5.30.   **18.9** *d* Mt. 5.29.   **18.11** *e* Lc. 19.10.   **18.15** *f* Lc. 17.3.   **18.16** *g* Dt. 17.6; 19.15.
**18.18** *h* Mt. 16.19; Jn. 20.23.   **18.21-22** *i* Lc. 17.3-4.

---

**18.10-14** Muchos niños y adultos creen la mentira de que no valen nada para otras personas y que son insignificantes para Dios. Jesús dijo que él vino para salvar a los perdidos, sin importar cuán pocos o cuán «insignificantes» puedan parecer. Dios el Padre no quiere que nadie pierda la oportunidad de salvación o recuperación en Jesucristo. Él nos valora a cada uno de nosotros, sin importar cuán doloroso haya sido nuestro pasado o lo mucho que nos hayamos desviado del camino. Si admitimos nuestra necesidad de él y buscamos hacer su voluntad, descubriremos lo importante que somos para Dios y para la gente que nos rodea.

tros si no perdonáis de todo corazón cada uno a su hermano sus ofensas.

## Jesús enseña sobre el divorcio

**19** ¹ Aconteció que cuando Jesús terminó estas palabras, se alejó de Galilea, y fue a las regiones de Judea al otro lado del Jordán.

² Y le siguieron grandes multitudes, y los sanó allí.

³ Entonces vinieron a él los fariseos, tentándole y diciéndole: ¿Es lícito al hombre repudiar a su mujer por cualquier causa?

⁴ Él, respondiendo, les dijo: ¿No habéis leído que el que los hizo al principio, varón y hembra los hizo,ª

⁵ y dijo: Por esto el hombre dejará padre y madre, y se unirá a su mujer, y los dos serán una sola carne?ᵇ

⁶ Así que no son ya más dos, sino una sola carne; por tanto, lo que Dios juntó, no lo separe el hombre.

⁷ Le dijeron: ¿Por qué, pues, mandó Moisés dar carta de divorcio, y repudiarla?ᶜ

⁸ El les dijo: Por la dureza de vuestro corazón Moisés os permitió repudiar a vuestras mujeres; mas al principio no fue así.

⁹ Y yo os digo que cualquiera que repudia a su mujer, salvo por causa de fornicación, y se casa con otra, adultera; y el que se casa con la repudiada, adultera.ᵈ

¹⁰ Le dijeron sus discípulos: Si así es la condición del hombre con su mujer, no conviene casarse.

¹¹ Entonces él les dijo: No todos son capaces de recibir esto, sino aquellos a quienes es dado.

¹² Pues hay eunucos que nacieron así del vientre de su madre, y hay eunucos que son hechos eunucos por los hombres, y hay eunucos que a sí mismos se hicieron eunucos por causa del reino de los cielos. El que sea capaz de recibir esto, que lo reciba.

## Jesús bendice a los niños

¹³ Entonces le fueron presentados unos niños, para que pusiese las manos sobre ellos, y orase; y los discípulos les reprendieron.

¹⁴ Pero Jesús dijo: Dejad a los niños venir a mí, y no se lo impidáis; porque de los tales es el reino de los cielos.

¹⁵ Y habiendo puesto sobre ellos las manos, se fue de allí.

## El joven rico

¹⁶ Entonces vino uno y le dijo: Maestro bueno, ¿qué bien haré para tener la vida eterna?

**PASO 8**

### Perdonados para perdonar

LECTURA BÍBLICA: Mateo 18.23-35

**Hicimos una lista de todas las personas a las que habíamos lastimado y estuvimos dispuestos reparar el daño hecho a cada una de ellas.**

Hacer una lista de todas las personas a las que hayamos lastimado probablemente hará que nos pongamos a la defensiva. Con cada nombre que escribamos, se comenzará a formar otra lista en nuestra mente: la lista de los agravios cometidos contra nosotros. ¿Cómo podemos lidiar con el resentimiento que guardamos contra otros de tal manera que podamos reparar el daño que hayamos hecho?

Jesús narró esta historia: «Un rey... quiso hacer cuentas con sus siervos. Y comenzando a hacer cuentas, le fue presentado uno que le debía diez mil talentos» (Mateo 18.23-24). El hombre suplicó a su acreedor porque no le podía pagar. «El señor de aquel siervo, movido a misericordia, le soltó y le perdonó la deuda. Pero saliendo aquel siervo, halló a uno de sus consiervos, que le debía cien denarios; y asiendo de él, le ahogaba, diciendo: Págame lo que me debes» (Mateo 18.27-28). Le contaron esto al rey. «Entonces, llamándole su señor, le dijo: Siervo malvado, toda aquella deuda te perdoné, porque me rogaste. ¿No debías tú también tener misericordia de tu consiervo, como yo tuve misericordia de ti? Entonces su señor, enojado, le entregó a los verdugos, hasta que pagase todo lo que le debía. Así también mi Padre celestial hará con vosotros si no perdonáis de todo corazón cada uno a su hermano sus ofensas» (Mateo 18.32-35).

Cuando tomamos en cuenta todo lo que Dios nos ha perdonado, decidir perdonar a otros cobra sentido. Tal decisión también nos libera de la tortura de un amargo resentimiento. No podemos cambiar lo que otros nos han hecho, pero sí podemos perdonar sus deudas y estar dispuestos a enmendar la falta. *Vaya a la página 279, 2 Corintios 2.*

---

**19.4** ª Gn. 1.27; 5.2. **19.5** ᵇ Gn. 2.24. **19.7** ᶜ Dt. 24.1-4; Mt. 5.31. **19.9** ᵈ Mt. 5.32; 1 Co. 7.10-11.

**19.3-12** Jesús afirmó la importancia de la relación matrimonial. Quizás nos parezca limitador no tener una «ventana de escape» en el matrimonio, pero Dios siempre tuvo la intención de que el matrimonio fuera un compromiso para toda la vida. Darse cuenta de que el matrimonio es permanente y de que el

**17** El le dijo: ¿Por qué me llamas bueno? Ninguno hay bueno sino uno: Dios. Mas si quieres entrar en la vida, guarda los mandamientos.

**18** Le dijo: ¿Cuáles? Y Jesús dijo: No matarás.*e* No adulterarás.*f* No hurtarás.*g* No dirás falso testimonio.*h*

**19** Honra a tu padre y a tu madre;*i* y, Amarás a tu prójimo como a ti mismo.*j*

**20** El joven le dijo: Todo esto lo he guardado desde mi juventud. ¿Qué más me falta?

**21** Jesús le dijo: Si quieres ser perfecto, anda, vende lo que tienes, y dalo a los pobres, y tendrás tesoro en el cielo; y ven y sígueme.

**22** Oyendo el joven esta palabra, se fue triste, porque tenía muchas posesiones.

**23** Entonces Jesús dijo a sus discípulos: De cierto os digo, que difícilmente entrará un rico en el reino de los cielos.

**24** Otra vez os digo, que es más fácil pasar un camello por el ojo de una aguja, que entrar un rico en el reino de Dios.

**25** Sus discípulos, oyendo esto, se asombraron en gran manera, diciendo: ¿Quién, pues, podrá ser salvo?

**26** Y mirándolos Jesús, les dijo: Para los hombres esto es imposible; mas para Dios todo es posible.

**27** Entonces respondiendo Pedro, le dijo: He aquí, nosotros lo hemos dejado todo, y te hemos seguido; ¿qué, pues, tendremos?

**28** Y Jesús les dijo: De cierto os digo que en la regeneración, cuando el Hijo del Hombre se siente en el trono de su gloria,*k* vosotros que me habéis seguido también os sentaréis sobre doce tronos, para juzgar a las doce tribus de Israel.*l*

**29** Y cualquiera que haya dejado casas, o hermanos, o hermanas, o padre, o madre, o mujer, o hijos, o tierras, por mi nombre, recibirá cien veces más, y heredará la vida eterna.

**30** Pero muchos primeros serán postreros, y postreros, primeros.*m*

## Los obreros de la viña

**20** **1** Porque el reino de los cielos es semejante a un hombre, padre de familia, que salió por la mañana a contratar obreros para su viña.

**2** Y habiendo convenido con los obreros en un denario al día, los envió a su viña.

**3** Saliendo cerca de la hora tercera del día, vio a otros que estaban en la plaza desocupados;

**4** y les dijo: Id también vosotros a mi viña, y os daré lo que sea justo. Y ellos fueron.

**5** Salió otra vez cerca de las horas sexta y novena, e hizo lo mismo.

**6** Y saliendo cerca de la hora undécima, halló a otros que estaban desocupados; y les dijo: ¿Por qué estáis aquí todo el día desocupados?

**7** Le dijeron: Porque nadie nos ha contratado. El les dijo: Id también vosotros a la viña, y recibiréis lo que sea justo.

**8** Cuando llegó la noche, el señor de la viña dijo a su mayordomo: Llama a los obreros y págales el jornal,*a* comenzando desde los postreros hasta los primeros.

**9** Y al venir los que habían ido cerca de la hora undécima, recibieron cada uno un denario.

**10** Al venir también los primeros, pensaron que habían de recibir más; pero también ellos recibieron cada uno un denario.

**11** Y al recibirlo, murmuraban contra el padre de familia,

---

**19.18** *e* Ex. 20.13; Dt. 5.17. *f* Ex. 20.14; Dt. 5.18. *g* Ex. 20.15; Dt. 5.19. *h* Ex. 20.16; Dt. 5.20. **19.19** *i* Ex. 20.12; Dt. 5.16. *j* Lv. 19.18. **19.28** *k* Mt. 25.31. *l* Lc. 22.30. **19.30** *m* Mt. 20.16; Lc. 13.30. **20.8** *a* Lv. 19.13; Dt. 24.15.

---

esposo y la esposa son uno por medio del matrimonio debe hacernos pensar en lo mucho que nuestros pecados y dependencia lastiman a nuestro cónyuge. Aunque el divorcio puede terminar el conflicto entre la pareja, no corregirá las actitudes o las conductas que produjeron el conflicto. A menos que corrijamos en nuestro interior las raíces del problema, tendremos los mismos conflictos en futuras relaciones.

**19.16-24** El joven rico estaba tratando de obtener con esfuerzo (y así comprar) su camino al cielo. Jesús le siguió la corriente al joven en su intento miope de considerarse perfecto. Sin embargo, pronto se hizo evidente que el hombre era un adicto a su riqueza material y a la seguridad que esta le ofrecía. Sus posesiones tenían una mayor prioridad en su vida que la que tenía Dios. El materialismo es una forma de adicción o compulsión que hace casi imposible que seamos humildes y que confiemos sólo en Jesucristo para nuestra salvación y recuperación. Mientras creamos que podemos comprar la solución de nuestros problemas nunca lograremos una recuperación duradera.

**19.25-26** Estos versículos son ciertos no sólo para la salvación sino también para la recuperación. Si nos dejaran solos, nos hundiríamos cada vez más en el pozo de nuestra adicción y nunca podríamos dominarla. Pero con la ayuda de Dios, lo inconcebible es posible. Él puede transformar nuestras vidas haciendo que haya esperanza y salud donde antes reinaban la desesperanza y el dolor. Darle a Dios el control de nuestras vidas es la única manera de recobrar nuestra independencia respecto de nuestra adicción y de otras conductas compulsivas.

**20.1-16** La historia de los obreros y sus salarios habla enfáticamente sobre la gracia de Dios. Sin importar

**12** diciendo: Estos postreros han trabajado una sola hora, y los has hecho iguales a nosotros, que hemos soportado la carga y el calor del día.

**13** Él, respondiendo, dijo a uno de ellos: Amigo, no te hago agravio; ¿no conviniste conmigo en un denario?

**14** Toma lo que es tuyo, y vete; pero quiero dar a este postrero, como a ti.

**15** ¿No me es lícito hacer lo que quiero con lo mío? ¿O tienes tú envidia, porque yo soy bueno?

**16** Así, los primeros serán postreros, y los postreros, primeros; porque muchos son llamados, mas pocos escogidos.*b*

### Nuevamente Jesús anuncia su muerte

**17** Subiendo Jesús a Jerusalén, tomó a sus doce discípulos aparte en el camino, y les dijo:

**18** He aquí subimos a Jerusalén, y el Hijo del Hombre será entregado a los principales sacerdotes y a los escribas, y le condenarán a muerte;

**19** y le entregarán a los gentiles para que le escarnezcan, le azoten, y le crucifiquen; mas al tercer día resucitará.

### Petición de Santiago y de Juan

**20** Entonces se le acercó la madre de los hijos de Zebedeo con sus hijos, postrándose ante él y pidiéndole algo.

**21** El le dijo: ¿Qué quieres? Ella le dijo: Ordena que en tu reino se sienten estos dos hijos míos, el uno a tu derecha, y el otro a tu izquierda.

**22** Entonces Jesús respondiendo, dijo: No sabéis lo que pedís. ¿Podéis beber del vaso que yo he de beber, y ser bautizados con el bautismo con que yo soy bautizado? Y ellos le dijeron: Podemos.

**23** El les dijo: A la verdad, de mi vaso beberéis, y con el bautismo con que yo soy bautizado, seréis bautizados; pero el sentaros a mi derecha y a mi izquierda, no es mío darlo, sino a aquellos para quienes está preparado por mi Padre.

**24** Cuando los diez oyeron esto, se enojaron contra los dos hermanos.

**25** Entonces Jesús, llamándolos, dijo: Sabéis que los gobernantes de las naciones se enseñorean de ellas, y los que son grandes ejercen sobre ellas potestad.

**26** Mas entre vosotros no será así,*c* sino que el que quiera hacerse grande entre vosotros será vuestro servidor,

**27** y el que quiera ser el primero entre vosotros será vuestro siervo;*d*

**28** como el Hijo del Hombre no vino para ser servido, sino para servir, y para dar su vida en rescate por muchos.

### Dos ciegos reciben la vista

**29** Al salir ellos de Jericó, le seguía una gran multitud.

**30** Y dos ciegos que estaban sentados junto al camino, cuando oyeron que Jesús pasaba, clamaron, diciendo: ¡Señor, Hijo de David, ten misericordia de nosotros!

**31** Y la gente les reprendió para que callasen; pero ellos clamaban más, diciendo: ¡Señor, Hijo de David, ten misericordia de nosotros!

**32** Y deteniéndose Jesús, los llamó, y les dijo: ¿Qué queréis que os haga?

**33** Ellos le dijeron: Señor, que sean abiertos nuestros ojos.

**34** Entonces Jesús, compadecido, les tocó los ojos, y en seguida recibieron la vista; y le siguieron.

### La entrada triunfal en Jerusalén

# 21
**1** Cuando se acercaron a Jerusalén, y vinieron a Betfagé, al monte de los Olivos, Jesús envió dos discípulos,

---

**20.16** *b* Mt. 19.30; Mr. 10.31; Lc. 13.30. **20.25-26** *c* Lc. 22.25-26. **20.26-27** *d* Mt. 23.11; Mr. 9.35; Lc. 22.26.

---

cuándo comencemos a seguir a Jesús, siempre recibimos la misma cantidad de gracia de parte de Dios. Esto puede parecerles injusto a algunos, pero Dios en su misericordia acepta a todo el que se vuelve a él en busca de salvación y recuperación, sin dar importancia a cuán temprano o tarde haya sido en la vida. ¡Nunca es demasiado tarde para comenzar el proceso de recuperación!

**20.20-28** Los otros discípulos se indignaron ante la petición de reconocimiento especial por parte de la madre de Santiago y Juan porque ellos también querían posiciones de honor en el reino de Dios. Esta actitud orgullosa contradecía lo que Jesús había enseñado, y siempre es perjudicial para la recuperación. Sólo sirviendo humildemente a otros nos hacemos grandes ante los ojos de Dios. Esta es también una de nuestras metas en la recuperación. Si recibimos la gracia de Dios y la restauración, tenemos el deber de llevar su mensaje a otros y ayudarlos en el proceso de recuperación.

**20.29-34** La sensibilidad de Jesús ante las necesidades de los dos ciegos, en medio de una muchedumbre, muestra que Dios se preocupa mucho por las personas que sufren. Jesús los sanó porque ellos le pidieron que lo hiciera. Creyeron en él y no escucharon los comentarios desalentadores de los espectadores. Perseveraron a pesar de la oposición y continuaron con sus humildes súplicas de ayuda. Es posible que durante la recuperación encontremos oposición. En ese caso, quizás sea necesario tragarnos nuestro orgullo y sencillamente seguir adelante. Podemos estar seguros de que aun cuando otros se rían de nosotros y nos desalienten, Dios está escuchando y nos ayudará en el proceso de la recuperación.

**2** diciéndoles: Id a la aldea que está enfrente de vosotros, y luego hallaréis una asna atada, y un pollino con ella; desatadla, y traédmelos.

**3** Y si alguien os dijere algo, decid: El Señor los necesita; y luego los enviará.

**4** Todo esto aconteció para que se cumpliese lo dicho por el profeta, cuando dijo:

**5** Decid a la hija de Sion:

He aquí, tu Rey viene a ti,

Manso, y sentado sobre una asna,

Sobre un pollino, hijo de animal de carga.*a*

**6** Y los discípulos fueron, e hicieron como Jesús les mandó;

**7** y trajeron el asna y el pollino, y pusieron sobre ellos sus mantos; y él se sentó encima.

**8** Y la multitud, que era muy numerosa, tendía sus mantos en el camino; y otros cortaban ramas de los árboles, y las tendían en el camino.

**9** Y la gente que iba delante y la que iba detrás aclamaba, diciendo: ¡Hosanna*b* al Hijo de David! ¡Bendito el que viene en el nombre del Señor!*c* ¡Hosanna en las alturas!

**10** Cuando entró él en Jerusalén, toda la ciudad se conmovió, diciendo: ¿Quién es éste?

**11** Y la gente decía: Este es Jesús el profeta, de Nazaret de Galilea.

## Purificación del templo

**12** Y entró Jesús en el templo de Dios, y echó fuera a todos los que vendían y compraban en el templo, y volcó las mesas de los cambistas, y las sillas de los que vendían palomas.

**13** y les dijo: Escrito está: Mi casa, casa de oración será llamada;*d* mas vosotros la habéis hecho cueva de ladrones.*e*

**14** Y vinieron a él en el templo ciegos y cojos, y los sanó.

**15** Pero los principales sacerdotes y los escribas, viendo las maravillas que hacía, y a los muchachos aclamando en el templo y diciendo: ¡Hosanna al Hijo de David! se indignaron,

**16** y le dijeron: ¿Oyes lo que éstos dicen? Y Jesús les dijo: Sí; ¿nunca leísteis:

De la boca de los niños y de los que maman

Perfeccionaste la alabanza?*f*

**17** Y dejándolos, salió fuera de la ciudad, a Betania, y posó allí.

## Maldición de la higuera estéril

**18** Por la mañana, volviendo a la ciudad, tuvo hambre.

**19** Y viendo una higuera cerca del camino, vino a ella, y no halló nada en ella, sino hojas solamente; y le dijo: Nunca jamás nazca de ti fruto. Y luego se secó la higuera.

**20** Viendo esto los discípulos, decían maravillados: ¿Cómo es que se secó en seguida la higuera?

**21** Respondiendo Jesús, les dijo: De cierto os digo, que si tuviereis fe, y no dudareis, no sólo haréis esto de la higuera, sino que si a este monte dijereis: Quítate y échate en el mar, será hecho.*g*

**22** Y todo lo que pidiereis en oración, creyendo, lo recibiréis.

## La autoridad de Jesús

**23** Cuando vino al templo, los principales sacerdotes y los ancianos del pueblo se acercaron a él mientras enseñaba, y le dijeron: ¿Con qué autoridad haces estas cosas? ¿y quién te dio esta autoridad?

**24** Respondiendo Jesús, les dijo: Yo también os haré una pregunta, y si me la contestáis, también yo os diré con qué autoridad hago estas cosas.

**25** El bautismo de Juan, ¿de dónde era? ¿Del cielo, o de los hombres? Ellos entonces discutían entre sí, diciendo: Si decimos, del cielo, nos dirá: ¿Por qué, pues, no le creísteis?

**26** Y si decimos, de los hombres, tememos al pueblo; porque todos tienen a Juan por profeta.

**27** Y respondiendo a Jesús, dijeron: No sabemos. Y él también les dijo: Tampoco yo os digo con qué autoridad hago estas cosas.

## Parábola de los dos hijos

**28** Pero ¿qué os parece? Un hombre tenía dos hijos, y acercándose al primero, le dijo: Hijo, ve hoy a trabajar en mi viña.

**29** Respondiendo él, dijo: No quiero; pero después, arrepentido, fue.

**30** Y acercándose al otro, le dijo de la misma manera; y respondiendo él, dijo: Sí, señor, voy. Y no fue.

---

**21.5** *a* Zac. 9.9.   **21.9** *b* Sal. 118.25. *c* Sal. 118.26.   **21.13** *d* Is. 56.7. *e* Jer. 7.11.   **21.16** *f* Sal. 8.2.
**21.21** *g* Mt. 17.20; 1 Co. 13.2.

---

**21.18-22** Jesús habló de nuevo sobre el poder de la fe. Las respuestas aparentemente imposibles a algunas oraciones, incluyendo una recuperación transformadora , pueden llegar si vivimos por fe y crece nuestra entrega a Dios. Este pasaje no sugiere que oremos para que alguna higuera se seque o para que de verdad una montaña cambie de lugar. Lo que sí nos dice es que se reciben respuestas asombrosas cuando oramos a Dios y creemos en que él contestará.

**21.28-32** Antes de comenzar el proceso de recuperación éramos como el primer hijo, quien le dijo que no a los deseos del padre. Le dimos la espalda a Dios y nos dedicamos a nuestros deseos egoístas. Sin embargo, más adelante nos dimos cuenta de hacia dónde nos dirigíamos, cambiamos de idea y seguimos a nuestro Padre.

**31** ¿Cuál de los dos hizo la voluntad de su padre? Dijeron ellos: El primero. Jesús les dijo: De cierto os digo, que los publicanos y las rameras van delante de vosotros al reino de Dios.
**32** Porque vino a vosotros Juan en camino de justicia, y no le creísteis; pero los publicanos y las rameras le creyeron;*h* y vosotros, viendo esto, no os arrepentisteis después para creerle.

## Los labradores malvados

**33** Oíd otra parábola: Hubo un hombre, padre de familia, el cual plantó una viña,*i* la cercó de vallado, cavó en ella un lagar, edificó una torre, y la arrendó a unos labradores, y se fue lejos.
**34** Y cuando se acercó el tiempo de los frutos, envió sus siervos a los labradores, para que recibiesen sus frutos.
**35** Mas los labradores, tomando a los siervos, a uno golpearon, a otro mataron, y a otro apedrearon.
**36** Envió de nuevo otros siervos, más que los primeros; e hicieron con ellos de la misma manera.
**37** Finalmente les envió su hijo, diciendo: Tendrán respeto a mi hijo.
**38** Mas los labradores, cuando vieron al hijo, dijeron entre sí: Este es el heredero; venid, matémosle, y apoderémonos de su heredad.
**39** Y tomándole, le echaron fuera de la viña, y le mataron.
**40** Cuando venga, pues, el señor de la viña, ¿qué hará a aquellos labradores?
**41** Le dijeron: A los malos destruirá sin misericordia, y arrendará su viña a otros labradores, que le paguen el fruto a su tiempo.
**42** Jesús les dijo: ¿Nunca leísteis en las Escrituras:
La piedra que desecharon los edificadores,
Ha venido a ser cabeza del ángulo.
El Señor ha hecho esto,
Y es cosa maravillosa a nuestros ojos?*j*
**43** Por tanto os digo, que el reino de Dios será quitado de vosotros, y será dado a gente que produzca los frutos de él.
**44** Y el que cayere sobre esta piedra será quebrantado; y sobre quien ella cayere, le desmenuzará.
**45** Y oyendo sus parábolas los principales sacerdotes y los fariseos, entendieron que hablaba de ellos.
**46** Pero al buscar cómo echarle mano, temían al pueblo, porque éste le tenía por profeta.

## Parábola de la fiesta de bodas

**22** **1** Respondiendo Jesús, les volvió a hablar en parábolas, diciendo:
**2** El reino de los cielos es semejante a un rey que hizo fiesta de bodas a su hijo;
**3** y envió a sus siervos a llamar a los convidados a las bodas; mas éstos no quisieron venir.
**4** Volvió a enviar otros siervos, diciendo: Decid a los convidados: He aquí, he preparado mi comida; mis toros y animales engordados han sido muertos, y todo está dispuesto; venid a las bodas.
**5** Mas ellos, sin hacer caso, se fueron, uno a su labranza, y otro a sus negocios;
**6** y otros, tomando a los siervos, los afrentaron y los mataron.
**7** Al oírlo el rey, se enojó; y enviando sus ejércitos, destruyó a aquellos homicidas, y quemó su ciudad.
**8** Entonces dijo a sus siervos: Las bodas a la verdad están preparadas; mas los que fueron convidados no eran dignos.
**9** Id, pues, a las salidas de los caminos, y llamad a las bodas a cuantos halléis.
**10** Y saliendo los siervos por los caminos, juntaron a todos los que hallaron, juntamente malos y buenos; y las bodas fueron llenas de convidados.
**11** Y entró el rey para ver a los convidados, y vio allí a un hombre que no estaba vestido de boda.
**12** Y le dijo: Amigo, ¿cómo entraste aquí, sin estar vestido de boda? Mas él enmudeció.
**13** Entonces el rey dijo a los que servían: Atadle de pies y manos, y echadle en las tinieblas de afuera; allí será el lloro y el crujir de dientes.*a*
**14** Porque muchos son llamados, y pocos escogidos.

## La cuestión del tributo

**15** Entonces se fueron los fariseos y consultaron cómo sorprenderle en alguna palabra.
**16** Y le enviaron los discípulos de ellos con los herodianos, diciendo: Maestro, sabemos que eres amante

---

**21.32** *h* Lc. 3.12; 7.29-30. **21.33** *i* Is. 5.1-2. **21.42** *j* Sal. 118.22-23. **22.13** *a* Mt. 8.12; 25.30; Lc. 13.28.

---

Aunque habíamos echado a perder nuestra vida, ahora estamos obedeciendo a Dios. Esto representa un marcado contraste con el hijo que dijo que obedecería al padre y luego no obedeció. Personas así pueden ser parte de la «iglesia» establecida y pensar que están siguiendo a Dios, pero en realidad están alejados de sus caminos. Nuestro cambio de corazón y de estilo de vida nos ganará la vida eterna; a quienes lo rechazan, ese rechazo los llevará al castigo eterno.

**22.1-10** Cuando los siervos del rey trajeron a la fiesta de bodas a todos los que pudieron encontrar, había entre ellos gente buena y gente mala. La invitación había sido extendida a todos los que quisieran venir. Así también es con el cielo: todo el mundo está invitado y cualquiera puede rechazar la oferta. Los mismos principios se aplican a la recuperación. Dios quiere que todos tengamos vidas saludables, productivas y piadosas, pero cualquiera puede negarse a comenzar el proceso de recuperación. ¿Seremos como el primer grupo de invitados y sufriremos por nuestra decisión, o seremos como el segundo grupo y disfrutaremos de lo que Dios nos ofrece?

de la verdad, y que enseñas con verdad el camino de Dios, y que no te cuidas de nadie, porque no miras la apariencia de los hombres.

**17** Dinos, pues, qué te parece: ¿Es lícito dar tributo a César, o no?

**18** Pero Jesús, conociendo la malicia de ellos, les dijo: ¿Por qué me tentáis, hipócritas?

**19** Mostradme la moneda del tributo. Y ellos le presentaron un denario.

**20** Entonces les dijo: ¿De quién es esta imagen, y la inscripción?

**21** Le dijeron: De César. Y les dijo: Dad, pues, a César lo que es de César, y a Dios lo que es de Dios.

**22** Oyendo esto, se maravillaron, y dejándole, se fueron.

### La pregunta sobre la resurrección

**23** Aquel día vinieron a él los saduceos, que dicen que no hay resurrección,*b* y le preguntaron,

**24** diciendo: Maestro, Moisés dijo: Si alguno muriere sin hijos, su hermano se casará con su mujer, y levantará descendencia a su hermano.*c*

**25** Hubo, pues, entre nosotros siete hermanos; el primero se casó, y murió; y no teniendo descendencia, dejó su mujer a su hermano.

**26** De la misma manera también el segundo, y el tercero, hasta el séptimo.

**27** Y después de todos murió también la mujer.

**28** En la resurrección, pues, ¿de cuál de los siete será ella mujer, ya que todos la tuvieron?

**29** Entonces respondiendo Jesús, les dijo: Erráis, ignorando las Escrituras y el poder de Dios.

**30** Porque en la resurrección ni se casarán ni se darán en casamiento, sino serán como los ángeles de Dios en el cielo.

**31** Pero respecto a la resurrección de los muertos, ¿no habéis leído lo que os fue dicho por Dios, cuando dijo:

**32** Yo soy el Dios de Abraham, el Dios de Isaac y el Dios de Jacob?*d* Dios no es Dios de muertos, sino de vivos.

**33** Oyendo esto la gente, se admiraba de su doctrina.

### El gran mandamiento

**34** Entonces los fariseos, oyendo que había hecho callar a los saduceos, se juntaron a una.

**35** Y uno de ellos, intérprete de la ley, preguntó por tentarle,*e* diciendo:

**36** Maestro, ¿cuál es el gran mandamiento en la ley?

**37** Jesús le dijo: Amarás al Señor tu Dios con todo tu corazón, y con toda tu alma, y con toda tu mente.*f*

**38** Este es el primero y grande mandamiento.

**39** Y el segundo es semejante: Amarás a tu prójimo como a ti mismo.*g*

**40** De estos dos mandamientos depende toda la ley y los profetas.

### ¿De quién es hijo el Cristo?

**41** Y estando juntos los fariseos, Jesús les preguntó,

**42** diciendo: ¿Qué pensáis del Cristo? ¿De quién es hijo? Le dijeron: De David.

**43** El les dijo: ¿Pues cómo David en el Espíritu le llama Señor, diciendo:

**44** Dijo el Señor a mi Señor:
Siéntate a mi derecha,
Hasta que ponga a tus enemigos
por estrado de tus pies?*h*

**45** Pues si David le llama Señor, ¿cómo es su hijo?

**46** Y nadie le podía responder palabra; ni osó alguno desde aquel día preguntarle más.

### Jesús acusa a escribas y fariseos

**23** **1** Entonces habló Jesús a la gente y a sus discípulos, diciendo:

**2** En la cátedra de Moisés se sientan los escribas y los fariseos.

**3** Así que, todo lo que os digan que guardéis, guardadlo y hacedlo; mas no hagáis conforme a sus obras, porque dicen, y no hacen.

**4** Porque atan cargas pesadas y difíciles de llevar, y las ponen sobre los hombros de los hombres; pero ellos ni con un dedo quieren moverlas.

**5** Antes, hacen todas sus obras para ser vistos por

---

**22.23** *b* Hch. 23.8. **22.24** *c* Dt. 25.5. **22.32** *d* Ex. 3.6. **22.35-40** *e* Lc. 10.25-28. **22.37** *f* Dt. 6.5. **22.39** *g* Lv. 19.18.
**22.44** *h* Sal. 110.1.

---

**22.33-40** Para simplificar nuestras prioridades, Jesús redujo a dos mandamientos fundamentales las más de seiscientas regulaciones de la ley de Moisés: amar a Dios con todo lo que somos y tenemos y amar a nuestro prójimo como a nosotros mismos. Hacer esto es obedecer todas las otras leyes. No puede encontrarse un mejor resumen en dos puntos para los Doce Pasos. Cuando amamos a Dios con nuestra misma vida no querremos hacer nada para deshonrarlo ni para enojarlo. Amar a otros debe hacernos conscientes del dolor que sienten cuando nos entregamos a nuestra adicción. Nuestro amor y preocupación por ellos debe hacernos pensar dos veces antes de hacerlos sufrir.
**23.1-12** Los fariseos y los líderes judíos son ejemplos clásicos de gente que vive con un doble estándar. Ellos hacen que los patrones de conducta para otros sean imposiblemente difíciles, pero ellos mismos no cumplen las mismas estipulaciones. A pesar de sus fracasos, exigían que se les llamara usando títulos

los hombres.*a* Pues ensanchan sus filacterias,*b* y extienden los flecos*c* de sus mantos;

**6** y aman los primeros asientos en las cenas, y las primeras sillas en las sinagogas,

**7** y las salutaciones en las plazas, y que los hombres los llamen: Rabí, Rabí.

**8** Pero vosotros no queráis que os llamen Rabí; porque uno es vuestro Maestro, el Cristo, y todos vosotros sois hermanos.

**9** Y no llaméis padre vuestro a nadie en la tierra; porque uno es vuestro Padre, el que está en los cielos.

**10** Ni seáis llamados maestros; porque uno es vuestro Maestro, el Cristo.

**11** El que es el mayor de vosotros, sea vuestro siervo.*d*

**12** Porque el que se enaltece será humillado, y el que se humilla será enaltecido.*e*

**13** Mas ¡ay de vosotros, escribas y fariseos, hipócritas! porque cerráis el reino de los cielos delante de los hombres; pues ni entráis vosotros, ni dejáis entrar a los que están entrando.

**14** ¡Ay de vosotros, escribas y fariseos, hipócritas! porque devoráis las casas de las viudas, y como pretexto hacéis largas oraciones; por esto recibiréis mayor condenación.

**15** ¡Ay de vosotros, escribas y fariseos, hipócritas! porque recorréis mar y tierra para hacer un prosélito, y una vez hecho, le hacéis dos veces más hijo del infierno que vosotros.

**16** ¡Ay de vosotros, guías ciegos! que decís: Si alguno jura por el templo, no es nada; pero si alguno jura por el oro del templo, es deudor.

**17** ¡Insensatos y ciegos! porque ¿cuál es mayor, el oro, o el templo que santifica al oro?

**18** También decís: Si alguno jura por el altar, no es nada; pero si alguno jura por la ofrenda que está sobre él, es deudor.

**19** ¡Necios y ciegos! porque ¿cuál es mayor, la ofrenda, o el altar que santifica la ofrenda?

**20** Pues el que jura por el altar, jura por él, y por todo lo que está sobre él;

**21** y el que jura por el templo, jura por él, y por el que lo habita;

**22** y el que jura por el cielo, jura por el trono de Dios,*f* y por aquel que está sentado en él.

**23** ¡Ay de vosotros, escribas y fariseos, hipócritas! porque diezmáis la menta y el eneldo y el comino,*g* y dejáis lo más importante de la ley: la justicia, la misericordia y la fe. Esto era necesario hacer, sin dejar de hacer aquello.

**24** ¡Guías ciegos, que coláis el mosquito, y tragáis el camello!

**25** ¡Ay de vosotros, escribas y fariseos, hipócritas! porque limpiáis lo de fuera del vaso y del plato, pero por dentro estáis llenos de robo y de injusticia.

**26** ¡Fariseo ciego! Limpia primero lo de dentro del vaso y del plato, para que también lo de fuera sea limpio.

**27** ¡Ay de vosotros, escribas y fariseos, hipócritas! porque sois semejantes a sepulcros blanqueados,*h* que por fuera, a la verdad, se muestran hermosos, mas por dentro están llenos de huesos de muertos y de toda inmundicia.

**28** Así también vosotros por fuera, a la verdad, os mostráis justos a los hombres, pero por dentro estáis llenos de hipocresía e iniquidad.

**29** ¡Ay de vosotros, escribas y fariseos, hipócritas! porque edificáis los sepulcros de los profetas, y adornáis los monumentos de los justos,

**30** y decís: Si hubiésemos vivido en los días de nuestros padres, no hubiéramos sido sus cómplices en la sangre de los profetas.

**31** Así que dais testimonio contra vosotros mismos, de que sois hijos de aquellos que mataron a los profetas.

**32** ¡Vosotros también llenad la medida de vuestros padres!

**33** ¡Serpientes, generación de víboras!*i* ¿Cómo escaparéis de la condenación del infierno?

**34** Por tanto, he aquí yo os envío profetas y sabios y escribas; y de ellos, a unos mataréis y crucificaréis, y a otros azotaréis en vuestras sinagogas, y perseguiréis de ciudad en ciudad;

**35** para que venga sobre vosotros toda la sangre justa que se ha derramado sobre la tierra, desde la

---

**23.5** *a* Mt. 6.1. *b* Dt. 6.8. *c* Nm. 15.38. **23.11** *d* Mt. 20.26-27; Mr. 9.35; 10.43-44; Lc. 22.26. **23.12** *e* Lc. 14.11; 18.14. **23.22** *f* Is. 66.1; Mt. 5.34. **23.23** *g* Lv. 27.30. **23.27** *h* Hch. 23.3. **23.33** *i* Mt. 3.7; 12.34; Lc. 3.7.

---

apropiados sólo para Dios. No se dieron cuenta de que la verdadera grandeza comienza con la humildad y se demuestra con la disposición para ayudar a otros. El orgullo de los fariseos evitó que vieran su verdadera necesidad de Dios.

**23.13-36** Jesús les hizo advertencias del juicio a todos los líderes religiosos ciegos espiritualmente debido a su hipocresía. La retórica externa y el ritualismo de esos líderes eran falsas apariencias: todo un espectáculo sin realidad interior. Tales personas causan mucho daño a otros y ellos mismos están muy lejos de la recuperación. No obstante, hay esperanza para todo el mundo, ¡aun para los hipócritas! José de Arimatea y Nicodemo, finalmente alcanzaron la recuperación al creer en Jesús (véase Juan 19.38-42). Si buscamos a Jesús, lo encontraremos y él nos ayudará en el proceso de recuperación.

sangre de Abel/ el justo hasta la sangre de Zacarías*k* hijo de Berequías, a quien matasteis entre el templo y el altar.

**36** De cierto os digo que todo esto vendrá sobre esta generación.

### Lamento de Jesús sobre Jerusalén

**37** ¡Jerusalén, Jerusalén, que matas a los profetas, y apedreas a los que te son enviados! ¡Cuántas veces quise juntar a tus hijos, como la gallina junta sus polluelos debajo de las alas, y no quisiste!

**38** He aquí vuestra casa os es dejada desierta.

**39** Porque os digo que desde ahora no me veréis, hasta que digáis: Bendito el que viene en el nombre del Señor./

### Jesús predice la destrucción del templo

**24** **1** Cuando Jesús salió del templo y se iba, se acercaron sus discípulos para mostrarle los edificios del templo.

**2** Respondiendo él, les dijo: ¿Veis todo esto? De cierto os digo, que no quedará aquí piedra sobre piedra, que no sea derribada.

### Señales antes del fin

**3** Y estando él sentado en el monte de los Olivos, los discípulos se le acercaron aparte, diciendo: Dinos, ¿cuándo serán estas cosas, y qué señal habrá de tu venida, y del fin del siglo?

**4** Respondiendo Jesús, les dijo: Mirad que nadie os engañe.

**5** Porque vendrán muchos en mi nombre, diciendo: Yo soy el Cristo; y a muchos engañarán.

**6** Y oiréis de guerras y rumores de guerras; mirad que no os turbéis, porque es necesario que todo esto acontezca; pero aún no es el fin.

**7** Porque se levantará nación contra nación, y reino contra reino; y habrá pestes, y hambres, y terremotos en diferentes lugares.

**8** Y todo esto será principio de dolores.

**9** Entonces os entregarán a tribulación, y os matarán, y seréis aborrecidos de todas las gentes por causa de mi nombre.*a*

**10** Muchos tropezarán entonces, y se entregarán unos a otros, y unos a otros se aborrecerán.

**11** Y muchos falsos profetas se levantarán, y engañarán a muchos;

**12** y por haberse multiplicado la maldad, el amor de muchos se enfriará.

**13** Mas el que persevere hasta el fin, éste será salvo.*b*

**14** Y será predicado este evangelio del reino en todo el mundo, para testimonio a todas las naciones; y entonces vendrá el fin.

**15** Por tanto, cuando veáis en el lugar santo la abominación desoladora de que habló el profeta Daniel*c* (el que lee, entienda),

**16** entonces los que estén en Judea, huyan a los montes.

**17** El que esté en la azotea, no descienda para tomar algo de su casa;

**18** y el que esté en el campo, no vuelva atrás para tomar su capa.*d*

**19** Mas ¡ay de las que estén encintas, y de las que críen en aquellos días!

**20** Orad, pues, que vuestra huida no sea en invierno ni en día de reposo;

**21** porque habrá entonces gran tribulación,*e* cual no la ha habido desde el principio del mundo hasta ahora, ni la habrá.

**22** Y si aquellos días no fuesen acortados, nadie sería salvo; mas por causa de los escogidos, aquellos días serán acortados.

**23** Entonces, si alguno os dijere: Mirad, aquí está el Cristo, o mirad, allí está, no lo creáis.

**24** Porque se levantarán falsos Cristos, y falsos profetas, y harán grandes señales y prodigios, de tal manera que engañarán, si fuere posible, aun a los escogidos.

**25** Ya os lo he dicho antes.

**26** Así que, si os dijeren: Mirad, está en el desierto, no salgáis; o mirad, está en los aposentos, no lo creáis.

---

**23.35** *j* Gn. 4.8. *k* 2 Cr. 24.20-21. **23.39** *l* Sal. 118.26. **24.9** *a* Mt. 10.22. **24.13** *b* Mt. 10.22.
**24.15** *c* Dn. 9.27; 11.31; 12.11. **24.17-18** *d* Lc. 17.31. **24.21** *e* Dn. 12.1; Ap. 7.14.

---

**24.2-8** Mucha gente que necesita y busca su recuperación se desalienta muchísimo por el miedo a que todas las cosas sigan indefinidamente de la misma forma desdichada y problemática en que han estado. Cuando Jesús comenzó su mensaje del Monte de los Olivos (Mateo 24—25), miró al futuro, a los acontecimientos en torno a su regreso a la tierra, y prometió que algún día ocurriría una verdadera recuperación (24.13). Sin embargo, las cosas pueden empeorar antes de que comiencen a mejorar, lo cual establece un paralelo entre esos acontecimientos futuros y el curso normal a la recuperación. Debemos perseverar hasta que se complete nuestro programa y seamos restaurados.

**24.14** Como Dios ama a todo el mundo está retrasando el juicio de la humanidad hasta que todo el planeta haya oído el mensaje de salvación. Esto no significa que todo el mundo aceptará el evangelio, pero cada grupo habrá tenido la oportunidad de responder. Cuanto más nos acercamos a la evangelización mundial, más cerca estamos de la segunda venida de Cristo. ¿Hemos aceptado a Jesús y su plan de salvación y recuperación? Si no, el tiempo se está acabando.

**27** Porque como el relámpago que sale del oriente y se muestra hasta el occidente, así será también la venida del Hijo del Hombre.[f]
**28** Porque dondequiera que estuviere el cuerpo muerto, allí se juntarán las águilas.[g]

## La venida del Hijo del Hombre

**29** E inmediatamente después de la tribulación de aquellos días, el sol se oscurecerá, y la luna no dará su resplandor, y las estrellas caerán del cielo,[h] y las potencias de los cielos serán conmovidas.
**30** Entonces aparecerá la señal del Hijo del Hombre en el cielo; y entonces lamentarán todas las tribus de la tierra, y verán al Hijo del Hombre viniendo sobre las nubes del cielo,[i] con poder y gran gloria.
**31** Y enviará sus ángeles con gran voz de trompeta, y juntarán a sus escogidos, de los cuatro vientos, desde un extremo del cielo hasta el otro.
**32** De la higuera aprended la parábola: Cuando ya su rama está tierna, y brotan las hojas, sabéis que el verano está cerca.
**33** Así también vosotros, cuando veáis todas estas cosas, conoced que está cerca, a las puertas.
**34** De cierto os digo, que no pasará esta generación hasta que todo esto acontezca.
**35** El cielo y la tierra pasarán, pero mis palabras no pasarán.
**36** Pero del día y la hora nadie sabe, ni aun los ángeles de los cielos, sino sólo mi Padre.
**37** Mas como en los días de Noé,[j] así será la venida del Hijo del Hombre.
**38** Porque como en los días antes del diluvio estaban comiendo y bebiendo, casándose y dando en casamiento, hasta el día en que Noé entró en el arca,
**39** y no entendieron hasta que vino el diluvio y se los llevó a todos,[k] así será también la venida del Hijo del Hombre.
**40** Entonces estarán dos en el campo; el uno será tomado, y el otro será dejado.
**41** Dos mujeres estarán moliendo en un molino; la una será tomada, y la otra será dejada.
**42** Velad, pues, porque no sabéis a qué hora ha de venir vuestro Señor.
**43** Pero sabed esto, que si el padre de familia supiese a qué hora el ladrón habría de venir, velaría, y no dejaría minar su casa.
**44** Por tanto, también vosotros estad preparados; porque el Hijo del Hombre vendrá a la hora que no pensáis.[l]

**45** ¿Quién es, pues, el siervo fiel y prudente, al cual puso su señor sobre su casa para que les dé el alimento a tiempo?
**46** Bienaventurado aquel siervo al cual, cuando su señor venga, le halle haciendo así.
**47** De cierto os digo que sobre todos sus bienes le pondrá.
**48** Pero si aquel siervo malo dijere en su corazón: Mi señor tarda en venir;
**49** y comenzare a golpear a sus consiervos, y aun a comer y a beber con los borrachos,
**50** vendrá el señor de aquel siervo el día que éste no espera, y a la hora que no sabe,
**51** y lo castigará duramente, y pondrá su parte con los hipócritas; allí será el lloro y el crujir de dientes.

## Parábola de las diez vírgenes

**25** **1** Entonces el reino de los cielos será semejante a diez vírgenes que tomando sus lámparas,[a] salieron a recibir al esposo.
**2** Cinco de ellas eran prudentes y cinco insensatas.
**3** Las insensatas, tomando sus lámparas, no tomaron consigo aceite;
**4** mas las prudentes tomaron aceite en sus vasijas, juntamente con sus lámparas.
**5** Y tardándose el esposo, cabecearon todas y se durmieron.
**6** Y a la medianoche se oyó un clamor: ¡Aquí viene el esposo; salid a recibirle!
**7** Entonces todas aquellas vírgenes se levantaron, y arreglaron sus lámparas.
**8** Y las insensatas dijeron a las prudentes: Dadnos de vuestro aceite; porque nuestras lámparas se apagan.
**9** Mas las prudentes respondieron diciendo: Para que no nos falte a nosotras y a vosotras, id más bien a los que venden, y comprad para vosotras mismas.
**10** Pero mientras ellas iban a comprar, vino el esposo;

---

**24.26-27** [f] Lc. 17.23-24.   **24.28** [g] Lc. 17.37.   **24.29** [h] Is. 13.10; Ez. 32.7; Jl. 2.31; Ap. 6.12-13.   **24.30** [i] Dn. 7.13; Ap. 1.7.   **24.37** [j] Gn. 6.5-8.   **24.39** [k] Gn. 7.6-24.   **24.43-44** [l] Lc. 12.39-40.   **25.1** [a] Lc. 12.35.

---

**24.36-51** Jesús no nos dijo cuándo vendría la redención final de este mundo malvado. De igual manera, tal vez no sepamos cuándo se completará nuestra recuperación personal. Todos estamos recuperándonos todavía, un día a la vez. Ninguno de nosotros ha llegado a la meta. No será sino hasta la segunda venida de Cristo cuando nos liberaremos del esfuerzo diario, de la vigilia y de la recuperación.
**25.1-13** La historia de las diez vírgenes refuerza la necesidad de prepararnos sabiamente y estar listos para la venida de Cristo. Se quedarán atrás los que no se hayan preparado para el regreso de Jesús, el esposo celestial —por medio de la fe, la entrega, y viviendo responsablemente. Para quienes hayamos sufrido a causa de un trasfondo problemático, la recuperación es una parte importante de esa preparación.

y las que estaban preparadas entraron con él a las bodas; y se cerró la puerta.

**11** Después vinieron también las otras vírgenes, diciendo: ¡Señor, señor, ábrenos!

**12** Mas él, respondiendo, dijo: De cierto os digo, que no os conozco.*b*

**13** Velad, pues, porque no sabéis el día ni la hora en que el Hijo del Hombre ha de venir.

### Parábola de los talentos

**14** Porque el reino de los cielos es como un hombre que yéndose lejos, llamó a sus siervos y les entregó sus bienes.

**15** A uno dio cinco talentos, y a otro dos, y a otro uno, a cada uno conforme a su capacidad; y luego se fue lejos.

**16** Y el que había recibido cinco talentos fue y negoció con ellos, y ganó otros cinco talentos.

**17** Asimismo el que había recibido dos, ganó también otros dos.

**18** Pero el que había recibido uno fue y cavó en la tierra, y escondió el dinero de su señor.

**19** Después de mucho tiempo vino el señor de aquellos siervos, y arregló cuentas con ellos.

**20** Y llegando el que había recibido cinco talentos, trajo otros cinco talentos, diciendo: Señor, cinco talentos me entregaste; aquí tienes, he ganado otros cinco talentos sobre ellos.

**21** Y su señor le dijo: Bien, buen siervo y fiel; sobre poco has sido fiel, sobre mucho te pondré; entra en el gozo de tu señor.

**22** Llegando también el que había recibido dos talentos, dijo: Señor, dos talentos me entregaste; aquí tienes, he ganado otros dos talentos sobre ellos.

**23** Su señor le dijo: Bien, buen siervo y fiel; sobre poco has sido fiel, sobre mucho te pondré; entra en el gozo de tu señor.

**24** Pero llegando también el que había recibido un talento, dijo: Señor, te conocía que eres hombre duro, que siegas donde no sembraste y recoges donde no esparciste;

**25** por lo cual tuve miedo, y fui y escondí tu talento en la tierra; aquí tienes lo que es tuyo.

**26** Respondiendo su señor, le dijo: Siervo malo y negligente, sabías que siego donde no sembré, y que recojo donde no esparcí.

**27** Por tanto, debías haber dado mi dinero a los banqueros, y al venir yo, hubiera recibido lo que es mío con los intereses.

**28** Quitadle, pues, el talento, y dadlo al que tiene diez talentos.

**29** Porque al que tiene, le será dado, y tendrá más; y al que no tiene, aun lo que tiene le será quitado.*c*

**30** Y al siervo inútil echadle en las tinieblas de afuera; allí será el lloro y el crujir de dientes.*d,e*

### El juicio de las naciones

**31** Cuando el Hijo del Hombre venga en su gloria, y todos los santos ángeles con él,*f* entonces se sentará en su trono de gloria,*g*

**32** y serán reunidas delante de él todas las naciones; y apartará los unos de los otros, como aparta el pastor las ovejas de los cabritos.

**33** Y pondrá las ovejas a su derecha, y los cabritos a su izquierda.

**34** Entonces el Rey dirá a los de su derecha: Venid, benditos de mi Padre, heredad el reino preparado para vosotros desde la fundación del mundo.

**35** Porque tuve hambre, y me disteis de comer; tuve sed, y me disteis de beber; fui forastero, y me recogisteis;

**36** estuve desnudo, y me cubristeis; enfermo, y me visitasteis; en la cárcel, y vinisteis a mí.

**37** Entonces los justos le responderán diciendo: Señor, ¿cuándo te vimos hambriento, y te sustentamos, o sediento, y te dimos de beber?

**38** ¿Y cuándo te vimos forastero, y te recogimos, o desnudo, y te cubrimos?

**39** ¿O cuándo te vimos enfermo, o en la cárcel, y vinimos a ti?

**40** Y respondiendo el Rey, les dirá: De cierto os digo que en cuanto lo hicisteis a uno de estos mis hermanos más pequeños, a mí lo hicisteis.

**41** Entonces dirá también a los de la izquierda: Apartaos de mí, malditos, al fuego eterno preparado para el diablo y sus ángeles.

**42** Porque tuve hambre, y no me disteis de comer; tuve sed, y no me disteis de beber;

**43** fui forastero, y no me recogisteis; estuve desnudo, y no me cubristeis; enfermo, y en la cárcel, y no me visitasteis.

**44** Entonces también ellos le responderán diciendo: Señor, ¿cuándo te vimos hambriento, sediento, forastero, desnudo, enfermo, o en la cárcel, y no te servimos?

---

**25.11-12** *b* Lc. 13.25.   **25.29** *c* Mt. 13.12; Mr. 4.25; Lc. 8.18.   **25.14-30** *d* Lc. 19.11-27.   **25.30** *e* Mt. 8.12; 22.13; Lc. 13.28.   **25.31** *f* Mt. 16.27. *g* Mt. 19.28.

---

**25.31-46** A fin de cuentas, todos rendiremos cuentas ante Dios en el día del juicio. Rendiremos cuentas no sólo de nuestra recuperación personal sino también de cómo hayamos ayudado a otros. El último paso en la recuperación es hablarles a otros sobre nuestra recuperación y alentarlos en su propio proceso de recuperación. Puesto que Jesús se identifica con los que sufren, debemos seguir su ejemplo y estar muy alertas a las necesidades de los demás.

**45** Entonces les responderá diciendo: De cierto os digo que en cuanto no lo hicisteis a uno de estos más pequeños, tampoco a mí lo hicisteis.

**46** E irán éstos al castigo eterno, y los justos a la vida eterna.*h*

## El complot para prender a Jesús

**26** **1** Cuando hubo acabado Jesús todas estas palabras, dijo a sus discípulos:

**2** Sabéis que dentro de dos días se celebra la pascua,*a* y el Hijo del Hombre será entregado para ser crucificado.

**3** Entonces los principales sacerdotes, los escribas, y los ancianos del pueblo se reunieron en el patio del sumo sacerdote llamado Caifás,

**4** y tuvieron consejo para prender con engaño a Jesús, y matarle.

**5** Pero decían: No durante la fiesta, para que no se haga alboroto en el pueblo.

## Jesús es ungido en Betania

**6** Y estando Jesús en Betania, en casa de Simón el leproso,

**7** vino a él una mujer, con un vaso de alabastro de perfume de gran precio, y lo derramó sobre la cabeza de él, estando sentado a la mesa.*b*

**8** Al ver esto, los discípulos se enojaron, diciendo: ¿Para qué este desperdicio?

**9** Porque esto podía haberse vendido a gran precio, y haberse dado a los pobres.

**10** Y entendiéndolo Jesús, les dijo: ¿Por qué molestáis a esta mujer? pues ha hecho conmigo una buena obra.

**11** Porque siempre tendréis pobres con vosotros,*c* pero a mí no siempre me tendréis.

**12** Porque al derramar este perfume sobre mi cuerpo, lo ha hecho a fin de prepararme para la sepultura.

**13** De cierto os digo que dondequiera que se predique este evangelio, en todo el mundo, también se contará lo que ésta ha hecho, para memoria de ella.

## Judas ofrece entregar a Jesús

**14** Entonces uno de los doce, que se llamaba Judas Iscariote, fue a los principales sacerdotes,

**15** y les dijo: ¿Qué me queréis dar, y yo os lo entregaré? Y ellos le asignaron treinta piezas de plata.

## Perfeccionismo

LEA MATEO 25.14-30

El perfeccionismo puede paralizarnos. Quizás hayamos sentido vergüenza por no ser exactamente lo que otros quieren que seamos. Ahora la sombra de expectativas poco realistas se proyecta sobre nuestra imagen personal, y nos crea ansias irreales de progreso.

Jesús contó la historia de un hombre que les prestó dinero a tres siervos para que lo invirtieran mientras él estaba lejos. Los primeros dos siervos invirtieron y duplicaron el dinero recibido; el tercero escondió su dinero en un hoyo. El tercer siervo veía al amo con los ojos del miedo, por eso le dijo: «Señor, te conocía que eres hombre duro, que siegas donde no sembraste y recoges donde no esparciste; por lo cual tuve miedo, y fui y escondí tu talento en la tierra; aquí tienes lo que es tuyo.» Y respondió su señor: «Por tanto, debías haber dado mi dinero a los banqueros, y al venir yo, hubiera recibido lo que es mío con los intereses» (Mateo 25.24-27).

Cuando nos valoramos a nosotros mismos según las expectativas de otros o según nuestra necesidad de ser perfectos, podemos quedarnos tan cortos que tal vez ni siquiera tratemos de tener éxito. Todo lo que Dios nos pide es que tratemos de hacer algo con nuestras habilidades y recursos. Cuando nos damos la opción de sólo hacer algún progreso, aunque sea modesto, encontraremos el valor para avanzar en nuestra recuperación. Aun una leve mejoría es preferible a no intentar nada o estar condenados a un fracaso total por nuestro perfeccionismo. ***Vaya a la página 103, Lucas 6.***

---

**25.46** *h* Dn. 12.2.   **26.2** *a* Ex. 12.1-27.   **26.7** *b* Lc. 7.37-38.   **26.11** *c* Dt. 15.11.

---

**26.6-13** Esta mujer expresó su amor por Jesús de la mejor manera que sabía. Los discípulos criticaron su despilfarro, pero Jesús elogió su acción. Siempre habrá alguien que pensará que somos unos tontos por expresar nuestra gratitud a Dios. Sin embargo, debemos continuar alabándolo porque él es quien está realizando nuestra recuperación y esto nos da la oportunidad de decirles a otros lo que Dios ha hecho por nosotros. A Dios le agrada nuestra alabanza.

**26.14-16, 20-25** Judas pensó que podía hacer a escondidas su trato con los principales sacerdotes, pero Jesús vio a través de su engaño. De forma discreta, y al mismo tiempo abierta, Jesús dio a entender a Judas

**16** Y desde entonces buscaba oportunidad para entregarle.

## Institución de la Cena del Señor

**17** El primer día de la fiesta de los panes sin levadura, vinieron los discípulos a Jesús, diciéndole: ¿Dónde quieres que preparemos para que comas la pascua?

**18** Y él dijo: Id a la ciudad a cierto hombre, y decidle: El Maestro dice: Mi tiempo está cerca; en tu casa celebraré la pascua con mis discípulos.

**19** Y los discípulos hicieron como Jesús les mandó, y prepararon la pascua.

**20** Cuando llegó la noche, se sentó a la mesa con los doce.

**21** Y mientras comían, dijo: De cierto os digo, que uno de vosotros me va a entregar.

**22** Y entristecidos en gran manera, comenzó cada uno de ellos a decirle: ¿Soy yo, Señor?

**23** Entonces él respondiendo, dijo: El que mete la mano conmigo en el plato, ése me va a entregar.

**24** A la verdad el Hijo del Hombre va, según está escrito de él,*d* mas ¡ay de aquel hombre por quien el Hijo del Hombre es entregado! Bueno le fuera a ese hombre no haber nacido.

**25** Entonces respondiendo Judas, el que le entregaba, dijo: ¿Soy yo, Maestro? Le dijo: Tú lo has dicho.

**26** Y mientras comían, tomó Jesús el pan, y bendijo, y lo partió, y dio a sus discípulos, y dijo: Tomad, comed; esto es mi cuerpo.

**27** Y tomando la copa, y habiendo dado gracias, les dio, diciendo: Bebed de ella todos;

**28** porque esto es mi sangre*e* del nuevo pacto,*f* que por muchos es derramada para remisión de los pecados.

**29** Y os digo que desde ahora no beberé más de este fruto de la vid, hasta aquel día en que lo beba nuevo con vosotros en el reino de mi Padre.

## Jesús anuncia la negación de Pedro

**30** Y cuando hubieron cantado el himno, salieron al monte de los Olivos.

**31** Entonces Jesús les dijo: Todos vosotros os escandalizaréis de mí esta noche; porque escrito está: Heriré al pastor, y las ovejas del rebaño serán dispersadas.*g*

**32** Pero después que haya resucitado, iré delante de vosotros a Galilea.*h*

**33** Respondiendo Pedro, le dijo: Aunque todos se escandalicen de ti, yo nunca me escandalizaré.

**34** Jesús le dijo: De cierto te digo que esta noche, antes que el gallo cante, me negarás tres veces.

**35** Pedro le dijo: Aunque me sea necesario morir contigo, no te negaré. Y todos los discípulos dijeron lo mismo.

## Jesús ora en Getsemaní

**36** Entonces llegó Jesús con ellos a un lugar que se llama Getsemaní, y dijo a sus discípulos: Sentaos aquí, entre tanto que voy allí y oro.

**37** Y tomando a Pedro, y a los dos hijos de Zebedeo, comenzó a entristecerse y a angustiarse en gran manera.

**38** Entonces Jesús les dijo: Mi alma está muy triste, hasta la muerte; quedaos aquí, y velad conmigo.

**39** Yendo un poco adelante, se postró sobre su rostro, orando y diciendo: Padre mío, si es posible, pase de mí esta copa; pero no sea como yo quiero, sino como tú.

**40** Vino luego a sus discípulos, y los halló durmiendo, y dijo a Pedro: ¿Así que no habéis podido velar conmigo una hora?

**41** Velad y orad, para que no entréis en tentación; el espíritu a la verdad está dispuesto, pero la carne es débil.

**42** Otra vez fue, y oró por segunda vez, diciendo: Padre mío, si no puede pasar de mí esta copa sin que yo la beba, hágase tu voluntad.

**43** Vino otra vez y los halló durmiendo, porque los ojos de ellos estaban cargados de sueño.

**44** Y dejándolos, se fue de nuevo, y oró por tercera vez, diciendo las mismas palabras.

**45** Entonces vino a sus discípulos y les dijo: Dormid ya, y descansad. He aquí ha llegado la hora, y el Hijo del Hombre es entregado en manos de pecadores.

**46** Levantaos, vamos; ved, se acerca el que me entrega.

---

**26.24** *d* Sal. 41.9.   **26.28** *e* Ex. 24.6-8. *f* Jer. 31.31-34.   **26.31** *g* Zac. 13.7.   **26.32** *h* Mt. 28.16.

---

que él sabía exactamente qué estaba pasando. Judas, sin embargo, dejó pasar la oportunidad de confesar sus acciones y restablecer su relación con Jesús. Cuando nos confronten con nuestros pecados, ¿haremos como Judas y negaremos estar involucrados o usaremos la oportunidad para volvernos a Dios?

**26.26-28** Por medio de la Última Cena, Jesús explicó por qué vino a la tierra para morir en la cruz. Su cuerpo sería partido, como el pan, para que de este modo nosotros pudiéramos recibir un continuo sustento espiritual. Su sangre, representada por el vino, fue el pago eterno por nuestros pecados. Cuando reconocemos a Jesús como el Señor de nuestras vidas, nos convertimos en miembros de su cuerpo, perdonados por su sangre. No hay restricciones de raza, sexo, ocupación o fracasos pasados. Todos los que buscan a Jesús reciben el perdón a través de la sangre que él derramó en la cruz.

*SEÑOR, concédeme serenidad para aceptar las cosas que no puedo cambiar, valor para cambiar las que sí puedo y sabiduría para reconocer la diferencia entre ambas.* AMÉN

**Al** avanzar en los pasos de la recuperación, divisamos una jornada larga y difícil hacia una vida mejor.

Aunque sabemos que la meta de recuperarnos bien merece nuestro sacrificio, con frecuencia nos percatamos de que el reto de pasar por el proceso es agobiante. Dios se ocupa de nuestros defectos, pero bien podríamos desear que hubiera alguna otra manera. Podemos sentir miedo, falta de confianza, angustia profunda o muchísimas otras emociones que amenazan con sacarnos del camino.

Jesús entiende cómo nos sentimos. Él tuvo emociones parecidas la noche en que lo arrestaron. Sus amigos estaban cerca, pero cuando los necesitó, estaban dormidos. El Señor les dijo: «Mi alma está muy triste, hasta la muerte; quedaos aquí, y velad conmigo» (Mateo 26.38). Como estaba consciente de la magnitud del dolor que enfrentaría, buscó otra salida. No fue capaz de aceptar inmediatamente el camino que tenía por delante. Luchó y oró lo mismo tres veces: «Padre mío, si es posible, pase de mí esta copa; pero no sea como yo quiero, sino como tú» (26.39). Finalmente, Jesús encontró la gracia para aceptar el plan de Dios.

Puede que nos sintamos abrumados al enfrentar nuestra propia cruz en el camino hacia una nueva vida. Sin embargo, durante esos momentos de estrés podemos ir a Jesús en busca de aliento y expresarle nuestras más profundas emociones sobre nuestras luchas. Cuando suplicamos su ayuda, podemos estar seguros de que él nos dará la fuerza que necesitamos para el siguiente paso. ***Vaya a la página 81, Marcos 14.***

---

### Arresto de Jesús

**47** Mientras todavía hablaba, vino Judas, uno de los doce, y con él mucha gente con espadas y palos, de parte de los principales sacerdotes y de los ancianos del pueblo.

**48** Y el que le entregaba les había dado señal, diciendo: Al que yo besare, ése es; prendedle.

**49** Y en seguida se acercó a Jesús y dijo: ¡Salve, Maestro! Y le besó.

**50** Y Jesús le dijo: Amigo, ¿a qué vienes? Entonces se acercaron y echaron mano a Jesús, y le prendieron.

**51** Pero uno de los que estaban con Jesús, extendiendo la mano, sacó su espada, e hiriendo a un siervo del sumo sacerdote, le quitó la oreja.

---

**26.31-75** Al igual que Pedro, cuando nos rendimos ante nuestras debilidades con frecuencia pasamos por varias etapas. Primero afirmamos de una forma indiscutible que nunca fallaremos (26.31-35). Después hacemos lo que prometimos que no íbamos a hacer (26.56, 69-74). Luego nos damos cuenta de que hemos fallado miserablemente (26.75). A partir de aquí tenemos dos opciones: podemos luchar para superar nuestra debilidad y aprender de la experiencia, como hizo Pedro; o podemos revolcarnos en nuestros pecados y nunca crecer espiritualmente, como hizo Judas (27.5).

**52** Entonces Jesús le dijo: Vuelve tu espada a su lugar; porque todos los que tomen espada, a espada perecerán.

**53** ¿Acaso piensas que no puedo ahora orar a mi Padre, y que él no me daría más de doce legiones de ángeles?

**54** ¿Pero cómo entonces se cumplirían las Escrituras, de que es necesario que así se haga?

**55** En aquella hora dijo Jesús a la gente: ¿Como contra un ladrón habéis salido con espadas y con palos para prenderme? Cada día me sentaba con vosotros enseñando en el templo,*i* y no me prendisteis.

**56** Mas todo esto sucede, para que se cumplan las Escrituras de los profetas. Entonces todos los discípulos, dejándole, huyeron.

## Jesús ante el concilio

**57** Los que prendieron a Jesús le llevaron al sumo sacerdote Caifás, adonde estaban reunidos los escribas y los ancianos.

**58** Mas Pedro le seguía de lejos hasta el patio del sumo sacerdote; y entrando, se sentó con los alguaciles, para ver el fin.

**59** Y los principales sacerdotes y los ancianos y todo el concilio, buscaban falso testimonio contra Jesús, para entregarle a la muerte,

**60** y no lo hallaron, aunque muchos testigos falsos se presentaban. Pero al fin vinieron dos testigos falsos,

**61** que dijeron: Este dijo: Puedo derribar el templo de Dios, y en tres días reedificarlo.*j*

**62** Y levantándose el sumo sacerdote, le dijo: ¿No respondes nada? ¿Qué testifican éstos contra ti?

**63** Mas Jesús callaba. Entonces el sumo sacerdote le dijo: Te conjuro por el Dios viviente, que nos digas si eres tú el Cristo, el Hijo de Dios.

**64** Jesús le dijo: Tú lo has dicho; y además os digo, que desde ahora veréis al Hijo del Hombre sentado a la diestra del poder de Dios, y viniendo en las nubes del cielo.*k*

**65** Entonces el sumo sacerdote rasgó sus vestiduras, diciendo: ¡Ha blasfemado! ¿Qué más necesidad tenemos de testigos? He aquí, ahora mismo habéis oído su blasfemia.

**66** ¿Qué os parece? Y respondiendo ellos, dijeron: ¡Es reo de muerte!*l*

**67** Entonces le escupieron en el rostro, y le dieron de puñetazos, y otros le abofeteaban,*m*

**68** diciendo: Profetízanos, Cristo, quién es el que te golpeó.

## Pedro niega a Jesús

**69** Pedro estaba sentado fuera en el patio; y se le acercó una criada, diciendo: Tú también estabas con Jesús el galileo.

**70** Mas él negó delante de todos, diciendo: No sé lo que dices.

**71** Saliendo él a la puerta, le vio otra, y dijo a los que estaban allí: También éste estaba con Jesús el nazareno.

**72** Pero él negó otra vez con juramento: No conozco al hombre.

**73** Un poco después, acercándose los que por allí estaban, dijeron a Pedro: Verdaderamente también tú eres de ellos, porque aun tu manera de hablar te descubre.

**74** Entonces él comenzó a maldecir, y a jurar: No conozco al hombre. Y en seguida cantó el gallo.

**75** Entonces Pedro se acordó de las palabras de Jesús, que le había dicho: Antes que cante el gallo, me negarás tres veces. Y saliendo fuera, lloró amargamente.

## Jesús ante Pilato

**27** **1** Venida la mañana, todos los principales sacerdotes y los ancianos del pueblo entraron en consejo contra Jesús, para entregarle a muerte.

**2** Y le llevaron atado, y le entregaron a Poncio Pilato, el gobernador.

## Muerte de Judas

**3** Entonces Judas, el que le había entregado, viendo que era condenado, devolvió arrepentido las treinta piezas de plata a los principales sacerdotes y a los ancianos,

**4** diciendo: Yo he pecado entregando sangre inocente. Mas ellos dijeron: ¿Qué nos importa a nosotros? ¡Allá tú!

**5** Y arrojando las piezas de plata en el templo, salió, y fue y se ahorcó.

**6** Los principales sacerdotes, tomando las piezas de plata, dijeron: No es lícito echarlas en el tesoro de las ofrendas, porque es precio de sangre.

**7** Y después de consultar, compraron con ellas el campo del alfarero, para sepultura de los extranjeros.

---

**26.55** *i* Lc. 19.47; 21.37.   **26.61** *j* Jn. 2.19.   **26.64** *k* Dn. 7.13.   **26.65-66** *l* Lv. 24.16.   **26.67** *m* Is. 50.6.

---

**27.3-8** Los líderes religiosos se negaron a aceptar el precio de sangre que Judas trató de devolverles. Quizás esta haya sido su forma de negar que eran responsables de la muerte de Jesús. Si no somos cuidadosos, podemos caer en este tipo de hipocresía y negación. A veces nos ocultamos detrás de actividades correctas para encubrir pecados terribles. Debemos hacer un inventario moral de toda nuestra vida y ver qué acciones no concuerdan con los deseos de Dios. Negar aunque sea un solo aspecto de algún pecado puede poner en riesgo toda nuestra recuperación.

**8** Por lo cual aquel campo se llama hasta el día de hoy: Campo de sangre.ª

**9** Así se cumplió lo dicho por el profeta Jeremías, cuando dijo: Y tomaron las treinta piezas de plata, precio del apreciado, según precio puesto por los hijos de Israel;

**10** y las dieron para el campo del alfarero, como me ordenó el Señor.ᵇ

## Pilato interroga a Jesús

**11** Jesús, pues, estaba en pie delante del gobernador; y éste le preguntó, diciendo: ¿Eres tú el Rey de los judíos? Y Jesús le dijo: Tú lo dices.

**12** Y siendo acusado por los principales sacerdotes y por los ancianos, nada respondió.

**13** Pilato entonces le dijo: ¿No oyes cuántas cosas testifican contra ti?

**14** Pero Jesús no le respondió ni una palabra; de tal manera que el gobernador se maravillaba mucho.

## Jesús sentenciado a muerte

**15** Ahora bien, en el día de la fiesta acostumbraba el gobernador soltar al pueblo un preso, el que quisiesen.

**16** Y tenían entonces un preso famoso llamado Barrabás.

**17** Reunidos, pues, ellos, les dijo Pilato: ¿A quién queréis que os suelte: a Barrabás, o a Jesús, llamado el Cristo?

**18** Porque sabía que por envidia le habían entregado.

**19** Y estando él sentado en el tribunal, su mujer le mandó decir: No tengas nada que ver con ese justo; porque hoy he padecido mucho en sueños por causa de él.

**20** Pero los principales sacerdotes y los ancianos persuadieron a la multitud que pidiese a Barrabás, y que Jesús fuese muerto.

**21** Y respondiendo el gobernador, les dijo: ¿A cuál de los dos queréis que os suelte? Y ellos dijeron: A Barrabás.

**22** Pilato les dijo: ¿Qué, pues, haré de Jesús, llamado el Cristo? Todos le dijeron: ¡Sea crucificado!

**23** Y el gobernador les dijo: Pues ¿qué mal ha hecho? Pero ellos gritaban aún más, diciendo: ¡Sea crucificado!

**24** Viendo Pilato que nada adelantaba, sino que se hacía más alboroto, tomó agua y se lavó las manosᶜ delante del pueblo, diciendo: Inocente soy yo de la sangre de este justo; allá vosotros.

**25** Y respondiendo todo el pueblo, dijo: Su sangre sea sobre nosotros, y sobre nuestros hijos.

**26** Entonces les soltó a Barrabás; y habiendo azotado a Jesús, le entregó para ser crucificado.

**27** Entonces los soldados del gobernador llevaron a Jesús al pretorio, y reunieron alrededor de él a toda la compañía;

**28** y desnudándole, le echaron encima un manto de escarlata,

**29** y pusieron sobre su cabeza una corona tejida de espinas, y una caña en su mano derecha; e hincando la rodilla delante de él, le escarnecían, diciendo: ¡Salve, Rey de los judíos!

**30** Y escupiéndole, tomaban la caña y le golpeaban en la cabeza.

**31** Después de haberle escarnecido, le quitaron el manto, le pusieron sus vestidos, y le llevaron para crucificarle.

## Crucifixión y muerte de Jesús

**32** Cuando salían, hallaron a un hombre de Cirene que se llamaba Simón; a éste obligaron a que llevase la cruz.

**33** Y cuando llegaron a un lugar llamado Gólgota, que significa: Lugar de la Calavera,

**34** le dieron a beber vinagre mezclado con hiel; pero después de haberlo probado, no quiso beberlo.

**35** Cuando le hubieron crucificado, repartieron entre sí sus vestidos, echando suertes,ᵈ para que se cumpliese lo dicho por el profeta: Partieron entre sí mis vestidos, y sobre mi ropa echaron suertes.

**36** Y sentados le guardaban allí.

**37** Y pusieron sobre su cabeza su causa escrita: ESTE ES JESÚS, EL REY DE LOS JUDÍOS.

**38** Entonces crucificaron con él a dos ladrones, uno a la derecha, y otro a la izquierda.

**39** Y los que pasaban le injuriaban, meneando la cabeza,ᵉ

---

**27.3-8** ª Hch. 1.18-19. **27.9-10** ᵇ Zac. 11.12-13. **27.24** ᶜ Dt. 21.6-9. **27.35** ᵈ Sal. 22.18. **27.39** ᵉ Sal. 22.7; 109.25.

---

**27.11-26** La manera en que Poncio Pilato manejó el juicio de Jesús indica que era un hombre deseoso de complacer a los demás. Aunque estaba convencido de que Jesús era inocente y justo (27.23-24), se doblegó ante la opinión pública. Pilato ejemplifica a alguien necesitado de recuperación que sabe lo que es correcto pero que no tiene el valor de hacerlo por miedo a enfadar a otros. Como es imposible complacer a todo el mundo todo el tiempo, debemos asegurarnos de que lo que hacemos es sincero y agrada a Dios. Nos debe preocupar más pecar contra Dios que enojar a otras personas.

**27.26-54** El relato de la crucifixión y muerte de Jesús registra un acto tras otro de abuso brutal. Jesús fue golpeado, ridiculizado, torturado y asesinado. Por lo tanto, él puede entender los sentimientos de los oprimidos y de quienes hayan sido objeto de abuso. Jesús también puede redimir a los opresores y

**40** y diciendo: Tú que derribas el templo, y en tres días lo reedificas,[f] sálvate a ti mismo; si eres Hijo de Dios, desciende de la cruz.

**41** De esta manera también los principales sacerdotes, escarneciéndole con los escribas y los fariseos y los ancianos, decían:

**42** A otros salvó, a sí mismo no se puede salvar; si es el Rey de Israel, descienda ahora de la cruz, y creeremos en él.

**43** Confió en Dios; líbrele ahora si le quiere;[g] porque ha dicho: Soy Hijo de Dios.

**44** Lo mismo le injuriaban también los ladrones que estaban crucificados con él.

**45** Y desde la hora sexta hubo tinieblas sobre toda la tierra hasta la hora novena.

**46** Cerca de la hora novena, Jesús clamó a gran voz, diciendo: Elí, Elí, ¿lama sabactani? Esto es: Dios mío, Dios mío, ¿por qué me has desamparado?[h]

**47** Algunos de los que estaban allí decían, al oírlo: A Elías llama éste.

**48** Y al instante, corriendo uno de ellos, tomó una esponja, y la empapó de vinagre, y poniéndola en una caña, le dio a beber.[i]

**49** Pero los otros decían: Deja, veamos si viene Elías a librarle.

**50** Mas Jesús, habiendo otra vez clamado a gran voz, entregó el espíritu.

**51** Y he aquí, el velo[j] del templo se rasgó en dos, de arriba abajo; y la tierra tembló, y las rocas se partieron;

**52** y se abrieron los sepulcros, y muchos cuerpos de santos que habían dormido, se levantaron;

**53** y saliendo de los sepulcros, después de la resurrección de él, vinieron a la santa ciudad, y aparecieron a muchos.

**54** El centurión, y los que estaban con él guardando a Jesús, visto el terremoto, y las cosas que habían sido hechas, temieron en gran manera, y dijeron: Verdaderamente éste era Hijo de Dios.

**55** Estaban allí muchas mujeres mirando de lejos, las cuales habían seguido a Jesús desde Galilea, sirviéndole,

**56** entre las cuales estaban María Magdalena, María la madre de Jacobo y de José, y la madre de los hijos de Zebedeo.[k]

### Jesús es sepultado

**57** Cuando llegó la noche, vino un hombre rico de Arimatea, llamado José, que también había sido discípulo de Jesús.

**58** Este fue a Pilato y pidió el cuerpo de Jesús. Entonces Pilato mandó que se le diese el cuerpo.

**59** Y tomando José el cuerpo, lo envolvió en una sábana limpia,

**60** y lo puso en su sepulcro nuevo, que había labrado en la peña; y después de hacer rodar una gran piedra a la entrada del sepulcro, se fue.

**61** Y estaban allí María Magdalena, y la otra María, sentadas delante del sepulcro.

### La guardia ante la tumba

**62** Al día siguiente, que es después de la preparación, se reunieron los principales sacerdotes y los fariseos ante Pilato,

**63** diciendo: Señor, nos acordamos que aquel engañador dijo, viviendo aún: Después de tres días resucitaré.[l]

**64** Manda, pues, que se asegure el sepulcro hasta el tercer día, no sea que vengan sus discípulos de noche, y lo hurten, y digan al pueblo: Resucitó de entre los muertos. Y será el postrer error peor que el primero.

**65** Y Pilato les dijo: Ahí tenéis una guardia; id, aseguradlo como sabéis.

**66** Entonces ellos fueron y aseguraron el sepulcro, sellando la piedra y poniendo la guardia.

### La resurrección

**28** **1** Pasado el día de reposo, al amanecer del primer día de la semana, vinieron María Magdalena y la otra María, a ver el sepulcro.

**2** Y hubo un gran terremoto; porque un ángel del Señor, descendiendo del cielo y llegando, removió la piedra, y se sentó sobre ella.

---

**27.40** [f] Mt. 26.61; Jn. 2.19.  **27.43** [g] Sal. 22.8.  **27.46** [h] Sal. 22.1.  **27.48** [i] Sal. 69.21.  **27.51** [j] Ex. 26.31-33.  **27.55-56** [k] Lc. 8.2-3.  **27.63** [l] Mt. 16.21; 17.23; 20.19; Mr. 8.31; 9.31; 10.33-34; Lc. 9.22; 18.31-33.

---

abusadores que se vuelvan a la fe, como hicieron el centurión y otros soldados que estaban al pie de la cruz. El propósito de la muerte y resurrección de Jesús fue ofrecer liberación a todos.

**27.57-60** José de Arimatea era un discípulo secreto (véase Juan 19.38) que puso de manifiesto su fe en un momento de crisis. Era como esas personas que se entretienen con la recuperación en sentido privado y limitado, pero luego tienen que decidirse: o rechazan su programa de recuperación o se comprometen en serio con él. La buena disposición de José de ir ante Pilato, así como su generoso entierro de Jesús, indican que dio un paso de fe hacia un compromiso más serio con el Señor. ¿Qué tipo de crisis hará falta para inspirarnos a rendir incondicionalmente nuestra vida al Señor y a su programa de recuperación?

**27.62—28.15** Los líderes religiosos pasaron mucho trabajo para liberarse del mensaje de Jesús. Ellos lo desacreditaron frente a multitudes y se confabularon en su muerte. Cuando lo arrestaron, presentaron falsos

**3** Su aspecto era como un relámpago, y su vestido blanco como la nieve.

**4** Y de miedo de él los guardas temblaron y se quedaron como muertos.

**5** Mas el ángel, respondiendo, dijo a las mujeres: No temáis vosotras; porque yo sé que buscáis a Jesús, el que fue crucificado.

**6** No está aquí, pues ha resucitado, como dijo. Venid, ved el lugar donde fue puesto el Señor.

**7** E id pronto y decid a sus discípulos que ha resucitado de los muertos, y he aquí va delante de vosotros a Galilea; allí le veréis. He aquí, os lo he dicho.

**8** Entonces ellas, saliendo del sepulcro con temor y gran gozo, fueron corriendo a dar las nuevas a sus discípulos. Y mientras iban a dar las nuevas a los discípulos,

**9** he aquí, Jesús les salió al encuentro, diciendo: ¡Salve! Y ellas, acercándose, abrazaron sus pies, y le adoraron.

**10** Entonces Jesús les dijo: No temáis; id, dad las nuevas a mis hermanos, para que vayan a Galilea, y allí me verán.

### El informe de la guardia

**11** Mientras ellas iban, he aquí unos de la guardia fueron a la ciudad, y dieron aviso a los principales sacerdotes de todas las cosas que habían acontecido.

**12** Y reunidos con los ancianos, y habido consejo, dieron mucho dinero a los soldados,

**13** diciendo: Decid vosotros: Sus discípulos vinieron de noche, y lo hurtaron, estando nosotros dormidos.

**14** Y si esto lo oyere el gobernador, nosotros le persuadiremos, y os pondremos a salvo.

**15** Y ellos, tomando el dinero, hicieron como se les había instruido. Este dicho se ha divulgado entre los judíos hasta el día de hoy.

### La gran comisión

**16** Pero los once discípulos se fueron a Galilea,*a* al monte donde Jesús les había ordenado.

**17** Y cuando le vieron, le adoraron; pero algunos dudaban.

**18** Y Jesús se acercó y les habló diciendo: Toda potestad me es dada en el cielo y en la tierra.

**19** Por tanto, id, y haced discípulos a todas las naciones,*b* bautizándolos en el nombre del Padre, y del Hijo, y del Espíritu Santo;

**20** enseñándoles que guarden todas las cosas que os he mandado; y he aquí yo estoy con vosotros todos los días, hasta el fin del mundo. Amén.

---

**28.16** *a* Mt. 26.32; Mr. 14.28.   **28.19** *b* Hch. 1.8.

---

testigos y tuvieron que convencer a Roma de que debían matar a Jesús. Después de la muerte de Jesús, los líderes temían que fuera a resucitar, así que sellaron la tumba y pusieron guardias en ella. Finalmente, inventaron una historia para explicar la desaparición del cuerpo de Jesús. Habría sido más fácil aceptar el mensaje de Jesús y hacer los cambios apropiados en sus vidas y creencias. No debemos permitir que la negación nos endurezca tanto que nosotros, como los líderes judíos, pasemos demasiado tiempo evitando aceptar el mensaje salvador del evangelio.

**28.16-20** Algunos discípulos se ajustaron bastante rápido a la realidad de la resurrección de Jesús, mientras otros todavía dudaban. No obstante, la resurrección de Jesús no era un fin en sí misma ni tampoco era para sus discípulos más cercanos solamente. Esta nueva vida por medio de la fe en el Cristo crucificado y resucitado se ofrece a todo el mundo. Los que por fe entren en una verdadera recuperación espiritual serán bautizados para expresar su entrega al Resucitado. El estudio de la palabra de Dios y una instrucción constante en la fe ayudarán al crecimiento espiritual de los que estén recuperándose. La recuperación está disponible por medio del poder de Dios hasta que Jesús regrese al final de los tiempos.

REFLEXIONES SOBRE SAN MATEO

✱*perspectivas* SOBRE LA PERSONA DE JESÚS

La mención de Tamar, Rahab, Rut y Betsabé en el linaje de Jesús en **Mateo 1.1-16** es importante. Es casi seguro que ninguna de estas mujeres tenía un trasfondo étnico judío. Sin embargo, Dios las usó a lo largo del camino para preparar la venida del Mesías judío. De forma similar, Dios usa con frecuencia personas de trasfondos diversos y extraños para lograr sus propósitos. Su gracia es más poderosa que las presuntas limitaciones de nuestro pasado. Él puede usarnos sin importar nuestros antecedentes.

En **Mateo 3.13-15** Jesús es bautizado por Juan el Bautista. Jesús no tenía una razón real para responder al llamado de Juan, pues él nunca había pecado y no tenía de qué arrepentirse. De todas maneras, Jesús fue bautizado porque era correcto hacerlo y sus acciones mostraron a otros la importancia del bautismo. Quienes buscamos la recuperación necesitamos ejemplos de personas que hacen lo correcto por las razones correctas y de esa manera sirven de modelo de lo que es una vida equilibrada. Mientras continuamos en el proceso de recuperación, podemos convertirnos en modelo para otros que necesiten recuperarse. Al ser ejemplo para otros mediante nuestras palabras y acciones, no sólo los ayudaremos sino que también recibiremos aliento para perseverar en nuestra propia recuperación.

En **Mateo 4.23-25** Jesús ofreció sanidad y restauración física, espiritual e interpersonal. Él ofrece recuperación del dolor producido por el abuso y por las relaciones disfuncionales, aspectos que afectan a un número creciente de personas. Esa recuperación se alcanza por medio de la fe en Cristo Jesús. La recuperación verdadera está disponible para todos los que creen en él. No hay rincón de nuestra vida que no esté al alcance de su toque sanador.

✱*perspectivas* SOBRE LOS OBSTÁCULOS PARA LA RECUPERACIÓN

De acuerdo con **Mateo 1.18-25**, José se encontraba en un difícil aprieto. Su prometida, María, había quedado embarazada, y él estaba evaluando cómo romper el compromiso discretamente. Pero cuando se le reveló a José que el Espíritu Santo era responsable del embarazo, inmediatamente canceló su decisión de romper el compromiso y obedeció a Dios. José se casó con María, tal como lo ordenó el ángel de Dios, a pesar de los rumores que seguramente rodearían a su matrimonio. El orgullo con mucha facilidad puede convertirse en un obstáculo para la restauración de nuestras relaciones dañadas. Debemos resistir el orgullo y obedecer a Dios, así como hizo José.

Cuando comenzamos la recuperación no debemos pensar que nuestra fe y crecimiento espiritual nos aislarán de la tentación. Por el contrario, según **Mateo 4.1-2** Jesús es llevado al desierto por el Espíritu Santo para sufrir el asedio de una prolongada tentación. Esto debe servir de sabia advertencia de que la tentación puede pisarle los talones al crecimiento espiritual. Con frecuencia Dios usa esas pruebas en nuestras vidas para recordarnos cuán indefensos estamos sin él.

En **Mateo 5.10-12** se nos recuerda que la persecución puede ser un problema real al tratar de vivir según los principios divinos. Los viejos amigos pueden tratar de intimidarnos para que abandonemos la recuperación. Los familiares pueden sentirse amenazados por los cambios que estamos haciendo y pueden tratar de desalentarnos. Debemos darnos cuenta de que es más importante agradar a Dios que a otras personas. Al hacer las cosas al estilo de Dios, seremos liberados de nuestras relaciones destructivas y de dependencia de esas amistades que nos perjudican. Entonces podremos desarrollar relaciones saludables con otras personas y continuar fortaleciendo nuestra importantísima relación con Dios.

Jesús dejó claro que vivir para obtener ganancias personales sólo nos llenará de gran ansiedad (**Mateo 6.19-34**). El materialismo y la ansiedad son enemigos de la recuperación. Con frecuencia operan juntos para alejarnos de una vida equilibrada. Necesitamos darnos cuenta de que la esencia de la vida no se encuentra en las posesiones que tengamos y de que preocuparnos por la disponibilidad futura de las cosas materiales nunca es provechoso. No tenemos la capacidad de cambiar el futuro y debemos confiar en que

Dios nos protegerá y nos concederá poder para nuestra recuperación. Al confiarle nuestra vida a él, ya no necesitaremos preocuparnos por lo que pueda haber a la vuelta de la esquina.

Las personas que rehúsan admitir su necesidad de recuperarse son comúnmente las primeras en entorpecer el camino que otros siguen para su recuperación. En lugar de alabar a Dios por el milagro que Jesús realizó, **Mateo 12.9-12** nos muestra que los fariseos juzgaron a Jesús por quebrantar las leyes del día de reposo. Para los fariseos era más importante observar sus ritos legalistas que ver a un hombre sanado de su deformidad. Decidieron someterse a sus interpretaciones de la ley y rechazaron la soberanía del misericordioso Mesías-Rey. De igual modo, habrá personas que se opondrán a nuestra recuperación y harán cualquier cosa para que sigamos esclavos de nuestra adicción. Tenemos que hacer el máximo esfuerzo para vencer nuestra dependencia sin importar las presiones de la gente que nos rodee. Con la ayuda de Dios, ningún obstáculo será tan grande que no lo podamos vencer.

**Mateo 14.1-11** relata que Juan el Bautista fue arrestado porque censuró a Herodes Antipas por desear en matrimonio a Herodías, la esposa de su hermanastro. En lugar de admitir su pecado, Herodes encarceló a Juan con la esperanza de hacerle guardar silencio. Herodías también deseaba el silencio de Juan, pero era más cruel que su esposo y quiso que ejecutaran al Bautista. Al final, Herodes fue muy débil para rechazar el deseo de su esposa y el profeta fue decapitado. Nuestra vergüenza por un pecado que hayamos cometido, con frecuencia nos lleva a cometer pecados peores. Para evitar la caída, debemos tener el valor de admitir nuestros más pequeños pecados y problemas antes que se hagan mayores. Al poner nuestros pecados y fracasos ante Dios, podemos confiar que recibiremos su ayuda sanadora.

## ✳ *perspectivas* SOBRE LA SINCERIDAD Y LA NEGACIÓN

Por **Mateo 3.5-9** nos damos cuenta con claridad que no todos los que oyeron a Juan el Bautista quisieron arrepentirse y encontrar una nueva vida. Juan vio que los fariseos y otros como ellos hacían las cosas por rutina, confiando sólo en las apariencias externas para su salvación. De igual forma, algunos de nosotros decimos estar en recuperación pero sólo aparentamos, tratando de hacer creer que estamos luchando contra la adicción pero sin cambiar nuestro corazón por medio del arrepentimiento. Si este es el caso, vamos rumbo a recaídas dolorosas. Necesitamos comenzar con una evaluación sincera de nuestras debilidades y fracasos antes de poder recibir la ayuda y el perdón de Dios.

Según **Mateo 3.7-11**, Juan el Bautista hizo que los fariseos enfrentaran sus propias actitudes de negación. Estos líderes religiosos estaban ciegos respecto a los pecados de sus corazones y creían que estaban fuera del alcance del juicio de Dios. Tal vez hayamos actuado como si las consecuencias de nuestras acciones nunca fueran a recaer sobre nosotros. Nuestra negación puede haber sido tan profunda que ni siquiera nos hayamos percatado de las serias consecuencias que tendríamos que encarar. Es sólo cuestión de tiempo para que Dios tome su hacha de juicio para cortar los «árboles que no dan frutos»; es a saber, aquellos que no lo siguen. Y Dios avivará nuestra recuperación con el poder de su Espíritu Santo, si verdaderamente estamos arrepentidos. La decisión es nuestra: seguimos como estamos y esperamos el juicio divino, o cambiamos nuestro estilo de vida actual y entramos en el proceso de recuperación, confiando que el Espíritu de Dios nos ayudará a cambiar.

En **Mateo 7.1-5** Jesús nos advierte acerca de nuestra tendencia a criticar a otros. Es fácil tratar de ocultar nuestros pecados y dependencias («vigas») señalando las pequeñas fallas («paja») en las vidas de los demás. Esta actitud negativa destruye las relaciones personales que necesitamos cultivar para nuestra recuperación y nos ciega ante nuestros propios pecados y sus destructivas consecuencias. Para ser realmente útiles a otros, primero debemos reconocer el pecado en nuestra vida y tratar de solucionarlo. Después de humillarnos de esta forma estaremos listos para confrontar a otros con respecto a su necesidad de recuperación.

Los recaudadores de impuestos en Judea en la época de Jesús eran judíos que se habían vendido al opresivo gobierno romano. Usaron su posición para extorsionar a su propio pueblo. La población judía los odiaba y los consideraba traidores a su Dios y a su patria. En **Mateo 9.9-13**, algunos religiosos judíos estaban sorprendidos de que Jesús siquiera les dirigiera la palabra a tales individuos. Mateo y sus amigos fueron sorprendentemente receptivos a la gracia y al perdón. A pesar de su conducta irregular, admitieron su necesidad y respondieron a Jesús con humildad. Por otro lado, los fariseos se aferraron a su negación con ínfulas de superioridad y no reconocieron su desesperada necesidad de recuperación. Lo importante no es la forma en que los demás nos ven, sino si estamos dispuestos o no a dejar que Dios nos libere del poder del pecado en nuestras vidas.

En **Mateo 10.14-15**, descubrimos que la actitud de negación tiene ramificaciones eternas. Aquellos que rechazan la oferta de recuperación en Cristo están cometiendo un error eterno. En este momento, este mensaje puede parecer amenazante, pero tiene el propósito de traer paz y serenidad. Al final, los que hayamos encontrado comodidad en nuestra creciente negación tendremos que responder a Dios al momento de nuestro juicio final.

## ✳ *perspectivas* SOBRE LAS PRIORIDADES DE DIOS

Las bienaventuranzas en **Mateo 5.1-12** contienen mucho de lo que Dios desea para nosotros a medida que tratemos de obedecer su voluntad para nosotros. Este estilo de vida afirma la perspectiva y las prioridades de Dios y los límites que él establece. Al examinar el plan divino según este pasaje, quizás nos preguntemos cómo alguien puede cumplirlo. La verdad es que nadie puede hacerlo sin la ayuda divina. Seguir el plan de Dios requiere sabiduría y gracia de lo alto. Pero el modo de vivir descrito en estos versículos puede reemplazar nuestro distorsionado punto de vista humano con la eterna perspectiva divina.

En **Mateo 6.1-4**, vemos que las prioridades de Dios son muy diferentes de las nuestras. Dios está más interesado en nuestro servicio silencioso al prójimo que en que nuestro éxito sea reconocido por los demás. Todos tenemos una vida privada y una pública, pero los sistemas de recompensa para cada una son muy distintos. Podemos tener éxito en el mundo y volvernos ricos o famosos, pero nunca recibiremos una recompensa adicional de parte de Dios por nuestro éxito público. Si buscamos con humildad servir a otros, seremos recompensados por nuestro Padre celestial. Lo que parece privado y pasa inadvertido para otras personas es público, y hasta el centro de atención, para Dios.

## ✳ *perspectivas* SOBRE ANUNCIAR LAS BUENAS NUEVAS

En **Mateo 5.13-16**, Jesús describió cómo debemos comportarnos. Si hemos sido liberados por el poder de Dios, somos testigos de su poder para salvar. Debemos llevar la luz de estas buenas noticias a las personas que están presas en la oscuridad de la adicción y el pecado. Las conductas desordenadas y las relaciones arruinadas abundan, en parte por la falta de modelos cristianos dignos de imitar. La gente está desesperada por darle sabor y claridad a sus vidas. Podemos hacer un gran impacto en los individuos, nuestras amistades y hasta en las estructuras sociales si permitimos que brille nuestra luz espiritual para que otros la vean. Al experimentar la liberación divina, somos llamados a hablar a otros sobre nuestra recuperación. Esto no sólo llevará esperanza a personas que sufren, sino que también nos dará aliento al enfrentar las nuevas pruebas que se nos presenten.

Jesús tuvo gran compasión por los que carecían de protección y guía. Por eso, según **Mateo 9.36—10.8**, comenzó a adiestrar a sus discípulos más cercanos para satisfacer esa necesidad. Ellos debían ir y usar el poder de Dios para sanar y animar a los necesitados de recuperación física y espiritual. No se esperaba que alcanzaran a todo el mundo, pero sí se esperaba que cambiaran la vida de por lo menos un grupo de personas necesitadas. Al explicar a otros cómo hemos sido rehabilitados, no podemos esperar alcanzarlos a todos con las buenas noticias de recuperación. No obstante, sí podemos llevar el mensaje a unos pocos, quienes a su vez contarán a otros su propia historia. De esa manera, al usar nuestra propia experiencia para motivar la recuperación de otros, comenzaremos una reacción en cadena que afectará las vidas de muchas personas.

**Mateo 25.14-30** trata acerca del uso sabio de nuestros talentos, y proporciona el aliento necesario y el contexto reflexivo a quienes estamos en recuperación. Aunque esta parábola habla de dinero también puede referirse, por extensión, a las habilidades recibidas de parte de Dios. Dios le ha dado varios talentos a cada persona; no hay nadie inútil o sin talento. Esto debería darnos ánimo. Por otra parte, cada uno de nosotros es responsable de usar sus habilidades para Dios. Después de sufrir por años en la esclavitud de nuestra adicción destructiva, algunos de nosotros podemos preguntarnos si tenemos algo que ofrecer. Sin embargo, aunque no tengamos nada más, sí tenemos algo que contar a otros. Al contar nuestras experiencias de liberación, les damos a otros esperanza para su recuperación. Nuestros años de sufrimiento pueden convertirse en un regalo de vida para alguien que esté en necesidad.

## ✳ *perspectivas* SOBRE LA ORACIÓN

Según **Mateo 6.9-13**, Jesús les dio a sus discípulos una oración modelo para que la siguieran. Esta oración es más que un simple modelo para nuestras oraciones, es un modelo para nuestra recuperación. Tenemos que reconocer a Dios en nuestras vidas y honrar su nombre. Nuestro mayor anhelo debe ser ver su reino establecido y que su voluntad se haga en la tierra, tanto en nuestras vidas como en el mundo en general. La provisión diaria de Dios es otra petición importante para la recuperación. Debemos pedir perdón por nuestros pecados y perdonar a aquellos que nos han ofendido. Finalmente, Dios quiere que pidamos protección de las tentaciones de Satanás que enfrentamos a diario. Si estamos orando por estas cosas y viviéndolas en nuestro caminar con Dios, estamos realmente en el camino hacia la recuperación.

## ✳ *perspectivas* SOBRE LA FE VERDADERA

**Mateo 7.24-27** nos dice que hay dos tipos de cimientos sobre los cuales podemos edificar nuestras vidas. Un cimiento es tan sólido como la roca: el cimiento de la fe en Jesucristo. El otro cimiento es como la arena movediza: el fundamento del orgullo humano y el empeño egoísta. Nuestra vida puede ser externamente impresionante, pero si está edificada sobre el cimiento equivocado, las circunstancias difíciles pronto derribarán lo que hemos edificado. Como una frágil casa hecha de naipes, nuestra vida se vendrá abajo. ¡Cuánto mejor es edificar nuestra vida sobre el cimiento sólido de la fe en Jesucristo! Entonces, cuando lleguen las tormentas inevitables de la vida, no nos destruirán.

En **Mateo 11.25-30**, se nos habla de la importancia de tener una fe como la de los niños. Sólo cuando venimos a Jesús como niños pequeños podemos encontrar la recuperación y el alivio de nuestro dolor emocional. Muchos de nosotros pensamos que podemos hacer las cosas a nuestra manera. Al hacerlo, perdemos de vista esta sencilla verdad: sólo Dios tiene el poder de habilitarnos para nuestra recuperación. Ni siquiera podemos comenzar a recuperarnos hasta que estemos dispuestos a admitir lo impotentes que somos. Esta es la importancia de tener una fe como la de un niño. Los niños son impotentes y están muy conscientes de esto; por eso se confían a sus padres cada día. Al reconocer lo incapaces que somos ante nuestra dependencia, podemos confiarnos al tierno cuidado de Dios. Él tiene todo el poder que necesitamos para una total recuperación.

**Mateo 14.25-33** narra que Jesús caminó sobre el agua y luego permitió que Pedro, por medio de la fe, hiciera lo mismo. Antes de comenzar el proceso de recuperación, nuestra vida era tan turbulenta como un mar tormentoso. Cuando confiamos en Dios para nuestra recuperación, nosotros, como Pedro, nos enfrentamos con fe a ese mar tempestuoso. En tanto nos aferremos a nuestra fe y mantengamos nuestros ojos en Jesús, venceremos las oleadas de la vida. Cuando fijamos nuestra atención en las aguas turbulentas que nos rodean y nos olvidamos de la ayuda divina, comenzamos a hundirnos agobiados por nuestra dependencia y nuestros defectos. Si queremos progresar continuamente, necesitamos fijar nuestra vista en Cristo.

En **Mateo 15.21-28** encontramos a una mujer gentil que mostró gran perseverancia y fe, por lo que Jesús la recompensó. Cuando tratamos de recuperarnos, debemos creer verdaderamente que Dios es capaz de hacer que lo logremos. También debemos estar preparados para persistir en nuestro programa. No podemos rendirnos, aun cuando parezca que hay pocas esperanzas de éxito. Dios recompensará nuestros esfuerzos si estamos totalmente dedicados a seguir su voluntad y lo demostramos con nuestras acciones.

# SAN

# Marcos

## EL PANORAMA

A. JESÚS SE PREPARA PARA EL
   SERVICIO (1.1-13)
B. EL SERVICIO DE JESÚS: DE PALABRA
   Y DE ACCIÓN (1.14—13.37)
   1. El ministerio de Jesús en Galilea
      (1.14—9.50)
   2. El ministerio de Jesús en Judea y
      Perea (10.1-45)
   3. El ministerio de Jesús en
      Jerusalén (10.46—13.37)
C. EL SERVICIO FINAL DE JESÚS:
   SU SACRIFICIO (14.1—16.20)

Cuando nuestras vidas estaban fuera de control reaccionábamos ante las pruebas de diferentes formas: con ira, rencor o rebeldía. Nuestra adicción determinaba nuestra conducta y nuestras actitudes. Finalmente nos dimos cuenta de que nuestra vida se había vuelto ingobernable y que no sólo nos estábamos destruyendo a nosotros mismos sino que también estábamos destruyendo a las personas que amábamos. Necesitábamos romper el ciclo, pero éramos incapaces de hacerlo.

El Evangelio de Marcos se escribió para gente como nosotros. Nos muestra que Jesús es poderoso y que nos quiere ayudar. En este evangelio vemos que el poder de Jesús se manifiesta una y otra vez: resucitó a un muerto, dio vista a ciegos, restauró extremidades deformadas, hizo caminar a cojos, echó fuera demonios, sanó enfermedades incurables de la piel y calmó las aguas tempestuosas. Aunque Marcos es el evangelio más corto, registra más milagros que todos los demás. Muestra que Jesús es un Salvador poderoso y que es más que capaz de ayudar a las personas que sufren.

Este evangelio también enfatiza el hecho de que Jesús quiere ayudarnos. Jesús usó su energía hasta el punto del agotamiento con tal de sanar a quienes se acercaban a él buscando ayuda. Al registrar una rápida sucesión de vívidas descripciones de Jesús en acción, el escritor del evangelio nos muestra que Jesús vino para ayudarnos. Esta verdad se hace evidente en la disposición de Jesús de sufrir una muerte dolorosa para liberarnos de la esclavitud del pecado.

Jesús tiene poder sobre los problemas que nos atan. Él es más poderoso que nuestra dependencia, nuestros problemas y nuestras debilidades. Él tiene el poder para ayudarnos en la recuperación, sin importar lo terrible que hayan sido nuestras experiencias pasadas. Lo único que tenemos que hacer es mirarlo y reconocer que necesitamos su ayuda.

## EN ESENCIA

PROPÓSITO: Animarnos a que continuemos confiando y sirviendo a Dios, especialmente en medio de las dificultades de la vida. AUTOR: Juan Marcos. DESTINATARIO: Los cristianos de Roma. FECHA: Probablemente entre 55 y 65 d.C. ESCENARIO: El Imperio Romano había unificado el mundo conocido y el uso de un idioma común hizo que las condiciones fueran ideales para esparcir el evangelio en forma escrita. VERSÍCULO CLAVE: «Porque el Hijo del Hombre no vino para ser servido, sino para servir, y para dar su vida en rescate por muchos» (10.45). CARACTERÍSTICAS PARTICULARES: El Evangelio de Marcos se caracteriza por su ágil narrativa. PERSONAS Y RELACIONES CLAVE: Jesús con sus discípulos, especialmente Pedro.

## TEMAS SOBRE RECUPERACIÓN

*Jesús como el Siervo:* Los Doce Pasos nos dicen que nuestra recuperación debe llevarnos a ser siervos y contar a otros nuestra historia de liberación. La verdadera grandeza ante los ojos de Dios se demuestra con una disposición de servicio y sacrificio a favor de otros. Jesús no vino como rey conquistador; vino como siervo. Él escogió obedecer a su Padre y morir por nosotros. Cuando la ambición personal y el hambre de poder controlan nuestras vidas, vivimos en contradicción con los principios de la recuperación y con la voluntad de Dios para nosotros.

*El poder de Dios:* El Evangelio de Marcos está lleno de acontecimientos maravillosos que muestran el asombroso poder de Dios en Jesús. Marcos registró más milagros de Jesús que sermones. Él quería que viéramos el poder de Dios en acción. Cuanto más nos convenzamos de que Jesús es Dios, más veremos su poder y amor actuando en nuestra propia vida. Sus mayores milagros todavía son los que tienen que ver con el perdón, la sanidad en las relaciones personales y la restauración de personas con pasados arruinados o perdidos. El mismo poder que vemos en el Evangelio de Marcos está disponible para nosotros hoy día.

*La recuperación no es la meta:* Algunas personas le temen a la recuperación porque parece demasiado absorbente. Tienen una visión distorsionada de lo que ese proceso significa. Nuestra meta no es la recuperación; nuestra meta es el crecimiento espiritual y emocional, que se demuestra por medio del servicio sacrificial. Esa es una razón por la que nunca podemos afirmar habernos recuperado. Jesús marcó la pauta para nosotros con su ejemplo de servicio. Él vino para servir, no para ser servido. Ese principio –procurar dar lo que se ha ganado– es parte esencial del proceso de recuperación.

*Llevar el mensaje:* El discipulado y la recuperación ocurren dentro del marco de las relaciones humanas. Las buenas nuevas de Dios son para compartir. Al hablar a otros de las alegrías y luchas de nuestras experiencias en la recuperación, animamos a otros que estén recuperándose. El mensaje trasciende las barreras nacionales, raciales y económicas, y alcanza a todos aquellos que estén dispuestos a admitir su impotencia. Vale la pena compartir con otros el mensaje de recuperación.

---

### Predicación de Juan el Bautista

**1** **1** Principio del evangelio de Jesucristo, Hijo de Dios.

**2** Como está escrito en Isaías el profeta:

He aquí yo envío mi mensajero
delante de tu faz,
El cual preparará tu camino delante de ti.*ª*

**3** Voz del que clama en el desierto:
Preparad el camino del Señor;
Enderezad sus sendas.*b*

**4** Bautizaba Juan en el desierto, y predicaba el bautismo de arrepentimiento para perdón de pecados.

**5** Y salían a él toda la provincia de Judea, y todos los de Jerusalén; y eran bautizados por él en el río Jordán, confesando sus pecados.

**6** Y Juan estaba vestido de pelo de camello, y tenía un cinto de cuero alrededor de sus lomos;*c* y comía langostas y miel silvestre.

**7** Y predicaba, diciendo: Viene tras mí el que es más poderoso que yo, a quien no soy digno de desatar encorvado la correa de su calzado.

**8** Yo a la verdad os he bautizado con agua; pero él os bautizará con Espíritu Santo.

### El bautismo de Jesús

**9** Aconteció en aquellos días, que Jesús vino de Nazaret de Galilea, y fue bautizado por Juan en el Jordán.

**10** Y luego, cuando subía del agua, vio abrirse los cielos, y al Espíritu como paloma que descendía sobre él.

**11** Y vino una voz de los cielos que decía: Tú eres mi Hijo amado; en ti tengo complacencia.*d*

### Tentación de Jesús

**12** Y luego el Espíritu le impulsó al desierto.

**13** Y estuvo allí en el desierto cuarenta días, y era

---

**1.2** *ª* Mal. 3.1.   **1.3** *b* Is. 40.3.   **1.6** *c* 2 R. 1.8.   **1.11** *d* Is. 42.1; Mt. 12.18; 17.5; Mr. 9.7; Lc. 9.35.

---

**1.1-13** Solamente creer en un Poder superior a nosotros puede devolvernos el sano juicio. Así era como Juan el Bautista veía a Jesús: como uno mucho más poderoso que él. Jesús demostró su gran poder por medio de su victoria sobre Satanás y las tentaciones. Esto debe animarnos al encarar nuestras propias tentaciones. Con su ayuda podemos enfrentar cualquier cosa. Con nuestro propio poder estamos desamparados frente al poder de nuestra dependencia. Podemos hacer uso del poder divino tomando la decisión consciente de dar la espalda al pecado (1.4) y confiando nuestra vida al cuidado de Dios.

# SIMÓN PEDRO

Simón el pescador era impulsivo, inseguro y con frecuencia irreflexivo. Nunca lo habríamos apodado *Pedro*, que significa «roca». Jesús lo hizo. ¿Qué mayor evidencia puede haber de que Jesús no sólo aceptó a Simón tal como era sino que también vislumbró lo que podía llegar a ser? Hacia el final de su vida, el sobrenombre de Simón, Pedro, describiría apropiadamente su inquebrantable madurez. ¡Qué asombrosa transformación ocurrió en aquel fornido pescador!

La mayoría de nosotros se identifica fácilmente con Simón Pedro. Por lo general, sus intenciones eran buenas, pero él era impetuoso al hablar e impulsivo en sus acciones. Ante la escena de la transfiguración, en lugar de maravillarse soltó la primera idea que se le vino a la mente. Cuando Jesús reveló que su misión divina implicaría una dolorosa muerte, Pedro se precipitó a decirle a Jesús que dejara de hablar de esa manera. En la Última Cena rehusó con insolencia que Jesús le lavara los pies. Cuando Jesús fue arrestado, Pedro con valentía pero impetuosamente le cortó la oreja al siervo del sumo sacerdote. Finalmente, en un momento crítico en su vida, Pedro negó tres veces a Jesús. Aun cuando Jesús estaba restaurando a Pedro de su fracaso, la atención de Pedro estaba en Juan en lugar de concentrarse en lo que Dios estaba haciendo por él.

En la vida posterior de Simón verificamos qué fue lo que Jesús vio cuando lo llamó «roca». Pedro presidió la reunión para seleccionar al sucesor de Judas. En Pentecostés predicó públicamente sobre Jesús a pesar de que sabía que iba a encontrar oposición. Pedro fue el apóstol que tuvo la agudeza espiritual para proclamar la gran confesión en Cesarea de Filipo, anunciando claramente que Jesucristo es el único medio de salvación.

Realizó varios milagros, y él mismo fue rescatado milagrosamente de la cárcel.

En la vida de Simón Pedro vemos esperanza para nuestra transformación y recuperación. Dios lo transformó maravillosamente, pero debemos recordar que nunca lo hizo perfecto. El apóstol Pablo describió en Gálatas 2:11-14 la actuación hipócrita de Pedro. Sin embargo, a pesar de sus imperfecciones, su transformación tuvo un profundo impacto en el mundo que lo rodeaba; sus palabras, acciones y cartas se convirtieron en parte importante del fundamento espiritual de la iglesia primitiva.

**FORTALEZAS Y LOGROS:**
- La audacia natural de Simón sirvió para esparcir las buenas nuevas de Jesucristo.
- Él fue un líder reconocido y el portavoz de los doce discípulos.
- Recibió inspiración para escribir cartas para animar a los creyentes (1 y 2 Pedro).
- Su natural entusiasmo luego se transformó en valentía disciplinada.

**DEBILIDADES Y ERRORES:**
- Con frecuencia Simón habló y actuó antes de pensar en las consecuencias.
- Tenía un temperamento voluble; pasó rápidamente de una lealtad declarada a la traición.
- Aun después de su transformación, permitió, por lo menos en una ocasión (Gálatas 2.11-14), que una situación particular determinara su conducta.

**LECCIONES PARA NUESTRA VIDA:**
- Jesucristo tiene suficiente poder para transformar hasta a la gente que uno menos se imaginaría.
- Dios puede transformar nuestros defectos en herramientas poderosas para usar en su reino.
- Cuando las personas tienen buena disposición, Dios puede usarlas siempre.

**VERSÍCULO CLAVE:**
«Y yo también te digo, que tú eres Pedro, y sobre esta roca edificaré mi iglesia; y las puertas del Hades no prevalecerán contra ella» (Mateo 16.18).

Hay mucho material bíblico sobre Simón Pedro en los evangelios y en Hechos 1—15. En las cartas de Pablo, se menciona a Pedro en 1 Corintios 1.12; 3.22; 9.5; 15.5; y Gálatas 1.18; 2.7-14. Se puede recabar algo de información sobre él de sus cartas (1 y 2 de Pedro).

---

tentado por Satanás, y estaba con las fieras; y los ángeles le servían.

### Jesús principia su ministerio

**14** Después que Juan fue encarcelado, Jesús vino a Galilea predicando el evangelio del reino de Dios,
**15** diciendo: El tiempo se ha cumplido, y el reino de Dios*e* se ha acercado; arrepentíos,*f* y creed en el evangelio.

### Jesús llama a cuatro pescadores

**16** Andando junto al mar de Galilea, vio a Simón y a Andrés su hermano, que echaban la red en el mar; porque eran pescadores.
**17** Y les dijo Jesús: Venid en pos de mí, y haré que seáis pescadores de hombres.
**18** Y dejando luego sus redes, le siguieron.
**19** Pasando de allí un poco más adelante, vio a Jacobo hijo de Zebedeo, y a Juan su hermano, también ellos en la barca, que remendaban las redes.

**1.15** *e* Dn. 2.44. *f* Mt. 3.2.

**20** Y luego los llamó; y dejando a su padre Zebedeo en la barca con los jornaleros, le siguieron.

## Un hombre que tenía un espíritu inmundo

**21** Y entraron en Capernaum; y los días de reposo, entrando en la sinagoga, enseñaba.
**22** Y se admiraban de su doctrina; porque les enseñaba como quien tiene autoridad, y no como los escribas.*g*
**23** Pero había en la sinagoga de ellos un hombre con espíritu inmundo, que dio voces,
**24** diciendo: ¡Ah! ¿qué tienes con nosotros, Jesús nazareno? ¿Has venido para destruirnos? Sé quién eres, el Santo de Dios.
**25** Pero Jesús le reprendió, diciendo: ¡Cállate, y sal de él!
**26** Y el espíritu inmundo, sacudiéndole con violencia, y clamando a gran voz, salió de él.
**27** Y todos se asombraron, de tal manera que discutían entre sí, diciendo: ¿Qué es esto? ¿Qué nueva doctrina es esta, que con autoridad manda aun a los espíritus inmundos, y le obedecen?
**28** Y muy pronto se difundió su fama por toda la provincia alrededor de Galilea.

## Jesús sana a la suegra de Pedro

**29** Al salir de la sinagoga, vinieron a casa de Simón y Andrés, con Jacobo y Juan.
**30** Y la suegra de Simón estaba acostada con fiebre; y en seguida le hablaron de ella.
**31** Entonces él se acercó, y la tomó de la mano y la levantó; e inmediatamente le dejó la fiebre, y ella les servía.

## Muchos sanados al ponerse el sol

**32** Cuando llegó la noche, luego que el sol se puso, le trajeron todos los que tenían enfermedades, y a los endemoniados;
**33** y toda la ciudad se agolpó a la puerta.
**34** Y sanó a muchos que estaban enfermos de diversas enfermedades, y echó fuera muchos demonios; y no dejaba hablar a los demonios, porque le conocían.

## Jesús recorre Galilea predicando

**35** Levantándose muy de mañana, siendo aún muy oscuro, salió y se fue a un lugar desierto, y allí oraba.
**36** Y le buscó Simón, y los que con él estaban;
**37** y hallándole, le dijeron: Todos te buscan.
**38** El les dijo: Vamos a los lugares vecinos, para que predique también allí; porque para esto he venido.
**39** Y predicaba en las sinagogas de ellos en toda Galilea, y echaba fuera los demonios.*h*

## Jesús sana a un leproso

**40** Vino a él un leproso, rogándole; e hincada la rodilla, le dijo: Si quieres, puedes limpiarme.
**41** Y Jesús, teniendo misericordia de él, extendió la mano y le tocó, y le dijo: Quiero, sé limpio.
**42** Y así que él hubo hablado, al instante la lepra se fue de aquél, y quedó limpio.
**43** Entonces le encargó rigurosamente, y le despidió luego,
**44** y le dijo: Mira, no digas a nadie nada, sino ve, muéstrate al sacerdote, y ofrece por tu purificación lo que Moisés mandó,*i* para testimonio a ellos.
**45** Pero ido él, comenzó a publicarlo mucho y a divulgar el hecho, de manera que ya Jesús no podía entrar abiertamente en la ciudad, sino que se quedaba fuera en los lugares desiertos; y venían a él de todas partes.

## Jesús sana a un paralítico

**2** **1** Entró Jesús otra vez en Capernaum después de algunos días; y se oyó que estaba en casa.
**2** E inmediatamente se juntaron muchos, de manera que ya no cabían ni aun a la puerta; y les predicaba la palabra.
**3** Entonces vinieron a él unos trayendo un paralítico, que era cargado por cuatro.
**4** Y como no podían acercarse a él a causa de la multitud, descubrieron el techo de donde estaba, y haciendo una abertura, bajaron el lecho en que yacía el paralítico.
**5** Al ver Jesús la fe de ellos, dijo al paralítico: Hijo, tus pecados te son perdonados.
**6** Estaban allí sentados algunos de los escribas, los cuales cavilaban en sus corazones:
**7** ¿Por qué habla éste así? Blasfemias dice. ¿Quién puede perdonar pecados, sino sólo Dios?
**8** Y conociendo luego Jesús en su espíritu que cavi-

---

**1.22** *g* Mt. 7.28-29.  **1.39** *h* Mt. 4.23; 9.35.  **1.44** *i* Lv. 14.1-32.

**1.35-39** Si Jesús, el Hijo de Dios, separó tiempo en su ocupada agenda para orar a su Padre, ¡cuánto más necesitamos nosotros hacer lo mismo! Al dar alta prioridad a la oración, Jesús pudo perseverar en su ministerio y evitó agotarse totalmente. Quienes tratamos de lograr la recuperación para nosotros y para otros, no podemos arreglárnosla sin la oración. Mientras más ajetreado se presente el día de mañana, más necesitamos meditar en la palabra de Dios y orar pidiendo su fortaleza y sabiduría.

**2.1-12** Jesús no vino sólo para sanar los problemas físicos sino también para solucionar el problema del pecado. Si todavía no conocemos a Jesús, estamos paralizados en espíritu y somos tan impotentes para

laban de esta manera dentro de sí mismos, les dijo: ¿Por qué caviláis así en vuestros corazones?

**9** ¿Qué es más fácil, decir al paralítico: Tus pecados te son perdonados, o decirle: Levántate, toma tu lecho y anda?

**10** Pues para que sepáis que el Hijo del Hombre tiene potestad en la tierra para perdonar pecados (dijo al paralítico):

**11** A ti te digo: Levántate, toma tu lecho, y vete a tu casa.

**12** Entonces él se levantó en seguida, y tomando su lecho, salió delante de todos, de manera que todos se asombraron, y glorificaron a Dios, diciendo: Nunca hemos visto tal cosa.

## Llamamiento de Leví

**13** Después volvió a salir al mar; y toda la gente venía a él, y les enseñaba.

**14** Y al pasar, vio a Leví hijo de Alfeo, sentado al banco de los tributos públicos, y le dijo: Sígueme. Y levantándose, le siguió.

**15** Aconteció que estando Jesús a la mesa en casa de él, muchos publicanos y pecadores estaban también a la mesa juntamente con Jesús y sus discípulos; porque había muchos que le habían seguido.

**16** Y los escribas y los fariseos, viéndole comer con los publicanos y con los pecadores, dijeron a los discípulos: ¿Qué es esto, que él come y bebe con los publicanos y pecadores?

**17** Al oír esto Jesús, les dijo: Los sanos no tienen necesidad de médico, sino los enfermos. No he venido a llamar a justos, sino a pecadores.

## La pregunta sobre el ayuno

**18** Y los discípulos de Juan y los de los fariseos ayunaban; y vinieron, y le dijeron: ¿Por qué los discípulos de Juan y los de los fariseos ayunan, y tus discípulos no ayunan?

**19** Jesús les dijo: ¿Acaso pueden los que están de bodas ayunar mientras está con ellos el esposo? Entre tanto que tienen consigo al esposo, no pueden ayunar.

**20** Pero vendrán días cuando el esposo les será quitado, y entonces en aquellos días ayunarán.

**21** Nadie pone remiendo de paño nuevo en vestido viejo; de otra manera, el mismo remiendo nuevo tira de lo viejo, y se hace peor la rotura.

**22** Y nadie echa vino nuevo en odres viejos; de otra manera, el vino nuevo rompe los odres, y el vino se derrama, y los odres se pierden; pero el vino nuevo en odres nuevos se ha de echar.

## Los discípulos recogen espigas en el día de reposo

**23** Aconteció que al pasar él por los sembrados un día de reposo, sus discípulos, andando, comenzaron a arrancar espigas.*a*

**24** Entonces los fariseos le dijeron: Mira, ¿por qué hacen en el día de reposo lo que no es lícito?

**25** Pero él les dijo: ¿Nunca leísteis lo que hizo David cuando tuvo necesidad, y sintió hambre, él y los que con él estaban;

**26** cómo entró en la casa de Dios, siendo Abiatar sumo sacerdote, y comió los panes de la proposición, de los cuales no es lícito comer sino a los sacerdotes,*b* y aun dio a los que con él estaban?*c*

**27** También les dijo: El día de reposo fue hecho por causa del hombre, y no el hombre por causa del día de reposo.

**28** Por tanto, el Hijo del Hombre es Señor aun del día de reposo.

---

**2.23** *a* Dt. 23.25.   **2.26** *b* Lv. 24.9.   **2.25-26** *c* 1 S. 21.1-6.

---

ayudarnos como este paralítico. Si nuestra fe todavía es demasiado débil para lograr sanidad, la fe de «cuatro» puede bastar para alcanzarla. Nótese que no fue suficiente para Jesús pronunciar las palabras de perdón; él probó con la acción su autoridad e intención. De igual manera, no es suficiente que sólo pronunciemos palabras de fe. Debemos actuar en forma responsable si esperamos purificación espiritual y sanidad física.

**2.13-17** Debido a su reputación de tramposos y a su apoyo a la Roma pagana, los judíos consideraban a los recaudadores de impuestos pecadores notorios. Así actuaban especialmente los líderes religiosos santurrones. Pero fue a esta clase de gente a la que Jesús vino a salvar. Leví (Mateo) demostró que había tomado en serio el llamado de Jesús al testificar inmediatamente a sus amigos, colegas y colaboradores en el pecado. Algunos pueden cuestionar que una persona tan nueva e inmadura en la fe pueda estar contando su historia a otros. Pero este relato ilustra la verdad de que somos fortalecidos en la recuperación cuando compartimos nuestra historia con otros, sin importar el grado de nuestro conocimiento, destrezas o experiencias.

**2.18-22** Los odres viejos de la práctica religiosa judía eran demasiado rígidos para contener el amplio y transformador mensaje del amor de Dios en Jesucristo. Las actividades religiosas nunca son suficientes a menos que se complementen con un genuino arrepentimiento. Debemos empezar por reconocer nuestros pecados y luego acudir al único que puede poner otra vez las cosas en orden: Dios en Jesucristo. Si nos arrepentimos y buscamos su ayuda, él nos perdonará y nos traerá de nuevo al camino correcto. Dios abrirá nuestro duro corazón y lo hará flexible como un odre nuevo para que así podamos recibir su regalo de gracia.

## El hombre de la mano seca

**3** ¹ Otra vez entró Jesús en la sinagoga; y había allí un hombre que tenía seca una mano. ² Y le acechaban para ver si en el día de reposo le sanaría, a fin de poder acusarle. ³ Entonces dijo al hombre que tenía la mano seca: Levántate y ponte en medio. ⁴ Y les dijo: ¿Es lícito en los días de reposo hacer bien, o hacer mal; salvar la vida, o quitarla? Pero ellos callaban. ⁵ Entonces, mirándolos alrededor con enojo, entristecido por la dureza de sus corazones, dijo al hombre: Extiende tu mano. Y él la extendió, y la mano le fue restaurada sana. ⁶ Y salidos los fariseos, tomaron consejo con los herodianos contra él para destruirle.

## La multitud a la orilla del mar

⁷ Mas Jesús se retiró al mar con sus discípulos, y le siguió gran multitud de Galilea. Y de Judea, ⁸ de Jerusalén, de Idumea, del otro lado del Jordán, y de los alrededores de Tiro y de Sidón, oyendo cuán grandes cosas hacía, grandes multitudes vinieron a él. ⁹ Y dijo a sus discípulos que le tuviesen siempre lista la barca, a causa del gentío, para que no le oprimiesen. ¹⁰ Porque había sanado a muchos; de manera que por tocarle, cuantos tenían plagas caían sobre él.ᵃ ¹¹ Y los espíritus inmundos, al verle, se postraban delante de él, y daban voces, diciendo: Tú eres el Hijo de Dios. ¹² Mas él les reprendía mucho para que no le descubriesen.

## Elección de los doce apóstoles

¹³ Después subió al monte, y llamó a sí a los que él quiso; y vinieron a él. ¹⁴ Y estableció a doce, para que estuviesen con él, y para enviarlos a predicar, ¹⁵ y que tuviesen autoridad para sanar enfermedades y para echar fuera demonios:

¹⁶ a Simón, a quien puso por sobrenombre Pedro; ¹⁷ a Jacobo hijo de Zebedeo, y a Juan hermano de Jacobo, a quienes apellidó Boanerges, esto es, Hijos del trueno; ¹⁸ a Andrés, Felipe, Bartolomé, Mateo, Tomás, Jacobo hijo de Alfeo, Tadeo, Simón el cananista, ¹⁹ y Judas Iscariote, el que le entregó. Y vinieron a casa.

## La blasfemia contra el Espíritu Santo

²⁰ Y se agolpó de nuevo la gente, de modo que ellos ni aun podían comer pan. ²¹ Cuando lo oyeron los suyos, vinieron para prenderle; porque decían: Está fuera de sí. ²² Pero los escribas que habían venido de Jerusalén decían que tenía a Beelzebú, y que por el príncipe de los demonios echaba fuera los demonios.ᵇ ²³ Y habiéndolos llamado, les decía en parábolas: ¿Cómo puede Satanás echar fuera a Satanás? ²⁴ Si un reino está dividido contra sí mismo, tal reino no puede permanecer. ²⁵ Y si una casa está dividida contra sí misma, tal casa no puede permanecer. ²⁶ Y si Satanás se levanta contra sí mismo, y se divide, no puede permanecer, sino que ha llegado su fin. ²⁷ Ninguno puede entrar en la casa de un hombre fuerte y saquear sus bienes, si antes no le ata, y entonces podrá saquear su casa. ²⁸ De cierto os digo que todos los pecados serán perdonados a los hijos de los hombres, y las blasfemias cualesquiera que sean; ²⁹ pero cualquiera que blasfeme contra el Espíritu Santo, no tiene jamás perdón,ᶜ sino que es reo de juicio eterno. ³⁰ Porque ellos habían dicho: Tiene espíritu inmundo.

## La madre y los hermanos de Jesús

³¹ Vienen después sus hermanos y su madre, y quedándose afuera, enviaron a llamarle. ³² Y la gente que estaba sentada alrededor de él le

**3.9-10** ᵃ Mr. 4.1; Lc. 5.1-3. **3.22** ᵇ Mt. 9.34; 10.25. **3.29** ᶜ Lc. 12.10.

**3.7-19** A pesar del rechazo de la institución religiosa, Jesús contaba con una multitud creciente de seguidores, incluso de lugares en los que todavía no había ministrado. Casi a la mitad de los tres años de ministerio público, la popularidad de Jesús alcanzó su apogeo. Las grandes exigencias del servicio quizás hayan impulsado a Jesús a escoger los doce miembros de su grupo íntimo de apoyo. Ni siquiera Jesús intentó ministrar solo. Necesitamos rodearnos de personas que nos apoyen y nos ayuden a mantener lo que hemos alcanzado por medio de la recuperación.

**3.20-30** Aunque Satanás causa enormes problemas en nuestro mundo, Dios tiene poder sobre él. Puesto que Jesús es Dios, tiene el poder para hacer su voluntad con Satanás. Controlar la fortaleza demoníaca de Satanás y soltar su agarre en nuestra vida es la solemne obra de la recuperación. No hay siquiera uno de nuestros pecados pasados que sea tan horrible que no pueda ser perdonado, ninguna herida tan profunda que no pueda ser sanada. La única excepción es la blasfemia contra el Espíritu Santo, que es negar el poder de Dios a través de su Hijo, Jesucristo.

# JACOBO Y JUAN

¡Hijos del trueno! ¿Por qué haría Jesús una descripción tan vigorosa de dos pescadores galileos, Jacobo y Juan? Se nos pinta un cuadro de sus personalidades fogosas cuando, luego de ser rechazados por la gente de una aldea samaritana, Jacobo y Juan le preguntan a Jesús si pueden mandar fuego del cielo para que consuma la aldea. Jesús los reprendió por su instinto de represalia.

Jesús obró en la vida de estos hermanos hasta que se convirtieron en hombres reconocidos por su amor y perdón, y no por su enojo y venganza. Juan, «el discípulo a quien Jesús amaba», escribió palabras poderosas sobre la importancia del amor. Había descubierto que no tenía que ganarse el amor de Dios, sino que podía recibirlo gratuitamente y pasarlo a otros.

Jacobo fue el primero de los doce discípulos en dar la vida por su fe. Fue ejecutado en Jerusalén por orden de Herodes Agripa. Juan se convirtió en un líder importante en la iglesia de Asia Menor y luego fue exiliado a la isla de Patmos, donde escribió el libro de Apocalipsis. Sobrevivió al resto de los doce discípulos.

Aunque en algún momento los dos hermanos fueron egoístamente ambiciosos, luego se volvieron ambiciosos de beneficiar a los demás hablándoles del amor de Dios. Los hermanos habían descubierto la importante verdad de que cuando entendemos y experimentamos el amor de Dios, tenemos libertad para vivir y crecer. Y mientras crecemos y compartimos nuestro descubrimiento con otros, Dios puede usarnos para tocar las vidas de muchos que necesitan su ayuda y sanidad.

**FORTALEZAS Y LOGROS:**
- Pedro, Jacobo y Juan formaban, con Pedro, el círculo íntimo de discípulos de Jesús.
- Ambos hombres fueron líderes importantes de la iglesia primitiva.
- Juan fue inspirado para escribir al menos cuatro libros del Nuevo Testamento (el Evangelio de Juan; 1, 2 y 3 Juan).

**DEBILIDADES Y ERRORES:**
- Obviamente tenían la tendencia a reaccionar con enojo contra cualquiera que se les opusiera.
- Trataron de promoverse a sí mismos, de forma egoísta, para sobresalir entre los otros discípulos.

**LECCIONES PARA NUESTRA VIDA:**
- Es importante experimentar el amor de Dios y actuar con amor hacia los demás.
- Dios puede tomar nuestras debilidades y transformarlas en fortalezas.

**VERSÍCULOS CLAVE:**
«Y [Jesús] estableció a doce, para que estuviesen con él ... a Jacobo hijo de Zebedeo, y a Juan hermano de Jacobo, a quienes apellidó Boanerges, esto es, Hijos del trueno» (Marcos 3.14-17). Las historias de Jacobo y Juan se narran en Mateo 4.21-22; 20.20-28; Marcos 1.19; 3.13-19; 9.1-9; 10.35-40; Lucas 9.49-56; Juan 13.23-25; 19.26-27; 21.20-24; Hechos 4.1-23; 8.14-25; 12.2 y Apocalipsis 1.1-2,9; 22.8.

---

dijo: Tu madre y tus hermanos están afuera, y te buscan.
33 El les respondió diciendo: ¿Quién es mi madre y mis hermanos?
34 Y mirando a los que estaban sentados alrededor de él, dijo: He aquí mi madre y mis hermanos.
35 Porque todo aquel que hace la voluntad de Dios, ése es mi hermano, y mi hermana, y mi madre.

### Parábola del sembrador

**4** 1 Otra vez comenzó Jesús a enseñar junto al mar, y se reunió alrededor de él mucha gente, tanto que entrando en una barca, se sentó en ella en el mar;*a* y toda la gente estaba en tierra junto al mar.
2 Y les enseñaba por parábolas muchas cosas, y les decía en su doctrina:
3 Oíd: He aquí, el sembrador salió a sembrar;

4 y al sembrar, aconteció que una parte cayó junto al camino, y vinieron las aves del cielo y la comieron.
5 Otra parte cayó en pedregales, donde no tenía mucha tierra; y brotó pronto, porque no tenía profundidad de tierra.
6 Pero salido el sol, se quemó; y porque no tenía raíz, se secó.
7 Otra parte cayó entre espinos; y los espinos crecieron y la ahogaron, y no dio fruto.
8 Pero otra parte cayó en buena tierra, y dio fruto, pues brotó y creció, y produjo a treinta, a sesenta, y a ciento por uno.
9 Entonces les dijo: El que tiene oídos para oír, oiga.
10 Cuando estuvo solo, los que estaban cerca de él con los doce le preguntaron sobre la parábola.
11 Y les dijo: A vosotros os es dado saber el misterio

**4.1** *a* Lc. 5.1-3.

del reino de Dios; mas a los que están fuera, por parábolas todas las cosas;

**12** para que viendo, vean y no perciban; y oyendo, oigan y no entiendan; para que no se conviertan, y les sean perdonados los pecados.*b*

**13** Y les dijo: ¿No sabéis esta parábola? ¿Cómo, pues, entenderéis todas las parábolas?

**14** El sembrador es el que siembra la palabra.

**15** Y éstos son los de junto al camino: en quienes se siembra la palabra, pero después que la oyen, en seguida viene Satanás, y quita la palabra que se sembró en sus corazones.

**16** Estos son asimismo los que fueron sembrados en pedregales: los que cuando han oído la palabra, al momento la reciben con gozo;

**17** pero no tienen raíz en sí, sino que son de corta duración, porque cuando viene la tribulación o la persecución por causa de la palabra, luego tropiezan.

**18** Estos son los que fueron sembrados entre espinos: los que oyen la palabra,

**19** pero los afanes de este siglo, y el engaño de las riquezas, y las codicias de otras cosas, entran y ahogan la palabra, y se hace infructuosa.

**20** Y éstos son los que fueron sembrados en buena tierra: los que oyen la palabra y la reciben, y dan fruto a treinta, a sesenta, y a ciento por uno.

## Nada oculto que no haya de ser manifestado

**21** También les dijo: ¿Acaso se trae la luz para ponerla debajo del almud, o debajo de la cama? ¿No es para ponerla en el candelero?*c*

**22** Porque no hay nada oculto que no haya de ser manifestado; ni escondido, que no haya de salir a luz.*d*

**23** Si alguno tiene oídos para oír, oiga.

**24** Les dijo también: Mirad lo que oís; porque con la medida con que medís, os será medido,*e* y aun se os añadirá a vosotros los que oís.

**25** Porque al que tiene, se le dará; y al que no tiene, aun lo que tiene se le quitará.*f*

## Parábola del crecimiento de la semilla

**26** Decía además: Así es el reino de Dios, como cuando un hombre echa semilla en la tierra;

**27** y duerme y se levanta, de noche y de día, y la semilla brota y crece sin que él sepa cómo.

**28** Porque de suyo lleva fruto la tierra, primero hierba, luego espiga, después grano lleno en la espiga;

**29** y cuando el fruto está maduro, en seguida se mete la hoz, porque la siega ha llegado.

## Parábola de la semilla de mostaza

**30** Decía también: ¿A qué haremos semejante el reino de Dios, o con qué parábola lo compararemos?

**31** Es como el grano de mostaza, que cuando se siembra en tierra, es la más pequeña de todas las semillas que hay en la tierra;

**32** pero después de sembrado, crece, y se hace la mayor de todas las hortalizas, y echa grandes ramas, de tal manera que las aves del cielo pueden morar bajo su sombra.

## El uso que Jesús hace de las parábolas

**33** Con muchas parábolas como estas les hablaba la palabra, conforme a lo que podían oír.

**34** Y sin parábolas no les hablaba; aunque a sus discípulos en particular les declaraba todo.

## Jesús calma la tempestad

**35** Aquel día, cuando llegó la noche, les dijo: Pasemos al otro lado.

**36** Y despidiendo a la multitud, le tomaron como estaba, en la barca; y había también con él otras barcas.

**37** Pero se levantó una gran tempestad de viento, y echaba las olas en la barca, de tal manera que ya se anegaba.

**38** Y él estaba en la popa, durmiendo sobre un cabezal; y le despertaron, y le dijeron: Maestro, ¿no tienes cuidado que perecemos?

---

**4.12** *b* Is. 6.9-10. **4.21** *c* Mt. 5.15; Lc. 11.33. **4.22** *d* Mt. 10.26; Lc. 12.2. **4.24** *e* Mt. 7.2; Lc. 6.38. **4.25** *f* Mt. 13.12; 25.29; Lc. 19.26.

**4.1-20** Algunos reciben bien la recuperación y otros la rechazan. El misterio de esto se nos revela en los relatos de Jesús sobre el Reino, cuatro de los cuales aparecen en 4.1-34. El reino de Dios se refiere al reinado divino escondido en el mundo, que se hará visible al regreso de Cristo. Esta primera historia dramatiza las diversas respuestas al mensaje de Dios en el corazón de su pueblo. Al proseguir en la recuperación y aprender a buscar la voluntad de Dios para nosotros, nos estamos colocando bajo la justa y amorosa autoridad de Dios. Y podemos estar seguros de que mientras aramos el terreno de nuestro corazón por medio de la autocrítica, experimentaremos una vida fructífera y con significado.

**4.21-25** La lámpara representa la verdad sobre Jesús. Escondemos esa luz cada vez que le colocamos una caja encima. Mientras avanzamos en la recuperación, es importante que removamos las cajas de la culpa, la amargura, el enojo, la vergüenza y la negación que llevamos escondidos. Es sumamente importante que, con humildad, les contemos a otros nuestra historia de dolor y liberación. Es posible que necesitemos comenzar haciendo un inventario moral de nuestra vida para sacar a la luz las actitudes que nos impiden hablar sobre quiénes somos y sobre lo que Dios ha hecho en nosotros. Al descubrir lo que hace que escondamos la luz, podemos entregárselo a Dios y pedirle que nos ayude a eliminarlo. Tenemos que permitir que nuestra vida irradie la verdad de Dios.

**39** Y levantándose, reprendió al viento, y dijo al mar: Calla, enmudece. Y cesó el viento, y se hizo grande bonanza.

**40** Y les dijo: ¿Por qué estáis así amedrentados? ¿Cómo no tenéis fe?

**41** Entonces temieron con gran temor, y se decían el uno al otro: ¿Quién es éste, que aun el viento y el mar le obedecen?

## El endemoniado gadareno

**5** **1** Vinieron al otro lado del mar, a la región de los gadarenos.

**2** Y cuando salió él de la barca, en seguida vino a su encuentro, de los sepulcros, un hombre con un espíritu inmundo,

**3** que tenía su morada en los sepulcros, y nadie podía atarle, ni aun con cadenas.

**4** Porque muchas veces había sido atado con grillos y cadenas, mas las cadenas habían sido hechas pedazos por él, y desmenuzados los grillos; y nadie le podía dominar.

**5** Y siempre, de día y de noche, andaba dando voces en los montes y en los sepulcros, e hiriéndose con piedras.

**6** Cuando vio, pues, a Jesús de lejos, corrió, y se arrodilló ante él.

**7** Y clamando a gran voz, dijo: ¿Qué tienes conmigo, Jesús, Hijo del Dios Altísimo? Te conjuro por Dios que no me atormentes.

**8** Porque le decía: Sal de este hombre, espíritu inmundo.

**9** Y le preguntó: ¿Cómo te llamas? Y respondió diciendo: Legión me llamo; porque somos muchos.

**10** Y le rogaba mucho que no los enviase fuera de aquella región.

**11** Estaba allí cerca del monte un gran hato de cerdos paciendo.

**12** Y le rogaron todos los demonios, diciendo: Envíanos a los cerdos para que entremos en ellos.

**13** Y luego Jesús les dio permiso. Y saliendo aquellos espíritus inmundos, entraron en los cerdos, los cuales eran como dos mil; y el hato se precipitó en el mar por un despeñadero, y en el mar se ahogaron.

**14** Y los que apacentaban los cerdos huyeron, y dieron aviso en la ciudad y en los campos. Y salieron a ver qué era aquello que había sucedido.

**15** Vienen a Jesús, y ven al que había sido atormentado del demonio, y que había tenido la legión, sentado, vestido y en su juicio cabal; y tuvieron miedo.

### Esclavitud interior

LECTURA BÍBLICA: Marcos 5.1-13

**Llegamos a creer que un Poder superior a nosotros podía devolvernos el sano juicio.** Cuando estamos bajo la influencia de nuestra adicción, su control parece tener una fuerza sobrenatural. Tal vez podamos renunciar a vivir y entregarnos a conductas autodestructivas en imprudente abandono. Puede que haya gente que también nos abandone. Podrían distanciarse de nosotros como si ya estuviéramos muertos. Ya sea que nuestra «locura» haya sido autoinducida o haya tenido un origen más siniestro, hay un poder disponible para devolvernos la sanidad y la integridad.

Jesús ayudó a un hombre que estaba actuando como loco. «[Un hombre] que tenía su morada en los sepulcros, y nadie podía atarle, ni aun con cadenas. Porque muchas veces había sido atado con grillos y cadenas, mas las cadenas habían sido hechas pedazos por él, y desmenuzados los grillos; y nadie le podía dominar. Y siempre, de día y de noche, andaba dando voces en los montes y en los sepulcros, e hiriéndose con piedras» (Marcos 5.3-5). Jesús evaluó la situación. Él trató con las fuerzas de la oscuridad que aquejaban al hombre y le devolvió el sano juicio. Luego lo envió a su casa para que les contara a sus amigos lo que Dios había hecho por él.

Quizás hayamos llegado tan lejos en nuestra adicción que hayamos sobrepasado todos los límites. Luchamos por liberarnos del control de la sociedad y de nuestros seres amados, sólo para descubrir que nuestra esclavitud no viene de fuentes externas. Toda esperanza parece perdida, pero donde haya vida, aún hay esperanza. Dios puede tocar nuestra locura y devolvernos el sano juicio. ***Vaya a la página 107, Lucas 8.***

---

**4.35-41** Los discípulos quedaron espantados cuando Jesús mostró su poder sobre la naturaleza; ¡aun el viento y las olas le obedecían! Ver este increíble despliegue de poder debe fortalecer nuestra fe en Dios. Así como Jesús fue capaz de calmar el mar tempestuoso, también tiene el poder para calmar nuestra vida sometida a la tormenta. Con Jesús en nuestro bote, no hay necesidad de temer las tempestades de la vida que amenazan con hundirnos. Ninguna borrasca es tan violenta o poderosa que Jesús no la pueda calmar. Nunca debemos dudar de clamar: «Maestro, ¿no tienes cuidado que perecemos?» (4.38).

**16** Y les contaron los que lo habían visto, cómo le había acontecido al que había tenido el demonio, y lo de los cerdos.

**17** Y comenzaron a rogarle que se fuera de sus contornos.

**18** Al entrar él en la barca, el que había estado endemoniado le rogaba que le dejase estar con él.

**19** Mas Jesús no se lo permitió, sino que le dijo: Vete a tu casa, a los tuyos, y cuéntales cuán grandes cosas el Señor ha hecho contigo, y cómo ha tenido misericordia de ti.

**20** Y se fue, y comenzó a publicar en Decápolis cuán grandes cosas había hecho Jesús con él; y todos se maravillaban.

### La hija de Jairo, y la mujer que tocó el manto de Jesús

**21** Pasando otra vez Jesús en una barca a la otra orilla, se reunió alrededor de él una gran multitud; y él estaba junto al mar.

**22** Y vino uno de los principales de la sinagoga, llamado Jairo; y luego que le vio, se postró a sus pies,

**23** y le rogaba mucho, diciendo: Mi hija está agonizando; ven y pon las manos sobre ella para que sea salva, y vivirá.

**24** Fue, pues, con él; y le seguía una gran multitud, y le apretaban.

**25** Pero una mujer que desde hacía doce años padecía de flujo de sangre,

**26** y había sufrido mucho de muchos médicos, y gastado todo lo que tenía, y nada había aprovechado, antes le iba peor,

**27** cuando oyó hablar de Jesús, vino por detrás entre la multitud, y tocó su manto.

**28** Porque decía: Si tocare tan solamente su manto, seré salva.

**29** Y en seguida la fuente de su sangre se secó; y sintió en el cuerpo que estaba sana de aquel azote.

**30** Luego Jesús, conociendo en sí mismo el poder que había salido de él, volviéndose a la multitud, dijo: ¿Quién ha tocado mis vestidos?

**31** Sus discípulos le dijeron: Ves que la multitud te aprieta, y dices: ¿Quién me ha tocado?

**32** Pero él miraba alrededor para ver quién había hecho esto.

**33** Entonces la mujer, temiendo y temblando, sabiendo lo que en ella había sido hecho, vino y se postró delante de él, y le dijo toda la verdad.

**34** Y él le dijo: Hija, tu fe te ha hecho salva; ve en paz, y queda sana de tu azote.

**35** Mientras él aún hablaba, vinieron de casa del principal de la sinagoga, diciendo: Tu hija ha muerto; ¿para qué molestas más al Maestro?

**36** Pero Jesús, luego que oyó lo que se decía, dijo al principal de la sinagoga: No temas, cree solamente.

**37** Y no permitió que le siguiese nadie sino Pedro, Jacobo, y Juan hermano de Jacobo.

**38** Y vino a casa del principal de la sinagoga, y vio el alboroto y a los que lloraban y lamentaban mucho.

**39** Y entrando, les dijo: ¿Por qué alborotáis y lloráis? La niña no está muerta, sino duerme.

**40** Y se burlaban de él. Mas él, echando fuera a todos, tomó al padre y a la madre de la niña, y a los que estaban con él, y entró donde estaba la niña.

**41** Y tomando la mano de la niña, le dijo: Talita cumi; que traducido es: Niña, a ti te digo, levántate.

**42** Y luego la niña se levantó y andaba, pues tenía doce años. Y se espantaron grandemente.

**43** Pero él les mandó mucho que nadie lo supiese, y dijo que se le diese de comer.

### Jesús en Nazaret

**6** **1** Salió Jesús de allí y vino a su tierra, y le seguían sus discípulos.

**2** Y llegado el día de reposo, comenzó a enseñar en la sinagoga; y muchos, oyéndole, se admiraban, y decían: ¿De dónde tiene éste estas cosas? ¿Y qué

**5.21-43** Jairo pertenecía a la minoría de líderes judíos que respondió positivamente a Jesús. Movido por el amor a su hija y por la fe en que Jesús podía ayudarla, Jairo se expuso al desprecio de sus colegas al buscar públicamente la ayuda de Jesús. Al final vemos que su fe humilde produjo resultados. Algunos evitamos la recuperación porque estamos demasiado avergonzados para admitir públicamente que tenemos problemas. Pero si no confesamos nuestros pecados en humildad, hay pocas esperanzas de que seamos sanados. Como Jairo, debemos arriesgarnos a sufrir el desprecio de amigos y enemigos, y reconocer nuestros fracasos. Si lo hacemos, podemos estar seguros de que Jesús estará allí para ayudarnos. Ningún problema es tan grande que él no lo pueda solucionar; ninguna herida tan profunda que él no la pueda sanar.

**5.25-34** A veces nos sentimos tan avergonzados por nuestros pecados que pensamos que la opinión que Dios tiene de nosotros es un reflejo del aislamiento social o de la aversión propia que hemos experimentado. Este fue el caso de la mujer que había estado sangrando por doce años y que probablemente vivía como marginada. Esta hemorragia era seguramente un desorden menstrual o uterino que la hacía ritualmente «inmunda» (véase Levítico 15.25-27). De acuerdo con la ley judía, cualquiera que la tocara también se volvía ritualmente inmundo. Pero en lugar de refrenarse y no tocar a Jesús, ella lo tocó con fe y fue sanada de forma milagrosa. Nunca debemos permitir que el miedo o la vergüenza nos impidan acercarnos a Dios en busca de perdón y sanidad. Él está esperando que extendamos nuestra mano y lo toquemos.

sabiduría es esta que le es dada, y estos milagros que por sus manos son hechos?

**3** ¿No es éste el carpintero, hijo de María, hermano de Jacobo, de José, de Judas y de Simón? ¿No están también aquí con nosotros sus hermanas? Y se escandalizaban de él.

**4** Mas Jesús les decía: No hay profeta sin honra sino en su propia tierra,*a* y entre sus parientes, y en su casa.

**5** Y no pudo hacer allí ningún milagro, salvo que sanó a unos pocos enfermos, poniendo sobre ellos las manos.

**6** Y estaba asombrado de la incredulidad de ellos. Y recorría las aldeas de alrededor, enseñando.

## Misión de los doce discípulos

**7** Después llamó a los doce, y comenzó a enviarlos de dos en dos; y les dio autoridad sobre los espíritus inmundos.

**8** Y les mandó*b* que no llevasen nada para el camino, sino solamente bordón; ni alforja, ni pan, ni dinero en el cinto,

**9** sino que calzasen sandalias, y no vistiesen dos túnicas.

**10** Y les dijo: Dondequiera que entréis en una casa, posad en ella hasta que salgáis de aquel lugar.

**11** Y si en algún lugar no os recibieren ni os oyeren, salid de allí, y sacudid el polvo que está debajo de vuestros pies, para testimonio a ellos.*c* De cierto os digo que en el día del juicio, será más tolerable el castigo para los de Sodoma y Gomorra, que para aquella ciudad.

**12** Y saliendo, predicaban que los hombres se arrepintiesen.

**13** Y echaban fuera muchos demonios, y ungían con aceite a muchos enfermos, y los sanaban.*d*

## Muerte de Juan el Bautista

**14** Oyó el rey Herodes la fama de Jesús, porque su nombre se había hecho notorio; y dijo: Juan el Bautista ha resucitado de los muertos, y por eso actúan en él estos poderes.

**15** Otros decían: Es Elías. Y otros decían: Es un profeta, o alguno de los profetas.*e*

**16** Al oír esto Herodes, dijo: Este es Juan, el que yo decapité, que ha resucitado de los muertos.

**17** Porque el mismo Herodes había enviado y prendido a Juan, y le había encadenado en la cárcel por causa de Herodías, mujer de Felipe su hermano; pues la había tomado por mujer.

**18** Porque Juan decía a Herodes: No te es lícito tener la mujer de tu hermano.*f*

**19** Pero Herodías le acechaba, y deseaba matarle, y no podía;

**20** porque Herodes temía a Juan, sabiendo que era varón justo y santo, y le guardaba a salvo; y oyéndole, se quedaba muy perplejo, pero le escuchaba de buena gana.

**21** Pero venido un día oportuno, en que Herodes, en la fiesta de su cumpleaños, daba una cena a sus príncipes y tribunos y a los principales de Galilea,

**22** entrando la hija de Herodías, danzó, y agradó a Herodes y a los que estaban con él a la mesa; y el rey dijo a la muchacha: Pídeme lo que quieras, y yo te lo daré.

**23** Y le juró: Todo lo que me pidas te daré, hasta la mitad de mi reino.

**24** Saliendo ella, dijo a su madre: ¿Qué pediré? Y ella le dijo: La cabeza de Juan el Bautista.

**25** Entonces ella entró prontamente al rey, y pidió diciendo: Quiero que ahora mismo me des en un plato la cabeza de Juan el Bautista.

**26** Y el rey se entristeció mucho; pero a causa del juramento, y de los que estaban con él a la mesa, no quiso desecharla.

**27** Y en seguida el rey, enviando a uno de la guardia, mandó que fuese traída la cabeza de Juan.

**28** El guarda fue, le decapitó en la cárcel, y trajo su cabeza en un plato y la dio a la muchacha, y la muchacha la dio a su madre.

**29** Cuando oyeron esto sus discípulos, vinieron y tomaron su cuerpo, y lo pusieron en un sepulcro.

## Alimentación de los cinco mil

**30** Entonces los apóstoles se juntaron con Jesús, y le contaron todo lo que habían hecho, y lo que habían enseñado.

**31** El les dijo: Venid vosotros aparte a un lugar desierto, y descansad un poco. Porque eran muchos

---

**6.4** *a* Jn. 4.44.  **6.8-13** *b* Lc. 10.4-11.  **6.11** *c* Hch. 13.51.  **6.13** *d* Stg. 5.14.  **6.14-15** *e* Mt. 16.14; Mr. 8.28; Lc. 9.19.  **6.17-18** *f* Lc. 3.19-20.

---

**6.7-13** Cuando experimentamos el gozo de la recuperación es natural que deseemos llevarles a otros las buenas nuevas de la venida del Mesías. No obstante, no siempre somos bien recibidos. Los discípulos enfrentaron el rechazo mientras viajaban, sanaban a la gente y predicaban el arrepentimiento y la liberación. Ellos formaron equipos de dos, y se les dijo qué llevar, dónde quedarse y por cuánto tiempo, y qué hacer cuando los rechazaran. Al hablar con otros de la sanidad que hemos experimentado en el proceso de recuperación, no todo el mundo será receptivo. Cuando nos ridiculicen o nos rechacen, debemos seguir adelante y hablar de nuestra esperanza con el siguiente compañero de lucha que encontremos. Transmitir nuestro mensaje puede ser la diferencia entre la vida y la muerte para alguien que esté en necesidad.

los que iban y venían, de manera que ni aun tenían tiempo para comer.

**32** Y se fueron solos en una barca a un lugar desierto.

**33** Pero muchos los vieron ir, y le reconocieron; y muchos fueron allá a pie desde las ciudades, y llegaron antes que ellos, y se juntaron a él.

**34** Y salió Jesús y vio una gran multitud, y tuvo compasión de ellos, porque eran como ovejas que no tenían pastor;*g* y comenzó a enseñarles muchas cosas.

**35** Cuando ya era muy avanzada la hora, sus discípulos se acercaron a él, diciendo: El lugar es desierto, y la hora ya muy avanzada.

**36** Despídelos para que vayan a los campos y aldeas de alrededor, y compren pan, pues no tienen qué comer.

**37** Respondiendo él, les dijo: Dadles vosotros de comer. Ellos le dijeron: ¿Que vayamos y compremos pan por doscientos denarios, y les demos de comer?

**38** El les dijo: ¿Cuántos panes tenéis? Id y vedlo. Y al saberlo, dijeron: Cinco, y dos peces.

**39** Y les mandó que hiciesen recostar a todos por grupos sobre la hierba verde.

**40** Y se recostaron por grupos, de ciento en ciento, y de cincuenta en cincuenta.

**41** Entonces tomó los cinco panes y los dos peces, y levantando los ojos al cielo, bendijo, y partió los panes, y dio a sus discípulos para que los pusiesen delante; y repartió los dos peces entre todos.

**42** Y comieron todos, y se saciaron.

**43** Y recogieron de los pedazos doce cestas llenas, y de lo que sobró de los peces.

**44** Y los que comieron eran cinco mil hombres.

## Jesús anda sobre el mar

**45** En seguida hizo a sus discípulos entrar en la barca e ir delante de él a Betsaida, en la otra ribera, entre tanto que él despedía a la multitud.

**46** Y después que los hubo despedido, se fue al monte a orar;

**47** y al venir la noche, la barca estaba en medio del mar, y él solo en tierra.

**48** Y viéndoles remar con gran fatiga, porque el viento les era contrario, cerca de la cuarta vigilia de la noche vino a ellos andando sobre el mar, y quería adelantárseles.

**49** Viéndole ellos andar sobre el mar, pensaron que era un fantasma, y gritaron;

**50** porque todos le veían, y se turbaron. Pero en seguida habló con ellos, y les dijo: ¡Tened ánimo; yo soy, no temáis!

**51** Y subió a ellos en la barca, y se calmó el viento; y ellos se asombraron en gran manera, y se maravillaban.

**52** Porque aún no habían entendido lo de los panes, por cuanto estaban endurecidos sus corazones.

## Jesús sana a los enfermos en Genesaret

**53** Terminada la travesía, vinieron a tierra de Genesaret, y arribaron a la orilla.

**54** Y saliendo ellos de la barca, en seguida la gente le conoció.

**55** Y recorriendo toda la tierra de alrededor, comenzaron a traer de todas partes enfermos en lechos, a donde oían que estaba.

**56** Y dondequiera que entraba, en aldeas, ciudades o campos, ponían en las calles a los que estaban enfermos, y le rogaban que les dejase tocar siquiera el borde de su manto; y todos los que le tocaban quedaban sanos.

## Lo que contamina al hombre

**7** **1** Se juntaron a Jesús los fariseos, y algunos de los escribas, que habían venido de Jerusalén;

**2** los cuales, viendo a algunos de los discípulos de Jesús comer pan con manos inmundas, esto es, no lavadas, los condenaban.

**3** Porque los fariseos y todos los judíos, aferrándose a la tradición de los ancianos, si muchas veces no se lavan las manos, no comen.

**4** Y volviendo de la plaza, si no se lavan, no co-

**6.34** *g* 1 R. 22.17; 2 Cr. 18.16; Zac. 10.2; Mt. 9.36.

**6.30-32** Los discípulos demostraron su responsabilidad al rendir cuentas a Jesús e informarle de sus actividades. Al mismo tiempo, Jesús los animaba a cuidar de sí mismos llevándolos a pasar momentos de descanso y soledad. Para seguir ayudando a otros, los discípulos necesitaban tiempo aparte para la reflexión personal y el descanso. Lamentablemente, su tiempo de soledad tuvo que postergarse a causa de la multitud que los seguía. Nosotros también debemos balancear nuestras vidas, dedicar tiempo a recargar nuestras baterías espirituales y emocionales. Al hacer eso para reflexionar, aprenderemos lecciones de humildad y de nuestra dependencia de Dios, necesarias para avanzar en la recuperación.

**6.45-52** Quizás perdamos de vista a Jesús, pero él nunca nos pierde de vista a nosotros. Esa es la lección para los que están «en medio del mar» y valoran este triple milagro: (1) Jesús caminó sobre las aguas; (2) calmó la tempestad y (3) llevó la barca de los discípulos a puerto seguro (véase Juan 6.21). A pesar de haber sido testigos de sus muchos milagros, los discípulos todavía no se habían dado cuenta de lo poderoso que era Jesús. Todos nosotros seguramente podemos recordar algún momento en el cual Jesús intervino en nuestra vida para demostrarnos lo mucho que nos ama. Cuando comencemos a titubear en nuestra fe, debemos recordar los momentos pasados en los que él nos ayudó. Esto debe darnos el valor para seguir bajo su tierno cuidado.

# HERODES Y FAMILIA

En la historia hay ciertos nombres que inmediatamente nos traen a la mente imágenes de horror, violencia, ambición y crueldad. En el Nuevo Testamento se mencionan varios Herodes. Al primero, Herodes el Grande, lo llamaban «el grande» por su ambición y fastuosos proyectos de construcción, incluyendo la reconstrucción del templo de Jerusalén. Su carácter, sin embargo, era cualquier cosa menos grande. Se le conocía por su crueldad, envidia, ambición de poder y codicia insaciable.

Los romanos eligieron a Herodes como rey, pero muchos de sus súbditos judíos nunca lo aceptaron realmente como monarca legítimo. Herodes no tenía verdadera ascendencia judía; en realidad era idumeo, de una región al sur de Judea. Debido a esto, Herodes se inquietaba ante cualquier amenaza a su posición y respondía con rápida crueldad al menor rumor de deslealtad. Los Herodes no dudaron en matar aun a miembros de su propia familia si esto redundaba en su beneficio.

Herodes Antipas, el hijo de Herodes el Grande, es bien conocido por su participación en la muerte de Juan el Bautista. Otro descendiente, Herodes Agripa I, fue responsable de la muerte del apóstol Santiago (Jacobo). Un nieto, Agripa II, oyó la verdad del evangelio directamente del apóstol Pablo. De hecho, todos los Herodes tuvieron un encuentro con algún mensajero de Dios, pero se negaron a aceptar la verdad.

El fracaso de Herodes el Grande al no responder afirmativamente a la verdad divina nació de su avaricia e inseguridad. Como consecuencia, Herodes dejó a sus hijos y nietos una herencia de ambición y crueldad. Es importante que consideremos seriamente la herencia que les estamos dejando a nuestros hijos. Podemos persistir en nuestro rechazo y pasarles nuestras disfunciones, o podemos elegir el camino de la recuperación y edificar futuros alegres y significativos para nuestros hijos y nietos. En la recuperación hay mucho en juego. Estamos luchando por mucho más que nuestras vidas; estamos peleando también por las vidas de innumerables descendientes.

**FORTALEZAS Y LOGROS:**
- Herodes y su familia eran constructores diligentes.
- Eran muy astutos para hacer maniobras políticas.

**DEBILIDADES Y ERRORES:**
- Herodes y su familia tenían ansias desmedidas de poder y riquezas.
- No dudaron en destruir a personas inocentes que se interpusieron en su camino.
- Eran muy inseguros y sospechaban de la gente que los rodeaba.

**LECCIONES PARA NUESTRA VIDA:**
- Tener poder y riquezas no garantiza el éxito ni la felicidad.
- Debemos considerar cuidadosamente la herencia que les dejaremos a nuestros niños.
- Aquellos que vivan para sí mismos a expensas de otros pagarán el precio al final.

**VERSÍCULO CLAVE:**
«Herodes entonces, cuando se vio burlado por los magos, se enojó mucho, y mandó matar a todos los niños menores de dos años que había en Belén y en todos sus alrededores, conforme al tiempo que había inquirido de los magos» (Mateo 2.16).

Herodes y los miembros de su familia se mencionan en Mateo 2.1-11; Marcos 6.14-29; Lucas 1.5; y Hechos 4.27; 12.1-23; 13.1 y 25.13—26.32.

---

men. Y otras muchas cosas hay que tomaron para guardar, como los lavamientos de los vasos de beber, y de los jarros, y de los utensilios de metal, y de los lechos.
5 Le preguntaron, pues, los fariseos y los escribas: ¿Por qué tus discípulos no andan conforme a la tradición de los ancianos, sino que comen pan con manos inmundas?
6 Respondiendo él, les dijo: Hipócritas, bien profetizó de vosotros Isaías, como está escrito:

Este pueblo de labios me honra,
Mas su corazón está lejos de mí.
7 Pues en vano me honran,

Enseñando como doctrinas mandamientos de hombres.*a*
8 Porque dejando el mandamiento de Dios, os aferráis a la tradición de los hombres: los lavamientos de los jarros y de los vasos de beber; y hacéis otras muchas cosas semejantes.
9 Les decía también: Bien invalidáis el mandamiento de Dios para guardar vuestra tradición.
10 Porque Moisés dijo: Honra a tu padre y a tu madre;*b* y: El que maldiga al padre o a la madre, muera irremisiblemente.*c*
11 Pero vosotros decís: Basta que diga un hombre al padre o a la madre: Es Corbán (que quiere decir,

**7.6-7** *a* Is. 29.13.   **7.10** *b* Ex. 20.12; Dt. 5.16. *c* Ex. 21.17; Lv. 20.9.

mi ofrenda a Dios) todo aquello con que pudiera ayudarte,

**12** y no le dejáis hacer más por su padre o por su madre,

**13** invalidando la palabra de Dios con vuestra tradición que habéis transmitido. Y muchas cosas hacéis semejantes a estas.

**14** Y llamando a sí a toda la multitud, les dijo: Oídme todos, y entended:

**15** Nada hay fuera del hombre que entre en él, que le pueda contaminar; pero lo que sale de él, eso es lo que contamina al hombre.

**16** Si alguno tiene oídos para oír, oiga.

**17** Cuando se alejó de la multitud y entró en casa, le preguntaron sus discípulos sobre la parábola.

**18** El les dijo: ¿También vosotros estáis así sin entendimiento? ¿No entendéis que todo lo de fuera que entra en el hombre, no le puede contaminar,

**19** porque no entra en su corazón, sino en el vientre, y sale a la letrina? Esto decía, haciendo limpios todos los alimentos.

**20** Pero decía, que lo que del hombre sale, eso contamina al hombre.

**21** Porque de dentro, del corazón de los hombres, salen los malos pensamientos, los adulterios, las fornicaciones, los homicidios,

**22** los hurtos, las avaricias, las maldades, el engaño, la lascivia, la envidia, la maledicencia, la soberbia, la insensatez.

**23** Todas estas maldades de dentro salen, y contaminan al hombre.

## La fe de la mujer sirofenicia

**24** Levantándose de allí, se fue a la región de Tiro y de Sidón; y entrando en una casa, no quiso que nadie lo supiese; pero no pudo esconderse.

**25** Porque una mujer, cuya hija tenía un espíritu inmundo, luego que oyó de él, vino y se postró a sus pies.

**26** La mujer era griega, y sirofenicia de nación; y le rogaba que echase fuera de su hija al demonio.

**27** Pero Jesús le dijo: Deja primero que se sacien los hijos, porque no está bien tomar el pan de los hijos y echarlo a los perrillos.

**28** Respondió ella y le dijo: Sí, Señor; pero aun los perrillos, debajo de la mesa, comen de las migajas de los hijos.

**29** Entonces le dijo: Por esta palabra, ve; el demonio ha salido de tu hija.

**30** Y cuando llegó ella a su casa, halló que el demonio había salido, y a la hija acostada en la cama.

## Jesús sana a un sordomudo

**31** Volviendo a salir de la región de Tiro, vino por Sidón al mar de Galilea, pasando por la región de Decápolis.

**32** Y le trajeron un sordo y tartamudo, y le rogaron que le pusiera la mano encima.

**33** Y tomándole aparte de la gente, metió los dedos en las orejas de él, y escupiendo, tocó su lengua;

**34** y levantando los ojos al cielo, gimió, y le dijo: Efata, es decir: Sé abierto.

**35** Al momento fueron abiertos sus oídos, y se desató la ligadura de su lengua, y hablaba bien.

---

**7.1-13** Para muchos líderes judíos, la tradición de los hombres había comenzado a reemplazar la palabra revelada de Dios. Los rituales habían comenzado a tomar el lugar de la relación con Dios; la reputación se había vuelto más importante que la santidad. Jesús llamó a esto hipocresía, y esta es una forma de negación muy peligrosa. Si ocultamos el dolor que sentimos y los errores que hemos cometido, nunca seremos capaces de lidiar con ellos ni de experimentar sanidad. La recuperación sólo será exitosa si tenemos la disposición de ser sinceros al hacer nuestro inventario moral, usando la palabra de Dios como nuestro estándar. Al tratar de hacer la voluntad de Dios para nuestra vida, experimentaremos su poderosa ayuda y su dirección.

**7.14-23** Jesús explicó que la impureza no nace de nuestra conducta externa, sino que surge del interior de nuestro corazón. La mayoría de nosotros hemos tratado de controlar nuestra dependencia modificando varios aspectos de nuestra conducta externa. El hecho de que esto no haya funcionado por mucho tiempo es una clara prueba de que nuestros problemas reales son internos. Debemos encontrar alentador que Dios va directo a la raíz de nuestros problemas; él sana de adentro hacia afuera. Cuando reconocemos nuestra necesidad de sanidad interior abrimos nuestra vida al poder sanador de Dios.

**7.24-30** Al ayudar a esta mujer gentil, Jesús dio a entender con claridad que su mensaje de esperanza era para todos, no sólo para unos pocos privilegiados. Jesús respondió no sólo a la humildad y precisa autopercepción de la mujer, sino también a su gran fe y perseverancia. Cuanto más confiemos en Dios, tanto más podrá él hacer por nosotros y por nuestro medio. Y por el contrario, la falta de fe y perseverancia impedirá que Dios haga su obra de sanidad en nuestra vida y en las vidas de nuestros seres queridos.

**7.31-37** Una clave para la recuperación puede ser otra persona que nos dirija a la ayuda que necesitemos. En este relato, un grupo de personas obviamente se preocupó lo suficiente por este sordomudo como para hacer algo respecto a su problema. Llevaron a su amigo a Jesús y le suplicaron a este que lo sanara. Tal vez nosotros seamos esa persona que Dios usará para llevar esperanza y dar orientación para la recuperación de otros que sufren. Al contar a otros nuestra historia de liberación y hablarles del poder de Dios para obrar su recuperación, podemos darles el don de vida y salud. No sólo les daremos esperanza a otros, sino que también nosotros experimentaremos una entrega renovada con nuestra propia recuperación.

**36** Y les mandó que no lo dijesen a nadie; pero cuanto más les mandaba, tanto más y más lo divulgaban.

**37** Y en gran manera se maravillaban, diciendo: bien lo ha hecho todo; hace a los sordos oír, y a los mudos hablar.

## Alimentación de los cuatro mil

**8** **1** En aquellos días, como había una gran multitud, y no tenían qué comer, Jesús llamó a sus discípulos, y les dijo:

**2** Tengo compasión de la gente, porque ya hace tres días que están conmigo, y no tienen qué comer;

**3** y si los enviare en ayunas a sus casas, se desmayarán en el camino, pues algunos de ellos han venido de lejos.

**4** Sus discípulos le respondieron: ¿De dónde podrá alguien saciar de pan a éstos aquí en el desierto?

**5** El les preguntó: ¿Cuántos panes tenéis? Ellos dijeron: Siete.

**6** Entonces mandó a la multitud que se recostase en tierra; y tomando los siete panes, habiendo dado gracias, los partió, y dio a sus discípulos para que los pusiesen delante; y los pusieron delante de la multitud.

**7** Tenían también unos pocos pececillos; y los bendijo, y mandó que también los pusiesen delante.

**8** Y comieron, y se saciaron; y recogieron de los pedazos que habían sobrado, siete canastas.

**9** Eran los que comieron, como cuatro mil; y los despidió.

**10** Y luego entrando en la barca con sus discípulos, vino a la región de Dalmanuta.

## La demanda de una señal

**11** Vinieron entonces los fariseos y comenzaron a discutir con él, pidiéndole señal del cielo,*a* para tentarle.

**12** Y gimiendo en su espíritu, dijo: ¿Por qué pide señal esta generación?*b* De cierto os digo que no se dará señal a esta generación.

**13** Y dejándolos, volvió a entrar en la barca, y se fue a la otra ribera.

## La levadura de los fariseos

**14** Habían olvidado de traer pan, y no tenían sino un pan consigo en la barca.

**15** Y él les mandó, diciendo: Mirad, guardaos de la levadura de los fariseos,*c* y de la levadura de Herodes.

**16** Y discutían entre sí, diciendo: Es porque no trajimos pan.

**17** Y entendiéndolo Jesús, les dijo: ¿Qué discutís, porque no tenéis pan? ¿No entendéis ni comprendéis? ¿Aún tenéis endurecido vuestro corazón?

**18** ¿Teniendo ojos no veis, y teniendo oídos no oís?*d* ¿Y no recordáis?

**19** Cuando partí los cinco panes entre cinco mil, ¿cuántas cestas llenas de los pedazos recogisteis? Y ellos dijeron: Doce.

**20** Y cuando los siete panes entre cuatro mil, ¿cuántas canastas llenas de los pedazos recogisteis? Y ellos dijeron: Siete.

**21** Y les dijo: ¿Cómo aún no entendéis?

## Un ciego sanado en Betsaida

**22** Vino luego a Betsaida; y le trajeron un ciego, y le rogaron que le tocase.

**23** Entonces, tomando la mano del ciego, le sacó fuera de la aldea; y escupiendo en sus ojos, le puso las manos encima, y le preguntó si veía algo.

**24** El, mirando, dijo: Veo los hombres como árboles, pero los veo que andan.

**25** Luego le puso otra vez las manos sobre los ojos, y le hizo que mirase; y fue restablecido, y vio de lejos y claramente a todos.

**26** Y lo envió a su casa, diciendo: No entres en la aldea, ni lo digas a nadie en la aldea.

## La confesión de Pedro

**27** Salieron Jesús y sus discípulos por las aldeas de Cesarea de Filipo. Y en el camino preguntó a sus

---

**8.11** *a* Mt. 12.38; Lc. 11.16. **8.12** *b* Mt. 12.39; Lc. 11.29. **8.15** *c* Lc. 12.1.
**8.18** *d* Is. 6.9-10; Jer. 5.21; Ez. 12.2.

---

**8.1-9** A veces sentimos que nuestras oraciones no pasan del techo. Nos preguntamos si la línea de comunicación urgente con Dios está ocupada o si nos han dejado en espera indefinidamente. La verdad es que Dios nunca está tan ocupado como para no preocuparse él mismo de las necesidades básicas de su pueblo. Jesús fue movido a compasión y alimentó a cuatro mil personas hambrientas aun cuando estaba ocupado en una campaña de predicación y sanidad. No hay necesidad demasiado pequeña ni petición demasiado grande que Dios no escuche y responda.

**8.10-21** Jesús estaba preocupado por la falta de fe de sus discípulos y su aparente incapacidad para aprender las lecciones básicas que estaba tratando de enseñarles. A pesar de su lentitud para asimilar las cosas, Jesús los educó en la fe. Tal vez tengamos la tendencia a avanzar en el proceso de la recuperación en una serie de tropezones y caídas. Cuando fracasemos, podremos recuperarnos si admitimos rápidamente nuestras limitaciones, aceptamos el perdón de Dios y continuamos dependiendo de su poder día tras día. Dios será paciente con nosotros si estamos dispuestos a ajustarnos a su plan de recuperación.

discípulos, diciéndoles: ¿Quién dicen los hombres que soy yo?

**28** Ellos respondieron: Unos, Juan el Bautista; otros, Elías; y otros, alguno de los profetas.*e*

**29** Entonces él les dijo: Y vosotros, ¿quién decís que soy? Respondiendo Pedro, le dijo: Tú eres el Cristo.*f*

**30** Pero él les mandó que no dijesen esto de él a ninguno.

## Jesús anuncia su muerte

**31** Y comenzó a enseñarles que le era necesario al Hijo del Hombre padecer mucho, y ser desechado por los ancianos, por los principales sacerdotes y por los escribas, y ser muerto, y resucitar después de tres días.

**32** Esto les decía claramente. Entonces Pedro le tomó aparte y comenzó a reconvenirle.

**33** Pero él, volviéndose y mirando a los discípulos, reprendió a Pedro, diciendo: ¡Quítate de delante de mí, Satanás! porque no pones la mira en las cosas de Dios, sino en las de los hombres.

**34** Y llamando a la gente y a sus discípulos, les dijo: Si alguno quiere venir en pos de mí, niéguese a sí mismo, y tome su cruz, y sígame.*g*

**35** Porque todo el que quiera salvar su vida, la perderá; y todo el que pierda su vida por causa de mí y del evangelio, la salvará.*h*

**36** Porque ¿qué aprovechará al hombre si ganare todo el mundo, y perdiere su alma?

**37** ¿O qué recompensa dará el hombre por su alma?

**38** Porque el que se avergonzare de mí y de mis palabras en esta generación adúltera y pecadora, el Hijo del Hombre se avergonzará también de él, cuando venga en la gloria de su Padre con los santos ángeles.

**9** **1** También les dijo: De cierto os digo que hay algunos de los que están aquí, que no gustarán la muerte hasta que hayan visto el reino de Dios venido con poder.

## La transfiguración

**2** Seis días después, Jesús tomó a Pedro, a Jacobo y a Juan, y los llevó aparte solos a un monte alto; y se transfiguró delante de ellos.*a*

**3** Y sus vestidos se volvieron resplandecientes, muy blancos, como la nieve, tanto que ningún lavador en la tierra los puede hacer tan blancos.

**4** Y les apareció Elías con Moisés, que hablaban con Jesús.

**5** Entonces Pedro dijo a Jesús: Maestro, bueno es para nosotros que estemos aquí; y hagamos tres enramadas, una para ti, otra para Moisés, y otra para Elías.

**6** Porque no sabía lo que hablaba, pues estaban espantados.

**7** Entonces vino una nube que les hizo sombra, y desde la nube una voz que decía: Este es mi Hijo amado;*b* a él oíd.

**8** Y luego, cuando miraron, no vieron más a nadie consigo, sino a Jesús solo.

**9** Y descendiendo ellos del monte, les mandó que a nadie dijesen lo que habían visto, sino cuando el Hijo del Hombre hubiese resucitado de los muertos.

**10** Y guardaron la palabra entre sí, discutiendo qué sería aquello de resucitar de los muertos.

**11** Y le preguntaron, diciendo: ¿Por qué dicen los escribas que es necesario que Elías venga primero?*c*

**12** Respondiendo él, les dijo: Elías a la verdad vendrá primero, y restaurará todas las cosas; ¿y cómo está escrito del Hijo del Hombre, que padezca mucho y sea tenido en nada?

**13** Pero os digo que Elías ya vino, y le hicieron todo lo que quisieron, como está escrito de él.

## Jesús sana a un muchacho endemoniado

**14** Cuando llegó a donde estaban los discípulos, vio una gran multitud alrededor de ellos, y escribas que disputaban con ellos.

---

**8.28** *e* Mr. 6.14-15; Lc. 9.7-8. **8.29** *f* Jn. 6.68-69. **8.34** *g* Mt. 10.38; Lc. 14.27. **8.35** *h* Mt. 10.39; Lc. 17.33; Jn. 12.25. **9.2-7** *a* 2 P. 1.17-18. **9.7** *b* Mt. 3.17; Mr. 1.11; Lc. 3.22. **9.11** *c* Mal. 4.5; Mt. 11.14.

---

**8.31—9.1** Cuando Jesús les dijo a sus discípulos que su ministerio lo llevaría al sufrimiento y a la muerte, estaba hablando de una verdad básica de la vida. Cuando estamos lidiando con los destructivos efectos del pecado, la victoria sólo llega después del dolor y las lágrimas. Sin cruz no hay resurrección. Sin trabajo no hay recompensa. Jesús tuvo que sufrir para así vencer el mortal poder del pecado en nuestro mundo. Recuperarnos de nuestros hábitos destructivos también significará dolor, pero no debemos dejar que esto nos desanime. Jesús ya pagó el precio por nuestros pecados. Si confesamos nuestros pecados y aceptamos el perdón de Dios, podemos estar seguros de que venceremos nuestra adicción con la ayuda diaria del Señor.

**9.14-29** Después de un sincero autoexamen, el padre del muchacho endemoniado reconoció tanto su fe como su duda. Él creía que Jesús podía devolverle la salud a su hijo, pero se preguntaba si Jesús lo haría o no. Algunas veces nosotros nos sentimos igual. Vemos cómo Dios ha liberado a otros y creemos que él puede ayudar, pero tememos que se niegue a hacerlo con nosotros. Tal vez tengamos miedo de que Dios piense que no merecemos la liberación que nos ofrece. Dios nunca actúa de esa manera. No sólo es *capaz* de ayudarnos, sino que también *quiere* ayudarnos. Debemos volvernos a él con fe, pedir su ayuda y perdón, y hacer su voluntad revelada para nosotros. Dios hará el resto.

**15** Y en seguida toda la gente, viéndole, se asombró, y corriendo a él, le saludaron.

**16** El les preguntó: ¿Qué disputáis con ellos?

**17** Y respondiendo uno de la multitud, dijo: Maestro, traje a ti mi hijo, que tiene un espíritu mudo,

**18** el cual, dondequiera que le toma, le sacude; y echa espumarajos, y cruje los dientes, y se va secando; y dije a tus discípulos que lo echasen fuera, y no pudieron.

**19** Y respondiendo él, les dijo: ¡Oh generación incrédula! ¿Hasta cuándo he de estar con vosotros? ¿Hasta cuándo os he de soportar? Traédmelo.

**20** Y se lo trajeron; y cuando el espíritu vio a Jesús, sacudió con violencia al muchacho, quien cayendo en tierra se revolcaba, echando espumarajos.

**21** Jesús preguntó al padre: ¿Cuánto tiempo hace que le sucede esto? Y él dijo: Desde niño.

**22** Y muchas veces le echa en el fuego y en el agua, para matarle; pero si puedes hacer algo, ten misericordia de nosotros, y ayúdanos.

**23** Jesús le dijo: Si puedes creer, al que cree todo le es posible.

**24** E inmediatamente el padre del muchacho clamó y dijo: Creo; ayuda mi incredulidad.

**25** Y cuando Jesús vio que la multitud se agolpaba, reprendió al espíritu inmundo, diciéndole: Espíritu mudo y sordo, yo te mando, sal de él, y no entres más en él.

**26** Entonces el espíritu, clamando y sacudiéndole con violencia, salió; y él quedó como muerto, de modo que muchos decían: Está muerto.

**27** Pero Jesús, tomándole de la mano, le enderezó; y se levantó.

**28** Cuando él entró en casa, sus discípulos le preguntaron aparte: ¿Por qué nosotros no pudimos echarle fuera?

**29** Y les dijo: Este género con nada puede salir, sino con oración y ayuno.

## Jesús anuncia otra vez su muerte

**30** Habiendo salido de allí, caminaron por Galilea; y no quería que nadie lo supiese.

**31** Porque enseñaba a sus discípulos, y les decía: El Hijo del Hombre será entregado en manos de hombres, y le matarán; pero después de muerto, resucitará al tercer día.

**32** Pero ellos no entendían esta palabra, y tenían miedo de preguntarle.

## ¿Quién es el mayor?

**33** Y llegó a Capernaum; y cuando estuvo en casa, les preguntó: ¿Qué disputabais entre vosotros en el camino?

**34** Mas ellos callaron; porque en el camino habían disputado entre sí, quién había de ser el mayor.*d*

**35** Entonces él se sentó y llamó a los doce, y les dijo: Si alguno quiere ser el primero, será el postrero de todos, y el servidor de todos.*e*

**36** Y tomó a un niño, y lo puso en medio de ellos; y tomándole en sus brazos, les dijo:

**37** El que reciba en mi nombre a un niño como este, me recibe a mí; y el que a mí me recibe, no me recibe a mí sino al que me envió.*f*

## El que no es contra nosotros, por nosotros es

**38** Juan le respondió diciendo: Maestro, hemos visto a uno que en tu nombre echaba fuera demonios, pero él no nos sigue; y se lo prohibimos, porque no nos seguía.

**39** Pero Jesús dijo: No se lo prohibáis; porque ninguno hay que haga milagro en mi nombre, que luego pueda decir mal de mí.

**40** Porque el que no es contra nosotros, por nosotros es.*g*

**41** Y cualquiera que os diere un vaso de agua en mi nombre, porque sois de Cristo, de cierto os digo que no perderá su recompensa.*h*

## Ocasiones de caer

**42** Cualquiera que haga tropezar a uno de estos pequeñitos que creen en mí, mejor le fuera si se le atase una piedra de molino al cuello, y se le arrojase en el mar.

---

**9.34** *d* Lc. 22.24.   **9.35** *e* Mt. 20.26-27; 23.11; Mr. 10.43-44; Lc. 22.26.   **9.37** *f* Mt. 10.40; Lc. 10.16; Jn. 13.20.
**9.40** *g* Mt. 12.30; Lc. 11.23.   **9.41** *h* Mt. 10.42.

---

**9.30-37** La discusión sobre quién sería el mayor en el reino de Dios contradecía todo lo que Jesús defendía. La verdadera grandeza se mide por la forma de servir a otros. Ese servicio, para los discípulos, incluía mostrar amor por todas las personas, aun por los niños. Quizás no nos sintamos tentados a darle la espalda a un niño necesitado, ¿pero qué de los muchos adultos que necesitan nuestra ayuda? ¿Les damos la espalda a los pobres, a los desamparados, a los hambrientos, a los adictos? Dios sana nuestras heridas para que podamos ayudar a otros a alcanzar la sanidad que necesiten, no para que ocupemos una posición social más alta. Si no ayudamos a la gente necesitada, estamos alejando a Jesús de nuestras vidas.

**9.38-42** La cooperación y la paz, no la competencia despiadada, deben caracterizar nuestras relaciones interpersonales. Jesús les ordenó a sus discípulos que aceptaran completa y pacíficamente a otros que ministraban en su nombre. Él aceptaba a aquellos que no estaban bajo su autoridad directa pero que estaban edificando el reino de Dios. Lo mismo debemos hacer nosotros. Si no lo hacemos y somos causa de que otros pierdan su fe, sufriremos dolorosas consecuencias.

**43** Si tu mano te fuere ocasión de caer, córtala; mejor te es entrar en la vida manco, que teniendo dos manos ir al infierno, al fuego que no puede ser apagado,[i]

**44** donde el gusano de ellos no muere, y el fuego nunca se apaga.

**45** Y si tu pie te fuere ocasión de caer, córtalo; mejor te es entrar a la vida cojo, que teniendo dos pies ser echado en el infierno, al fuego que no puede ser apagado,

**46** donde el gusano de ellos no muere, y el fuego nunca se apaga.

**47** Y si tu ojo te fuere ocasión de caer, sácalo; mejor te es entrar en el reino de Dios con un ojo, que teniendo dos ojos ser echado al infierno,[j]

**48** donde el gusano de ellos no muere, y el fuego nunca se apaga.[k]

**49** Porque todos serán salados con fuego, y todo sacrificio será salado con sal.

**50** Buena es la sal; mas si la sal se hace insípida, ¿con qué la sazonaréis?[l] Tened sal en vosotros mismos; y tened paz los unos con los otros.

### Jesús enseña sobre el divorcio

**10** **1** Levantándose de allí, vino a la región de Judea y al otro lado del Jordán; y volvió el pueblo a juntarse a él, y de nuevo les enseñaba como solía.

**2** Y se acercaron los fariseos y le preguntaron, para tentarle, si era lícito al marido repudiar a su mujer.

**3** El, respondiendo, les dijo: ¿Qué os mandó Moisés?

**4** Ellos dijeron: Moisés permitió dar carta de divorcio, y repudiarla.[a]

**5** Y respondiendo Jesús, les dijo: Por la dureza de vuestro corazón os escribió este mandamiento;

**6** pero al principio de la creación, varón y hembra los hizo Dios.[b]

**7** Por esto dejará el hombre a su padre y a su madre, y se unirá a su mujer,

**8** y los dos serán una sola carne; así que no son ya más dos, sino uno.[c]

**9** Por tanto, lo que Dios juntó, no lo separe el hombre.

**10** En casa volvieron los discípulos a preguntarle de lo mismo,

**11** y les dijo: Cualquiera que repudia a su mujer y se casa con otra, comete adulterio contra ella;

**12** y si la mujer repudia a su marido y se casa con otro, comete adulterio.[d]

### Jesús bendice a los niños

**13** Y le presentaban niños para que los tocase; y los discípulos reprendían a los que los presentaban.

**14** Viéndolo Jesús, se indignó, y les dijo: Dejad a los niños venir a mí, y no se lo impidáis; porque de los tales es el reino de Dios.

**15** De cierto os digo, que el que no reciba el reino de Dios como un niño, no entrará en él.[e]

**16** Y tomándolos en los brazos, poniendo las manos sobre ellos, los bendecía.

### El joven rico

**17** Al salir él para seguir su camino, vino uno corriendo, e hincando la rodilla delante de él, le preguntó: Maestro bueno, ¿qué haré para heredar la vida eterna?

---

**9.43** [i] Mt. 5.30. **9.47** [j] Mt. 5.29. **9.48** [k] Is. 66.24. **9.50** [l] Mt. 5.13; Lc. 14.34-35. **10.4** [a] Dt. 24.1-4; Mt. 5.31. **10.6** [b] Gn. 1.27; 5.2. **10.7-8** [c] Gn. 2.24. **10.11-12** [d] Mt. 5.32; 1 Co. 7.10-11. **10.15** [e] Mt. 18.3.

---

**9.43-50** A través de una serie de sorprendentes declaraciones, Jesús exhorta a sus discípulos a que se deshagan de cualquier cosa en sus vidas que pueda alejarlos de Dios. Para nosotros, esto puede referirse a nuestra obsesionante adicción y al bagaje emocional que la acompaña. Podemos identificar nuestras debilidades haciendo con franqueza un inventario moral de nuestras vidas y luego «cercenando» lo que en nosotros haya de ofensivo para así poder comenzar el proceso de sanidad. Usualmente es sabio contar con la ayuda de un grupo de apoyo mientras ponemos en práctica estas drásticas medidas.

**10.1-12** Los fariseos no buscaban orientación cuando le preguntaron a Jesús sobre el divorcio; buscaban, más bien, la manera de atraparlo. Jesús no dijo que hubiera causas para el divorcio, con la posible excepción de la infidelidad (véase Mateo 19.9). Hoy día muchos piensan que el divorcio es una buena manera de solucionar el conflicto. La mayoría de nosotros hemos descubierto, sin embargo, que los conflictos interpersonales nos seguirán dondequiera que vayamos porque son sencillamente evidencias de problemas mucho más profundos. Tal vez estos mismos problemas sean los que activan nuestra dependencia. La vida matrimonial no siempre es fácil; tampoco lo es la recuperación. Pero ambos pueden ayudarse mutuamente. El matrimonio nos ofrece un contexto en el que rendimos cuentas y recibimos apoyo amoroso que nos ayuda en la recuperación. La recuperación nos da el programa para el crecimiento personal y el reestablecimiento de nuestras relaciones familiares y matrimoniales.

**10.23-31** Muchas personas en tiempos de Jesús creían que la riqueza era una recompensa de Dios por ser buenas. Por esa razón, los ricos usualmente gozaban de cierto prestigio. Jesús sorprendió a su audiencia mostrándoles lo difícil que era para un rico entrar en el reino de Dios. A los ricos les cuesta trabajo reconocer que necesitan algo y la única manera de recibir la ayuda de Dios es reconociendo que lo necesitamos. El joven rico necesitaba ver su impotencia antes que pudiera recibir ayuda. Pero ni siquiera este problema es demasiado

**18** Jesús le dijo: ¿Por qué me llamas bueno? Ninguno hay bueno, sino sólo uno, Dios.

**19** Los mandamientos sabes: No adulteres.*f* No mates.*g* No hurtes.*h* No digas falso testimonio.*i* No defraudes. Honra a tu padre y a tu madre.*j*

**20** El entonces, respondiendo, le dijo: Maestro, todo esto lo he guardado desde mi juventud.

**21** Entonces Jesús, mirándole, le amó, y le dijo: Una cosa te falta: anda, vende todo lo que tienes, y dalo a los pobres, y tendrás tesoro en el cielo; y ven, sígueme, tomando tu cruz.

**22** Pero él, afligido por esta palabra, se fue triste, porque tenía muchas posesiones.

**23** Entonces Jesús, mirando alrededor, dijo a sus discípulos: ¡Cuán difícilmente entrarán en el reino de Dios los que tienen riquezas!

**24** Los discípulos se asombraron de sus palabras; pero Jesús, respondiendo, volvió a decirles: Hijos, ¡cuán difícil les es entrar en el reino de Dios, a los que confían en las riquezas!

**25** Más fácil es pasar un camello por el ojo de una aguja, que entrar un rico en el reino de Dios.

**26** Ellos se asombraban aun más, diciendo entre sí: ¿Quién, pues, podrá ser salvo?

**27** Entonces Jesús, mirándolos, dijo: Para los hombres es imposible, mas para Dios, no; porque todas las cosas son posibles para Dios.

**28** Entonces Pedro comenzó a decirle: He aquí, nosotros lo hemos dejado todo, y te hemos seguido.

**29** Respondió Jesús y dijo: De cierto os digo que no hay ninguno que haya dejado casa, o hermanos, o hermanas, o padre, o madre, o mujer, o hijos, o tierras, por causa de mí y del evangelio,

**30** que no reciba cien veces más ahora en este tiempo; casas, hermanos, hermanas, madres, hijos, y tierras, con persecuciones; y en el siglo venidero la vida eterna.

**31** Pero muchos primeros serán postreros, y los postreros, primeros.*k*

### Nuevamente Jesús anuncia su muerte

**32** Iban por el camino subiendo a Jerusalén; y Jesús iba delante, y ellos se asombraron, y le seguían con miedo. Entonces volviendo a tomar a los doce aparte, les comenzó a decir las cosas que le habían de acontecer:

**33** He aquí subimos a Jerusalén, y el Hijo del Hombre será entregado a los principales sacerdotes y a

**10.19** *f* Ex. 20.14; Dt. 5.18. *g* Ex. 20.13; Dt. 5.17. *h* Ex. 20.15; Dt. 5.19. *i* Ex. 20.16; Dt. 5.20. *j* Ex. 20.12; Dt. 5.16. **10.31** *k* Mt. 20.16; Lc. 13.30.

---

*El plan de lectura devocional de los Doce Pasos comienza aquí.*

### Como niños pequeños

LECTURA BÍBLICA: Marcos 10.13-16

**Confesamos que éramos impotentes ante nuestras dependencias y que nuestra vida se había vuelto inmanejable.**

Para muchos de los que estamos en proceso de recuperación los recuerdos de la infancia están llenos de miedos asociados al hecho de que entonces éramos seres indefensos. Si fuimos criados en una familia fuera de control, en la cual nos descuidaban, abusaban de nosotros o nos exponían a la violencia doméstica y a una conducta desordenada, el pensamiento de impotencia pudo haber sido aterrador. Quizás hasta nos hayamos prometido nunca más ser tan vulnerables como cuando éramos niños.

Jesús nos dice que para entrar en el reino de Dios debemos ser como niños, y esto implica ser impotentes. Él dijo: «De cierto os digo, que el que no reciba el reino de Dios como un niño, no entrará en él» (Marcos 10.15).

En cualquier sociedad los niños son los miembros más dependientes. No tienen ningún poder propio para autoprotegerse; no tienen medios para garantizar que sus vidas sean seguras, cómodas y satisfactorias. Los niños pequeños dependen particularmente del amor, de los cuidados y de la protección de otros para satisfacer sus necesidades elementales. *Tienen* que llorar aunque quizás ni sepan exactamente qué es lo que necesitan. *Tienen* que confiar sus vidas a alguien que es más poderoso que ellos con la esperanza de ser oídos y cuidados con amor.

Si queremos llevar una vida sana, también tenemos que admitir que somos verdaderamente impotentes. Esto no significa que tenemos que convertirnos otra vez en víctimas. Reconocer nuestra impotencia es una valoración franca de nuestra situación en la vida y un paso positivo hacia la recuperación. ***Vaya a la página 197, Hechos 9.***

---

grande para Dios; él atrae la atención hasta del orgulloso y del autosuficiente. Muchos hemos aprendido por experiencias dolorosas que somos impotentes y necesitamos la intervención de Dios en nuestras vidas. Con frecuencia Dios nos deja tocar fondo para que podamos comenzar a experimentar su sanidad y perdón.

los escribas, y le condenarán a muerte, y le entregarán a los gentiles;

**34** y le escarnecerán, le azotarán, y escupirán en él, y le matarán; mas al tercer día resucitará.

### Petición de Santiago y de Juan

**35** Entonces Jacobo y Juan, hijos de Zebedeo, se le acercaron, diciendo: Maestro, querríamos que nos hagas lo que pidiéremos.

**36** El les dijo: ¿Qué queréis que os haga?

**37** Ellos le dijeron: Concédenos que en tu gloria nos sentemos el uno a tu derecha, y el otro a tu izquierda.

**38** Entonces Jesús les dijo: No sabéis lo que pedís. ¿Podéis beber del vaso que yo bebo, o ser bautizados con el bautismo con que yo soy bautizado?*l*

**39** Ellos dijeron: Podemos. Jesús les dijo: A la verdad, del vaso que yo bebo, beberéis, y con el bautismo con que yo soy bautizado, seréis bautizados;

**40** pero el sentaros a mi derecha y a mi izquierda, no es mío darlo, sino a aquellos para quienes está preparado.

**41** Cuando lo oyeron los diez, comenzaron a enojarse contra Jacobo y contra Juan.

**42** Mas Jesús, llamándolos, les dijo: Sabéis que los que son tenidos por gobernantes de las naciones se enseñorean de ellas, y sus grandes ejercen sobre ellas potestad.

**43** Pero no será así entre vosotros,*m* sino que el que quiera hacerse grande entre vosotros será vuestro servidor,

**44** y el que de vosotros quiera ser el primero, será siervo de todos.*n*

**45** Porque el Hijo del Hombre no vino para ser servido, sino para servir, y para dar su vida en rescate por muchos.

### El ciego Bartimeo recibe la vista

**46** Entonces vinieron a Jericó; y al salir de Jericó él y sus discípulos y una gran multitud, Bartimeo el ciego, hijo de Timeo, estaba sentado junto al camino mendigando.

**47** Y oyendo que era Jesús nazareno, comenzó a dar voces y a decir: ¡Jesús, Hijo de David, ten misericordia de mí!

**48** Y muchos le reprendían para que callase, pero él clamaba mucho más: ¡Hijo de David, ten misericordia de mí!

**49** Entonces Jesús, deteniéndose, mandó llamarle; y llamaron al ciego, diciéndole: Ten confianza; levántate, te llama.

**50** El entonces, arrojando su capa, se levantó y vino a Jesús.

**51** Respondiendo Jesús, le dijo: ¿Qué quieres que te haga? Y el ciego le dijo: Maestro, que recobre la vista.

**52** Y Jesús le dijo: Vete, tu fe te ha salvado. Y en seguida recobró la vista, y seguía a Jesús en el camino.

### La entrada triunfal en Jerusalén

**11** **1** Cuando se acercaban a Jerusalén, junto a Betfagé y a Betania, frente al monte de los Olivos, Jesús envió dos de sus discípulos,

**2** y les dijo: Id a la aldea que está enfrente de vosotros, y luego que entréis en ella, hallaréis un pollino atado, en el cual ningún hombre ha montado; desatadlo y traedlo.

**3** Y si alguien os dijere: ¿Por qué hacéis eso? decid que el Señor lo necesita, y que luego lo devolverá.

**4** Fueron, y hallaron el pollino atado afuera a la puerta, en el recodo del camino, y lo desataron.

**5** Y unos de los que estaban allí les dijeron: ¿Qué hacéis desatando el pollino?

**6** Ellos entonces les dijeron como Jesús había mandado; y los dejaron.

**7** Y trajeron el pollino a Jesús, y echaron sobre él sus mantos, y se sentó sobre él.

---

**10.38** *l* Lc. 12.50.   **10.42-43** *m* Lc. 22.25-26.   **10.43-44** *n* Mt. 23.11; Mr. 9.35; Lc. 22.26.

---

**10.46-52** La fe le dio la vista al ciego Bartimeo. Él perseveró con fe, a pesar de la oposición inicial de parte de los seguidores de Jesús. En tiempos de Jesús, la ceguera se consideraba una maldición divina a causa del pecado (véase Juan 9.2), pero Jesús refutó esta idea con palabras y hechos. A veces enfrentamos oposición en nuestro proceso de recuperación. En ocasiones, los que dicen ser gente de Dios nos rechazan y nos hacen sentir rechazados porque estamos atrapados por nuestra dependencia. Aun cuando otros nos rechacen, podemos estar seguros de que Jesús nunca nos dará la espalda. Debemos perseverar como Bartimeo, sabiendo que Jesús tiene el poder y el deseo de ayudarnos a superar las debilidades que nos acosan.

**11.1-10** Cuando nos aqueja el dolor de nuestra adicción, con frecuencia buscamos al alivio inmediato. Deseamos que alguien llegue y haga desaparecer todos nuestros problemas. Los habitantes de Judea estaban esperando el mismo tipo de liberación de parte de su Mesías. Querían un glorioso rey político sobre un caballo de guerra, que entrara en Jerusalén y borrara a los romanos del poder. En lugar de esto, Jesús llegó montado en un burro humilde, en paz. Dios no ofrece curas instantáneas; él efectúa en nuestra recuperación a través de un proceso de crecimiento personal, de adentro hacia afuera. Él nos ayuda a reconocer nuestros pecados y nuestra necesidad de ayuda, y nos da la fuerza para dar los pasos necesarios hacia la recuperación.

**8** También muchos tendían sus mantos por el camino, y otros cortaban ramas de los árboles, y las tendían por el camino.
**9** Y los que iban delante y los que venían detrás daban voces, diciendo: ¡Hosanna!ª ¡Bendito el que viene en el nombre del Señor!ᵇ
**10** ¡Bendito el reino de nuestro padre David que viene! ¡Hosanna en las alturas!
**11** Y entró Jesús en Jerusalén, y en el templo; y habiendo mirado alrededor todas las cosas, como ya anochecía, se fue a Betania con los doce.

## Maldición de la higuera estéril

**12** Al día siguiente, cuando salieron de Betania, tuvo hambre.
**13** Y viendo de lejos una higuera que tenía hojas, fue a ver si tal vez hallaba en ella algo; pero cuando llegó a ella, nada halló sino hojas, pues no era tiempo de higos.
**14** Entonces Jesús dijo a la higuera: Nunca jamás coma nadie fruto de ti. Y lo oyeron sus discípulos.

## Purificación del templo

**15** Vinieron, pues, a Jerusalén; y entrando Jesús en el templo, comenzó a echar fuera a los que vendían y compraban en el templo; y volcó las mesas de los cambistas, y las sillas de los que vendían palomas;
**16** y no consentía que nadie atravesase el templo llevando utensilio alguno.
**17** Y les enseñaba, diciendo: ¿No está escrito: Mi casa será llamada casa de oración para todas las naciones?ᶜ Mas vosotros la habéis hecho cueva de ladrones.ᵈ
**18** Y lo oyeron los escribas y los principales sacerdotes, y buscaban cómo matarle; porque le tenían miedo, por cuanto todo el pueblo estaba admirado de su doctrina.
**19** Pero al llegar la noche, Jesús salió de la ciudad.

## La higuera maldecida se seca

**20** Y pasando por la mañana, vieron que la higuera se había secado desde las raíces.
**21** Entonces Pedro, acordándose, le dijo: Maestro, mira, la higuera que maldijiste se ha secado.
**22** Respondiendo Jesús, les dijo: Tened fe en Dios.
**23** Porque de cierto os digo que cualquiera que dijere a este monte: Quítate y échate en el mar, y no dudare en su corazón, sino creyere que será hecho lo que dice, lo que diga le será hecho.ᵉ
**24** Por tanto, os digo que todo lo que pidiereis orando, creed que lo recibiréis, y os vendrá.
**25** Y cuando estéis orando, perdonad, si tenéis algo contra alguno, para que también vuestro Padre que está en los cielos os perdone a vosotros vuestras ofensas.
**26** Porque si vosotros no perdonáis, tampoco vuestro Padre que está en los cielos os perdonará vuestras ofensas.ᶠ

## La autoridad de Jesús

**27** Volvieron entonces a Jerusalén; y andando él por el templo, vinieron a él los principales sacerdotes, los escribas y los ancianos,
**28** y le dijeron: ¿Con qué autoridad haces estas cosas, y quién te dio autoridad para hacer estas cosas?
**29** Jesús, respondiendo, les dijo: Os haré yo también una pregunta; respondedme, y os diré con qué autoridad hago estas cosas.
**30** El bautismo de Juan, ¿era del cielo, o de los hombres? Respondedme.
**31** Entonces ellos discutían entre sí, diciendo: Si decimos, del cielo, dirá: ¿Por qué, pues, no le creísteis?
**32** ¿Y si decimos, de los hombres...? Pero temían al pueblo, pues todos tenían a Juan como un verdadero profeta.
**33** Así que, respondiendo, dijeron a Jesús: No sabemos. Entonces respondiendo Jesús, les dijo: Tampoco yo os digo con qué autoridad hago estas cosas.

**11.9** ª Sal. 118.25. ᵇ Sal. 118.26. **11.17** ᶜ Is. 56.7. ᵈ Jer. 7.11. **11.23** ᵉ Mt. 17.20; 1 Co. 13.2. **11.25-26** ᶠ Mt. 6.14-15.

---

**11.12-19** La higuera estéril es análoga a la gente que está en bancarrota espiritual. Si la higuera no producía frutos, como debía producirlos, no había ninguna razón para que existiera. Si el templo no producía adoración y oración verdaderas, sino dinero para los cambistas conseguido ilegalmente, también el templo debía ser juzgado y purificado. Lo mismo ocurre con la recuperación. Si nuestra vida durante el proceso de recuperación no está dando el fruto de nuevas formas de conducta, entonces debe revisarse completamente. Si sólo nos quedamos en los formalismos de la recuperación, nuestra fe no tiene sustancia y nuestros intentos de recuperarnos son sólo simulaciones.
**11.20-25** Dios quiere que oremos para que su voluntad se realice en nuestras vidas al igual que quiere que oremos por la productividad en la obra de su reino. Sin embargo, la voluntad de Dios es quitar de nuestra vida las montañas de resistencia o negación. Dios tiene el poder para hacer milagros, pero no los hará si dudamos de él. El Dios del Reino y de la recuperación es el Dios de lo imposible. Si queremos que Dios realice un milagro de sanidad en nuestra vida, debemos orar y creer que puede hacerlo. Necesitamos reconocer nuestra impotencia y poner nuestra vida en las manos de Dios. Luego, él caminará con nosotros mientras enfrentamos cada nuevo paso en la recuperación.

## Los labradores malvados

**12** ¹ Entonces comenzó Jesús a decirles por parábolas: Un hombre plantó una viña,ᵃ la cercó de vallado, cavó un lagar, edificó una torre, y la arrendó a unos labradores, y se fue lejos.
² Y a su tiempo envió un siervo a los labradores, para que recibiese de éstos del fruto de la viña.
³ Mas ellos, tomándole, le golpearon, y le enviaron con las manos vacías.
⁴ Volvió a enviarles otro siervo; pero apedreándole, le hirieron en la cabeza, y también le enviaron afrentado.
⁵ Volvió a enviar otro, y a éste mataron; y a otros muchos, golpeando a unos y matando a otros.
⁶ Por último, teniendo aún un hijo suyo, amado, lo envió también a ellos, diciendo: Tendrán respeto a mi hijo.
⁷ Mas aquellos labradores dijeron entre sí: Este es el heredero; venid, matémosle, y la heredad será nuestra.
⁸ Y tomándole, le mataron, y le echaron fuera de la viña.
⁹ ¿Qué, pues, hará el señor de la viña? Vendrá, y destruirá a los labradores, y dará su viña a otros.
¹⁰ ¿Ni aun esta escritura habéis leído:
La piedra que desecharon los
    edificadores
Ha venido a ser cabeza del ángulo;
¹¹ El Señor ha hecho esto,
Y es cosa maravillosa a nuestros ojos?ᵇ
¹² Y procuraban prenderle, porque entendían que decía contra ellos aquella parábola; pero temían a la multitud, y dejándole, se fueron.

## La cuestión del tributo

¹³ Y le enviaron algunos de los fariseos y de los herodianos, para que le sorprendiesen en alguna palabra.
¹⁴ Viniendo ellos, le dijeron: Maestro, sabemos que eres hombre veraz, y que no te cuidas de nadie; porque no miras la apariencia de los hombres, sino que con verdad enseñas el camino de Dios. ¿Es lícito dar tributo a César, o no? ¿Daremos, o no daremos?
¹⁵ Mas él, percibiendo la hipocresía de ellos, les dijo: ¿Por qué me tentáis? Traedme la moneda para que la vea.
¹⁶ Ellos se la trajeron; y les dijo: ¿De quién es esta imagen y la inscripción? Ellos le dijeron: De César.
¹⁷ Respondiendo Jesús, les dijo: Dad a César lo que es de César, y a Dios lo que es de Dios. Y se maravillaron de él.

## La pregunta sobre la resurrección

¹⁸ Entonces vinieron a él los saduceos, que dicen que no hay resurrección,ᶜ y le preguntaron, diciendo:
¹⁹ Maestro, Moisés nos escribióᵈ que si el hermano de alguno muriere y dejare esposa, pero no dejare hijos, que su hermano se case con ella, y levante descendencia a su hermano.
²⁰ Hubo siete hermanos; el primero tomó esposa, y murió sin dejar descendencia.
²¹ Y el segundo se casó con ella, y murió, y tampoco dejó descendencia; y el tercero, de la misma manera.
²² Y así los siete, y no dejaron descendencia; y después de todos murió también la mujer.
²³ En la resurrección, pues, cuando resuciten, ¿de cuál de ellos será ella mujer, ya que los siete la tuvieron por mujer?
²⁴ Entonces respondiendo Jesús, les dijo: ¿No erráis por esto, porque ignoráis las Escrituras, y el poder de Dios?
²⁵ Porque cuando resuciten de los muertos, ni se casarán ni se darán en casamiento, sino serán como los ángeles que están en los cielos.
²⁶ Pero respecto a que los muertos resucitan, ¿no

---

**12.1** ᵃ Is. 5.1-2. **12.10-11** ᵇ Sal. 118.22-23. **12.18** ᶜ Hch. 23.8. **12.19** ᵈ Dt. 25.5.

---

**12.1-12** Con esta historia Jesús confrontó a los líderes religiosos con su hipocresía y con su negación. Los líderes eran los labradores malvados que habían rechazado a Dios, el señor de su pueblo (representado por la viña). Estos líderes fingían estar en contacto con Dios pero sus acciones y actitudes probaban lo contrario. Jesús los confrontó con la esperanza de que oyeran y cambiaran. Nosotros también tenemos que sacudirnos nuestra actitud negativa si deseamos recuperarnos. Con frecuencia Dios trae personas a nuestra vida para hacernos despertar. No debemos ser como los orgullosos fariseos. Si nos negamos a reconocer nuestros pecados, nunca recibiremos la ayuda divina para nuestra recuperación.
**12.18-27** Jesús eludió otra pregunta capciosa, esta vez de los saduceos, quienes no creían en la resurrección. Una vez más, Jesús expuso astutamente las deficiencias morales de los que tienen las formas de la religión pero niegan su poder. Ni aprender de los libros ni aun memorizar la Biblia es suficiente para librarnos del pecado o ayudarnos en la recuperación de nuestra dependencia. Debemos conocer personalmente al Dios viviente y aceptar la ayuda que nos ofrece como nuestro Salvador. El Dios de los patriarcas no es el Dios de la especulación filosófica. Él es nuestro Dios y hoy día está activo en nuestra recuperación. Él es el Dios de la esperanza y la resurrección.

habéis leído en el libro de Moisés cómo le habló Dios en la zarza, diciendo: Yo soy el Dios de Abraham, el Dios de Isaac y el Dios de Jacob?*e*
**27** Dios no es Dios de muertos, sino Dios de vivos; así que vosotros mucho erráis.

## El gran mandamiento

**28** Acercándose uno de los escribas, que los había oído disputar, y sabía que les había respondido bien, le preguntó:*f* ¿Cuál es el primer mandamiento de todos?
**29** Jesús le respondió: El primer mandamiento de todos es: Oye, Israel; el Señor nuestro Dios, el Señor uno es.
**30** Y amarás al Señor tu Dios con todo tu corazón, y con toda tu alma, y con toda tu mente y con todas tus fuerzas.*g* Este es el principal mandamiento.
**31** Y el segundo es semejante: Amarás a tu prójimo como a ti mismo.*h* No hay otro mandamiento mayor que éstos.
**32** Entonces el escriba le dijo: Bien, Maestro, verdad has dicho, que uno es Dios, y no hay otro fuera de él;*i*
**33** y el amarle con todo el corazón, con todo el entendimiento, con toda el alma, y con todas las fuerzas, y amar al prójimo como a uno mismo, es más que todos los holocaustos y sacrificios.*j*
**34** Jesús entonces, viendo que había respondido sabiamente, le dijo: No estás lejos del reino de Dios. Y ya ninguno osaba preguntarle.

## ¿De quién es hijo el Cristo?

**35** Enseñando Jesús en el templo, decía: ¿Cómo dicen los escribas que el Cristo es hijo de David?
**36** Porque el mismo David dijo por el Espíritu Santo:
Dijo el Señor a mi Señor:
Siéntate a mi diestra,
Hasta que ponga tus enemigos
por estrado de tus pies.*k*
**37** David mismo le llama Señor; ¿cómo, pues, es su hijo? Y gran multitud del pueblo le oía de buena gana.

## Jesús acusa a los escribas

**38** Y les decía en su doctrina: Guardaos de los escribas, que gustan de andar con largas ropas, y aman las salutaciones en las plazas,
**39** y las primeras sillas en las sinagogas, y los primeros asientos en las cenas;
**40** que devoran las casas de las viudas, y por pretexto hacen largas oraciones. Estos recibirán mayor condenación.

## La ofrenda de la viuda

**41** Estando Jesús sentado delante del arca de la ofrenda, miraba cómo el pueblo echaba dinero en el arca; y muchos ricos echaban mucho.
**42** Y vino una viuda pobre, y echó dos blancas, o sea un cuadrante.
**43** Entonces llamando a sus discípulos, les dijo: De cierto os digo que esta viuda pobre echó más que todos los que han echado en el arca;
**44** porque todos han echado de lo que les sobra; pero ésta, de su pobreza echó todo lo que tenía, todo su sustento.

## Jesús predice la destrucción del templo

**13** **1** Saliendo Jesús del templo, le dijo uno de sus discípulos: Maestro, mira qué piedras, y qué edificios.
**2** Jesús, respondiendo, le dijo: ¿Ves estos grandes edificios? No quedará piedra sobre piedra, que no sea derribada.

## Señales antes del fin

**3** Y se sentó en el monte de los Olivos, frente al templo. Y Pedro, Jacobo, Juan y Andrés le preguntaron aparte:
**4** Dinos, ¿cuándo serán estas cosas? ¿Y qué señal habrá cuando todas estas cosas hayan de cumplirse?
**5** Jesús, respondiéndoles, comenzó a decir: Mirad que nadie os engañe;
**6** porque vendrán muchos en mi nombre, diciendo: Yo soy el Cristo; y engañarán a muchos.
**7** Mas cuando oigáis de guerras y de rumores de guerras, no os turbéis, porque es necesario que suceda así; pero aún no es el fin.

---

**12.26** *e* Ex. 3.6. **12.28-34** *f* Lc. 10.25-28. **12.29-30** *g* Dt. 6.4-5. **12.31** *h* Lv. 19.18. **12.32** *i* Dt. 4.35. **12.33** *j* Os. 6.6. **12.36** *k* Sal. 110.1.

---

**12.28-34** Muchos piensan que la religión, con todos sus mandamientos, es una camisa de fuerza opresiva, incompatible con la verdadera recuperación. Esto pudo haber sido cierto, en alguna medida, con respecto al judaísmo en tiempos de Jesús, y algunas veces es cierto hoy día entre gente que dice pertenecer a Dios. Jesús quería corregir esta comprensión errónea de la fe verdadera. Él resumió las numerosas leyes judías en dos mandamientos simples pero profundos: Amemos al Señor con todo el corazón y amemos a los demás como nos amamos a nosotros mismos. Si estos dos pensamientos gobiernan nuestro corazón y nuestra mente, nos irá bien en el camino hacia la recuperación.
**13.1-20** El sermón del monte de los Olivos (13.1-37) habla de la preocupación muy humana por la incertidumbre del futuro. Los discípulos se preocuparon por el futuro de su nación después de que Jesús predijo la destrucción del templo, que para ese entonces había sido reedificado. Tal vez nos preocupemos

**8** Porque se levantará nación contra nación, y reino contra reino; y habrá terremotos en muchos lugares, y habrá hambres y alborotos; principios de dolores son estos.

**9** Pero mirad por vosotros mismos; porque os entregarán a los concilios, y en las sinagogas os azotarán; y delante de gobernadores y de reyes os llevarán por causa de mí, para testimonio a ellos.

**10** Y es necesario que el evangelio sea predicado antes a todas las naciones.

**11** Pero cuando os trajeren para entregaros, no os preocupéis por lo que habéis de decir, ni lo penséis, sino lo que os fuere dado en aquella hora, eso hablad; porque no sois vosotros los que habláis, sino el Espíritu Santo.*a*

**12** Y el hermano entregará a la muerte al hermano, y el padre al hijo; y se levantarán los hijos contra los padres, y los matarán.

**13** Y seréis aborrecidos de todos por causa de mi nombre; mas el que persevere hasta el fin, éste será salvo.*b*

**14** Pero cuando veáis la abominación desoladora*c* de que habló el profeta Daniel, puesta donde no debe estar (el que lee, entienda), entonces los que estén en Judea huyan a los montes.

**15** El que esté en la azotea, no descienda a la casa, ni entre para tomar algo de su casa;

**16** y el que esté en el campo, no vuelva atrás a tomar su capa.*d*

**17** Mas ¡ay de las que estén encintas, y de las que críen en aquellos días!

**18** Orad, pues, que vuestra huida no sea en invierno;

**19** porque aquellos días serán de tribulación*e* cual nunca ha habido desde el principio de la creación que Dios creó, hasta este tiempo, ni la habrá.

**20** Y si el Señor no hubiese acortado aquellos días, nadie sería salvo; mas por causa de los escogidos que él escogió, acortó aquellos días.

**21** Entonces si alguno os dijere: Mirad, aquí está el Cristo; o, mirad, allí está, no le creáis.

**22** Porque se levantarán falsos Cristos y falsos profetas, y harán señales y prodigios, para engañar, si fuese posible, aun a los escogidos.

**23** Mas vosotros mirad; os lo he dicho todo antes.

## La venida del Hijo del Hombre

**24** Pero en aquellos días, después de aquella tribulación, el sol se oscurecerá, y la luna no dará su resplandor,

**25** y las estrellas caerán del cielo,*f* y las potencias que están en los cielos serán conmovidas.

**26** Entonces verán al Hijo del Hombre, que vendrá en las nubes*g* con gran poder y gloria.

**27** Y entonces enviará sus ángeles, y juntará a sus escogidos de los cuatro vientos, desde el extremo de la tierra hasta el extremo del cielo.

**28** De la higuera aprended la parábola: Cuando ya su rama está tierna, y brotan las hojas, sabéis que el verano está cerca.

**29** Así también vosotros, cuando veáis que suceden estas cosas, conoced que está cerca, a las puertas.

**30** De cierto os digo, que no pasará esta generación hasta que todo esto acontezca.

**31** El cielo y la tierra pasarán, pero mis palabras no pasarán.

**32** Pero de aquel día y de la hora nadie sabe, ni aun los ángeles que están en el cielo, ni el Hijo, sino el Padre.*h*

**33** Mirad, velad y orad; porque no sabéis cuándo será el tiempo.

**34** Es como el hombre que yéndose lejos, dejó su casa, y dio autoridad a sus siervos, y a cada uno su obra, y al portero mandó que velase.*i*

**35** Velad, pues, porque no sabéis cuándo vendrá el señor de la casa; si al anochecer, o a la medianoche, o al canto del gallo, o a la mañana;

**36** para que cuando venga de repente, no os halle durmiendo.

**37** Y lo que a vosotros digo, a todos lo digo: Velad.

---

**13.9-11** *a* Mt. 10.17-20; Lc. 12.11-12.   **13.13** *b* Mt. 10.22.   **13.14** *c* Dn. 9.27; 11.31; 12.11.
**13.15-16** *d* Lc. 17.31.   **13.19** *e* Dn. 12.1; Ap. 7.14.   **13.24-25** *f* Is. 13.10; Ez. 32.7; Jl. 2.31; Ap. 6.12-13.
**13.26** *g* Dn. 7.13; Ap. 1.7.   **13.32** *h* Mt. 24.36.   **13.34** *i* Lc. 12.36-38.

---

de si vamos a sobrevivir conflictos y tentaciones futuras o no. Al hacer frente a un futuro incierto, se nos anima a vivir un día a la vez. Dios deja claro que a pesar de nuestras pruebas, no debemos preocuparnos. Si le confiamos nuestra vida al Señor, su Espíritu estará con nosotros en los tiempos difíciles. La recuperación nunca es fácil, pero siempre es posible con la ayuda de Dios.

**13.21-37** Jesús no reveló cuándo llegaría el final, pero esto debería motivarnos a mantenernos alertas y vigilantes desde ahora hasta el fin. Así como estamos inseguros del futuro de nuestro mundo, también lo estamos en cuanto al momento y las dificultades que enfrentaremos en la recuperación. Nunca estamos totalmente recuperados; siempre estamos en recuperación. Sólo experimentaremos una victoria total cuando Jesús haya regresado para convertirnos en nuevas personas. La preparación para su regreso debe hacerse día tras día. No podemos calcular el día de su venida y hacer planes para cambiar justo antes de que él llegue. Nuestra preparación y nuestras acciones diarias son claves importantes para nuestra salud espiritual y nuestra recuperación.

## El complot para prender a Jesús

**14** ¹ Dos días después era la pascua,ᵃ y la fiesta de los panes sin levadura; y buscaban los principales sacerdotes y los escribas cómo prenderle por engaño y matarle.
² Y decían: No durante la fiesta para que no se haga alboroto del pueblo.

## Jesús es ungido en Betania

³ Pero estando él en Betania, en casa de Simón el leproso, y sentado a la mesa, vino una mujer con un vaso de alabastro de perfume de nardo puro de mucho precio; y quebrando el vaso de alabastro, se lo derramó sobre su cabeza.ᵇ
⁴ Y hubo algunos que se enojaron dentro de sí, y dijeron: ¿Para qué se ha hecho este desperdicio de perfume?
⁵ Porque podía haberse vendido por más de trescientos denarios, y haberse dado a los pobres. Y murmuraban contra ella.
⁶ Pero Jesús dijo: Dejadla, ¿por qué la molestáis? Buena obra me ha hecho.
⁷ Siempre tendréis a los pobres con vosotros,ᶜ y cuando queráis les podréis hacer bien; pero a mí no siempre me tendréis.
⁸ Esta ha hecho lo que podía; porque se ha anticipado a ungir mi cuerpo para la sepultura.
⁹ De cierto os digo que dondequiera que se predique este evangelio, en todo el mundo, también se contará lo que ésta ha hecho, para memoria de ella.

## Judas ofrece entregar a Jesús

¹⁰ Entonces Judas Iscariote, uno de los doce, fue a los principales sacerdotes para entregárselo.
¹¹ Ellos, al oírlo, se alegraron, y prometieron darle dinero. Y Judas buscaba oportunidad para entregarle.

## Institución de la Cena del Señor

¹² El primer día de la fiesta de los panes sin levadura, cuando sacrificaban el cordero de la pascua, sus discípulos le dijeron: ¿Dónde quieres que vayamos a preparar para que comas la pascua?
¹³ Y envió dos de sus discípulos, y les dijo: Id a la ciudad, y os saldrá al encuentro un hombre que lleva un cántaro de agua; seguidle,
¹⁴ y donde entrare, decid al señor de la casa: El Maestro dice: ¿Dónde está el aposento donde he de comer la pascua con mis discípulos?
¹⁵ Y él os mostrará un gran aposento alto ya dispuesto; preparad para nosotros allí.
¹⁶ Fueron sus discípulos y entraron en la ciudad, y hallaron como les había dicho; y prepararon la pascua.
¹⁷ Y cuando llegó la noche, vino él con los doce.
¹⁸ Y cuando se sentaron a la mesa, mientras comían, dijo Jesús: De cierto os digo que uno de vosotros, que come conmigo, me va a entregar.
¹⁹ Entonces ellos comenzaron a entristecerse, y a decirle uno por uno: ¿Seré yo? Y el otro: ¿Seré yo?
²⁰ El, respondiendo, les dijo: Es uno de los doce, el que moja conmigo en el plato.
²¹ A la verdad el Hijo del Hombre va, según está escrito de él,ᵈ mas ¡ay de aquel hombre por quien el Hijo del Hombre es entregado! Bueno le fuera a ese hombre no haber nacido.
²² Y mientras comían, Jesús tomó pan y bendijo, y lo partió y les dio, diciendo: Tomad, esto es mi cuerpo.
²³ Y tomando la copa, y habiendo dado gracias, les dio; y bebieron de ella todos.
²⁴ Y les dijo: Esto es mi sangreᵉ del nuevo pacto,ᶠ que por muchos es derramada.
²⁵ De cierto os digo que no beberé más del fruto de la vid, hasta aquel día en que lo beba nuevo en el reino de Dios.

## Jesús anuncia la negación de Pedro

²⁶ Cuando hubieron cantado el himno, salieron al monte de los Olivos.
²⁷ Entonces Jesús les dijo: Todos os escandalizaréis

---

14.1 ᵃ Ex. 12.1-27. **14.3** ᵇ Lc. 7.37-38. **14.7** ᶜ Dt. 15.11. **14.21** ᵈ Sal. 41.9. **14.24** ᵉ Ex. 24.6-8. ᶠ Jer. 31.31-34.

---

**14.10-26** A menudo nos impresiona la traición de Judas a Jesús. Debido a que Judas había pasado tres años en estrecha amistad con Jesús, nos preguntamos qué pudo haberlo motivado a actuar como lo hizo. Sin embargo, si somos verdaderamente sinceros con nosotros mismos, podemos ver la misma posibilidad en nuestro corazón. Siempre que nos negamos a darle a Jesús autoridad sobre determinado aspecto de nuestra vida, actuamos como Judas. Siempre que prometemos hacer una cosa y hacemos otra, actuamos como Judas. Todos hemos traicionado a Dios de una forma u otra. Debemos usar el fracaso de Judas como oportunidad para examinar seriamente nuestra vida. ¿En qué maneras estamos traicionando a Dios?

**14.27-31** Pedro no fue sincero consigo mismo cuando prometió permanecer con Jesús sin importar el precio. Todavía no se daba cuenta de que seguir a Jesús lo llevaría al pie de la cruz. Cuando las cosas se tornaron difíciles, Pedro dejó de lado su compromiso (véase 14.66-71). Con frecuencia hacemos lo mismo cuando estamos en recuperación. Decidimos escapar del dolor de nuestra adicción y nos comprometemos

de mí esta noche; porque escrito está: Heriré al pastor, y las ovejas serán dispersadas.*g*

**28** Pero después que haya resucitado, iré delante de vosotros a Galilea.*h*

**29** Entonces Pedro le dijo: Aunque todos se escandalicen, yo no.

**30** Y le dijo Jesús: De cierto te digo que tú, hoy, en esta noche, antes que el gallo haya cantado dos veces, me negarás tres veces.

**31** Mas él con mayor insistencia decía: Si me fuere necesario morir contigo, no te negaré. También todos decían lo mismo.

### Jesús ora en Getsemaní

**32** Vinieron, pues, a un lugar que se llama Getsemaní, y dijo a sus discípulos: Sentaos aquí, entre tanto que yo oro.

**33** Y tomó consigo a Pedro, a Jacobo y a Juan, y comenzó a entristecerse y a angustiarse.

**34** Y les dijo: Mi alma está muy triste, hasta la muerte; quedaos aquí y velad.

**35** Yéndose un poco adelante, se postró en tierra, y oró que si fuese posible, pasase de él aquella hora.

**36** Y decía: Abba, Padre, todas las cosas son posibles para ti; aparta de mí esta copa; mas no lo que yo quiero, sino lo que tú.

**37** Vino luego y los halló durmiendo; y dijo a Pedro: Simón, ¿duermes? ¿No has podido velar una hora?

**38** Velad y orad, para que no entréis en tentación; el espíritu a la verdad está dispuesto, pero la carne es débil.

**39** Otra vez fue y oró, diciendo las mismas palabras.

**40** Al volver, otra vez los halló durmiendo, porque los ojos de ellos estaban cargados de sueño; y no sabían qué responderle.

**41** Vino la tercera vez, y les dijo: Dormid ya, y descansad. Basta, la hora ha venido; he aquí, el Hijo del Hombre es entregado en manos de los pecadores.

**42** Levantaos, vamos; he aquí, se acerca el que me entrega.

### Arresto de Jesús

**43** Luego, hablando él aún, vino Judas, que era uno de los doce, y con él mucha gente con espadas y palos, de parte de los principales sacerdotes y de los escribas y de los ancianos.

**44** Y el que le entregaba les había dado señal, diciendo: Al que yo besare, ése es; prendedle, y llevadle con seguridad.

**45** Y cuando vino, se acercó luego a él, y le dijo: Maestro, Maestro. Y le besó.

**46** Entonces ellos le echaron mano, y le prendieron.

**47** Pero uno de los que estaban allí, sacando la espada, hirió al siervo del sumo sacerdote, cortándole la oreja.

**48** Y respondiendo Jesús, les dijo: ¿Como contra un ladrón habéis salido con espadas y con palos para prenderme?

**49** Cada día estaba con vosotros enseñando en el templo,*i* y no me prendisteis; pero es así, para que se cumplan las Escrituras.

**50** Entonces todos los discípulos, dejándole, huyeron.

### El joven que huyó

**51** Pero cierto joven le seguía, cubierto el cuerpo con una sábana; y le prendieron;

**52** mas él, dejando la sábana, huyó desnudo.

### Jesús ante el concilio

**53** Trajeron, pues, a Jesús al sumo sacerdote; y se reunieron todos los principales sacerdotes y los ancianos y los escribas.

**54** Y Pedro le siguió de lejos hasta dentro del patio del sumo sacerdote; y estaba sentado con los alguaciles, calentándose al fuego.

**55** Y los principales sacerdotes y todo el concilio

---

**14.27** *g* Zac. 13.7.   **14.28** *h* Mt. 28.16.   **14.49** *i* Lc. 19.47; 21.37.

con la recuperación. Sin embargo, no estamos conscientes de los tiempos difíciles que debemos enfrentar en el camino. Cuando la recuperación se vuelve pesada y experimentamos oposición, nos tienta la idea de rendirnos y regresar a nuestros hábitos destructivos. Debemos tomar en cuenta las dificultades que enfrentaremos antes de comenzar la jornada. Así no nos sentiremos devastados cuando tengamos que enfrentarlas.

**14.32-42** Jesús les abrió su corazón a Pedro, Jacobo y Juan: «Mi alma está muy triste, hasta la muerte; quedaos aquí y velad» (14.34). Jesús demostró poseer cualidades que son importantes para nosotros en la recuperación: franqueza, transparencia y confianza. Es evidente que Jesús necesitaba el apoyo de otros en esa hora de agonía antes de su muerte. Si Jesús necesitó ayuda humana para enfrentar sus pruebas, nosotros debemos de necesitarla mucho más. Es necesario que establezcamos un grupo de apoyo ante el que tengamos que rendir cuenta de nuestra entrega a la recuperación. A menos que desarrollemos y mantengamos relaciones humanas significativas, se nos hará casi imposible continuar en la recuperación.

**14.53-65** Jesús fue víctima del abuso y de la injusticia. Mintieron acerca de él, lo acusaron falsamente y lo condenaron, y agredieron físicamente. Pero en lugar de devolver de alguna manera las palabras o los

*SEÑOR, concédeme serenidad para aceptar las cosas que no puedo cambiar, valor para cambiar las que sí puedo y sabiduría para reconocer la diferencia entre ambas. AMÉN*

**A**l hacer la oración de la serenidad aprendemos a pensar de manera renovada. Aprendemos a hacernos preguntas que nos alejarán de nuestro pasado destructivo y nos acercarán a un futuro productivo.

Comenzamos a preguntar: «¿Podemos cambiar nuestra situación? ¿Qué cosas están fuera de nuestro control?» ¿Cuáles son nuestras responsabilidades ante las situaciones que tenemos que enfrentar? Al ir desarrollando estos nuevos procesos de pensamiento quizás nos falte la confianza en nuestra propia sabiduría y en nuestro sentido común. Tal vez dudemos de cumplir la voluntad de Dios si tenemos miedo a las críticas de la gente que nos rodea.

El sentido común debe definirse como nuestra habilidad para entender por adelantado cuáles serán con toda probabilidad las consecuencias de nuestras decisiones y acciones. «Sabiduría ante todo; adquiere sabiduría; y sobre todas tus posesiones adquiere inteligencia» (Proverbios 4.7). Podemos practicar nuestro sentido común pensando en lo que podemos hacer y luego hacer lo que podamos.

Una mujer quiso hacer algo para demostrar su amor a Jesús, así que le vertió sobre la cabeza un perfume muy caro. Los discípulos la criticaron por haber hecho esto. Jesús salió en su defensa con estas palabras: «Dejadla, ¿por qué la molestáis? Buena obra me ha hecho... Esta ha hecho lo que podía» (Marcos 14.6-8). Estas son palabras a las que podemos aferrarnos.

Dios quiere renovar nuestra mente y ayudarnos a desarrollar la sabiduría y el sentido común. Mientras tratamos de ordenar nuestras decisiones y desarrollar nuestro sentido común, puede que la gente nos critique. Pero podemos confiar en que Dios saldrá en nuestra defensa mientras hagamos lo que las Escrituras dicen que debemos hacer. *Vaya a la página 115, Lucas 11.*

---

buscaban testimonio contra Jesús, para entregarle a la muerte; pero no lo hallaban.

**56** Porque muchos decían falso testimonio contra él, mas sus testimonios no concordaban.

**57** Entonces levantándose unos, dieron falso testimonio contra él, diciendo:

**58** Nosotros le hemos oído decir: Yo derribaré este templo hecho a mano, y en tres días edificaré otro hecho sin mano.*j*

**59** Pero ni aun así concordaban en el testimonio.

**60** Entonces el sumo sacerdote, levantándose en medio, preguntó a Jesús, diciendo: ¿No respondes nada? ¿Qué testifican éstos contra ti?

**61** Mas él callaba, y nada respondía. El sumo sacer-

**14.58** *j* Jn. 2.19.

---

golpes, se confió al cuidado de su Padre (1 Pedro 2.23). Jesús muestra así el prototipo de la confianza que debería emular cualquier persona con que tenga un historial de haber sido maltratada. Al recordar el dolor de los abusos de los que fuimos objeto, podemos presentar ante Dios todos los hechos dolorosos y los sentimientos vengativos. Entonces podremos concentrarnos en nuestros problemas y dependencias sabiendo que Dios tratará justamente con las personas que nos hayan lastimado.

dote le volvió a preguntar, y le dijo: ¿Eres tú el Cristo, el Hijo del Bendito?

**62** Y Jesús le dijo: Yo soy; y veréis al Hijo del Hombre sentado a la diestra del poder de Dios, y viniendo en las nubes del cielo.$^k$

**63** Entonces el sumo sacerdote, rasgando su vestidura, dijo: ¿Qué más necesidad tenemos de testigos?

**64** Habéis oído la blasfemia; ¿qué os parece? Y todos ellos le condenaron, declarándole ser digno de muerte.$^l$

**65** Y algunos comenzaron a escupirle, y a cubrirle el rostro y a darle de puñetazos, y a decirle: Profetiza. Y los alguaciles le daban de bofetadas.

### Pedro niega a Jesús

**66** Estando Pedro abajo, en el patio, vino una de las criadas del sumo sacerdote;

**67** y cuando vio a Pedro que se calentaba, mirándole, dijo: Tú también estabas con Jesús el nazareno.

**68** Mas él negó, diciendo: No le conozco, ni sé lo que dices. Y salió a la entrada; y cantó el gallo.

**69** Y la criada, viéndole otra vez, comenzó a decir a los que estaban allí: Este es de ellos.

**70** Pero él negó otra vez. Y poco después, los que estaban allí dijeron otra vez a Pedro: Verdaderamente tú eres de ellos; porque eres galileo, y tu manera de hablar es semejante a la de ellos.

**71** Entonces él comenzó a maldecir, y a jurar: No conozco a este hombre de quien habláis.

**72** Y el gallo cantó la segunda vez. Entonces Pedro se acordó de las palabras que Jesús le había dicho: Antes que el gallo cante dos veces, me negarás tres veces. Y pensando en esto, lloraba.

### Jesús ante Pilato

**15** **1** Muy de mañana, habiendo tenido consejo los principales sacerdotes con los ancianos, con los escribas y con todo el concilio, llevaron a Jesús atado, y le entregaron a Pilato.

**2** Pilato le preguntó: ¿Eres tú el Rey de los judíos? Respondiendo él, le dijo: Tú lo dices.

**3** Y los principales sacerdotes le acusaban mucho.

**4** Otra vez le preguntó Pilato, diciendo: ¿Nada respondes? Mira de cuántas cosas te acusan.

**5** Mas Jesús ni aun con eso respondió; de modo que Pilato se maravillaba.

### Jesús sentenciado a muerte

**6** Ahora bien, en el día de la fiesta les soltaba un preso, cualquiera que pidiesen.

**7** Y había uno que se llamaba Barrabás, preso con sus compañeros de motín que habían cometido homicidio en una revuelta.

**8** Y viniendo la multitud, comenzó a pedir que hiciese como siempre les había hecho.

**9** Y Pilato les respondió diciendo: ¿Queréis que os suelte al Rey de los judíos?

**10** Porque conocía que por envidia le habían entregado los principales sacerdotes.

**11** Mas los principales sacerdotes incitaron a la multitud para que les soltase más bien a Barrabás.

**12** Respondiendo Pilato, les dijo otra vez: ¿Qué, pues, queréis que haga del que llamáis Rey de los judíos?

**13** Y ellos volvieron a dar voces: ¡Crucifícale!

**14** Pilato les decía: ¿Pues qué mal ha hecho? Pero ellos gritaban aun más: ¡Crucifícale!

**15** Y Pilato, queriendo satisfacer al pueblo, les soltó a Barrabás, y entregó a Jesús, después de azotarle, para que fuese crucificado.

**16** Entonces los soldados le llevaron dentro del atrio, esto es, al pretorio, y convocaron a toda la compañía.

**17** Y le vistieron de púrpura, y poniéndole una corona tejida de espinas,

---

**14.62** $^k$ Dn. 7.13. **14.64** $^l$ Lv. 24.16.

---

**14.66-72** Es obvio que Pedro no se conocía tan bien como pensaba. Había afirmado que nunca negaría a Jesús (14.29,31); y ahora niega a su Maestro tres veces. Pedro pudo haberle sacado partido a la predicción de Jesús sobre su negación (14.30). En lugar de encogerse de hombros, debió haber respondido a las palabras de Jesús con un sincero autoexamen. Negar la triste verdad sobre nosotros usualmente nos lleva a perder oportunidades importantes para corregir nuestras deficiencias de carácter. Esto, a su vez, detiene nuestro avance en la recuperación y atrofia nuestro crecimiento espiritual.

**15.1-15** Pilato les dijo a los acusadores de Jesús que no encontraba culpa en él, y sin embargo lo entregó para su ejecución. La fuerte reacción emocional de los judíos y el deseo de Pilato de calmarlos a toda costa propiciaron la muerte de un hombre inocente. Tenemos mucho en común con Pilato. Cuando sacrificamos la verdad para complacer a los demás, crucificamos a Jesús. Nuestro reto en la recuperación es mantenernos firmes en nuestra fe y no sucumbir al cinismo, las concesiones o el relajamiento moral. Al primer indicio de recaída, debemos recuperar el paso con valor y sabiduría.

**15.16-32** Jesús padeció abuso verbal y físico cuando lo escupieron, lo golpearon, se burlaron de él y lo clavaron a una cruz. Nos debe dar esperanza el saber que Jesús hizo todo esto para ofrecernos unos medios poderosos para la recuperación. No importa cuán terribles hayan sido nuestras acciones pasadas ni cuán

**18** comenzaron luego a saludarle: ¡Salve, Rey de los judíos!

**19** Y le golpeaban en la cabeza con una caña, y le escupían, y puestos de rodillas le hacían reverencias.

**20** Después de haberle escarnecido, le desnudaron la púrpura, y le pusieron sus propios vestidos, y le sacaron para crucificarle.

### Crucifixión y muerte de Jesús

**21** Y obligaron a uno que pasaba, Simón de Cirene, padre de Alejandro y de Rufo,*ª* que venía del campo, a que le llevase la cruz.

**22** Y le llevaron a un lugar llamado Gólgota, que traducido es: Lugar de la Calavera.

**23** Y le dieron a beber vino mezclado con mirra; mas él no lo tomó.

**24** Cuando le hubieron crucificado, repartieron entre sí sus vestidos, echando suertes sobre ellos*b* para ver qué se llevaría cada uno.

**25** Era la hora tercera cuando le crucificaron.

**26** Y el título escrito de su causa era: EL REY DE LOS JUDÍOS.

**27** Crucificaron también con él a dos ladrones, uno a su derecha, y el otro a su izquierda.

**28** Y se cumplió la Escritura que dice: Y fue contado con los inicuos.*c*

**29** Y los que pasaban le injuriaban, meneando la cabeza*d* y diciendo: ¡Bah! tú que derribas el templo de Dios, y en tres días lo reedificas,*e*

**30** sálvate a ti mismo, y desciende de la cruz.

**31** De esta manera también los principales sacerdotes, escarneciendo, se decían unos a otros, con los escribas: A otros salvó, a sí mismo no se puede salvar.

**32** El Cristo, Rey de Israel, descienda ahora de la cruz, para que veamos y creamos. También los que estaban crucificados con él le injuriaban.

**33** Cuando vino la hora sexta, hubo tinieblas sobre toda la tierra hasta la hora novena.

**34** Y a la hora novena Jesús clamó a gran voz, diciendo: Eloi, Eloi, ¿lama sabactani? que traducido es: Dios mío, Dios mío, ¿por qué me has desamparado?*f*

**35** Y algunos de los que estaban allí decían, al oírlo: Mirad, llama a Elías.

**36** Y corrió uno, y empapando una esponja en vinagre, y poniéndola en una caña, le dio a beber,*g* diciendo: Dejad, veamos si viene Elías a bajarle.

PASO *12*

### Nuestra historia

LECTURA BÍBLICA: Marcos 16.14-18

**Luego de experimentar un despertar espiritual como resultado de estos pasos, tratamos de llevar este mensaje a otros y practicar estos principios en todos nuestros asuntos.**

Cada uno de nosotros tiene una valiosa historia que contar. Quizás seamos tímidos y nos resulte incómodo hablarles a otros. Tal vez pensemos que lo que tengamos que decir sea demasiado trivial. ¿Va a ayudar realmente a alguien? Puede que luchemos por superar la vergüenza de nuestras experiencias pasadas. No obstante, nuestra historia de recuperación puede ayudar a otros que se encuentran igualmente atrapados. ¿Estamos dispuestos a dejar que Dios nos use para liberarlos?

Jesús nos dio esta importante encomienda: «Id por todo el mundo y predicad el evangelio a toda criatura» (Marcos 16.15). El apóstol Pablo viajó por todo el mundo contándole a todos de su conversión. Terminó encadenado, pero su espíritu estaba libre. Hizo su defensa (y contó su propia historia de redención) ante reyes. «Entonces Agripa dijo a Pablo: Por poco me persuades a ser cristiano. Y Pablo dijo: ¡Quisiera Dios que por poco o por mucho, no solamente tú, sino también todos los que hoy me oyen, fueseis hechos tales cual yo soy, excepto estas cadenas!» (Hechos 26.28-29).

En cada peregrinaje personal desde la esclavitud a la libertad hay un microcosmos del evangelio. Cuando otros oigan nuestra historia, aunque nos parezca trivial, les estaremos ofreciendo la oportunidad de romper sus cadenas y comenzar su propia recuperación. ***Vaya a la página 169, Juan 15.***

---

**15.21** *ª* Ro. 16.13.  **15.24** *b* Sal. 22.18.  **15.28** *c* Is. 53.12.  **15.29** *d* Sal. 22.7; 109.25. *e* Mr. 14.58; Jn. 2.19.
**15.34** *f* Sal. 22.1.  **15.36** *g* Sal. 69.21.

---

grandes nuestros errores, Jesús ya pagó el precio por nuestros pecados. Gracias a su sufrimiento, todos podemos tener una verdadera relación con nuestro poderoso Dios. Conforme se vaya desarrollando nuestra relación con él, iremos descubriendo que hay suficiente poder disponible para la recuperación de todos los que verdaderamente la deseen.

**37** Mas Jesús, dando una gran voz, expiró.
**38** Entonces el velo*h* del templo se rasgó en dos, de arriba abajo.
**39** Y el centurión que estaba frente a él, viendo que después de clamar había expirado así, dijo: Verdaderamente este hombre era Hijo de Dios.
**40** También había algunas mujeres mirando de lejos, entre las cuales estaban María Magdalena, María la madre de Jacobo el menor y de José, y Salomé,
**41** quienes, cuando él estaba en Galilea, le seguían y le servían;*i* y otras muchas que habían subido con él a Jerusalén.

## Jesús es sepultado

**42** Cuando llegó la noche, porque era la preparación, es decir, la víspera del día de reposo,
**43** José de Arimatea, miembro noble del concilio, que también esperaba el reino de Dios, vino y entró osadamente a Pilato, y pidió el cuerpo de Jesús.
**44** Pilato se sorprendió de que ya hubiese muerto; y haciendo venir al centurión, le preguntó si ya estaba muerto.
**45** E informado por el centurión, dio el cuerpo a José,
**46** el cual compró una sábana, y quitándolo, lo envolvió en la sábana, y lo puso en un sepulcro que estaba cavado en una peña, e hizo rodar una piedra a la entrada del sepulcro.
**47** Y María Magdalena y María madre de José miraban dónde lo ponían.

## La resurrección

# 16
**1** Cuando pasó el día de reposo, María Magdalena, María la madre de Jacobo, y Salomé, compraron especias aromáticas para ir a ungirle.

**2** Y muy de mañana, el primer día de la semana, vinieron al sepulcro, ya salido el sol.
**3** Pero decían entre sí: ¿Quién nos removerá la piedra de la entrada del sepulcro?
**4** Pero cuando miraron, vieron removida la piedra, que era muy grande.
**5** Y cuando entraron en el sepulcro, vieron a un joven sentado al lado derecho, cubierto de una larga ropa blanca; y se espantaron.
**6** Mas él les dijo: No os asustéis; buscáis a Jesús nazareno, el que fue crucificado; ha resucitado, no está aquí; mirad el lugar en donde le pusieron.
**7** Pero id, decid a sus discípulos, y a Pedro, que él va delante de vosotros a Galilea;*a* allí le veréis, como os dijo.
**8** Y ellas se fueron huyendo del sepulcro, porque les había tomado temblor y espanto; ni decían nada a nadie, porque tenían miedo.

## Jesús se aparece a María Magdalena

**9** Habiendo, pues, resucitado Jesús por la mañana, el primer día de la semana, apareció primeramente a María Magdalena, de quien había echado siete demonios.
**10** Yendo ella, lo hizo saber a los que habían estado con él, que estaban tristes y llorando.
**11** Ellos, cuando oyeron que vivía, y que había sido visto por ella, no lo creyeron.

## Jesús se aparece a dos de sus discípulos

**12** Pero después apareció en otra forma a dos de ellos que iban de camino, yendo al campo.
**13** Ellos fueron y lo hicieron saber a los otros; y ni aun a ellos creyeron.

## Jesús comisiona a los apóstoles

**14** Finalmente se apareció a los once mismos, estando ellos sentados a la mesa, y les reprochó su

---

**15.38** *h* Ex. 26.31-33. **15.40-41** *i* Lc. 8.2-3. **16.7** *a* Mt. 26.32; Mr. 14.2.

---

**15.33-41** El propósito de Jesús al venir a la Tierra fue servir a otros y dar su vida como pago por nuestros pecados; este es un pensamiento clave en el Evangelio de Marcos (10.45). En ese momento de sufrimiento extremo, el Salvador llevó el dolor y el castigo por todos los pecados cometidos (1 Pedro 2.24). ¡Estas son buenas noticias de verdad! Aunque nunca seremos lo suficientemente buenos para merecer el favor de Dios, el sacrificio de Jesús nos proporciona la seguridad eterna necesaria para la completa recuperación. No importa cuánto lo intentemos; por nuestro propio poder o esfuerzo nunca podremos recuperarnos del pecado y sus efectos. Pero con la ayuda de Dios podemos vencer aun el pecado, la dependencia o la compulsión más terribles.

**16.1-7** Estas mujeres se preguntaban cómo quitarían la enorme piedra de la entrada de la tumba, cuando, para su sorpresa, la encontraron removida. ¡La tumba estaba vacía! Las mujeres sólo deseaban quitar la piedra, pero Dios había logrado mucho más: ¡había resucitado a Jesús de entre los muertos! Si Dios puede dar vida a un cadáver, no cabe duda de que puede restaurar completamente nuestras vidas. Debemos poner en él nuestra confianza. Siempre hay esperanza. Con Dios ¡todo es posible! Él se especializa en quitar las cargas que son demasiado pesadas para nuestra débil fuerza humana. Y si nos proponemos hacer lo que podamos en el proceso de recuperación, seguramente descubriremos que Dios ya ha logrado nuestras metas... ¡y mucho más!

incredulidad y dureza de corazón, porque no habían creído a los que le habían visto resucitado.

**15** Y les dijo: Id por todo el mundo y predicad el evangelio a toda criatura.*b*

**16** El que creyere y fuere bautizado, será salvo; mas el que no creyere, será condenado.

**17** Y estas señales seguirán a los que creen: En mi nombre echarán fuera demonios; hablarán nuevas lenguas;

**18** tomarán en las manos serpientes, y si bebieren cosa mortífera, no les hará daño; sobre los enfermos pondrán sus manos, y sanarán.

## La ascensión

**19** Y el Señor, después que les habló, fue recibido arriba en el cielo,*c* y se sentó a la diestra de Dios.

**20** Y ellos, saliendo, predicaron en todas partes, ayudándoles el Señor y confirmando la palabra con las señales que la seguían. Amén.

**16.15** *b* Hch. 1.8.   **16.19** *c* Hch. 1.9-11.

**16.9-20** A muchos de los discípulos les costó trabajo creer que Jesús había resucitado. Cuando finalmente se encontraron con el Jesús resucitado, él les reprochó su incredulidad. Después Jesús premió a sus discípulos cuando creyeron. La fe es fundamental para la salvación y la recuperación; la incredulidad lleva a la condenación y a las recaídas. Al crecer nuestra fe en Jesús, descubriremos que el poder de su resurrección puede tocar y transformar nuestras vidas. Entonces podremos convertirnos en una fuente de aliento para otros contándoles cómo Dios nos ha liberado.

# REFLEXIONES SOBRE SAN MARCOS

## ✴ *perspectivas* SOBRE LA FE VERDADERA

En **Marcos 1.16-20**, Jesús llamó a dos fornidos pescadores para ser sus discípulos. No estamos seguros de cuántas veces Jesús llamó a Simón, Andrés, Jacobo y Juan para que lo siguieran. En dos ocasiones anteriores, hubo un llamado similar a estos cuatro pescadores (véase Lucas 5.1-11; Juan 1.35-42). La respuesta de ellos al llamado de Jesús en cada ocasión, como en este caso, parece haber sido «inmediata». Pero parece que pronto regresaron a su antigua profesión y estilo de vida. Lo mismo pasa en la recuperación. Nuestra fe en Dios crecerá con el tiempo, a un ritmo irregular y con pasos inseguros. Cada paso de fe que demos requerirá que dejemos cualquier otra cosa que estemos haciendo y sigamos a Jesús de todo corazón.

El relato de **Marcos 10.13-22** resalta la diferencia entre dos tipos de personas: los niños, que vienen a Jesús con una confianza inocente, y un joven rico, que confiaba en sus riquezas y no estaba dispuesto a dejarlas para seguir a Jesús. La única forma de entrar en el reino de Dios es teniendo confianza como los niños. Esta es también la única manera de iniciar la recuperación. Mientras más pensamos que podemos hacerlo por nosotros mismos, más nos enredamos irremediablemente en nuestra dependencia. Cualquiera que ha tratado de recuperarse solo, ha descubierto que se trata de una batalla perdida. Debemos comenzar por admitir que somos impotentes, exactamente como los niños. Luego debemos poner nuestras vidas en las manos de Dios y hacer lo que podamos para seguir su plan para nosotros. Si confiamos en nuestras habilidades o riquezas para nuestra liberación, estamos condenados a destruirnos a nosotros mismos.

Las mujeres que siguieron a Jesús a la cruz, según **Marcos 15.47—16.11,** no tenían poder para detener la crucifixión. Pero en lugar de huir, se mantuvieron al pie de la cruz, estuvieron alertas para ver dónde sería enterrado Jesús y prepararon especias para embalsamar su cuerpo. Estuvieron dispuestas a hacer esto aun cuando los doce discípulos habían huido temiendo por sus vidas. Su ingeniosidad y fiel devoción hasta el final fueron premiadas con el privilegio de ver a Jesús resucitado. Mientras seguimos en el proceso de recuperación, nunca debemos malgastar el tiempo esperando que algo pase. Necesitamos aprovechar al máximo las oportunidades que Dios nos dé para la recuperación.

## ✴ *perspectivas* SOBRE EL PODER DE DIOS PARA SALVAR

En **Marcos 1.40-45**, Jesús mostró su poder al sanar a un leproso. La lepra es una enfermedad de la piel progresiva, contagiosa y que incapacita al que la padece. En tiempos antiguos, con frecuencia se consideraba una forma de castigo divino (véanse Números 12.9-10; 2 Crónicas 26.16-23). Como no tenía cura, excepto por un milagro de Dios, la gente con lepra era discriminada socialmente (véase Levítico 13). La medicina moderna casi ha erradicado esta enfermedad, pero debemos pensar cómo debió haber sido en el pasado. Todos somos «leprosos», infectados por la enfermedad incurable del pecado, que nos afea y nos separa de la gente que amamos. Sin embargo, todavía hay esperanza para nosotros. Podemos ser restaurados a una vida sana y a un compañerismo saludable por el toque sanador de Jesús. Primero debemos reconocer nuestra incapacidad para curarnos a nosotros mismos. Luego podemos confiar en el poder y el amor de Jesús para la purificación y la recuperación.

Según **Marcos 4.26-29,** Jesús usó una ilustración para explicar cómo Dios obra en el proceso de recuperación. De la misma manera que las semillas crecen en la tierra, Dios, gradual e inexorablemente, nos cambia de adentro hacia afuera. Ya hemos reconocido lo impotentes que somos ante nuestra dependencia. Ya sabemos que somos incapaces de cambiar por nosotros mismos. Ya hemos fracasado muchas veces tratando de participar en actividades correctas y comportarnos como es debido. Sabemos que no podemos cambiar de afuera hacia adentro. ¡Aquí se nos da un maravilloso mensaje de esperanza! ¡Dios nos cambia de adentro hacia afuera! Él tiene el poder para hacernos personas nuevas y nos sostendrá en el proceso de recuperación.

El milagro de **Marcos 6.35-44** destaca lo que es un importante principio de la recuperación: nuestras necesidades nunca son mayores que los recursos de Dios. Esa es la lección para quienes están en proceso de recuperación y valoran la provisión milagrosa de alimentos que hizo Jesús para más de cinco mil personas. Los doce discípulos debieron haber aprendido la lección de esta amplia provisión de Jesús, pero no la aprendieron (6.52). Debieron haber aprendido que cuando se enfrentan situaciones imposibles, se puede confiar en Jesús. También necesitamos recordar que ningún obstáculo en el camino de la recuperación es demasiado grande para Dios. Él basta para suplir todas nuestras necesidades.

En **Marcos 9.2-13**, Jesús se transfiguró en el monte. En este maravilloso suceso se nos pinta un cuadro de la esperanza que podemos tener en nuestras vidas. Algún día también seremos transformados; seremos hechos perfectos. Quizás estemos luchando con una dependencia destructiva, desesperados a causa de la devastación en nuestra vida. En momentos como esos, puede sernos de ayuda reflexionar sobre la persona en quien nos convertiremos si le confiamos nuestra vida a Dios por medio de Jesucristo. Dios quiere comenzar ahora el proceso que hará que nuestra vida sea saludable y productiva. Cuando él regrese en gloria, nos llevará a la perfección, a nosotros y a toda su creación. Con esta esperanza en mente, comencemos hoy el proceso de recuperación.

## ✳ *perspectivas* SOBRE LAS PRIORIDADES DE DIOS

Dios impartió las leyes sobre el día de reposo (Éxodo 34.21) para proteger a su pueblo del exceso de trabajo y mantener el equilibrio en sus vidas. Al igual que todas las leyes divinas, estas leyes tenían el propósito de hacer bien a su pueblo. Cuando los discípulos comenzaron a recoger espigas en el lindero de los sembrados **Marcos 2.23-28**, estaban realmente siguiendo una de las pautas establecidas por Dios en su ley (Levítico 19.9-10). No obstante, los fariseos, con sus reglas humanas y falsas pretensiones, acusaron a Jesús de violar la ley porque permitía que sus discípulos trabajaran en el día de reposo. Tristemente, en su pretensión de defender la ley, los fariseos realmente se opusieron a las intenciones de Dios. Hoy día nuestras ideas preconcebidas sobre la enfermedad, el pecado o el plan divino pueden hacer que bloqueemos el proceso de recuperación de otros. Nunca debemos poner barricadas que obstaculicen la sanidad de las personas que sufren, especialmente echando mano de la palabra de Dios. Es parte del plan divino que las personas vivan vidas saludables y debemos hacer todo lo posible para apoyar ese plan.

**Marcos 10.32-45** nos dice que inmediatamente después que Jesús dio aviso a sus discípulos sobre su inminente sufrimiento y muerte, Jacobo y Juan pretendieron ocupar posiciones de honor y autoridad en el reino de Cristo. Estaban ciegos ante el hecho de que el llamamiento a seguir a Jesús involucraría sufrimiento y persecución. Seguir a Jesús en el camino de la recuperación nunca es fácil. Exige que nos traguemos nuestro orgullo y reconozcamos nuestros errores. Nos llama a renunciar a la dependencia a la que nos hayamos sometido para huir de nuestro dolor interior. Esto significa que debemos salir del escondite y mostrarle al mundo lo feo que somos por dentro. Debemos humillarnos ante las personas a las que hayamos lastimado. Seguir a Jesús nunca es el camino más fácil, pero es el único camino que nos llevará a la restauración, al gozo y a la realización.

Jesús expresó sus verdaderos sentimientos en **Marcos 14.35-36** al suplicarle al Padre que pasara de él la copa del sufrimiento, pero nunca se rebeló contra la voluntad de Dios. Estuvo dispuesto a sufrir y morir de manera que todos nosotros pudiéramos experimentar el perdón de los pecados y recuperarnos de sus dolorosos efectos. Sin importar lo mucho que deseemos escapar de algunas tareas desagradables en el proceso de recuperación, debemos someter todos esos deseos a la voluntad de Dios. Tal vez Dios nos permita pasar por experiencias difíciles, pero, sin importar lo dolorosas que parezcan, podemos estar seguros de que él tiene en mente nuestro bienestar. También podemos estar seguros de que él estará con nosotros a lo largo del proceso.

## ✳ *perspectivas* SOBRE LOS OBSTÁCULOS PARA LA RECUPERACIÓN

La controversia sobre el día de reposo que se registra en **Marcos 3.1-6** revela dos maneras de lidiar con el enojo. En sí mismo, el enojo es una emoción humana muy normal; es moralmente neutral. Lo que hacemos con el enojo es lo que cuenta. Jesús sintió enojo contra los fariseos por inventar reglas sobre el día de reposo que se oponían a las verdaderas intenciones de Dios en la ley. Jesús usó su enojo de forma constructiva: no para destruir a la gente sino para sanar la mano seca de un hombre. Los enemigos de Jesús, en su enojo, se confabularon para matarlo. El enojo que se expresa de maneras egoístas o dañinas siempre será un obstáculo en el camino hacia la recuperación.

Después de sanar al hombre endemoniado, Jesús enfrentó la oposición del pueblo de una ciudad cercana, como relata **Marcos 5.1-20.** Los demonios salieron del hombre y entraron en un hato de cerdos e hicieron que éstos se precipitaran en el mar y se ahogaran. A la gente de la ciudad no le gustó perder su medio de subsistencia y se sintió amenazada cuando se perturbó el *statu quo* de su mundo. Quizás experimentemos una oposición similar cuando Dios comience a cambiarnos. Es posible que amistades y familiares se sientan amenazados por los cambios y traten de detenernos. Si experimentamos la oposición de codependientes, tampoco debe sorprendernos ni desanimarnos. Sencillamente debemos seguir confiando en Dios para que continúe cambiándonos y podamos ayudar a nuestras familias y amistades.

En **Marcos 14.1-9**, una mujer mostró su devoción por Jesús ungiéndolo con un caro perfume (con un valor equivalente a casi un año de salario), como si estuviera preparando a un rey para su entierro. Algunos discípulos despreciaron su devoción, pero Jesús la elogió como ejemplo a seguir para todos los creyentes. Nuestra fe en Dios y nuestro compromiso con la recuperación con frecuencia son blanco de la crítica de los demás. Algunas veces a los familiares les cuesta creer que somos sinceros. Es posible que nuestros amigos incluso se sientan amenazados por los cambios que ven en nosotros. Sin embargo, podemos estar seguros de que sin importar lo que digan los demás, Jesús se complace con los pasos que estamos dando. Si perseveramos, descubriremos que algún día los demás también elogiarán nuestros esfuerzos.

## ✳ *perspectivas* SOBRE LA PERSONA DE JESÚS

En **Marcos 6.1-6**, Jesús visitó Nazaret, la ciudad donde se crió y donde lo veían como un simple hombre, un carpintero, el hijo de María. La incredulidad de la gente fue la causa de que Jesús no hiciera allí «ningún milagro». Lamentablemente para la gente de Nazaret, su familiaridad con Jesús produjo desprecio. Afortunadamente para nosotros, Jesús se fue a otra parte para ministrar a aquellos que creerían en sus milagros y en su mensaje. Nuestro mundo ha tratado de hacer pasar a Jesús como si apenas fuera un hombre cualquiera, un buen maestro o un sabio profeta. Cualquiera que preste atención sólo a la humanidad de Jesús excluyendo su divinidad comete un gran error. Si Jesús no fuera el Hijo de Dios, habría muy poca esperanza para cualquier recuperación, incluyendo la nuestra.

## ✳ *perspectivas* SOBRE LA SINCERIDAD Y LA NEGACIÓN

A Herodes Antipas no le gustaba que lo corrigieran. Según **Marcos 6.14-29**, cuando Juan el Bautista lo confrontó acerca de su matrimonio inmoral con la esposa de su hermano, el profeta pagó su atrevimiento con su vida. Herodes negaba su pecado y no le gustaba que le recordaran lo que había hecho. Pero esa negación sólo lo llevó a un pecado mayor: el asesinato. Somos igualmente culpables cuando nos negamos a escuchar las advertencias sobre nuestra conducta destructiva. Necesitamos aprender que el hecho de no reconocer nuestros errores y pecados nunca ayudará a solucionar las cosas; sólo nos llevará a un mayor sufrimiento y a una mayor desolación. Debemos actuar inmediatamente y prestar oídos a las advertencias que recibamos. Si no lo hacemos, nos encaminamos a un problema mucho mayor.

# SAN LUCAS

## EL PANORAMA

A. EL NACIMIENTO Y PREPARACIÓN DEL SALVADOR (1.1—4.13)
B. EL MINISTERIO DEL SALVADOR DE OBRA Y DE PALABRA (4.14—21.38)
  1. Ministerio de Jesús en Galilea (4.14—9.50)
  2. Ministerio de Jesús camino a Jerusalén (9.51—19.27)
  3. Ministerio de Jesús en Jerusalén (19.28—21.38)
C. MUERTE Y RESURRECCIÓN DEL SALVADOR (22.1—24.53)

Lucas era médico e historiador. Presentó a Jesús como un hombre que se preocupaba muchísimo por las personas sufridas y oprimidas; un hombre que sanó a los heridos. En la genealogía de Jesús, Lucas trazó los antepasados humanos de Jesús hasta Adán, el padre de la raza humana. Las historias de Lucas sobre Jesús se centraron en sus relaciones con individuos. Jesús prestó especial atención a las personas que la sociedad ignoraba con frecuencia: mujeres, niños, pobres, prostitutas, recaudadores de impuestos despreciados y toda clase de pecadores.

Jesús ofreció salvación, fortaleza y recuperación espiritual a todos aquellos con quienes se encontraba, pero los marginados de la sociedad constituían su mayor preocupación. Lucas destacó la humanidad y compasión de Jesús más que cualquier otro Evangelio. Sus narraciones dejan ver con claridad que Dios, por medio de Jesús, su Hijo, trata de alcanzar con amor a las personas de nuestro mundo difíciles de amar. Desde el primer pecado de Adán y Eva en el huerto del Edén, Dios ha querido y buscado con pasión la recuperación de las personas quebrantadas. ¡Su amor y preocupación por nosotros son incontenibles!

Cuando estamos en el proceso de recuperación, muchos descubrimos cuán terribles y destructivos han sido nuestros pecados. Mientras van cayendo las capas que nos protegían en nuestra negación, comenzamos a ver que de veras estamos enfermos y quebrantados. Quizás nos preguntemos si hay esperanza para nosotros. ¿Cómo es posible que Dios se preocupe por nosotros después de todo lo que hemos hecho? Al leer el Evangelio de Lucas podemos encontrar esperanza en la compasión que Dios mostró hacia personas muy parecidas a nosotros. Dios quiere mostrarnos lo mucho que nos ama, independientemente de nuestros errores pasados. Él quiere jugar un papel activo en nuestra recuperación.

## EN ESENCIA

PROPÓSITO: Confirmar el relato histórico de la vida de Jesucristo, cuyo mensaje universal ofrece esperanza y salvación a todo el que se vuelve a él. AUTOR: Lucas, médico. DESTINATARIO: Teófilo, cuyo nombre significa «querido por Dios». FECHA: Probablemente cerca de 60 d.C. VERSÍCULOS CLAVE: «Jesús le dijo: Hoy ha venido la salvación a esta casa; por cuanto él también es hijo de Abraham. Porque el Hijo del Hombre vino a buscar y a salvar lo que se había perdido» (19.9-10). CARACTERÍSTICAS PARTICULARES: Lucas se concentra en las relaciones de Jesús con la gente, particularmente los necesitados, y puso énfasis especial en el rol de la mujer. PERSONAS Y RELACIONES CLAVE: Jesús y sus discípulos, Zacarías y Elisabet, María, María Magdalena y Juan el Bautista.

## TEMAS SOBRE RECUPERACIÓN

*Jesús ama a los marginados:* Jesús les prestó atención especial al pobre, al despreciado, al herido y al pecador. Él no rechazó ni dejó a nadie de lado. Hoy día nadie está fuera del alcance de su amor ni más allá de su habilidad para ayudar; ni siquiera nosotros lo estamos. Él nos cuida sin importar lo que hayamos hecho o lo que hayamos sufrido. Sólo esta clase de intenso amor puede satisfacer nuestras necesidades más profundas e impulsarnos a la recuperación. Cuando nuestra vida ha estado fuera de control y nos hemos enfrentado con nuestra impotencia, a menudo hemos sentido que nadie puede entendernos y que nadie se preocupa por nosotros. Lucas nos muestra que Dios sí nos entiende y que le importamos. ¡Podemos entregarle nuestra vida a él con toda confianza!

*El poder de la resurrección:* Pablo escribió a los filipenses y les dijo que anhelaba «conocer [a Jesús], y el poder de su resurrección» (Filipenses 3.10). Al igual que los otros escritores de los evangelios, Lucas presentó detalladamente los sucesos en torno a la muerte y resurrección de Jesús. No hay un ejemplo más impresionante del poder de Dios en acción que su capacidad para regresar de la muerte a la vida. El Señor se especializa en mostrar ese tipo de poder. En la recuperación, experimentamos su poder en acción dentro de nosotros, que trae nuestra alma y nuestro cuerpo de vuelta a la vida. Con Dios, nada es demasiado difícil.

*La pasión de Dios por nuestra recuperación:* Dios quiere que experimentemos la recuperación aun más que nosotros porque nos ama y se preocupa por nosotros. Jesús lo demostró al revelar su profundo interés en las personas y en las relaciones personales. Él se preocupaba por sus seguidores y amigos. Estaba interesado en todo tipo de personas: hombres, mujeres y niños. Su preocupación trascendió todas las barreras y alcanzó a todos los que conoció. Jesús anhelaba ver a las personas sanas, íntegras y creciendo en su conocimiento de Dios. Conforme conozcamos y descubramos su corazón, experimentaremos su pasión por nuestra recuperación y plenitud.

*El poder del Espíritu Santo:* Jesús vivió en total dependencia del Espíritu Santo. El Espíritu Santo estuvo presente en su nacimiento, su bautismo, su ministerio y su resurrección. El Padre envió al Espíritu Santo para confirmar la autoridad de Jesús. Hoy día se nos da el Espíritu Santo para capacitarnos para vivir como Dios quiere que vivamos. Por fe, podemos recibir en nosotros la presencia y el poder del Espíritu Santo, que nos capacita en el proceso de recuperación y en nuestro crecimiento espiritual.

---

### Dedicatoria a Teófilo

**1** **1** Puesto que ya muchos han tratado de poner en orden la historia de las cosas que entre nosotros han sido ciertísimas,

**2** tal como nos lo enseñaron los que desde el principio lo vieron con sus ojos, y fueron ministros de la palabra,

**3** me ha parecido también a mí, después de haber investigado con diligencia todas las cosas desde su origen, escribírtelas por orden, oh excelentísimo Teófilo,

**4** para que conozcas bien la verdad de las cosas en las cuales has sido instruido.

### Anuncio del nacimiento de Juan

**5** Hubo en los días de Herodes, rey de Judea, un sacerdote llamado Zacarías, de la clase de Abías;[a] su mujer era de las hijas de Aarón, y se llamaba Elisabet.

**6** Ambos eran justos delante de Dios, y andaban irreprensibles en todos los mandamientos y ordenanzas del Señor.

**1.5** [a] 1 Cr. 24.10.

---

**1.1-4** En este prólogo, Lucas da testimonio de que el evangelio de Jesús se basa en hechos históricos y no en teorías ni mitos. Las religiones especulativas, las filosofías seculares o los líderes políticos no satisfacen las necesidades más profundas del corazón humano. La historia está repleta de personas que aspiraron a ser dioses, pero sólo uno es verdaderamente Dios. Todos los supuestos «mesías» o dioses –Alejandro Magno, Julio César, Napoleón, Adolfo Hitler– se quedaron cortos. Sólo Jesús puede satisfacer nuestras necesidades más profundas.
**1.5-7** Zacarías y Elisabet eran personas piadosas. No tenían hijos y hacía tiempo que Elisabet había pasado los años de maternidad. Su situación era desalentadora, y hasta deprimente, como pueden testificar muchas parejas en nuestra sociedad. En la sociedad de aquella época, la esterilidad se veía como una señal de maldición o descontento divino. Pero Zacarías y Elisabet permanecieron fieles y siguieron confiando en Dios. Esto fue clave respecto de las bendiciones que luego recibieron. Su fidelidad y paciente perseverancia son buenos ejemplos para quienes estamos en recuperación.

# LUCAS

De los escritores del Nuevo Testamento, Lucas fue el que más escribió. Hizo un relato detallado de la vida de Jesús en su Evangelio y una descripción de la iglesia primitiva en Hechos. Era médico de profesión y su forma de escribir revela su compasión por las personas. Aun el esfuerzo que hizo para escribir estos dos libros estuvo motivado por la preocupación de ayudar a un amigo a crecer en la fe. Fiel a esto, Lucas procuró que sus lectores centraran su atención en la obra sanadora en la persona de Jesús, el Médico por excelencia.

La preocupación de Lucas por la salud espiritual de los demás estaba en consonancia con su compasión por su bienestar físico. En sus libros mostró el sufrimiento físico de las personas y el cuidado que recibieron. Él relata muchas veces cómo Jesús y sus apóstoles llevaron sanidad física y espiritual a seres humanos heridos y quebrantados. Lucas también resalta cómo Jesús les prestó atención especial a los desamparados de la sociedad. Jesús ayudó a ricos o religiosos, pero primordialmente a los desamparados, los desvalidos y los marginados. El corazón compasivo de Lucas lo llevó a enfatizar la compasión de Jesús por los rechazados de la sociedad.

Lucas también hizo hincapié en su compromiso con el apóstol Pablo y su lealtad hacia él, mientras viajaban juntos esparciendo el evangelio en Asia Menor y Grecia. En prisión, cerca del final de su vida, Pablo dio testimonio de su aprecio por Lucas. Lo llamó un amigo amado, puesto que Lucas se mantuvo a su lado cuando la mayoría de sus amigos lo habían abandonado. Lucas estuvo dispuesto a obedecer a Dios, a pesar de que esto lo llevó a compartir los sufrimientos de Pablo.

Lucas no aspiraba a la grandeza ni trataba de ser el centro de atención. Su meta en la vida era servir y cuidar a otros. En nuestra vida necesitamos personas como Lucas y debemos hacer lo que esté en nuestras manos por establecer relaciones con personas compasivas y piadosas. Sin embargo, quizás sea más importante que aprendamos a ser instrumentos de sanidad en la vida de las personas que nos rodean. Compartir lo que Cristo ha hecho en nuestra vida puede ayudar a otros y es una de las metas principales de la recuperación.

**FORTALEZAS Y LOGROS:**
- Lucas proclamó los méritos de Jesús sin hacer alarde personal.
- Usó sus talentos en medicina y escribió para ayudar a otros.
- Sentía gran compasión por quienes tenían necesidades físicas y espirituales.
- Fue un amigo fiel y leal del apóstol Pablo.
- Perseveró en obedecer a Dios, aun cuando enfrentó momentos difíciles.

**LECCIONES PARA NUESTRA VIDA:**
- El cuidado que prestemos a los demás debe suplir sus necesidades espirituales, emocionales y físicas.
- La lealtad a nuestras amistades en los momentos difíciles es muy importante.
- La voluntad de Dios para nosotros a veces implica que tengamos que pasar por momentos difíciles.
- Si le ofrecemos a Dios nuestras habilidades, él las usará para hacer algo de importancia eterna.

**VERSÍCULOS CLAVE:**
«Porque Demas me ha desamparado, amando este mundo, y se ha ido a Tesalónica. Crescente fue a Galacia, y Tito? a Dalmacia. Sólo Lucas está conmigo. Toma a Marcos y tráele contigo, porque me es útil para el ministerio» (2 Timoteo 4.10-11).

Lucas se incluyó en los «nosotros» de Hechos 16—28. También se menciona en Lucas 1.3; Hechos 1.1-2; Colosenses 4.14; 2 Timoteo 4.11 y Filemón 1.24.

---

**7** Pero no tenían hijo, porque Elisabet era estéril, y ambos eran ya de edad avanzada.
**8** Aconteció que ejerciendo Zacarías el sacerdocio delante de Dios según el orden de su clase,
**9** conforme a la costumbre del sacerdocio, le tocó en suerte ofrecer el incienso, entrando en el santuario del Señor.
**10** Y toda la multitud del pueblo estaba fuera orando a la hora del incienso.
**11** Y se le apareció un ángel del Señor puesto en pie a la derecha del altar del incienso.

**12** Y se turbó Zacarías al verle, y le sobrecogió temor.
**13** Pero el ángel le dijo: Zacarías, no temas; porque tu oración ha sido oída, y tu mujer Elisabet te dará a luz un hijo, y llamarás su nombre Juan.
**14** Y tendrás gozo y alegría, y muchos se regocijarán de su nacimiento;
**15** porque será grande delante de Dios. No beberá vino ni sidra,[b] y será lleno del Espíritu Santo, aun desde el vientre de su madre.
**16** Y hará que muchos de los hijos de Israel se conviertan al Señor Dios de ellos.

---

1.15 [b] Nm. 6.3.

---

1.16-17 Por medio de su ministerio, Juan el Bautista haría volver el corazón de los padres hacia los hijos (Malaquías 4.5-6). Esta es una necesidad que sienten muchas personas que están en recuperación. Juan el

**17** E irá delante de él con el espíritu y el poder de Elías, para hacer volver los corazones de los padres a los hijos,c y de los rebeldes a la prudencia de los justos, para preparar al Señor un pueblo bien dispuesto.

**18** Dijo Zacarías al ángel: ¿En qué conoceré esto? Porque yo soy viejo, y mi mujer es de edad avanzada.

**19** Respondiendo el ángel, le dijo: Yo soy Gabriel,d que estoy delante de Dios; y he sido enviado a hablarte, y darte estas buenas nuevas.

**20** Y ahora quedarás mudo y no podrás hablar, hasta el día en que esto se haga, por cuanto no creíste mis palabras, las cuales se cumplirán a su tiempo.

**21** Y el pueblo estaba esperando a Zacarías, y se extrañaba de que él se demorase en el santuario.

**22** Pero cuando salió, no les podía hablar; y comprendieron que había visto visión en el santuario. Él les hablaba por señas, y permaneció mudo.

**23** Y cumplidos los días de su ministerio, se fue a su casa.

**24** Después de aquellos días concibió su mujer Elisabet, y se recluyó en casa por cinco meses, diciendo:

**25** Así ha hecho conmigo el Señor en los días en que se dignó quitar mi afrenta entre los hombres.

### Anuncio del nacimiento de Jesús

**26** Al sexto mes el ángel Gabriel fue enviado por Dios a una ciudad de Galilea, llamada Nazaret,

**27** a una virgen desposada con un varón que se llamaba José, de la casa de David; y el nombre de la virgen era María.e

**28** Y entrando el ángel en donde ella estaba, dijo: ¡Salve, muy favorecida! El Señor es contigo; bendita tú entre las mujeres.

**29** Mas ella, cuando le vio, se turbó por sus palabras, y pensaba qué salutación sería esta.

**30** Entonces el ángel le dijo: María, no temas, porque has hallado gracia delante de Dios.

**31** Y ahora, concebirás en tu vientre, y darás a luz un hijo, y llamarás su nombre JESÚS.f

**32** Este será grande, y será llamado Hijo del Altísi-

mo; y el Señor Dios le dará el trono de David su padre;

**33** y reinará sobre la casa de Jacob para siempre, y su reino no tendrá fin.g

**34** Entonces María dijo al ángel: ¿Cómo será esto? pues no conozco varón.

**35** Respondiendo el ángel, le dijo: El Espíritu Santo vendrá sobre ti, y el poder del Altísimo te cubrirá con su sombra; por lo cual también el Santo Ser que nacerá, será llamado Hijo de Dios.

**36** Y he aquí tu parienta Elisabet, ella también ha concebido hijo en su vejez; y este es el sexto mes para ella, la que llamaban estéril;

**37** porque nada hay imposible para Dios.h

**38** Entonces María dijo: He aquí la sierva del Señor; hágase conmigo conforme a tu palabra. Y el ángel se fue de su presencia.

### María visita a Elisabet

**39** En aquellos días, levantándose María, fue de prisa a la montaña, a una ciudad de Judá;

**40** y entró en casa de Zacarías, y saludó a Elisabet.

**41** Y aconteció que cuando oyó Elisabet la salutación de María, la criatura saltó en su vientre; y Elisabet fue llena del Espíritu Santo,

**42** y exclamó a gran voz, y dijo: Bendita tú entre las mujeres, y bendito el fruto de tu vientre.

**43** ¿Por qué se me concede esto a mí, que la madre de mi Señor venga a mí?

**44** Porque tan pronto como llegó la voz de tu salutación a mis oídos, la criatura saltó de alegría en mi vientre.

**45** Y bienaventurada la que creyó, porque se cumplirá lo que le fue dicho de parte del Señor.

**46** Entonces María dijo:i
Engrandece mi alma al Señor;

**47** Y mi espíritu se regocija en Dios
mi Salvador.

**48** Porque ha mirado la bajeza de su sierva;
Pues he aquí, desde ahora me dirán
bienaventurada todas las generaciones.

**49** Porque me ha hecho grandes cosas el Poderoso;
Santo es su nombre,

---

**1.17** c Mal. 4.5-6. **1.19** d Dn. 8.16; 9.21. **1.27** e Mt. 1.18. **1.31** f Mt. 1.21. **1.32-33** g Is. 9.7.
**1.37** h Gn. 18.14. **1.46-55** i 1 S. 2.1-10.

---

Bautista llamó al arrepentimiento personal y a la restauración de las relaciones familiares rotas. Aun cuando el cumplimiento completo de estas palabras todavía está en el futuro, el principio siempre ha sido cierto. La purificación espiritual que Dios realice será el primer paso fundamental hacia el restablecimiento de relaciones familiares heridas y rotas. Cuando Dios está obrando, aun los corazones más duros pueden ablandarse y las familias más disfuncionales pueden ser restauradas.

**1.18-20** A pesar de su devoción, Zacarías no creyó la promesa del ángel Gabriel. Desde un punto de vista natural, parecía imposible que Elisabet pudiera concebir un hijo en su vejez. Esta incredulidad fue de corta duración, pero la consecuencia fue considerable: Zacarías quedó mudo durante el embarazo milagroso de Elisabet. De igual manera, la incredulidad puede tener un efecto adormecedor en nuestra recuperación. La confesión de fe ante Dios y ante otros, como finalmente Zacarías pudo hacer (1.63-64), nos ayudará en el camino de la recuperación. Reconocer nuestras dudas con franqueza es un buen punto de partida.

**50** Y su misericordia es de generación
    en generación
    A los que le temen.
**51** Hizo proezas con su brazo;
    Esparció a los soberbios en el pensamiento
      de sus corazones.
**52** Quitó de los tronos a los poderosos,
    Y exaltó a los humildes.
**53** A los hambrientos colmó de bienes,
    Y a los ricos envió vacíos.
**54** Socorrió a Israel su siervo,
    Acordándose de la misericordia
**55** De la cual habló a nuestros padres,
    Para con Abraham*j* y su descendencia
      para siempre.
**56** Y se quedó María con ella como tres meses; después se volvió a su casa.

## Nacimiento de Juan el Bautista

**57** Cuando a Elisabet se le cumplió el tiempo de su alumbramiento, dio a luz un hijo.
**58** Y cuando oyeron los vecinos y los parientes que Dios había engrandecido para con ella su misericordia, se regocijaron con ella.
**59** Aconteció que al octavo día vinieron para circuncidar al niño;*k* y le llamaban con el nombre de su padre, Zacarías;
**60** pero respondiendo su madre, dijo: No; se llamará Juan.
**61** Le dijeron: ¿Por qué? No hay nadie en tu parentela que se llame con ese nombre.
**62** Entonces preguntaron por señas a su padre, cómo le quería llamar.
**63** Y pidiendo una tablilla, escribió, diciendo: Juan es su nombre. Y todos se maravillaron.
**64** Al momento fue abierta su boca y suelta su lengua, y habló bendiciendo a Dios.
**65** Y se llenaron de temor todos sus vecinos; y en todas las montañas de Judea se divulgaron todas estas cosas.
**66** Y todos los que las oían las guardaban en su corazón, diciendo: ¿Quién, pues, será este niño? Y la mano del Señor estaba con él.

## Profecía de Zacarías

**67** Y Zacarías su padre fue lleno del Espíritu Santo, y profetizó, diciendo:

**68** Bendito el Señor Dios de Israel,
    Que ha visitado y redimido a su pueblo,
**69** Y nos levantó un poderoso Salvador
    En la casa de David su siervo,
**70** Como habló por boca de sus santos profetas
    que fueron desde el principio;
**71** Salvación de nuestros enemigos, y de la
    mano de todos los que nos aborrecieron;
**72** Para hacer misericordia con nuestros padres,
    Y acordarse de su santo pacto;
**73** Del juramento que hizo a Abraham
    nuestro padre,
    Que nos había de conceder
**74** Que, librados de nuestros enemigos,
    Sin temor le serviríamos
**75** En santidad y en justicia delante de él,
    todos nuestros días.
**76** Y tú, niño, profeta del Altísimo serás llamado;
    Porque irás delante de la presencia del
      Señor, para preparar sus caminos;*l*
**77** Para dar conocimiento de salvación
    a su pueblo,
    Para perdón de sus pecados,
**78** Por la entrañable misericordia
    de nuestro Dios,
    Con que nos visitó desde lo alto la aurora,
**79** Para dar luz a los que habitan en tinieblas*m*
    y en sombra de muerte;
    Para encaminar nuestros pies
      por camino de paz.
**80** Y el niño crecía, y se fortalecía en espíritu; y estuvo en lugares desiertos hasta el día de su manifestación a Israel.

## Nacimiento de Jesús

**2** **1** Aconteció en aquellos días, que se promulgó un edicto de parte de Augusto César, que todo el mundo fuese empadronado.
**2** Este primer censo se hizo siendo Cirenio gobernador de Siria.
**3** E iban todos para ser empadronados, cada uno a su ciudad.
**4** Y José subió de Galilea, de la ciudad de Nazaret, a Judea, a la ciudad de David, que se llama Belén, por cuanto era de la casa y familia de David;
**5** para ser empadronado con María su mujer, desposada con él, la cual estaba encinta.

**1.55** *j* Gn. 17.7.   **1.59** *k* Lv. 12.3.   **1.76** *l* Mal. 3.1.   **1.79** *m* Is. 9.2.

---

**1.51-55** Estas palabras del cántico de María presentan las prioridades de Dios en marcado contraste con la manera como piensa nuestro mundo. Cuando la vida parece injusta y no resulta tal como pudiéramos haber escogido, es importante darnos cuenta de que los caminos de Dios no son nuestros caminos. La realización personal y la recuperación genuina no llegan por la grandeza o el éxito humanos, sino a través del arrepentimiento y la humildad sincera. Las relaciones más importantes en la vida no son con los ricos y famosos sino, a menudo, con los humildes, los necesitados y los que están en recuperación.

**6** Y aconteció que estando ellos allí, se cumplieron los días de su alumbramiento.

**7** Y dio a luz a su hijo primogénito, y lo envolvió en pañales, y lo acostó en un pesebre, porque no había lugar para ellos en el mesón.

### Los ángeles y los pastores

**8** Había pastores en la misma región, que velaban y guardaban las vigilias de la noche sobre su rebaño.

**9** Y he aquí, se les presentó un ángel del Señor, y la gloria del Señor los rodeó de resplandor; y tuvieron gran temor.

**10** Pero el ángel les dijo: No temáis; porque he aquí os doy nuevas de gran gozo, que será para todo el pueblo:

**11** que os ha nacido hoy, en la ciudad de David, un Salvador, que es CRISTO el Señor.

**12** Esto os servirá de señal: Hallaréis al niño envuelto en pañales, acostado en un pesebre.

**13** Y repentinamente apareció con el ángel una multitud de las huestes celestiales, que alababan a Dios, y decían:

**14** ¡Gloria a Dios en las alturas,
Y en la tierra paz, buena voluntad
para con los hombres!

**15** Sucedió que cuando los ángeles se fueron de ellos al cielo, los pastores se dijeron unos a otros: Pasemos, pues, hasta Belén, y veamos esto que ha sucedido, y que el Señor nos ha manifestado.

**16** Vinieron, pues, apresuradamente, y hallaron a María y a José, y al niño acostado en el pesebre.

**17** Y al verlo, dieron a conocer lo que se les había dicho acerca del niño.

**18** Y todos los que oyeron, se maravillaron de lo que los pastores les decían.

**19** Pero María guardaba todas estas cosas, meditándolas en su corazón.

**20** Y volvieron los pastores glorificando y alabando a Dios por todas las cosas que habían oído y visto, como se les había dicho.

### Presentación de Jesús en el templo

**21** Cumplidos los ocho días para circuncidar al niño,*a* le pusieron por nombre JESÚS, el cual le había sido puesto por el ángel*b* antes que fuese concebido.

**22** Y cuando se cumplieron los días de la purificación de ellos, conforme a la ley de Moisés, le trajeron a Jerusalén para presentarle al Señor

**23** (como está escrito en la ley del Señor: Todo varón que abriere la matriz será llamado santo al Señor*c*),

**24** y para ofrecer conforme a lo que se dice en la ley del Señor: Un par de tórtolas, o dos palominos.*d*

**25** Y he aquí había en Jerusalén un hombre llamado Simeón, y este hombre, justo y piadoso, esperaba la consolación de Israel; y el Espíritu Santo estaba sobre él.

**26** Y le había sido revelado por el Espíritu Santo, que no vería la muerte antes que viese al Ungido del Señor.

**27** Y movido por el Espíritu, vino al templo. Y cuando los padres del niño Jesús lo trajeron al templo, para hacer por él conforme al rito de la ley,

**28** él le tomó en sus brazos, y bendijo a Dios, diciendo:

**29** Ahora, Señor, despides a tu siervo en paz,
Conforme a tu palabra;

---

**2.21** *a* Lv. 12.3. *b* Lc. 1.31.   **2.23** *c* Ex. 13.2, 12.   **2.22-24** *d* Lv. 12.6-8.

---

**2.6-7** La bienvenida de Jesús en Belén ilustra cómo le responde la mayoría de la gente en nuestros días. El lugar de nacimiento de Jesús fue difícilmente un lugar idílico como el que se presenta en las tarjetas de Navidad. Es probable que fuera una lugar frío, húmedo, oscuro y sucio donde dormían los animales. Jesús llegó a un mundo inadecuado para su presencia real. La disposición de Dios de venir a nuestro mundo, oscurecido y ensuciado por el pecado, debe hacernos agradecidos. No tenemos que limpiar primero nuestro escenario para hacerle lugar a él. Cuando Jesús llega a nuestra vida, él nos acepta tal cual somos, y es ahí cuando empiezan la verdadera limpieza de la casa y el inventario moral. Gracias a Dios, él está allí para ayudarnos en la tarea.

**2.8-12** Los encuentros con el Dios viviente inevitablemente provocan temor. Los ángeles tranquilizaron a los pastores diciéndoles: «No temáis». Una vez que los pastores se dieron cuenta de que Dios los aceptaba y que quería comunicarse con ellos, se sintieron libres para ir apresuradamente a adorar al niño Cristo. La venida a este mundo de Jesús como hombre nos reafirma que nuestro Dios santo y todopoderoso es también un Dios personal. Dios está con nosotros y por nosotros. No tenemos por qué temer al futuro desconocido ni al pasado «demasiado familiar». Cuando ponemos nuestra fe en el Dios viviente de ayer, hoy y mañana, su perfecto amor echa fuera el temor (véase 1 Juan 4.18).

**2.19** En la recuperación, los pensamientos dolorosos de un pasado lleno de culpa o de un futuro incierto con frecuencia invaden y trastornan el presente, y a veces nos hacen sentir deprimidos. Sin duda debemos enfrentar estos aspectos oscuros para podernos liberar de los patrones del pasado. Pero María nos muestra de qué manera los pensamientos acerca de Dios pueden elevar nuestros espíritus y llenarnos del valor necesario para dar el paso siguiente. Ella meditaba en las cosas que Dios estaba haciendo y quería hacer en su vida. Cuando nosotros hacemos lo mismo, damos un paso hacia la recuperación y la plenitud. Sopesar el gozo con la tristeza, lo maravilloso con lo terrible, el beneficio con el dolor nos llevará a la sanidad emocional y espiritual.

# ELISABET Y ZACARÍAS

Muchas parejas que se aman y anhelan tener hijos, no pueden tenerlos. Con frecuencia sus intentos de concebir duran años. Según va pasando cada mes, atraviesan por una dolorosa progresión que va de la esperanza al miedo y a la terrible desilusión. Al cabo de los años, desaparecen sus últimas esperanzas y les quedan sus sueños rotos y una vacía resignación.

Esto debe haber sido lo que les pasó a Elisabet y a Zacarías. Su deseo de concebir no había sido satisfecho, por lo que llegaron a la conclusión de que definitivamente no tendrían hijos. Pero de repente, la vida cambió para ellos. Mientras servía en el templo de Jerusalén, un ángel visitó a Zacarías y le anunció que él y Elisabet tendrían un hijo. El niño se llamaría Juan y se convertiría en el precursor del Mesías.

Comprensiblemente asombrado, Zacarías dudó de las palabras del ángel. A causa de su incredulidad, se quedó mudo hasta el nacimiento del niño. Cuando Elisabet oyó la noticia, creyó el mensaje del ángel y se emocionó mucho con el embarazo. A los seis meses de embarazo, recibió la visita de su prima María, quien llevaba en su seno al niño Jesús. Llena del Espíritu Santo, Elisabet elogió la fe de María.

Cuando nació el bebé de Elisabet, Zacarías, que todavía estaba mudo, escribió el nombre que el ángel le había dado: Juan. En ese momento Dios le devolvió la voz. Con sus primeras palabras de gozo, Zacarías alabó a Dios por su amorosa preocupación por ellos al darles este maravilloso hijo. Dios puede bendecir a las estériles con hijos o dar al desamparado su poderosa presencia. En las vidas de Elisabet y Zacarías vemos que Dios está íntimamente involucrado en nuestro dolor y que él desea llenar los vacíos de nuestra vida.

**FORTALEZAS Y LOGROS:**
- A Zacarías y a Elisabet se los conocía por ser personas piadosas.
- Zacarías superó su duda y alabó a Dios por su poder.
- Zacarías obedeció al ángel y le puso a su hijo el nombre de Juan.
- Elisabet elogió a María por su papel como madre del Mesías.

**DEBILIDADES Y ERRORES:**
- Zacarías dudó de la capacidad de Dios para darles un hijo en su vejez.

**LECCIONES PARA NUESTRA VIDA:**
- Dios conoce muy bien la frustración de las personas estériles.
- Dios conoce íntimamente el dolor de las personas que sufren.
- Para Dios todo es posible.
- Dios puede usar a los ancianos para hacer contribuciones importantes a sus planes.

**VERSÍCULO CLAVE:**
«Ambos eran justos delante de Dios, y andaban irreprensibles en todos los mandamientos y ordenanzas del Señor» (Lucas 1.6).

Lucas 1.5-80 narra la historia de Elisabet y Zacarías.

---

**30** Porque han visto mis ojos tu salvación,
**31** La cual has preparado en presencia de todos los pueblos;
**32** Luz para revelación a los gentiles,*e* Y gloria de tu pueblo Israel.
**33** Y José y su madre estaban maravillados de todo lo que se decía de él.
**34** Y los bendijo Simeón, y dijo a su madre María: He aquí, éste está puesto para caída y para levantamiento de muchos en Israel, y para señal que será contradicha
**35** (y una espada traspasará tu misma alma), para que sean revelados los pensamientos de muchos corazones.
**36** Estaba también allí Ana, profetisa, hija de Fanuel, de la tribu de Aser, de edad muy avanzada,

**2.32** *e* ls. 42.6; 49.6.

---

**2.29-32** Las palabras de Simeón revelan la universalidad del plan divino de salvación. Era raro que un judío declarara que el Mesías traería liberación a todo el mundo, no sólo a los judíos. Dios está al alcance de todas las personas, no sólo de un determinado grupo étnico. Él da luz, vida y contentamiento a todo aquel que pone su fe en él por medio de Jesucristo. Dios aceptará a cualquiera que se vuelva a él buscando ayuda, independientemente de su trasfondo o de su situación en la vida. Él es el Salvador universal. Con nuestra fe puesta en Jesús, podemos pasar por la vida y por la muerte «en paz», como hizo Simeón.

**2.36-38** Ana se constituyó en modelo de cómo el poder de la fe puede darle significado a la vida de las personas que están en recuperación. Después de muchos años de viudez, ella no permitió que la amargura se apoderara ella. En cambio, se dio cuenta de que su viudez le daba más oportunidades para servir a Dios en el templo. Superó la adversidad acercándose más a Dios a través de la oración y el ayuno, y recibió el don de la profecía. Ana aceptó el plan de Dios para ella, el cual incluía alcanzar a ver al Mesías que tanto

pues había vivido con su marido siete años desde su virginidad,

**37** y era viuda hacía ochenta y cuatro años; y no se apartaba del templo, sirviendo de noche y de día con ayunos y oraciones.

**38** Esta, presentándose en la misma hora, daba gracias a Dios, y hablaba del niño a todos los que esperaban la redención en Jerusalén.

## El regreso a Nazaret

**39** Después de haber cumplido con todo lo prescrito en la ley del Señor, volvieron a Galilea, a su ciudad de Nazaret.*f*

**40** Y el niño crecía y se fortalecía, y se llenaba de sabiduría; y la gracia de Dios era sobre él.

## El niño Jesús en el templo

**41** Iban sus padres todos los años a Jerusalén en la fiesta de la pascua;*g*

**42** y cuando tuvo doce años, subieron a Jerusalén conforme a la costumbre de la fiesta.

**43** Al regresar ellos, acabada la fiesta, se quedó el niño Jesús en Jerusalén, sin que lo supiesen José y su madre.

**44** Y pensando que estaba entre la compañía, anduvieron camino de un día; y le buscaban entre los parientes y los conocidos;

**45** pero como no le hallaron, volvieron a Jerusalén buscándole.

**46** Y aconteció que tres días después le hallaron en el templo, sentado en medio de los doctores de la ley, oyéndoles y preguntándoles.

**47** Y todos los que le oían, se maravillaban de su inteligencia y de sus respuestas.

**48** Cuando le vieron, se sorprendieron; y le dijo su madre: Hijo, ¿por qué nos has hecho así? He aquí, tu padre y yo te hemos buscado con angustia.

**49** Entonces él les dijo: ¿Por qué me buscabais? ¿No sabíais que en los negocios de mi Padre me es necesario estar?

**50** Mas ellos no entendieron las palabras que les habló.

**51** Y descendió con ellos, y volvió a Nazaret, y estaba sujeto a ellos. Y su madre guardaba todas estas cosas en su corazón.

**52** Y Jesús crecía en sabiduría y en estatura, y en gracia para con Dios y los hombres.*h*

## Predicación de Juan el Bautista

**3** **1** En el año decimoquinto del imperio de Tiberio César, siendo gobernador de Judea Poncio Pilato, y Herodes tetrarca de Galilea, y su hermano Felipe tetrarca de Iturea y de la provincia de Traconite, y Lisanias tetrarca de Abilinia,

**2** y siendo sumos sacerdotes Anás y Caifás, vino palabra de Dios a Juan, hijo de Zacarías, en el desierto.

**3** Y él fue por toda la región contigua al Jordán, predicando el bautismo del arrepentimiento para perdón de pecados,

**4** como está escrito en el libro de las palabras del profeta Isaías, que dice:

Voz del que clama en el desierto:
Preparad el camino del Señor;
Enderezad sus sendas.

**5** Todo valle se rellenará,
Y se bajará todo monte y collado;
Los caminos torcidos serán enderezados,
Y los caminos ásperos allanados;

**6** Y verá toda carne la salvación de Dios.*a*

**7** Y decía a las multitudes que salían para ser bautizadas por él: ¡Oh generación de víboras!*b* ¿Quién os enseñó a huir de la ira venidera?

**8** Haced, pues, frutos dignos de arrepentimiento, y no comencéis a decir dentro de vosotros mismos: Tenemos a Abraham por padre;*c* porque os digo que Dios puede levantar hijos a Abraham aun de estas piedras.

**9** Y ya también el hacha está puesta a la raíz de los árboles; por tanto, todo árbol que no da buen fruto se corta y se echa en el fuego.*d*

**10** Y la gente le preguntaba, diciendo: Entonces, ¿qué haremos?

**11** Y respondiendo, les dijo: El que tiene dos túnicas, dé al que no tiene; y el que tiene qué comer, haga lo mismo.

**12** Vinieron también unos publicanos para ser bautizados,*e* y le dijeron: Maestro, ¿qué haremos?

**13** Él les dijo: No exijáis más de lo que os está ordenado.

**2.39** *f* Mt.2.23.  **2.41** *g* Ex. 12.1-27; Dt. 16.1-8.  **2.52** *h* 1 S. 2.26; Pr. 3.4.  **3.4-6** *a* Is. 40.3-5.
**3.7** *b* Mt. 12.34; 23.33.  **3.8** *c* Jn. 8. 33.  **3.9** *d* Mt. 7.19.  **3.12** *e* Lc. 7.29.

anhelaba. Las décadas de soledad no deseada, a muchos de nosotros nos pueden llevar a buscar amor en los lugares equivocados. En este aspecto de nuestra vida también debemos confiar en Dios.

**3.1-6** El camino a la recuperación puede ser tan traicionero, fatigoso, seco y desolado como un largo y difícil viaje por el desierto de Judea. Juan lo sabía, así que predicó un inquietante mensaje sobre la «excavadora» de Dios que prepara el camino para el Salvador del mundo. Los que eran sinceros con ellos mismos sabían en lo profundo de sus corazones que Juan tenía razón. Lo único que faltaba era una confesión pública de fe. Los que estamos en proceso de recuperación necesitamos asumir la responsabilidad por nuestras acciones pecaminosas, entregarle nuestras vidas a Dios y experimentar el poder de Dios para «enderezar» nuestra vida.

**14** También le preguntaron unos soldados, diciendo: Y nosotros, ¿qué haremos? Y les dijo: No hagáis extorsión a nadie, ni calumniéis; y contentaos con vuestro salario.

**15** Como el pueblo estaba en expectativa, preguntándose todos en sus corazones si acaso Juan sería el Cristo,

**16** respondió Juan, diciendo a todos: Yo a la verdad os bautizo en agua; pero viene uno más poderoso que yo, de quien no soy digno de desatar la correa de su calzado; él os bautizará en Espíritu Santo y fuego.

**17** Su aventador está en su mano, y limpiará su era, y recogerá el trigo en su granero, y quemará la paja en fuego que nunca se apagará.

**18** Con estas y otras muchas exhortaciones anunciaba las buenas nuevas al pueblo.

**19** Entonces Herodes el tetrarca, siendo reprendido por Juan a causa de Herodías, mujer de Felipe su hermano, y de todas las maldades que Herodes había hecho,

**20** sobre todas ellas, añadió además esta: encerró a Juan en la cárcel.*f*

### El bautismo de Jesús

**21** Aconteció que cuando todo el pueblo se bautizaba, también Jesús fue bautizado; y orando, el cielo se abrió,

**22** y descendió el Espíritu Santo sobre él en forma corporal, como paloma, y vino una voz del cielo que decía: Tú eres mi Hijo amado; en ti tengo complacencia.*g*

### Genealogía de Jesús

**23** Jesús mismo al comenzar su ministerio era como de treinta años, hijo, según se creía, de José, hijo de Elí,

**24** hijo de Matat, hijo de Leví, hijo de Melqui, hijo de Jana, hijo de José,

**25** hijo de Matatías, hijo de Amós, hijo de Nahum, hijo de Esli, hijo de Nagai,

**26** hijo de Maat, hijo de Matatías, hijo de Semei, hijo de José, hijo de Judá,

**27** hijo de Joana, hijo de Resa, hijo de Zorobabel, hijo de Salatiel, hijo de Neri,

**28** hijo de Melqui, hijo de Adi, hijo de Cosam, hijo de Elmodam, hijo de Er,

**29** hijo de Josué, hijo de Eliezer, hijo de Jorim, hijo de Matat,

**30** hijo de Leví, hijo de Simeón, hijo de Judá, hijo de José, hijo de Jonán, hijo de Eliaquim,

**31** hijo de Melea, hijo de Mainán, hijo de Matata, hijo de Natán,

**32** hijo de David, hijo de Isaí, hijo de Obed, hijo de Booz, hijo de Salmón, hijo de Naasón,

**33** hijo de Aminadab, hijo de Aram, hijo de Esrom, hijo de Fares, hijo de Judá,

**34** hijo de Jacob, hijo de Isaac, hijo de Abraham, hijo de Taré, hijo de Nacor,

**35** hijo de Serug, hijo de Ragau, hijo de Peleg, hijo de Heber, hijo de Sala,

**36** hijo de Cainán, hijo de Arfaxad, hijo de Sem, hijo de Noé, hijo de Lamec,

**37** hijo de Matusalén, hijo de Enoc, hijo de Jared, hijo de Mahalaleel, hijo de Cainán,

**38** hijo de Enós, hijo de Set, hijo de Adán, hijo de Dios.

### Tentación de Jesús

**4** **1** Jesús, lleno del Espíritu Santo, volvió del Jordán, y fue llevado por el Espíritu al desierto

**2** por cuarenta días, y era tentado por el diablo. Y no comió nada en aquellos días, pasados los cuales, tuvo hambre.

---

**3.19-20** *f* Mt. 14.3-4; Mr. 6.17-18. **3.22** *g* Is. 42.1; Mt. 12.18; 17.5; Mr. 9.7; Lc. 9.35.

---

**3.21-22** Al descender sobre Jesús en forma de paloma, Dios Espíritu Santo mostró en forma visible no sólo que se identificaba con él sino también que el poder de Dios estaba con él. Dios Padre mostró lo complacido que estaba con su Hijo al hablarle directamente desde el cielo. Si estamos confiando en Cristo para nuestra recuperación, experimentaremos el poder celestial de Dios en nosotros, su amor paternal por nosotros y su identificación suprema con nosotros. Nosotros también somos los «hijos amados» de Dios y él nos ama mucho.

**3.23** Aunque Jesús sabía desde su juventud cuál sería su misión en la tierra, este «hijo de José» perseveró pacientemente como un desconocido carpintero en Nazaret hasta los treinta años de edad. Nunca se apresuró para realizar la ambiciosa tarea que le había encomendado Dios. Él es así, para nosotros, el modelo de la paciencia y la confianza que debemos tener en el «tiempo de Dios» mientras avanzamos en la recuperación. Al ser fieles, Dios hará que su poder sanador obre en nosotros a medida que pasa el tiempo.

**3.23-38** La genealogía de Jesús tiene sus raíces en el inicio mismo del género humano, mostrando así lo mucho que se identifica con toda la humanidad. La genealogía de Jesús está salpicada de personas conocidas por sus errores. Judá engendró a Fares en una relación ilícita con su nuera Tamar. Salmón engendró a Booz en su matrimonio con Rahab, una exprostituta de Jericó. Booz engendró a Obed en su matrimonio con Rut la moabita. David engendró a Salomón con Betsabé, que había sido esposa de otro hombre. Está claro que Jesús es «uno de nosotros». Ningún problema de nuestra vida le resulta «extraño». Al hacerse carne, Dios en Jesucristo estuvo sujeto a las debilidades de la humanidad y hasta murió por nosotros. Jesús entiende de veras las dificultades que enfrentamos en nuestra recuperación.

**4.1-2** Solo, en el desierto de Judea, Jesús fue tentado severamente durante cuarenta días. Aquí, como en todos

**3** Entonces el diablo le dijo: Si eres Hijo de Dios, di a esta piedra que se convierta en pan.

**4** Jesús, respondiéndole, dijo: Escrito está: No sólo de pan vivirá el hombre,*a* sino de toda palabra de Dios.

**5** Y le llevó el diablo a un alto monte, y le mostró en un momento todos los reinos de la tierra.

**6** Y le dijo el diablo: A ti te daré toda esta potestad, y la gloria de ellos; porque a mí me ha sido entregada, y a quien quiero la doy.

**7** Si tú postrado me adorares, todos serán tuyos.

**8** Respondiendo Jesús, le dijo: Vete de mí, Satanás, porque escrito está: Al Señor tu Dios adorarás, y a él solo servirás.*b*

**9** Y le llevó a Jerusalén, y le puso sobre el pináculo del templo, y le dijo: Si eres Hijo de Dios, échate de aquí abajo;

**10** porque escrito está:

A sus ángeles mandará acerca de ti,
que te guarden;*c*

**11** y,

En las manos te sostendrán,
Para que no tropieces con tu pie en piedra.*d*

**12** Respondiendo Jesús, le dijo: Dicho está: No tentarás al Señor tu Dios.*e*

**13** Y cuando el diablo hubo acabado toda tentación, se apartó de él por un tiempo.

### Jesús principia su ministerio

**14** Y Jesús volvió en el poder del Espíritu a Galilea, y se difundió su fama por toda la tierra de alrededor.

**15** Y enseñaba en las sinagogas de ellos, y era glorificado por todos.

### Jesús en Nazaret

**16** Vino a Nazaret, donde se había criado; y en el día de reposo entró en la sinagoga, conforme a su costumbre, y se levantó a leer.

**17** Y se le dio el libro del profeta Isaías; y habiendo abierto el libro, halló el lugar donde estaba escrito:

**18** El Espíritu del Señor está sobre mí,
Por cuanto me ha ungido para dar buenas nuevas a los pobres;
Me ha enviado a sanar a los quebrantados de corazón;
A pregonar libertad a los cautivos,
Y vista a los ciegos;
A poner en libertad a los oprimidos;

**19** A predicar el año agradable del Señor.*f*

**20** Y enrollando el libro, lo dio al ministro, y se sentó; y los ojos de todos en la sinagoga estaban fijos en él.

**21** Y comenzó a decirles: Hoy se ha cumplido esta Escritura delante de vosotros.

**22** Y todos daban buen testimonio de él, y estaban maravillados de las palabras de gracia que salían de su boca, y decían: ¿No es éste el hijo de José?

**23** Él les dijo: Sin duda me diréis este refrán: Médico, cúrate a ti mismo; de tantas cosas que hemos oído que se han hecho en Capernaum, haz también aquí en tu tierra.

**24** Y añadió: De cierto os digo, que ningún profeta es acepto en su propia tierra.*g*

**25** Y en verdad os digo que muchas viudas había en Israel en los días de Elías, cuando el cielo fue cerrado por tres años y seis meses, y hubo una gran hambre en toda la tierra;*h*

**26** pero a ninguna de ellas fue enviado Elías, sino a una mujer viuda en Sarepta de Sidón.*i*

**27** Y muchos leprosos había en Israel en tiempo del profeta Eliseo; pero ninguno de ellos fue limpiado, sino Naamán el sirio.*j*

---

**4.4** *a* Dt. 8.3.　**4.8** *b* Dt. 6.13.　**4.10** *c* Sal. 91.11.　**4.11** *d* Sal. 91.12.　**4.12** *e* Dt. 6.16.　**4.18-19** *f* Is. 61.1-2.
**4.24** *g* Jn. 4.44.　**4.25** *h* 1 R. 17.1.　**4.26** *i* 1 R. 17.8-16.　**4.27** *j* 2 R. 5.1-14.

---

los aspectos de su vida, él venció la adversidad al depender del poder del Espíritu Santo que obraba a través de él. Este mismo poder está disponible hoy día para nosotros. Los creyentes tienen acceso inmediato a este poder a través del Espíritu Santo de Dios que habita en ellos. Este poder dentro de nuestro corazón es lo suficientemente grande para ayudarnos a resistir los pecados más tentadores que este mundo, la carne o Satanás nos lancen (1 Juan 2.16; 4.4). Ni siquiera la adicción más poderosa puede competir con el Espíritu Santo.

**4.13** La tentación diabólica es una realidad continua. Después de tentar sin éxito a Jesús en el desierto, Satanás desistió, pero sólo temporalmente. Se reservaría su mejor golpe para después (en la cruz). Satanás agotó sus tentaciones más convincentes en vano y se marchó derrotado. Pero siguió tratando de socavar el ministerio de Jesús, especialmente a través de la gente que lo rodeaba (véase Lucas 11.14-22). Si los que estamos en recuperación alguna vez resistimos la tentación, con el tiempo Satanás lo intentará de nuevo, ya sea respecto del mismo asunto o de otro. Debemos estar alertas contra los ataques reiterados de Satanás.

**4.18-21** Cuando Jesús declaró que él cumplía a cabalidad las palabras de Isaías 61, estaba afirmando directamente que él era el tan esperado Mesías de Israel. Isaías caracterizó maravillosamente un aspecto importante del ministerio del Mesías. El Mesías liberaría a los cautivos del poder del pecado y del desánimo espiritual. Él les devolvería la vista a los física y espiritualmente ciegos. Liberaría a los oprimidos de sus opresores. La relación con Dios a través de Jesucristo provee estos recursos ilimitados a todos los que estamos en recuperación.

**28** Al oír estas cosas, todos en la sinagoga se llenaron de ira;

**29** y levantándose, le echaron fuera de la ciudad, y le llevaron hasta la cumbre del monte sobre el cual estaba edificada la ciudad de ellos, para despeñarle.

**30** Mas él pasó por en medio de ellos, y se fue.

### Un hombre que tenía un espíritu inmundo

**31** Descendió Jesús a Capernaum, ciudad de Galilea; y les enseñaba en los días de reposo.

**32** Y se admiraban de su doctrina, porque su palabra era con autoridad.*k*

**33** Estaba en la sinagoga un hombre que tenía un espíritu de demonio inmundo, el cual exclamó a gran voz,

**34** diciendo: Déjanos; ¿qué tienes con nosotros, Jesús nazareno? ¿Has venido para destruirnos? Yo te conozco quién eres, el Santo de Dios.

**35** Y Jesús le reprendió, diciendo: Cállate, y sal de él. Entonces el demonio, derribándole en medio de ellos, salió de él, y no le hizo daño alguno.

**36** Y estaban todos maravillados, y hablaban unos a otros, diciendo: ¿Qué palabra es esta, que con autoridad y poder manda a los espíritus inmundos, y salen?

**37** Y su fama se difundía por todos los lugares de los contornos.

### Jesús sana a la suegra de Pedro

**38** Entonces Jesús se levantó y salió de la sinagoga, y entró en casa de Simón. La suegra de Simón tenía una gran fiebre; y le rogaron por ella.

**39** E inclinándose hacia ella, reprendió a la fiebre; y la fiebre la dejó, y levantándose ella al instante, les servía.

### Muchos sanados al ponerse el sol

**40** Al ponerse el sol, todos los que tenían enfermos de diversas enfermedades los traían a él; y él, poniendo las manos sobre cada uno de ellos, los sanaba.

**41** También salían demonios de muchos, dando voces y diciendo: Tú eres el Hijo de Dios. Pero él los reprendía y no les dejaba hablar, porque sabían que él era el Cristo.

### Jesús recorre Galilea predicando

**42** Cuando ya era de día, salió y se fue a un lugar desierto; y la gente le buscaba, y llegando a donde estaba, le detenían para que no se fuera de ellos.

**43** Pero él les dijo: Es necesario que también a otras ciudades anuncie el evangelio del reino de Dios; porque para esto he sido enviado.

**44** Y predicaba en las sinagogas de Galilea.

### La pesca milagrosa

**5** **1** Aconteció que estando Jesús junto al lago de Genesaret, el gentío se agolpaba sobre él para oír la palabra de Dios.

**2** Y vio dos barcas que estaban cerca de la orilla del lago; y los pescadores, habiendo descendido de ellas, lavaban sus redes.

**3** Y entrando en una de aquellas barcas, la cual era de Simón, le rogó que la apartase de tierra un poco; y sentándose, enseñaba desde la barca a la multitud.*a*

**4** Cuando terminó de hablar, dijo a Simón: Boga mar adentro, y echad vuestras redes para pescar.

**5** Respondiendo Simón, le dijo: Maestro, toda la noche hemos estado trabajando, y nada hemos pescado;*b* mas en tu palabra echaré la red.

**6** Y habiéndolo hecho, encerraron gran cantidad de peces,*c* y su red se rompía.

**7** Entonces hicieron señas a los compañeros que estaban en la otra barca, para que viniesen a ayudarles; y vinieron, y llenaron ambas barcas, de tal manera que se hundían.

---

**4.32** *k* Mt. 7.28-29.   **5.1-3** *a* Mt. 13.1-2; Mr. 3.9-10; 4.1.   **5.5** *b* Jn. 21.3.   **5.6** *c* Jn. 21.6.

---

**4.28-30** La respuesta de esta endurecida multitud de Nazaret, la ciudad donde se crió Jesús, a los comentarios de este es un ejemplo de lo que pasa cuando las actitudes negativas se mezclan con el enojo. Cuando Jesús desafió su incredulidad, el aprecio superficial que ellos tenían por su ministerio se tornó en indignación. Se preguntaban cómo este chico de pueblo podía pretender que era profeta. El intento por soliviantar a la gente demostró lo histéricos y renuentes a la verdad que pueden ser incluso las personas religiosas. Necesitamos vencer las zonas de negatividad en nuestras vidas si queremos que Dios intervenga y nos transforme en personas nuevas y sanas. Dios no puede sanarnos sino hasta que estemos dispuestos a reconocer nuestros problemas y nuestra incredulidad.

**5.4-11** No cabe duda de que los discípulos eran perseverantes en su labor como pescadores, pero hacer las cosas a su manera sencillamente no era suficiente. Tan pronto como siguieron el consejo de Jesús, tuvieron éxito. Quizás estemos tratando de recuperarnos por nuestra cuenta. Tal vez seamos diligentes, trabajadores y disciplinados. Pero si no estamos haciendo las cosas a la manera de Dios, el trabajo intenso, por mucho que sea, no atraerá que alcancemos el éxito. Obedecer la voluntad de Dios para nuestra vida nos llevará a la sanidad y al éxito. Algunos pueden pensar que la verdad que se encuentra en la Palabra parece locura. No obstante, si seguimos obedientemente el plan de Dios y buscamos su ayuda compasiva, experimentaremos su liberación poderosa.

**8** Viendo esto Simón Pedro, cayó de rodillas ante Jesús, diciendo: Apártate de mí, Señor, porque soy hombre pecador.

**9** Porque por la pesca que habían hecho, el temor se había apoderado de él, y de todos los que estaban con él,

**10** y asimismo de Jacobo y Juan, hijos de Zebedeo, que eran compañeros de Simón. Pero Jesús dijo a Simón: No temas; desde ahora serás pescador de hombres.

**11** Y cuando trajeron a tierra las barcas, dejándolo todo, le siguieron.

## Jesús sana a un leproso

**12** Sucedió que estando él en una de las ciudades, se presentó un hombre lleno de lepra, el cual, viendo a Jesús, se postró con el rostro en tierra y le rogó, diciendo: Señor, si quieres, puedes limpiarme.

**13** Entonces, extendiendo él la mano, le tocó, diciendo: Quiero; sé limpio. Y al instante la lepra se fue de él.

**14** Y él le mandó que no lo dijese a nadie; sino ve, le dijo, muéstrate al sacerdote, y ofrece por tu purificación, según mandó Moisés,*d* para testimonio a ellos.

**15** Pero su fama se extendía más y más; y se reunía mucha gente para oírle, y para que les sanase de sus enfermedades.

**16** Mas él se apartaba a lugares desiertos, y oraba.

## Jesús sana a un paralítico

**17** Aconteció un día, que él estaba enseñando, y estaban sentados los fariseos y doctores de la ley, los cuales habían venido de todas las aldeas de Galilea, y de Judea y Jerusalén; y el poder del Señor estaba con él para sanar.

**18** Y sucedió que unos hombres que traían en un lecho a un hombre que estaba paralítico, procuraban llevarle adentro y ponerle delante de él.

**19** Pero no hallando cómo hacerlo a causa de la multitud, subieron encima de la casa, y por el tejado le bajaron con el lecho, poniéndole en medio, delante de Jesús.

**20** Al ver él la fe de ellos, le dijo: Hombre, tus pecados te son perdonados.

**21** Entonces los escribas y los fariseos comenzaron a cavilar, diciendo: ¿Quién es éste que habla blasfemias? ¿Quién puede perdonar pecados sino sólo Dios?

**22** Jesús entonces, conociendo los pensamientos de ellos, respondiendo les dijo: ¿Qué caviláis en vuestros corazones?

**23** ¿Qué es más fácil, decir: Tus pecados te son perdonados, o decir: Levántate y anda?

**24** Pues para que sepáis que el Hijo del Hombre tiene potestad en la tierra para perdonar pecados (dijo al paralítico): A ti te digo: Levántate, toma tu lecho, y vete a tu casa.

**25** Al instante, levantándose en presencia de ellos, y tomando el lecho en que estaba acostado, se fue a su casa, glorificando a Dios.

**26** Y todos, sobrecogidos de asombro, glorificaban a Dios; y llenos de temor, decían: Hoy hemos visto maravillas.

## Llamamiento de Leví

**27** Después de estas cosas salió, y vio a un publicano llamado Leví, sentado al banco de los tributos públicos, y le dijo: Sígueme.

**28** Y dejándolo todo, se levantó y le siguió.

**29** Y Leví le hizo gran banquete en su casa; y había mucha compañía de publicanos y de otros que estaban a la mesa con ellos.

**30** Y los escribas y los fariseos murmuraban contra los discípulos, diciendo: ¿Por qué coméis y bebéis con publicanos y pecadores?*e*

**31** Respondiendo Jesús, les dijo: Los que están sanos no tienen necesidad de médico, sino los enfermos.

**32** No he venido a llamar a justos, sino a pecadores al arrepentimiento.

## La pregunta sobre el ayuno

**33** Entonces ellos le dijeron: ¿Por qué los discípulos de Juan ayunan muchas veces y hacen oraciones, y asimismo los de los fariseos, pero los tuyos comen y beben?

**34** Él les dijo: ¿Podéis acaso hacer que los que están de bodas ayunen, entre tanto que el esposo está con ellos?

**35** Mas vendrán días cuando el esposo les será quitado; entonces, en aquellos días ayunarán.

**36** Les dijo también una parábola: Nadie corta un pedazo de un vestido nuevo y lo pone en un vestido viejo; pues si lo hace, no solamente rompe el

**5.14** *d* Lv. 14.1-32. **5.30** *e* Lc. 15.1-2.

---

**5.30-32** Para recibir la ayuda de Jesús y comenzar la recuperación, primero debemos reconocer lo incapaces que somos. Para Jesús, lo prioritario era ministrar a los llamados pecadores notorios (los parias sociales), pues ellos reconocían su posición despreciable e impotente. También los fariseos eran pecadores, pero lo negaban. Debido a su santurronería y autosuficiencia, Jesús no podía hacer nada por ellos. Cuando reconozcamos que necesitamos ayuda y confesemos nuestros fracasos a Dios y a otras personas, Jesús extenderá su mano y nos ayudará.

nuevo, sino que el remiendo sacado de él no armoniza con el viejo.

**37** Y nadie echa vino nuevo en odres viejos; de otra manera, el vino nuevo romperá los odres y se derramará, y los odres se perderán.

**38** Mas el vino nuevo en odres nuevos se ha de echar; y lo uno y lo otro se conservan.

**39** Y ninguno que beba del añejo, quiere luego el nuevo; porque dice: El añejo es mejor.

## Los discípulos recogen espigas en el día de reposo

**6** **1** Aconteció en un día de reposo, que pasando Jesús por los sembrados, sus discípulos arrancaban espigas y comían,*a* restregándolas con las manos.

**2** Y algunos de los fariseos les dijeron: ¿Por qué hacéis lo que no es lícito hacer en los días de reposo?

**3** Respondiendo Jesús, les dijo: ¿Ni aun esto habéis leído, lo que hizo David cuando tuvo hambre él, y los que con él estaban;

**4** cómo entró en la casa de Dios, y tomó los panes de la proposición, de los cuales no es lícito comer sino sólo a los sacerdotes,*b* y comió, y dio también a los que estaban con él?*c*

**5** Y les decía: El Hijo del Hombre es Señor aun del día de reposo.

## El hombre de la mano seca

**6** Aconteció también en otro día de reposo, que él entró en la sinagoga y enseñaba; y estaba allí un hombre que tenía seca la mano derecha.

**7** Y le acechaban los escribas y los fariseos, para ver si en el día de reposo lo sanaría, a fin de hallar de qué acusarle.

**8** Mas él conocía los pensamientos de ellos; y dijo al hombre que tenía la mano seca: Levántate, y ponte en medio. Y él, levantándose, se puso en pie.

**9** Entonces Jesús les dijo: Os preguntaré una cosa: ¿Es lícito en día de reposo hacer bien, o hacer mal? ¿salvar la vida, o quitarla?

**10** Y mirándolos a todos alrededor, dijo al hombre: Extiende tu mano. Y él lo hizo así, y su mano fue restaurada.

**11** Y ellos se llenaron de furor, y hablaban entre sí qué podrían hacer contra Jesús.

## Elección de los doce apóstoles

**12** En aquellos días él fue al monte a orar, y pasó la noche orando a Dios.

**13** Y cuando era de día, llamó a sus discípulos, y escogió a doce de ellos, a los cuales también llamó apóstoles:

**14** a Simón, a quien también llamó Pedro, a Andrés su hermano, Jacobo y Juan, Felipe y Bartolomé,

**15** Mateo, Tomás, Jacobo hijo de Alfeo, Simón llamado Zelote,

**16** Judas hermano de Jacobo, y Judas Iscariote, que llegó a ser el traidor.

## Jesús atiende a una multitud

**17** Y descendió con ellos, y se detuvo en un lugar llano, en compañía de sus discípulos y de una gran multitud de gente de toda Judea, de Jerusalén y de la costa de Tiro y de Sidón, que había venido para oírle, y para ser sanados de sus enfermedades;

**18** y los que habían sido atormentados de espíritus inmundos eran sanados.

**19** Y toda la gente procuraba tocarle, porque poder salía de él y sanaba a todos.

## Bienaventuranzas y ayes

**20** Y alzando los ojos hacia sus discípulos, decía: Bienaventurados vosotros los pobres, porque vuestro es el reino de Dios.

**21** Bienaventurados los que ahora tenéis hambre, porque seréis saciados. Bienaventurados los que ahora lloráis, porque reiréis.

**22** Bienaventurados seréis cuando los hombres os aborrezcan, y cuando os aparten de sí, y os vituperen, y desechen vuestro nombre como malo, por causa del Hijo del Hombre.*d*

**23** Gozaos en aquel día, y alegraos, porque he aquí vuestro galardón es grande en los cielos; porque así hacían sus padres con los profetas.*e*

---

**6.1** *a* Dt. 23.25.   **6.4** *b* Lv. 24.9.   **6.3-4** *c* 1 S. 21.1-6.   **6.22** *d* 1 P. 4.14.   **6.23** *e* 2 Cr. 36.16; Hch. 7.52.

---

**6.6-11** Por lo común, Jesús sanaba enfermos también en el día de reposo. Esto enojaba a sus detractores, en especial a los fariseos. No todo el mundo se sentirá complacido con nuestra recuperación. Es posible que los amigos que también estén atrapados en la adicción se sientan amenazados por los cambios que vean en nosotros y se enojen. La gente que usó nuestra adicción para mantenernos bajo su poder puede que también se moleste al perder la capacidad de manipularnos. Es posible que estos amigos se parezcan a los escribas y fariseos. No importa cuan grande sea la oposición a nuestra recuperación, Jesús quiere que seamos sanados. Al confiar en él y obedecerlo, experimentaremos la sanidad.

**6.20-26** Cuando Jesús habló de los valores del reino, se refería a la importancia de tomar en cuenta lo que son las prioridades de Dios para nuestra vida. Él anunció bendiciones y gozo para aquellos que lo seguían y tenían hambre de Dios, pero pesares para quienes egoístamente buscaban riquezas y vivían sólo para el momento. Con estas duras palabras, Jesús estaba creando una especie de intervención en situación de crisis.

**24** Mas ¡ay de vosotros, ricos! porque ya tenéis vuestro consuelo.

**25** ¡Ay de vosotros, los que ahora estáis saciados! porque tendréis hambre. ¡Ay de vosotros, los que ahora reís! porque lamentaréis y lloraréis.

**26** ¡Ay de vosotros, cuando todos los hombres hablen bien de vosotros! porque así hacían sus padres con los falsos profetas.

### El amor hacia los enemigos, y la regla de oro

**27** Pero a vosotros los que oís, os digo: Amad a vuestros enemigos, haced bien a los que os aborrecen;

**28** bendecid a los que os maldicen, y orad por los que os calumnian.

**29** Al que te hiera en una mejilla, preséntale también la otra; y al que te quite la capa, ni aun la túnica le niegues.

**30** A cualquiera que te pida, dale; y al que tome lo que es tuyo, no pidas que te lo devuelva.

**31** Y como queréis que hagan los hombres con vosotros, así también haced vosotros con ellos.

**32** Porque si amáis a los que os aman, ¿qué mérito tenéis? Porque también los pecadores aman a los que los aman.

**33** Y si hacéis bien a los que os hacen bien, ¿qué mérito tenéis? Porque también los pecadores hacen lo mismo.

**34** Y si prestáis a aquellos de quienes esperáis recibir, ¿qué mérito tenéis? Porque también los pecadores prestan a los pecadores, para recibir otro tanto.

**35** Amad, pues, a vuestros enemigos, y haced bien, y prestad, no esperando de ello nada; y será vuestro galardón grande, y seréis hijos del Altísimo; porque él es benigno para con los ingratos y malos.

**36** Sed, pues, misericordiosos, como también vuestro Padre es misericordioso.

### El juzgar a los demás

**37** No juzguéis, y no seréis juzgados; no condenéis, y no seréis condenados; perdonad, y seréis perdonados.

**38** Dad, y se os dará; medida buena, apretada, remecida y rebosando darán en vuestro regazo; porque con la misma medida con que medís, os volverán a medir.

**39** Y les decía una parábola: ¿Acaso puede un ciego guiar a otro ciego? ¿No caerán ambos en el hoyo?*f*

**40** El discípulo no es superior a su maestro;*g* mas todo el que fuere perfeccionado, será como su maestro.

**41** ¿Por qué miras la paja que está en el ojo de tu hermano, y no echas de ver la viga que está en tu propio ojo?

**42** ¿O cómo puedes decir a tu hermano: Hermano, déjame sacar la paja que está en tu ojo, no mirando tú la viga que está en el ojo tuyo? Hipócrita, saca primero la viga de tu propio ojo, y entonces verás bien para sacar la paja que está en el ojo de tu hermano.

### Por sus frutos los conoceréis

**43** No es buen árbol el que da malos frutos, ni árbol malo el que da buen fruto.

**44** Porque cada árbol se conoce por su fruto;*h* pues no se cosechan higos de los espinos, ni de las zarzas se vendimian uvas.

**45** El hombre bueno, del buen tesoro de su corazón saca lo bueno; y el hombre malo, del mal tesoro de su corazón saca lo malo; porque de la abundancia del corazón habla la boca.*i*

### Los dos cimientos

**46** ¿Por qué me llamáis, Señor, Señor, y no hacéis lo que yo digo?

**47** Todo aquel que viene a mí, y oye mis palabras y las hace, os indicaré a quién es semejante.

**48** Semejante es al hombre que al edificar una casa, cavó y ahondó y puso el fundamento sobre la roca; y cuando vino una inundación, el río dio con ímpetu contra aquella casa, pero no la pudo mover, porque estaba fundada sobre la roca.

---

**6.39** *f* Mt. 15.14. **6.40** *g* Mt. 10.24-25; Jn. 13.16; 15.20. **6.44** *h* Mt. 12.33. **6.45** *i* Mt. 12.34.

---

Los que confían más en el dinero y en las cosas materiales, y no se dan cuenta de su necesidad de Dios, un día se encontrarán con Aquel que pone las cosas en su lugar. Los que confían en Dios recibirán su recompensa.

**7.1-10** El centurión romano demostró ciertas cualidades que son elementos clave para recibir las más grandes bendiciones de Dios. Mostró compasión por personas de una clase social más baja y por gente de otra etnia y religión. Fue humilde y reconoció su indignidad a pesar de ser un hombre de autoridad. Sin reserva alguna, puso su fe en Jesús para que sanara a su estimado siervo. Jesús se maravilló ante tal fe y le concedió lo que pedía. Se espera que los que han crecido en ambientes religiosos tengan fe, pero con frecuencia no es así. Algunas veces la fe verdadera se encuentra donde menos lo esperamos: entre los que no se congregan y los desamparados, quienes reconocen su necesidad de ayuda y claman a Dios en su impotencia. Se necesita esta clase de fe en el proceso de recuperación.

**49** Mas el que oyó y no hizo, semejante es al hombre que edificó su casa sobre tierra, sin fundamento; contra la cual el río dio con ímpetu, y luego cayó, y fue grande la ruina de aquella casa.

## Jesús sana al siervo de un centurión

**7** **1** Después que hubo terminado todas sus palabras al pueblo que le oía, entró en Capernaum.

**2** Y el siervo de un centurión, a quien éste quería mucho, estaba enfermo y a punto de morir.

**3** Cuando el centurión oyó hablar de Jesús, le envió unos ancianos de los judíos, rogándole que viniese y sanase a su siervo.

**4** Y ellos vinieron a Jesús y le rogaron con solicitud, diciéndole: Es digno de que le concedas esto;

**5** porque ama a nuestra nación, y nos edificó una sinagoga.

**6** Y Jesús fue con ellos. Pero cuando ya no estaban lejos de la casa, el centurión envió a él unos amigos, diciéndole: Señor, no te molestes, pues no soy digno de que entres bajo mi techo;

**7** por lo que ni aun me tuve por digno de venir a ti; pero dí la palabra, y mi siervo será sano.

**8** Porque también yo soy hombre puesto bajo autoridad, y tengo soldados bajo mis órdenes; y digo a éste: Vé, y va; y al otro: Ven, y viene; y a mi siervo: Haz esto, y lo hace.

**9** Al oír esto, Jesús se maravilló de él, y volviéndose, dijo a la gente que le seguía: Os digo que ni aun en Israel he hallado tanta fe.

**10** Y al regresar a casa los que habían sido enviados, hallaron sano al siervo que había estado enfermo.

## Jesús resucita al hijo de la viuda de Naín

**11** Aconteció después, que él iba a la ciudad que se llama Naín, e iban con él muchos de sus discípulos, y una gran multitud.

**12** Cuando llegó cerca de la puerta de la ciudad, he aquí que llevaban a enterrar a un difunto, hijo único de su madre, la cual era viuda; y había con ella mucha gente de la ciudad.

**13** Y cuando el Señor la vio, se compadeció de ella, y le dijo: No llores.

**14** Y acercándose, tocó el féretro; y los que lo llevaban se detuvieron. Y dijo: Joven, a ti te digo, levántate.

**15** Entonces se incorporó el que había muerto, y comenzó a hablar. Y lo dio a su madre.

# Perdón

LEA LUCAS 6.27-36

Es posible que una vez que nos dispongamos a enmendar nuestras relaciones personales, algunas cosas queden fuera de nuestro control. Algunas personas pueden negarse a la reconciliación, aun cuando hagamos nuestro mayor esfuerzo por subsanar los errores. Puede que esto nos haga sentir que somos víctimas. Una vez más quedamos atrapados en el dolor que provocan los asuntos sin resolver. Quizás nos deje con sentimientos negativos que continúan resurgiendo. ¿Qué podemos hacer para recobrar el control en estas situaciones?

Jesús dijo: «Pero a vosotros los que oís, os digo: Amad a vuestros enemigos, haced bien a los que os aborrecen; bendecid a los que os maldicen, y orad por los que os calumnian. Amad, pues, a vuestros enemigos, y haced bien, y prestad, no esperando de ello nada; y será vuestro galardón grande, y seréis hijos del Altísimo; porque él es benigno para con los ingratos y malos» (Lucas 6.27-28,35).

Ya no necesitamos que las actitudes y acciones de los demás nos controlen. Aunque hayamos hecho nuestro mayor esfuerzo por corregir los errores cometidos, tal vez la situación no cambie. Y aun si hemos aceptado todo lo malo que otros han hecho contra nosotros, puede ser que nuestros sentimientos no cambien. Pero no tenemos por qué continuar siendo esclavos de nuestros sentimientos o de los sentimientos de los demás. Podemos decidir perdonar y actuar cariñosamente. Esto nos liberará de quedar bajo cualquier control que no sea el de Dios. Si decidimos perdonar a otros y hacer el bien, nuestros sentimientos cambiarán con el tiempo. ***Vaya a la página 123, Lucas 17.***

---

**7.11-15** Al resucitar a un joven, Jesús mostró su compasión por las personas que sufren una gran pérdida. Esta mujer ya había perdido a su esposo y ahora su único hijo había muerto. Este milagro nos muestra que en nuestra vida no hay ninguna situación que esté fuera del alcance del poder restaurador de Dios. Aun en medio de lo que parece ser una calle sin salida, Dios no tiene limitaciones. Este mismo poder que puede resucitar puede ciertamente sanar al enfermo y libertar al adicto.

**16** Y todos tuvieron miedo, y glorificaban a Dios, diciendo: Un gran profeta se ha levantado entre nosotros; y: Dios ha visitado a su pueblo.
**17** Y se extendió la fama de él por toda Judea, y por toda la región de alrededor.

### Los mensajeros de Juan el Bautista

**18** Los discípulos de Juan le dieron las nuevas de todas estas cosas. Y llamó Juan a dos de sus discípulos,
**19** y los envió a Jesús, para preguntarle: ¿Eres tú el que había de venir, o esperaremos a otro?
**20** Cuando, pues, los hombres vinieron a él, dijeron: Juan el Bautista nos ha enviado a ti, para preguntarte: ¿Eres tú el que había de venir, o esperaremos a otro?
**21** En esa misma hora sanó a muchos de enfermedades y plagas, y de espíritus malos, y a muchos ciegos les dio la vista.
**22** Y respondiendo Jesús, les dijo: Id, haced saber a Juan lo que habéis visto y oído: los ciegos ven, los cojos andan, los leprosos son limpiados, los sordos oyen,*a* los muertos son resucitados, y a los pobres es anunciado el evangelio;*b*
**23** y bienaventurado es aquel que no halle tropiezo en mí.

**24** Cuando se fueron los mensajeros de Juan, comenzó a decir de Juan a la gente: ¿Qué salisteis a ver al desierto? ¿Una caña sacudida por el viento?
**25** Mas ¿qué salisteis a ver? ¿A un hombre cubierto de vestiduras delicadas? He aquí, los que tienen vestidura preciosa y viven en deleites, en los palacios de los reyes están.
**26** Mas ¿qué salisteis a ver? ¿A un profeta? Sí, os digo, y más que profeta.
**27** Este es de quien está escrito:

He aquí, envío mi mensajero
　delante de tu faz,
El cual preparará tu camino delante de ti.*c*
**28** Os digo que entre los nacidos de mujeres, no hay mayor profeta que Juan el Bautista; pero el más pequeño en el reino de Dios es mayor que él.
**29** Y todo el pueblo y los publicanos, cuando lo oyeron, justificaron a Dios, bautizándose con el bautismo de Juan.
**30** Mas los fariseos y los intérpretes de la ley desecharon los designios de Dios respecto de sí mismos, no siendo bautizados por Juan.*d*

**31** Y dijo el Señor: ¿A qué, pues, compararé los hombres de esta generación, y a qué son semejantes?
**32** Semejantes son a los muchachos sentados en la plaza, que dan voces unos a otros y dicen: Os tocamos flauta, y no bailasteis; os endechamos, y no llorasteis.
**33** Porque vino Juan el Bautista, que ni comía pan ni bebía vino, y decís: Demonio tiene.
**34** Vino el Hijo del Hombre, que come y bebe, y decís: Este es un hombre comilón y bebedor de vino, amigo de publicanos y de pecadores.
**35** Mas la sabiduría es justificada por todos sus hijos.

### Jesús en el hogar de Simón el fariseo

**36** Uno de los fariseos rogó a Jesús que comiese con él. Y habiendo entrado en casa del fariseo, se sentó a la mesa.
**37** Entonces una mujer de la ciudad, que era pecadora, al saber que Jesús estaba a la mesa en casa del fariseo, trajo un frasco de alabastro con perfume;
**38** y estando detrás de él a sus pies, llorando, comenzó a regar con lágrimas sus pies, y los enjugaba con sus cabellos; y besaba sus pies, y los ungía con el perfume.*e*
**39** Cuando vio esto el fariseo que le había convidado, dijo para sí: Este, si fuera profeta, conocería quién y qué clase de mujer es la que le toca, que es pecadora.
**40** Entonces respondiendo Jesús, le dijo: Simón, una cosa tengo que decirte. Y él le dijo: Di, Maestro.

---

**7.22** *a* Is. 35.5-6. *b* Is. 61.1. **7.27** *c* Mal. 3.1. **7.29-30** *d* Mt. 21.32; Lc. 3.12. **7.37-38** *e* Mt. 26.7; Mr. 14.3; Jn. 12.3.

---

**7.18-23** La experiencia de Juan el Bautista muestra que aun los creyentes más firmes pasarán por momentos de desánimo y duda. Juan había sido encarcelado injustamente (Mateo 11.2). La aparente incapacidad o la renuencia de Jesús para establecer su reino motivó a Juan a enviar a estos mensajeros. Jesús respetaba profundamente a Juan (Lucas 7.28), aun con las dudas de este. Las preguntas de Juan fueron formuladas con sinceridad en un momento de gran sufrimiento, así que Jesús le contestó como correspondía y lo reafirmó. Dios nos invita a traer nuestras dudas ante él, y él nos llevará paso a paso por el camino del descubrimiento y la recuperación.
**7.24-28** Debido a la fortaleza de su carácter, Juan el Bautista no permitió que nadie lo forzara a encajar dentro de ningún otro molde. Se comprometió a ejecutar el papel que le fue dado por Dios como profeta y precursor del Mesías. Al igual que lo hizo con Juan, Dios tiene un propósito para cada uno de nosotros. A medida que descubramos cuál es nuestro lugar en su plan, él nos irá revelando su voluntad y nos llenará de su gozo. Conforme lo obedezcamos, él siempre estará con nosotros, guiándonos y fortaleciéndonos a lo largo del camino. Tratar de ser alguien diferente del propósito para el cual fuimos creados sólo retrasará nuestro crecimiento espiritual y nuestro progreso en la recuperación.

**41** Un acreedor tenía dos deudores: el uno le debía quinientos denarios, y el otro cincuenta;
**42** y no teniendo ellos con qué pagar, perdonó a ambos. Di, pues, ¿cuál de ellos le amará más?
**43** Respondiendo Simón, dijo: Pienso que aquel a quien perdonó más. Y él le dijo: Rectamente has juzgado.
**44** Y vuelto a la mujer, dijo a Simón: ¿Ves esta mujer? Entré en tu casa, y no me diste agua para mis pies; mas ésta ha regado mis pies con lágrimas, y los ha enjugado con sus cabellos.
**45** No me diste beso; mas ésta, desde que entré, no ha cesado de besar mis pies.
**46** No ungiste mi cabeza con aceite; mas ésta ha ungido con perfume mis pies.
**47** Por lo cual te digo que sus muchos pecados le son perdonados, porque amó mucho; mas aquel a quien se le perdona poco, poco ama.
**48** Y a ella le dijo: Tus pecados te son perdonados.
**49** Y los que estaban juntamente sentados a la mesa, comenzaron a decir entre sí: ¿Quién es éste, que también perdona pecados?
**50** Pero él dijo a la mujer: Tu fe te ha salvado, ve en paz.

## Mujeres que sirven a Jesús

**8** **1** Aconteció después, que Jesús iba por todas las ciudades y aldeas, predicando y anunciando el evangelio del reino de Dios, y los doce con él,
**2** y algunas mujeres que habían sido sanadas de espíritus malos y de enfermedades: María, que se llamaba Magdalena, de la que habían salido siete demonios,
**3** Juana, mujer de Chuza intendente de Herodes, y Susana, y otras muchas que le servían de sus bienes.*a*

## Parábola del sembrador

**4** Juntándose una gran multitud, y los que de cada ciudad venían a él, les dijo por parábola:
**5** El sembrador salió a sembrar su semilla; y mientras sembraba, una parte cayó junto al camino, y fue hollada, y las aves del cielo la comieron.
**6** Otra parte cayó sobre la piedra; y nacida, se secó, porque no tenía humedad.
**7** Otra parte cayó entre espinos, y los espinos que nacieron juntamente con ella, la ahogaron.
**8** Y otra parte cayó en buena tierra, y nació y llevó fruto a ciento por uno. Hablando estas cosas, decía a gran voz: El que tiene oídos para oír, oiga.
**9** Y sus discípulos le preguntaron, diciendo: ¿Qué significa esta parábola?
**10** Y él dijo: A vosotros os es dado conocer los misterios del reino de Dios; pero a los otros por parábolas, para que viendo no vean, y oyendo no entiendan.*b*
**11** Esta es, pues, la parábola: La semilla es la palabra de Dios.
**12** Y los de junto al camino son los que oyen, y luego viene el diablo y quita de su corazón la palabra, para que no crean y se salven.
**13** Los de sobre la piedra son los que habiendo oído, reciben la palabra con gozo; pero éstos no tienen raíces; creen por algún tiempo, y en el tiempo de la prueba se apartan.
**14** La que cayó entre espinos, éstos son los que oyen, pero yéndose, son ahogados por los afanes y las riquezas y los placeres de la vida, y no llevan fruto.
**15** Mas la que cayó en buena tierra, éstos son los que con corazón bueno y recto retienen la palabra oída, y dan fruto con perseverancia.

## Nada oculto que no haya de ser manifestado

**16** Nadie que enciende una luz la cubre con una vasija, ni la pone debajo de la cama, sino que la pone en un candelero*c* para que los que entran vean la luz.
**17** Porque nada hay oculto, que no haya de ser manifestado; ni escondido, que no haya de ser conocido, y de salir a luz.*d*
**18** Mirad, pues, cómo oís; porque a todo el que tiene, se le dará; y a todo el que no tiene, aun lo que piensa tener se le quitará.*e*

---

**8.2-3** *a* Mt. 27.55-56; Mr. 15.40-41; Lc. 23.49. **8.10** *b* Is. 6.9-10. **8.16** *c* Mt. 5.15; Lc. 11.33. **8.17** *d* Mt. 10.26; Lc. 12.2. **8.18** *e* Mt. 25.29; Lc. 19.26.

---

**8.4-15** Este relato del sembrador y de los diferentes tipos de terreno pone énfasis en nuestra responsabilidad y en el discipulado en nuestra relación con Dios. Nuestras actitudes y la condición de nuestro corazón importan más que nuestra profesión externa de fe. Todos los que estamos en recuperación conocemos muy bien las presiones que nos hacen volver a la adicción. Enfrentamos la tentación continua de ceder ante nuestro hábito destructivo, y por eso debemos ser consecuentes y vigilantes en el proceso de recuperación. Hacer un inventario moral con regularidad nos ayudará a evitar los problemas que tienden a infiltrarse en nuestras vidas por la puerta trasera. Al mantener nuestro corazón enfocado en Dios, él nos volverá a la vida.
**8.16-17** De la misma forma en que las lámparas exponen todo a la luz, algún día Dios pondrá nuestros pensamientos al descubierto. Dios conoce ya nuestros pensamientos y hábitos (véase Salmo 139.1-4); algún día también los conocerán los demás. En la medida en que seamos abiertos, francos y transparentes en la confesión de nuestros pecados, Dios podrá obrar en nosotros su plan de recuperación y sanidad.

## La madre y los hermanos de Jesús

**19** Entonces su madre y sus hermanos vinieron a él; pero no podían llegar hasta él por causa de la multitud.

**20** Y se le avisó, diciendo: Tu madre y tus hermanos están fuera y quieren verte.

**21** Él entonces respondiendo, les dijo: Mi madre y mis hermanos son los que oyen la palabra de Dios, y la hacen.

## Jesús calma la tempestad

**22** Aconteció un día, que entró en una barca con sus discípulos, y les dijo: Pasemos al otro lado del lago. Y partieron.

**23** Pero mientras navegaban, él se durmió. Y se desencadenó una tempestad de viento en el lago; y se anegaban y peligraban.

**24** Y vinieron a él y le despertaron, diciendo: ¡Maestro, Maestro, que perecemos! Despertando él, reprendió al viento y a las olas; y cesaron, y se hizo bonanza.

**25** Y les dijo: ¿Dónde está vuestra fe? Y atemorizados, se maravillaban, y se decían unos a otros: ¿Quién es éste, que aun a los vientos y a las aguas manda, y le obedecen?

## El endemoniado gadareno

**26** Y arribaron a la tierra de los gadarenos, que está en la ribera opuesta a Galilea.

**27** Al llegar él a tierra, vino a su encuentro un hombre de la ciudad, endemoniado desde hacía mucho tiempo; y no vestía ropa, ni moraba en casa, sino en los sepulcros.

**28** Este, al ver a Jesús, lanzó un gran grito, y postrándose a sus pies exclamó a gran voz: ¿Qué tienes conmigo, Jesús, Hijo del Dios Altísimo? Te ruego que no me atormentes.

**29** (Porque mandaba al espíritu inmundo que saliese del hombre, pues hacía mucho tiempo que se había apoderado de él; y le ataban con cadenas y grillos, pero rompiendo las cadenas, era impelido por el demonio a los desiertos.)

**30** Y le preguntó Jesús, diciendo: ¿Cómo te llamas?

Y él dijo: Legión. Porque muchos demonios habían entrado en él.

**31** Y le rogaban que no los mandase ir al abismo.

**32** Había allí un hato de muchos cerdos que pacían en el monte; y le rogaron que los dejase entrar en ellos; y les dio permiso.

**33** Y los demonios, salidos del hombre, entraron en los cerdos; y el hato se precipitó por un despeñadero al lago, y se ahogó.

**34** Y los que apacentaban los cerdos, cuando vieron lo que había acontecido, huyeron, y yendo dieron aviso en la ciudad y por los campos.

**35** Y salieron a ver lo que había sucedido; y vinieron a Jesús, y hallaron al hombre de quien habían salido los demonios, sentado a los pies de Jesús, vestido, y en su cabal juicio; y tuvieron miedo.

**36** Y los que lo habían visto, les contaron cómo había sido salvado el endemoniado.

**37** Entonces toda la multitud de la región alrededor de los gadarenos le rogó que se marchase de ellos, pues tenían gran temor. Y Jesús, entrando en la barca, se volvió.

**38** Y el hombre de quien habían salido los demonios le rogaba que le dejase estar con él; pero Jesús le despidió, diciendo:

**39** Vuélvete a tu casa, y cuenta cuán grandes cosas ha hecho Dios contigo. Y él se fue, publicando por toda la ciudad cuán grandes cosas había hecho Jesús con él.

## La hija de Jairo, y la mujer que tocó el manto de Jesús

**40** Cuando volvió Jesús, le recibió la multitud con gozo; porque todos le esperaban.

**41** Entonces vino un varón llamado Jairo, que era principal de la sinagoga, y postrándose a los pies de Jesús, le rogaba que entrase en su casa;

**42** porque tenía una hija única, como de doce años, que se estaba muriendo.

Y mientras iba, la multitud le oprimía.

**43** Pero una mujer que padecía de flujo de sangre desde hacía doce años, y que había gastado en mé-

**8.26-37** La vida de este endemoniado era un completo desastre. Necesitaba sanidad desesperadamente, pues era una ruina física y emocional, un bochornoso marginado social. Pero sólo Jesús tenía, y todavía tiene, el poder para romper las cadenas de esclavitud satánica y producir la recuperación. Sin embargo, la gente de la comunidad estaba más preocupada por la pérdida de un hato de cerdos que por la sanidad de este hombre impotente y destrozado. Lamentablemente, a veces sufrimos oposición cuando estamos en recuperación. Sin embargo, sin importar los obstáculos que enfrentemos, Jesús desea liberarnos de la esclavitud y nos ayudará a avanzar hacia la recuperación.

**8.43-44** Lucas, por su formación en medicina, resaltó que los médicos no habían podido hacer nada para aliviar la grave enfermedad de esta mujer. Por su fe, el poder de Dios hizo lo imposible. Al igual que en muchos otros milagros de Jesús, este incidente muestra que alguien que confía en Dios puede experimentar esperanza donde antes sólo hubo desesperación. Puede que la recuperación esté completamente fuera del alcance de la mayoría de los doctores, pero está muy dentro de las obras milagrosas que Dios hace por la gente que lo busca con fe.

dicos todo cuanto tenía, y por ninguno había podido ser curada,

**44** se le acercó por detrás y tocó el borde de su manto; y al instante se detuvo el flujo de su sangre.

**45** Entonces Jesús dijo: ¿Quién es el que me ha tocado? Y negando todos, dijo Pedro y los que con él estaban: Maestro, la multitud te aprieta y oprime, y dices: ¿Quién es el que me ha tocado?

**46** Pero Jesús dijo: Alguien me ha tocado; porque yo he conocido que ha salido poder de mí.

**47** Entonces, cuando la mujer vio que no había quedado oculta, vino temblando, y postrándose a sus pies, le declaró delante de todo el pueblo por qué causa le había tocado, y cómo al instante había sido sanada.

**48** Y él le dijo: Hija, tu fe te ha salvado; ve en paz.

**49** Estaba hablando aún, cuando vino uno de casa del principal de la sinagoga a decirle: Tu hija ha muerto; no molestes más al Maestro.

**50** Oyéndolo Jesús, le respondió: No temas; cree solamente, y será salva.

**51** Entrando en la casa, no dejó entrar a nadie consigo, sino a Pedro, a Jacobo, a Juan, y al padre y a la madre de la niña.

**52** Y lloraban todos y hacían lamentación por ella. Pero él dijo: No lloréis; no está muerta, sino que duerme.

**53** Y se burlaban de él, sabiendo que estaba muerta.

**54** Mas él, tomándola de la mano, clamó diciendo: Muchacha, levántate.

**55** Entonces su espíritu volvió, e inmediatamente se levantó; y él mandó que se le diese de comer.

**56** Y sus padres estaban atónitos; pero Jesús les mandó que a nadie dijesen lo que había sucedido.

## Misión de los doce discípulos

**9** **1** Habiendo reunido a sus doce discípulos, les dio poder y autoridad sobre todos los demonios, y para sanar enfermedades.

**2** Y los envió a predicar el reino de Dios, y a sanar a los enfermos.

**3** Y les dijo:*a* No toméis nada para el camino, ni bordón, ni alforja, ni pan, ni dinero; ni llevéis dos túnicas.

**4** Y en cualquier casa donde entréis, quedad allí, y de allí salid.

**5** Y dondequiera que no os recibieren, salid de aquella ciudad, y sacudid el polvo de vuestros pies en testimonio contra ellos.*b*

**6** Y saliendo, pasaban por todas las aldeas, anunciando el evangelio y sanando por todas partes.

## Muerte de Juan el Bautista

**7** Herodes el tetrarca oyó de todas las cosas que

**PASO 2**

### Fe sanadora

LECTURA BÍBLICA: Lucas 8.43-48

**Llegamos a creer que un Poder superior a nosotros podía devolvernos el sano juicio.**
La fe es la clave para esforzarnos con éxito en el segundo paso. Para algunos de nosotros la fe nos llega con facilidad. Para otros, especialmente si hemos experimentado traición, puede ser más difícil. A veces creemos que debemos agotar todos nuestros recursos tratando de superar nuestra «enfermedad» adictiva antes de arriesgarnos a creer en un poder superior.

Cuando Jesús vivió en la tierra, era tan conocido por su poder de sanidad que multitudes de enfermos lo seguían constantemente. Una día «una mujer que padecía de flujo de sangre desde hacía doce años, y que había gastado en médicos todo cuanto tenía, y por ninguno había podido ser curada, se le acercó por detrás y tocó el borde de su manto; y al instante se detuvo el flujo de su sangre». Jesús se percató de que alguien lo había tocado deliberadamente porque sintió que había salido poder de él. Cuando la mujer confesó que ella había recibido la sanidad, Jesús le dijo: «Hija, tu fe te ha salvado; ve en paz» (Lucas 8.43-44, 48).

Para lograr la recuperación debemos seguir el ejemplo de esta mujer. No podemos darnos el lujo de retraernos y esperar «curaciones» o de evitar una acción deliberada por nuestra falta de fe. Tal vez hayamos vivido con nuestra enfermedad por muchos años y hayamos gastado nuestros recursos en «curas» prometedoras sin obtener resultados. Cuando logremos creer en Dios, un poder mayor que nosotros mismos, y tener la fe para asumir nuestra propia recuperación, encontraremos el poder sanador que hemos estado buscando.

***Vaya a la página 121, Lucas 15.***

**9.3-5** *a* Lc. 10.4-11. **9.5** *b* Hch. 13.51.

hacía Jesús; y estaba perplejo, porque decían algunos: Juan ha resucitado de los muertos;

**8** otros: Elías ha aparecido; y otros: Algún profeta de los antiguos ha resucitado.*c*

**9** Y dijo Herodes: A Juan yo le hice decapitar; ¿quién, pues, es éste, de quien oigo tales cosas? Y procuraba verle.

## Alimentación de los cinco mil

**10** Vueltos los apóstoles, le contaron todo lo que habían hecho. Y tomándolos, se retiró aparte, a un lugar desierto de la ciudad llamada Betsaida.

**11** Y cuando la gente lo supo, le siguió; y él les recibió, y les hablaba del reino de Dios, y sanaba a los que necesitaban ser curados.

**12** Pero el día comenzaba a declinar; y acercándose los doce, le dijeron: Despide a la gente, para que vayan a las aldeas y campos de alrededor, y se alojen y encuentren alimentos; porque aquí estamos en lugar desierto.

**13** Él les dijo: Dadles vosotros de comer. Y dijeron ellos: No tenemos más que cinco panes y dos pescados, a no ser que vayamos nosotros a comprar alimentos para toda esta multitud.

**14** Y eran como cinco mil hombres. Entonces dijo a sus discípulos: Hacedlos sentar en grupos, de cincuenta en cincuenta.

**15** Así lo hicieron, haciéndolos sentar a todos.

**16** Y tomando los cinco panes y los dos pescados, levantando los ojos al cielo, los bendijo, y los partió, y dio a sus discípulos para que los pusiesen delante de la gente.

**17** Y comieron todos, y se saciaron; y recogieron lo que les sobró, doce cestas de pedazos.

## La confesión de Pedro

**18** Aconteció que mientras Jesús oraba aparte, estaban con él los discípulos; y les preguntó, diciendo: ¿Quién dice la gente que soy yo?

**19** Ellos respondieron: Unos, Juan el Bautista; otros, Elías; y otros, que algún profeta de los antiguos ha resucitado.*d*

**20** Él les dijo: ¿Y vosotros, quién decís que soy? Entonces respondiendo Pedro, dijo: El Cristo de Dios.*e*

## Jesús anuncia su muerte

**21** Pero él les mandó que a nadie dijesen esto, encargándoselo rigurosamente,

**22** y diciendo: Es necesario que el Hijo del Hombre padezca muchas cosas, y sea desechado por los ancianos, por los principales sacerdotes y por los escribas, y que sea muerto, y resucite al tercer día.

**23** Y decía a todos: Si alguno quiere venir en pos de mí, niéguese a sí mismo, tome su cruz cada día, y sígame.*f*

**24** Porque todo el que quiera salvar su vida, la perderá; y todo el que pierda su vida por causa de mí, éste la salvará.*g*

**25** Pues ¿qué aprovecha al hombre, si gana todo el mundo, y se destruye o se pierde a sí mismo?

**26** Porque el que se avergonzare de mí y de mis palabras, de éste se avergonzará el Hijo del Hombre cuando venga en su gloria, y en la del Padre, y de los santos ángeles.

**27** Pero os digo en verdad, que hay algunos de los que están aquí, que no gustarán la muerte hasta que vean el reino de Dios.

## La transfiguración

**28** Aconteció como ocho días después de estas palabras, que tomó a Pedro, a Juan y a Jacobo, y subió al monte a orar.*h*

**29** Y entre tanto que oraba, la apariencia de su rostro se hizo otra, y su vestido blanco y resplandeciente.

**30** Y he aquí dos varones que hablaban con él, los cuales eran Moisés y Elías;

---

**9.7-8** *c* Mt. 16.14; Mr. 8.28; Lc. 9.19.   **9.19** *d* Mt. 14.1-2; Mr. 6.14-15; Lc. 9.7-8.   **9.20** *e* Jn. 6.68-69.
**9.23** *f* Mt. 10.38; Lc. 14.27.   **9.24** *g* Mt. 10.39; Lc. 17.33; Jn. 12.25.   **9.28-35** *h* 2 P. 1.17-18.

---

**9.10-20** Una vez más Jesús demostró su deseo de satisfacer necesidades diversas. Al alimentar a cinco mil satisfizo una necesidad básica: comida. Antes Jesús había estado lidiando con varios problemas que requerían realizar una sanidad física. Aquí Jesús satisfizo las necesidades intelectuales y emocionales de sus discípulos, así como la necesidad física de la multitud. Mientras Dios nos ayuda en la recuperación, en última instancia también suple nuestra necesidad espiritual de una apropiada relación con él. Jesús el Mesías ofrece una recuperación que abarca todos los aspectos de nuestra vida. Con su ayuda podemos tomar medidas para vivir en armonía con Dios, con la gente que nos rodea y con el resto del mundo.

**9.23-27** En esta confrontación de voluntades, Jesús muestra la suprema importancia de someter nuestra voluntad a la voluntad de Dios. Jesús tiene un derecho superior sobre nuestra vida que está por encima de nuestros deseos y conveniencias personales. Aferrarnos a una ambición egoísta o a los deseos del mundo nos destruirá. Paradójicamente, renunciar a nuestra vida para establecer una relación con Dios a través de Jesús es la única forma segura de encontrar su verdadero significado y propósito. Esta enseñanza se opone a nuestras inclinaciones naturales y sólo puede aceptarse por fe. Pero si sometemos nuestra voluntad a la voluntad de Dios, comenzaremos a experimentar la vida plena que Dios quiere que tengamos.

31 quienes aparecieron rodeados de gloria, y hablaban de su partida, que iba Jesús a cumplir en Jerusalén.

32 Y Pedro y los que estaban con él estaban rendidos de sueño; mas permaneciendo despiertos, vieron la gloria de Jesús, y a los dos varones que estaban con él.

33 Y sucedió que apartándose ellos de él, Pedro dijo a Jesús: Maestro, bueno es para nosotros que estemos aquí; y hagamos tres enramadas, una para ti, una para Moisés, y una para Elías; no sabiendo lo que decía.

34 Mientras él decía esto, vino una nube que los cubrió; y tuvieron temor al entrar en la nube.

35 Y vino una voz desde la nube, que decía: Este es mi Hijo amado;[i] a él oíd.

36 Y cuando cesó la voz, Jesús fue hallado solo; y ellos callaron, y por aquellos días no dijeron nada a nadie de lo que habían visto.

## Jesús sana a un muchacho endemoniado

37 Al día siguiente, cuando descendieron del monte, una gran multitud les salió al encuentro.

38 Y he aquí, un hombre de la multitud clamó diciendo: Maestro, te ruego que veas a mi hijo, pues es el único que tengo;

39 y sucede que un espíritu le toma, y de repente da voces, y le sacude con violencia, y le hace echar espuma, y estropeándole, a duras penas se aparta de él.

40 Y rogué a tus discípulos que le echasen fuera, y no pudieron.

41 Respondiendo Jesús, dijo: ¡Oh generación incrédula y perversa! ¿Hasta cuándo he de estar con vosotros, y os he de soportar? Trae acá a tu hijo.

42 Y mientras se acercaba el muchacho, el demonio le derribó y le sacudió con violencia; pero Jesús reprendió al espíritu inmundo, y sanó al muchacho, y se lo devolvió a su padre.

43 Y todos se admiraban de la grandeza de Dios.

## Jesús anuncia otra vez su muerte

Y maravillándose todos de todas las cosas que hacía, dijo a sus discípulos:

44 Haced que os penetren bien en los oídos estas palabras; porque acontecerá que el Hijo del Hombre será entregado en manos de hombres.

45 Mas ellos no entendían estas palabras, pues les estaban veladas para que no las entendiesen; y temían preguntarle sobre esas palabras.

## ¿Quién es el mayor?

46 Entonces entraron en discusión sobre quién de ellos sería el mayor.[j]

47 Y Jesús, percibiendo los pensamientos de sus corazones, tomó a un niño y lo puso junto a sí,

48 y les dijo: Cualquiera que reciba a este niño en mi nombre, a mí me recibe; y cualquiera que me recibe a mí, recibe al que me envió;[k] porque el que es más pequeño entre todos vosotros, ése es el más grande.

## El que no es contra nosotros, por nosotros es

49 Entonces respondiendo Juan, dijo: Maestro, hemos visto a uno que echaba fuera demonios en tu nombre; y se lo prohibimos, porque no sigue con nosotros.

50 Jesús le dijo: No se lo prohibáis; porque el que no es contra nosotros, por nosotros es.

## Jesús reprende a Jacobo y a Juan

51 Cuando se cumplió el tiempo en que él había de ser recibido arriba, afirmó su rostro para ir a Jerusalén.

52 Y envió mensajeros delante de él, los cuales fueron y entraron en una aldea de los samaritanos para hacerle preparativos.

53 Mas no le recibieron, porque su aspecto era como de ir a Jerusalén.

54 Viendo esto sus discípulos Jacobo y Juan, dijeron: Señor, ¿quieres que mandemos que descienda fuego del cielo, como hizo Elías, y los consuma?[l]

55 Entonces volviéndose él, los reprendió, diciendo: Vosotros no sabéis de qué espíritu sois;

56 porque el Hijo del Hombre no ha venido para perder las almas de los hombres, sino para salvarlas. Y se fueron a otra aldea.

## Los que querían seguir a Jesús

57 Yendo ellos, uno le dijo en el camino: Señor, te seguiré adondequiera que vayas.

**9.35** [i] Is. 42.1; Mt. 3.17; 12.18; Mr. 1.11; Lc. 3.22. **9.46** [j] Lc. 22.24. **9.48** [k] Mt. 10.40; Lc. 10.16; Jn. 13.20. **9.54** [l] 2 R. 1.9-16.

---

**9.28-36** Aunque las primeras impresiones valen mucho y muchos juzgan a otros según las apariencias, con frecuencia las cosas no son lo que parecen. Pedro confiaba demasiado en las primeras impresiones y en las apariencias, por lo que saltó a algunas conclusiones erróneas. Para Pedro, estos dos grandes profetas del Antiguo Testamento parecían estar a la par de Jesús. Sin embargo, la voz de Dios y los acontecimientos posteriores confirmaron que Jesús era el Hijo de Dios. Si vamos a progresar en nuestra recuperación, necesitamos dejar de juzgar por las apariencias, empezar a explorar las realidades espirituales y escuchar siempre la voz de Dios.

**58** Y le dijo Jesús: Las zorras tienen guaridas, y las aves de los cielos nidos; mas el Hijo del Hombre no tiene dónde recostar la cabeza.

**59** Y dijo a otro: Sígueme. Él le dijo: Señor, déjame que primero vaya y entierre a mi padre.

**60** Jesús le dijo: Deja que los muertos entierren a sus muertos; y tú ve, y anuncia el reino de Dios.

**61** Entonces también dijo otro: Te seguiré, Señor; pero déjame que me despida primero de los que están en mi casa.*m*

**62** Y Jesús le dijo: Ninguno que poniendo su mano en el arado mira hacia atrás, es apto para el reino de Dios.

## Misión de los setenta

**10** **1** Después de estas cosas, designó el Señor también a otros setenta, a quienes envió de dos en dos delante de él a toda ciudad y lugar adonde él había de ir.

**2** Y les decía: La mies a la verdad es mucha, mas los obreros pocos; por tanto, rogad al Señor de la mies que envíe obreros a su mies.*a*

**3** Id; he aquí yo os envío como corderos en medio de lobos.*b*

**4** No llevéis bolsa, ni alforja, ni calzado; y a nadie saludéis por el camino.

**5** En cualquier casa donde entréis, primeramente decid: Paz sea a esta casa.

**6** Y si hubiere allí algún hijo de paz, vuestra paz reposará sobre él; y si no, se volverá a vosotros.

**7** Y posad en aquella misma casa, comiendo y bebiendo lo que os den; porque el obrero es digno de su salario.*c* No os paséis de casa en casa.

**8** En cualquier ciudad donde entréis, y os reciban, comed lo que os pongan delante;

**9** y sanad a los enfermos que en ella haya, y decidles: Se ha acercado a vosotros el reino de Dios.

**10** Mas en cualquier ciudad donde entréis, y no os reciban, saliendo por sus calles, decid:

**11** Aun el polvo de vuestra ciudad, que se ha pegado a nuestros pies, lo sacudimos contra vosotros.*d* Pero esto sabed, que el reino de Dios se ha acercado a vosotros.*e*

**12** Y os digo que en aquel día será más tolerable el castigo para Sodoma,*f* que para aquella ciudad.*g*

## Ayes sobre las ciudades impenitentes

**13** ¡Ay de ti, Corazín! ¡Ay de ti, Betsaida! que si en Tiro y en Sidón*h* se hubieran hecho los milagros que se han hecho en vosotras, tiempo ha que sentadas en cilicio y ceniza, se habrían arrepentido.

**14** Por tanto, en el juicio será más tolerable el castigo para Tiro y Sidón, que para vosotras.

**15** Y tú, Capernaum, que hasta los cielos eres levantada, hasta el Hades serás abatida.*i*

**16** El que a vosotros oye, a mí me oye;*j* y el que a vosotros desecha, a mí me desecha; y el que me desecha a mí, desecha al que me envió.

## Regreso de los setenta

**17** Volvieron los setenta con gozo, diciendo: Señor, aun los demonios se nos sujetan en tu nombre.

**18** Y les dijo: Yo veía a Satanás caer del cielo como un rayo.

**19** He aquí os doy potestad de hollar serpientes y escorpiones,*k* y sobre toda fuerza del enemigo, y nada os dañará.

**20** Pero no os regocijéis de que los espíritus se os sujetan, sino regocijaos de que vuestros nombres están escritos en los cielos.

## Jesús se regocija

**21** En aquella misma hora Jesús se regocijó en el Espíritu, y dijo: Yo te alabo, oh Padre, Señor del cielo y de la tierra, porque escondiste estas cosas de los sabios y entendidos, y las has revelado a los niños. Sí, Padre, porque así te agradó.

**22** Todas las cosas me fueron entregadas por mi Padre;*l* y nadie conoce quién es el Hijo sino el Padre; ni quién es el Padre, sino el Hijo,*m* y aquel a quien el Hijo lo quiera revelar.

**23** Y volviéndose a los discípulos, les dijo aparte: Bienaventurados los ojos que ven lo que vosotros veis;

**24** porque os digo que muchos profetas y reyes desearon ver lo que vosotros veis, y no lo vieron; y oír lo que oís, y no lo oyeron.

## El buen samaritano

**25** Y he aquí un intérprete de la ley se levantó y

---

**9.61** *m* 1 R. 19.20. **10.2** *a* Mt. 9.37-38. **10.3** *b* Mt. 10.16. **10.7** *c* 1 Co. 9.14; 1 Ti. 5.18. **10.10-11** *d* Hch. 13.51. **10.4-11** *e* Mt. 10. 7-14; Mr. 6.8-11; Lc. 9.3-5. **10.12** *f* Gn. 19.24-28; Mt. 11.24. *g* Mt. 10.15. **10.13** *h* Is. 23.1-18; Ez. 26.1-28.26; Jl. 3.4-8; Am. 1.9-10; Zac. 9.2-4. **10.15** *i* Is. 14.13-15. **10.16** *j* Mt. 10.40; Mr. 9.37; Lc. 9.48; Jn. 13.20. **10.19** *k* Sal. 91.13. **10.22** *l* Jn. 3.35. *m* Jn. 10.15.

---

**10.8-16** Los discípulos recibieron la ambiciosa tarea y el privilegio de llevar el mensaje del Mesías por toda la tierra. Su ministerio no siempre sería bien recibido. Quien siga a Jesús hacia la recuperación enfrentará contratiempos similares, como el rechazo y la burla. Al contar a otros nuestra historia de liberación, tal vez descubramos que no siempre seremos bien recibidos en nuestro antiguo campo de acción. Cuando experimentemos el rechazo, debemos estar preparados para encontrar la salida oportuna, ir en paz y buscar un auditorio más receptivo.

# MARÍA Y MARTA

Como todas las hermanas, María y Marta tenían dones y personalidades peculiares. Marta era laboriosa y se preocupaba por los detalles, mientras que María, la contemplativa, se deleitaba en sentarse a los pies de Jesús y ser su estudiante.

Se nos permite observar el corazón de María cuando la vemos ungir a Jesús con aceite poco antes de su muerte. Judas criticó hipócritamente el extravagante acto de amor y devoción de María. En el proceso de recuperación quizás sea necesario dar pasos que otros criticarán, pero debemos recordar que lo importante es que Dios esté complacido con nuestras acciones.

Cuando murió Lázaro, el hermano de Marta y María, los sucesos posteriores le dieron la oportunidad a las dos hermanas de madurar más en su comprensión de Jesús. Jesús sabía que si se retrasaba, no llegaría sino después de la muerte de Lázaro. Si hubiera llegado antes, seguramente habría podido sanarlo; pero al llegar después, Jesús tuvo la oportunidad de hacer algo mucho más glorioso — ¡lo resucitó de entre los muertos!

Para María y Marta el retraso fue doloroso. Sin embargo el resultado final fue una fe más profunda y una experiencia de gozo más plena, que se origina en el hecho de confiarle a Dios cada detalle de nuestra vida. Cuando pasamos por momentos difíciles, quizás no siempre entendemos lo que Dios está haciendo, pero nuestra fe y fortaleza crecen al sobrellevarlos pacientemente. Siempre hay esperanza cuando el Dios que puede resucitar a los muertos está de nuestro lado.

**FORTALEZAS Y LOGROS:**
- Ambas eran seguidoras devotas de Jesús.
- Marta era trabajadora, eficiente y meticulosa.
- María tenía un corazón dedicado a Dios.

**DEBILIDADES Y ERRORES:**
- Marta estaba tan ocupada atendiendo los detalles que perdió la oportunidad de pasar tiempo con Jesús.

**LECCIONES PARA NUESTRA VIDA:**
- En el proceso de recuperación podemos estar tan ocupados haciendo cosas –aunque sean buenas— que olvidemos pasar tiempo con Jesús.
- Jesús valoró entre sus seguidores la contribución de estas mujeres.
- Es importante que veamos a cada uno de nuestros hijos como una persona única.

**VERSÍCULOS CLAVE:**
«Marta ... acercándose, dijo: Señor, ¿no te da cuidado que mi hermana me deje servir sola? Dile, pues, que me ayude. Respondiendo Jesús, le dijo: Marta, Marta, afanada y turbada estás con muchas cosas. Pero sólo una cosa es necesaria; y María ha escogido la buena parte, la cual no le será quitada» (Lucas 10.40-42)

La historia de María y Marta se encuentra en Mateo 26.6-13; Lucas 10.38-42 y Juan 11.1-45; 12.1-8.

---

dijo, para probarle:[n] Maestro, ¿haciendo qué cosa heredaré la vida eterna?

**26** Él le dijo: ¿Qué está escrito en la ley? ¿Cómo lees?

**27** Aquél, respondiendo, dijo: Amarás al Señor tu Dios con todo tu corazón, y con toda tu alma, y con todas tus fuerzas, y con toda tu mente;[o] y a tu prójimo como a ti mismo.[p]

**28** Y le dijo: Bien has respondido; haz esto, y vivirás.[q]

**29** Pero él, queriendo justificarse a sí mismo, dijo a Jesús: ¿Y quién es mi prójimo?

**30** Respondiendo Jesús, dijo: Un hombre descendía de Jerusalén a Jericó, y cayó en manos de ladrones, los cuales le despojaron; e hiriéndole, se fueron, dejándole medio muerto.

**31** Aconteció que descendió un sacerdote por aquel camino, y viéndole, pasó de largo.

**32** Asimismo un levita, llegando cerca de aquel lugar, y viéndole, pasó de largo.

**33** Pero un samaritano, que iba de camino, vino cerca de él, y viéndole, fue movido a misericordia;

**34** y acercándose, vendó sus heridas, echándoles aceite y vino; y poniéndole en su cabalgadura, lo llevó al mesón, y cuidó de él.

**10.25-28** [n] Mt. 22.35-40; Mr. 12.28-34.  **10.27** [o] Dt. 6.5. [p] Lv. 19.18.  **10.28** [q] Lv. 18.5.

---

**10.25-37** El relato del buen samaritano enseña que el verdadero amor a Dios se expresa cuando nos preocupamos por las necesidades de los demás. En tiempos de Jesús, los judíos y los samaritanos se odiaban. Así que cuando el aborrecido samaritano demostró ser un buen prójimo del judío herido, Jesús estaba mostrando que la preocupación por los demás no conoce límites. Cuando Dios nos sana y nos ofrece la recuperación, nos convertimos en instrumentos eficaces para ayudar a otros que tienen necesidades similares. Contar las buenas nuevas de nuestra liberación es una responsabilidad que recibimos de Dios. Al hacerlo,

**35** Otro día al partir, sacó dos denarios, y los dio al mesonero, y le dijo: Cuídamele; y todo lo que gastes de más, yo te lo pagaré cuando regrese.

**36** ¿Quién, pues, de estos tres te parece que fue el prójimo del que cayó en manos de los ladrones?

**37** Él dijo: El que usó de misericordia con él. Entonces Jesús le dijo: Ve, y haz tú lo mismo.

### Jesús visita a Marta y a María

**38** Aconteció que yendo de camino, entró en una aldea; y una mujer llamada Marta le recibió en su casa.

**39** Esta tenía una hermana que se llamaba María,ʳ la cual, sentándose a los pies de Jesús, oía su palabra.

**40** Pero Marta se preocupaba con muchos quehaceres, y acercándose, dijo: Señor, ¿no te da cuidado que mi hermana me deje servir sola? Dile, pues, que me ayude.

**41** Respondiendo Jesús, le dijo: Marta, Marta, afanada y turbada estás con muchas cosas.

**42** Pero sólo una cosa es necesaria; y María ha escogido la buena parte, la cual no le será quitada.

### Jesús y la oración

**11** **1** Aconteció que estaba Jesús orando en un lugar, y cuando terminó, uno de sus discípulos le dijo: Señor, enséñanos a orar, como también Juan enseñó a sus discípulos.

**2** Y les dijo: Cuando oréis, decid: Padre nuestro que estás en los cielos, santificado sea tu nombre.

Venga tu reino. Hágase tu voluntad, como en el cielo, así también en la tierra.

**3** El pan nuestro de cada día, dánoslo hoy.

**4** Y perdónanos nuestros pecados, porque también nosotros perdonamos a todos los que nos deben. Y no nos metas en tentación, mas líbranos del mal.

**5** Les dijo también: ¿Quién de vosotros que tenga un amigo, va a él a medianoche y le dice: Amigo, préstame tres panes,

**6** porque un amigo mío ha venido a mí de viaje, y no tengo qué ponerle delante;

**7** y aquél, respondiendo desde adentro, le dice: No me molestes; la puerta ya está cerrada, y mis niños están conmigo en cama; no puedo levantarme, y dártelos?

**8** Os digo, que aunque no se levante a dárselos por ser su amigo, sin embargo por su importunidad se levantará y le dará todo lo que necesite.

**9** Y yo os digo: Pedid, y se os dará; buscad, y hallaréis; llamad, y se os abrirá.

**10** Porque todo aquel que pide, recibe; y el que busca, halla; y al que llama, se le abrirá.

**11** ¿Qué padre de vosotros, si su hijo le pide pan, le dará una piedra? ¿o si pescado, en lugar de pescado, le dará una serpiente?

**12** ¿O si le pide un huevo, le dará un escorpión?

**13** Pues si vosotros, siendo malos, sabéis dar buenas dádivas a vuestros hijos, ¿cuánto más vuestro Padre celestial dará el Espíritu Santo a los que se lo pidan?

**10.38-39** ʳ Jn. 11.1.

experimentaremos gran gozo y otras personas lograrán tener esperanza para su recuperación. Nuestra propia fe y nuestra recuperación también se fortalecen cuando recordamos lo que Dios ha hecho en nuestro favor.

**10.38-42** Hay una diferencia entre estar comprometido espiritualmente con la recuperación y estar preocupados por la recuperación. La historia de María y Marta ilustra la diferencia. Marta estaba tan ocupaba «con muchos quehaceres» que no le quedaban tiempo ni energías para estar simplemente con Jesús. Con muchas ocupaciones, Marta incluso llegó a irritarse con María porque no estaba tan ocupada como ella. María, por otro lado, dedicó tiempo para oír a Jesús. La recuperación debe nacer del corazón, y no ser sólo una recuperación en la que actuemos compulsivamente para representar bien el papel.

**11.2** El comienzo de esta oración, «Padre», describe la actitud y la relación con las que nos debemos acercar a Dios. Lucas usó la palabra familiar que un niño usaría para hablarle a su padre. El equivalente en nuestro vocabulario diario sería dirigirnos a Dios como «Papito». Sólo a través de este tipo de intimidad en la relación de oración con nuestro Padre celestial podemos encontrar fortaleza para hacer frente a los enormes retos para lograr una recuperación que dure toda la vida.

**11.4** El perdón que Dios nos concede y el que nosotros concedemos a los demás están unidos inexorablemente. Jesús dijo que si nos negamos a perdonar a otros, Dios no perdonará nuestros pecados (Mateo 6.14-15). Para experimentar cabalmente el perdón de Dios debemos estar dispuestos a perdonar a los demás. Por el contrario, los espíritus rencorosos nos impiden disfrutar de la libertad que hay en el perdón divino. Albergar enojo y guardar rencor, cuando Dios nos ha perdonado tanto, es hipocresía y un obstáculo para la recuperación.

**11.4** En esta oración se reconoce con franqueza nuestra propia debilidad y vulnerabilidad ante la tentación. Quien ora con fe le pide a Dios que lo ayude a no ceder ante la tentación. Como oración modelo, este principio es muy importante cuando procuramos alcanzar la victoria en aquellas zonas de nuestra vida donde el pecado ha construido su fortaleza. El proceso de recuperación implica no sólo reconocer nuestros pecados y defectos de carácter, sino también evitar situaciones que nos puedan llevar a la tentación y a la caída.

## Una casa dividida contra sí misma

**14** Estaba Jesús echando fuera un demonio, que era mudo; y aconteció que salido el demonio, el mudo habló; y la gente se maravilló.

**15** Pero algunos de ellos decían: Por Beelzebú, príncipe de los demonios, echa fuera los demonios.ª

**16** Otros, para tentarle, le pedían señal del cielo.ᵇ

**17** Mas él, conociendo los pensamientos de ellos, les dijo: Todo reino dividido contra sí mismo, es asolado; y una casa dividida contra sí misma, cae.

**18** Y si también Satanás está dividido contra sí mismo, ¿cómo permanecerá su reino? ya que decís que por Beelzebú echo yo fuera los demonios.

**19** Pues si yo echo fuera los demonios por Beelzebú, ¿vuestros hijos por quién los echan? Por tanto, ellos serán vuestros jueces.

**20** Mas si por el dedo de Dios echo yo fuera los demonios, ciertamente el reino de Dios ha llegado a vosotros.

**21** Cuando el hombre fuerte armado guarda su palacio, en paz está lo que posee.

**22** Pero cuando viene otro más fuerte que él y le vence, le quita todas sus armas en que confiaba, y reparte el botín.

**23** El que no es conmigo, contra mí es;ᶜ y el que conmigo no recoge, desparrama.

## El espíritu inmundo que vuelve

**24** Cuando el espíritu inmundo sale del hombre, anda por lugares secos, buscando reposo; y no hallándolo, dice: Volveré a mi casa de donde salí.

**25** Y cuando llega, la halla barrida y adornada.

**26** Entonces va, y toma otros siete espíritus peores que él; y entrados, moran allí; y el postrer estado de aquel hombre viene a ser peor que el primero.

## Los que en verdad son bienaventurados

**27** Mientras él decía estas cosas, una mujer de entre la multitud levantó la voz y le dijo: Bienaventurado el vientre que te trajo, y los senos que mamaste.

**28** Y él dijo: Antes bienaventurados los que oyen la palabra de Dios, y la guardan.

## La generación perversa demanda señal

**29** Y apiñándose las multitudes, comenzó a decir: Esta generación es mala; demanda señal,ᵈ pero señal no le será dada, sino la señal de Jonás.

**30** Porque así como Jonás fue señal a los ninivitas,ᵉ también lo será el Hijo del Hombre a esta generación.

**31** La reina del Sur se levantará en el juicio con los hombres de esta generación, y los condenará;

PASO 7

## Orgullo nacido del dolor

LECTURA BÍBLICA: Lucas 11.5-13

**Le pedimos a él humildemente que eliminara nuestras imperfecciones.**

Nuestro orgullo puede evitar que pidamos lo que necesitamos. Es posible que hayamos crecido en una familia en la que no nos tomaban en cuenta o nos fallaban constantemente. Quizás sólo raras veces satisfacían nuestras necesidades. Tal vez muchos hayamos reaccionado volviéndonos autosuficientes. Decidimos que nunca le pediríamos ayuda a nadie. Es más, ¡lucharíamos para no necesitar nunca más la ayuda de nadie!

Es este tipo de orgullo, nacido del dolor, el que evitará que le pidamos ayuda a Dios para lidiar con nuestros fracasos. Jesús dijo: «Y yo os digo: Pedid, y se os dará; buscad, y hallaréis; llamad, y se os abrirá. Porque todo aquel que pide, recibe; y el que busca, halla; y al que llama, se le abrirá» (Lucas 11.9-10). «¿Qué hombre hay de vosotros, que si su hijo le pide pan, le dará una piedra? ¿O si le pide un pescado, le dará una serpiente? Pues si vosotros, siendo malos, sabéis dar buenas dádivas a vuestros hijos, ¿cuánto más vuestro Padre que está en los cielos dará buenas cosas a los que le pidan?» (Mateo 7.9-11)

Tenemos que llegar al punto de renunciar a nuestra orgullosa autosuficiencia; tenemos que estar dispuestos a pedir ayuda. Y no podemos pedir ayuda sólo una vez y ya está. Debemos ser persistentes y pedirla repetidamente según se vayan presentando las necesidades. Cuando practiquemos de esta manera el Paso Siete, podremos estar seguros de que nuestro amoroso Padre celestial responderá dándonos buenas dádivas y quitando nuestros defectos. ***Vaya a la página 125, Lucas 18.***

---

**11.15** ª Mt. 9.34; 10.25.   **11.16** ᵇ Mt. 12.38; 16.1; Mr. 8.11.   **11.23** ᶜ Mr. 9.40.   **11.29** ᵈ Mt. 16.4; Mr. 8.12.   **11.30** ᵉ Jon. 3.4.

porque ella vino de los fines de la tierra para oír la sabiduría de Salomón,*f* y he aquí más que Salomón en este lugar.

**32** Los hombres de Nínive se levantarán en el juicio con esta generación, y la condenarán; porque a la predicación de Jonás se arrepintieron,*g* y he aquí más que Jonás en este lugar.

## La lámpara del cuerpo

**33** Nadie pone en oculto la luz encendida, ni debajo del almud, sino en el candelero,*h* para que los que entran vean la luz.

**34** La lámpara del cuerpo es el ojo; cuando tu ojo es bueno, también todo tu cuerpo está lleno de luz; pero cuando tu ojo es maligno, también tu cuerpo está en tinieblas.

**35** Mira pues, no suceda que la luz que en ti hay, sea tinieblas.

**36** Así que, si todo tu cuerpo está lleno de luz, no teniendo parte alguna de tinieblas, será todo luminoso, como cuando una lámpara te alumbra con su resplandor.

## Jesús acusa a fariseos y a intérpretes de la ley

**37** Luego que hubo hablado, le rogó un fariseo que comiese con él; y entrando Jesús en la casa, se sentó a la mesa.

**38** El fariseo, cuando lo vio, se extrañó de que no se hubiese lavado antes de comer.

**39** Pero el Señor le dijo: Ahora bien, vosotros los fariseos limpiáis lo de fuera del vaso y del plato, pero por dentro estáis llenos de rapacidad y de maldad.

**40** Necios, ¿el que hizo lo de fuera, no hizo también lo de adentro?

**41** Pero dad limosna de lo que tenéis, y entonces todo os será limpio.

**42** Mas ¡ay de vosotros, fariseos! que diezmáis la menta, y la ruda, y toda hortaliza,*i* y pasáis por alto la justicia y el amor de Dios. Esto os era necesario hacer, sin dejar aquello.

**43** ¡Ay de vosotros, fariseos! que amáis las primeras sillas en las sinagogas, y las salutaciones en las plazas.

**44** ¡Ay de vosotros, escribas y fariseos, hipócritas! que sois como sepulcros que no se ven, y los hombres que andan encima no lo saben.

**45** Respondiendo uno de los intérpretes de la ley, le dijo: Maestro, cuando dices esto, también nos afrentas a nosotros.

**46** Y él dijo: ¡Ay de vosotros también, intérpretes de la ley! porque cargáis a los hombres con cargas que no pueden llevar, pero vosotros ni aun con un dedo las tocáis.

**47** ¡Ay de vosotros, que edificáis los sepulcros de los profetas a quienes mataron vuestros padres!

**48** De modo que sois testigos y consentidores de los hechos de vuestros padres; porque a la verdad ellos los mataron, y vosotros edificáis sus sepulcros.

**49** Por eso la sabiduría de Dios también dijo: Les enviaré profetas y apóstoles; y de ellos, a unos matarán y a otros perseguirán,

**50** para que se demande de esta generación la sangre de todos los profetas que se ha derramado desde la fundación del mundo,

**51** desde la sangre de Abel*j* hasta la sangre de Zacarías,*k* que murió entre el altar y el templo; sí, os digo que será demandada de esta generación.

**52** ¡Ay de vosotros, intérpretes de la ley! porque habéis quitado la llave de la ciencia; vosotros mismos no entrasteis, y a los que entraban se lo impedisteis.

**53** Diciéndoles él estas cosas, los escribas y los fariseos comenzaron a estrecharle en gran manera, y a provocarle a que hablase de muchas cosas;

**54** acechándole, y procurando cazar alguna palabra de su boca para acusarle.

## La levadura de los fariseos

**12** **1** En esto, juntándose por millares la multitud, tanto que unos a otros se atropellaban, comenzó a decir a sus discípulos, primeramente: Guardaos de la levadura de los fariseos,*a* que es la hipocresía.

**2** Porque nada hay encubierto, que no haya de descubrirse; ni oculto, que no haya de saberse.*b*

**3** Por tanto, todo lo que habéis dicho en tinieblas, a la luz se oirá; y lo que habéis hablado al oído en los aposentos, se proclamará en las azoteas.

## A quién se debe temer

**4** Mas os digo, amigos míos: No temáis a los que matan el cuerpo, y después nada más pueden hacer.

**5** Pero os enseñaré a quién debéis temer: Temed a aquel que después de haber quitado la vida, tiene poder de echar en el infierno; sí, os digo, a éste temed.

**6** ¿No se venden cinco pajarillos por dos cuartos? Con todo, ni uno de ellos está olvidado delante de Dios.

---

**11.31** *f* 1 R. 10.1-10; 2 Cr. 9.1-12.   **11.32** *g* Jon. 3.5.   **11.33** *h* Mt. 5.15; Mr. 4.21; Lc. 8.16.   **11.42** *i* Lv. 27.30.   **11.51** *j* Gn. 4.8. *k* 2 Cr. 24.20-21.   **12.1** *a* Mt. 16.6; Mr. 8.15.   **12.2** *b* Mr. 4.22; Lc. 8.17.

---

**12.6-7** Si Dios cuida hasta de los pajarillos, cuida aún más de nosotros. Si se preocupa por contar los cabellos de nuestra cabeza, se preocupa aún más por nuestros pensamientos y sentimientos. Apoyarnos en esta realidad puede ayudarnos cuando nos sintamos deprimidos y solos. La persona más importante y poderosa del universo se preocupa por nosotros de manera profunda y personal.

SEÑOR, concédeme serenidad para aceptar las cosas que no puedo cambiar, valor para cambiar las que sí puedo y sabiduría para reconocer la diferencia entre ambas. AMÉN

Con frecuencia nos protegemos a nosotros mismos enfocando nuestra atención en otras personas y en su conducta. De esa forma no tenemos que examinar nuestro propio comportamiento.

A menudo seguimos manteniendo relaciones personales en las que nosotros parecemos ser débiles, pues al hacerlo así, recurrimos a excusas que hemos incorporado a nuestra manera de ser para justificar nuestros fracasos. También es posible que gastemos tiempo despreciando a otros «peores» que nosotros, ya que de esta forma evitamos examinar nuestra propia corrupción. Pero al actuar así dejamos de asumir la responsabilidad por nuestra vida haciendo una autocrítica franca.

Jesús confrontó a los fariseos cuando les dijo: «Vosotros los fariseos limpiáis lo de fuera del vaso y del plato, pero por dentro estáis llenos de rapacidad y de maldad» (Lucas 11.39). ¿Puede imaginarse que se lave sólo la parte exterior de un vaso que está sucio por dentro y luego usarlo para beber? ¡Seguro que no! Pero esto es lo que hacemos en sentido espiritual, porque es difícil lidiar con la «suciedad» de nuestro corazón.

Cambiar lo que podemos cambiar implica dar pasos para limpiar el interior de nuestra «copa», nuestro corazón. Debemos comenzar a desviar nuestra vista de toda la gente que nos rodea, incluyendo a quienes culpamos por nuestra situación en la vida o a los que condenamos para que, por comparación, nuestros defectos parezcan menores. Luego debemos volver a mirar en nuestro interior. A todos nos queda un residuo de maldad. Cuando reconozcamos esto ante Dios, ante nosotros y ante los demás, experimentaremos la purificación que produce la humildad y el perdón. Entonces tendremos una vida que podrá llevar consuelo a otros. *Vaya a la página 265, 1 Corintios 10.*

---

**7** Pues aun los cabellos de vuestra cabeza están todos contados. No temáis, pues; más valéis vosotros que muchos pajarillos.

### El que me confesare delante de los hombres

**8** Os digo que todo aquel que me confesare delante de los hombres, también el Hijo del Hombre le confesará delante de los ángeles de Dios;

**9** mas el que me negare delante de los hombres, será negado delante de los ángeles de Dios.

**10** A todo aquel que dijere alguna palabra contra el Hijo del Hombre, le será perdonado; pero al que blasfemare contra el Espíritu Santo, no le será perdonado.[c]

**11** Cuando os trajeren a las sinagogas, y ante los magistrados y las autoridades, no os preocupéis por cómo o qué habréis de responder, o qué habréis de decir;

**12** porque el Espíritu Santo os enseñará en la misma hora lo que debáis decir.[d]

### El rico insensato

**13** Le dijo uno de la multitud: Maestro, di a mi hermano que parta conmigo la herencia.

**12.10** [c] Mt. 12.32; Mr. 3.29. **12.11-12** [d] Mt. 10.19-20; Mr. 13.11; Lc. 21.14-15.

**14** Mas él le dijo: Hombre, ¿quién me ha puesto sobre vosotros como juez o partidor?

**15** Y les dijo: Mirad, y guardaos de toda avaricia; porque la vida del hombre no consiste en la abundancia de los bienes que posee.

**16** También les refirió una parábola, diciendo: La heredad de un hombre rico había producido mucho.

**17** Y él pensaba dentro de sí, diciendo: ¿Qué haré, porque no tengo dónde guardar mis frutos?

**18** Y dijo: Esto haré: derribaré mis graneros, y los edificaré mayores, y allí guardaré todos mis frutos y mis bienes;

**19** y diré a mi alma: Alma, muchos bienes tienes guardados para muchos años; repósate, come, bebe, regocíjate.

**20** Pero Dios le dijo: Necio, esta noche vienen a pedirte tu alma; y lo que has provisto, ¿de quién será?

**21** Así es el que hace para sí tesoro, y no es rico para con Dios.

### El afán y la ansiedad

**22** Dijo luego a sus discípulos: Por tanto os digo: No os afanéis por vuestra vida, qué comeréis; ni por el cuerpo, qué vestiréis.

**23** La vida es más que la comida, y el cuerpo que el vestido.

**24** Considerad los cuervos, que ni siembran, ni siegan; que ni tienen despensa, ni granero, y Dios los alimenta. ¿No valéis vosotros mucho más que las aves?

**25** ¿Y quién de vosotros podrá con afanarse añadir a su estatura un codo?

**26** Pues si no podéis ni aun lo que es menos, ¿por qué os afanáis por lo demás?

**27** Considerad los lirios, cómo crecen; no trabajan, ni hilan; mas os digo, que ni aun Salomón con toda su gloria*e* se vistió como uno de ellos.

**28** Y si así viste Dios la hierba que hoy está en el campo, y mañana es echada al horno, ¿cuánto más a vosotros, hombres de poca fe?

**29** Vosotros, pues, no os preocupéis por lo que habéis de comer, ni por lo que habéis de beber, ni estéis en ansiosa inquietud.

**30** Porque todas estas cosas buscan las gentes del mundo; pero vuestro Padre sabe que tenéis necesidad de estas cosas.

**31** Mas buscad el reino de Dios, y todas estas cosas os serán añadidas.

### Tesoro en el cielo

**32** No temáis, manada pequeña, porque a vuestro Padre le ha placido daros el reino.

**33** Vended lo que poseéis, y dad limosna; haceos bolsas que no se envejezcan, tesoro en los cielos que no se agote, donde ladrón no llega, ni polilla destruye.

**34** Porque donde está vuestro tesoro, allí estará también vuestro corazón.

### El siervo vigilante

**35** Estén ceñidos vuestros lomos, y vuestras lámparas encendidas;*f*

**36** y vosotros sed semejantes a hombres que aguardan a que su señor regrese*g* de las bodas, para que cuando llegue y llame, le abran en seguida.

**37** Bienaventurados aquellos siervos a los cuales su señor, cuando venga, halle velando; de cierto os digo que se ceñirá, y hará que se sienten a la mesa, y vendrá a servirles.

**38** Y aunque venga a la segunda vigilia, y aunque venga a la tercera vigilia, si los hallare así, bienaventurados son aquellos siervos.

**12.27** *e* 1 R. 10.4-7; 2 Cr. 9.3-6.　**12.35** *f* Mt. 25.1-13.　**12.36** *g* Mr. 13.34-36.

---

**12.13-21** Jesús ponía énfasis continuamente en los peligros del materialismo. El materialismo no constituía un problema sólo para la gente rica con la que Jesús trataba para los personajes que él incluía en sus relatos. La tendencia a desear más de todo es inherente a la naturaleza humana. A Jesús no le preocupa mucho cuánto poseemos, sino cuánto nos posee la riqueza a nosotros. La verdadera felicidad y el contentamiento no pueden encontrarse en las cosas que tenemos; la recuperación nunca se podrá comprar. Estos regalos sólo los recibimos cuando nos volvemos a Dios con humildad y le pedimos su ayuda compasiva.

**12.22-31** La verdadera libertad y el contentamiento se consiguen al depender exclusivamente de Dios y al obedecerlo. Jesús destacó la inutilidad de pasar tiempo preocupándonos por cosas de las que Dios ya se ha ocupado. Si ni los animales ni las plantas se preocupan por su comida o vestimenta, tampoco nosotros debemos hacerlo. Dios cuida de ellos día tras día, y también cuidará de nosotros si hacemos que su reino sea nuestra mayor preocupación. Confiar en el cuidado supremo y providencial de Dios hace posible que quienes estén en recuperación vivan un día a la vez.

**12.32-34** El corazón representa todo lo que nos motiva: pensamientos, ideales, inclinaciones, prioridades, convicciones, preocupaciones y temores. Si deseamos una recuperación genuina de las zonas problemáticas de nuestra vida, primero debemos desvincularnos de nuestro emotivo apego a la dependencia o a la compulsión con las que estemos luchando. En las cosas que más valoramos y en las que invertimos más tiempo y dinero es donde podemos encontrar nuestros verdaderos compromisos y nuestra identidad personal. Nuestra chequera y nuestra agenda son termómetros que miden la condición de nuestro corazón y nuestro progreso en la recuperación.

**39** Pero sabed esto, que si supiese el padre de familia a qué hora el ladrón había de venir, velaría ciertamente, y no dejaría minar su casa.

**40** Vosotros, pues, también, estad preparados, porque a la hora que no penséis, el Hijo del Hombre vendrá.h

## El siervo infiel

**41** Entonces Pedro le dijo: Señor, ¿dices esta parábola a nosotros, o también a todos?

**42** Y dijo el Señor: ¿Quién es el mayordomo fiel y prudente al cual su señor pondrá sobre su casa, para que a tiempo les dé su ración?

**43** Bienaventurado aquel siervo al cual, cuando su señor venga, le halle haciendo así.

**44** En verdad os digo que le pondrá sobre todos sus bienes.

**45** Mas si aquel siervo dijere en su corazón: Mi señor tarda en venir; y comenzare a golpear a los criados y a las criadas, y a comer y beber y embriagarse,

**46** vendrá el señor de aquel siervo en día que éste no espera, y a la hora que no sabe, y le castigará duramente, y le pondrá con los infieles.

**47** Aquel siervo que conociendo la voluntad de su señor, no se preparó, ni hizo conforme a su voluntad, recibirá muchos azotes.

**48** Mas el que sin conocerla hizo cosas dignas de azotes, será azotado poco; porque a todo aquel a quien se haya dado mucho, mucho se le demandará; y al que mucho se le haya confiado, más se le pedirá.

## Jesús, causa de división

**49** Fuego vine a echar en la tierra; ¿y qué quiero, si ya se ha encendido?

**50** De un bautismo tengo que ser bautizado;i y ¡cómo me angustio hasta que se cumpla!

**51** ¿Pensáis que he venido para dar paz en la tierra? Os digo: No, sino disensión.

**52** Porque de aquí en adelante, cinco en una familia estarán divididos, tres contra dos, y dos contra tres.

**53** Estará dividido el padre contra el hijo, y el hijo contra el padre; la madre contra la hija, y la hija contra la madre; la suegra contra su nuera, y la nuera contra su suegra.j

## ¿Cómo no reconocéis este tiempo?

**54** Decía también a la multitud: Cuando veis la nube que sale del poniente, luego decís: Agua viene; y así sucede.

**55** Y cuando sopla el viento del sur, decís: Hará calor; y lo hace.

**56** ¡Hipócritas! Sabéis distinguir el aspecto del cielo y de la tierra; ¿y cómo no distinguís este tiempo?

## Arréglate con tu adversario

**57** ¿Y por qué no juzgáis por vosotros mismos lo que es justo?

**58** Cuando vayas al magistrado con tu adversario, procura en el camino arreglarte con él, no sea que te arrastre al juez, y el juez te entregue al alguacil, y el alguacil te meta en la cárcel.

**59** Te digo que no saldrás de allí, hasta que hayas pagado aun la última blanca.

## Arrepentíos o pereceréis

**13** **1** En este mismo tiempo estaban allí algunos que le contaban acerca de los galileos cuya sangre Pilato había mezclado con los sacrificios de ellos.

**2** Respondiendo Jesús, les dijo: ¿Pensáis que estos galileos, porque padecieron tales cosas, eran más pecadores que todos los galileos?

**3** Os digo: No; antes si no os arrepentís, todos pereceréis igualmente.

**4** O aquellos dieciocho sobre los cuales cayó la torre en Siloé, y los mató, ¿pensáis que eran más culpables que todos los hombres que habitan en Jerusalén?

**5** Os digo: No; antes si no os arrepentís, todos pereceréis igualmente.

## Parábola de la higuera estéril

**6** Dijo también esta parábola: Tenía un hombre una higuera plantada en su viña, y vino a buscar fruto en ella, y no lo halló.

**7** Y dijo al viñador: He aquí, hace tres años que vengo a buscar fruto en esta higuera, y no lo hallo; córtala; ¿para qué inutiliza también la tierra?

**8** Él entonces, respondiendo, le dijo: Señor, déjala todavía este año, hasta que yo cave alrededor de ella, y la abone.

**9** Y si diere fruto, bien; y si no, la cortarás después.

## Jesús sana a una mujer en el día de reposo

**10** Enseñaba Jesús en una sinagoga en el día de reposo;

---

**12.39-40** h Mt. 24.43-44. **12.50** i Mr. 10.38. **12.53** j Mi. 7.6.

---

**13.10-13** Jesús se preocupaba por los marginados sociales, por los minusválidos emocionales y físicos, y por quienes vivían en esclavitud espiritual. Esta mujer minusválida sufría de estas tres dolencias. Por dieciocho años probablemente lo intentó todo para curarse, pero ya se había resignado a soportar sus dolorosas limitaciones. El poder de un espíritu maligno la había mutilado. Pero el poder de Jesucristo no conoce límites. Jesús sanó a esta mujer que había perdido toda esperanza de una vida nueva. Él puede hacer lo mismo por nosotros al proveernos sanidad y liberación.

**11** y había allí una mujer que desde hacía dieciocho años tenía espíritu de enfermedad, y andaba encorvada, y en ninguna manera se podía enderezar.

**12** Cuando Jesús la vio, la llamó y le dijo: Mujer, eres libre de tu enfermedad.

**13** Y puso las manos sobre ella; y ella se enderezó luego, y glorificaba a Dios.

**14** Pero el principal de la sinagoga, enojado de que Jesús hubiese sanado en el día de reposo, dijo a la gente: Seis días hay en que se debe trabajar; en éstos, pues, venid y sed sanados, y no en día de reposo.*a*

**15** Entonces el Señor le respondió y dijo: Hipócrita, cada uno de vosotros ¿no desata en el día de reposo su buey o su asno del pesebre y lo lleva a beber?

**16** Y a esta hija de Abraham, que Satanás había atado dieciocho años, ¿no se le debía desatar de esta ligadura en el día de reposo?

**17** Al decir él estas cosas, se avergonzaban todos sus adversarios; pero todo el pueblo se regocijaba por todas las cosas gloriosas hechas por él.

### Parábola de la semilla de mostaza

**18** Y dijo: ¿A qué es semejante el reino de Dios, y con qué lo compararé?

**19** Es semejante al grano de mostaza, que un hombre tomó y sembró en su huerto; y creció, y se hizo árbol grande, y las aves del cielo anidaron en sus ramas.

### Parábola de la levadura

**20** Y volvió a decir: ¿A qué compararé el reino de Dios?

**21** Es semejante a la levadura, que una mujer tomó y escondió en tres medidas de harina, hasta que todo hubo fermentado.

### La puerta estrecha

**22** Pasaba Jesús por ciudades y aldeas, enseñando, y encaminándose a Jerusalén.

**23** Y alguien le dijo: Señor, ¿son pocos los que se salvan? Y él les dijo:

**24** Esforzaos a entrar por la puerta angosta; porque os digo que muchos procurarán entrar, y no podrán.

**25** Después que el padre de familia se haya levantado y cerrado la puerta, y estando fuera empecéis a llamar a la puerta, diciendo: Señor, Señor, ábrenos, él respondiendo os dirá: No sé de dónde sois.

**26** Entonces comenzaréis a decir: Delante de ti hemos comido y bebido, y en nuestras plazas enseñaste.

**27** Pero os dirá: Os digo que no sé de dónde sois; apartaos de mí todos vosotros, hacedores de maldad.*b*

**28** Allí será el llanto y el crujir de dientes,*c* cuando veáis a Abraham, a Isaac, a Jacob y a todos los profetas en el reino de Dios, y vosotros estéis excluidos.

**29** Porque vendrán del oriente y del occidente, del norte y del sur, y se sentarán a la mesa en el reino de Dios.*d*

**30** Y he aquí, hay postreros que serán primeros, y primeros que serán postreros.*e*

### Lamento de Jesús sobre Jerusalén

**31** Aquel mismo día llegaron unos fariseos, diciéndole: Sal, y vete de aquí, porque Herodes te quiere matar.

**32** Y les dijo: Id, y decid a aquella zorra: He aquí, echo fuera demonios y hago curaciones hoy y mañana, y al tercer día termino mi obra.

**33** Sin embargo, es necesario que hoy y mañana y pasado mañana siga mi camino; porque no es posible que un profeta muera fuera de Jerusalén.

**34** ¡Jerusalén, Jerusalén, que matas a los profetas, y apedreas a los que te son enviados! ¡Cuántas veces quise juntar a tus hijos, como la gallina a sus polluelos debajo de sus alas, y no quisiste!

**35** He aquí, vuestra casa os es dejada desierta; y os digo que no me veréis, hasta que llegue el tiempo en que digáis: Bendito el que viene en nombre del Señor.*f*

### Jesús sana a un hidrópico

**14** **1** Aconteció un día de reposo, que habiendo entrado para comer en casa de un gobernante, que era fariseo, éstos le acechaban.

**2** Y he aquí estaba delante de él un hombre hidrópico.

**3** Entonces Jesús habló a los intérpretes de la ley y a los fariseos, diciendo: ¿Es lícito sanar en el día de reposo?

**4** Mas ellos callaron. Y él, tomándole, le sanó, y le despidió.

**5** Y dirigiéndose a ellos, dijo: ¿Quién de vosotros,

---

**13.14** *a* Ex. 20.9-10; Dt. 5.13-14. **13.27** *b* Sal. 6.8. **13.28** *c* Mt. 22.13; 25.30. **13.28-29** *d* Mt. 8.11-12 **13.30** *e* Mt. 19.30; 20.16; Mr. 10.31. **13.35** *f* Sal. 118.26.

---

**13.22-30** Las apariencias pueden ser engañosas. Pero no podemos engañar a Dios; él conoce la verdadera intención de nuestro corazón. Podemos ir a la iglesia, ser maestros de Escuela Dominical o cantar en el coro y, como los hipócritas religiosos en los tiempos de Jesús, aun así no gozar de una verdadera relación con Dios. Ser sinceros, no meramente religiosos, es crucial para la recuperación. Dios juzgará la hipocresía religiosa y honrará los intentos sinceros de obedecerlo y conocerlo mejor — sin importar cuántas veces fallemos.

si su asno o su buey cae en algún pozo, no lo sacará inmediatamente, aunque sea en día de reposo?,ᵃ
**6** Y no le podían replicar a estas cosas.

### Los convidados a las bodas

**7** Observando cómo escogían los primeros asientos a la mesa, refirió a los convidados una parábola, diciéndoles:
**8** Cuando fueres convidado por alguno a bodas, no te sientes en el primer lugar, no sea que otro más distinguido que tú esté convidado por él,
**9** y viniendo el que te convidó a ti y a él, te diga: Da lugar a éste; y entonces comiences con vergüenza a ocupar el último lugar.
**10** Mas cuando fueres convidado, ve y siéntate en el último lugar, para que cuando venga el que te convidó, te diga: Amigo, sube más arriba; entonces tendrás gloria delante de los que se sientan contigo a la mesa.ᵇ
**11** Porque cualquiera que se enaltece, será humillado; y el que se humilla, será enaltecido.ᶜ
**12** Dijo también al que le había convidado: Cuando hagas comida o cena, no llames a tus amigos, ni a tus hermanos, ni a tus parientes, ni a vecinos ricos; no sea que ellos a su vez te vuelvan a convidar, y seas recompensado.
**13** Mas cuando hagas banquete, llama a los pobres, los mancos, los cojos y los ciegos;
**14** y serás bienaventurado; porque ellos no te pueden recompensar, pero te será recompensado en la resurrección de los justos.

### Parábola de la gran cena

**15** Oyendo esto uno de los que estaban sentados con él a la mesa, le dijo: Bienaventurado el que coma pan en el reino de Dios.
**16** Entonces Jesús le dijo: Un hombre hizo una gran cena, y convidó a muchos.
**17** Y a la hora de la cena envió a su siervo a decir a los convidados: Venid, que ya todo está preparado.
**18** Y todos a una comenzaron a excusarse. El primero dijo: He comprado una hacienda, y necesito ir a verla; te ruego que me excuses.
**19** Otro dijo: He comprado cinco yuntas de bueyes, y voy a probarlos; te ruego que me excuses.
**20** Y otro dijo: Acabo de casarme, y por tanto no puedo ir.
**21** Vuelto el siervo, hizo saber estas cosas a su señor. Entonces enojado el padre de familia, dijo a su siervo: Vé pronto por las plazas y las calles de la ciudad, y trae acá a los pobres, los mancos, los cojos y los ciegos.
**22** Y dijo el siervo: Señor, se ha hecho como mandaste, y aún hay lugar.
**23** Dijo el señor al siervo: Vé por los caminos y por los vallados, y fuérzalos a entrar, para que se llene mi casa.
**24** Porque os digo que ninguno de aquellos hombres que fueron convidados, gustará mi cena.

### Lo que cuesta seguir a Cristo

**25** Grandes multitudes iban con él; y volviéndose, les dijo:
**26** Si alguno viene a mí, y no aborrece a su padre, y madre, y mujer, e hijos, y hermanos, y hermanas, y aun también su propia vida, no puede ser mi discípulo.ᵈ
**27** Y el que no lleva su cruz y viene en pos de mí, no puede ser mi discípulo.ᵉ
**28** Porque ¿quién de vosotros, queriendo edificar una torre, no se sienta primero y calcula los gastos, a ver si tiene lo que necesita para acabarla?
**29** No sea que después que haya puesto el cimiento, y no pueda acabarla, todos los que lo vean comiencen a hacer burla de él,
**30** diciendo: Este hombre comenzó a edificar, y no pudo acabar.
**31** ¿O qué rey, al marchar a la guerra contra otro rey, no se sienta primero y considera si puede hacer frente con diez mil al que viene contra él con veinte mil?
**32** Y si no puede, cuando el otro está todavía lejos, le envía una embajada y le pide condiciones de paz.

---

**14.5** ᵃ Mt. 12.11.   **14.8-10** ᵇ Pr. 25.6-7.   **14.11** ᶜ Mt. 23.12; Lc. 18.14.   **14.26** ᵈ Mt. 10.37.
**14.27** ᵉ Mt. 10.38; 16.24; Mr. 8.34; Lc. 9.23.

---

**14.12-24** Este relato del banquete ilustra uno de los temas principales del Evangelio de Lucas. Dios extiende su gracia salvadora y su bendición a todo el mundo, incluyendo a los pobres y a los minusválidos de la sociedad, quienes casi siempre son ignorados, y de los que hasta se abusa. Dios recompensará a quienes muestren misericordia hacia estas personas. Un paso importante al seguir a Jesús y en nuestro programa de recuperación es nuestra disposición de ayudar a los menos afortunados.
**14.26-33** «Calcular el costo» no sólo se aplica a la decisión de seguir a Jesús, sino también a nuestra necesidad de estimar el costo de la recuperación. En ambos casos se requiere hacer un minucioso y audaz inventario moral de nuestra vida. Si nuestro compromiso con Jesús y la recuperación vale más para nosotros que nuestra compulsión, adicción o conducta disfuncional, entonces puede llevarse a cabo la recuperación en su sentido más pleno. Si no podemos dejar los placeres de nuestro estilo de vida pecaminoso, nuestra recuperación durará muy poco. Pondremos en riesgo nuestro compromiso y seguiremos siendo esclavos de nuestra dependencia con sus consecuencias dolorosas.

**33** Así, pues, cualquiera de vosotros que no renuncia a todo lo que posee, no puede ser mi discípulo.

## Cuando la sal pierde su sabor

**34** Buena es la sal; mas si la sal se hiciere insípida, ¿con qué se sazonará?

**35** Ni para la tierra ni para el muladar es útil; la arrojan fuera. El que tiene oídos para oír, oiga.

## Parábola de la oveja perdida

**15** **1** Se acercaban a Jesús todos los publicanos y pecadores para oírle,

**2** y los fariseos y los escribas murmuraban, diciendo: Este a los pecadores recibe, y con ellos come.[a]

**3** Entonces él les refirió esta parábola, diciendo:

**4** ¿Qué hombre de vosotros, teniendo cien ovejas, si pierde una de ellas, no deja las noventa y nueve en el desierto, y va tras la que se perdió, hasta encontrarla?

**5** Y cuando la encuentra, la pone sobre sus hombros gozoso;

**6** y al llegar a casa, reúne a sus amigos y vecinos, diciéndoles: Gozaos conmigo, porque he encontrado mi oveja que se había perdido.

**7** Os digo que así habrá más gozo en el cielo por un pecador que se arrepiente, que por noventa y nueve justos que no necesitan de arrepentimiento.

## Parábola de la moneda perdida

**8** ¿O qué mujer que tiene diez dracmas, si pierde una dracma, no enciende la lámpara, y barre la casa, y busca con diligencia hasta encontrarla?

**9** Y cuando la encuentra, reúne a sus amigas y vecinas, diciendo: Gozaos conmigo, porque he encontrado la dracma que había perdido.

**10** Así os digo que hay gozo delante de los ángeles de Dios por un pecador que se arrepiente.

## Parábola del hijo pródigo

**11** También dijo: Un hombre tenía dos hijos;

**12** y el menor de ellos dijo a su padre: Padre, dame la parte de los bienes que me corresponde; y les repartió los bienes.

**13** No muchos días después, juntándolo todo el hijo menor, se fue lejos a una provincia apartada; y allí desperdició sus bienes viviendo perdidamente.

**14** Y cuando todo lo hubo malgastado, vino una gran hambre en aquella provincia, y comenzó a faltarle.

**15** Y fue y se arrimó a uno de los ciudadanos de aquella tierra, el cual le envió a su hacienda para que apacentase cerdos.

**16** Y deseaba llenar su vientre de las algarrobas que comían los cerdos, pero nadie le daba.

**17** Y volviendo en sí, dijo: ¡Cuántos jornaleros en casa de mi padre tienen abundancia de pan, y yo aquí perezco de hambre!

**18** Me levantaré e iré a mi padre, y le diré: Padre, he pecado contra el cielo y contra ti.

**19** Ya no soy digno de ser llamado tu hijo; hazme como a uno de tus jornaleros.

**20** Y levantándose, vino a su padre. Y cuando aún estaba lejos, lo vio su padre, y fue movido a misericordia, y corrió, y se echó sobre su cuello, y le besó.

**21** Y el hijo le dijo: Padre, he pecado contra el cielo y contra ti, y ya no soy digno de ser llamado tu hijo.

**22** Pero el padre dijo a sus siervos: Sacad el mejor vestido, y vestidle; y poned un anillo en su mano, y calzado en sus pies.

**23** Y traed el becerro gordo y matadlo, y comamos y hagamos fiesta;

**24** porque este mi hijo muerto era, y ha revivido; se había perdido, y es hallado. Y comenzaron a regocijarse.

**25** Y su hijo mayor estaba en el campo; y cuando vino, y llegó cerca de la casa, oyó la música y las danzas;

**26** y llamando a uno de los criados, le preguntó qué era aquello.

---

**15.1-2** *a* Lc. 5.29-30.

---

**15.3-10** Las parábolas de la moneda y la oveja perdidas muestran la gracia de Dios por los que se han descarriado, y su gran gozo al encontrarlos. Aunque nuestro pasado esté manchado, somos sumamente valiosos ante los ojos de Dios, lo cual se refleja simbólicamente en la moneda y la oveja (bienes valiosos en aquellos días). Que el dueño deje todo para buscar la oveja o la moneda perdidas muestra lo valiosos que somos para aquel que es nuestro dueño.

**15.20-24** La gran misericordia del padre por el hijo que regresa representa la respuesta de Dios a un pecador arrepentido. Como el padre de esta parábola, Dios espera que el pecador regrese a él por voluntad propia. Nuestro Padre celestial no espera hasta ver transformaciones absolutas o una purificación total. (Esos pasos en el proceso de recuperación pueden esperar.) El padre de la parábola corrió hacia su hijo arrepentido, lo abrazó, lo besó y le hizo una fiesta; de este modo lo liberó de toda culpa y vergüenza. De la misma manera, Dios busca activamente a todos los que nos hemos descarriado en nuestro camino de fe y a aquellos que aún no tienen una relación personal con él.

**15.25-30** Dios nos pide que compartamos su amor con los desamparados y perdidos, y que les llevemos el mensaje de salvación y esperanza. La actitud egoísta del hermano mayor se presenta como pecaminosa y

**27** Él le dijo: Tu hermano ha venido; y tu padre ha hecho matar el becerro gordo, por haberle recibido bueno y sano.

**28** Entonces se enojó, y no quería entrar. Salió por tanto su padre, y le rogaba que entrase.

**29** Mas él, respondiendo, dijo al padre: He aquí, tantos años te sirvo, no habiéndote desobedecido jamás, y nunca me has dado ni un cabrito para gozarme con mis amigos.

**30** Pero cuando vino este tu hijo, que ha consumido tus bienes con rameras, has hecho matar para él el becerro gordo.

**31** Él entonces le dijo: Hijo, tú siempre estás conmigo, y todas mis cosas son tuyas.

**32** Mas era necesario hacer fiesta y regocijarnos, porque este tu hermano era muerto, y ha revivido; se había perdido, y es hallado.

### Parábola del mayordomo infiel

**16** **1** Dijo también a sus discípulos: Había un hombre rico que tenía un mayordomo, y éste fue acusado ante él como disipador de sus bienes.

**2** Entonces le llamó, y le dijo: ¿Qué es esto que oigo acerca de ti? Da cuenta de tu mayordomía, porque ya no podrás más ser mayordomo.

**3** Entonces el mayordomo dijo para sí: ¿Qué haré? Porque mi amo me quita la mayordomía. Cavar, no puedo; mendigar, me da vergüenza.

**4** Ya sé lo que haré para que cuando se me quite de la mayordomía, me reciban en sus casas.

**5** Y llamando a cada uno de los deudores de su amo, dijo al primero: ¿Cuánto debes a mi amo?

**6** Él dijo: Cien barriles de aceite. Y le dijo: Toma tu cuenta, siéntate pronto, y escribe cincuenta.

**7** Después dijo a otro: Y tú, ¿cuánto debes? Y él dijo: Cien medidas de trigo. Él le dijo: Toma tu cuenta, y escribe ochenta.

**8** Y alabó el amo al mayordomo malo por haber hecho sagazmente; porque los hijos de este siglo son más sagaces en el trato con sus semejantes que los hijos de luz.

**9** Y yo os digo: Ganad amigos por medio de las riquezas injustas, para que cuando éstas falten, os reciban en las moradas eternas.

**10** El que es fiel en lo muy poco, también en lo más es fiel; y el que en lo muy poco es injusto, también en lo más es injusto.

**11** Pues si en las riquezas injustas no fuisteis fieles, ¿quién os confiará lo verdadero?

PASO **2**

### Restauración

LECTURA BÍBLICA: Lucas 15.11-24

**Llegamos a creer que un Poder superior a nosotros podía devolvernos el sano juicio.**
Con el avance natural de la adicción, la vida se va degenerando. De una u otra forma, muchos de nosotros nos despertamos un día dándonos cuenta de que estábamos viviendo como animales. La veracidad de esto depende de la naturaleza de nuestra adicción. Algunos podemos estar viviendo como animales en cuanto a nuestro entorno físico. Otros tal vez seamos esclavos de nuestras pasiones animales, emociones incontroladas que nos deshumanizan a nosotros y también a otros.

Un joven pidió su herencia por adelantado y se marchó de su casa. Cuando se quedó sin dinero, las mujeres eran sólo un recuerdo y hacía rato que se le había pasado la «euforia», recurrió a apacentar cerdos para ganarse la vida a duras penas. Llegó al punto de estar tan hambriento que comenzó a mirar con envidia las algarrobas que comían los cerdos, y se dio cuenta de que tenía un problema: «Y volviendo en sí, dijo: ¡Cuántos jornaleros en casa de mi padre tienen abundancia de pan, y yo aquí perezco de hambre! Me levantaré e iré a mi padre... y levantándose, vino a su padre. Y cuando aún estaba lejos, lo vio su padre, y fue movido a misericordia, y corrió, y se echó sobre su cuello, y le besó» (Lucas 15.17-18, 20).

El hecho de que seamos capaces de reconocer que nuestra vida se ha degenerado o se ha vuelto demente demuestra que aún hay esperanza de una vida mejor. Algo nos hace recordar los tiempos cuando la vida era buena, y anhelamos que vuelva a ser así. Si nos volvemos a Dios, quien es lo suficientemente poderoso para ayudarnos a construir algo mejor, descubriremos que su poder puede devolvernos la cordura. ***Vaya a la página 231, Romanos 1.***

---

egocéntrica. Él representa al liderato religioso de aquel tiempo, y también a los que todavía nos aferramos a nuestra autosuficiencia. En esta historia, el padre muestra la disposición de Dios de aceptar a los pecadores arrepentidos. Dios desea nuestra restauración, les guste o no a las personas que nos rodean. Él también quiere usarnos para apoyar, y no para estorbar, a otros compañeros de lucha en el proceso de recuperación.

**16.1-13** Esta historia nos enseña la importancia de usar nuestras posesiones materiales para llevarles a otros

**12** Y si en lo ajeno no fuisteis fieles, ¿quién os dará lo que es vuestro?
**13** Ningún siervo puede servir a dos señores; porque o aborrecerá al uno y amará al otro, o estimará al uno y menospreciará al otro. No podéis servir a Dios*a* y a las riquezas.*1*
**14** Y oían también todas estas cosas los fariseos, que eran avaros, y se burlaban de él.
**15** Entonces les dijo: Vosotros sois los que os justificáis a vosotros mismos delante de los hombres; mas Dios conoce vuestros corazones; porque lo que los hombres tienen por sublime, delante de Dios es abominación.

## La ley y el reino de Dios

**16** La ley y los profetas eran hasta Juan; desde entonces el reino de Dios es anunciado, y todos se esfuerzan por entrar en él.*b*
**17** Pero más fácil es que pasen el cielo y la tierra, que se frustre una tilde de la ley.*c*

## Jesús enseña sobre el divorcio

**18** Todo el que repudia a su mujer, y se casa con otra, adultera; y el que se casa con la repudiada del marido, adultera.*d*

## El rico y Lázaro

**19** Había un hombre rico, que se vestía de púrpura y de lino fino, y hacía cada día banquete con esplendidez.
**20** Había también un mendigo llamado Lázaro, que estaba echado a la puerta de aquél, lleno de llagas,
**21** y ansiaba saciarse de las migajas que caían de la mesa del rico; y aun los perros venían y le lamían las llagas.
**22** Aconteció que murió el mendigo, y fue llevado por los ángeles al seno de Abraham; y murió también el rico, y fue sepultado.
**23** Y en el Hades alzó sus ojos, estando en tormentos, y vio de lejos a Abraham, y a Lázaro en su seno.
**24** Entonces él, dando voces, dijo: Padre Abraham, ten misericordia de mí, y envía a Lázaro para que moje la punta de su dedo en agua, y refresque mi lengua; porque estoy atormentado en esta llama.
**25** Pero Abraham le dijo: Hijo, acuérdate que recibiste tus bienes en tu vida, y Lázaro también males; pero ahora éste es consolado aquí, y tú atormentado.
**26** Además de todo esto, una gran sima está puesta entre nosotros y vosotros, de manera que los que quisieren pasar de aquí a vosotros, no pueden, ni de allá pasar acá.
**27** Entonces le dijo: Te ruego, pues, padre, que le envíes a la casa de mi padre,
**28** porque tengo cinco hermanos, para que les testifique, a fin de que no vengan ellos también a este lugar de tormento.
**29** Y Abraham le dijo: A Moisés y a los profetas tienen; óiganlos.
**30** Él entonces dijo: No, padre Abraham; pero si alguno fuere a ellos de entre los muertos, se arrepentirán.
**31** Mas Abraham le dijo: Si no oyen a Moisés y a los profetas, tampoco se persuadirán aunque alguno se levantare de los muertos.

## Ocasiones de caer

**17** **1** Dijo Jesús a sus discípulos: Imposible es que no vengan tropiezos; mas ¡ay de aquel por quien vienen!
**2** Mejor le fuera que se le atase al cuello una piedra de molino y se le arrojase al mar, que hacer tropezar a uno de estos pequeñitos.
**3** Mirad por vosotros mismos. Si tu hermano pecare contra ti, repréndele; y si se arrepintiere, perdónale.*a*
**4** Y si siete veces al día pecare contra ti, y siete veces al día volviere a ti, diciendo: Me arrepiento; perdónale.

**16.13** *a* Mt. 6.24.*1* Gr. *Mamón.* **16.16** *b* Mt. 11.12-13. **16.17** *c* Mt. 5.18. **16.18** *d* Mt. 5.32; Mr. 10.11-12; 1 Co. 7.10-11. **17.3** *a* Mt. 18.15.

vida eterna y bendiciones espirituales. Si el mayordomo infiel es elogiado por usar astutamente su talento para ganar amigos e influir en otras personas, cuánto más lo será el mayordomo fiel que dedica todo a Dios. Es incorrecto usar las posesiones materiales y los talentos dados por Dios sólo para el disfrute personal sin interesarnos en los demás. Eso podría indicar que nuestras posesiones nos han poseído o que nuestros bienes se han convertido en nuestros dioses. Sólo servir a Dios nos llevará a la recuperación.
**16.19-31** Aquí vemos las consecuencias del egoísmo. Protegido por todas las comodidades materiales de la vida, este hombre rico nunca hizo un inventario de sus necesidades y pecados más profundos. Como era orgulloso y duro de corazón, por lo que se negó a alimentar al mendigo Lázaro, fue condenado al infierno. Lázaro, por otro lado, no tuvo bienes materiales y sufrió el dolor físico durante su vida, pero estaba preparado para la eternidad. La muerte demostró ser la que pone las cosas en su lugar, provocando un cambio de fortuna para estos dos hombres. Dios quiere que tengamos la actitud apropiada hacia el dinero y las posesiones, y que los usemos desinteresadamente para ayudar a otros.
**17.1-4** Saber cuándo perdonar a alguien y cuándo encararlo es crucial en el proceso de recuperación. Jesús enseñó que el perdón debe darse libre y frecuentemente a otros sin poner condiciones. Por otro lado, el

## Auméntanos la fe

**5** Dijeron los apóstoles al Señor: Auméntanos la fe.
**6** Entonces el Señor dijo: Si tuvierais fe como un grano de mostaza, podríais decir a este sicómoro: Desarráigate, y plántate en el mar; y os obedecería.

## El deber del siervo

**7** ¿Quién de vosotros, teniendo un siervo que ara o apacienta ganado, al volver él del campo, luego le dice: Pasa, siéntate a la mesa?
**8** ¿No le dice más bien: Prepárame la cena, cíñete, y sírveme hasta que haya comido y bebido; y después de esto, come y bebe tú?
**9** ¿Acaso da gracias al siervo porque hizo lo que se le había mandado? Pienso que no.
**10** Así también vosotros, cuando hayáis hecho todo lo que os ha sido ordenado, decid: Siervos inútiles somos, pues lo que debíamos hacer, hicimos.

## Diez leprosos son limpiados

**11** Yendo Jesús a Jerusalén, pasaba entre Samaria y Galilea.
**12** Y al entrar en una aldea, le salieron al encuentro diez hombres leprosos, los cuales se pararon de lejos
**13** y alzaron la voz, diciendo: ¡Jesús, Maestro, ten misericordia de nosotros!
**14** Cuando él los vio, les dijo: Id, mostraos a los sacerdotes.*b* Y aconteció que mientras iban, fueron limpiados.
**15** Entonces uno de ellos, viendo que había sido sanado, volvió, glorificando a Dios a gran voz,
**16** y se postró rostro en tierra a sus pies, dándole gracias; y éste era samaritano.
**17** Respondiendo Jesús, dijo: ¿No son diez los que fueron limpiados? Y los nueve, ¿dónde están?
**18** ¿No hubo quien volviese y diese gloria a Dios sino este extranjero?
**19** Y le dijo: Levántate, vete; tu fe te ha salvado.

## La venida del Reino

**20** Preguntado por los fariseos, cuándo había de venir el reino de Dios, les respondió y dijo: El reino de Dios no vendrá con advertencia,

# F*e*

## LEA LUCAS 17.1-10

¿Cuántas veces hemos deseado poder vencer la adicción o compulsión que nos mantiene esclavizados? Sabemos lo que es luchar con los efectos de la adicción y con la locura que produce en nuestras vidas. Podemos sentirnos frustrados y preguntarnos si realmente es posible liberarnos de la locura de nuestras circunstancias actuales. Quizás cumplir nuestra promesa resulte imposible, al menos sin la ayuda de Dios, pero la fe puede hacer que ocurra lo imposible.

«Dijeron los apóstoles al Señor: Auméntanos la fe. Entonces el Señor dijo: Si tuvierais fe como un grano de mostaza, podríais decir a este sicómoro: Desarráigate, y plántate en el mar; y os obedecería» (Lucas 17.5-6). Mateo también registró las palabras de Jesús: «De cierto os digo, que si tuviereis fe como un grano de mostaza, diréis a este monte: Pásate de aquí allá, y se pasará; y nada os será imposible» (Mateo 17.20).

La fe es algo misterioso. Jesús dice que si tenemos fe, verdadera fe, sólo se necesita tener un poco de ella para hacer un gran cambio. Tal vez estemos poniéndola en práctica sin siquiera saberlo. Se necesita fe para creer que un poder superior a nosotros es capaz de devolvernos el sano juicio. Se necesita fe para esforzarse en dar los pasos de un programa de recuperación. Es alentador saber que Dios sólo necesita un poquito de fe para obrar de manera poderosa para devolvernos la cordura. ***Vaya a la página 133, Lucas 22.***

---

**17.14** *b* Lv. 14.1-32.

---

proceso de recuperación a veces necesita un amor recio. Si nuestros amigos están actuando abiertamente contra la palabra de Dios, debemos confrontarlos por su propio bien. Sin embargo, ¡ay de la persona que tiente a alguien que está en recuperación! Por ejemplo, nunca se les debe ofrecer bebidas alcohólicas o drogas a personas que estén recuperándose. Quienes les pongan por delante estas tentaciones pagarán un alto precio cuando se presenten ante Dios.
**17.11-19** Estos diez leprosos ilustran la inmensa misericordia de Jesús por los que sufren y su deseo de que alcancen sanidad. Sólo uno de los diez leprosos regresó a darle las gracias; y era samaritano. La mayoría de las personas en recuperación no mostrará aprecio por nuestros esfuerzos para intervenir en su favor.

**21** ni dirán: Helo aquí, o helo allí;*c* porque he aquí el reino de Dios está entre vosotros.

**22** Y dijo a sus discípulos: Tiempo vendrá cuando desearéis ver uno de los días del Hijo del Hombre, y no lo veréis.

**23** Y os dirán: Helo aquí, o helo allí. No vayáis, ni los sigáis.

**24** Porque como el relámpago que al fulgurar resplandece desde un extremo del cielo hasta el otro, así también será el Hijo del Hombre en su día.

**25** Pero primero es necesario que padezca mucho, y sea desechado por esta generación.

**26** Como fue en los días de Noé,*d* así también será en los días del Hijo del Hombre.

**27** Comían, bebían, se casaban y se daban en casamiento, hasta el día en que entró Noé en el arca, y vino el diluvio y los destruyó a todos.*e*

**28** Asimismo como sucedió en los días de Lot;*f* comían, bebían, compraban, vendían, plantaban, edificaban;

**29** mas el día en que Lot salió de Sodoma, llovió del cielo fuego y azufre, y los destruyó a todos.

**30** Así será el día en que el Hijo del Hombre se manifieste.

**31** En aquel día, el que esté en la azotea, y sus bienes en casa, no descienda a tomarlos; y el que en el campo, asimismo no vuelva atrás.*g*

**32** Acordaos de la mujer de Lot.*h*

**33** Todo el que procure salvar su vida, la perderá; y todo el que la pierda, la salvará.*i*

**34** Os digo que en aquella noche estarán dos en una cama; el uno será tomado, y el otro será dejado.

**35** Dos mujeres estarán moliendo juntas; la una será tomada, y la otra dejada.

**36** Dos estarán en el campo; el uno será tomado, y el otro dejado.

**37** Y respondiendo, le dijeron: ¿Dónde, Señor? Él les dijo: Donde estuviere el cuerpo, allí se juntarán también las águilas.

## Parábola de la viuda y el juez injusto

**18** **1** También les refirió Jesús una parábola sobre la necesidad de orar siempre, y no desmayar,

**2** diciendo: Había en una ciudad un juez, que ni temía a Dios, ni respetaba a hombre.

**3** Había también en aquella ciudad una viuda, la cual venía a él, diciendo: Hazme justicia de mi adversario.

**4** Y él no quiso por algún tiempo; pero después de esto dijo dentro de sí: Aunque ni temo a Dios, ni tengo respeto a hombre,

**5** sin embargo, porque esta viuda me es molesta, le haré justicia, no sea que viniendo de continuo, me agote la paciencia.

**6** Y dijo el Señor: Oíd lo que dijo el juez injusto.

**7** ¿Y acaso Dios no hará justicia a sus escogidos, que claman a él día y noche? ¿Se tardará en responderles?

**8** Os digo que pronto les hará justicia. Pero cuando venga el Hijo del Hombre, ¿hallará fe en la tierra?

## Parábola del fariseo y el publicano

**9** A unos que confiaban en sí mismos como justos, y menospreciaban a los otros, dijo también esta parábola:

**10** Dos hombres subieron al templo a orar: uno era fariseo, y el otro publicano.

**11** El fariseo, puesto en pie, oraba consigo mismo de esta manera: Dios, te doy gracias porque no soy como los otros hombres, ladrones, injustos, adúlteros, ni aun como este publicano;

**12** ayuno dos veces a la semana, doy diezmos de todo lo que gano.

**13** Mas el publicano, estando lejos, no quería ni aun alzar los ojos al cielo, sino que se golpeaba el pecho, diciendo: Dios, sé propicio a mí, pecador.

**14** Os digo que éste descendió a su casa justificado antes que el otro; porque cualquiera que se enaltece, será humillado; y el que se humilla será enaltecido.*a*

---

**17.20-21** *c* Mr. 13.21-22.  **17.26** *d* Gn. 6.5-8.  **17.27** *e* Gn. 7.6-24.  **17.28-29** *f* Gn. 18.20-19.25.  **17.31** *g* Mt. 24.17-18; Mr. 13.15-16.  **17.32** *h* Gn. 19.26.  **17.33** *i* Mt. 10.39; 16.25; Mr. 8.35; Lc. 9.24; Jn. 12.25.  **18.14** *a* Mt. 23.12; Lc. 14.11.

---

**18.1-8** Muchos de nosotros hemos experimentado injusticias de manos de personas de autoridad, ya sean jueces de familia, jefes mezquinos u oficiales encargados de vigilar la libertad condicional. Esta parábola contrasta a Dios con un juez injusto y destaca el hecho de que aunque la vida es injusta, Dios es siempre justo. Si un juez malvado finalmente escucha los ruegos de una viuda persistente, cuánto más un Dios justo prestará atención a los necesitados que oren a él con fe. Cuando las pruebas y los retos de la vida hagan que esta parezca injusta, podemos seguir confiando en que Dios nos liberará. Buscar a Dios en oración exige paciencia y persistencia, pero él siempre contesta.

**18.15-17** Los niños muestran confianza de modo natural. Dios quiere que nuestra relación con él esté impulsada por ese tipo de confianza sencilla. Cualquier otra forma de «fe» es inapropiada, artificial e ineficaz. Si somos incapaces de confiar, puede sernos útil entender que las heridas de nuestro pasado son las que nos dificultan tener tal confianza. Una fe como la de los niños es un regalo de Dios, y quizás a él le tome algún tiempo restaurarla en nosotros, especialmente si hemos sufrido abusos (espirituales, emocionales, sexuales o físicos). En la recuperación se nos dice que mantengamos las cosas sencillas; para una recuperación exitosa se necesita una fe sencilla en un Dios todopoderoso.

## Jesús bendice a los niños

**15** Traían a él los niños para que los tocase; lo cual viendo los discípulos, les reprendieron.

**16** Mas Jesús, llamándolos, dijo: Dejad a los niños venir a mí, y no se lo impidáis; porque de los tales es el reino de Dios.

**17** De cierto os digo, que el que no recibe el reino de Dios como un niño, no entrará en él.

## El joven rico

**18** Un hombre principal le preguntó, diciendo: Maestro bueno, ¿qué haré para heredar la vida eterna?

**19** Jesús le dijo: ¿Por qué me llamas bueno? Ninguno hay bueno, sino sólo Dios.

**20** Los mandamientos sabes: No adulterarás;*b* no matarás;*c* no hurtarás;*d* no dirás falso testimonio;*e* honra a tu padre y a tu madre.*f*

**21** Él dijo: Todo esto lo he guardado desde mi juventud.

**22** Jesús, oyendo esto, le dijo: Aún te falta una cosa: vende todo lo que tienes, y dalo a los pobres, y tendrás tesoro en el cielo; y ven, sígueme.

**23** Entonces él, oyendo esto, se puso muy triste, porque era muy rico.

**24** Al ver Jesús que se había entristecido mucho, dijo: ¡Cuán difícilmente entrarán en el reino de Dios los que tienen riquezas!

**25** Porque es más fácil pasar un camello por el ojo de una aguja, que entrar un rico en el reino de Dios.

**26** Y los que oyeron esto dijeron: ¿Quién, pues, podrá ser salvo?

**27** Él les dijo: Lo que es imposible para los hombres, es posible para Dios.

**28** Entonces Pedro dijo: He aquí, nosotros hemos dejado nuestras posesiones y te hemos seguido.

**29** Y él les dijo: De cierto os digo, que no hay nadie que haya dejado casa, o padres, o hermanos, o mujer, o hijos, por el reino de Dios,

**30** que no haya de recibir mucho más en este tiempo, y en el siglo venidero la vida eterna.

## Nuevamente Jesús anuncia su muerte

**31** Tomando Jesús a los doce, les dijo: He aquí subimos a Jerusalén, y se cumplirán todas las cosas escritas por los profetas acerca del Hijo del Hombre.

**32** Pues será entregado a los gentiles, y será escarnecido, y afrentado, y escupido.

PASO 7

## Corazón humilde

LECTURA BÍBLICA: Lucas 18.10-14

**Le pedimos a él humildemente que eliminara nuestras imperfecciones.**

Después de examinar en detalle nuestras vidas (como hicimos en los Pasos Cuatro, Cinco y Seis), quizás no sintamos que no tenemos comunión con Dios. Al ver la gravedad de lo que hemos hecho, tal vez sintamos que no merecemos pedirle nada a Dios. Quizás las personas a quienes consideramos respetables desprecien nuestra conducta pecaminosa como el peor tipo de maldad. Es posible que estemos luchando con el desprecio hacia nosotros mismos. Nuestro remordimiento genuino puede provocar que nos cuestionemos si nos atrevemos siquiera a acercarnos a Dios para pedirle ayuda.

Dios nos recibe aun cuando nos sintamos así. Jesús contó esta historia: «Dos hombres subieron al templo a orar: uno era fariseo, y el otro publicano. El fariseo, puesto en pie, oraba consigo mismo de esta manera: Dios, te doy gracias porque no soy como los otros hombres, ladrones, injustos, adúlteros, ni aun como este publicano; ayuno dos veces a la semana, doy diezmos de todo lo que gano. Mas el publicano, estando lejos, no quería ni aun alzar los ojos al cielo, sino que se golpeaba el pecho, diciendo: Dios, sé propicio a mí, pecador. Os digo que éste descendió a su casa justificado antes que el otro; porque cualquiera que se enaltece, será humillado; y el que se humilla será enaltecido» (Lucas 18.10-14).

Los recaudadores de impuestos (publicanos) se contaban entre los ciudadanos más despreciados de la sociedad judía. Los fariseos, por otro lado, disfrutaban del más alto respeto. Jesús usó esta ilustración intencionadamente para demostrar que no importa dónde encajemos en la jerarquía social. Un corazón humilde es lo que le abre la puerta al perdón de Dios.

*Vaya a la página 237, Romanos 3.*

---

**18.20** *b* Ex. 20.14; Dt. 5.18. *c* Ex. 20.13; Dt. 5.17. *d* Ex. 20.15; Dt. 5.19. *e* Ex. 20.16; Dt. 5.20. *f* Ex. 20.12; Dt. 5.16.

---

**18.31-34** Jesús predijo el sufrimiento que iba a padecer en su camino a la cruz. Aunque su dolor y oprobio serían extremos, estuvo dispuesto a aceptarlos como parte necesaria del precio que debía pagar para así proveer salvación. En la recuperación, el proceso de crecimiento espiritual con frecuencia

**33** Y después que le hayan azotado, le matarán; mas al tercer día resucitará.

**34** Pero ellos nada comprendieron de estas cosas, y esta palabra les era encubierta, y no entendían lo que se les decía.

## Un ciego de Jericó recibe la vista

**35** Aconteció que acercándose Jesús a Jericó, un ciego estaba sentado junto al camino mendigando;

**36** y al oír a la multitud que pasaba, preguntó qué era aquello.

**37** Y le dijeron que pasaba Jesús nazareno.

**38** Entonces dio voces, diciendo: ¡Jesús, Hijo de David, ten misericordia de mí!

**39** Y los que iban delante le reprendían para que callase; pero él clamaba mucho más: ¡Hijo de David, ten misericordia de mí!

**40** Jesús entonces, deteniéndose, mandó traerle a su presencia; y cuando llegó, le preguntó,

**41** diciendo: ¿Qué quieres que te haga? Y él dijo: Señor, que reciba la vista.

**42** Jesús le dijo: Recíbela, tu fe te ha salvado.

**43** Y luego vio, y le seguía, glorificando a Dios; y todo el pueblo, cuando vio aquello, dio alabanza a Dios.

## Jesús y Zaqueo

**19** **1** Habiendo entrado Jesús en Jericó, iba pasando por la ciudad.

**2** Y sucedió que un varón llamado Zaqueo, que era jefe de los publicanos, y rico,

**3** procuraba ver quién era Jesús; pero no podía a causa de la multitud, pues era pequeño de estatura.

**4** Y corriendo delante, subió a un árbol sicómoro para verle; porque había de pasar por allí.

**5** Cuando Jesús llegó a aquel lugar, mirando hacia arriba, le vio, y le dijo: Zaqueo, date prisa, desciende, porque hoy es necesario que pose yo en tu casa.

**6** Entonces él descendió aprisa, y le recibió gozoso.

**7** Al ver esto, todos murmuraban, diciendo que había entrado a posar con un hombre pecador.

**8** Entonces Zaqueo, puesto en pie, dijo al Señor: He aquí, Señor, la mitad de mis bienes doy a los pobres; y si en algo he defraudado a alguno, se lo devuelvo cuadruplicado.

**9** Jesús le dijo: Hoy ha venido la salvación a esta casa; por cuanto él también es hijo de Abraham.

**10** Porque el Hijo del Hombre vino a buscar y a salvar lo que se había perdido.*ᵃ*

## Parábola de las diez minas

**11** Oyendo ellos estas cosas, prosiguió Jesús y dijo una parábola, por cuanto estaba cerca de Jerusalén, y ellos pensaban que el reino de Dios se manifestaría inmediatamente.

**12** Dijo, pues: Un hombre noble se fue a un país lejano, para recibir un reino y volver.

**13** Y llamando a diez siervos suyos, les dio diez minas,*¹* y les dijo: Negociad entre tanto que vengo.

**14** Pero sus conciudadanos le aborrecían, y enviaron tras él una embajada, diciendo: No queremos que éste reine sobre nosotros.

**15** Aconteció que vuelto él, después de recibir el reino, mandó llamar ante él a aquellos siervos a los cuales había dado el dinero, para saber lo que había negociado cada uno.

**16** Vino el primero, diciendo: Señor, tu mina ha ganado diez minas.

**17** Él le dijo: Está bien, buen siervo; por cuanto en lo poco has sido fiel, tendrás autoridad sobre diez ciudades.

**18** Vino otro, diciendo: Señor, tu mina ha producido cinco minas.

**19** Y también a éste dijo: Tú también sé sobre cinco ciudades.

**20** Vino otro, diciendo: Señor, aquí está tu mina, la cual he tenido guardada en un pañuelo;

**21** porque tuve miedo de ti, por cuanto eres hombre severo, que tomas lo que no pusiste, y siegas lo que no sembraste.

**22** Entonces él le dijo: Mal siervo, por tu propia boca te juzgo. Sabías que yo era hombre severo, que tomo lo que no puse, y que siego lo que no sembré;

**23** ¿por qué, pues, no pusiste mi dinero en el banco, para que al volver yo, lo hubiera recibido con los intereses?

---

**19.10** *ᵃ* Mt. 18.11.   **19.13** *¹* Moneda que correspondía a 100 dracmas.

---

implica sacrificio y dolor. Revertir los patrones de conductas adictivas o pecaminosas puede ser sumamente difícil y desalentador; por lo tanto es esencial que mantengamos la mira fija en la meta –la recuperación–, que bien vale el sacrificio.

**19.11-27** Esta parábola enseña sobre mayordomía, la responsabilidad que tenemos ante Dios de usar sabiamente los dones, habilidades y posesiones que él nos ha confiado. Usar con sabiduría lo que Dios nos ha dado redundará en recompensas generosas; negarnos a hacerlo, provocará una severa reprimenda de parte de Dios. Sean cuales fueren las oportunidades y recursos que Dios nos dé –tiempo, dinero, talentos o amistades– tenemos que usarlos para beneficio de otras personas. Después de años de dolor y devastación, quizás nos preguntemos qué tenemos para ofrecer. Puede que nuestra historia de liberación sea lo único que alguien necesite para dar un paso hacia Dios y la recuperación. Compartir con otros lo que somos puede ayudar a salvar la vida de una persona necesitada.

**24** Y dijo a los que estaban presentes: Quitadle la mina, y dadla al que tiene las diez minas.

**25** Ellos le dijeron: Señor, tiene diez minas.

**26** Pues yo os digo que a todo el que tiene, se le dará; mas al que no tiene, aun lo que tiene se le quitará.*b*

**27** Y también a aquellos mis enemigos que no querían que yo reinase sobre ellos, traedlos acá, y decapitadlos delante de mí.*c*

### La entrada triunfal en Jerusalén

**28** Dicho esto, iba delante subiendo a Jerusalén.

**29** Y aconteció que llegando cerca de Betfagé y de Betania, al monte que se llama de los Olivos, envió dos de sus discípulos,

**30** diciendo: Id a la aldea de enfrente, y al entrar en ella hallaréis un pollino atado, en el cual ningún hombre ha montado jamás; desatadlo, y traedlo.

**31** Y si alguien os preguntare: ¿Por qué lo desatáis? le responderéis así: Porque el Señor lo necesita.

**32** Fueron los que habían sido enviados, y hallaron como les dijo.

**33** Y cuando desataban el pollino, sus dueños les dijeron: ¿Por qué desatáis el pollino?

**34** Ellos dijeron: Porque el Señor lo necesita.

**35** Y lo trajeron a Jesús; y habiendo echado sus mantos sobre el pollino, subieron a Jesús encima.

**36** Y a su paso tendían sus mantos por el camino.

**37** Cuando llegaban ya cerca de la bajada del monte de los Olivos, toda la multitud de los discípulos, gozándose, comenzó a alabar a Dios a grandes voces por todas las maravillas que habían visto,

**38** diciendo: ¡Bendito el rey que viene en el nombre del Señor;*d* paz en el cielo, y gloria en las alturas!

**39** Entonces algunos de los fariseos de entre la multitud le dijeron: Maestro, reprende a tus discípulos.

**40** Él, respondiendo, les dijo: Os digo que si éstos callaran, las piedras clamarían.

**41** Y cuando llegó cerca de la ciudad, al verla, lloró sobre ella,

**42** diciendo: ¡Oh, si también tú conocieses, a lo menos en este tu día, lo que es para tu paz! Mas ahora está encubierto de tus ojos.

**43** Porque vendrán días sobre ti, cuando tus enemigos te rodearán con vallado, y te sitiarán, y por todas partes te estrecharán,

**44** y te derribarán a tierra, y a tus hijos dentro de ti, y no dejarán en ti piedra sobre piedra, por cuanto no conociste el tiempo de tu visitación.

### Purificación del templo

**45** Y entrando en el templo, comenzó a echar fuera a todos los que vendían y compraban en él,

**46** diciéndoles: Escrito está: Mi casa es casa de oración;*e* mas vosotros la habéis hecho cueva de ladrones.*f*

**PASO 9**

### De interesados a dadores

LECTURA BÍBLICA: Lucas 19.1-10

**Reparamos directamente el daño a todas las personas siempre que fue posible, excepto cuando hacerlo implicaba lastimarlos a ellos o a otros.**

Cuando estamos alimentando nuestra adicción, es fácil que nuestras propias necesidades nos consuman. Lo único que importa es conseguir lo que anhelamos con tanta desesperación. Quizás tengamos que mentir, engañar, robar o matar; pero nada de esto nos detiene. Nos hemos convertido en los «saqueadores» de nuestra familia y de nuestra comunidad, pisoteando los sentimientos y las necesidades de los demás.

Zaqueo tenía el mismo problema. Sus ansias de riquezas lo llevaron a traicionar a su propio pueblo recaudando impuestos para el gobierno romano opresor. Su propia gente lo odiaba y lo consideraba ladrón, extorsionador y traidor. Pero cuando Jesús llegó a su vida, cambió dramáticamente. «Entonces Zaqueo, puesto en pie, dijo al Señor: He aquí, Señor, la mitad de mis bienes doy a los pobres; y si en algo he defraudado a alguno, se lo devuelvo cuadruplicado. Jesús le dijo: Hoy ha venido la salvación a esta casa; por cuanto él también es hijo de Abraham» (Lucas 19.8-9).

Zaqueo hizo mucho más que devolver sólo lo que había tomado. Por primera vez en mucho tiempo, vio las necesidades de los demás y quiso ser un «donador». Reparar nuestras faltas incluye devolver lo que hemos robado, siempre que sea posible. Algunos de nosotros tal vez aprovechemos la oportunidad para hacer algo más, devolviendo a otros más de lo que les hayamos quitado. Cuando comencemos a ver las necesidades de los demás y decidamos responder a ellas, nuestra autoestima aumentará. Nos daremos cuenta de que podemos dar a otros en lugar de ser sólo una carga.

*Vaya a la página 369, Filemón 1.*

**19.26** *b* Mt. 13.12; Mr. 4.25; Lc. 8.18.   **19.11-27** *c* Mt. 25. 14-30.   **19.38** *d* Sal. 118.26.   **19.46** *e* Is. 56.7. *f* Jer. 7.11.

**47** Y enseñaba cada día en el templo;*g* pero los principales sacerdotes, los escribas y los principales del pueblo procuraban matarle.

**48** Y no hallaban nada que pudieran hacerle, porque todo el pueblo estaba suspenso oyéndole.

## La autoridad de Jesús

**20** **1** Sucedió un día, que enseñando Jesús al pueblo en el templo, y anunciando el evangelio, llegaron los principales sacerdotes y los escribas, con los ancianos,

**2** y le hablaron diciendo: Dinos: ¿con qué autoridad haces estas cosas? ¿o quién es el que te ha dado esta autoridad?

**3** Respondiendo Jesús, les dijo: Os haré yo también una pregunta; respondedme:

**4** El bautismo de Juan, ¿era del cielo, o de los hombres?

**5** Entonces ellos discutían entre sí, diciendo: Si decimos, del cielo, dirá: ¿Por qué, pues, no le creísteis?

**6** Y si decimos, de los hombres, todo el pueblo nos apedreará; porque están persuadidos de que Juan era profeta.

**7** Y respondieron que no sabían de dónde fuese.

**8** Entonces Jesús les dijo: Yo tampoco os diré con qué autoridad hago estas cosas.

## Los labradores malvados

**9** Comenzó luego a decir al pueblo esta parábola: Un hombre plantó una viña,*a* la arrendó a labradores, y se ausentó por mucho tiempo.

**10** Y a su tiempo envió un siervo a los labradores, para que le diesen del fruto de la viña; pero los labradores le golpearon, y le enviaron con las manos vacías.

**11** Volvió a enviar otro siervo; mas ellos a éste también, golpeado y afrentado, le enviaron con las manos vacías.

**12** Volvió a enviar un tercer siervo; mas ellos también a éste echaron fuera, herido.

**13** Entonces el señor de la viña dijo: ¿Qué haré?

Enviaré a mi hijo amado; quizá cuando le vean a él, le tendrán respeto.

**14** Mas los labradores, al verle, discutían entre sí, diciendo: Este es el heredero; venid, matémosle, para que la heredad sea nuestra.

**15** Y le echaron fuera de la viña, y le mataron. ¿Qué, pues, les hará el señor de la viña?

**16** Vendrá y destruirá a estos labradores, y dará su viña a otros. Cuando ellos oyeron esto, dijeron: ¡Dios nos libre!

**17** Pero él, mirándolos, dijo: ¿Qué, pues, es lo que está escrito:

La piedra que desecharon los edificadores
Ha venido a ser cabeza del ángulo?*b*

**18** Todo el que cayere sobre aquella piedra, será quebrantado; mas sobre quien ella cayere, le desmenuzará.

## La cuestión del tributo

**19** Procuraban los principales sacerdotes y los escribas echarle mano en aquella hora, porque comprendieron que contra ellos había dicho esta parábola; pero temieron al pueblo.

**20** Y acechándole enviaron espías que se simulasen justos, a fin de sorprenderle en alguna palabra, para entregarle al poder y autoridad del gobernador.

**21** Y le preguntaron, diciendo: Maestro, sabemos que dices y enseñas rectamente, y que no haces acepción de persona, sino que enseñas el camino de Dios con verdad.

**22** ¿Nos es lícito dar tributo a César, o no?

**23** Mas él, comprendiendo la astucia de ellos, les dijo: ¿Por qué me tentáis?

**24** Mostradme la moneda. ¿De quién tiene la imagen y la inscripción? Y respondiendo dijeron: De César.

**25** Entonces les dijo: Pues dad a César lo que es de César, y a Dios lo que es de Dios.

**26** Y no pudieron sorprenderle en palabra alguna delante del pueblo, sino que maravillados de su respuesta, callaron.

---

**19.47** *g* Lc. 21.37.  **20.9** *a* Is. 5.1-2.  **20.17** *b* Sal. 118.22.

---

**19.45-48** La adoración que el pueblo ofrecía se había vuelto tan irregular que Jesús se enojó y sacó a los mercaderes del templo de Dios. La corrección de esta vulgar perversión no fue apreciada ni produjo el cambio deseado en los adoradores. En vez de esto, los sacerdotes, los escribas y los líderes se enojaron y desearon venganza. Las personas que viven negativamente se resisten al cambio, incluso al que se necesite con urgencia para mejorar.

**20.9-18** Esta historia es, sin lugar a dudas, directa. A nadie le gusta que lo confronten con sus actitudes negativas y con su ceguera. Los labradores rechazaron y maltrataron a los siervos, y mataron al hijo del dueño. Quienes oían a Jesús, especialmente los sacerdotes y los escribas, hicieron lo mismo; como no les gustó el mensaje, mataron al mensajero (Jesús). Cuando rechazamos la verdad, no hay mucho que puedan hacer ni Dios ni los otros. Algunas veces la verdad puede penetrar nuestra barrera de negación si alguien nos habla con sencillez pero indirectamente, como cuando Natán habló con David (en el Antiguo Testamento) y le contó una historia que hizo que David se arrepintiera de su pecado (2 Samuel 12). No obstante, algunas personas, como aquellas a las que Jesús les estaba hablando, son tan negativas que persistirán hasta el día de su muerte.

## La pregunta sobre la resurrección

**27** Llegando entonces algunos de los saduceos, los cuales niegan haber resurrección,<sup>c</sup> le preguntaron, **28** diciendo: Maestro, Moisés nos escribió: Si el hermano de alguno muriere teniendo mujer, y no dejare hijos, que su hermano se case con ella, y levante descendencia a su hermano.<sup>d</sup>

**29** Hubo, pues, siete hermanos; y el primero tomó esposa, y murió sin hijos.

**30** Y la tomó el segundo, el cual también murió sin hijos.

**31** La tomó el tercero, y así todos los siete, y murieron sin dejar descendencia.

**32** Finalmente murió también la mujer.

**33** En la resurrección, pues, ¿de cuál de ellos será mujer, ya que los siete la tuvieron por mujer?

**34** Entonces respondiendo Jesús, les dijo: Los hijos de este siglo se casan, y se dan en casamiento;

**35** mas los que fueren tenidos por dignos de alcanzar aquel siglo y la resurrección de entre los muertos, ni se casan, ni se dan en casamiento.

**36** Porque no pueden ya más morir, pues son iguales a los ángeles, y son hijos de Dios, al ser hijos de la resurrección.

**37** Pero en cuanto a que los muertos han de resucitar, aun Moisés lo enseñó en el pasaje de la zarza, cuando llama al Señor, Dios de Abraham, Dios de Isaac y Dios de Jacob.<sup>e</sup>

**38** Porque Dios no es Dios de muertos, sino de vivos, pues para él todos viven.

**39** Respondiéndole algunos de los escribas, dijeron: Maestro, bien has dicho.

**40** Y no osaron preguntarle nada más.

## ¿De quién es hijo el Cristo?

**41** Entonces él les dijo: ¿Cómo dicen que el Cristo es hijo de David?

**42** Pues el mismo David dice en el libro de los Salmos:
Dijo el Señor a mi Señor:
Siéntate a mi diestra,

**43** Hasta que ponga a tus enemigos
por estrado de tus pies.<sup>f</sup>

**44** David, pues, le llama Señor; ¿cómo entonces es su hijo?

## Jesús acusa a los escribas

**45** Y oyéndole todo el pueblo, dijo a sus discípulos:

**46** Guardaos de los escribas, que gustan de andar con ropas largas, y aman las salutaciones en las plazas, y las primeras sillas en las sinagogas, y los primeros asientos en las cenas;

**47** que devoran las casas de las viudas, y por pretexto hacen largas oraciones; éstos recibirán mayor condenación.

## La ofrenda de la viuda

**21** **1** Levantando los ojos, vio a los ricos que echaban sus ofrendas en el arca de las ofrendas.

**2** Vio también a una viuda muy pobre, que echaba allí dos blancas.

**3** Y dijo: En verdad os digo, que esta viuda pobre echó más que todos.

**4** Porque todos aquéllos echaron para las ofrendas de Dios de lo que les sobra; mas ésta, de su pobreza echó todo el sustento que tenía.

## Jesús predice la destrucción del templo

**5** Y a unos que hablaban de que el templo estaba adornado de hermosas piedras y ofrendas votivas, dijo:

**6** En cuanto a estas cosas que veis, días vendrán en que no quedará piedra sobre piedra, que no sea destruida.

## Señales antes del fin

**7** Y le preguntaron, diciendo: Maestro, ¿cuándo será esto? ¿y qué señal habrá cuando estas cosas estén para suceder?

**8** Él entonces dijo: Mirad que no seáis engañados; porque vendrán muchos en mi nombre, diciendo: Yo soy el Cristo, y: El tiempo está cerca. Mas no vayáis en pos de ellos.

**9** Y cuando oigáis de guerras y de sediciones, no os alarméis; porque es necesario que estas cosas acontezcan primero; pero el fin no será inmediatamente.

**10** Entonces les dijo: Se levantará nación contra nación, y reino contra reino;

**11** y habrá grandes terremotos, y en diferentes lugares hambres y pestilencias; y habrá terror y grandes señales del cielo.

**12** Pero antes de todas estas cosas os echarán mano, y os perseguirán, y os entregarán a las sinagogas y a las cárceles, y seréis llevados ante reyes y ante gobernadores por causa de mi nombre.

---

**20.27** <sup>c</sup> Hch. 23.8.   **20.28** <sup>d</sup> Dt. 25.5.   **20.37** <sup>e</sup> Ex. 3.6.   **20.42-43** <sup>f</sup> Sal. 110.1.

---

**21.1-4** Dios tiene un estándar único para valorar las ofrendas y a los ofrendantes. Para Dios, la actitud cuenta más que la cantidad, y por eso Jesús elogió a esta viuda. La persona generosa no es la que da conveniente y cómodamente de su abundancia. La persona generosa a los ojos de Dios lo arriesga todo, se sacrifica alegremente y da sin exigir que le presten atención ni esperar recompensa. Ya sean nuestros talentos, tiempo o dinero, Dios quiere que le pongamos todo en nuestra vida bajo su cuidado. Un pequeño paso al ofrendar puede convertirse en un enorme salto hacia la recuperación.

**13** Y esto os será ocasión para dar testimonio.
**14** Proponed en vuestros corazones no pensar antes cómo habéis de responder en vuestra defensa;
**15** porque yo os daré palabra y sabiduría, la cual no podrán resistir ni contradecir todos los que se opongan.*a*
**16** Mas seréis entregados aun por vuestros padres, y hermanos, y parientes, y amigos; y matarán a algunos de vosotros;
**17** y seréis aborrecidos de todos por causa de mi nombre.
**18** Pero ni un cabello de vuestra cabeza perecerá.
**19** Con vuestra paciencia ganaréis vuestras almas.
**20** Pero cuando viereis a Jerusalén rodeada de ejércitos, sabed entonces que su destrucción ha llegado.
**21** Entonces los que estén en Judea, huyan a los montes; y los que en medio de ella, váyanse; y los que estén en los campos, no entren en ella.
**22** Porque estos son días de retribución,*b* para que se cumplan todas las cosas que están escritas.
**23** Mas ¡ay de las que estén encintas, y de las que críen en aquellos días! porque habrá gran calamidad en la tierra, e ira sobre este pueblo.
**24** Y caerán a filo de espada, y serán llevados cautivos a todas las naciones; y Jerusalén será hollada por los gentiles, hasta que los tiempos de los gentiles se cumplan.

**La venida del Hijo del Hombre**
**25** Entonces habrá señales en el sol, en la luna y en las estrellas,*c* y en la tierra angustia de las gentes, confundidas a causa del bramido del mar y de las olas;
**26** desfalleciendo los hombres por el temor y la expectación de las cosas que sobrevendrán en la tierra; porque las potencias de los cielos serán conmovidas.

**27** Entonces verán al Hijo del Hombre, que vendrá en una nube*d* con poder y gran gloria.
**28** Cuando estas cosas comiencen a suceder, erguíos y levantad vuestra cabeza, porque vuestra redención está cerca.
**29** También les dijo una parábola: Mirad la higuera y todos los árboles.
**30** Cuando ya brotan, viéndolo, sabéis por vosotros mismos que el verano está ya cerca.
**31** Así también vosotros, cuando veáis que suceden estas cosas, sabed que está cerca el reino de Dios.
**32** De cierto os digo, que no pasará esta generación hasta que todo esto acontezca.
**33** El cielo y la tierra pasarán, pero mis palabras no pasarán.
**34** Mirad también por vosotros mismos, que vuestros corazones no se carguen de glotonería y embriaguez y de los afanes de esta vida, y venga de repente sobre vosotros aquel día.
**35** Porque como un lazo vendrá sobre todos los que habitan sobre la faz de toda la tierra.
**36** Velad, pues, en todo tiempo orando que seáis tenidos por dignos de escapar de todas estas cosas que vendrán, y de estar en pie delante del Hijo del Hombre.
**37** Y enseñaba de día en el templo;*e* y de noche, saliendo, se estaba en el monte que se llama de los Olivos.
**38** Y todo el pueblo venía a él por la mañana, para oírle en el templo.

**El complot para matar a Jesús**
**22** **1** Estaba cerca la fiesta de los panes sin levadura, que se llama la pascua.*a*
**2** Y los principales sacerdotes y los escribas buscaban cómo matarle; porque temían al pueblo.
**3** Y entró Satanás en Judas, por sobrenombre Iscariote, el cual era uno del número de los doce;

**21.14-15** *a* Lc. 12.11-12.   **21.22** *b* Os. 9.7.   **21.25** *c* Is. 13.10; Ez. 32.7; Jl. 2.31; Ap. 6.12-13.
**21.27** *d* Dn. 7.13; Ap. 1.7.   **21.37** *e* Lc. 19.47.   **22.1** *a* Ex. 12.1-27.

**21.16-17** Lo que le pasó a Jesús hasta llegar a la cruz y lo que luego les pasaría a sus discípulos ilustran un principio importante en la recuperación. Los familiares y amigos no siempre brincarán de alegría cuando vean el cambio que se ha producido en nuestra vida. La fe en Jesús, así como la liberación del pecado y la adicción, con frecuencia amenazan el statu quo. A menudo las personas más cercanas a nosotros se convierten en los obstáculos más grandes para nuestra sanidad y recuperación al oponer resistencia a lo que sabemos que es mejor para nosotros. Al ser conscientes de esto, no podemos permitirles que impidan nuestro progreso. Con el tiempo descubrirán que el proceso de recuperación es bueno para nosotros y para ellos.
**21.34-36** Esta denuncia sigue a una larga profecía sobre los días de destrucción venideros (21.5-31) e ilustra el propósito bíblico de la profecía. Una profecía nunca se da simplemente para satisfacer la curiosidad de quienes se pregunten sobre el plan de Dios para el futuro. La profecía es ante todo un llamado a arrepentirse, estar alertas y prepararse espiritualmente para la venida del reino de Dios. Mientras esperamos el regreso triunfal de Cristo, o aun la recuperación del sano juicio, Dios nos advierte sobre el peligro de que el pecado nos controle. Sólo nos estamos engañando si pensamos que tenemos todo el tiempo del mundo para prepararnos. Si seguimos postergando la recuperación para mañana, ¡algún día no habrá mañana!
**22.3-6** En su nivel más profundo, el quebrantamiento, la esclavitud y la naturaleza descontrolada de nuestra vida se debe a Satanás. La guerra espiritual se manifiesta en las relaciones personales: en la traición

**4** y éste fue y habló con los principales sacerdotes, y con los jefes de la guardia, de cómo se lo entregaría. **5** Ellos se alegraron, y convinieron en darle dinero. **6** Y él se comprometió, y buscaba una oportunidad para entregárselo a espaldas del pueblo.

## Institución de la Cena del Señor

**7** Llegó el día de los panes sin levadura, en el cual era necesario sacrificar el cordero de la pascua. **8** Y Jesús envió a Pedro y a Juan, diciendo: Id, preparadnos la pascua para que la comamos. **9** Ellos le dijeron: ¿Dónde quieres que la preparemos? **10** Él les dijo: He aquí, al entrar en la ciudad os saldrá al encuentro un hombre que lleva un cántaro de agua; seguidle hasta la casa donde entrare, **11** y decid al padre de familia de esa casa: El Maestro te dice: ¿Dónde está el aposento donde he de comer la pascua con mis discípulos? **12** Entonces él os mostrará un gran aposento alto ya dispuesto; preparad allí. **13** Fueron, pues, y hallaron como les había dicho; y prepararon la pascua.

**14** Cuando era la hora, se sentó a la mesa, y con él los apóstoles. **15** Y les dijo: ¡Cuánto he deseado comer con vosotros esta pascua antes que padezca! **16** Porque os digo que no la comeré más, hasta que se cumpla en el reino de Dios. **17** Y habiendo tomado la copa, dio gracias, y dijo: Tomad esto, y repartidlo entre vosotros; **18** porque os digo que no beberé más del fruto de la vid, hasta que el reino de Dios venga. **19** Y tomó el pan y dio gracias, y lo partió y les dio, diciendo: Esto es mi cuerpo, que por vosotros es dado; haced esto en memoria de mí. **20** De igual manera, después que hubo cenado, tomó la copa, diciendo: Esta copa es el nuevo pacto[b] en mi sangre,[c] que por vosotros se derrama. **21** Mas he aquí, la mano del que me entrega está conmigo en la mesa.

**22** A la verdad el Hijo del Hombre va, según lo que está determinado;[d] pero ¡ay de aquel hombre por quien es entregado! **23** Entonces ellos comenzaron a discutir entre sí, quién de ellos sería el que había de hacer esto.

## La grandeza en el servicio

**24** Hubo también entre ellos una disputa sobre quién de ellos sería el mayor.[e] **25** Pero él les dijo: Los reyes de las naciones se enseñorean de ellas, y los que sobre ellas tienen autoridad son llamados bienhechores; **26** mas no así vosotros,[f] sino sea el mayor entre vosotros como el más joven, y el que dirige, como el que sirve.[g] **27** Porque, ¿cuál es mayor, el que se sienta a la mesa, o el que sirve? ¿No es el que se sienta a la mesa? Mas yo estoy entre vosotros como el que sirve.[h] **28** Pero vosotros sois los que habéis permanecido conmigo en mis pruebas. **29** Yo, pues, os asigno un reino, como mi Padre me lo asignó a mí, **30** para que comáis y bebáis a mi mesa en mi reino, y os sentéis en tronos juzgando a las doce tribus de Israel.[i]

## Jesús anuncia la negación de Pedro

**31** Dijo también el Señor: Simón, Simón, he aquí Satanás os ha pedido para zarandearos como a trigo; **32** pero yo he rogado por ti, que tu fe no falte; y tú, una vez vuelto, confirma a tus hermanos. **33** El le dijo: Señor, dispuesto estoy a ir contigo no sólo a la cárcel, sino también a la muerte. **34** Y él le dijo: Pedro, te digo que el gallo no cantará hoy antes que tú niegues tres veces que me conoces.

## Bolsa, alforja y espada

**35** Y a ellos dijo: Cuando os envié sin bolsa, sin alforja, y sin calzado,[j] ¿os faltó algo? Ellos dijeron: Nada.

---

**22.20** [b] Jer. 31.31-34. [c] Ex. 24.6-8. **22.22** [d] Sal. 41.9. **22.24** [e] Mt. 18.1; Mr. 9.34; Lc. 9.46. **22.25-26** [f] Mt. 20.25-27; Mr. 10.42-44. **22.26** [g] Mt. 23.11; Mr. 9.35. **22.27** [h] Jn. 13.12-15. **22.30** [i] Mt. 19.28. **22.35** [j] Mt. 10.9-10; Mr. 6.8-9; Lc. 9.3; 10.4.

---

de Judas y en el rompimiento de nuestras propias relaciones personales. La guerra espiritual socava y destruye los límites relacionales y hace que nuestra vida sea inmanejable. (Más tarde Judas se suicida.) Pero el que Satanás esté involucrado no justifica el pecado del hombre, su adicción ni su traición; nosotros somos responsables de nuestra conducta. Dios está en control de cada situación. La muerte de Jesús (a manos de Satanás) siempre fue parte del plan de Dios. No importa cómo nos hiera Satanás, Dios puede usar los planes malévolos de Satanás para realizar su obra bienhechora en nosotros (Romanos 8.28) cuando confiamos en él y lo obedecemos.

**22.24-30** Este discurso contrasta la humildad de Jesús y su corazón de siervo con las intenciones egoístas de sus doce seguidores más cercanos. Al ir a la cruz, Jesús les mostró a sus discípulos lo que significaba ser un líder-siervo. El deseo de los discípulos de ocupar un lugar especial en la mesa de Dios no era lo que Jesús había querido enseñarles. Jesús nos pide poner primero las necesidades de los demás antes que las nuestras y servir a otros en lugar de esperar que nos sirvan. Nuestra vida debe estar definida y motivada por la humildad.

**36** Y les dijo: Pues ahora, el que tiene bolsa, tómela, y también la alforja; y el que no tiene espada, venda su capa y compre una.

**37** Porque os digo que es necesario que se cumpla todavía en mí aquello que está escrito: Y fue contado con los inicuos;*k* porque lo que está escrito de mí, tiene cumplimiento.

**38** Entonces ellos dijeron: Señor, aquí hay dos espadas. Y él les dijo: Basta.

## Jesús ora en Getsemaní

**39** Y saliendo, se fue, como solía, al monte de los Olivos; y sus discípulos también le siguieron.

**40** Cuando llegó a aquel lugar, les dijo: Orad que no entréis en tentación.

**41** Y él se apartó de ellos a distancia como de un tiro de piedra; y puesto de rodillas oró,

**42** diciendo: Padre, si quieres, pasa de mí esta copa; pero no se haga mi voluntad, sino la tuya.

**43** Y se le apareció un ángel del cielo para fortalecerle.

**44** Y estando en agonía, oraba más intensamente; y era su sudor como grandes gotas de sangre que caían hasta la tierra.

**45** Cuando se levantó de la oración, y vino a sus discípulos, los halló durmiendo a causa de la tristeza,

**46** y les dijo: ¿Por qué dormís? Levantaos, y orad para que no entréis en tentación.

## Arresto de Jesús

**47** Mientras él aún hablaba, se presentó una turba; y el que se llamaba Judas, uno de los doce, iba al frente de ellos; y se acercó hasta Jesús para besarle.

**48** Entonces Jesús le dijo: Judas, ¿con un beso entregas al Hijo del Hombre?

**49** Viendo los que estaban con él lo que había de acontecer, le dijeron: Señor, ¿heriremos a espada?

**50** Y uno de ellos hirió a un siervo del sumo sacerdote, y le cortó la oreja derecha.

**51** Entonces respondiendo Jesús, dijo: Basta ya; dejad. Y tocando su oreja, le sanó.

**52** Y Jesús dijo a los principales sacerdotes, a los jefes de la guardia del templo y a los ancianos, que habían venido contra él: ¿Como contra un ladrón habéis salido con espadas y palos?

**53** Habiendo estado con vosotros cada día en el templo,*l* no extendisteis las manos contra mí; mas esta es vuestra hora, y la potestad de las tinieblas.

## Pedro niega a Jesús

**54** Y prendiéndole, le llevaron, y le condujeron a casa del sumo sacerdote. Y Pedro le seguía de lejos.

**55** Y habiendo ellos encendido fuego en medio del patio, se sentaron alrededor; y Pedro se sentó también entre ellos.

**56** Pero una criada, al verle sentado al fuego, se fijó en él, y dijo: También éste estaba con él.

**57** Pero él lo negó, diciendo: Mujer, no lo conozco.

**58** Un poco después, viéndole otro, dijo: Tú también eres de ellos. Y Pedro dijo: Hombre, no lo soy.

**59** Como una hora después, otro afirmaba, diciendo: Verdaderamente también éste estaba con él, porque es galileo.

**60** Y Pedro dijo: Hombre, no sé lo que dices. Y en seguida, mientras él todavía hablaba, el gallo cantó.

**61** Entonces, vuelto el Señor, miró a Pedro; y Pedro se acordó de la palabra del Señor, que le había dicho: Antes que el gallo cante, me negarás tres veces.

**62** Y Pedro, saliendo fuera, lloró amargamente.

## Jesús escarnecido y azotado

**63** Y los hombres que custodiaban a Jesús se burlaban de él y le golpeaban;

**64** y vendándole los ojos, le golpeaban el rostro, y le preguntaban, diciendo: Profetiza, ¿quién es el que te golpeó?

**65** Y decían otras muchas cosas injuriándole.

**22.37** *k* Is. 53.12. **22.53** *l* Lc. 19.47; 21.37.

---

**22.39-46** La oración de Jesús en el monte de los Olivos refleja la monumental tarea que tenía ante él: llevar sobre sus hombros los pecados del mundo. Jesús perseveró en medio del miedo y la agonía de espíritu y se sometió a la voluntad soberana de Dios. Su compromiso total con la voluntad de Dios es un ejemplo que debemos imitar. Jesús pudo haberse aferrado en forma egoísta a los privilegios de su deidad y así evitar la cruz (véase Filipenses 2.6-8), pero él retrasó voluntariamente el goce de la gloria celestial para cumplir con la tarea que su Padre le había encomendado. Aunque los retos que enfrentamos en nuestra vida no son de esa magnitud, Dios nos capacita para perseverar a lo largo de las etapas difíciles de la recuperación de manera que podamos cosechar las recompensas que sigan.

**22.54-62** La negación de Jesús por parte de Pedro es una típica historia de recuperación. Aunque Pedro creía que nunca caería tan bajo (22.31-34), negó a Jesús completamente cuando le pusieron presión. Pedro decepcionó a Jesús y se decepcionó a sí mismo, pero ni aun entonces estaba todo perdido. Su experiencia le provocó un pesar genuino y un arrepentimiento saludable. La triple negación de Pedro estuvo seguida por una triple reafirmación y por su restauración a un servicio completo (Juan 21.15-19). Luego Pedro se convirtió en el portavoz principal de la iglesia primitiva, proclamando con poder el mensaje del Cristo resucitado. Sólo por medio del perdón absoluto de Dios, pudo Pedro recuperarse en forma tan eficaz de las profundidades de la desesperanza.

## Jesús ante el concilio

**66** Cuando era de día, se juntaron los ancianos del pueblo, los principales sacerdotes y los escribas, y le trajeron al concilio, diciendo:

**67** ¿Eres tú el Cristo? Dínoslo. Y les dijo: Si os lo dijere, no creeréis;

**68** y también si os preguntare, no me responderéis, ni me soltaréis.

**69** Pero desde ahora el Hijo del Hombre se sentará a la diestra del poder de Dios.

**70** Dijeron todos: ¿Luego eres tú el Hijo de Dios? Y él les dijo: Vosotros decís que lo soy.

**71** Entonces ellos dijeron: ¿Qué más testimonio necesitamos? porque nosotros mismos lo hemos oído de su boca.

## Jesús ante Pilato

**23** **1** Levantándose entonces toda la muchedumbre de ellos, llevaron a Jesús a Pilato.

**2** Y comenzaron a acusarle, diciendo: A éste hemos hallado que pervierte a la nación, y que prohibe dar tributo a César, diciendo que él mismo es el Cristo, un rey.

**3** Entonces Pilato le preguntó, diciendo: ¿Eres tú el Rey de los judíos? Y respondiéndole él, dijo: Tú lo dices.

**4** Y Pilato dijo a los principales sacerdotes, y a la gente: Ningún delito hallo en este hombre.

**5** Pero ellos porfiaban, diciendo: Alborota al pueblo, enseñando por toda Judea, comenzando desde Galilea hasta aquí.

## Jesús ante Herodes

**6** Entonces Pilato, oyendo decir, Galilea, preguntó si el hombre era galileo.

**7** Y al saber que era de la jurisdicción de Herodes, le remitió a Herodes, que en aquellos días también estaba en Jerusalén.

**8** Herodes, viendo a Jesús, se alegró mucho, porque hacía tiempo que deseaba verle; porque había oído muchas cosas acerca de él, y esperaba verle hacer alguna señal.

**9** Y le hacía muchas preguntas, pero él nada le respondió.

**10** Y estaban los principales sacerdotes y los escribas acusándole con gran vehemencia.

**11** Entonces Herodes con sus soldados le menospreció y escarneció, vistiéndole de una ropa espléndida; y volvió a enviarle a Pilato.

## F*e*

### LEA LUCAS 22.31-34

Es fácil perder la fe cuando tenemos problemas. Cuando nos azotan las tormentas de la vida, podemos sentir que desaparece la fe que una vez tuvimos. Tal vez comencemos a sentir enojo hacia Dios.

Simón Pedro tuvo sus altos y bajos con Dios. La noche en la que Simón Pedro lo negaría, Jesús le dijo: «Simón, Simón, he aquí Satanás os ha pedido para zarandearos como a trigo; pero yo he rogado por ti, que tu fe no falte; y tú, una vez vuelto, confirma a tus hermanos» (Lucas 22.31-32).

Jesús señaló que Simón tenía un agresor en el plano espiritual. Jesús sabía que Pedro sería atacado y «zarandeado», pero también estaba confiado de que después de todo Pedro regresaría a Dios. El trigo se zarandea tirándolo al aire repetidamente. Las semillas de trigo se separan de la paja cuando el viento se lleva la paja, que es más liviana. Lo único que queda son semillas de trigo buenas y enteras.

No debe sorprendernos que tengamos que enfrentar tiempos en los que nuestra fe parezca desaparecer. Tal vez sintamos que nos han partido en dos y que nuestra fe se fue volando como la paja. Pero no debemos preocuparnos. Volveremos a encontrar el núcleo de nuestra fe. Y cuando lo hagamos, estaremos mucho mejor que antes y también estaremos en mejores condiciones para alentar a otros. ***Vaya a la página 157, Juan 8.***

---

**23.1-5** El concilio judío trató de manipular el veredicto de Pilato sobre Jesús diciendo desde medias verdades hasta absolutas mentiras. Cuando asumimos posiciones negativas, las sutiles (y no tan sutiles) mentiras que nos decimos y les decimos a los demás nos impiden progresar en la recuperación. Con frecuencia otros usan la mentira para sacarnos del camino y mantener el statu quo. A menudo los demás ni siquiera son conscientes de su necesidad de mantener todo en su sitio, incluidos a nosotros mismos. La recuperación se basa en los principios de verdad y franqueza.

**12** Y se hicieron amigos Pilato y Herodes aquel día; porque antes estaban enemistados entre sí.

### Jesús sentenciado a muerte

**13** Entonces Pilato, convocando a los principales sacerdotes, a los gobernantes, y al pueblo,

**14** les dijo: Me habéis presentado a éste como un hombre que perturba al pueblo; pero habiéndole interrogado yo delante de vosotros, no he hallado en este hombre delito alguno de aquellos de que le acusáis.

**15** Y ni aun Herodes, porque os remití a él; y he aquí, nada digno de muerte ha hecho este hombre.

**16** Le soltaré, pues, después de castigarle.

**17** Y tenía necesidad de soltarles uno en cada fiesta.

**18** Mas toda la multitud dio voces a una, diciendo: ¡Fuera con éste, y suéltanos a Barrabás!

**19** Este había sido echado en la cárcel por sedición en la ciudad, y por un homicidio.

**20** Les habló otra vez Pilato, queriendo soltar a Jesús;

**21** pero ellos volvieron a dar voces, diciendo: ¡Crucifícale, crucifícale!

**22** Él les dijo por tercera vez: ¿Pues qué mal ha hecho éste? Ningún delito digno de muerte he hallado en él; le castigaré, pues, y le soltaré.

**23** Mas ellos instaban a grandes voces, pidiendo que fuese crucificado. Y las voces de ellos y de los principales sacerdotes prevalecieron.

**24** Entonces Pilato sentenció que se hiciese lo que ellos pedían;

**25** y les soltó a aquel que había sido echado en la cárcel por sedición y homicidio, a quien habían pedido; y entregó a Jesús a la voluntad de ellos.

### Crucifixión y muerte de Jesús

**26** Y llevándole, tomaron a cierto Simón de Cirene, que venía del campo, y le pusieron encima la cruz para que la llevase tras Jesús.

**27** Y le seguía gran multitud del pueblo, y de mujeres que lloraban y hacían lamentación por él.

**28** Pero Jesús, vuelto hacia ellas, les dijo: Hijas de Jerusalén, no lloréis por mí, sino llorad por vosotras mismas y por vuestros hijos.

**29** Porque he aquí vendrán días en que dirán: Bienaventuradas las estériles, y los vientres que no concibieron, y los pechos que no criaron.

**30** Entonces comenzarán a decir a los montes: Caed sobre nosotros; y a los collados: Cubridnos.*ª*

**31** Porque si en el árbol verde hacen estas cosas, ¿en el seco, qué no se hará?

**32** Llevaban también con él a otros dos, que eran malhechores, para ser muertos.

**33** Y cuando llegaron al lugar llamado de la Calavera, le crucificaron allí, y a los malhechores, uno a la derecha y otro a la izquierda.

**34** Y Jesús decía: Padre, perdónalos, porque no saben lo que hacen. Y repartieron entre sí sus vestidos, echando suertes.*b*

**35** Y el pueblo estaba mirando; y aun los gobernantes se burlaban de él, diciendo: A otros salvó; sálvese a sí mismo, si éste es el Cristo, el escogido de Dios.

**36** Los soldados también le escarnecían, acercándose y presentándole vinagre,

**37** y diciendo: Si tú eres el Rey de los judíos, sálvate a ti mismo.

**38** Había también sobre él un título escrito con letras griegas, latinas y hebreas: ESTE ES EL REY DE LOS JUDÍOS.

**39** Y uno de los malhechores que estaban colgados le injuriaba, diciendo: Si tú eres el Cristo, sálvate a ti mismo y a nosotros.

**40** Respondiendo el otro, le reprendió, diciendo: ¿Ni aun temes tú a Dios, estando en la misma condenación?

**41** Nosotros, a la verdad, justamente padecemos, porque recibimos lo que merecieron nuestros hechos; mas éste ningún mal hizo.

**42** Y dijo a Jesús: Acuérdate de mí cuando vengas en tu reino.

**23.30** *ª* Os. 10.8; Ap. 6.16.  **23.34** *b* Sal. 22.18.

---

**23.13-25** Pilato descubrió desde el principio todas las mentiras de los acusadores de Jesús. Esto es una acusación contra sus acusadores, no contra Jesús. Sin embargo, Pilato no se mantuvo firme en sus convicciones. Cedió ante la oportunidad política y la concesión moral para no perder su trabajo. Al ver a Jesús como una amenaza política, Pilato le negó su dignidad y sus derechos humanos. A menudo la verdad sí sale a la luz y vindica al inocente, pero no sin antes haber pagado un precio. En el proceso de recuperación, siempre es crucial decir la verdad y hacer lo correcto.

**23.32-34** Jesús perdonó a quienes lo clavaron en la cruz. Aquí, en la situación más injusta de la historia, se otorgó un perdón ilimitado. Si Cristo perdonó de esta manera estando en la cruz, ningún pecado que hayamos cometido es demasiado grande para que él no lo pueda perdonar. Al aceptar su perdón, se nos libera para poder perdonar a los que han pecado contra nosotros. Cristo nos ayuda a deshacernos de la amargura y el resentimiento, que sólo nos aprisionan. Su perdón nos capacita para perdonar, perdonándonos a nosotros y a quienes nos hayan lastimado.

**23.40-43** La aguda autocrítica del criminal crucificado al lado de Jesús fue el preludio de su salvación. Su actitud muestra un marcado contraste con la amargura autosuficiente y el cinismo del otro criminal, quien murió esclavo del pecado y de la desesperanza. En el proceso de recuperación, Dios siempre mantiene la posibilidad de decisión, incluso hasta el momento final. ¡No es demasiado tarde para comenzar el proceso!

**43** Entonces Jesús le dijo: De cierto te digo que hoy estarás conmigo en el paraíso.

**44** Cuando era como la hora sexta, hubo tinieblas sobre toda la tierra hasta la hora novena.

**45** Y el sol se oscureció, y el velo^c del templo se rasgó por la mitad.

**46** Entonces Jesús, clamando a gran voz, dijo: Padre, en tus manos encomiendo mi espíritu.^d Y habiendo dicho esto, expiró.

**47** Cuando el centurión vio lo que había acontecido, dio gloria a Dios, diciendo: Verdaderamente este hombre era justo.

**48** Y toda la multitud de los que estaban presentes en este espectáculo, viendo lo que había acontecido, se volvían golpeándose el pecho.

**49** Pero todos sus conocidos, y las mujeres^e que le habían seguido desde Galilea, estaban lejos mirando estas cosas.

## Jesús es sepultado

**50** Había un varón llamado José, de Arimatea, ciudad de Judea, el cual era miembro del concilio, varón bueno y justo.

**51** Este, que también esperaba el reino de Dios, y no había consentido en el acuerdo ni en los hechos de ellos,

**52** fue a Pilato, y pidió el cuerpo de Jesús.

**53** Y quitándolo, lo envolvió en una sábana, y lo puso en un sepulcro abierto en una peña, en el cual aún no se había puesto a nadie.

**54** Era día de la preparación, y estaba para comenzar el día de reposo.

**55** Y las mujeres que habían venido con él desde Galilea, siguieron también, y vieron el sepulcro, y cómo fue puesto su cuerpo.

**56** Y vueltas, prepararon especias aromáticas y ungüentos; y descansaron el día de reposo, conforme al mandamiento.^f

## La resurrección

**24** **1** El primer día de la semana, muy de mañana, vinieron al sepulcro, trayendo las especias aromáticas que habían preparado, y algunas otras mujeres con ellas.

**2** Y hallaron removida la piedra del sepulcro;

**3** y entrando, no hallaron el cuerpo del Señor Jesús.

**4** Aconteció que estando ellas perplejas por esto, he aquí se pararon junto a ellas dos varones con vestiduras resplandecientes;

**5** y como tuvieron temor, y bajaron el rostro a tierra, les dijeron: ¿Por qué buscáis entre los muertos al que vive?

**6** No está aquí, sino que ha resucitado. Acordaos de lo que os habló, cuando aún estaba en Galilea,

**7** diciendo: Es necesario que el Hijo del Hombre sea entregado en manos de hombres pecadores, y que sea crucificado, y resucite al tercer día.^a

**8** Entonces ellas se acordaron de sus palabras,

**9** y volviendo del sepulcro, dieron nuevas de todas estas cosas a los once, y a todos los demás.

**10** Eran María Magdalena, y Juana, y María madre de Jacobo, y las demás con ellas, quienes dijeron estas cosas a los apóstoles.

**11** Mas a ellos les parecían locura las palabras de ellas, y no las creían.

**12** Pero levantándose Pedro, corrió al sepulcro; y cuando miró dentro, vio los lienzos solos, y se fue a casa maravillándose de lo que había sucedido.

## En el camino a Emaús

**13** Y he aquí, dos de ellos iban el mismo día a una aldea llamada Emaús, que estaba a sesenta estadios de Jerusalén.

**14** E iban hablando entre sí de todas aquellas cosas que habían acontecido.

**15** Sucedió que mientras hablaban y discutían entre sí, Jesús mismo se acercó, y caminaba con ellos.

**16** Mas los ojos de ellos estaban velados, para que no le conociesen.

**17** Y les dijo: ¿Qué pláticas son estas que tenéis entre vosotros mientras camináis, y por qué estáis tristes?

**18** Respondiendo uno de ellos, que se llamaba

---

**23.45** ^c Ex. 26.31-33. **23.46** ^d Sal. 31.5. **23.49** ^e Lc. 8.2-3. **23.56** ^f Ex. 20.10; Dt. 5.14.
**24.6-7** ^a Mt. 16.21; 17.22-23; 20.18-19; Mr. 8.31; 9.31; 10.33-34; Lc. 9.22; 18.31-33.

---

**24.1-12** Durante el arresto y el juicio de Jesús, los discípulos mostraron una impotencia absoluta para lidiar con las circunstancias del momento. Pero después de la resurrección, según se relata en el libro de los Hechos, un nuevo poder los capacitó para recuperar el valor e ir por el mundo con el mensaje de las buenas nuevas de Dios. La resurrección es tanto un hecho histórico como un poder experiencial. Este poder es mayor que la muerte misma y nos puede ayudar a superar nuestra dependencia o compulsión. La resurrección es la fuente misma de la recuperación. A medida que experimentemos el poder de Dios en nuestra vida, disfrutaremos la victoria sobre la tentación y seremos libres de la esclavitud de nuestra adicción.

**24.13-24** Los dos seguidores en el camino a Emaús estaban profundamente desmoralizados y desconsolados por los acontecimientos de los días anteriores. No comprendían cabalmente quién era Jesús ni el tipo de fe que se necesitaba para recuperarse del dolor. Sin embargo, por medio de un paso de fe fueron liberados de su dolor y se convirtieron en personas que ayudarían a cambiar el mundo. Al encontrarse y hablar con Jesús, el camino que iba de la cruz a Emaús se transformó en la senda de la recuperación y la plenitud.

Cleofas, le dijo: ¿Eres tú el único forastero en Jerusalén que no has sabido las cosas que en ella han acontecido en estos días?

**19** Entonces él les dijo: ¿Qué cosas? Y ellos le dijeron: De Jesús nazareno, que fue varón profeta, poderoso en obra y en palabra delante de Dios y de todo el pueblo;

**20** y cómo le entregaron los principales sacerdotes y nuestros gobernantes a sentencia de muerte, y le crucificaron.

**21** Pero nosotros esperábamos que él era el que había de redimir a Israel; y ahora, además de todo esto, hoy es ya el tercer día que esto ha acontecido.

**22** Aunque también nos han asombrado unas mujeres de entre nosotros, las que antes del día fueron al sepulcro;

**23** y como no hallaron su cuerpo, vinieron diciendo que también habían visto visión de ángeles, quienes dijeron que él vive.

**24** Y fueron algunos de los nuestros al sepulcro, y hallaron así como las mujeres habían dicho, pero a él no le vieron.

**25** Entonces él les dijo: ¡Oh insensatos, y tardos de corazón para creer todo lo que los profetas han dicho!

**26** ¿No era necesario que el Cristo padeciera estas cosas, y que entrara en su gloria?

**27** Y comenzando desde Moisés, y siguiendo por todos los profetas, les declaraba en todas las Escrituras lo que de él decían.

**28** Llegaron a la aldea adonde iban, y él hizo como que iba más lejos.

**29** Mas ellos le obligaron a quedarse, diciendo: Quédate con nosotros, porque se hace tarde, y el día ya ha declinado. Entró, pues, a quedarse con ellos.

**30** Y aconteció que estando sentado con ellos a la mesa, tomó el pan y lo bendijo, lo partió, y les dio.

**31** Entonces les fueron abiertos los ojos, y le reconocieron; mas él se desapareció de su vista.

**32** Y se decían el uno al otro: ¿No ardía nuestro corazón en nosotros, mientras nos hablaba en el camino, y cuando nos abría las Escrituras?

**33** Y levantándose en la misma hora, volvieron a Jerusalén, y hallaron a los once reunidos, y a los que estaban con ellos,

**34** que decían: Ha resucitado el Señor verdaderamente, y ha aparecido a Simón.

**35** Entonces ellos contaban las cosas que les habían acontecido en el camino, y cómo le habían reconocido al partir el pan.

## Jesús se aparece a los discípulos

**36** Mientras ellos aún hablaban de estas cosas, Jesús se puso en medio de ellos, y les dijo: Paz a vosotros.

**37** Entonces, espantados y atemorizados, pensaban que veían espíritu.

**38** Pero él les dijo: ¿Por qué estáis turbados, y vienen a vuestro corazón estos pensamientos?

**39** Mirad mis manos y mis pies, que yo mismo soy; palpad, y ved; porque un espíritu no tiene carne ni huesos, como veis que yo tengo.

**40** Y diciendo esto, les mostró las manos y los pies.

**41** Y como todavía ellos, de gozo, no lo creían, y estaban maravillados, les dijo: ¿Tenéis aquí algo de comer?

**42** Entonces le dieron parte de un pez asado, y un panal de miel.

**43** Y él lo tomó, y comió delante de ellos.

**44** Y les dijo: Estas son las palabras que os hablé, estando aún con vosotros: que era necesario que se cumpliese todo lo que está escrito de mí en la ley de Moisés, en los profetas y en los salmos.

**45** Entonces les abrió el entendimiento, para que comprendiesen las Escrituras;

**46** y les dijo: Así está escrito, y así fue necesario que el Cristo padeciese,*b* y resucitase de los muertos al tercer día;*c*

**47** y que se predicase en su nombre el arrepentimiento y el perdón de pecados en todas las naciones, comenzando desde Jerusalén.

**48** Y vosotros sois testigos de estas cosas.

**49** He aquí, yo enviaré la promesa de mi Padre*d* sobre vosotros; pero quedaos vosotros en la ciudad de Jerusalén, hasta que seáis investidos de poder desde lo alto.

## La ascensión

**50** Y los sacó fuera hasta Betania, y alzando sus manos, los bendijo.

**51** Y aconteció que bendiciéndolos, se separó de ellos, y fue llevado arriba al cielo.*e*

**52** Ellos, después de haberle adorado, volvieron a Jerusalén con gran gozo;

**53** y estaban siempre en el templo, alabando y bendiciendo a Dios. Amén.

**24.46** *b* Is. 53.1-12. *c* Os. 6.2. **24.49** *d* Hch. 1.4. **24.50-51** *e* Hch. 1.9-11.8.

**24.36-49** Jesús está vivo. No obstante esto no fue evidente de inmediato para los seguidores que estaban en el aposento alto. Mientras se apiñaban en su lamento y dolor, el Cristo vivo apareció. Este Cristo vivo está hoy en nosotros; sólo él puede aplacar nuestras dudas y nuestros temores. La tarea de esparcir las buenas nuevas de resurrección y recuperación resultaba abrumadora. Por medio de la promesa del Espíritu Santo (véase Hechos 2), Jesús les dio la paz y el poder para hacer todo por medio de Cristo. Él puede hacer lo mismo por cualquier persona que esté en recuperación y que confíe en él.

# REFLEXIONES SOBRE SAN LUCAS

## ✱ *perspectivas* SOBRE LA PERSONA DE JESÚS

En **Lucas 1.76-79** se nos presenta a Jesucristo como una luz que brilla sobre aquellos que viven en la oscuridad. A los lectores originales, quizás esta metáfora les haya hecho recordar a un grupo de viajeros sorprendidos por la oscuridad que quedaron toda la noche expuestos al peligro junto al camino. Tales personas, incapaces de defenderse de los ataques de los ladrones, habrían agradecido el sol del amanecer. Esta es una ilustración de lo que Jesús puede hacer por cualquiera de nosotros que estamos «en tinieblas», incapaces de defendernos de la atracción de nuestra dominante dependencia. Pasamos de las tinieblas a la luz cuando recibimos el regalo del perdón de Dios y nos comprometemos personalmente con él. Al encontrar una nueva esperanza en Jesús, podemos contarles a otros que luchan como nosotros, sobre el «amanecer» que les espera a la vuelta de la esquina cuando acepten a Cristo como su Salvador.

Jesús, por supuesto, no necesitaba recuperación alguna porque él era Dios-hombre sin pecado. **Lucas 2.52** nos deja ver con claridad que desde su niñez hasta la adultez Jesús fue un perfecto modelo de crecimiento equilibrado en su desarrollo físico, intelectual, espiritual y social. Él mostró tanto su crecimiento personal como en sus relaciones interpersonales. Ningún aspecto de su crecimiento recibió énfasis exagerado ni se desarrolló a medias ni fue rechazado. Nuestra vida necesita un equilibrio similar mientras pasamos por el proceso de recuperación.

Jesús no sucumbió a la tentación, aunque sí experimentó, de una u otra forma, todas las tentaciones conocidas por la humanidad. La Biblia afirma claramente que Jesús era vulnerable al pecado debido a su humanidad, y sin embargo, no pecó. Si Jesús hubiera sido incapaz de pecar debido a su deidad entonces las tentaciones de Satanás que se relatan en **Lucas 4.3-13** no habrían tenido sentido. Si Jesús hubiera estado más allá de la tentación, habría sido incapaz de compadecerse de nuestra debilidad (véase Hebreos 4.15). Al enfrentar la tentación, especialmente cuando surge de nuestras heridas o de nuestra adicción, podemos recordar que Jesús nos entiende.

## ✱ *perspectivas* SOBRE EL PODER DE DIOS PARA SALVAR

En **Lucas 4.33-37**, Jesús mostró su habilidad para liberar a las personas de la posesión demoníaca. Lucas y los demás escritores de los evangelios dan repetido testimonio del poder de Jesús en este terreno. En tiempos de Jesús se creía que estar poseído por un demonio era la peor adversidad que uno podía sufrir. Por su absoluto control sobre los demonios, Jesús demostró su soberanía sobre toda la adversidad que este mundo y el mundo que no vemos puedan echar sobre la humanidad. Hasta el día de hoy, no hay maldad ni adversidad en la vida que sean tan grandes que el poder de Dios no las pueda vencer.

La historia de Zaqueo en **Lucas 19.1-10** ilustra bellamente la aceptación y la restauración que Dios ofrece a los pecadores arrepentidos. Después de confesar sus pecados a Dios, a sí mismo y a otros, Zaqueo estuvo dispuesto a devolverle el dinero a la gente a la que había perjudicado. Compensar a quienes hayamos dañado o engañado es crucial en el arrepentimiento y la recuperación, excepto que el proceso de enmienda sólo les provoque mayores heridas a las personas que hayamos lastimado. En tales casos, es suficiente con reconocer nuestros defectos ante Dios, ante nosotros mismos y ante otra persona.

**Lucas 19.9-10** capta el tema central del Evangelio de Lucas: la pasión de Jesús por encontrar y restaurar a quienes estaban perdidos y alejados de Dios. Esta ha sido la prioridad de Dios desde el pecado original en el huerto del Edén. Inmediatamente después que Adán y Eva pecaron, Dios salió a buscarlos mientras ellos se escondían con miedo. Él restableció la comunión con ellos y les ofreció un camino de recuperación de su pecado (Génesis 3). La obra de Jesús en la cruz es la culminación del plan divino de perdón, esperanza y comunión restablecida con Dios.

La copa de vino que Jesús compartió con sus discípulos **Lucas 22.20** simbolizaba la sangre de Jesús, que instituiría el Nuevo Pacto. Jesucristo fue el Cordero inmolado de Dios, que llevó los pecados del mundo (véase Juan 1.29). Sin esta provisión definitiva contra el pecado, no tendríamos paz ni serenidad. Sin la copa de salvación ofrecida por Dios, todavía viviríamos en pecado e inseguridad, y si no la aceptan, muchos seguirán buscando la salvación en una botella. Dios nos ha extendido su invitación para que recibamos la gracia de su perdón. Por medio de Cristo ahora podemos descansar protegidos por la gracia de Dios, que nos permite escapar de la culpa de nuestro pasado.

## ✳ *perspectivas* SOBRE LA ORACIÓN

En **Lucas 6.12-16**, Jesús pasó toda una noche orando antes de escoger a sus doce discípulos. Sin embargo, a pesar de lo cuidadoso que fue, entre ellos estaba Judas Iscariote, quien luego lo traicionaría. Jesús no cometió un error; Judas fue escogido con un propósito y en oración. A diferencia de Jesús, nosotros tomamos decisiones insensatas por más cuidadosos que seamos. Sin embargo, nos parecemos a Jesús en que las decisiones que tomamos en oración con respecto a nuestra recuperación también pueden acabar en traición. A pesar de que todavía nos pueden traicionar sin que sea culpa nuestra, debe alentarnos el hecho de que Dios puede usar y usará esto para nuestro propio bien.

**Lucas 11.5-13** pone énfasis en el hecho de que Dios quiere que nos acerquemos a él de manera insistente sin sentirnos avergonzados. Las instrucciones de pedir, buscar y llamar están en tiempo presente, para acentuar la acción continua y persistente por parte nuestra. Es la persistencia del que busca, no necesariamente la bondad del que da, lo que produce resultados. Para practicar esta cualidad en nuestra vida de oración y en nuestro programa de recuperación, primero debemos tener una relación personal con el dador de toda buena dádiva. Por fe podemos esperar que Dios, quien es más bondadoso que cualquier padre terrenal, no sólo quiera que experimentemos la plenitud sino también que conteste nuestras oraciones por nuestra recuperación.

## ✳ *perspectivas* SOBRE LA FE VERDADERA

**Lucas 10.21** nos dice dónde buscar la verdadera sabiduría. Muchos de nosotros hemos gastado años buscando la sabiduría que nos ayude en el proceso de recuperación. Es posible que hayamos comenzado a pensar que es difícil, si no imposible, que la encontremos. Con frecuencia, la razón de que la verdadera sabiduría nos parezca tan evasiva es que se revela por intervención divina y en forma sencilla a quienes son «como niños». La verdadera sabiduría no viene de los sabios del mundo o de intelectuales que viven en su torre de marfil. La sabiduría de Dios que lleva a la recuperación viene de leer su Palabra y de confiar sencillamente en él, día a día. Quienes estén en recuperación podrán beneficiarse mucho siguiendo las directrices divinas con la sencillez y la confianza de un niño.

En **Lucas 15.1-2,** vemos que Jesús atrajo a muchos a quienes habían marginado los judíos religiosos y la sociedad. Quizás fue así porque él era el único que no los despreciaba ni los rechazaba. Jesús prefería a la gente marginada porque ellos eran conscientes de su pecaminosidad y se acercaban a Dios con actitud humilde. En cambio, a los líderes religiosos, exteriormente morales pero en el fondo orgullosos, Jesús no les atraía para nada. Hasta el día de hoy, la religión puede entorpecer la recuperación. Pero aceptar la propia impotencia y establecer una relación personal con Jesús ayudarán en el proceso de recuperación.

La parábola del hijo perdido relatada en **Lucas 15.11-32** ilustra maravillosamente el tema central del Evangelio de Lucas (Lucas 19.9-10) y los pasos para la recuperación. Como el hijo menor, nosotros hemos sido culpables de escoger una vida de placeres. No obstante, con el tiempo descubrimos que nos habíamos convertido en esclavos de nuestro egoísta estilo de vida. Algunos nunca nos percatamos de lo perdidos que estábamos sino hasta que tocamos fondo. Para este hijo, el fondo fue darse cuenta de que los cerdos estaban comiendo mejor que él. Cuando comprendamos que nuestra vida está irremediablemente fuera de control, habremos dado el primer paso hacia la recuperación. Cuando nuestra incapacidad nos humille, estaremos en la mejor situación para establecer una relación saludable con nuestro Dios de gracia.

En **Lucas 18.40-43**, Jesús sana milagrosamente a un ciego. Sin embargo, Jesús no habría sanado al hombre si este no hubiera confiado en el poder de Jesús para hacerlo. Por otro lado, no fue simplemente la fe del ciego lo que lo sanó. La fe sana en la medida en que esté claramente enfocada en el objeto de fe apropiado y poderoso: Dios en Jesucristo. La recuperación no se basa en nuestro propio poder o en nuestra fe, sino en nuestro Dios amoroso, quien tiene el poder y el deseo de sanarnos. Nuestra parte consiste en buscar su ayuda.

## ✳ *perspectivas* SOBRE LOS OBSTÁCULOS PARA LA RECUPERACIÓN

Según **Lucas 11.14-23**, Jesús fue acusado de ser un aliado de Satanás. Sin embargo, las palabras y las acciones de Jesús dejaron en claro que esas acusaciones eran falsas. Los poderes invisibles de las tinieblas son agentes del reino de Satanás y están detrás de gran parte de la esclavitud del hombre. Cuando entendemos esto, «nadar entre dos aguas», entre vivir para Dios y vivir para nosotros, ya no es una opción válida. Nuestro éxito en la recuperación no deja espacio para la neutralidad o las concesiones morales. No elegir a Dios en Jesucristo es elegir a Satanás y su mundo de esclavitud. Sólo por medio de una fe inflexible en Jesucristo podemos alcanzar la victoria y una recuperación que dure toda la vida.

En **Lucas 22.31-34** vemos que Satanás influyó en Simón Pedro para que rompiera su compromiso con Jesús y, como consecuencia, la vida de Pedro comenzó a tambalearse fuera de control. Aunque a Pedro le dolió escuchar que negaría al Maestro, Jesús le ofreció la esperanza del arrepentimiento y la restauración. Jesús sabe cuándo lo negaremos o lo traicionaremos, y nos ofrece una provisión de su gracia para esto. Aunque quizás hayamos sido «zarandeados por Satanás», nunca es demasiado tarde para regresar a Jesús. Al seguir haciendo el inventario moral de nuestras vidas, las recaídas en la recuperación se volverán más cortas y menos frecuentes.

## ✳ *perspectivas* SOBRE LA SINCERIDAD Y LA NEGACIÓN

El fariseo de **Lucas 18.10-14** no tenía una percepción acertada de sí mismo. Se consideraba mejor que los demás; su orgullo le impedía verse o ver a los otros como los veía Dios. Es un buen ejemplo de cómo somos nosotros cuando asumimos una actitud de rechazo. Muchos somos culpables de ignorar nuestras dependencias señalando con un dedo hipócrita a otros que están peores que nosotros. Muchos nos hemos escondido detrás de la imagen respetable que tenemos en nuestra comunidad. Dios ve nuestro corazón y nos recompensará (nos perdonará, sanará y ayudará en la recuperación) según nuestra fe humilde. El recaudador de impuestos, con una conciencia de sí mismo humilde y franca, estaba bien encaminado a su recuperación; el fariseo iba rumbo al desastre espiritual.

Nuestra verdadera condición espiritual no se manifiesta tanto en nuestras actividades religiosas sino en aquello de que dependemos para obtener seguridad. En **Lucas 18.18-23**, Jesús dejó claro que el joven rico dependía de sus posesiones. Jesús lo enfrentó abiertamente con un problema humano muy común: tener devoción a algo equivocado. No sabemos si este joven se arrepintió o no de su apego a las posesiones, pero cada uno de nosotros tiene que hacer frente a la misma decisión. Sólo si renunciamos a nuestra dependencia enfermiza podremos recibir un tesoro espiritual duradero: una relación saludable y satisfactoria con Dios, con nosotros mismos y con los demás.

# SAN JUAN

## EL PANORAMA

Desde las vastas expansiones de la eternidad hasta los confines del tiempo, así entró en este mundo el Hijo de Dios. Jesús fue el Creador de este mundo, pero luego se sumergió en su creación. Dios se hizo hombre y voluntariamente se sacrificó para que todo aquel que lo reciba pueda alcanzar perdón y redención.

Juan usó muchas imágenes para ilustrar quién es Jesús y cómo nos da vida eterna: Jesús es el inmaculado Cordero de Dios sacrificado por nosotros; el pan de vida que satisface nuestra hambre espiritual; el agua viva que satisface nuestra sed espiritual; la luz que nos guía; el buen pastor que nos dirige; la vid verdadera que nos da vida; y el consejero que nos consuela y nos enseña. Por medio de estas imágenes, Juan demostró que Jesús puede darnos todo lo que necesitamos para una vida nueva y abundante.

Juan también usó las señales que Jesús realizó para mostrarnos el poder de Dios para transformar vidas. Este evangelio está lleno de ejemplos del poder de Dios en vidas que necesitaban recuperación. Con la ayuda de Dios, podemos beber el vino nuevo de una vida transformada; asumir la responsabilidad de alejarnos de los pecados que nos paralizan; recuperarnos de nuestra enfermedad; ser sanados de nuestra ceguera ante la verdad; escapar de nuestras adicciones pecaminosas y de las personas que nos condenan; y ser resucitados de una existencia muerta y vacía a una nueva vida.

Juan recopiló esta serie de imágenes y milagros para ayudarnos a reconocer quién es Jesús: el Hijo de Dios. Cuando aceptamos a Jesús como nuestro Señor y Salvador podemos empezar a experimentar la vida nueva que él ofrece a todo el que cree en él.

## EN ESENCIA

PROPÓSITO: Revelar a Jesús como el Hijo de Dios y mostrar que por medio de la fe en él podemos experimentar amor verdadero, perdón y recuperación. AUTOR: el apóstol Juan, hermano de Santiago, llamado «hijo del trueno». DESTINATARIO: Todas las personas en todo lugar. FECHA: Probablemente entre 80 y 90 d.C. ESCENARIO: Después de muchos años de reflexión en su experiencia como discípulo de Jesús, el apóstol Juan registró su perspectiva única sobre el evangelio. VERSÍCULO CLAVE: «Pero éstas [cosas] se han escrito para que creáis que Jesús es el Cristo, el Hijo de Dios, y para que creyendo, tengáis vida en su nombre» (20.31). PERSONAS Y RELACIONES CLAVE: Jesús con Juan el Bautista, los discípulos, María, Marta, Lázaro, los líderes religiosos, Pilato y María Magdalena.

## TEMAS SOBRE RECUPERACIÓN

*El poder de Dios:* Cada uno de los milagros que registra Juan, seis de los cuales no aparecen en los otros evangelios, demuestra claramente el poder de Dios. Jesús sanó a un hombre ciego de nacimiento; caminó sobre las aguas y luego calmó una tormenta; sanó al hijo de un noble sin siquiera estar presente; resucitó a Lázaro después de estar muerto por más de tres días. Juan no nos habla simplemente de la vida de Cristo; resalta el punto clave de que Jesús es la encarnación del poder de Dios. Ese poder se nos promete cuando acudimos a él en nuestra impotencia y le entregamos nuestras vidas.

*El poder de Dios puede estar en nosotros:* La recuperación se basa en el poder de Dios que obra dentro de nosotros. Jesús ilustró de varias maneras cómo podemos tener el poder de Dios. Describió cómo el pámpano permanece en la vid y extrae de ella vida y poder. Nos dice que él es el pan de vida y que tenemos que comer de ese pan. Dice que da agua para que nosotros bebamos y saciemos nuestra sed para siempre. Cada una de estas imágenes ilustra la promesa que él hizo en el aposento alto: el Espíritu Santo estaría disponible para enseñarnos, consolarnos y darnos poder diariamente. Cuando le entregamos nuestra vida a Dios, el Espíritu Santo viene a vivir en nosotros y nos lleva paso a paso hacia la sanidad y la plenitud.

*Los peligros de la negación:* Al principio del ministerio de Jesús, lo siguieron grandes multitudes. Pero al confrontar Jesús a las personas con la realidad de sus pecados, el tamaño de las multitudes disminuyó gradualmente. Con el tiempo, conforme las personas se volvieron reacias a enfrentar las realidades que Jesús les puso ante sus ojos, rechazaron al único que podía ayudarlos. Los tiempos han cambiado, pero el patrón de conducta negativa sigue siendo el mismo: comenzamos con algún cuestionamiento sobre la verdad y con el tiempo desarrollamos una resistencia rígida contra ella. Gradualmente nuestro corazón se va endureciendo y ya no vemos la verdad patente. Así como confrontó a las multitudes, Jesús también nos confronta con los cambios que necesitamos hacer. Se necesita valor para abrirse y estar dispuesto a enfrentar la verdad; aceptar la verdad es el primer paso hacia la recuperación.

*La invitación a una relación:* Aunque cada uno de los evangelios muestra el amor de Jesús, Juan lo presenta como un tema central. En el aposento alto Jesús dijo que la señal de que alguien lo sigue es que ame a los demás. Oró para que estuviéramos unidos en amor así como lo están él y el Padre. Juan se refiere a sí mismo en este evangelio como «el discípulo a quien amaba Jesús» (21.20). En una de sus últimas cartas, Juan escribió que la prueba mayor de la presencia de Dios en nuestras vidas es nuestro amor por otros (véase 1 Juan 4.11-12, 20-21). Reconocer el amor de Dios por nosotros y nuestra buena disposición para valorar y respetar a los demás es muy importante en el proceso de recuperación y para nuestra relación con Dios.

---

### El Verbo hecho carne

**1** **1** En el principio era el Verbo, y el Verbo era con Dios, y el Verbo era Dios.

**2** Este era en el principio con Dios.

**3** Todas las cosas por él fueron hechas, y sin él nada de lo que ha sido hecho, fue hecho.

**4** En él estaba la vida, y la vida era la luz de los hombres.

**5** La luz en las tinieblas resplandece, y las tinieblas no prevalecieron contra ella.

**6** Hubo un hombre enviado de Dios, el cual se llamaba Juan.*a*

**7** Este vino por testimonio, para que diese testimonio de la luz, a fin de que todos creyesen por él.

**8** No era él la luz, sino para que diese testimonio de la luz.

**9** Aquella luz verdadera, que alumbra a todo hombre, venía a este mundo.

**10** En el mundo estaba, y el mundo por él fue hecho; pero el mundo no le conoció.

**11** A lo suyo vino, y los suyos no le recibieron.

**12** Mas a todos los que le recibieron, a los que creen en su nombre, les dio potestad de ser hechos hijos de Dios;

**1.6** *a* Mt. 3.1; Mr. 1.4; Lc. 3.1-2.

---

**1.1-13** El mismo poder que creó el universo está disponible para crear una nueva vida a partir de nuestras esperanzas destrozadas. La luz de vida que expone y hace desvanecer las tinieblas de la humanidad es la misma luz que alumbra los oscuros rincones de nuestro mundo. La fuente de la vida y de la verdadera luz para el mundo es toda fuente de la recuperación. La vida eterna y la verdadera recuperación son nuestras cuando creemos lo que Dios dice, renunciamos a nuestra tendencia a hacer las cosas a nuestra manera y recibimos a aquel a quien Dios envió para ayudarnos.

# JUAN EL BAUTISTA

Desde el desierto de Judea, pasó rápidamente una tempestad que despertó a muchos de su sueño, derribó viejas estructuras y empapó los terrenos necesitados de humedad. Muchos tuvieron miedo del diluvio feroz, pero otros estuvieron agradecidos por la futura abundancia que traería la lluvia. Así fue como Juan el Bautista entró a escena en Judea. Desafió la estructura de poder del liderato judío y preparó el camino para lo que habría de venir.

Desde el día en que un ángel se le apareció al padre de Juan para anunciar su nacimiento, quedó claro que Juan era especial, y que había sido apartado para una misión extraordinaria. Juan predicó con denuedo un mensaje claro y poderoso: el reino de Dios estaba cercano y la gente debía arrepentirse de sus pecados y bautizarse como señal de su arrepentimiento.

Algunos fueron conmovidos profundamente por las palabras de Juan y con humildad procuraron cambiar sus vidas; otros se endurecieron más en su orgullo y arrogancia. Cuando el rey Herodes se casó con Herodías, la esposa de su hermano, Juan no se quedó callado y señaló que el rey incumplía la ley de Dios. Herodías se enojó por las palabras de condenación de Juan e hizo que lo mataran. Ella fue capaz de detener al mensajero, pero no el mensaje. El camino estaba preparado; el Mesías había entrado a escena. Juan había hecho su trabajo.

Juan sentía que ni siquiera era digno de ser esclavo de Jesús. Sin embargo, Jesús dijo que no había habido otro mayor que Juan en la historia de la raza humana. Juan tenía problemas de autoestima; tenía un grado apropiado de humildad. Cuando entendamos verdaderamente la grandeza de Jesús, nuestra importancia personal, nuestro orgullo y autosuficiencia se transformarán en gratitud humilde y en deseo de agradarlo.

**FORTALEZAS Y LOGROS:**
- Juan dijo la verdad sin importar el precio.
- Se preocupaba por la opinión de Dios, no lo que otros pensaran.
- Cumplió la voluntad de Dios al preparar el camino para el Mesías.
- Puso primero a Dios en todo lo que hizo y dijo.
- Expresó con sinceridad sus sentimientos de confusión y duda.

**LECCIONES PARA NUESTRA VIDA:**
- Mantenerse firme en la verdad puede costar muy caro, pero al final bien vale la pena.
- Se experimenta gozo al hablar a otros del reino de Dios y de Jesús el Rey.
- Tener una apropiada percepción de uno mismo es clave para el servicio fiel.

**VERSÍCULOS CLAVE:**
«Dijo: Yo soy la voz de uno que clama en el desierto: Enderezad el camino del Señor, como dijo el profeta Isaías» (Juan 1.23).

La historia de Juan se encuentra en Mateo 3.1-17; 11.18-19; 14.1-12; Marcos 1.1-11; 6.14-29; Lucas 1.5-25, 39-45, 57-80; 3.1-22; 7.18-35; 9.7-9; Juan 1.6-9, 19-37. También se menciona en Hechos 1.5, 21-22; 10.36-37; 11.16; 13.24-25; 18.25-26; 19.3-4.

---

13 los cuales no son engendrados de sangre, ni de voluntad de carne, ni de voluntad de varón, sino de Dios.

14 Y aquel Verbo fue hecho carne, y habitó entre nosotros (y vimos su gloria, gloria como del unigénito del Padre), lleno de gracia y de verdad.

15 Juan dio testimonio de él, y clamó diciendo: Este es de quien yo decía: El que viene después de mí, es antes de mí; porque era primero que yo.

16 Porque de su plenitud tomamos todos, y gracia sobre gracia.

17 Pues la ley por medio de Moisés fue dada, pero la gracia y la verdad vinieron por medio de Jesucristo.

18 A Dios nadie le vio jamás; el unigénito Hijo, que está en el seno del Padre, él le ha dado a conocer.

## Testimonio de Juan el Bautista

19 Este es el testimonio de Juan, cuando los judíos enviaron de Jerusalén sacerdotes y levitas para que le preguntasen: ¿Tú, quién eres?

20 Confesó, y no negó, sino confesó: Yo no soy el Cristo.

---

**1.14-18** La verdadera luz del mundo se convirtió en el ser humano que conocemos como Jesucristo, lleno del inalterable amor y de la fidelidad de Dios. Por medio de Jesús, totalmente Dios y totalmente humano, podemos conocer quién es Dios y disfrutar de comunión con él. Jesucristo vino para traernos el amor y el perdón inagotables de Dios, y para revelarnos la fidelidad divina. La gracia perdonadora de Dios nos dice: «Perdono tus ofensas; te amo y te acepto de buena gana como la persona que eres». Su fidelidad dice: «Cumpliré todo lo que he prometido».

**1.19-28** Juan el Bautista fue un original mensajero de arrepentimiento y recuperación. Él no era la verdadera luz ni la fuente de recuperación; sencillamente señaló al que lo era en realidad. De igual manera,

**21** Y le preguntaron: ¿Qué pues? ¿Eres tú Elías?[b] Dijo: No soy. ¿Eres tú el profeta?[c] Y respondió: No.
**22** Le dijeron: ¿Pues quién eres? para que demos respuesta a los que nos enviaron. ¿Qué dices de ti mismo?
**23** Dijo: Yo soy la voz de uno que clama en el desierto: Enderezad el camino del Señor, como dijo el profeta Isaías.[d]
**24** Y los que habían sido enviados eran de los fariseos.
**25** Y le preguntaron, y le dijeron: ¿Por qué, pues, bautizas, si tú no eres el Cristo, ni Elías, ni el profeta?
**26** Juan les respondió diciendo: Yo bautizo con agua; mas en medio de vosotros está uno a quien vosotros no conocéis.
**27** Este es el que viene después de mí, el que es antes de mí, del cual yo no soy digno de desatar la correa del calzado.
**28** Estas cosas sucedieron en Betábara, al otro lado del Jordán, donde Juan estaba bautizando.

## El Cordero de Dios

**29** El siguiente día vio Juan a Jesús que venía a él, y dijo: He aquí el Cordero de Dios, que quita el pecado del mundo.
**30** Este es aquel de quien yo dije: Después de mí viene un varón, el cual es antes de mí; porque era primero que yo.
**31** Y yo no le conocía; mas para que fuese manifestado a Israel, por esto vine yo bautizando con agua.
**32** También dio Juan testimonio, diciendo: Vi al Espíritu que descendía del cielo como paloma, y permaneció sobre él.
**33** Y yo no le conocía; pero el que me envió a bautizar con agua, aquél me dijo: Sobre quien veas descender el Espíritu y que permanece sobre él, ése es el que bautiza con el Espíritu Santo.
**34** Y yo le vi, y he dado testimonio de que éste es el Hijo de Dios.

## Los primeros discípulos

**35** El siguiente día otra vez estaba Juan, y dos de sus discípulos.
**36** Y mirando a Jesús que andaba por allí, dijo: He aquí el Cordero de Dios.
**37** Le oyeron hablar los dos discípulos, y siguieron a Jesús.
**38** Y volviéndose Jesús, y viendo que le seguían, les dijo: ¿Qué buscáis? Ellos le dijeron: Rabí (que traducido es, Maestro), ¿dónde moras?
**39** Les dijo: Venid y ved. Fueron, y vieron donde moraba, y se quedaron con él aquel día; porque era como la hora décima.
**40** Andrés, hermano de Simón Pedro, era uno de los dos que habían oído a Juan, y habían seguido a Jesús.
**41** Este halló primero a su hermano Simón, y le dijo: Hemos hallado al Mesías (que traducido es, el Cristo).
**42** Y le trajo a Jesús. Y mirándole Jesús, dijo: Tú eres Simón, hijo de Jonás; tú serás llamado Cefas[1] (que quiere decir, Pedro[2]).

## Jesús llama a Felipe y a Natanael

**43** El siguiente día quiso Jesús ir a Galilea, y halló a Felipe, y le dijo: Sígueme.
**44** Y Felipe era de Betsaida, la ciudad de Andrés y Pedro.
**45** Felipe halló a Natanael, y le dijo: Hemos hallado a aquél de quien escribió Moisés en la ley, así como los profetas: a Jesús, el hijo de José, de Nazaret.
**46** Natanael le dijo: ¿De Nazaret puede salir algo de bueno? Le dijo Felipe: Ven y ve.
**47** Cuando Jesús vio a Natanael que se le acercaba, dijo de él: He aquí un verdadero israelita, en quien no hay engaño.
**48** Le dijo Natanael: ¿De dónde me conoces? Respondió Jesús y le dijo: Antes que Felipe te llamara, cuando estabas debajo de la higuera, te vi.
**49** Respondió Natanael y le dijo: Rabí, tú eres el Hijo de Dios; tú eres el Rey de Israel.
**50** Respondió Jesús y le dijo: ¿Porque te dije: Te vi debajo de la higuera, crees? Cosas mayores que estas verás.
**51** Y le dijo: De cierto, de cierto os digo: De aquí adelante veréis el cielo abierto, y a los ángeles de Dios que suben y descienden[e] sobre el Hijo del Hombre.

## Las bodas de Caná

**2** **1** Al tercer día se hicieron unas bodas en Caná de Galilea; y estaba allí la madre de Jesús.

**1.21** [b] Mal. 4.5. [c] Dt. 18.15, 18. **1.23** [d] Is. 40.3. **1.42** [1] De la palabra *piedra* en arameo y en griego, respectivamente. [2] De la palabra *piedra* en arameo y en griego, respectivamente. **1.51** [e] Gn. 28.12.

quienes estamos en recuperación reflejamos la luz de Dios y simplemente señalamos el camino hacia la recuperación. No debemos atraer seguidores hacia nosotros, como tampoco lo hizo Juan. Somos simples mendigos que les dicen a otros mendigos dónde encontrar alimento. Cuando dejemos a un lado el orgullo por nuestros logros y habilidades, como hizo Juan el Bautista, estaremos mejor capacitados para servir a Cristo mostrándoles el camino a la recuperación a otros que también luchan.
**2.1-12** Jesús estaba en una boda con familiares y amigos cuando se terminó el vino. Entonces Jesús

**2** Y fueron también invitados a las bodas Jesús y sus discípulos.

**3** Y faltando el vino, la madre de Jesús le dijo: No tienen vino.

**4** Jesús le dijo: ¿Qué tienes conmigo, mujer? Aún no ha venido mi hora.

**5** Su madre dijo a los que servían: Haced todo lo que os dijere.*a*

**6** Y estaban allí seis tinajas de piedra para agua, conforme al rito de la purificación de los judíos, en cada una de las cuales cabían dos o tres cántaros.

**7** Jesús les dijo: Llenad estas tinajas de agua. Y las llenaron hasta arriba.

**8** Entonces les dijo: Sacad ahora, y llevadlo al maestresala. Y se lo llevaron.

**9** Cuando el maestresala probó el agua hecha vino, sin saber él de dónde era, aunque lo sabían los sirvientes que habían sacado el agua, llamó al esposo,

**10** y le dijo: Todo hombre sirve primero el buen vino, y cuando ya han bebido mucho, entonces el inferior; mas tú has reservado el buen vino hasta ahora.

**11** Este principio de señales hizo Jesús en Caná de Galilea, y manifestó su gloria; y sus discípulos creyeron en él.

**12** Después de esto descendieron a Capernaum,*b* él, su madre, sus hermanos y sus discípulos; y estuvieron allí no muchos días.

## Jesús purifica el templo

**13** Estaba cerca la pascua*c* de los judíos; y subió Jesús a Jerusalén,

**14** y halló en el templo a los que vendían bueyes, ovejas y palomas, y a los cambistas allí sentados.

**15** Y haciendo un azote de cuerdas, echó fuera del templo a todos, y las ovejas y los bueyes; y esparció las monedas de los cambistas, y volcó las mesas;

**16** y dijo a los que vendían palomas: Quitad de aquí esto, y no hagáis de la casa de mi Padre casa de mercado.

**17** Entonces se acordaron sus discípulos que está escrito: El celo de tu casa me consume.*d*

**18** Y los judíos respondieron y le dijeron: ¿Qué señal nos muestras, ya que haces esto?

**19** Respondió Jesús y les dijo: Destruid este templo, y en tres días lo levantaré.*e*

**20** Dijeron luego los judíos: En cuarenta y seis años fue edificado este templo, ¿y tú en tres días lo levantarás?

**21** Mas él hablaba del templo de su cuerpo.

**22** Por tanto, cuando resucitó de entre los muertos, sus discípulos se acordaron que había dicho esto; y creyeron la Escritura y la palabra que Jesús había dicho.

## Jesús conoce a todos los hombres

**23** Estando en Jerusalén en la fiesta de la pascua, muchos creyeron en su nombre, viendo las señales que hacía.

**24** Pero Jesús mismo no se fiaba de ellos, porque conocía a todos,

**25** y no tenía necesidad de que nadie le diese testimonio del hombre, pues él sabía lo que había en el hombre.

## Jesús y Nicodemo

**3** **1** Había un hombre de los fariseos que se llamaba Nicodemo, un principal entre los judíos.

**2** Este vino a Jesús de noche, y le dijo: Rabí, sabemos que has venido de Dios como maestro; porque nadie puede hacer estas señales que tú haces, si no está Dios con él.

**3** Respondió Jesús y le dijo: De cierto, de cierto te digo, que el que no naciere de nuevo, no puede ver el reino de Dios.

**2.5** *a* Gn. 41.55. **2.12** *b* Mt. 4.13. **2.13** *c* Ex. 12.1-27. **2.17** *d* Sal. 69.9. **2.19** *e* Mt. 26.61; 27.40; Mr. 14.58; 15.29.

---

transformó el agua de seis tinajas de piedra en suficiente vino para el resto de la celebración. Si estamos en recuperación, esta abundancia de vino sería peligrosa. Pero una verdad debe alentarnos: Jesús valoró la celebración de la gente en las bodas. Dios se preocupa por nuestras necesidades, aun por las que parecen triviales, y tiene el poder para satisfacerlas. Quizás nos pida hacer algunas cosas doloras en el proceso de recuperación, pero su meta final para nosotros es una vida de paz y plenitud.

**2.13-16** Jesús estaba enojado con aquellos que habían transformado los atrios del templo en un mercado de ganancia injusta. Los mercaderes obligaban a la gente a comprar a precios exorbitantes los animales «aprobados» para el sacrificio, y cambiaban sus monedas por monedas del templo a tasas infladas. Abusaban de la confianza pública y se burlaban de la adoración sagrada. El enojo controlado, y permitido por los propósitos de Dios, es justificado. Algunas veces este tipo de enojo puede jugar un papel importante en nuestra recuperación espiritual, emocional y física. Tal vez necesitemos enfrentar las fuerzas abusivas que influyen en nuestra vida y hacer cambios que nos liberen de sus garras. Al hacerlo, Dios estará a nuestro lado.

**3.1-12** El renacer espiritual es tan necesario para el proceso de recuperación como lo es para entrar al reino de Dios. Nacer de nuevo es el principio; un pasito de bebé en el proceso. La parte difícil viene cada día subsiguiente, cuando toca someter nuestro terco corazón y nuestra voluntad al control del Espíritu de Dios.

**4** Nicodemo le dijo: ¿Cómo puede un hombre nacer siendo viejo? ¿Puede acaso entrar por segunda vez en el vientre de su madre, y nacer?

**5** Respondió Jesús: De cierto, de cierto te digo, que el que no naciere de agua y del Espíritu, no puede entrar en el reino de Dios.

**6** Lo que es nacido de la carne, carne es; y lo que es nacido del Espíritu,[1] espíritu es.

**7** No te maravilles de que te dije: Os es necesario nacer de nuevo.

**8** El viento[2] sopla de donde quiere, y oyes su sonido; mas ni sabes de dónde viene, ni a dónde va; así es todo aquel que es nacido del Espíritu.

**9** Respondió Nicodemo y le dijo: ¿Cómo puede hacerse esto?

**10** Respondió Jesús y le dijo: ¿Eres tú maestro de Israel, y no sabes esto?

**11** De cierto, de cierto te digo, que lo que sabemos hablamos, y lo que hemos visto, testificamos; y no recibís nuestro testimonio.

**12** Si os he dicho cosas terrenales, y no creéis, ¿cómo creeréis si os dijere las celestiales?

**13** Nadie subió al cielo, sino el que descendió del cielo; el Hijo del Hombre, que está en el cielo.

**14** Y como Moisés levantó la serpiente en el desierto,[a] así es necesario que el Hijo del Hombre sea levantado,

**15** para que todo aquel que en él cree, no se pierda, mas tenga vida eterna.

## De tal manera amó Dios al mundo

**16** Porque de tal manera amó Dios al mundo, que ha dado a su Hijo unigénito, para que todo aquel que en él cree, no se pierda, mas tenga vida eterna.

**17** Porque no envió Dios a su Hijo al mundo para condenar al mundo, sino para que el mundo sea salvo por él.

**18** El que en él cree, no es condenado; pero el que no cree, ya ha sido condenado, porque no ha creído en el nombre del unigénito Hijo de Dios.

**19** Y esta es la condenación: que la luz vino al mundo, y los hombres amaron más las tinieblas que la luz, porque sus obras eran malas.

**20** Porque todo aquel que hace lo malo, aborrece la luz y no viene a la luz, para que sus obras no sean reprendidas.

**21** Mas el que practica la verdad viene a la luz, para que sea manifiesto que sus obras son hechas en Dios.

## El amigo del esposo

**22** Después de esto, vino Jesús con sus discípulos a la tierra de Judea, y estuvo allí con ellos, y bautizaba.

**23** Juan bautizaba también en Enón, junto a Salim, porque había allí muchas aguas; y venían, y eran bautizados.

**24** Porque Juan no había sido aún encarcelado.[b]

**25** Entonces hubo discusión entre los discípulos de Juan y los judíos acerca de la purificación.

**26** Y vinieron a Juan y le dijeron: Rabí, mira que el que estaba contigo al otro lado del Jordán, de quien tú diste testimonio, bautiza, y todos vienen a él.

**27** Respondió Juan y dijo: No puede el hombre recibir nada, si no le fuere dado del cielo.

**28** Vosotros mismos me sois testigos de que dije: Yo no soy el Cristo,[c] sino que soy enviado delante de él.

**29** El que tiene la esposa, es el esposo; mas el amigo del esposo, que está a su lado y le oye, se goza grandemente de la voz del esposo; así pues, este mi gozo está cumplido.

**30** Es necesario que él crezca, pero que yo mengüe.

## El que viene de arriba

**31** El que de arriba viene, es sobre todos; el que es de la tierra, es terrenal, y cosas terrenales habla; el que viene del cielo, es sobre todos.

**32** Y lo que vio y oyó, esto testifica; y nadie recibe su testimonio.

**33** El que recibe su testimonio, éste atestigua que Dios es veraz.

**34** Porque el que Dios envió, las palabras de Dios habla; pues Dios no da el Espíritu por medida.

**35** El Padre ama al Hijo, y todas las cosas ha entregado en su mano.[d]

**36** El que cree en el Hijo tiene vida eterna; pero el que rehúsa creer en el Hijo no verá la vida, sino que la ira de Dios está sobre él.

---

**3.6** [1] La misma palabra griega significa tanto *viento* como *espíritu.* **3.8** [2] La misma palabra griega significa tanto *viento* como *espíritu.* **3.14** [a] Nm. 21.9. **3.24** [b] Mt. 14.3; Mr. 6.17; Lc. 3.19-20. **3.28** [c] Jn. 1.20. **3.35** [d] Mt. 11.27; Lc. 10.22.

---

La verdadera recuperación no se obtiene tratando con ahínco de vivir una vida mejor. Al arrepentirnos, confiarle nuestra vida a Dios y tratar de obedecerlo, recibiremos perdón y verdadera recuperación.

**3.16-18** La fe le dice «sí» a las propuestas amorosas que Dios nos hace. Dios nos amó lo suficiente para enviar a su propio Hijo, Jesucristo, a pagar por nuestros pecados. La verdadera fe no tiene nada que ver con nuestros propios esfuerzos, logros sociales o riqueza material. La verdadera fe le dice a Dios: «Soy un inútil pecador, incapaz de llevar a cabo mi propia recuperación. Confío en tu perdón, el que me ofreces gratuitamente en Jesucristo». Esta fe nos libera de la consecuencia final de nuestros pecados: la separación eterna de Dios. También nos faculta para hacer cambios en el presente que sembrarán las semillas de una nueva vida.

## Jesús y la mujer samaritana

**4** **1** Cuando, pues, el Señor entendió que los fariseos habían oído decir: Jesús hace y bautiza más discípulos que Juan

**2** (aunque Jesús no bautizaba, sino sus discípulos),

**3** salió de Judea, y se fue otra vez a Galilea.

**4** Y le era necesario pasar por Samaria.

**5** Vino, pues, a una ciudad de Samaria llamada Sicar, junto a la heredad que Jacob dio a su hijo José.*a*

**6** Y estaba allí el pozo de Jacob. Entonces Jesús, cansado del camino, se sentó así junto al pozo. Era como la hora sexta.

**7** Vino una mujer de Samaria a sacar agua; y Jesús le dijo: Dame de beber.

**8** Pues sus discípulos habían ido a la ciudad a comprar de comer.

**9** La mujer samaritana le dijo: ¿Cómo tú, siendo judío, me pides a mí de beber, que soy mujer samaritana? Porque judíos y samaritanos no se tratan entre sí.*b*

**10** Respondió Jesús y le dijo: Si conocieras el don de Dios, y quién es el que te dice: Dame de beber; tú le pedirías, y él te daría agua viva.

**11** La mujer le dijo: Señor, no tienes con qué sacarla, y el pozo es hondo. ¿De dónde, pues, tienes el agua viva?

**12** ¿Acaso eres tú mayor que nuestro padre Jacob, que nos dio este pozo, del cual bebieron él, sus hijos y sus ganados?

**13** Respondió Jesús y le dijo: Cualquiera que bebiere de esta agua, volverá a tener sed;

**14** mas el que bebiere del agua que yo le daré, no tendrá sed jamás; sino que el agua que yo le daré será en él una fuente de agua que salte para vida eterna.

**15** La mujer le dijo: Señor, dame esa agua, para que no tenga yo sed, ni venga aquí a sacarla.

**16** Jesús le dijo: Ve, llama a tu marido, y ven acá.

**17** Respondió la mujer y dijo: No tengo marido. Jesús le dijo: Bien has dicho: No tengo marido;

**18** porque cinco maridos has tenido, y el que ahora tienes no es tu marido; esto has dicho con verdad.

**19** Le dijo la mujer: Señor, me parece que tú eres profeta.

**20** Nuestros padres adoraron en este monte, y vosotros decís que en Jerusalén es el lugar donde se debe adorar.

**21** Jesús le dijo: Mujer, créeme, que la hora viene

---

PASO **11**

## Amigos de la luz

LECTURA BÍBLICA: Juan 3.18-21

**Tratamos, por medio de la oración y la meditación, de mejorar nuestra comunión consciente con Dios, pidiendo solamente conocer su voluntad para nosotros y el poder para llevarla a cabo.**

A veces no queremos conocer la voluntad de Dios porque hay aspectos de nuestra vida con los que no estamos listos para lidiar todavía. La recuperación es un proceso para nosotros. Tal vez estemos preparados para orar pidiendo la voluntad de Dios en algunos asuntos, pero nos incomoda que la luz de Dios brille sobre otros que todavía se refugian en la vergüenza.

Cuando habló con aquellos que se negaban a confiarle sus vidas, Jesús les dijo: «La luz vino al mundo, y los hombres amaron más las tinieblas que la luz, porque sus obras eran malas. Porque todo aquel que hace lo malo, aborrece la luz y no viene a la luz, para que sus obras no sean reprendidas» (Juan 3.19-20). Más adelante, en uno de sus discursos, le dijo a la gente: «Yo soy la luz del mundo; el que me sigue, no andará en tinieblas, sino que tendrá la luz de la vida» (Juan 8.12).

La oscuridad es muy buena cuando estamos tratando de esconder algo, pero se necesita la luz cuando lo que queremos es caminar sin caernos. Cuando tratábamos de esconder nuestra conducta vergonzosa o nos aferrábamos a nuestra adicción, la oscuridad parecía nuestra amiga. Pero ahora que estamos tratando de caminar hacia la recuperación, necesitamos la luz para no tropezar. Ya no tenemos que temerle a la luz de Dios porque tenemos su perdón a través de Cristo. Él quiere guiarnos con seguridad por el camino correcto. ***Vaya a la página 481, Salmo 27.***

---

**4.5** *a* Gn. 33.19; Jos. 24.32.   **4.9** *b* Esd. 4.1-5; Neh. 4.1-2.

---

**4.4-27** Los discípulos se sorprendieron al encontrar a Jesús hablando con la mujer junto al pozo: era una samaritana (medio judía y medio gentil), era mujer y tenía un pasado dudoso. Cualquiera de estos factores la hubieran descalificado para hablar con un hombre judío «recto». Jesús derrumbó las barreras tradicionales, al aceptarla tal cual era y darle la oportunidad de un nuevo comienzo en la vida. Jesús demostró el amor de Dios por todos los que habían sido rechazados, evitados o condenados, y eso debe

cuando ni en este monte ni en Jerusalén adoraréis al Padre.

**22** Vosotros adoráis lo que no sabéis; nosotros adoramos lo que sabemos; porque la salvación viene de los judíos.

**23** Mas la hora viene, y ahora es, cuando los verdaderos adoradores adorarán al Padre en espíritu y en verdad; porque también el Padre tales adoradores busca que le adoren.

**24** Dios es Espíritu; y los que le adoran, en espíritu y en verdad es necesario que adoren.

**25** Le dijo la mujer: Sé que ha de venir el Mesías, llamado el Cristo; cuando él venga nos declarará todas las cosas.

**26** Jesús le dijo: Yo soy, el que habla contigo.

**27** En esto vinieron sus discípulos, y se maravillaron de que hablaba con una mujer; sin embargo, ninguno dijo: ¿Qué preguntas? o, ¿Qué hablas con ella?

**28** Entonces la mujer dejó su cántaro, y fue a la ciudad, y dijo a los hombres:

**29** Venid, ved a un hombre que me ha dicho todo cuanto he hecho. ¿No será éste el Cristo?

**30** Entonces salieron de la ciudad, y vinieron a él.

**31** Entre tanto, los discípulos le rogaban, diciendo: Rabí, come.

**32** El les dijo: Yo tengo una comida que comer, que vosotros no sabéis.

**33** Entonces los discípulos decían unos a otros: ¿Le habrá traído alguien de comer?

**34** Jesús les dijo: Mi comida es que haga la voluntad del que me envió, y que acabe su obra.

**35** ¿No decís vosotros: Aún faltan cuatro meses para que llegue la siega? He aquí os digo: Alzad vuestros ojos y mirad los campos, porque ya están blancos para la siega.

**36** Y el que siega recibe salario, y recoge fruto para vida eterna, para que el que siembra goce juntamente con el que siega.

**37** Porque en esto es verdadero el dicho: Uno es el que siembra, y otro es el que siega.

**38** Yo os he enviado a segar lo que vosotros no labrasteis; otros labraron, y vosotros habéis entrado en sus labores.

**39** Y muchos de los samaritanos de aquella ciudad creyeron en él por la palabra de la mujer, que daba testimonio diciendo: Me dijo todo lo que he hecho.

**40** Entonces vinieron los samaritanos a él y le rogaron que se quedase con ellos; y se quedó allí dos días.

**41** Y creyeron muchos más por la palabra de él,

**42** y decían a la mujer: Ya no creemos solamente por tu dicho, porque nosotros mismos hemos oído, y sabemos que verdaderamente éste es el Salvador del mundo, el Cristo.

### Jesús sana al hijo de un noble

**43** Dos días después, salió de allí y fue a Galilea.

**44** Porque Jesús mismo dio testimonio de que el profeta no tiene honra en su propia tierra.*c*

**45** Cuando vino a Galilea, los galileos le recibieron, habiendo visto todas las cosas que había hecho en Jerusalén, en la fiesta;*d* porque también ellos habían ido a la fiesta.

**46** Vino, pues, Jesús otra vez a Caná de Galilea, donde había convertido el agua en vino.*e* Y había en Capernaum un oficial del rey, cuyo hijo estaba enfermo.

**47** Este, cuando oyó que Jesús había llegado de Judea a Galilea, vino a él y le rogó que descendiese y sanase a su hijo, que estaba a punto de morir.

**48** Entonces Jesús le dijo: Si no viereis señales y prodigios, no creeréis.

**49** El oficial del rey le dijo: Señor, desciende antes que mi hijo muera.

**50** Jesús le dijo: Ve, tu hijo vive. Y el hombre creyó la palabra que Jesús le dijo, y se fue.

**51** Cuando ya él descendía, sus siervos salieron a recibirle, y le dieron nuevas, diciendo: Tu hijo vive.

**52** Entonces él les preguntó a qué hora había co-

**4.44** *c* Mt. 13.57; Mr. 6.4; Lc. 4.24.   **4.45** *d* Jn. 2.23.   **4.46** *e* Jn. 2.1-11.

alentarnos. No importa lo que hayamos hecho, Dios nos ofrece, en Jesús, su aceptación incondicional. Con su poderosa ayuda, nada puede interponerse entre nosotros y la recuperación.

**4.39-42** La mujer samaritana puso su fe en Jesús, quien conocía todas sus faltas y aun así la amó y la respetó. Ella respondió al sublime perdón de Dios contándoles de inmediato a sus vecinos sobre el Mesías que le había dado una vida nueva. Como consecuencia, muchos recibieron la bendición de la fe en Jesucristo. Conforme experimentamos la poderosa liberación divina, es importante que compartamos las buenas nuevas con otros. Esta quizás sea la diferencia entre la vida y la muerte para las personas que conocemos. Al hablar de lo que Dios ha hecho por nosotros, experimentaremos otra vez el gozo de la victoria en Cristo.

**4.46-53** El oficial del rey demostró tener fe en Jesús al pedirle humildemente que sanara a su hijo. Creyó que la palabra de Jesús era cierta, aunque todavía no había visto los resultados. Nuestra fe se expresa de maneras similares. Podemos comenzar buscando la ayuda de Dios humilde y sinceramente. Él nos ayudará aun cuando sea posible que no veamos resultados inmediatos. El proceso de recuperación lleva tiempo. Es posible creer que Dios está obrando, y perseverar, aun cuando los resultados no se vean de inmediato.

menzado a estar mejor. Y le dijeron: Ayer a las siete le dejó la fiebre.

**53** El padre entonces entendió que aquella era la hora en que Jesús le había dicho: Tu hijo vive; y creyó él con toda su casa.

**54** Ésta segunda señal hizo Jesús, cuando fue de Judea a Galilea.

### El paralítico de Betesda

**5** **1** Después de estas cosas había una fiesta de los judíos, y subió Jesús a Jerusalén.

**2** Y hay en Jerusalén, cerca de la puerta de las ovejas, un estanque, llamado en hebreo Betesda, el cual tiene cinco pórticos.

**3** En éstos yacía una multitud de enfermos, ciegos, cojos y paralíticos, que esperaban el movimiento del agua.

**4** Porque un ángel descendía de tiempo en tiempo al estanque, y agitaba el agua; y el que primero descendía al estanque después del movimiento del agua, quedaba sano de cualquier enfermedad que tuviese.

**5** Y había allí un hombre que hacía treinta y ocho años que estaba enfermo.

**6** Cuando Jesús lo vio acostado, y supo que llevaba ya mucho tiempo así, le dijo: ¿Quieres ser sano?

**7** Señor, le respondió el enfermo, no tengo quien me meta en el estanque cuando se agita el agua; y entre tanto que yo voy, otro desciende antes que yo.

**8** Jesús le dijo: Levántate, toma tu lecho, y anda.

**9** Y al instante aquel hombre fue sanado, y tomó su lecho, y anduvo. Y era día de reposo aquel día.

**10** Entonces los judíos dijeron a aquel que había sido sanado: Es día de reposo; no te es lícito llevar tu lecho.*a*

**11** El les respondió: El que me sanó, él mismo me dijo: Toma tu lecho y anda.

**12** Entonces le preguntaron: ¿Quién es el que te dijo: Toma tu lecho y anda?

**13** Y el que había sido sanado no sabía quién fuese, porque Jesús se había apartado de la gente que estaba en aquel lugar.

**14** Después le halló Jesús en el templo, y le dijo: Mira, has sido sanado; no peques más, para que no te venga alguna cosa peor.

**15** El hombre se fue, y dio aviso a los judíos, que Jesús era el que le había sanado.

**16** Y por esta causa los judíos perseguían a Jesús, y procuraban matarle, porque hacía estas cosas en el día de reposo.

**17** Y Jesús les respondió: Mi Padre hasta ahora trabaja, y yo trabajo.

**18** Por esto los judíos aun más procuraban matarle,

**5.10** *a* Neh. 13.19; Jer. 17.21.

## PASO 6

### Descubrir la esperanza

LECTURA BÍBLICA: Juan 5.1-15

**Estuvimos completamente listos para que Dios eliminara todos estos defectos de carácter.**

¿Cómo podemos decir con franqueza que estamos completamente listos para que Dios quite los defectos de nuestro carácter? Si pensamos en términos de todo o nada, tal vez nos quedemos atascados aquí, porque nunca nos sentiremos listos del todo. Es importante tener en mente que los Doce Pasos representan ideales que nos guían. Nadie puede alcanzarlos perfectamente. A nosotros nos toca seguir adelante, acercarnos lo más posible a la meta de estar listos.

En tiempos de Jesús había un estanque adonde iba la gente con la esperanza de obtener una sanidad milagrosa. «Y había allí un hombre que hacía treinta y ocho años que estaba enfermo. Cuando Jesús lo vio acostado, y supo que llevaba ya mucho tiempo así, le dijo: ¿Quieres ser sano? Señor, le respondió el enfermo, no tengo quien me meta en el estanque cuando se agita el agua; y entre tanto que yo voy, otro desciende antes que yo. Jesús le dijo: Levántate, toma tu lecho, y anda. Y al instante aquel hombre fue sanado, y tomó su lecho, y anduvo» (Juan 5.5-9).

Este hombre estaba tan imposibilitado que no podía avanzar más por sus propios medios. Acampó lo más cerca que pudo del lugar donde había esperanza para su recuperación. Dios se encontró con él allí y lo llevó el resto del camino. Para nosotros, estar «completamente listos» puede significar acercarnos lo más posible a la esperanza de la recuperación en nuestra lisiada condición espiritual. Cuando lo hagamos, Dios nos encontrará allí y nos llevará el resto del camino. ***Vaya a la página 243, Romanos 6.***

porque no sólo quebrantaba el día de reposo, sino que también decía que Dios era su propio Padre, haciéndose igual a Dios.

### La autoridad del Hijo

**19** Respondió entonces Jesús, y les dijo: De cierto, de cierto os digo: No puede el Hijo hacer nada por sí mismo, sino lo que ve hacer al Padre; porque todo lo que el Padre hace, también lo hace el Hijo igualmente.

**20** Porque el Padre ama al Hijo, y le muestra todas las cosas que él hace; y mayores obras que estas le mostrará, de modo que vosotros os maravilléis.

**21** Porque como el Padre levanta a los muertos, y les da vida, así también el Hijo a los que quiere da vida.

**22** Porque el Padre a nadie juzga, sino que todo el juicio dio al Hijo,

**23** para que todos honren al Hijo como honran al Padre. El que no honra al Hijo, no honra al Padre que le envió.

**24** De cierto, de cierto os digo: El que oye mi palabra, y cree al que me envió, tiene vida eterna; y no vendrá a condenación, mas ha pasado de muerte a vida.

**25** De cierto, de cierto os digo: Viene la hora, y ahora es, cuando los muertos oirán la voz del Hijo de Dios; y los que la oyeren vivirán.

**26** Porque como el Padre tiene vida en sí mismo, así también ha dado al Hijo el tener vida en sí mismo;

**27** y también le dio autoridad de hacer juicio, por cuanto es el Hijo del Hombre.

**28** No os maravilléis de esto; porque vendrá la hora cuando todos los que están en los sepulcros oirán su voz;

**29** y los que hicieron lo bueno, saldrán a resurrección de vida; mas los que hicieron lo malo, a resurrección de condenación.*b*

### Testigos de Cristo

**30** No puedo yo hacer nada por mí mismo; según oigo, así juzgo; y mi juicio es justo, porque no busco mi voluntad, sino la voluntad del que me envió, la del Padre.

**31** Si yo doy testimonio acerca de mí mismo, mi testimonio no es verdadero.

**32** Otro es el que da testimonio acerca de mí, y sé que el testimonio que da de mí es verdadero.

**33** Vosotros enviasteis mensajeros a Juan, y él dio testimonio de la verdad.*c*

**34** Pero yo no recibo testimonio de hombre alguno; mas digo esto, para que vosotros seáis salvos.

**35** El era antorcha que ardía y alumbraba; y vosotros quisisteis regocijaros por un tiempo en su luz.

**36** Mas yo tengo mayor testimonio que el de Juan; porque las obras que el Padre me dio para que cumpliese, las mismas obras que yo hago, dan testimonio de mí, que el Padre me ha enviado.

**37** También el Padre que me envió ha dado testimonio de mí.*d* Nunca habéis oído su voz, ni habéis visto su aspecto,

**38** ni tenéis su palabra morando en vosotros; porque a quien él envió, vosotros no creéis.

**39** Escudriñad las Escrituras; porque a vosotros os parece que en ellas tenéis la vida eterna; y ellas son las que dan testimonio de mí;

**40** y no queréis venir a mí para que tengáis vida.

**41** Gloria de los hombres no recibo.

**42** Mas yo os conozco, que no tenéis amor de Dios en vosotros.

**43** Yo he venido en nombre de mi Padre, y no me recibís; si otro viniere en su propio nombre, a ése recibiréis.

**44** ¿Cómo podéis vosotros creer, pues recibís gloria los unos de los otros, y no buscáis la gloria que viene del Dios único?

**45** No penséis que yo voy a acusaros delante del Padre; hay quien os acusa, Moisés, en quien tenéis vuestra esperanza.

**46** Porque si creyeseis a Moisés, me creeríais a mí, porque de mí escribió él.

**47** Pero si no creéis a sus escritos, ¿cómo creeréis a mis palabras?

### Alimentación de los cinco mil

**6** **1** Después de esto, Jesús fue al otro lado del mar de Galilea, el de Tiberias.

---

**5.29** *b* Dn. 12.2.   **5.33** *c* Jn. 1.19-27; 3.27-30.   **5.37** *d* Mt. 3.17; Mr. 1.11; Lc. 3.22.

---

**5.39-40** Los líderes judíos conocían las Escrituras al dedillo, sin embargo estaban muertos espiritualmente. No entendían el propósito real de las Escrituras: llevar a las personas a una relación vital con el Dios de la gracia. El conocimiento intelectual de la Biblia no hace que tengamos una relación transformadora con Dios a menos que actuemos conforme a ese conocimiento. Saber de la verdad de Dios sobre la recuperación sin aplicarla personalmente sólo resulta en fracaso. El verdadero crecimiento y la recuperación se obtienen a través del conocimiento de Dios por medio de Jesucristo.

**5.41-44** Jesús reprendió a los fariseos por estar más preocupados por lo que otros pensaban de ellos que por lo que pensaba Dios. En algunos momentos durante la recuperación puede ser necesario hacer cosas que las personas que nos rodeen no entiendan ni aprueben. Lo importante para nosotros debe ser si contamos o no con la aprobación de Dios en lo que hacemos, y no lo que piensen los demás. Al hacer nuestro inventario moral, Dios y su Palabra —no la opinión de otros— deben ser los estándares para nuestra conducta.

**2** Y le seguía gran multitud, porque veían las señales que hacía en los enfermos.

**3** Entonces subió Jesús a un monte, y se sentó allí con sus discípulos.

**4** Y estaba cerca la pascua, la fiesta de los judíos.

**5** Cuando alzó Jesús los ojos, y vio que había venido a él gran multitud, dijo a Felipe: ¿De dónde compraremos pan para que coman éstos?

**6** Pero esto decía para probarle; porque él sabía lo que había de hacer.

**7** Felipe le respondió: Doscientos denarios de pan no bastarían para que cada uno de ellos tomase un poco.

**8** Uno de sus discípulos, Andrés, hermano de Simón Pedro, le dijo:

**9** Aquí está un muchacho, que tiene cinco panes de cebada y dos pececillos; mas ¿qué es esto para tantos?

**10** Entonces Jesús dijo: Haced recostar la gente. Y había mucha hierba en aquel lugar; y se recostaron como en número de cinco mil varones.

**11** Y tomó Jesús aquellos panes, y habiendo dado gracias, los repartió entre los discípulos, y los discípulos entre los que estaban recostados; asimismo de los peces, cuanto querían.

**12** Y cuando se hubieron saciado, dijo a sus discípulos: Recoged los pedazos que sobraron, para que no se pierda nada.

**13** Recogieron, pues, y llenaron doce cestas de pedazos, que de los cinco panes de cebada sobraron a los que habían comido.

**14** Aquellos hombres entonces, viendo la señal que Jesús había hecho, dijeron: Este verdaderamente es el profeta que había de venir al mundo.

**15** Pero entendiendo Jesús que iban a venir para apoderarse de él y hacerle rey, volvió a retirarse al monte él solo.

## Jesús anda sobre el mar

**16** Al anochecer, descendieron sus discípulos al mar,

**17** y entrando en una barca, iban cruzando el mar hacia Capernaum. Estaba ya oscuro, y Jesús no había venido a ellos.

**18** Y se levantaba el mar con un gran viento que soplaba.

**19** Cuando habían remado como veinticinco o treinta estadios, vieron a Jesús que andaba sobre el mar y se acercaba a la barca; y tuvieron miedo.

**20** Mas él les dijo: Yo soy; no temáis.

**21** Ellos entonces con gusto le recibieron en la barca, la cual llegó en seguida a la tierra adonde iban.

## La gente busca a Jesús

**22** El día siguiente, la gente que estaba al otro lado del mar vio que no había habido allí más que una sola barca, y que Jesús no había entrado en ella con sus discípulos, sino que éstos se habían ido solos.

**23** Pero otras barcas habían arribado de Tiberias junto al lugar donde habían comido el pan después de haber dado gracias el Señor.

**24** Cuando vio, pues, la gente que Jesús no estaba allí, ni sus discípulos, entraron en las barcas y fueron a Capernaum, buscando a Jesús.

## Jesús, el pan de vida

**25** Y hallándole al otro lado del mar, le dijeron: Rabí, ¿cuándo llegaste acá?

**26** Respondió Jesús y les dijo: De cierto, de cierto os digo que me buscáis, no porque habéis visto las señales, sino porque comisteis el pan y os saciasteis.

**27** Trabajad, no por la comida que perece, sino por la comida que a vida eterna permanece, la cual el Hijo del Hombre os dará; porque a éste señaló Dios el Padre.

**28** Entonces le dijeron: ¿Qué debemos hacer para poner en práctica las obras de Dios?

**29** Respondió Jesús y les dijo: Esta es la obra de Dios, que creáis en el que él ha enviado.

**30** Le dijeron entonces: ¿Qué señal, pues, haces tú, para que veamos, y te creamos? ¿Qué obra haces?

**31** Nuestros padres comieron el maná en el desierto,[a] como está escrito: Pan del cielo les dio a comer.[b]

**6.31** [a] Ex. 16.4, 15. [b] Sal. 78.24.

---

**6.1-15** Jesús con frecuencia usó personas como canales de su gracia. Para alimentar a 5.000 hombres (más mujeres y niños), usó las provisiones de un muchacho. Al llevar a cabo nuestra recuperación –o la recuperación de otros– Dios nos permite participar en lo que hace. Cuando le dedicamos a Dios voluntariamente nuestros pocos recursos –tiempo, talentos o posesiones– él puede obrar un milagro de recuperación, para nosotros y otras personas. Dios puede tomar nuestros recursos limitados y multiplicarlos más allá de nuestros sueños más atrevidos.

**6.16-21** Era una noche tormentosa y oscura en el mar de Galilea. Los discípulos tenían frío, estaban mojados y exhaustos luego de haber remado cerca de 6 kilómetros en aguas azotadas por la tormenta. Habían sido impacientes y se habían alejado de la orilla sin Jesús, pero de todas maneras él vino a rescatarlos – ¡caminando hacia la barca sobre las aguas agitadas! Cuando Jesús entró en la barca, los llevó seguros a la orilla. Sería muy sabio que nos quedáramos con Jesús y sigamos su plan para nosotros. Irnos por nuestra cuenta nos llevará inevitablemente a situaciones tormentosas. Sin embargo, aunque dejemos atrás a Jesús, él con todo vendrá a nuestro rescate si le pedimos ayuda.

**32** Y Jesús les dijo: De cierto, de cierto os digo: No os dio Moisés el pan del cielo, mas mi Padre os da el verdadero pan del cielo.

**33** Porque el pan de Dios es aquel que descendió del cielo y da vida al mundo.

**34** Le dijeron: Señor, danos siempre este pan.

**35** Jesús les dijo: Yo soy el pan de vida; el que a mí viene, nunca tendrá hambre; y el que en mí cree, no tendrá sed jamás.

**36** Mas os he dicho, que aunque me habéis visto, no creéis.

**37** Todo lo que el Padre me da, vendrá a mí; y al que a mí viene, no le echo fuera.

**38** Porque he descendido del cielo, no para hacer mi voluntad, sino la voluntad del que me envió.

**39** Y esta es la voluntad del Padre, el que me envió: Que de todo lo que me diere, no pierda yo nada, sino que lo resucite en el día postrero.

**40** Y esta es la voluntad del que me ha enviado: Que todo aquél que ve al Hijo, y cree en él, tenga vida eterna; y yo le resucitaré en el día postrero.

**41** Murmuraban entonces de él los judíos, porque había dicho: Yo soy el pan que descendió del cielo.

**42** Y decían: ¿No es éste Jesús, el hijo de José, cuyo padre y madre nosotros conocemos? ¿Cómo, pues, dice éste: Del cielo he descendido?

**43** Jesús respondió y les dijo: No murmuréis entre vosotros.

**44** Ninguno puede venir a mí, si el Padre que me envió no le trajere; y yo le resucitaré en el día postrero.

**45** Escrito está en los profetas: Y serán todos enseñados por Dios.ᶜ Así que, todo aquel que oyó al Padre, y aprendió de él, viene a mí.

**46** No que alguno haya visto al Padre, sino aquel que vino de Dios; éste ha visto al Padre.

**47** De cierto, de cierto os digo: El que cree en mí, tiene vida eterna.

**48** Yo soy el pan de vida.

**49** Vuestros padres comieron el maná en el desierto, y murieron.

**50** Este es el pan que desciende del cielo, para que el que de él come, no muera.

**51** Yo soy el pan vivo que descendió del cielo; si alguno comiere de este pan, vivirá para siempre; y el pan que yo daré es mi carne, la cual yo daré por la vida del mundo.

**52** Entonces los judíos contendían entre sí, diciendo: ¿Cómo puede éste darnos a comer su carne?

**53** Jesús les dijo: De cierto, de cierto os digo: Si no coméis la carne del Hijo del Hombre, y bebéis su sangre, no tenéis vida en vosotros.

**54** El que come mi carne y bebe mi sangre, tiene vida eterna; y yo le resucitaré en el día postrero.

**55** Porque mi carne es verdadera comida, y mi sangre es verdadera bebida.

**56** El que come mi carne y bebe mi sangre, en mí permanece, y yo en él.

**57** Como me envió el Padre viviente, y yo vivo por el Padre, asimismo el que me come, él también vivirá por mí.

**58** Este es el pan que descendió del cielo; no como vuestros padres comieron el maná, y murieron; el que come de este pan, vivirá eternamente.

**59** Estas cosas dijo en la sinagoga, enseñando en Capernaum.

### Palabras de vida eterna

**60** Al oírlas, muchos de sus discípulos dijeron: Dura es esta palabra; ¿quién la puede oír?

**61** Sabiendo Jesús en sí mismo que sus discípulos murmuraban de esto, les dijo: ¿Esto os ofende?

**62** ¿Pues qué, si viereis al Hijo del Hombre subir adonde estaba primero?

**63** El espíritu es el que da vida; la carne para nada aprovecha; las palabras que yo os he hablado son espíritu y son vida.

**64** Pero hay algunos de vosotros que no creen. Porque Jesús sabía desde el principio quiénes eran los que no creían, y quién le había de entregar.

**65** Y dijo: Por eso os he dicho que ninguno puede venir a mí, si no le fuere dado del Padre.

**6.45** ᶜ Is. 54.13.

---

**6.32-40** Después de alimentar a más de 5.000 personas hambrientas con cinco panes y dos pececillos, Jesús explicó que él era el pan de vida. Jesús alimenta al hambriento consigo mismo. Su amor es perfecto y nunca nos rechaza, sin importar cuáles sean nuestros pecados pasados. Él satisface el hambre más profunda de nuestra alma y quiere ayudarnos a completar nuestra recuperación. Hasta el fin de los tiempos, Jesús trabajará a favor de la sanidad y la recuperación de todas las personas quebrantadas de este mundo. A nosotros nos toca entregarnos a él y creer en su poder para ayudarnos.

**6.53-58** Estas palabras de Jesús resultaron irritantes. Al decir que necesitamos comer de su carne y beber de su sangre, Jesús ofendió a muchas personas, pero demostró algunos puntos importantes. La carne de Jesús nos recuerda que era totalmente humano, por lo que entiende nuestras tentaciones y luchas. La mención de su sangre anticipaba su muerte en la cruz –en nuestro lugar y por nuestros pecados. «Comer» de su carne y «beber» de su sangre fue una invitación a hacer de él y sus enseñanzas nuestra vida misma, no sólo un ejercicio intelectual. Tenemos que hacer de Jesús la médula de nuestro ser –emocional, espiritual y físico. Al alimentar nuestro cuerpo con comida, también debemos alimentar nuestra alma con la realidad espiritual representada por el cuerpo y la sangre de Cristo.

**66** Desde entonces muchos de sus discípulos volvieron atrás, y ya no andaban con él.

**67** Dijo entonces Jesús a los doce: ¿Queréis acaso iros también vosotros?

**68** Le respondió Simón Pedro: Señor, ¿a quién iremos? Tú tienes palabras de vida eterna.

**69** Y nosotros hemos creído y conocemos que tú eres el Cristo, el Hijo del Dios viviente.*d*

**70** Jesús les respondió: ¿No os he escogido yo a vosotros los doce, y uno de vosotros es diablo?

**71** Hablaba de Judas Iscariote, hijo de Simón; porque éste era el que le iba a entregar, y era uno de los doce.

## Incredulidad de los hermanos de Jesús

**7** **1** Después de estas cosas, andaba Jesús en Galilea; pues no quería andar en Judea, porque los judíos procuraban matarle.

**2** Estaba cerca la fiesta de los judíos, la de los tabernáculos;*a*

**3** y le dijeron sus hermanos: Sal de aquí, y vete a Judea, para que también tus discípulos vean las obras que haces.

**4** Porque ninguno que procura darse a conocer hace algo en secreto. Si estas cosas haces, manifiéstate al mundo.

**5** Porque ni aun sus hermanos creían en él.

**6** Entonces Jesús les dijo: Mi tiempo aún no ha llegado, mas vuestro tiempo siempre está presto.

**7** No puede el mundo aborreceros a vosotros; mas a mí me aborrece, porque yo testifico de él, que sus obras son malas.

**8** Subid vosotros a la fiesta; yo no subo todavía a esa fiesta, porque mi tiempo aún no se ha cumplido.

**9** Y habiéndoles dicho esto, se quedó en Galilea.

## Jesús en la fiesta de los tabernáculos

**10** Pero después que sus hermanos habían subido, entonces él también subió a la fiesta, no abiertamente, sino como en secreto.

**11** Y le buscaban los judíos en la fiesta, y decían: ¿Dónde está aquél?

**12** Y había gran murmullo acerca de él entre la multitud, pues unos decían: Es bueno; pero otros decían: No, sino que engaña al pueblo.

**13** Pero ninguno hablaba abiertamente de él, por miedo a los judíos.

**14** Mas a la mitad de la fiesta subió Jesús al templo, y enseñaba.

**15** Y se maravillaban los judíos, diciendo: ¿Cómo sabe éste letras, sin haber estudiado?

**16** Jesús les respondió y dijo: Mi doctrina no es mía, sino de aquel que me envió.

**17** El que quiera hacer la voluntad de Dios, conocerá si la doctrina es de Dios, o si yo hablo por mi propia cuenta.

**18** El que habla por su propia cuenta, su propia gloria busca; pero el que busca la gloria del que le envió, éste es verdadero, y no hay en él injusticia.

**19** ¿No os dio Moisés la ley, y ninguno de vosotros cumple la ley? ¿Por qué procuráis matarme?

**20** Respondió la multitud y dijo: Demonio tienes; ¿quién procura matarte?

**21** Jesús respondió y les dijo: Una obra hice, y todos os maravilláis.

**22** Por cierto, Moisés os dio la circuncisión*b* (no porque sea de Moisés, sino de los padres*c*); y en el día de reposo circuncidáis al hombre.

**23** Si recibe el hombre la circuncisión en el día de reposo, para que la ley de Moisés no sea quebrantada, ¿os enojáis conmigo porque en el día de reposo sané completamente a un hombre?*d*

**24** No juzguéis según las apariencias, sino juzgad con justo juicio.

## ¿Es éste el Cristo?

**25** Decían entonces unos de Jerusalén: ¿No es éste a quien buscan para matarle?

**26** Pues mirad, habla públicamente, y no le dicen

---

**6.68-69** *d* Mt. 16.16; Mr. 8.29; Lc. 9.20.   **7.2** *a* Lv. 23.34; Dt. 16.13.   **7.22** *b* Lv. 12.3. *c* Gn. 17.10.
**7.23** *d* Jn. 5.9.

---

**6.68-69** La propaganda para vendernos productos atractivos nos asaltan a diario. Concursos de casas editoriales, juegos de azar, programas especiales de televisión, causas políticas, gurús religiosos, todo requiere nuestro tiempo, dinero y devoción. En cada caso se promete darnos lo que necesitamos y deseamos. Sin embargo, cuando no hay más que decir ni hacer, nos quedamos con la pregunta de Pedro: «Señor, ¿a quién iremos?» Jesús es la respuesta para cada una de nuestras necesidades, incluyendo la recuperación. Sólo él puede liberarnos de nuestra profunda adicción o compulsión. Sólo él merece nuestro compromiso absoluto.

**7.3-10** Jesús experimentó en carne propia la burla y el rechazo familiar que muchos de los que estamos en recuperación hemos experimentado. Jesús sabía qué era lo correcto y cuándo actuar. Se resistió a los tiempos, los planes y las expectativas que otros –aun sus mismos hermanos– le imponían. Los tiempos de la recuperación, de salir del anonimato, o de regresar al ruedo serán distintos para cada persona. La divulgación prematura de nuestra conversión a Cristo o de nuestro compromiso con la recuperación puede exponernos a ataques innecesarios por parte de otras personas o a un orgullo desmesurado por nuestros éxitos personales. En ambos casos se entorpecerá lo que Dios está tratando de lograr en nuestra vida y a través de ella. Con frecuencia es mejor mantenernos en el anonimato hasta el momento adecuado.

nada. ¿Habrán reconocido en verdad los gobernantes que éste es el Cristo?

**27** Pero éste, sabemos de dónde es; mas cuando venga el Cristo, nadie sabrá de dónde sea.

**28** Jesús entonces, enseñando en el templo, alzó la voz y dijo: A mí me conocéis, y sabéis de dónde soy; y no he venido de mí mismo, pero el que me envió es verdadero, a quien vosotros no conocéis.

**29** Pero yo le conozco, porque de él procedo, y él me envió.

**30** Entonces procuraban prenderle; pero ninguno le echó mano, porque aún no había llegado su hora.

**31** Y muchos de la multitud creyeron en él, y decían: El Cristo, cuando venga, ¿hará más señales que las que éste hace?

## Los fariseos envían alguaciles para prender a Jesús

**32** Los fariseos oyeron a la gente que murmuraba de él estas cosas; y los principales sacerdotes y los fariseos enviaron alguaciles para que le prendiesen.

**33** Entonces Jesús dijo: Todavía un poco de tiempo estaré con vosotros, e iré al que me envió.

**34** Me buscaréis, y no me hallaréis; y a donde yo estaré, vosotros no podréis venir.

**35** Entonces los judíos dijeron entre sí: ¿Adónde se irá éste, que no le hallemos? ¿Se irá a los dispersos entre los griegos, y enseñará a los griegos?

**36** ¿Qué significa esto que dijo: Me buscaréis, y no me hallaréis; y a donde yo estaré, vosotros no podréis venir?

## Ríos de agua viva

**37** En el último y gran día de la fiesta,*e* Jesús se puso en pie y alzó la voz, diciendo: Si alguno tiene sed, venga a mí y beba.

**38** El que cree en mí, como dice la Escritura, de su interior correrán ríos de agua viva.*f*

**39** Esto dijo del Espíritu que habían de recibir los que creyesen en él; pues aún no había venido el Espíritu Santo, porque Jesús no había sido aún glorificado.

## División entre la gente

**40** Entonces algunos de la multitud, oyendo estas palabras, decían: Verdaderamente éste es el profeta.

**41** Otros decían: Este es el Cristo. Pero algunos decían: ¿De Galilea ha de venir el Cristo?

**42** ¿No dice la Escritura que del linaje de David, y de la aldea de Belén,*g* de donde era David, ha de venir el Cristo?

**43** Hubo entonces disensión entre la gente a causa de él.

**44** Y algunos de ellos querían prenderle; pero ninguno le echó mano.

## ¡Nunca ha hablado hombre así!

**45** Los alguaciles vinieron a los principales sacerdotes y a los fariseos; y éstos les dijeron: ¿Por qué no le habéis traído?

**46** Los alguaciles respondieron: ¡Jamás hombre alguno ha hablado como este hombre!

**47** Entonces los fariseos les respondieron: ¿También vosotros habéis sido engañados?

**48** ¿Acaso ha creído en él alguno de los gobernantes, o de los fariseos?

**49** Mas esta gente que no sabe la ley, maldita es.

**50** Les dijo Nicodemo, el que vino a él de noche,*h* el cual era uno de ellos:

**51** ¿Juzga acaso nuestra ley a un hombre si primero no le oye, y sabe lo que ha hecho?

**52** Respondieron y le dijeron: ¿Eres tú también galileo? Escudriña y ve que de Galilea nunca se ha levantado profeta.

## La mujer adúltera

**53** Cada uno se fue a su casa;

**8** **1** y Jesús se fue al monte de los Olivos.

**2** Y por la mañana volvió al templo, y todo el pueblo vino a él; y sentado él, les enseñaba.

**3** Entonces los escribas y los fariseos le trajeron una mujer sorprendida en adulterio; y poniéndola en medio,

**4** le dijeron: Maestro, esta mujer ha sido sorprendida en el acto mismo de adulterio.

**5** Y en la ley nos mandó Moisés apedrear a tales mujeres.*a* Tú, pues, ¿qué dices?

---

**7.37** *e* Lv. 23.36. **7.38** *f* Ez. 47.1; Zac. 14.8. **7.42** *g* Mi. 5.2. **7.50** *h* Jn. 3.1-2. **8.5** *a* Lv. 20.10; Dt. 22.22-24.

---

**7.10-15, 25-27, 40-49** En este capítulo, el escritor hizo una encuesta a sus lectores para saber las opiniones sobre quién era realmente Jesús. Algunos creían que era un maestro maravilloso. Otros pensaban que era un fraude o un loco. Aun así otros reconocían que podía ser el Mesías o por lo menos un profeta. Las autoridades religiosas lo vieron como una amenaza política y querían arrestarlo, e incluso matarlo. Nosotros también debemos decidir quién es Jesús y qué significa para nosotros. Nuestra decisión sobre Jesús es muy importante. Esto no sólo afectará nuestra recuperación; tendrá también consecuencias eternas (véase 8.24).

**7.37-39** Jesús es el agua viva que satisface nuestra sed. Cuando creemos en Dios, él nos da su Espíritu. El Espíritu Santo se convierte en un río inagotable de agua viva, que brota de nosotros y fluye a través de nosotros. El Espíritu Santo eterno que mora en nosotros nos acompaña dondequiera que vayamos y puede saciar nuestra mayor sed espiritual y satisfacer nuestras necesidades más profundas. Tener «a mano» esta agua es la clave para resistir la tentación del alcohol, la comida, el sexo, el trabajo, de una relación de dependencia o de cualquier otra compulsión.

**6** Mas esto decían tentándole, para poder acusarle. Pero Jesús, inclinado hacia el suelo, escribía en tierra con el dedo.

**7** Y como insistieran en preguntarle, se enderezó y les dijo: El que de vosotros esté sin pecado sea el primero en arrojar la piedra contra ella.

**8** E inclinándose de nuevo hacia el suelo, siguió escribiendo en tierra.

**9** Pero ellos, al oír esto, acusados por su conciencia, salían uno a uno, comenzando desde los más viejos hasta los postreros; y quedó solo Jesús, y la mujer que estaba en medio.

**10** Enderezándose Jesús, y no viendo a nadie sino a la mujer, le dijo: Mujer, ¿dónde están los que te acusaban? ¿Ninguno te condenó?

**11** Ella dijo: Ninguno, Señor. Entonces Jesús le dijo: Ni yo te condeno; vete, y no peques más.

### Jesús, la luz del mundo

**12** Otra vez Jesús les habló, diciendo: Yo soy la luz del mundo;[b] el que me sigue, no andará en tinieblas, sino que tendrá la luz de la vida.

**13** Entonces los fariseos le dijeron: Tú das testimonio acerca de ti mismo; tu testimonio no es verdadero.[c]

**14** Respondió Jesús y les dijo: Aunque yo doy testimonio acerca de mí mismo, mi testimonio es verdadero, porque sé de dónde he venido y a dónde voy; pero vosotros no sabéis de dónde vengo, ni a dónde voy.

**15** Vosotros juzgáis según la carne; yo no juzgo a nadie.

**16** Y si yo juzgo, mi juicio es verdadero; porque no soy yo solo, sino yo y el que me envió, el Padre.

**17** Y en vuestra ley está escrito que el testimonio de dos hombres es verdadero.

**18** Yo soy el que doy testimonio de mí mismo, y el Padre que me envió da testimonio de mí.

**19** Ellos le dijeron: ¿Dónde está tu Padre? Respondió Jesús: Ni a mí me conocéis, ni a mi Padre; si a mí me conocieseis, también a mi Padre conoceríais.

**20** Estas palabras habló Jesús en el lugar de las ofrendas, enseñando en el templo; y nadie le prendió, porque aún no había llegado su hora.

### A donde yo voy, vosotros no podéis venir

**21** Otra vez les dijo Jesús: Yo me voy, y me buscaréis, pero en vuestro pecado moriréis; a donde yo voy, vosotros no podéis venir.

PASO **5**

## Sentimientos de vergüenza

LECTURA BÍBLICA: Juan 8.3-11

**Confesamos a Dios, a nosotros mismos y a los demás la naturaleza exacta de nuestros defectos.**

La vergüenza ha hecho que muchos de nosotros nos mantengamos ocultos. La idea de admitir nuestros pecados y abrirnos a otro ser humano provoca sentimientos de vergüenza y de temor a exponernos públicamente.

«Entonces los escribas y los fariseos le trajeron una mujer sorprendida en adulterio; y poniéndola en medio, le dijeron: Maestro ... en la ley nos mandó Moisés apedrear a tales mujeres. Tú, pues, ¿qué dices? ... Jesús, inclinado hacia el suelo, escribía en tierra con el dedo. Y como insistieran en preguntarle, se enderezó y les dijo: El que de vosotros esté sin pecado sea el primero en arrojar la piedra contra ella. E inclinándose de nuevo hacia el suelo, siguió escribiendo en tierra. Pero ellos, al oír esto, acusados por su conciencia, salían uno a uno ... y quedó solo Jesús, y la mujer que estaba en medio» (Juan 8.3-9).

Muchos creen que lo que Jesús escribió en tierra y el reto que les lanzó fue lo que hizo que los acusadores se fueran. No sabemos qué es lo que Jesús escribió. Pero sí podemos afirmar que él conocía la lista de los pecados secretos de los líderes judíos. Esto nos da una preciosa ilustración del tipo de persona que es Jesús: alguien a quien podemos revelarle nuestros secretos con toda confianza. Nuestro confesor tiene que ser una persona que no se sorprenda por el pecado ni que esté esperando para condenarnos. Tal persona necesita tomar nota en privado de nuestros errores y no exhibirlos en público. Como la vergüenza puede «disparar» la conducta adictiva, necesitamos escoger con cuidado a la persona en la que vamos a confiar. ***Vaya a la página 223, Hechos 26.***

---

**8.12** *b* Mt. 5.14; Jn. 9.5.   **8.13** *c* Jn. 5.31.

---

**8.12** Como es la luz del mundo, Jesús expone lo que ha estado oculto y nos guía por el camino de la vida y la recuperación. En parte, caminar en la luz significa ser sinceros con los demás y vulnerables en el trato con ellos, y caminar en comunión con Dios (véase 1 Juan 1.5-7). A medida que le expresemos nuestras

**22** Decían entonces los judíos: ¿Acaso se matará a sí mismo, que dice: A donde yo voy, vosotros no podéis venir?

**23** Y les dijo: Vosotros sois de abajo, yo soy de arriba; vosotros sois de este mundo, yo no soy de este mundo.

**24** Por eso os dije que moriréis en vuestros pecados; porque si no creéis que yo soy, en vuestros pecados moriréis.

**25** Entonces le dijeron: ¿Tú quién eres? Entonces Jesús les dijo: Lo que desde el principio os he dicho.

**26** Muchas cosas tengo que decir y juzgar de vosotros; pero el que me envió es verdadero; y yo, lo que he oído de él, esto hablo al mundo.

**27** Pero no entendieron que les hablaba del Padre.

**28** Les dijo, pues, Jesús: Cuando hayáis levantado al Hijo del Hombre, entonces conoceréis que yo soy, y que nada hago por mí mismo, sino que según me enseñó el Padre, así hablo.

**29** Porque el que me envió, conmigo está; no me ha dejado solo el Padre, porque yo hago siempre lo que le agrada.

**30** Hablando él estas cosas, muchos creyeron en él.

## La verdad os hará libres

**31** Dijo entonces Jesús a los judíos que habían creído en él: Si vosotros permaneciereis en mi palabra, seréis verdaderamente mis discípulos;

**32** y conoceréis la verdad, y la verdad os hará libres.

**33** Le respondieron: Linaje de Abraham somos,*d* y jamás hemos sido esclavos de nadie. ¿Cómo dices tú: Seréis libres?

**34** Jesús les respondió: De cierto, de cierto os digo, que todo aquel que hace pecado, esclavo es del pecado.

**35** Y el esclavo no queda en la casa para siempre; el hijo sí queda para siempre.

**36** Así que, si el Hijo os libertare, seréis verdaderamente libres.

**37** Sé que sois descendientes de Abraham; pero procuráis matarme, porque mi palabra no halla cabida en vosotros.

**38** Yo hablo lo que he visto cerca del Padre; y vosotros hacéis lo que habéis oído cerca de vuestro padre.

## Sois de vuestro padre el diablo

**39** Respondieron y le dijeron: Nuestro padre es Abraham. Jesús les dijo: Si fueseis hijos de Abraham, las obras de Abraham haríais.

**40** Pero ahora procuráis matarme a mí, hombre que os he hablado la verdad, la cual he oído de Dios; no hizo esto Abraham.

**41** Vosotros hacéis las obras de vuestro padre. Entonces le dijeron: Nosotros no somos nacidos de fornicación; un padre tenemos, que es Dios.

**42** Jesús entonces les dijo: Si vuestro padre fuese Dios, ciertamente me amaríais; porque yo de Dios he salido, y he venido; pues no he venido de mí mismo, sino que él me envió.

**43** ¿Por qué no entendéis mi lenguaje? Porque no podéis escuchar mi palabra.

**44** Vosotros sois de vuestro padre el diablo, y los deseos de vuestro padre queréis hacer. El ha sido homicida desde el principio, y no ha permanecido en la verdad, porque no hay verdad en él. Cuando habla mentira, de suyo habla; porque es mentiroso, y padre de mentira.

**45** Y a mí, porque digo la verdad, no me creéis.

**46** ¿Quién de vosotros me redarguye de pecado? Pues si digo la verdad, ¿por qué vosotros no me creéis?

**47** El que es de Dios, las palabras de Dios oye; por esto no las oís vosotros, porque no sois de Dios.

## La preexistencia de Cristo

**48** Respondieron entonces los judíos, y le dijeron: ¿No decimos bien nosotros, que tú eres samaritano, y que tienes demonio?

**49** Respondió Jesús: Yo no tengo demonio, antes honro a mi Padre; y vosotros me deshonráis.

**50** Pero yo no busco mi gloria; hay quien la busca, y juzga.

**51** De cierto, de cierto os digo, que el que guarda mi palabra, nunca verá muerte.

**8.33** *d* Mt. 3.9; Lc. 3.8.

---

necesidades y nuestros sentimientos, nuestros pecados y nuestras luchas, a las personas en quienes confiamos, la luz alumbrará sobre nuestros fracasos y fortalezas. Esto nos dará la orientación que necesitemos para lograr un progreso importante en la recuperación.

**8.31-36** «Ser libres» es conocer la verdad, la verdad sobre nosotros y sobre Jesús nuestro libertador. La verdad es esta: somos esclavos del pecado e incapaces de manejar nuestras vidas eficazmente. Con la verdad de Dios como patrón para realizar nuestro inventario moral, podemos reconocer y confesar nuestras necesidades y luchas, nuestros pecados y nuestra adicción. Al confesar esto a Dios, a nosotros y por lo menos a otra persona más, compartiremos la verdad sobre nuestra vida. Cuando le entregamos nuestra maltrecha vida a Dios, el único que puede restaurarnos a la plenitud, estamos reconociendo de nuevo la verdad. Estas diferentes aplicaciones de la verdad pueden combinarse para liberarnos de nuestros hábitos pecaminosos, de nuestras dependencias de sustancias químicas o de nuestra esclavitud emocional.

**52** Entonces los judíos le dijeron: Ahora conocemos que tienes demonio. Abraham murió, y los profetas; y tú dices: El que guarda mi palabra, nunca sufrirá muerte.

**53** ¿Eres tú acaso mayor que nuestro padre Abraham, el cual murió? ¡Y los profetas murieron! ¿Quién te haces a ti mismo?

**54** Respondió Jesús: Si yo me glorifico a mí mismo, mi gloria nada es; mi Padre es el que me glorifica, el que vosotros decís que es vuestro Dios.

**55** Pero vosotros no le conocéis; mas yo le conozco, y si dijere que no le conozco, sería mentiroso como vosotros; pero le conozco, y guardo su palabra.

**56** Abraham vuestro padre se gozó de que había de ver mi día; y lo vio, y se gozó.

**57** Entonces le dijeron los judíos: Aún no tienes cincuenta años, ¿y has visto a Abraham?

**58** Jesús les dijo: De cierto, de cierto os digo: Antes que Abraham fuese, yo soy.

**59** Tomaron entonces piedras para arrojárselas; pero Jesús se escondió y salió del templo; y atravesando por en medio de ellos, se fue.

## Jesús sana a un ciego de nacimiento

**9** **1** Al pasar Jesús, vio a un hombre ciego de nacimiento.

**2** Y le preguntaron sus discípulos, diciendo: Rabí, ¿quién pecó, éste o sus padres, para que haya nacido ciego?

**3** Respondió Jesús: No es que pecó éste, ni sus padres, sino para que las obras de Dios se manifiesten en él.

**4** Me es necesario hacer las obras del que me envió, entre tanto que el día dura; la noche viene, cuando nadie puede trabajar.

**5** Entre tanto que estoy en el mundo, luz soy del mundo.*a*

**6** Dicho esto, escupió en tierra, e hizo lodo con la saliva, y untó con el lodo los ojos del ciego,

**7** y le dijo: Ve a lavarte en el estanque de Siloé (que traducido es, Enviado). Fue entonces, y se lavó, y regresó viendo.

**8** Entonces los vecinos, y los que antes le habían visto que era ciego, decían: ¿No es éste el que se sentaba y mendigaba?

**9** Unos decían: El es; y otros: A él se parece. El decía: Yo soy.

# Sinceridad

LEA JUAN 8.30-36

Vivir negando la verdad es vivir en la mentira. Cuántas veces nos hemos mentido a nosotros y a otros diciendo: «¡Puedo parar cuando quiera!» o «¡Tengo derecho a escoger cómo quiero vivir mi vida!» o «¡Mi conducta me afecta a mí y a nadie más!» Irónicamente, cuando afirmamos nuestra libertad para vivir como se nos antojaba, pronto perdimos la libertad de escoger otra cosa que no fuera nuestra dependencia, de la que nos convertimos en esclavos.

Jesús les dijo a algunas personas que habían creído en él: «Si vosotros permaneciereis en mi palabra, seréis verdaderamente mis discípulos; y conoceréis la verdad, y la verdad os hará libres. ... De cierto, de cierto os digo, que todo aquel que hace pecado, esclavo es del pecado. Y el esclavo no queda en la casa para siempre; el hijo sí queda para siempre. Así que, si el Hijo os libertare, seréis verdaderamente libres. ¿Por qué no entendéis mi lenguaje? Porque no podéis escuchar mi palabra. Vosotros sois de vuestro padre el diablo, y los deseos de vuestro padre queréis hacer. Él ha sido homicida desde el principio, y no ha permanecido en la verdad, porque no hay verdad en él. Cuando habla mentira, de suyo habla; porque es mentiroso, y padre de mentira» (Juan 8.31-36, 43-44).

Las fuerzas espirituales que influyen en nuestra vida tienen sus raíces en la verdad o en el engaño. La verdad conduce a la libertad; el engaño lleva a la esclavitud y a la muerte. Negar la realidad es una mentira que nos mantiene en esclavitud. Cuando somos esclavos de nuestra adicción, perdemos el derecho a escoger cualquier otro tipo de vida. Sólo cuando rompemos el círculo de esa negación, cuando nos volvemos brutalmente sinceros con respecto a nuestra esclavitud, le damos una oportunidad a la verdadera libertad. ***Vaya a la página 167, Juan 14.***

---

**9.5** *a* Mt. 5.14; Jn. 8.12.

---

**9.1-12, 35-41** Imagine lo que es ser ciego de nacimiento, no poder ver a las personas que amamos ni el mundo que nos rodea. Luego imagine a la gente insinuando que somos ciegos a causa de nuestros pecados o los de nuestros padres. Jesús sanó la ceguera física de este hombre, pero el verdadero milagro ocurrió cuando también sanó su ceguera espiritual. El ciego «vio» con los ojos de la fe que Jesús era en verdad el Mesías, el Salvador del mundo. Nosotros también tenemos que reconocer que Dios puede y quiere liberarnos de nuestros pecados habituales, y de nuestras dependencias químicas y defectos morales. Reconocer que Jesús es nuestro libertador es el principio de nuestra visión espiritual.

**10** Y le dijeron: ¿Cómo te fueron abiertos los ojos?

**11** Respondió él y dijo: Aquel hombre que se llama Jesús hizo lodo, me untó los ojos, y me dijo: Ve al Siloé, y lávate; y fui, y me lavé, y recibí la vista.

**12** Entonces le dijeron: ¿Dónde está él? El dijo: No sé.

## Los fariseos interrogan al ciego sanado

**13** Llevaron ante los fariseos al que había sido ciego.

**14** Y era día de reposo cuando Jesús había hecho el lodo, y le había abierto los ojos.

**15** Volvieron, pues, a preguntarle también los fariseos cómo había recibido la vista. El les dijo: Me puso lodo sobre los ojos, y me lavé, y veo.

**16** Entonces algunos de los fariseos decían: Ese hombre no procede de Dios, porque no guarda el día de reposo. Otros decían: ¿Cómo puede un hombre pecador hacer estas señales? Y había disensión entre ellos.

**17** Entonces volvieron a decirle al ciego: ¿Qué dices tú del que te abrió los ojos? Y él dijo: Que es profeta.

**18** Pero los judíos no creían que él había sido ciego, y que había recibido la vista, hasta que llamaron a los padres del que había recibido la vista,

**19** y les preguntaron, diciendo: ¿Es éste vuestro hijo, el que vosotros decís que nació ciego? ¿Cómo, pues, ve ahora?

**20** Sus padres respondieron y les dijeron: Sabemos que éste es nuestro hijo, y que nació ciego;

**21** pero cómo vea ahora, no lo sabemos; o quién le haya abierto los ojos, nosotros tampoco lo sabemos; edad tiene, preguntadle a él; él hablará por sí mismo.

**22** Esto dijeron sus padres, porque tenían miedo de los judíos, por cuanto los judíos ya habían acordado que si alguno confesase que Jesús era el Mesías, fuera expulsado de la sinagoga.

**23** Por eso dijeron sus padres: Edad tiene, preguntadle a él.

**24** Entonces volvieron a llamar al hombre que había sido ciego, y le dijeron: Da gloria a Dios; nosotros sabemos que ese hombre es pecador.

**25** Entonces él respondió y dijo: Si es pecador, no lo sé; una cosa sé, que habiendo yo sido ciego, ahora veo.

**26** Le volvieron a decir: ¿Qué te hizo? ¿Cómo te abrió los ojos?

**27** El les respondió: Ya os lo he dicho, y no habéis querido oír; ¿por qué lo queréis oír otra vez? ¿Queréis también vosotros haceros sus discípulos?

**28** Y le injuriaron, y dijeron: Tú eres su discípulo; pero nosotros, discípulos de Moisés somos.

**29** Nosotros sabemos que Dios ha hablado a Moisés; pero respecto a ése, no sabemos de dónde sea.

**30** Respondió el hombre, y les dijo: Pues esto es lo maravilloso, que vosotros no sepáis de dónde sea, y a mí me abrió los ojos.

**31** Y sabemos que Dios no oye a los pecadores; pero si alguno es temeroso de Dios, y hace su voluntad, a ése oye.

**32** Desde el principio no se ha oído decir que alguno abriese los ojos a uno que nació ciego.

**33** Si éste no viniera de Dios, nada podría hacer.

**34** Respondieron y le dijeron: Tú naciste del todo en pecado, ¿y nos enseñas a nosotros? Y le expulsaron.

## Ceguera espiritual

**35** Oyó Jesús que le habían expulsado; y hallándole, le dijo: ¿Crees tú en el Hijo de Dios?

**36** Respondió él y dijo: ¿Quién es, Señor, para que crea en él?

**37** Le dijo Jesús: Pues le has visto, y el que habla contigo, él es.

**38** Y él dijo: Creo, Señor; y le adoró.

**39** Dijo Jesús: Para juicio he venido yo a este mundo; para que los que no ven, vean, y los que ven, sean cegados.

**40** Entonces algunos de los fariseos que estaban con él, al oír esto, le dijeron: ¿Acaso nosotros somos también ciegos?

**41** Jesús les respondió: Si fuerais ciegos, no tendríais pecado; mas ahora, porque decís: Vemos, vuestro pecado permanece.

## Parábola del redil

**10** **1** De cierto, de cierto os digo: El que no entra por la puerta en el redil de las ovejas, sino que sube por otra parte, ése es ladrón y salteador.

**2** Mas el que entra por la puerta, el pastor de las ovejas es.

---

**9.13-34** Los fariseos estaban tan cegados por sus actitudes legalistas que no podían ver un maravilloso milagro de sanidad que ocurría justo delante de sus ojos. Estaban más preocupados por la letra de ley y la amenaza que Jesús representaba para ellos que por aquella sanidad asombrosa. Fueron expuestos al poder de Dios pero escogieron permanecer ciegos a la verdad. Las personas humildes y dispuestas a aprender descubrirán que Dios puede sanar hasta la aflicción más terrible. Con frecuencia, las personas a quienes les damos menos probabilidades de progreso en la recuperación experimentan la sanidad y la liberación porque son lo suficientemente humildes para pedirle ayuda a Dios.

**10.1-5** El pastor conoce a cada una de sus ovejas por nombre, y ellas conocen su voz y responden sólo a ella. De igual manera, Jesús conoce nuestra personalidad, nuestras necesidades, nuestros sentimientos y anhelos. Incluso conoce nuestras faltas y pecados, ¡y aun así nos ama! Él nos llama y nos lleva por el camino

³ A éste abre el portero, y las ovejas oyen su voz; y a sus ovejas llama por nombre, y las saca.
⁴ Y cuando ha sacado fuera todas las propias, va delante de ellas; y las ovejas le siguen, porque conocen su voz.
⁵ Mas al extraño no seguirán, sino huirán de él, porque no conocen la voz de los extraños.
⁶ Esta alegoría les dijo Jesús; pero ellos no entendieron qué era lo que les decía.

## Jesús, el buen pastor

⁷ Volvió, pues, Jesús a decirles: De cierto, de cierto os digo: Yo soy la puerta de las ovejas.
⁸ Todos los que antes de mí vinieron, ladrones son y salteadores; pero no los oyeron las ovejas.
⁹ Yo soy la puerta; el que por mí entrare, será salvo; y entrará, y saldrá, y hallará pastos.
¹⁰ El ladrón no viene sino para hurtar y matar y destruir; yo he venido para que tengan vida, y para que la tengan en abundancia.
¹¹ Yo soy el buen pastor;ᵃ el buen pastor su vida da por las ovejas.
¹² Mas el asalariado, y que no es el pastor, de quien no son propias las ovejas, ve venir al lobo y deja las ovejas y huye, y el lobo arrebata las ovejas y las dispersa.
¹³ Así que el asalariado huye, porque es asalariado, y no le importan las ovejas.
¹⁴ Yo soy el buen pastor; y conozco mis ovejas, y las mías me conocen,
¹⁵ así como el Padre me conoce, y yo conozco al Padre;ᵇ y pongo mi vida por las ovejas.
¹⁶ También tengo otras ovejas que no son de este redil; aquéllas también debo traer, y oirán mi voz; y habrá un rebaño, y un pastor.
¹⁷ Por eso me ama el Padre, porque yo pongo mi vida, para volverla a tomar.
¹⁸ Nadie me la quita, sino que yo de mí mismo la pongo. Tengo poder para ponerla, y tengo poder para volverla a tomar. Este mandamiento recibí de mi Padre.
¹⁹ Volvió a haber disensión entre los judíos por estas palabras.
²⁰ Muchos de ellos decían: Demonio tiene, y está fuera de sí; ¿por qué le oís?
²¹ Decían otros: Estas palabras no son de endemoniado. ¿Puede acaso el demonio abrir los ojos de los ciegos?

## Los judíos rechazan a Jesús

²² Celebrábase en Jerusalén la fiesta de la dedicación. Era invierno,
²³ y Jesús andaba en el templo por el pórtico de Salomón.
²⁴ Y le rodearon los judíos y le dijeron: ¿Hasta cuándo nos turbarás el alma? Si tú eres el Cristo, dínoslo abiertamente.
²⁵ Jesús les respondió: Os lo he dicho, y no creéis; las obras que yo hago en nombre de mi Padre, ellas dan testimonio de mí;
²⁶ pero vosotros no creéis, porque no sois de mis ovejas, como os he dicho.
²⁷ Mis ovejas oyen mi voz, y yo las conozco, y me siguen,
²⁸ y yo les doy vida eterna; y no perecerán jamás, ni nadie las arrebatará de mi mano.
²⁹ Mi Padre que me las dio, es mayor que todos, y nadie las puede arrebatar de la mano de mi Padre.
³⁰ Yo y el Padre uno somos.
³¹ Entonces los judíos volvieron a tomar piedras para apedrearle.
³² Jesús les respondió: Muchas buenas obras os he mostrado de mi Padre; ¿por cuál de ellas me apedreáis?
³³ Le respondieron los judíos, diciendo: Por buena obra no te apedreamos, sino por la blasfemia;ᶜ porque tú, siendo hombre, te haces Dios.

**10.11-13** ᵃ Ez. 34.11-12. **10.15** ᵇ Mt. 11.27; Lc. 10.22. **10.33** ᶜ Lv. 24.16.

---

que es mejor para nosotros. Para liberarnos de nuestro pasado, debemos responder a la voz de guía de nuestro pastor, quien nos conoce totalmente y nos ama plenamente.
**10.7-18** En la noche, los pastores de la época bíblica llevaban a sus rebaños a descansar en un redil (una zona delimitada por arbustos o rocas). El pastor dormía en la entrada y literalmente se convertía en la puerta del redil. Con su propio cuerpo protegía a las ovejas de los animales salvajes y de los ladrones. Jesús, nuestra puerta y nuestro buen pastor, hace lo mismo por nosotros. Al sacrificar su vida nos dio los medios para nuestra salvación y protección contra las tentaciones y adicciones. En Cristo podemos encontrar seguridad y serenidad, aun cuando fallemos. Dios puede usar nuestros pecados y fracasos y hacer que obren en nuestro beneficio, si confiamos en él y obedecemos su plan para nuestra vida.
**10.27-29** Cuando nos ponemos en las manos de Jesús podemos sentirnos seguros y a salvo. Nadie puede separarnos de él y de su cuidado, ¡ni siquiera el diablo! Tal seguridad es a veces difícil de asimilar emocionalmente, en especial si fuimos víctimas de abusos. Tal vez nos hayan dañado tanto emocionalmente que la vida pueda parecernos demasiado riesgosa. Sin saber con seguridad en quién podemos confiar y por no querer que nos lastimen otra vez, mantenemos a todo el mundo a distancia, incluyendo a Dios. Recuperarse de algún abuso es posible sólo en la relación segura que Dios nos ofrece, en la cual se expresan su amor y su protección.

**34** Jesús les respondió: ¿No está escrito en vuestra ley: Yo dije, dioses sois?*d*

**35** Si llamó dioses a aquellos a quienes vino la palabra de Dios (y la Escritura no puede ser quebrantada),

**36** ¿al que el Padre santificó y envió al mundo, vosotros decís: Tú blasfemas, porque dije: Hijo de Dios soy?

**37** Si no hago las obras de mi Padre, no me creáis.

**38** Mas si las hago, aunque no me creáis a mí, creed a las obras, para que conozcáis y creáis que el Padre está en mí, y yo en el Padre.

**39** Procuraron otra vez prenderle, pero él se escapó de sus manos.

**40** Y se fue de nuevo al otro lado del Jordán, al lugar donde primero había estado bautizando Juan;*e* y se quedó allí.

**41** Y muchos venían a él, y decían: Juan, a la verdad, ninguna señal hizo; pero todo lo que Juan dijo de éste, era verdad.

**42** Y muchos creyeron en él allí.

## Muerte de Lázaro

**11** **1** Estaba entonces enfermo uno llamado Lázaro, de Betania, la aldea de María y de Marta su hermana.*a*

**2** (María, cuyo hermano Lázaro estaba enfermo, fue la que ungió al Señor con perfume, y le enjugó los pies con sus cabellos.*b*)

**3** Enviaron, pues, las hermanas para decir a Jesús: Señor, he aquí el que amas está enfermo.

**4** Oyéndolo Jesús, dijo: Esta enfermedad no es para muerte, sino para la gloria de Dios, para que el Hijo de Dios sea glorificado por ella.

**5** Y amaba Jesús a Marta, a su hermana y a Lázaro.

**6** Cuando oyó, pues, que estaba enfermo, se quedó dos días más en el lugar donde estaba.

**7** Luego, después de esto, dijo a los discípulos: Vamos a Judea otra vez.

**8** Le dijeron los discípulos: Rabí, ahora procuraban los judíos apedrearte, ¿y otra vez vas allá?

**9** Respondió Jesús: ¿No tiene el día doce horas? El que anda de día, no tropieza, porque ve la luz de este mundo;

**10** pero el que anda de noche, tropieza, porque no hay luz en él.

**11** Dicho esto, les dijo después: Nuestro amigo Lázaro duerme; mas voy para despertarle.

**12** Dijeron entonces sus discípulos: Señor, si duerme, sanará.

**13** Pero Jesús decía esto de la muerte de Lázaro; y ellos pensaron que hablaba del reposar del sueño.

**14** Entonces Jesús les dijo claramente: Lázaro ha muerto;

**15** y me alegro por vosotros, de no haber estado allí, para que creáis; mas vamos a él.

**16** Dijo entonces Tomás, llamado Dídimo, a sus condiscípulos: Vamos también nosotros, para que muramos con él.

### Jesús, la resurrección y la vida

**17** Vino, pues, Jesús, y halló que hacía ya cuatro días que Lázaro estaba en el sepulcro.

**18** Betania estaba cerca de Jerusalén, como a quince estadios;

**19** y muchos de los judíos habían venido a Marta y a María, para consolarlas por su hermano.

**20** Entonces Marta, cuando oyó que Jesús venía, salió a encontrarle; pero María se quedó en casa.

**21** Y Marta a Jesús: Señor, si hubieses estado aquí, mi hermano no habría muerto.

**22** Mas también sé ahora que todo lo que pidas a Dios, Dios te lo dará.

**23** Jesús le dijo: Tu hermano resucitará.

**24** Marta le dijo: Yo sé que resucitará en la resurrección, en el día postrero.

**25** Le dijo Jesús: Yo soy la resurrección y la vida; el que cree en mí, aunque esté muerto, vivirá.

**26** Y todo aquel que vive y cree en mí, no morirá eternamente. ¿Crees esto?

**27** Le dijo: Sí, Señor; yo he creído que tú eres el Cristo, el Hijo de Dios, que has venido al mundo.

---

**10.34** *d* Sal. 82.6. **10.40** *e* Jn. 1.28. **11.1** *a* Lc. 10.38-39. **11.2** *b* Jn. 12.3.

---

**10.30-38** Jesús dijo que él y el Padre son uno; esta es una clara afirmación de su divinidad. Jesús era Dios hecho carne (1.14). Era uno con el Padre en esencia, en propósito, en palabras y en pensamientos. Todos los milagros de Jesús testifican de su autoridad divina (10.37-38), al igual que las Escrituras (5.39). Sólo un Dios-hombre podía entender perfectamente nuestras debilidades humanas y aun así merecer nuestra confianza absoluta. Sólo Jesús, el divino hacedor de milagros, puede realizar la recuperación diaria y permanente que necesitamos.

**11.3-4** Cuando nos enfrentamos con una enfermedad grave o una situación irremediable, tenemos varias opciones: podemos lloriquear e intentar que nos tengan lástima, podemos quejarnos y culpar a Dios o podemos ver la crisis como una oportunidad para pedirle ayuda al Señor. María y Marta le pidieron ayuda a Jesús a favor de su hermano enfermo. Luego le dieron la gloria por el milagro asombroso que realizó: resucitó a su hermano Lázaro de entre los muertos. Si aprendemos a pedirle humildemente a Dios que nos ayude, progresaremos en la recuperación. Si él pudo resucitar a alguien de la muerte, es lo suficientemente poderoso para ayudarnos a vencer nuestra dependencia y las fallas de nuestro carácter.

## Jesús llora ante la tumba de Lázaro

**28** Habiendo dicho esto, fue y llamó a María su hermana, diciéndole en secreto: El Maestro está aquí y te llama.

**29** Ella, cuando lo oyó, se levantó de prisa y vino a él.

**30** Jesús todavía no había entrado en la aldea, sino que estaba en el lugar donde Marta le había encontrado.

**31** Entonces los judíos que estaban en casa con ella y la consolaban, cuando vieron que María se había levantado de prisa y había salido, la siguieron, diciendo: Va al sepulcro a llorar allí.

**32** María, cuando llegó a donde estaba Jesús, al verle, se postró a sus pies, diciéndole: Señor, si hubieses estado aquí, no habría muerto mi hermano.

**33** Jesús entonces, al verla llorando, y a los judíos que la acompañaban, también llorando, se estremeció en espíritu y se conmovió,

**34** y dijo: ¿Dónde le pusisteis? Le dijeron: Señor, ven y ve.

**35** Jesús lloró.

**36** Dijeron entonces los judíos: Mirad cómo le amaba.

**37** Y algunos de ellos dijeron: ¿No podía éste, que abrió los ojos al ciego, haber hecho también que Lázaro no muriera?

## Resurrección de Lázaro

**38** Jesús, profundamente conmovido otra vez, vino al sepulcro. Era una cueva, y tenía una piedra puesta encima.

**39** Dijo Jesús: Quitad la piedra. Marta, la hermana del que había muerto, le dijo: Señor, hiede ya, porque es de cuatro días.

**40** Jesús le dijo: ¿No te he dicho que si crees, verás la gloria de Dios?

**41** Entonces quitaron la piedra de donde había sido puesto el muerto. Y Jesús, alzando los ojos a lo alto, dijo: Padre, gracias te doy por haberme oído.

**42** Yo sabía que siempre me oyes; pero lo dije por causa de la multitud que está alrededor, para que crean que tú me has enviado.

**43** Y habiendo dicho esto, clamó a gran voz: ¡Lázaro, ven fuera!

**44** Y el que había muerto salió, atadas las manos y los pies con vendas, y el rostro envuelto en un sudario. Jesús les dijo: Desatadle, y dejadle ir.

## El complot para matar a Jesús

**45** Entonces muchos de los judíos que habían venido para acompañar a María, y vieron lo que hizo Jesús, creyeron en él.

**46** Pero algunos de ellos fueron a los fariseos y les dijeron lo que Jesús había hecho.

**47** Entonces los principales sacerdotes y los fariseos reunieron el concilio, y dijeron: ¿Qué haremos? Porque este hombre hace muchas señales.

**48** Si le dejamos así, todos creerán en él; y vendrán los romanos, y destruirán nuestro lugar santo y nuestra nación.

**49** Entonces Caifás, uno de ellos, sumo sacerdote aquel año, les dijo: Vosotros no sabéis nada;

**50** ni pensáis que nos conviene que un hombre muera por el pueblo, y no que toda la nación perezca.

**51** Esto no lo dijo por sí mismo, sino que como era el sumo sacerdote aquel año, profetizó que Jesús había de morir por la nación;

**52** y no solamente por la nación, sino también para congregar en uno a los hijos de Dios que estaban dispersos.

**53** Así que, desde aquel día acordaron matarle.

**54** Por tanto, Jesús ya no andaba abiertamente entre los judíos, sino que se alejó de allí a la región contigua al desierto, a una ciudad llamada Efraín; y se quedó allí con sus discípulos.

**55** Y estaba cerca la pascua de los judíos; y muchos subieron de aquella región a Jerusalén antes de la pascua, para purificarse.

**56** Y buscaban a Jesús, y estando ellos en el templo, se preguntaban unos a otros: ¿Qué os parece? ¿No vendrá a la fiesta?

**57** Y los principales sacerdotes y los fariseos habían dado orden de que si alguno supiese dónde estaba, lo manifestase, para que le prendiesen.

## Jesús es ungido en Betania

**12** **1** Seis días antes de la pascua, vino Jesús a Betania, donde estaba Lázaro, el que había

---

**11.37-44** Imagínese estar presente cuando Jesús resucitó a Lázaro. El hombre había estado muerto por cuatro días y su cuerpo había comenzado a apestar. De repente contestó a la voz de Jesús y salió de la tumba ¡envuelto como una momia! ¡Lázaro estaba vivo! Aquel que tiene poder sobre la muerte tiene poder para darnos nueva vida (11.25-27). Jesucristo nos ha liberado de la esclavitud del pecado y de la muerte, pero nuestro «sudario» –los hábitos destructivos y las dependencias– ¡tienen que desaparecer!

**12.1-8** La fe de María en Jesús es un testimonio para todos nosotros. Las Escrituras registran que, en tres ocasiones, ella se arrodilló con fe humilde a los pies de Jesús: se sentó a los pies de Jesús para oír su palabra (Lucas 10.39); cayó a sus pies llorando y buscando consuelo (Juan 11.32); y aquí se arrodilló a sus pies para ungirle con un caro perfume. Jesús ocupaba el primer lugar en su corazón y ella se rindió a él. La decisión de rendirle a Dios todo lo que somos y tenemos es un paso crucial en el proceso de recuperación. Cuando lo hagamos, Dios nos ayudará a enfrentar nuestros problemas.

estado muerto, y a quien había resucitado de los muertos.

**2** Y le hicieron allí una cena; Marta servía, y Lázaro era uno de los que estaban sentados a la mesa con él.

**3** Entonces María tomó una libra de perfume de nardo puro, de mucho precio, y ungió los pies de Jesús, y los enjugó con sus cabellos;*a* y la casa se llenó del olor del perfume.

**4** Y dijo uno de sus discípulos, Judas Iscariote hijo de Simón, el que le había de entregar:

**5** ¿Por qué no fue este perfume vendido por trescientos denarios, y dado a los pobres?

**6** Pero dijo esto, no porque se cuidara de los pobres, sino porque era ladrón, y teniendo la bolsa, sustraía de lo que se echaba en ella.

**7** Entonces Jesús dijo: Déjala; para el día de mi sepultura ha guardado esto.

**8** Porque a los pobres siempre los tendréis con vosotros,*b* mas a mí no siempre me tendréis.

### El complot contra Lázaro

**9** Gran multitud de los judíos supieron entonces que él estaba allí, y vinieron, no solamente por causa de Jesús, sino también para ver a Lázaro, a quien había resucitado de los muertos.

**10** Pero los principales sacerdotes acordaron dar muerte también a Lázaro,

**11** porque a causa de él muchos de los judíos se apartaban y creían en Jesús.

### La entrada triunfal en Jerusalén

**12** El siguiente día, grandes multitudes que habían venido a la fiesta, al oír que Jesús venía a Jerusalén,

**13** tomaron ramas de palmera y salieron a recibirle, y clamaban: ¡Hosanna!*c* ¡Bendito el que viene en el nombre del Señor,*d* el Rey de Israel!

**14** Y halló Jesús un asnillo, y montó sobre él, como está escrito:

**15** No temas, hija de Sion;
He aquí tu Rey viene,
Montado sobre un pollino de asna.*e*

**16** Estas cosas no las entendieron sus discípulos al principio; pero cuando Jesús fue glorificado, entonces se acordaron de que estas cosas estaban escritas acerca de él, y de que se las habían hecho.

**17** Y daba testimonio la gente que estaba con él cuando llamó a Lázaro del sepulcro, y le resucitó de los muertos.

**18** Por lo cual también había venido la gente a recibirle, porque había oído que él había hecho esta señal.

**19** Pero los fariseos dijeron entre sí: Ya veis que no conseguís nada. Mirad, el mundo se va tras él.

### Unos griegos buscan a Jesús

**20** Había ciertos griegos entre los que habían subido a adorar en la fiesta.

**21** Estos, pues, se acercaron a Felipe, que era de Betsaida de Galilea, y le rogaron, diciendo: Señor, quisiéramos ver a Jesús.

**22** Felipe fue y se lo dijo a Andrés; entonces Andrés y Felipe se lo dijeron a Jesús.

**23** Jesús les respondió diciendo: Ha llegado la hora para que el Hijo del Hombre sea glorificado.

**24** De cierto, de cierto os digo, que si el grano de trigo no cae en la tierra y muere, queda solo; pero si muere, lleva mucho fruto.

**25** El que ama su vida, la perderá; y el que aborrece su vida en este mundo, para vida eterna la guardará.*f*

**26** Si alguno me sirve, sígame; y donde yo estuviere, allí también estará mi servidor. Si alguno me sirviere, mi Padre le honrará.

### Jesús anuncia su muerte

**27** Ahora está turbada mi alma; ¿y qué diré? ¿Padre, sálvame de esta hora? Mas para esto he llegado a esta hora.

---

**12.3** *a* Lc. 7.37-38.   **12.8** *b* Dt. 15.11.   **12.13** *c* Sal. 118.25.   *d* Sal. 118.26.   **12.15** *e* Zac. 9.9.
**12.25** *f* Mt. 10.39; 16.25; Mr. 8.35; Lc. 9.24; 17.33.

---

**12.12-19** Las multitudes aclamaban a Jesús como el Mesías prometido, pero esos días de popularidad estaban contados. Acababa de resucitar de la muerte a Lázaro en presencia de muchos testigos. Sin embargo, algunos días después, la gente no hizo nada cuando los líderes judíos y el gobierno romano lo coronaban con espinas y lo ejecutaban como un pretencioso «Rey de los judíos» (18.39—19.21). Para nosotros, el proceso de recuperación puede ser así: repleto de una curiosidad febril una semana y de un vacío compromiso la siguiente. Si esperamos beneficiarnos de nuestro programa de recuperación, nuestro compromiso debe ser incondicional. Un compromiso a medias con nuestra propia recuperación podría dejarnos peor que cuando empezamos.

**12.23-25** En lugar de dar un discurso de aceptación como rey, Jesús explicó por qué tenía que morir. De hecho dijo: «Tengo que morir para poder darte nueva vida. Si quieres esta nueva vida, entonces ¡deja de vivir como lo estás haciendo!» Para nosotros este mensaje puede ser difícil de aceptar, como lo fue para los judíos en tiempos de Jesús. Pero para poder avanzar en la recuperación –de la adicción a la libertad, del quebrantamiento a la sanidad, de la culpa al perdón, del aislamiento a la comunión– tenemos que aceptar ese mensaje. Ya no podemos vivir una vida de escapismo y negación. Debemos aceptar de veras las realidades dolorosas de nuestra vida y pacientemente permitir que el amor de Dios nos restaure a plenitud.

# JUDAS ISCARIOTE

En la vida de Judas se encierra una terrible tragedia: haber estado tan cerca de Jesús y nunca haberlo conocido realmente. Para Judas lo primordial era la ganancia. Siempre estaba buscando la forma de ganar algo para sí. Al seguir a Jesús, Judas pensó que iba por el camino seguro hacia el éxito político y financiero.

Al oír a Jesús hablar de muerte y sacrificio, Judas, así como los demás discípulos, no podía entender cómo podía ser eso parte del plan de Dios. En su desilusión, Judas no pudo percibir que Jesús haría mucho más que simplemente retar al sistema político en un rincón del mundo y deshacerse de los detestados opresores romanos. En vez de eso, y por medio de su muerte expiatoria, Jesús traería verdadera libertad: libertad de la opresión espiritual, libertad de la oscuridad del pecado.

Judas traicionó a Jesús con un beso, transformando una señal de afecto y respeto en un símbolo de traición. Judas sí sintió un gran remordimiento por sus acciones, pero sus sentimientos de culpabilidad nunca lo llevaron al verdadero arrepentimiento. A diferencia de Pedro, quien también traicionó a Jesús, Judas se destruyó a sí mismo en lugar de entregarse a la misericordia y al perdón de Dios. Para los que estamos en recuperación, es vital que recordemos que Jesús nos espera con los brazos abiertos y quiere darnos los regalos de su misericordia y perdón.

Podemos correr hacia él en momentos de necesidad, porque él no nos condena; él anhela cambiarnos, sanar el dolor y arrancar la culpa de nuestras vidas.

**FORTALEZAS Y LOGROS:**
* Judas era el único discípulo que no era de Galilea.
* Fue parte del grupo enviado por Jesús a predicar y con poder para sanar.
* Le tuvieron la confianza suficiente como para nombrarlo tesorero del grupo.
* Reconoció el error de haber traicionado a Jesús.

**DEBILIDADES Y ERRORES:**
* Judas valoraba más la riqueza material que la espiritual.
* Estaba más interesado en lo que podía obtener de Jesús que en conocer quién era Jesús.

**LECCIONES PARA NUESTRA VIDA:**
* La riqueza espiritual vale más que la riqueza material.
* Dios siempre nos ofrece lo que es mejor para nosotros, no siempre lo que nosotros queremos.
* Es fácil subestimar el valor del crecimiento espiritual cuando estamos preocupados por la ganancia material.
* No podemos detenernos en sólo reconocer nuestros pecados; también debemos volvernos a Dios en busca de sanidad y perdón.

**VERSÍCULOS CLAVE:**
«Y entró Satanás en Judas, por sobrenombre Iscariote, el cual era uno del número de los doce; y éste fue y habló con los principales sacerdotes, y con los jefes de la guardia, de cómo se lo entregaría» (Lucas 22.3-4).

La historia de Judas Iscariote se encuentra en los evangelios; véase especialmente Lucas 22.3-6 y Juan 12.4-6. También se menciona en Hechos 1.16-19.

---

**28** Padre, glorifica tu nombre. Entonces vino una voz del cielo: Lo he glorificado, y lo glorificaré otra vez. **29** Y la multitud que estaba allí, y había oído la voz, decía que había sido un trueno. Otros decían: Un ángel le ha hablado. **30** Respondió Jesús y dijo: No ha venido esta voz por causa mía, sino por causa de vosotros. **31** Ahora es el juicio de este mundo; ahora el príncipe de este mundo será echado fuera. **32** Y yo, si fuere levantado de la tierra, a todos atraeré a mí mismo. **33** Y decía esto dando a entender de qué muerte iba a morir. **34** Le respondió la gente: Nosotros hemos oído de la ley, que el Cristo permanece para siempre.*g* ¿Cómo, pues, dices tú que es necesario que el Hijo del Hombre sea levantado? ¿Quién es este Hijo del Hombre?

**35** Entonces Jesús les dijo: Aún por un poco está la luz entre vosotros; andad entre tanto que tenéis luz, para que no os sorprendan las tinieblas; porque el que anda en tinieblas, no sabe a dónde va. **36** Entre tanto que tenéis la luz, creed en la luz, para que seáis hijos de luz.

## Incredulidad de los judíos

Estas cosas habló Jesús, y se fue y se ocultó de ellos. **37** Pero a pesar de que había hecho tantas señales delante de ellos, no creían en él; **38** para que se cumpliese la palabra del profeta Isaías, que dijo:

**12.34** *g* Sal. 110.4; Is. 9.7; Ez. 37.25; Dn. 7.14.

Señor, ¿quién ha creído a nuestro anuncio?
¿Y a quién se ha revelado el brazo del Señor?[h]
**39** Por esto no podían creer, porque también dijo Isaías:

**40** Cegó los ojos de ellos, y endureció su corazón;
Para que no vean con los ojos, y entiendan con el corazón,
Y se conviertan, y yo los sane.[i]

**41** Isaías dijo esto cuando vio su gloria, y habló acerca de él.
**42** Con todo eso, aun de los gobernantes, muchos creyeron en él; pero a causa de los fariseos no lo confesaban, para no ser expulsados de la sinagoga.
**43** Porque amaban más la gloria de los hombres que la gloria de Dios.

## Las palabras de Jesús juzgarán a los hombres

**44** Jesús clamó y dijo: El que cree en mí, no cree en mí, sino en el que me envió;
**45** y el que me ve, ve al que me envió.
**46** Yo, la luz, he venido al mundo, para que todo aquel que cree en mí no permanezca en tinieblas.
**47** Al que oye mis palabras, y no las guarda, yo no le juzgo; porque no he venido a juzgar al mundo, sino a salvar al mundo.
**48** El que me rechaza, y no recibe mis palabras, tiene quien le juzgue; la palabra que he hablado, ella le juzgará en el día postrero.
**49** Porque yo no he hablado por mi propia cuenta; el Padre que me envió, él me dio mandamiento de lo que he de decir, y de lo que he de hablar.
**50** Y sé que su mandamiento es vida eterna. Así pues, lo que yo hablo, lo hablo como el Padre me lo ha dicho.

## Jesús lava los pies de sus discípulos

**13** **1** Antes de la fiesta de la pascua, sabiendo Jesús que su hora había llegado para que pasase de este mundo al Padre, como había amado a los suyos que estaban en el mundo, los amó hasta el fin.
**2** Y cuando cenaban, como el diablo ya había puesto en el corazón de Judas Iscariote, hijo de Simón, que le entregase,
**3** sabiendo Jesús que el Padre le había dado todas las cosas en las manos, y que había salido de Dios, y a Dios iba,
**4** se levantó de la cena, y se quitó su manto, y tomando una toalla, se la ciñó.
**5** Luego puso agua en un lebrillo, y comenzó a lavar los pies de los discípulos, y a enjugarlos con la toalla con que estaba ceñido.
**6** Entonces vino a Simón Pedro; y Pedro le dijo: Señor, ¿tú me lavas los pies?
**7** Respondió Jesús y le dijo: Lo que yo hago, tú no lo comprendes ahora; mas lo entenderás después.
**8** Pedro le dijo: No me lavarás los pies jamás. Jesús le respondió: Si no te lavare, no tendrás parte conmigo.
**9** Le dijo Simón Pedro: Señor, no sólo mis pies, sino también las manos y la cabeza.
**10** Jesús le dijo: El que está lavado, no necesita sino lavarse los pies, pues está todo limpio; y vosotros limpios estáis, aunque no todos.
**11** Porque sabía quién le iba a entregar; por eso dijo: No estáis limpios todos.
**12** Así que, después que les hubo lavado los pies, tomó su manto, volvió a la mesa, y les dijo: ¿Sabéis lo que os he hecho?
**13** Vosotros me llamáis Maestro, y Señor; y decís bien, porque lo soy.
**14** Pues si yo, el Señor y el Maestro, he lavado vuestros pies, vosotros también debéis lavaros los pies los unos a los otros.
**15** Porque ejemplo os he dado, para que como yo os he hecho, vosotros también hagáis.[a]
**16** De cierto, de cierto os digo: El siervo no es mayor que su señor,[b] ni el enviado es mayor que el que le envió.

**12.38** [h] Is. 53.1. **12.40** [i] Is. 6.10. **13.12-15** [a] Lc. 22.27. **13.16** [b] Mt. 10.24; Lc. 6.40; Jn. 15.20.

---

**12.42-43** Muchos de los líderes judíos creían en Jesús, pero su fe se volvió ineficaz debido al miedo y al aislamiento. Estaban más preocupados por lo que sus pares pensaban de ellos que por lo que pensaba Dios. Una fe débil nunca nos llevará muy lejos en la recuperación. Si queremos experimentar un progreso real en la recuperación, necesitamos hablarle por lo menos a una persona sobre nuestra fe en Dios. Cuando les hablamos a otros sobre nuestra fe y el cambio en nuestra vida, los estamos invitando a que nos pidan cuentas. Y rendir cuentas de nuestras intenciones, actitudes y acciones es una parte necesaria de la recuperación. Hacer que otros formen parte de nuestra vida es crucial para el proceso de recuperación y para nuestro crecimiento; no podemos hacerlo solos.

**13.1-7** El Hijo de Dios no vino como un señor orgulloso que demandaba que los otros lo sirvieran, sino como un siervo humilde que se deleitaba en ayudar a los demás. Al arrodillarse para hacer el trabajo más servil (lavar los pies de los discípulos), Jesús les demostró que los verdaderos líderes sirven a sus seguidores. Para imitar el ejemplo de Jesús y servir a otros, debemos comenzar por permitirle a él que nos sirva. Conforme vayamos experimentando su poder purificador en nuestra vida, podremos servir a otros de varias formas: contándoles nuestra historia, escuchándolos confesar sus faltas, sintiendo su dolor y permaneciendo a su lado en los momentos difíciles. Al apoyar a otros en el proceso de su recuperación, seremos fortalecidos para continuar el camino hacia la nuestra.

**17** Si sabéis estas cosas, bienaventurados seréis si las hiciereis.

**18** No hablo de todos vosotros; yo sé a quienes he elegido; mas para que se cumpla la Escritura: El que come pan conmigo, levantó contra mí su calcañar.*c*

**19** Desde ahora os lo digo antes que suceda, para que cuando suceda, creáis que yo soy.

**20** De cierto, de cierto os digo: El que recibe al que yo enviare, me recibe a mí; y el que me recibe a mí, recibe al que me envió.*d*

### Jesús anuncia la traición de Judas

**21** Habiendo dicho Jesús esto, se conmovió en espíritu, y declaró y dijo: De cierto, de cierto os digo, que uno de vosotros me va a entregar.

**22** Entonces los discípulos se miraban unos a otros, dudando de quién hablaba.

**23** Y uno de sus discípulos, al cual Jesús amaba, estaba recostado al lado de Jesús.

**24** A éste, pues, hizo señas Simón Pedro, para que preguntase quién era aquel de quien hablaba.

**25** El entonces, recostado cerca del pecho de Jesús, le dijo: Señor, ¿quién es?

**26** Respondió Jesús: A quien yo diere el pan mojado, aquél es. Y mojando el pan, lo dio a Judas Iscariote hijo de Simón.

**27** Y después del bocado, Satanás entró en él. Entonces Jesús le dijo: Lo que vas a hacer, hazlo más pronto.

**28** Pero ninguno de los que estaban a la mesa entendió por qué le dijo esto.

**29** Porque algunos pensaban, puesto que Judas tenía la bolsa, que Jesús le decía: Compra lo que necesitamos para la fiesta; o que diese algo a los pobres.

**30** Cuando él, pues, hubo tomado el bocado, luego salió; y era ya de noche.

### El nuevo mandamiento

**31** Entonces, cuando hubo salido, dijo Jesús: Ahora es glorificado el Hijo del Hombre, y Dios es glorificado en él.

**32** Si Dios es glorificado en él, Dios también le glorificará en sí mismo, y en seguida le glorificará.

**33** Hijitos, aún estaré con vosotros un poco. Me buscaréis; pero como dije a los judíos, así os digo ahora a vosotros: A donde yo voy, vosotros no podéis ir.*e*

**34** Un mandamiento nuevo os doy: Que os améis unos a otros;*f* como yo os he amado, que también os améis unos a otros.

**35** En esto conocerán todos que sois mis discípulos, si tuviereis amor los unos con los otros.

### Jesús anuncia la negación de Pedro

**36** Le dijo Simón Pedro: Señor, ¿a dónde vas? Jesús le respondió: A donde yo voy, no me puedes seguir ahora; mas me seguirás después.

**37** Le dijo Pedro: Señor, ¿por qué no te puedo seguir ahora? Mi vida pondré por ti.

**38** Jesús le respondió: ¿Tu vida pondrás por mí? De cierto, de cierto te digo: No cantará el gallo, sin que me hayas negado tres veces.

### Jesús, el camino al Padre

**14** **1** No se turbe vuestro corazón; creéis en Dios, creed también en mí.

**2** En la casa de mi Padre muchas moradas hay; si así no fuera, yo os lo hubiera dicho; voy, pues, a preparar lugar para vosotros.

**3** Y si me fuere y os preparare lugar, vendré otra

---

**13.18** *c* Sal. 41.9. **13.20** *d* Mt. 10.40; Mr. 9.37; Lc. 9.48; 10.16. **13.33** *e* Jn. 7.34.
**13.34** *f* Jn. 15.12, 17; 1 Jn. 3.23; 2 Jn. 5.

---

**13.20** Una forma en la que Dios nos habla es por medio de sus mensajeros escogidos. Podemos experimentar el amor y la sanidad que vienen de Dios, mediante la gente piadosa que él envía a nuestra vida. Esto puede ser muy difícil para nosotros si hemos sido víctimas de abusos. Quizás sintamos que ya no queremos estar cerca de otras personas. Pero al aceptar a personas piadosas en nuestra vida, descubriremos que traen el toque sanador de Jesús. Cuando tratamos de alcanzar a otros en el nombre de Jesús, nos convertimos en sus mensajeros. Dios nos usará para llevar su liberación poderosa a las vidas de otras personas que la necesitan.

**13.34-35** Nuestra capacidad para amar a otros (y amarnos a nosotros mismos) se basa en la medida en que hemos recibido el amor de Dios (con mucha frecuencia a través de otras personas). Cuando tratamos de amar a otros sin tener el amor de Dios, intentamos dar lo que no tenemos; terminamos dando con la esperanza de recibir algo a cambio. Este tipo de regalo egoísta no nos hace sentir bien, ni hace que la persona a la que estamos tratando de ayudar se sienta bien. Cuando nos amamos los unos a otros a partir de la abundancia del amor de Dios en nosotros, nuestro testimonio y servicio pueden ser eficaces en la recuperación.

**14.1-4** Recibimos la consolación duradera cuando ponemos nuestra confianza en Dios. Algunas veces Dios nos concede la liberación inmediata de una situación dolorosa. Con más frecuencia, él camina a nuestro lado cuando luchamos con los problemas que parecen no tener fin. Nuestras luchas pueden ser consecuencias directas de nuestros errores pasados; tal vez sean el resultado de los errores de otras personas. Dios nos permite vivir esas circunstancias difíciles para desarrollar nuestro carácter y fortalecer nuestra fe. Al poner nuestra fe en Jesús, recibimos su paz en esta vida y la promesa de un hogar con él en la eternidad.

vez, y os tomaré a mí mismo, para que donde yo estoy, vosotros también estéis.

**4** Y sabéis a dónde voy, y sabéis el camino.

**5** Le dijo Tomás: Señor, no sabemos a dónde vas; ¿cómo, pues, podemos saber el camino?

**6** Jesús le dijo: Yo soy el camino, y la verdad, y la vida; nadie viene al Padre, sino por mí.

**7** Si me conocieseis, también a mi Padre conoceríais; y desde ahora le conocéis, y le habéis visto.

**8** Felipe le dijo: Señor, muéstranos el Padre, y nos basta.

**9** Jesús le dijo: ¿Tanto tiempo hace que estoy con vosotros, y no me has conocido, Felipe? El que me ha visto a mí, ha visto al Padre; ¿cómo, pues, dices tú: Muéstranos el Padre?

**10** ¿No crees que yo soy en el Padre, y el Padre en mí? Las palabras que yo os hablo, no las hablo por mi propia cuenta, sino que el Padre que mora en mí, él hace las obras.

**11** Creedme que yo soy en el Padre, y el Padre en mí; de otra manera, creedme por las mismas obras.

**12** De cierto, de cierto os digo: El que en mí cree, las obras que yo hago, él las hará también; y aun mayores hará, porque yo voy al Padre.

**13** Y todo lo que pidiereis al Padre en mi nombre, lo haré, para que el Padre sea glorificado en el Hijo.

**14** Si algo pidiereis en mi nombre, yo lo haré.

### La promesa del Espíritu Santo

**15** Si me amáis, guardad mis mandamientos.

**16** Y yo rogaré al Padre, y os dará otro Consolador, para que esté con vosotros para siempre:

**17** el Espíritu de verdad, al cual el mundo no puede recibir, porque no le ve, ni le conoce; pero vosotros le conocéis, porque mora con vosotros, y estará en vosotros.

**18** No os dejaré huérfanos; vendré a vosotros.

**19** Todavía un poco, y el mundo no me verá más; pero vosotros me veréis; porque yo vivo, vosotros también viviréis.

**20** En aquel día vosotros conoceréis que yo estoy en mi Padre, y vosotros en mí, y yo en vosotros.

**21** El que tiene mis mandamientos, y los guarda, ése es el que me ama; y el que me ama, será amado por mi Padre, y yo le amaré, y me manifestaré a él.

**22** Le dijo Judas (no el Iscariote): Señor, ¿cómo es que te manifestarás a nosotros, y no al mundo?

**23** Respondió Jesús y le dijo: El que me ama, mi palabra guardará; y mi Padre le amará, y vendremos a él, y haremos morada con él.

**24** El que no me ama, no guarda mis palabras; y la palabra que habéis oído no es mía, sino del Padre que me envió.

**25** Os he dicho estas cosas estando con vosotros.

**26** Mas el Consolador, el Espíritu Santo, a quien el Padre enviará en mi nombre, él os enseñará todas las cosas, y os recordará todo lo que yo os he dicho.

**27** La paz os dejo, mi paz os doy; yo no os la doy como el mundo la da. No se turbe vuestro corazón, ni tenga miedo.

**28** Habéis oído que yo os he dicho: Voy, y vengo a vosotros. Si me amarais, os habríais regocijado, porque he dicho que voy al Padre; porque el Padre mayor es que yo.

**29** Y ahora os lo he dicho antes que suceda, para que cuando suceda, creáis.

**30** No hablaré ya mucho con vosotros; porque viene el príncipe de este mundo, y él nada tiene en mí.

**31** Mas para que el mundo conozca que amo al Padre, y como el Padre me mandó, así hago. Levantaos, vamos de aquí.

### Jesús, la vid verdadera

**15** **1** Yo soy la vid verdadera, y mi Padre es el labrador.

**2** Todo pámpano que en mí no lleva fruto, lo quitará; y todo aquel que lleva fruto, lo limpiará, para que lleve más fruto.

**3** Ya vosotros estáis limpios por la palabra que os he hablado.

---

**14.5-11** La fe en Jesús es la única manera de conocer verdaderamente a Dios y de recibir la vida plena que él quiere para cada uno de nosotros. A pesar de haber vivido con Jesús por muchos meses, Tomás y Felipe todavía no se habían dado cuenta de que podían conocer a Dios a través de su Hijo, Jesús. Mucha gente sabe de Dios y de Jesucristo, pero no conoce a Dios personalmente. La fe genuina es personal y relacional, y está basada en las verdades sobre Dios que encontramos en las Escrituras. Jesucristo es el camino, la verdad y la vida para todo el que esté en recuperación. Él tiene el poder para perdonar nuestros pecados, ayudarnos a vencer nuestra adicción y darnos una vida nueva.

**14.27** Muchos estamos luchando con el estrés y la ansiedad, con el dolor y la pérdida; anhelamos paz y tranquilidad. Esto mismo les ocurrió a los primeros discípulos. Estaban a punto de perder a su mejor amigo y a su Mesías. Ciertamente sus almas estaban atribuladas, como sucede con muchos de nosotros que nos estamos recuperando de la pérdida de empleo, de un cónyuge, de un hijo o de la adicción a sustancias químicas. Ellos estaban buscando algo que llenara ese vacío. Sin embargo, Jesús les dijo que los estaba dejando con una paz plena y abundante –*shalom*–, diferente de la paz del mundo (que significa sencillamente la ausencia de conflicto). Dios puede traernos paz aun en medio de nuestros problemas (véase 16.33).

**15.1-8** Dios desea que nuestra vida sea como los pámpanos fructíferos de una vid. La única manera de dar frutos es permaneciendo en Jesús, la vid, y permitiendo que Dios, el labrador, nos pode para estimular el

**4** Permaneced en mí, y yo en vosotros. Como el pámpano no puede llevar fruto por sí mismo, si no permanece en la vid, así tampoco vosotros, si no permanecéis en mí.

**5** Yo soy la vid, vosotros los pámpanos; el que permanece en mí, y yo en él, éste lleva mucho fruto; porque separados de mí nada podéis hacer.

**6** El que en mí no permanece, será echado fuera como pámpano, y se secará; y los recogen, y los echan en el fuego, y arden.

**7** Si permanecéis en mí, y mis palabras permanecen en vosotros, pedid todo lo que queréis, y os será hecho.

**8** En esto es glorificado mi Padre, en que llevéis mucho fruto, y seáis así mis discípulos.

**9** Como el Padre me ha amado, así también yo os he amado; permaneced en mi amor.

**10** Si guardareis mis mandamientos, permaneceréis en mi amor; así como yo he guardado los mandamientos de mi Padre, y permanezco en su amor.

**11** Estas cosas os he hablado, para que mi gozo esté en vosotros, y vuestro gozo sea cumplido.

**12** Este es mi mandamiento: Que os améis unos a otros,*a* como yo os he amado.

**13** Nadie tiene mayor amor que este, que uno ponga su vida por sus amigos.

**14** Vosotros sois mis amigos, si hacéis lo que yo os mando.

**15** Ya no os llamaré siervos, porque el siervo no sabe lo que hace su señor; pero os he llamado amigos, porque todas las cosas que oí de mi Padre, os las he dado a conocer.

**16** No me elegisteis vosotros a mí, sino que yo os elegí a vosotros, y os he puesto para que vayáis y llevéis fruto, y vuestro fruto permanezca; para que todo lo que pidiereis al Padre en mi nombre, él os lo dé.

**17** Esto os mando: Que os améis unos a otros.

## El mundo os aborrecerá

**18** Si el mundo os aborrece, sabed que a mí me ha aborrecido antes que a vosotros.

**19** Si fuerais del mundo, el mundo amaría lo suyo; pero porque no sois del mundo, antes yo os elegí del mundo, por eso el mundo os aborrece.

**15.12** *a* Jn. 13.34; 15.17; 1 Jn. 3.23; 2 Jn. 5.

# A mor

### LEA JUAN 14.15-26

El verdadero amor nos da seguridad. Para muchos de nosotros, los sentimientos de inseguridad aumentan el poder de nuestra dependencia. Creer que el amor puede darnos seguridad duradera quizás nos resulte difícil de aceptar a quienes hayamos sido abandonados. Es posible que alguien a quien amábamos haya traicionado nuestra confianza. Tal vez alguien se haya alejado de nosotros cuando traicionamos la suya. Podría ser que alguien a quien necesitábamos haya muerto, dejándonos para siempre.

Jesús prometió: «No os dejaré huérfanos; vendré a vosotros» (Juan 14.18). Es posible que nos preguntemos: «¿Cómo puedo confiar en el amor de Dios si parece que lo único que he conocido es el amor que decepciona?» He aquí la diferencia: Jesús es el único que entró a nuestra vida por la puerta «unidireccional» de la muerte. «En esto se mostró el amor de Dios para con nosotros, en que Dios envió a su Hijo unigénito al mundo, para que vivamos por él. En esto consiste el amor: no en que nosotros hayamos amado a Dios, sino en que él nos amó a nosotros, y envió a su Hijo en propiciación por nuestros pecados» (1 Juan 4.9-10).

El salmista escribió: «Porque él conoce nuestra condición; se acuerda de que somos polvo. ... pasó el viento por ella, y pereció ... Mas la misericordia de Jehová es desde la eternidad y hasta la eternidad sobre los que le temen» (Salmo 103.14-18).

El amor de Dios es incondicional y siempre nos está esperando. Entregar nuestra vida a Dios implica abrirle la puerta de nuestro corazón a su amor. Llenarnos del amor de Dios nos ayuda a evitar las recaídas. Su amor suple nuestras necesidades más profundas y vence nuestras inseguridades más poderosas. *Vaya a la página 177, Juan 21.*

---

crecimiento y la producción. Dios mismo, al cultivar y podar nuestras vidas, y arrancar la hierba mala de ellas, es quien produce en nosotros los frutos espirituales, el desarrollo del carácter y el progreso en la recuperación. De la misma forma en que el alimento para el fruto deseado viene a través de la vid, la plenitud de la vida llega por medio de la fe en Jesucristo. Necesitamos mantenernos cerca de Jesús, la fuente de poder y de verdadera ayuda para la recuperación.

**15.15** Jesús demostró el deseo de Dios de ser nuestro amigo, no nuestro capataz. Muchos de los que estamos en recuperación nunca hemos experimentado a Dios en forma tan amigable e íntima. Rara vez en nuestra vida vemos que algún personaje destacado trate realmente de confiar en nosotros y ser nuestro amigo, en vez de comportarse como si fuera nuestro dueño y señor. Por eso se nos hace difícil imaginar a Dios como amigo. Jesús nos insta a confiar en él. Al convertirse en nuestro amigo, Dios, a través de Jesús, nos capacita para rendir cuentas, ser responsables y dignos de confianza.

**20** Acordaos de la palabra que yo os he dicho: El siervo no es mayor que su señor.*b* Si a mí me han perseguido, también a vosotros os perseguirán; si han guardado mi palabra, también guardarán la vuestra.

**21** Mas todo esto os harán por causa de mi nombre, porque no conocen al que me ha enviado.

**22** Si yo no hubiera venido, ni les hubiera hablado, no tendrían pecado; pero ahora no tienen excusa por su pecado.

**23** El que me aborrece a mí, también a mi Padre aborrece.

**24** Si yo no hubiese hecho entre ellos obras que ningún otro ha hecho, no tendrían pecado; pero ahora han visto y han aborrecido a mí y a mi Padre.

**25** Pero esto es para que se cumpla la palabra que está escrita en su ley: Sin causa me aborrecieron.*c*

**26** Pero cuando venga el Consolador, a quien yo os enviaré del Padre, el Espíritu de verdad, el cual procede del Padre, él dará testimonio acerca de mí.

**27** Y vosotros daréis testimonio también, porque habéis estado conmigo desde el principio.

# 16

**1** Estas cosas os he hablado, para que no tengáis tropiezo.

**2** Os expulsarán de las sinagogas; y aun viene la hora cuando cualquiera que os mate, pensará que rinde servicio a Dios.

**3** Y harán esto porque no conocen al Padre ni a mí.

**4** Mas os he dicho estas cosas, para que cuando llegue la hora, os acordéis de que ya os lo había dicho.

## La obra del Espíritu Santo

Esto no os lo dije al principio, porque yo estaba con vosotros.

**5** Pero ahora voy al que me envió; y ninguno de vosotros me pregunta: ¿A dónde vas?

**6** Antes, porque os he dicho estas cosas, tristeza ha llenado vuestro corazón.

**7** Pero yo os digo la verdad: Os conviene que yo me vaya; porque si no me fuera, el Consolador no vendría a vosotros; mas si me fuere, os lo enviaré.

**8** Y cuando él venga, convencerá al mundo de pecado, de justicia y de juicio.

**9** De pecado, por cuanto no creen en mí;

**10** de justicia, por cuanto voy al Padre, y no me veréis más;

**11** y de juicio, por cuanto el príncipe de este mundo ha sido ya juzgado.

**12** Aún tengo muchas cosas que deciros, pero ahora no las podéis sobrellevar.

**13** Pero cuando venga el Espíritu de verdad, él os guiará a toda la verdad; porque no hablará por su propia cuenta, sino que hablará todo lo que oyere, y os hará saber las cosas que habrán de venir.

**14** El me glorificará; porque tomará de lo mío, y os lo hará saber.

**15** Todo lo que tiene el Padre es mío; por eso dije que tomará de lo mío, y os lo hará saber.

## La tristeza se convertirá en gozo

**16** Todavía un poco, y no me veréis; y de nuevo un poco, y me veréis; porque yo voy al Padre.

**17** Entonces se dijeron algunos de sus discípulos unos a otros: ¿Qué es esto que nos dice: Todavía un poco y no me veréis; y de nuevo un poco, y me veréis; y, porque yo voy al Padre?

**18** Decían, pues: ¿Qué quiere decir con: Todavía un poco? No entendemos lo que habla.

**19** Jesús conoció que querían preguntarle, y les dijo: ¿Preguntáis entre vosotros acerca de esto que dije: Todavía un poco y no me veréis, y de nuevo un poco y me veréis?

**20** De cierto, de cierto os digo, que vosotros lloraréis y lamentaréis, y el mundo se alegrará; pero aunque vosotros estéis tristes, vuestra tristeza se convertirá en gozo.

**21** La mujer cuando da a luz, tiene dolor, porque ha llegado su hora; pero después que ha dado a luz un niño, ya no se acuerda de la angustia, por el gozo de que haya nacido un hombre en el mundo.

**22** También vosotros ahora tenéis tristeza; pero os volveré a ver, y se gozará vuestro corazón, y nadie os quitará vuestro gozo.

**23** En aquel día no me preguntaréis nada. De cierto, de cierto os digo, que todo cuanto pidiereis al Padre en mi nombre, os lo dará.

**24** Hasta ahora nada habéis pedido en mi nombre; pedid, y recibiréis, para que vuestro gozo sea cumplido.

## Yo he vencido al mundo

**25** Estas cosas os he hablado en alegorías; la hora

---

**15.20** *b* Mt. 10.24; Lc. 6.40; Jn. 13.16.   **15.25** *c* Sal. 35.19; 69.4.

---

**16.20-22** Ciertamente los seguidores de Jesús estaban afligidos ante la inminente pérdida de su amigo y maestro. Perder a un ser querido es una experiencia dolorosa y universal. Podemos llorar la pérdida de nuestra infancia, nuestra inocencia, nuestro cónyuge o nuestra forma de ganarnos la vida. Quizás hasta lloremos la pérdida de nuestra adicción, que hemos usado para atenuar el dolor. El abuso, la negligencia o el abandono de parte de alguien en quien hayamos confiado son experiencias dolorosas. Pero no hay dolor tan grande que Jesús no pueda mitigar. Cuando encontremos el valor para enfrentar sinceramente nuestras pérdidas y heridas, y lamentarnos por ellas, podremos descubrir lo que hay más allá del dolor: ¡libertad y gozo!

viene cuando ya no os hablaré por alegorías, sino que claramente os anunciaré acerca del Padre.

**26** En aquel día pediréis en mi nombre; y no os digo que yo rogaré al Padre por vosotros,

**27** pues el Padre mismo os ama, porque vosotros me habéis amado, y habéis creído que yo salí de Dios.

**28** Salí del Padre, y he venido al mundo; otra vez dejo el mundo, y voy al Padre.

**29** Le dijeron sus discípulos: He aquí ahora hablas claramente, y ninguna alegoría dices.

**30** Ahora entendemos que sabes todas las cosas, y no necesitas que nadie te pregunte; por esto creemos que has salido de Dios.

**31** Jesús les respondió: ¿Ahora creéis?

**32** He aquí la hora viene, y ha venido ya, en que seréis esparcidos cada uno por su lado, y me dejaréis solo; mas no estoy solo, porque el Padre está conmigo.

**33** Estas cosas os he hablado para que en mí tengáis paz. En el mundo tendréis aflicción; pero confiad, yo he vencido al mundo.

## Jesús ora por sus discípulos

**17** **1** Estas cosas habló Jesús, y levantando los ojos al cielo, dijo: Padre, la hora ha llegado; glorifica a tu Hijo, para que también tu Hijo te glorifique a ti;

**2** como le has dado potestad sobre toda carne, para que dé vida eterna a todos los que le diste.

**3** Y esta es la vida eterna: que te conozcan a ti, el único Dios verdadero, y a Jesucristo, a quien has enviado.

**4** Yo te he glorificado en la tierra; he acabado la obra que me diste que hiciese.

**5** Ahora, pues, Padre, glorifícame tú al lado tuyo, con aquella gloria que tuve contigo antes que el mundo fuese.

**6** He manifestado tu nombre a los hombres que del mundo me diste; tuyos eran, y me los diste, y han guardado tu palabra.

**7** Ahora han conocido que todas las cosas que me has dado, proceden de ti;

**8** porque las palabras que me diste, les he dado; y ellos las recibieron, y han conocido verdaderamente que salí de ti, y han creído que tú me enviaste.

**9** Yo ruego por ellos; no ruego por el mundo, sino por los que me diste; porque tuyos son,

**10** y todo lo mío es tuyo, y lo tuyo mío; y he sido glorificado en ellos.

**PASO 12**

## Hablemos con otros

LECTURA BÍBLICA: Juan 15.5-15

**Luego de experimentar un despertar espiritual como resultado de estos pasos, tratamos de llevar este mensaje a otros y practicar estos principios en todos nuestros asuntos.**

Como ya hemos pasado por los Doce Pasos, estamos en una posición especial para llevar el mensaje a otros. Podemos reconocer las señales de aviso de las tendencias adictivas o compulsivas en las personas que nos rodean, así como en nosotros mismos. Cuando llegamos a esos asuntos profundos y delicados, es importante que hablemos el idioma del amor, no el de la condenación.

La Biblia nos dice que «si alguno fuere sorprendido en alguna falta, vosotros que sois espirituales, restauradle con espíritu de mansedumbre, considerándote a ti mismo, no sea que tú también seas tentado. Sobrellevad los unos las cargas de los otros, y cumplid así la ley de Cristo» (Gálatas 6.1-2). El mandamiento era el mismo que Jesús les había enseñado a los discípulos: «Un mandamiento nuevo os doy: Que os améis unos a otros; como yo os he amado, que también os améis unos a otros» (Juan 13.34). «Este es mi mandamiento: Que os améis unos a otros, como yo os he amado. Nadie tiene mayor amor que este, que uno ponga su vida por sus amigos» (15.12-13).

Nosotros no somos el Salvador, pero podemos amar a otros como él nos ha amado a nosotros. El amor va más allá de las meras palabras. Algunas veces se expresa en silencio, cuando no condenamos a quienes vengan a nosotros buscando ayuda. El amor no sólo les dice cuáles son los problemas; los ayuda a llevar el peso de sus cargas. Podemos formar parte de un grupo de apoyo que ayude a nuestros amigos hasta que sean capaces de dar los pasos hacia la recuperación por iniciativa propia. ***Vaya a la página 195, Hechos 8.***

---

**16.33** En este mundo, y especialmente en el proceso de recuperación, encontramos «muchas pruebas y aflicciones» que muchas veces están fuera de nuestro control. Podemos sobrellevarlas con la ayuda de Dios. Pero por otro lado, parte de nuestro sufrimiento es autoinfligido y puede evitarse. En tales situaciones, aun así Dios nos ofrece paz mientras nos armamos de valor para hacer los cambios necesarios en nuestra vida. El

**11** Y ya no estoy en el mundo; mas éstos están en el mundo, y yo voy a ti. Padre santo, a los que me has dado, guárdalos en tu nombre, para que sean uno, así como nosotros.

**12** Cuando estaba con ellos en el mundo, yo los guardaba en tu nombre; a los que me diste, yo los guardé, y ninguno de ellos se perdió, sino el hijo de perdición, para que la Escritura se cumpliese.ª

**13** Pero ahora voy a ti; y hablo esto en el mundo, para que tengan mi gozo cumplido en sí mismos.

**14** Yo les he dado tu palabra; y el mundo los aborreció, porque no son del mundo, como tampoco yo soy del mundo.

**15** No ruego que los quites del mundo, sino que los guardes del mal.

**16** No son del mundo, como tampoco yo soy del mundo.

**17** Santifícalos en tu verdad; tu palabra es verdad.

**18** Como tú me enviaste al mundo, así yo los he enviado al mundo.

**19** Y por ellos yo me santifico a mí mismo, para que también ellos sean santificados en la verdad.

**20** Mas no ruego solamente por éstos, sino también por los que han de creer en mí por la palabra de ellos,

**21** para que todos sean uno; como tú, oh Padre, en mí, y yo en ti, que también ellos sean uno en nosotros; para que el mundo crea que tú me enviaste.

**22** La gloria que me diste, yo les he dado, para que sean uno, así como nosotros somos uno.

**23** Yo en ellos, y tú en mí, para que sean perfectos en unidad, para que el mundo conozca que tú me enviaste, y que los has amado a ellos como también a mí me has amado.

**24** Padre, aquellos que me has dado, quiero que donde yo estoy, también ellos estén conmigo, para que vean mi gloria que me has dado; porque me has amado desde antes de la fundación del mundo.

**25** Padre justo, el mundo no te ha conocido, pero yo te he conocido, y éstos han conocido que tú me enviaste.

**26** Y les he dado a conocer tu nombre, y lo daré a conocer aún, para que el amor con que me has amado, esté en ellos, y yo en ellos.

## Arresto de Jesús

**18** **1** Habiendo dicho Jesús estas cosas, salió con sus discípulos al otro lado del torrente de Cedrón, donde había un huerto, en el cual entró con sus discípulos.

**2** Y también Judas, el que le entregaba, conocía aquel lugar, porque muchas veces Jesús se había reunido allí con sus discípulos.

**3** Judas, pues, tomando una compañía de soldados, y alguaciles de los principales sacerdotes y de los fariseos, fue allí con linternas y antorchas, y con armas.

**4** Pero Jesús, sabiendo todas las cosas que le habían de sobrevenir, se adelantó y les dijo: ¿A quién buscáis?

**5** Le respondieron: A Jesús nazareno. Jesús les dijo: Yo soy. Y estaba también con ellos Judas, el que le entregaba.

**6** Cuando les dijo: Yo soy, retrocedieron, y cayeron a tierra.

**7** Volvió, pues, a preguntarles: ¿A quién buscáis? Y ellos dijeron: A Jesús nazareno.

**8** Respondió Jesús: Os he dicho que yo soy; pues si me buscáis a mí, dejad ir a éstos;

**9** para que se cumpliese aquello que había dicho: De los que me diste, no perdí ninguno.

**10** Entonces Simón Pedro, que tenía una espada, la desenvainó, e hirió al siervo del sumo sacerdote, y le cortó la oreja derecha. Y el siervo se llamaba Malco.

**11** Jesús entonces dijo a Pedro: Mete tu espada en la vaina; la copaª que el Padre me ha dado, ¿no la he de beber?

## Jesús ante el sumo sacerdote

**12** Entonces la compañía de soldados, el tribuno y los alguaciles de los judíos, prendieron a Jesús y le ataron,

**13** y le llevaron primeramente a Anás; porque era suegro de Caifás, que era sumo sacerdote aquel año.

---

**17.12** ª Sal. 41.9.   **18.11** ª Mt. 26.39; Mr. 14.36; Lc. 22.42.

---

perdón y la amorosa aceptación de parte de Dios pueden darnos paz para enfrentar todas nuestras pruebas y aflicciones. El poder de Dios nos puede guiar en la recuperación; ¡él ya venció todos los obstáculos que se interponen en nuestro camino!

**17.1-26** Jesús es nuestro sumo sacerdote e intercesor (Hebreos 8.1-6). Él hace que conozcamos la voluntad de Dios para nosotros, y que Dios conozca nuestras más profundas necesidades. Las palabras y acciones de Jesús revelan la misericordia, justicia, gloria y verdad de Dios, y su deseo de entablar una relación personal con cada uno de nosotros. Jesús intercede ante Dios Padre a nuestro favor, presentándole continuamente nuestras necesidades y peticiones. Él ruega por que conozcamos su perfecto gozo, seamos librados de todo mal, crezcamos en verdad y santidad, y demostremos nuestro amor hacia todas las personas. Jesús hizo esta oración por sus doce discípulos cuando ellos tenían que enfrentarse al hecho de que la muerte de él era inminente. Sin embargo, esta oración es para todos los que seguimos a Jesús durante todo el proceso de recuperación.

**14** Era Caifás el que había dado el consejo a los judíos, de que convenía que un solo hombre muriese por el pueblo.*b*

## Pedro en el patio de Anás

**15** Y seguían a Jesús Simón Pedro y otro discípulo. Y este discípulo era conocido del sumo sacerdote, y entró con Jesús al patio del sumo sacerdote; **16** mas Pedro estaba fuera, a la puerta. Salió, pues, el discípulo que era conocido del sumo sacerdote, y habló a la portera, e hizo entrar a Pedro. **17** Entonces la criada portera dijo a Pedro: ¿No eres tú también de los discípulos de este hombre? Dijo él: No lo soy. **18** Y estaban en pie los siervos y los alguaciles que habían encendido un fuego; porque hacía frío, y se calentaban; y también con ellos estaba Pedro en pie, calentándose.

## Anás interroga a Jesús

**19** Y el sumo sacerdote preguntó a Jesús acerca de sus discípulos y de su doctrina. **20** Jesús le respondió: Yo públicamente he hablado al mundo; siempre he enseñado en la sinagoga y en el templo, donde se reúnen todos los judíos, y nada he hablado en oculto. **21** ¿Por qué me preguntas a mí? Pregunta a los que han oído, qué les haya yo hablado; he aquí, ellos saben lo que yo he dicho. **22** Cuando Jesús hubo dicho esto, uno de los alguaciles, que estaba allí, le dio una bofetada, diciendo: ¿Así respondes al sumo sacerdote? **23** Jesús le respondió: Si he hablado mal, testifica en qué está el mal; y si bien, ¿por qué me golpeas? **24** Anás entonces le envió atado a Caifás, el sumo sacerdote.

## Pedro niega a Jesús

**25** Estaba, pues, Pedro en pie, calentándose. Y le dijeron: ¿No eres tú de sus discípulos? El negó, y dijo: No lo soy. **26** Uno de los siervos del sumo sacerdote, pariente de aquel a quien Pedro había cortado la oreja, le dijo: ¿No te vi yo en el huerto con él? **27** Negó Pedro otra vez; y en seguida cantó el gallo.

## Jesús ante Pilato

**28** Llevaron a Jesús de casa de Caifás al pretorio. Era de mañana, y ellos no entraron en el pretorio para no contaminarse, y así poder comer la pascua. **29** Entonces salió Pilato a ellos, y les dijo: ¿Qué acusación traéis contra este hombre? **30** Respondieron y le dijeron: Si éste no fuera malhechor, no te lo habríamos entregado. **31** Entonces les dijo Pilato: Tomadle vosotros, y juzgadle según vuestra ley. Y los judíos le dijeron: A nosotros no nos está permitido dar muerte a nadie; **32** para que se cumpliese la palabra que Jesús había dicho, dando a entender de qué muerte iba a morir.*c*

**33** Entonces Pilato volvió a entrar en el pretorio, y llamó a Jesús y le dijo: ¿Eres tú el Rey de los judíos? **34** Jesús le respondió: ¿Dices tú esto por ti mismo, o te lo han dicho otros de mí? **35** Pilato le respondió: ¿Soy yo acaso judío? Tu nación, y los principales sacerdotes, te han entregado a mí. ¿Qué has hecho? **36** Respondió Jesús: Mi reino no es de este mundo; si mi reino fuera de este mundo, mis servidores pelearían para que yo no fuera entregado a los judíos; pero mi reino no es de aquí. **37** Le dijo entonces Pilato: ¿Luego, eres tú rey? Respondió Jesús: Tú dices que yo soy rey. Yo para esto he nacido, y para esto he venido al mundo, para dar testimonio a la verdad. Todo aquel que es de la verdad, oye mi voz. **38** Le dijo Pilato: ¿Qué es la verdad?

Y cuando hubo dicho esto, salió otra vez a los judíos, y les dijo: Yo no hallo en él ningún delito. **39** Pero vosotros tenéis la costumbre de que os suelte uno en la pascua. ¿Queréis, pues, que os suelte al Rey de los judíos?

**18.14** *b* Jn. 11.49-50. **18.32** *c* Jn. 3.14; 12.32.

---

**18.15-18, 25-27** Pedro negó a Jesús no una sino tres veces, a pesar de sus anteriores afirmaciones de lealtad. Con frecuencia nosotros hemos hecho lo mismo. Profesamos nuestra fe y luego damos la espalda y negamos el señorío de Cristo sobre aspectos cruciales de nuestra vida. Pedro tenía buenas intenciones cuando le aseguró su lealtad a Jesús, pero aun así falló. Sin embargo, su recaída no fue el final de la historia (véase 21.15-19), de la misma forma que nuestras recaídas no tienen por qué ser el final de nuestra recuperación. Con Jesucristo, siempre hay esperanza de restauración.

**18.28-38** Mucha gente piensa, como Pilato, que la verdad es relativa. Los relativistas morales modernos viven sin reglas absolutas para el bien y el mal, sin darse cuenta de lo destructivos que pueden ser los pecados más ocultos. Como todos somos tentados en algún momento a hacer caso omiso de las pautas establecidas por Dios para una vida saludable, necesitamos ser responsables ante la verdad de Dios. Necesitamos gente piadosa que nos ayude a confrontar nuestras actitudes y acciones con la verdad de la palabra de Dios. Si tratamos de establecer nuestras propias normas para la recuperación, vamos camino a recaídas dolorosas.

**40** Entonces todos dieron voces de nuevo, diciendo: No a éste, sino a Barrabás. Y Barrabás era ladrón.

# 19

**1** Así que, entonces tomó Pilato a Jesús, y le azotó.

**2** Y los soldados entretejieron una corona de espinas, y la pusieron sobre su cabeza, y le vistieron con un manto de púrpura;

**3** y le decían: ¡Salve, Rey de los judíos! y le daban de bofetadas.

**4** Entonces Pilato salió otra vez, y les dijo: Mirad, os lo traigo fuera, para que entendáis que ningún delito hallo en él.

**5** Y salió Jesús, llevando la corona de espinas y el manto de púrpura. Y Pilato les dijo: ¡He aquí el hombre!

**6** Cuando le vieron los principales sacerdotes y los alguaciles, dieron voces, diciendo: ¡Crucifícale! ¡Crucifícale! Pilato les dijo: Tomadle vosotros, y crucificadle; porque yo no hallo delito en él.

**7** Los judíos le respondieron: Nosotros tenemos una ley, y según nuestra ley debe morir, porque se hizo a sí mismo Hijo de Dios.

**8** Cuando Pilato oyó decir esto, tuvo más miedo.

**9** Y entró otra vez en el pretorio, y dijo a Jesús: ¿De dónde eres tú? Mas Jesús no le dio respuesta.

**10** Entonces le dijo Pilato: ¿A mí no me hablas? ¿No sabes que tengo autoridad para crucificarte, y que tengo autoridad para soltarte?

**11** Respondió Jesús: Ninguna autoridad tendrías contra mí, si no te fuese dada de arriba; por tanto, el que a ti me ha entregado, mayor pecado tiene.

**12** Desde entonces procuraba Pilato soltarle; pero los judíos daban voces, diciendo: Si a éste sueltas, no eres amigo de César; todo el que se hace rey, a César se opone.

**13** Entonces Pilato, oyendo esto, llevó fuera a Jesús, y se sentó en el tribunal en el lugar llamado el Enlosado, y en hebreo Gabata.

**14** Era la preparación de la pascua, y como la hora sexta. Entonces dijo a los judíos: ¡He aquí vuestro Rey!

**15** Pero ellos gritaron: ¡Fuera, fuera, crucifícale! Pilato les dijo: ¿A vuestro Rey he de crucificar? Respondieron los principales sacerdotes: No tenemos más rey que César.

**16** Así que entonces lo entregó a ellos para que fuese crucificado. Tomaron, pues, a Jesús, y le llevaron.

## Crucifixión y muerte de Jesús

**17** Y él, cargando su cruz, salió al lugar llamado de la Calavera, y en hebreo, Gólgota;

**18** y allí le crucificaron, y con él a otros dos, uno a cada lado, y Jesús en medio.

**19** Escribió también Pilato un título, que puso sobre la cruz, el cual decía: JESÚS NAZARENO, REY DE LOS JUDÍOS.

**20** Y muchos de los judíos leyeron este título; porque el lugar donde Jesús fue crucificado estaba cerca de la ciudad, y el título estaba escrito en hebreo, en griego y en latín.

**21** Dijeron a Pilato los principales sacerdotes de los judíos: No escribas: Rey de los judíos; sino, que él dijo: Soy Rey de los judíos.

**22** Respondió Pilato: Lo que he escrito, he escrito.

**23** Cuando los soldados hubieron crucificado a Jesús, tomaron sus vestidos, e hicieron cuatro partes, una para cada soldado. Tomaron también su túnica, la cual era sin costura, de un solo tejido de arriba abajo.

**24** Entonces dijeron entre sí: No la partamos, sino echemos suertes sobre ella, a ver de quién será. Esto fue para que se cumpliese la Escritura, que dice:

Repartieron entre sí mis vestidos,
Y sobre mi ropa echaron suertes.[a]
Y así lo hicieron los soldados.

**25** Estaban junto a la cruz de Jesús su madre, y la hermana de su madre, María mujer de Cleofas, y María Magdalena.

**26** Cuando vio Jesús a su madre, y al discípulo a quien él amaba, que estaba presente, dijo a su madre: Mujer, he ahí tu hijo.

**27** Después dijo al discípulo: He ahí tu madre. Y desde aquella hora el discípulo la recibió en su casa.

**28** Después de esto, sabiendo Jesús que ya todo estaba consumado, dijo, para que la Escritura se cumpliese:[b] Tengo sed.

**29** Y estaba allí una vasija llena de vinagre; entonces ellos empaparon en vinagre una esponja, y poniéndola en un hisopo, se la acercaron a la boca.

**19.24** *a* Sal. 22.18. **19.28** *b* Sal. 69.21.

---

**19.4-16** Las personas que gritaban «¡Crucifícale! ¡Crucifícale!» habían aclamado a Jesús como su rey apenas unos días antes (12.12-13). Quizás hayamos hecho algo similar. Tal vez hayamos entregado nuestra vida a Dios sólo para descubrir que su programa de recuperación no se parecía en nada a lo que teníamos en mente. Es posible que hayamos deseado una solución rápida de nuestros problemas o una salida fácil para librarnos de nuestro dolor y cuando nos dimos cuenta de que la recuperación era dolorosa y trabajosa, aun con la ayuda de Dios, tal vez nos hayamos puesto en su contra. Los que estaban en Jerusalén, y aun los doce discípulos de Jesús, perdieron la esperanza al ver a Jesús colgado en la cruz. Pero tres días más tarde descubrieron que hasta la muerte retrocedió ante el poder de Dios. El camino del dolor y la muerte llevó a la mayor de las victorias: ¡la resurrección! Lo mismo vale para la recuperación.

# MARÍA MAGDALENA

Las personas que han sido sanadas de las peores aflicciones con frecuencia son las más agradecidas por su nueva oportunidad en la vida. Una vez esclavizada por siete demonios pero ahora liberada por Jesús, María Magdalena se transformó en un brillante ejemplo de una vida llena de gratitud y lealtad a Jesús.

Conocemos pocos detalles de la vida de María. Aparentemente era de Magdala, en Galilea, y fue una de las primeras personas en seguir a Jesús. Jesús transformó su vida dramáticamente cuando la liberó de los demonios. Viajó con Jesús y sus discípulos, y ayudó a satisfacer las necesidades básicas del grupo. Durante la crucifixión de Jesús, cuando la mayoría de los discípulos desapareció, fue una de las valientes que permanecieron al pie de la cruz. Fue también una de las mujeres que querían asegurarse de que Jesús recibiera un entierro apropiado.

Algunos han sugerido que, como los doce discípulos eran todos hombres, Jesús no consideraba a la mujer importante en su ministerio. Pero el papel de María Magdalena y de otras mujeres que siguieron a Jesús muestra que definitivamente eso no era así. Jesús trató a la mujer en una forma que superaba las expectativas culturales de aquellos tiempos: las respetaba completamente como personas y las consideraba parte necesaria de su ministerio.

Quizás nos identifiquemos con María Magdalena, como mujer o como alguien que ha sido liberada de una vida de total esclavitud. Ella era una marginada social, mujer de mala reputación. Pero gracias a su deseo de sanarse y a su obediencia ciega a Jesús, María Magdalena se convirtió en una persona importante en la historia de nuestro mundo. Su vida nos inspira valor para acercarnos a Dios con audacia, sabiendo que su amor nos alcanza a todos, sin importar nuestra situación. Él se especializa en casos difíciles.

**FORTALEZAS Y LOGROS:**
- María apoyó el trabajo de Jesús y sus discípulos.
- Estuvo presente en la muerte de Jesús.
- Fue la primera que vio a Jesús resucitado.
- Recibió la responsabilidad de comunicarles a los discípulos la buena nueva de la resurrección.

**DEBILIDADES Y ERRORES:**
- De alguna manera, María Magdalena se había convertido en esclava de fuerzas demoníacas.

**LECCIONES PARA NUESTRA VIDA:**
- Aquellos a quienes Dios les ha perdonado mucho con frecuencia son los más agradecidos.
- Dios quiere que la mujer juegue papeles esenciales en su ministerio.
- El perdón que experimentamos puede motivarnos a vivir entregados a Dios.

**VERSÍCULO CLAVE:**
«Habiendo, pues, resucitado Jesús por la mañana, el primer día de la semana, apareció primeramente a María Magdalena, de quien había echado siete demonios» (Marcos 16.9).

La historia de María Magdalena se encuentra en Mateo 27.55—28.10; Marcos 15.40—16.11; Lucas 8.1-3 y Juan 20.1-18.

---

**30** Cuando Jesús hubo tomado el vinagre, dijo: Consumado es. Y habiendo inclinado la cabeza, entregó el espíritu.

### El costado de Jesús traspasado

**31** Entonces los judíos, por cuanto era la preparación de la pascua, a fin de que los cuerpos no quedasen en la cruz en el día de reposo (pues aquel día de reposo era de gran solemnidad), rogaron a Pilato que se les quebrasen las piernas, y fuesen quitados de allí. **32** Vinieron, pues, los soldados, y quebraron las piernas al primero, y asimismo al otro que había sido crucificado con él.

**33** Mas cuando llegaron a Jesús, como le vieron ya muerto, no le quebraron las piernas. **34** Pero uno de los soldados le abrió el costado con una lanza, y al instante salió sangre y agua. **35** Y el que lo vio da testimonio, y su testimonio es verdadero; y él sabe que dice verdad, para que vosotros también creáis. **36** Porque estas cosas sucedieron para que se cumpliese la Escritura: No será quebrado hueso suyo.[c]

19.36 [c] Ex. 12.46; Nm. 9.12; Sal. 34.20.

---

19.28-30 ¿Qué fue lo que terminó Jesús? En la cruz, Jesús terminó la obra para la que había sido enviado (17.4), y pagó completamente por nuestros pecados (1 Pedro 3.18). En el acto de amor más grande de la historia, y en cumplimiento de un sistema de sacrificios complicado y con siglos de existencia, Jesús se convirtió en el perfecto e inmolado Cordero de Dios (véanse 1.29; Hebreos 9.11-12). El milagro de la resurrección (20.1-9) confirmó que Jesús es el Salvador que puede traernos salvación y perdón, nueva vida y recuperación a todos.

**37** Y también otra Escritura dice: Mirarán al que traspasaron.*d*

### Jesús es sepultado

**38** Después de todo esto, José de Arimatea, que era discípulo de Jesús, pero secretamente por miedo de los judíos, rogó a Pilato que le permitiese llevarse el cuerpo de Jesús; y Pilato se lo concedió. Entonces vino, y se llevó el cuerpo de Jesús.

**39** También Nicodemo, el que antes había visitado a Jesús de noche,*e* vino trayendo un compuesto de mirra y de áloes, como cien libras.

**40** Tomaron, pues, el cuerpo de Jesús, y lo envolvieron en lienzos con especias aromáticas, según es costumbre sepultar entre los judíos.

**41** Y en el lugar donde había sido crucificado, había un huerto, y en el huerto un sepulcro nuevo, en el cual aún no había sido puesto ninguno.

**42** Allí, pues, por causa de la preparación de la pascua de los judíos, y porque aquel sepulcro estaba cerca, pusieron a Jesús.

### La resurrección

**20** **1** El primer día de la semana, María Magdalena fue de mañana, siendo aún oscuro, al sepulcro; y vio quitada la piedra del sepulcro.

**2** Entonces corrió, y fue a Simón Pedro y al otro discípulo, aquel al que amaba Jesús, y les dijo: Se han llevado del sepulcro al Señor, y no sabemos dónde le han puesto.

**3** Y salieron Pedro y el otro discípulo, y fueron al sepulcro.

**4** Corrían los dos juntos; pero el otro discípulo corrió más aprisa que Pedro, y llegó primero al sepulcro.

**5** Y bajándose a mirar, vio los lienzos puestos allí, pero no entró.

**6** Luego llegó Simón Pedro tras él, y entró en el sepulcro, y vio los lienzos puestos allí,

**7** y el sudario, que había estado sobre la cabeza de Jesús, no puesto con los lienzos, sino enrollado en un lugar aparte.

**8** Entonces entró también el otro discípulo, que había venido primero al sepulcro; y vio, y creyó.

**9** Porque aún no habían entendido la Escritura, que era necesario que él resucitase de los muertos.

**10** Y volvieron los discípulos a los suyos.

### Jesús se aparece a María Magdalena

**11** Pero María estaba fuera llorando junto al sepulcro; y mientras lloraba, se inclinó para mirar dentro del sepulcro;

**12** y vio a dos ángeles con vestiduras blancas, que estaban sentados el uno a la cabecera, y el otro a los pies, donde el cuerpo de Jesús había sido puesto.

**13** Y le dijeron: Mujer, ¿por qué lloras? Les dijo: Porque se han llevado a mi Señor, y no sé dónde le han puesto.

**14** Cuando había dicho esto, se volvió, y vio a Jesús que estaba allí; mas no sabía que era Jesús.

**15** Jesús le dijo: Mujer, ¿por qué lloras? ¿A quién buscas? Ella, pensando que era el hortelano, le dijo: Señor, si tú lo has llevado, dime dónde lo has puesto, y yo lo llevaré.

**16** Jesús le dijo: ¡María! Volviéndose ella, le dijo: ¡Raboni! (que quiere decir, Maestro).

**17** Jesús le dijo: No me toques, porque aún no he subido a mi Padre; mas ve a mis hermanos, y diles: Subo a mi Padre y a vuestro Padre, a mi Dios y a vuestro Dios.

**18** Fue entonces María Magdalena para dar a los discípulos las nuevas de que había visto al Señor, y que él le había dicho estas cosas.

### Jesús se aparece a los discípulos

**19** Cuando llegó la noche de aquel mismo día, el primero de la semana, estando las puertas cerradas en el lugar donde los discípulos estaban reunidos por miedo de los judíos, vino Jesús, y puesto en medio, les dijo: Paz a vosotros.

**20** Y cuando les hubo dicho esto, les mostró las manos y el costado. Y los discípulos se regocijaron viendo al Señor.

**21** Entonces Jesús les dijo otra vez: Paz a vosotros. Como me envió el Padre, así también yo os envío.

**22** Y habiendo dicho esto, sopló, y les dijo: Recibid el Espíritu Santo.

---

**19.37** *d* Zac. 12.10; Ap. 1.7. **19.39** *e* Jn. 3.1-2.

---

**20.11-18** María Magdalena se convirtió en ejemplo de lo que es una parte esencial del proceso de recuperación: contarles a otros las buenas nuevas. Ya liberada de siete demonios (Marcos 16.9), María apoyó económicamente el ministerio de Jesús (Lucas 8.2-3) y fue su fiel seguidora desde el principio de su ministerio. Su fidelidad fue recompensada cuando el Cristo resucitado se le presentó y le habló antes que a cualquier otra persona. Después de ver a Jesús resucitado, fue de inmediato a decírselo a los discípulos. Cuando nos percatamos cuenta del poder que el Cristo resucitado puede darnos mediante el proceso de recuperación, podremos mostrar nuestra gratitud haciendo lo que hizo María: llevarles el mensaje a otros.

**20.22-23** El Cristo resucitado hizo lo que había prometido (véanse 14.16-17; 15.26; 16.7) y sopló su Espíritu Santo sobre sus discípulos. Este Espíritu, que trae vida, revela la verdad, convence de pecado y da aliento, es también el Espíritu del perdón. Así como recibimos el perdón de Dios por nuestros pecados, se

# TOMÁS

Aunque la desconfianza o la fe vacilante sean una realidad para la mayoría de nosotros, es doloroso que nos traten como a «Tomás, el desconfiado». Quizás nos preguntemos cómo era la vida de Tomás, el discípulo de Jesús al que se le conoce por haber dudado. Sencillamente no creyó que Jesús hubiera resucitado de los muertos. Pero ese no es el final de la historia.

Dídimo es el sobrenombre que se le da a Tomás en los evangelios. Esa palabra significa «gemelo». Como sucede con la mayoría de los gemelos, a Tomás probablemente lo comparaban con su hermano, con quien estaría en conflicto, y con quien también lo obligarían a compartir lo que tuviera. Este trasfondo fácilmente pudo haberle infundido en su percepción de la vida el hábito de dudar o desconfiar. A pesar de esto, Tomás formó parte del grupo íntimo de los discípulos de Jesús y por momentos mostró gran valor. Cuando Jesús fue a Betania con sus discípulos para resucitar a Lázaro, estaban poniéndose en una situación peligrosa. Los líderes religiosos estaban tramando cómo matar a Jesús. Tomás y los otros discípulos valientemente decidieron acompañarlo.

No fue por miedo que Tomás dudó de la resurrección de Jesús. Él continuó reuniéndose con los discípulos en el aposento alto. Sencillamente no estuvo presente cuando Jesús se les apareció por primera vez. Tomás quería algún tipo de prueba de que sus compañeros no estaban meramente viendo visiones. Tomás recibió la prueba indiscutible que necesitaba cuando Jesús apareció por segunda vez, y así disipó sus dudas permanentemente.

Nosotros también tenemos una prueba irrefutable de la resurrección. Al confiar en Jesús como nuestro Salvador, experimentaremos su poder para transformar nuestra vida y conoceremos ese poder de primera mano. Podemos superar nuestras inquietantes dudas conforme continuemos confiando en que Dios mostrará su poder en nuestra vida. Cuando Tomás superó sus dudas, comenzó un ministerio que mostró su fe extraordinaria. Al experimentar el poder de Dios en nuestra liberación, nosotros también podremos ministrar a otros a través del poder del Espíritu Santo.

**FORTALEZAS Y LOGROS:**
- Tomás estuvo dispuesto a dejar todo para seguir a Jesús.
- Era un hombre de convicción y valor.
- Era un sagaz pensador y analista de los acontecimientos.
- Estuvo dispuesto a reconocer su error.

**DEBILIDADES Y ERRORES:**
- Tomás descartó la explicación sobrenatural de la resurrección.
- Quiso pruebas incuestionables antes de estar dispuesto a creer.

**LECCIONES PARA NUESTRA VIDA:**
- Las personas que proceden de trasfondos familiares difíciles pueden recuperarse al seguir a Jesús.
- La duda puede conducir a una fe más profunda si se la enfrenta con franqueza.
- No es necesario tener una prueba incuestionable para comenzar una vida de fe.
- La obra de Dios en nuestra vida puede hacer que nuestra fe sea profunda.

**VERSÍCULO CLAVE:**
«Jesús le dijo [a Tomás]: Porque me has visto, Tomás, creíste; bienaventurados los que no vieron, y creyeron» (Juan 20.29).

La historia de Tomás se relata en diferentes pasajes de los evangelios. También se menciona en Hechos 1.14.

---

23 A quienes remitiereis los pecados, les son remitidos; y a quienes se los retuviereis, les son retenidos.*a*

### Incredulidad de Tomás

24 Pero Tomás, uno de los doce, llamado Dídimo, no estaba con ellos cuando Jesús vino.

25 Le dijeron, pues, los otros discípulos: Al Señor hemos visto. El les dijo: Si no viere en sus manos la señal de los clavos, y metiere mi dedo en el lugar de los clavos, y metiere mi mano en su costado, no creeré.

26 Ocho días después, estaban otra vez sus discípulos dentro, y con ellos Tomás. Llegó Jesús, es-

**20.23** *a* Mt. 16.19; 18.18.

---

nos exhorta y capacita para perdonar a los que hayan pecado contra nosotros. Si nos negamos a perdonar a otros, nos perderemos la bendita libertad que Dios ofrece. Él quiere que experimentemos la sanidad emocional que sólo resulta de luchar con nuestra ira y nuestro dolor hasta el punto de dejarlos en las manos de Dios. Recuperarnos completamente de nuestro doloroso pasado sólo es posible por el Espíritu de Dios.

**20.24-29** Aquí fue cuando Tomás se ganó la reputación de desconfiado. Se negó a creer en la resurrección

tando las puertas cerradas, y se puso en medio y les dijo: Paz a vosotros.

**27** Luego dijo a Tomás: Pon aquí tu dedo, y mira mis manos; y acerca tu mano, y métela en mi costado; y no seas incrédulo, sino creyente.

**28** Entonces Tomás respondió y le dijo: ¡Señor mío, y Dios mío!

**29** Jesús le dijo: Porque me has visto, Tomás, creíste; bienaventurados los que no vieron, y creyeron.

### El propósito del libro

**30** Hizo además Jesús muchas otras señales en presencia de sus discípulos, las cuales no están escritas en este libro.

**31** Pero éstas se han escrito para que creáis que Jesús es el Cristo, el Hijo de Dios, y para que creyendo, tengáis vida en su nombre.

### Jesús se aparece a siete de sus discípulos

**21** **1** Después de esto, Jesús se manifestó otra vez a sus discípulos junto al mar de Tiberias; y se manifestó de esta manera:

**2** Estaban juntos Simón Pedro, Tomás llamado el Dídimo, Natanael el de Caná de Galilea, los hijos de Zebedeo, y otros dos de sus discípulos.

**3** Simón Pedro les dijo: Voy a pescar. Ellos le dijeron: Vamos nosotros también contigo. Fueron, y entraron en una barca; y aquella noche no pescaron nada.*a*

**4** Cuando ya iba amaneciendo, se presentó Jesús en la playa; mas los discípulos no sabían que era Jesús.

**5** Y les dijo: Hijitos, ¿tenéis algo de comer? Le respondieron: No.

**6** El les dijo: Echad la red a la derecha de la barca, y

hallaréis. Entonces la echaron, y ya no la podían sacar, por la gran cantidad de peces.*b*

**7** Entonces aquel discípulo a quien Jesús amaba dijo a Pedro: ¡Es el Señor! Simón Pedro, cuando oyó que era el Señor, se ciñó la ropa (porque se había despojado de ella), y se echó al mar.

**8** Y los otros discípulos vinieron con la barca, arrastrando la red de peces, pues no distaban de tierra sino como doscientos codos.

**9** Al descender a tierra, vieron brasas puestas, y un pez encima de ellas, y pan.

**10** Jesús les dijo: Traed de los peces que acabáis de pescar.

**11** Subió Simón Pedro, y sacó la red a tierra, llena de grandes peces, ciento cincuenta y tres; y aun siendo tantos, la red no se rompió.

**12** Les dijo Jesús: Venid, comed. Y ninguno de los discípulos se atrevía a preguntarle: ¿Tú, quién eres? sabiendo que era el Señor.

**13** Vino, pues, Jesús, y tomó el pan y les dio, y asimismo del pescado.

**14** Esta era ya la tercera vez que Jesús se manifestaba a sus discípulos, después de haber resucitado de los muertos.

### Apacienta mis ovejas

**15** Cuando hubieron comido, Jesús dijo a Simón Pedro: Simón, hijo de Jonás, ¿me amas más que éstos? Le respondió: Sí, Señor; tú sabes que te amo. El le dijo: Apacienta mis corderos.

**16** Volvió a decirle la segunda vez: Simón, hijo de Jonás, ¿me amas? Pedro le respondió: Sí, Señor; tú sabes que te amo. Le dijo: Pastorea mis ovejas.

**17** Le dijo la tercera vez: Simón, hijo de Jonás, ¿me amas? Pedro se entristeció de que le dijese la terce-

---

**21.3** *a* Lc. 5.5.  **21.6** *b* Lc. 5.6.

---

de Jesús hasta que no viera con sus propios ojos al Cristo resucitado y lo tocara con sus propias manos. Con frecuencia experimentamos dudas durante la recuperación. Nos cuesta mucho creer que Dios está obrando en nuestra vida cuando no vemos cambios inmediatos ni resultados milagrosos. La recuperación puede ser un proceso trabajoso sin mucho que mostrarnos en sus inicios. Aun cuando las muestras del poder de Dios no sean inmediatas, si perseveramos con fe experimentaremos la paz que resulta de confiarle a Dios nuestros problemas actuales y nuestro futuro desconocido.

**21.1-14** ¡Imagine lo que debieron haber sentido los discípulos! Estos pescadores profesionales habían pasado toda la noche pescando y no habían atrapado nada. Luego Jesús les habló y les dijo que echaran las redes al otro lado de la barca. La primera reacción de los discípulos seguramente fue reírse. Pero cuando obedecieron a Jesús, pescaron tantos peces que las redes comenzaron a romperse. Por extraño que parezca, así funciona el proceso de recuperación. Cuando ya lo hayamos intentado todo y finalmente nos hayamos dado cuenta de nuestra impotencia, deberemos seguir las instrucciones de Dios para una vida sana. Al principio quizás parezca una tontería, pero cuando confiemos en Dios y obedezcamos su voluntad, descubriremos que el poder de Dios puede reconstruir nuestra vida.

**21.15-17** Pedro negó a Jesús tres veces, así que Jesús le permitió declarar su amor por él tres veces. En cada ocasión Jesús afirmó su confianza en Pedro encomendándole apacentar sus ovejas. Más tarde Pedro cumplió su encomienda cuando fue lleno del poder del Espíritu Santo en Pentecostés. Se convirtió en un líder clave de la iglesia primitiva. Aunque es posible que experimentemos fracasos y recaídas, cuando le abramos nuestro corazón a Dios, él podrá restaurarnos y lo hará, hasta el punto en que nuestra vida se convierta en un modelo de recuperación para otros.

ra vez: ¿Me amas? y le respondió: Señor, tú lo sabes todo; tú sabes que te amo. Jesús le dijo: Apacienta mis ovejas.

**18** De cierto, de cierto te digo: Cuando eras más joven, te ceñías, e ibas a donde querías; mas cuando ya seas viejo, extenderás tus manos, y te ceñirá otro, y te llevará a donde no quieras.

**19** Esto dijo, dando a entender con qué muerte había de glorificar a Dios. Y dicho esto, añadió: Sígueme.

### El discípulo amado

**20** Volviéndose Pedro, vio que les seguía el discípulo a quien amaba Jesús, el mismo que en la cena se había recostado al lado de él, y le había dicho: Señor, ¿quién es el que te ha de entregar?c

**21** Cuando Pedro le vio, dijo a Jesús: Señor, ¿y qué de éste?

**22** Jesús le dijo: Si quiero que él quede hasta que yo venga, ¿qué a ti? Sígueme tú.

**23** Este dicho se extendió entonces entre los hermanos, que aquel discípulo no moriría. Pero Jesús no le dijo que no moriría, sino: Si quiero que él quede hasta que yo venga, ¿qué a ti?

**24** Este es el discípulo que da testimonio de estas cosas, y escribió estas cosas; y sabemos que su testimonio es verdadero.

**25** Y hay también otras muchas cosas que hizo Jesús, las cuales si se escribieran una por una, pienso que ni aun en el mundo cabrían los libros que se habrían de escribir. Amén.

# Amor

## LEA JUAN 21.14-25

Quizás nos preguntemos cómo podemos amar a las personas y aun así lastimarlas. Esta paradoja causa vergüenza y algunas veces levanta barreras entre nosotros y los seres que amamos. Tal vez sintamos miedo de decir que los amamos, pensando: *Si los amara de verdad no les fallaría como lo hago.*

Una vez Pedro juró amar a Jesús. Pero después que este fue arrestado, Pedro se protegió a sí mismo negando siquiera haberlo conocido. Esto no sorprendió a Jesús, pero a Pedro se le hizo muy difícil perdonarse. Después de su resurrección, Jesús habló con Pedro: «Jesús dijo a Simón Pedro: Simón, hijo de Jonás, ¿me amas más que éstos? Le respondió: Sí, Señor; tú sabes que te amo. ... Volvió a decirle la segunda vez: Simón, hijo de Jonás, ¿me amas? Pedro le respondió: Sí, Señor; tú sabes que te amo. ... Le dijo la tercera vez: Simón, hijo de Jonás, ¿me amas? Pedro se entristeció de que le dijese la tercera vez: ¿Me amas? y le respondió: Señor, tú lo sabes todo; tú sabes que te amo» (Juan 21.15-17).

Jesús le permitió a Pedro afirmar su amor de la mejor forma que podía y aceptó a Pedro tal cual era. De esta manera Jesús redujo la vergüenza y restableció la relación. La vergüenza y el aislamiento pueden hacernos regresar a nuestra adicción. Por el bien de nuestra recuperación, no podemos dejar que la vergüenza provoque el distanciamiento de las personas que amamos. Está bien si amamos a otros de forma imperfecta; nadie es perfecto. Pero tenemos que mantener la cohesión de nuestras relaciones afectivas hasta que hayamos tenido tiempo de sanar. ***Vaya a la página 235, Romanos 3.***

REFLEXIONES SOBRE
SAN
JUAN

## *perspectivas* SOBRE LAS PALABRAS Y LAS OBRAS DE JESÚS

Jesús fue el retrato perfecto de Dios y el maestro perfecto de la verdad de Dios. En **Juan 1.29-31**, vemos también que fue el sacrificio perfecto: el Cordero de Dios. El sistema de sacrificios del Antiguo Testamento exigía que, en lugar de personas y, por lo menos una vez al año, se matara un cordero sin mancha en el altar. Por medio de su muerte, la gente podía recibir el perdón y comenzar una nueva vida. Al morir en la cruz, Jesús satisfizo completamente todos los requisitos de ese sistema de sacrificios de una vez y para siempre. Él es el Cordero de Dios que se hace cargo de nuestros pecados, de nuestra impotencia y de nuestros fracasos. Él nos da a cada uno la oportunidad de comenzar de nuevo, sin importar lo terrible que haya sido nuestro pasado.

Aquellos que fueron testigos de las acciones de Jesús y oyeron sus palabras tuvieron que escoger entre creer o no creer. Nuestra decisión, como la de los fariseos de **Juan 2.17-25**, se limita a aceptar o rechazar las afirmaciones de Jesús sobre su misión y autoridad. ¿Fue sólo un hombre fascinante que hizo obras maravillosas? ¿Fue sólo un buen maestro con un mensaje interesante? ¿Fue un loco con delirios de grandeza? ¿O Jesús fue realmente Dios, que vino a vivir entre nosotros? Según la Biblia, Jesús es Dios y tiene poder para ofrecernos una nueva vida a cada uno nosotros. Los discípulos descubrieron esta verdad y de ser hombres rudos y sin experiencia se convirtieron en algunos de los más grandes líderes de su tiempo. Dios tiene el poder para transformarnos también a nosotros.

El paralítico de **Juan 5.1-15** había esperado muchos años en el estanque de Betesda, con la esperanza de ser sanado. Estaba tan desesperadamente atrapado por su impedimento físico como nosotros lo estamos por nuestra dependencia. Tenía muchísimas excusas para explicar por qué las cosas no le estaban saliendo bien. No pudo pararse y caminar sino cuando asumió la responsabilidad de su propia vida y puso su fe en el poder de Jesús para sanarlo. Después de que Jesús lo sanó, defendió a Jesús ante sus críticos y testificó a otros sobre el poder de Dios para salvar. La recuperación no la logran quienes se enredan en el juego de la culpa, sino aquellos que están dispuestos a dar pequeños pasos de fe.

En **Juan 8.1-11**, los fariseos trajeron ante Jesús a una mujer que había sido sorprendida en el acto de adulterio. La ley judía requería que fuera apedreada hasta morir (Levítico 20.10; Deuteronomio 22.22). Los fariseos esperaban ponerle una zancadilla a Jesús al pedirle que juzgara la situación. Si Jesús decía que la apedrearan, lo hubieran llevado ante las autoridades romanas. Los romanos no permitían que los judíos ejecutaran sus propias sentencias de muerte. Si Jesús hubiera perdonado a la mujer, los fariseos podían haber sostenido que era un falso profeta por ignorar la ley de Dios. Jesús escapó sabiamente de esta trampa mostrándoles a los fariseos que no tenían autoridad para juzgar a la mujer ya que ellos también habían pecado. Luego Jesús le dijo a la mujer que se fuera y no pecara más. Jesús no restó importancia al pecado de la mujer, pero la perdonó y le dio una nueva oportunidad. Jesús puede darnos una nueva vida, a pesar de nuestro horrible pasado.

Cuando seamos ridiculizados, rechazados o cuando abusen de nosotros, debemos prestar atención a las experiencias de Jesús camino a la cruz. En **Juan 19.1-3**, Jesús fue azotado, hecho objeto de burla, coronado de espinas y abofeteado. Fue expuesto vergonzosamente en la cruz, y sin embargo mantuvo la cabeza lo suficientemente en alto para gritar: «Consumado es» (19.30). Por la vergüenza que Jesús sufrió, nosotros podemos mantener la cabeza en alto y mirar a Dios. Hemos sido perdonados. Por medio de Jesús, se nos quitan nuestros pecados y vergüenzas, y se nos ofrece una nueva oportunidad en la vida.

## *perspectivas* SOBRE LAS VIDAS DE LOS DISCÍPULOS

Cuando Andrés conoció a Jesús y se dio cuenta de quién era, no tuvo problemas para llevar el mensaje de salvación a otros. Según **Juan 1.40-42**, se apresuró a buscar a su hermano, Simón, a quien trajo inmediatamente a Jesús. Cuando experimentemos el poder de Dios en nuestra vida, estaremos igualmente ansiosos de hablar a otros de la esperanza recién encontrada. Esta es parte esencial del proceso de recuperación. Al compartir las buenas nuevas del poder de Dios para liberar, les estaremos dando grandes esperanzas a nuestros compañeros de lucha. Y cuando recordamos todas las cosas buenas que Dios ha hecho por nosotros, también recibimos aliento para perseverar.

A lo largo de su evangelio (véase **Juan 13.23; 19.26; 21.20**), el apóstol Juan se refiere a sí mismo como «el discípulo a quien amaba Jesús». Probablemente Juan fue el amigo más cercano de Jesús durante los años de su ministerio, pero Juan no se jactaba de esto. El apóstol basaba su percepción propia únicamente en el amor incondicional que Dios le tenía. Cuando nos veamos como nos ve Dios, profundamente amados, entonces la imagen que tengamos de nosotros mismos será acertada y haremos progresos saludables hacia la recuperación.

Es fácil caer en la trampa de compararnos con los demás, como hizo Pedro con Juan **(Juan 21.20-25)**. Algunas veces nos produce consuelo compararnos con personas que todavía están esclavizadas por la adicción. O tal vez miremos a otros que están en recuperación y nos dé celos lo rápido que parecen progresar. Enfocar nuestra atención en los fracasos y éxitos de otros que estén en recuperación es una manera fácil de desviar el rumbo de nuestra propia vida y de nuestra recuperación. El reto que tenemos es el de hacer un inventario minucioso de nuestra vida, y no de la vida de los demás. Si nos centramos en nuestros propios problemas, pronto comenzaremos a hacer progresos en la recuperación.

## ✳ *perspectivas* SOBRE NUESTRA RELACIÓN CON DIOS

En **Juan 6.28-29**, la gente le preguntó a Jesús: «¿Qué quiere Dios que hagamos?» Esa pregunta ha asediado a la humanidad desde que Adán y Eva pecaron por primera vez. Muchos de nosotros vivimos pendientes de la lista de lo que debemos o no debemos hacer en nuestro esfuerzo por ganarnos la aceptación de Dios. Algunos aprendimos esto siendo niños, cuando nuestros padres nos presionaban persistentemente para alcanzar sus ideales. A la vez, quizás les estemos haciendo lo mismo a nuestros hijos. ¡La buena noticia es que podemos recibir la ayuda y el perdón de Dios! Dios en Jesucristo ha tomado la iniciativa; nosotros simplemente necesitamos arrepentirnos y recibirlo por fe. Nuestro crecimiento comienza al responder al amor de Dios por nosotros.

Como vemos en **Juan 15.9-12**, la capacidad de mostrar un amor genuino e incondicional hacia los demás nace del amor abundante que Dios nos da. Por el contrario, el amor enfermizo, orgulloso y codependiente surge de nuestro vacío y de nuestra necesidad de amor. Es posible que tratemos de amar a otros en un intento de ganar a cambio su amor. Sólo cuando experimentemos el amor de Dios y permanezcamos en él (compartido por personas piadosas en las que confiamos y a las que respetamos), podremos amarnos y amar a otros genuinamente. El gozo de Dios se completará en nosotros cuando experimentemos su amor en nuestra vida. Luego podremos ofrecerles a los demás el amor abnegado de Dios que surge de un corazón rebosante (véase también 13.34-35).

## ✳ *perspectivas* SOBRE EL ESPÍRITU SANTO

Dios desea establecer un tipo de relación especial con nosotros. Cuando Jesús ascendió al Padre en el cielo, envió a su Espíritu a habitar en sus seguidores. En **Juan 14.15-18**, al Espíritu Santo se lo llama el Consolador. Otras traducciones lo llaman el Abogado o Ayudador. Pero cualquiera sea el nombre que se le dé, el Espíritu Santo nos transmite la compasión de Dios, nos recuerda las enseñanzas de Jesús, nos guía a hacer justicia y a conocer toda verdad; también presenta nuestras necesidades ante Dios Padre (véanse 14.26; 15.26; 16.5-15). Muchos de los que estamos en recuperación nos sentimos emocionalmente como huérfanos o lisiados que han sido abandonados o descuidados. Dios Espíritu Santo nunca nos abandonará. Está con nosotros en todo momento, y tiene el poder para ayudarnos a vencer nuestros pecados y nuestra dependencia.

Es crucial que aprendamos a depender del Espíritu Santo en el proceso de recuperación. En **Juan 15.26-27** encontramos que el Espíritu Santo revela la verdad de la palabra de Dios, nos hace responsables ante otros cristianos y nos ayuda a conformarnos a la imagen del Hijo. Como es el «Espíritu de verdad», nos da sabiduría para ayudarnos a examinar nuestra vida: nos ayuda a dejar atrás nuestra negación y autoengaño. El Espíritu Santo puede guiarnos para que nos formemos una imagen correcta de nosotros mismos, tal como lo haría un espejo que no deforme. El resultado será condenatorio pero reconfortante; a tal punto que no podremos hacer otra cosa sino compartir las buenas nuevas con los demás.

# HECHOS

## EL PANORAMA

Lo que ocurrió durante la corta vida terrenal de Jesús transcurrió en un pequeño rincón del mundo. La mayor parte del mundo civilizado nunca se percató de que Jesús ofrecía esperanza a un grupo de personas heridas y aparentemente abandonadas. Pero exactamente como Jesús predijo, un grupito de discípulos que se reunió en Jerusalén después de su muerte y resurrección puso al mundo de cabezas. Desde entonces, la vida en el planeta Tierra nunca ha sido la misma.

Escrito por Lucas, como continuación de su Evangelio, Hechos registra la historia de los primeros creyentes y de la iglesia primitiva. A través de los ejemplos de estos primeros creyentes, vemos que el Espíritu Santo tiene poder para cambiar vidas. Descubrimos que Dios puede transformar nuestra vida y ayudarnos a vivir en paz con él y con los demás.

La primera mitad de este libro se concentra en el ministerio de Pedro y narra cómo este fue transformado: de ser un bien intencionado discípulo de Cristo, pero impulsivo y poco confiable, en un líder audaz y dedicado. La segunda mitad del libro nos presenta la vida y ministerio de Pablo. Pablo y sus acompañantes sufrieron todo tipo de dificultades y oposición, pero por el poder de Dios esparcieron, por todo el mundo mediterráneo, las buenas nuevas acerca de Jesús.

Estos hombres deben llenarnos de aliento. Ambos cometieron serios errores cuando eran jóvenes, pero al entregarle sus vidas a Dios, fueron cambiando gradualmente. Pablo, quien fue un joven enojadizo que ayudó a matar al primer mártir cristiano, Esteban, se convirtió después en un desinteresado y dedicado misionero. Pedro, cuyo engreimiento muchas veces le impidió vencer su debilidad, se transformó en un líder humilde y eficaz. Los cambios en ambos hombres demuestran lo que Dios también puede hacer en nuestra vida.

## EN ESENCIA

PROPÓSITO: Rastrear cómo el movimiento del Jesús judío se transformó en un movimiento mundial por el ímpetu del Espíritu Santo. AUTOR: Lucas, el médico. DESTINATARIO: Teófilo, cuyo nombre significa "amigo de Dios". FECHA: En algún momento entre el 63 y 70 d.C. ESCENARIO: Hechos provee una historia de los acontecimientos que siguieron a la resurrección de Jesús. VERSÍCULO CLAVE: "Pero recibiréis poder, cuando haya venido sobre vosotros el Espíritu Santo, y me seréis testigos en Jerusalén, en toda Judea, en Samaria y hasta lo último de la tierra." (1.8). CARACTERÍSTICAS PARTICULARES: El libro de Hechos es una continuación del Evangelio de Lucas. PERSONAS CLAVE: Pedro, Juan, Esteban, Felipe, Pablo, Bernabé, Silas, Timoteo y Lucas.

## TEMAS SOBRE RECUPERACIÓN

*El poder del Espíritu Santo:* Jesús prometió a los discípulos que después de que él se fuera, el Espíritu Santo les daría poder. ¡Poco se imaginaban qué tipo de poder! Como descubrieron de primera mano, el Espíritu Santo y su poder son reales. Cuando comparamos al Pedro de los evangelios con el Pedro del libro de Hechos, vemos que su vida fue transformada. Cuando vemos a un Saulo haciendo todo lo posible por destruir la iglesia y luego leemos de su dedicado servicio misionero, podemos decir que fue radicalmente transformado por Dios. El poder de Dios cambió sus corazones y les dio confianza para contar la verdad sobre él. En nuestra impotencia, Dios pone a nuestra disposición su poder por medio del Espíritu Santo. Con su ayuda, ningún problema es tan grande que no podamos resolverlo; ni ninguna vida está tan perdida que no pueda ser renovada.

*Compromiso para vencer la oposición:* Lucas no idealizó a los miembros de la iglesia primitiva. Ellos no tenían que realizar una tarea sencilla que avanzara rápida y fácilmente hacia su objetivo. Más bien luchaban contra la oposición, en medio de controversias y desaliento. Fueron malinterpretados tanto por personas religiosas como por las incrédulas. Pero su vínculo común era su entrega a Dios a cualquier precio. A medida que dedicamos nuestra vida a Dios y a nuestra recuperación, podemos esperar enfrentar obstáculos, pero también podemos esperar vencer cualquier dificultad u oposición con el poder de Dios.

*Sobreponerse a las circunstancias:* Cuando leemos sobre los primeros cristianos y cómo compartían lo que tenían y se preocupaban los unos por los otros, es fácil pensar que de alguna manera ellos no experimentaron los mismos problemas que nosotros. No sucedió así. Ellos aprendieron a vivir sobreponiéndose a sus circunstancias. No las negaban; estaban más conscientes de la realidad de Dios que de la de sus problemas. Cuando centramos nuestra atención en nuestros problemas, perdemos de vista nuestra fuente de poder. Tratamos de ser nosotros mismos la fuente de poder, sólo para fracasar y sentir el desaliento. No nos hace bien negar o no tomar en cuenta nuestras circunstancias, pero sí nos trae un mundo de beneficios el confiar en Dios y entregarle a él nuestra vida con todas sus circunstancias.

*Compartir el mensaje:* Tan pronto como Pedro, Juan, Felipe, Pablo, Bernabé y otros llegaron a creer en Jesús, compartieron las buenas noticias con otros. ¡El poder sanador de Dios es una buena noticia! Al llevar el mensaje de nuestro despertar espiritual a otros necesitados, llevamos las buenas nuevas del poder sanador de Dios, como hicieron aquellos primeros discípulos. De esa manera, nos fortalecemos tanto en nuestra propia recuperación como en nuestra fe en Dios.

### La promesa del Espíritu Santo

**1** **1** En el primer tratado, oh Teófilo,*a* hablé acerca de todas las cosas que Jesús comenzó a hacer y a enseñar,

**2** hasta el día en que fue recibido arriba, después de haber dado mandamientos por el Espíritu Santo a los apóstoles que había escogido;

**3** a quienes también, después de haber padecido, se presentó vivo con muchas pruebas indubitables, apareciéndoseles durante cuarenta días y hablándoles acerca del reino de Dios.

**4** Y estando juntos, les mandó que no se fueran de Jerusalén, sino que esperasen la promesa del Padre,*b* la cual, les dijo, oísteis de mí.

**5** Porque Juan ciertamente bautizó con agua, mas vosotros seréis bautizados con el Espíritu Santo*c* dentro de no muchos días.

### La ascensión

**6** Entonces los que se habían reunido le preguntaron, diciendo: Señor, ¿restaurarás el reino a Israel en este tiempo?

**7** Y les dijo: No os toca a vosotros saber los tiempos o las sazones, que el Padre puso en su sola potestad;

**8** pero recibiréis poder, cuando haya venido sobre vosotros el Espíritu Santo, y me seréis testigos en Jerusalén, en toda Judea, en Samaria, y hasta lo último de la tierra.*d*

---

**1.1** *a* Lc. 1.1-4.  **1.4** *b* Lc. 24.49.  **1.5** *c* Mt. 3.11; Mr. 1.8; Lc. 3.16; Jn. 1.33.  **1.8** *d* Mt. 28.19; Mr. 16.15; Lc. 24.47-48.

---

**1.1-5** Esta continuación del Evangelio de Lucas comienza exactamente donde termina el evangelio. Registra las actividades de los apóstoles poco después de la resurrección de Jesús. Antes de ascender al cielo, Jesús les aseguró a sus discípulos que el Espíritu Santo que él había prometido enviar vendría sobre ellos mientras esperaban en Jerusalén (Lucas 24.49). En el momento señalado, los primeros cristianos recibieron el poder que necesitaban para alcanzar al mundo con las buenas nuevas de Jesucristo. Dios nos ofrece este mismo poder por medio del Espíritu Santo para vencer los obstáculos en nuestro proceso de recuperación.

**9** Y habiendo dicho estas cosas, viéndolo ellos, fue alzado, y le recibió una nube que le ocultó de sus ojos.*e*

**10** Y estando ellos con los ojos puestos en el cielo, entre tanto que él se iba, he aquí se pusieron junto a ellos dos varones con vestiduras blancas,

**11** los cuales también les dijeron: Varones galileos, ¿por qué estáis mirando al cielo? Este mismo Jesús, que ha sido tomado de vosotros al cielo, así vendrá como le habéis visto ir al cielo.

### Elección del sucesor de Judas

**12** Entonces volvieron a Jerusalén desde el monte que se llama del Olivar, el cual está cerca de Jerusalén, camino de un día de reposo.

**13** Y entrados, subieron al aposento alto, donde moraban Pedro y Jacobo, Juan, Andrés, Felipe, Tomás, Bartolomé, Mateo, Jacobo hijo de Alfeo, Simón el Zelote y Judas hermano de Jacobo.*f*

**14** Todos éstos perseveraban unánimes en oración y ruego, con las mujeres, y con María la madre de Jesús, y con sus hermanos.

**15** En aquellos días Pedro se levantó en medio de los hermanos (y los reunidos eran como ciento veinte en número), y dijo:

**16** Varones hermanos, era necesario que se cumpliese la Escritura en que el Espíritu Santo habló antes por boca de David acerca de Judas, que fue guía de los que prendieron a Jesús,

**17** y era contado con nosotros, y tenía parte en este ministerio.

**18** Este, pues, con el salario de su iniquidad adquirió un campo, y cayendo de cabeza, se reventó por la mitad, y todas sus entrañas se derramaron.

**19** Y fue notorio a todos los habitantes de Jerusalén, de tal manera que aquel campo se llama en su propia lengua, Acéldama, que quiere decir, Campo de sangre.*g*

**20** Porque está escrito en el libro de los Salmos:

Sea hecha desierta su habitación,
Y no haya quien more en ella;*h*

y:

Tome otro su oficio.*i*

**21** Es necesario, pues, que de estos hombres que han estado juntos con nosotros todo el tiempo que el Señor Jesús entraba y salía entre nosotros,

**22** comenzando desde el bautismo de Juan*j* hasta el día en que de entre nosotros fue recibido arriba,*k* uno sea hecho testigo con nosotros, de su resurrección.

**23** Y señalaron a dos: a José, llamado Barsabás, que tenía por sobrenombre Justo, y a Matías.

**24** Y orando, dijeron: Tú, Señor, que conoces los corazones de todos, muestra cuál de estos dos has escogido,

**25** para que tome la parte de este ministerio y apostolado, de que cayó Judas por transgresión, para irse a su propio lugar.

**26** Y les echaron suertes, y la suerte cayó sobre Matías; y fue contado con los once apóstoles.

### La venida del Espíritu Santo

**2** **1** Cuando llegó el día de Pentecostés,*a* estaban todos unánimes juntos.

**2** Y de repente vino del cielo un estruendo como de un viento recio que soplaba, el cual llenó toda la casa donde estaban sentados;

**3** y se les aparecieron lenguas repartidas, como de fuego, asentándose sobre cada uno de ellos.

**4** Y fueron todos llenos del Espíritu Santo, y comenzaron a hablar en otras lenguas, según el Espíritu les daba que hablasen.

**5** Moraban entonces en Jerusalén judíos, varones piadosos, de todas las naciones bajo el cielo.

**6** Y hecho este estruendo, se juntó la multitud; y estaban confusos, porque cada uno les oía hablar en su propia lengua.

**7** Y estaban atónitos y maravillados, diciendo: Mirad, ¿no son galileos todos estos que hablan?

**1.9** *e* Mr. 16.19; Lc. 24.50-51.   **1.13** *f* Mt. 10.2-4; Mr. 3.16-19; Lc. 6.14-16.   **1.18-19** *g* Mt. 27.3-8.
**1.20** *h* Sal. 69.25. *i* Sal. 109.8.   **1.22** *j* Mt. 3.16; Mr. 1.9; Lc. 3.21.   *k* Mr. 16.19; Lc. 24.51.
**2.1** *a* Lv. 23.15-21; Dt. 16.9-11.

**1.6-11** Cuando los discípulos le preguntaron a Jesús sobre la venida de su reino terrenal, ellos anhelaban el reino de libertad y paz del Mesías. Pero Jesús hizo que ellos volvieran sus ojos al presente. Con el poder del Espíritu Santo, ellos debían llevar a otros las buenas nuevas de salvación por medio de Jesucristo. A veces hacemos lo mismo que hicieron los discípulos: esperar con anhelo un tiempo de completa paz y libertad, cuando deberíamos estar realizando acciones productivas aquí y ahora. El Espíritu Santo nos da el poder necesario para una recuperación exitosa. Una parte importante de ese proceso de recuperación consiste en compartir las buenas nuevas con otros.

**2.1-4** En el día de Pentecostés, los discípulos obedecieron a Jesús y esperaron en Jerusalén. De repente, el Espíritu Santo manifestó su presencia en forma de sonido (viento), visión (fuego) y habla (nuevas lenguas). Los creyentes fueron llenos del Espíritu Santo y el poder renovador de Dios comenzó en ellos su obra de transformación de adentro hacia fuera. Esto señaló el comienzo de una nueva era en la historia al entrar la poderosa presencia de Dios en el corazón de todos los creyentes. Esta poderosa presencia divina todavía puede morar en nosotros, transformar nuestras vidas y sanar nuestras heridas. Al confiar en Dios, su Espíritu nos habilita para la recuperación.

**8** ¿Cómo, pues, les oímos nosotros hablar cada uno en nuestra lengua en la que hemos nacido?

**9** Partos, medos, elamitas, y los que habitamos en Mesopotamia, en Judea, en Capadocia, en el Ponto y en Asia,

**10** en Frigia y Panfilia, en Egipto y en las regiones de Africa más allá de Cirene, y romanos aquí residentes, tanto judíos como prosélitos,

**11** cretenses y árabes, les oímos hablar en nuestras lenguas las maravillas de Dios.

**12** Y estaban todos atónitos y perplejos, diciéndose unos a otros: ¿Qué quiere decir esto?

**13** Mas otros, burlándose, decían: Están llenos de mosto.

### Primer discurso de Pedro

**14** Entonces Pedro, poniéndose en pie con los once, alzó la voz y les habló diciendo: Varones judíos, y todos los que habitáis en Jerusalén, esto os sea notorio, y oíd mis palabras.

**15** Porque éstos no están ebrios, como vosotros suponéis, puesto que es la hora tercera del día.

**16** Mas esto es lo dicho por el profeta Joel:

**17** Y en los postreros días, dice Dios,
Derramaré de mi Espíritu sobre toda carne,
Y vuestros hijos y vuestras hijas
    profetizarán;
Vuestros jóvenes verán visiones,
Y vuestros ancianos soñarán sueños;

**18** Y de cierto sobre mis siervos y sobre mis
    siervas en aquellos días
Derramaré de mi Espíritu, y profetizarán.

**19** Y daré prodigios arriba en el cielo,
Y señales abajo en la tierra,
Sangre y fuego y vapor de humo;

**20** El sol se convertirá en tinieblas,
Y la luna en sangre,
Antes que venga el día del Señor,
Grande y manifiesto;

**21** Y todo aquel que invocare el nombre
    del Señor, será salvo.[b]

**22** Varones israelitas, oíd estas palabras: Jesús nazareno, varón aprobado por Dios entre vosotros con las maravillas, prodigios y señales que Dios hizo entre vosotros por medio de él, como vosotros mismos sabéis;

**23** a éste, entregado por el determinado consejo y anticipado conocimiento de Dios, prendisteis y matasteis por manos de inicuos, crucificándole;[c]

**24** al cual Dios levantó,[d] sueltos los dolores de la muerte, por cuanto era imposible que fuese retenido por ella.

**25** Porque David dice de él:
Veía al Señor siempre delante de mí;
Porque está a mi diestra, no seré conmovido.

**26** Por lo cual mi corazón se alegró, y se gozó
    mi lengua,
Y aun mi carne descansará en esperanza;

**27** Porque no dejarás mi alma en el Hades,
Ni permitirás que tu Santo vea corrupción.

**28** Me hiciste conocer los caminos de la vida;
Me llenarás de gozo con tu presencia.[e]

**29** Varones hermanos, se os puede decir libremente del patriarca David, que murió y fue sepultado, y su sepulcro está con nosotros hasta el día de hoy.

**30** Pero siendo profeta, y sabiendo que con juramento Dios le había jurado que de su descendencia, en cuanto a la carne, levantaría al Cristo para que se sentase en su trono,[f]

**31** viéndolo antes, habló de la resurrección de Cristo, que su alma no fue dejada en el Hades, ni su carne vio corrupción.

**32** A este Jesús resucitó Dios, de lo cual todos nosotros somos testigos.

**33** Así que, exaltado por la diestra de Dios, y habiendo recibido del Padre la promesa del Espíritu Santo, ha derramado esto que vosotros veis y oís.

**34** Porque David no subió a los cielos; pero él mismo dice:
Dijo el Señor a mi Señor:
Siéntate a mi diestra,

**35** Hasta que ponga a tus enemigos
    por estrado de tus pies.[g]

**36** Sepa, pues, ciertísimamente toda la casa de Israel, que a este Jesús a quien vosotros crucificasteis, Dios le ha hecho Señor y Cristo.

**37** Al oír esto, se compungieron de corazón, y dijeron a Pedro y a los otros apóstoles: Varones hermanos, ¿qué haremos?

**38** Pedro les dijo: Arrepentíos, y bautícese cada uno de vosotros en el nombre de Jesucristo para perdón de los pecados; y recibiréis el don del Espíritu Santo.

---

**2.17-21** [b] Jl. 2.28-32.   **2.23** [c] Mt. 27.35; Mr. 15.24; Lc. 23.33; Jn. 19.18.   **2.24** [d] Mt. 28. 5-6; Mr. 16.6; Lc. 24.5.
**2.25-28** [e] Sal. 16.8-11.   **2.30** [f] Sal. 89. 3-4; 132.11.   **2.34-35** [g] Sal. 110.1.

---

**2.14-21** Después de reafirmar que los creyentes estaban sobrios, Pedro habló a la multitud sobre el poder que acababan de presenciar. El maravilloso poder del Espíritu Santo había sido prometido por el profeta Joel siglos antes. Citando a Joel 2.28-32, Pedro puso énfasis al impacto universal del Espíritu Santo en que sería dado a todos los creyentes: jóvenes y ancianos; hombres y mujeres; amos y siervos. El poder de Dios está disponible para toda persona -sin importar la raza, el género o la clase social- que reconozca su estado de desamparo e invoque la misericordia de Dios (2.21). Nadie que tenga un corazón humilde está fuera del alcance del poder de Dios.

**39** Porque para vosotros es la promesa, y para vuestros hijos, y para todos los que están lejos; para cuantos el Señor nuestro Dios llamare.

**40** Y con otras muchas palabras testificaba y les exhortaba, diciendo: Sed salvos de esta perversa generación.

**41** Así que, los que recibieron su palabra fueron bautizados; y se añadieron aquel día como tres mil personas.

**42** Y perseveraban en la doctrina de los apóstoles, en la comunión unos con otros, en el partimiento del pan y en las oraciones.

### La vida de los primeros cristianos

**43** Y sobrevino temor a toda persona; y muchas maravillas y señales eran hechas por los apóstoles.

**44** Todos los que habían creído estaban juntos, y tenían en común todas las cosas;[h]

**45** y vendían sus propiedades y sus bienes, y lo repartían a todos según la necesidad de cada uno.[i]

**46** Y perseverando unánimes cada día en el templo, y partiendo el pan en las casas, comían juntos con alegría y sencillez de corazón,

**47** alabando a Dios, y teniendo favor con todo el pueblo. Y el Señor añadía cada día a la iglesia los que habían de ser salvos.

### Curación de un cojo

**3** **1** Pedro y Juan subían juntos al templo a la hora novena, la de la oración.

**2** Y era traído un hombre cojo de nacimiento, a quien ponían cada día a la puerta del templo que se llama la Hermosa, para que pidiese limosna de los que entraban en el templo.

**3** Este, cuando vio a Pedro y a Juan que iban a entrar en el templo, les rogaba que le diesen limosna.

**4** Pedro, con Juan, fijando en él los ojos, le dijo: Míranos.

**5** Entonces él les estuvo atento, esperando recibir de ellos algo.

**6** Mas Pedro dijo: No tengo plata ni oro, pero lo que tengo te doy; en el nombre de Jesucristo de Nazaret, levántate y anda.

**7** Y tomándole por la mano derecha le levantó; y al momento se le afirmaron los pies y tobillos;

**8** y saltando, se puso en pie y anduvo; y entró con ellos en el templo, andando, y saltando, y alabando a Dios.

**9** Y todo el pueblo le vio andar y alabar a Dios.

**10** Y le reconocían que era el que se sentaba a pedir limosna a la puerta del templo, la Hermosa; y se llenaron de asombro y espanto por lo que le había sucedido.

### Discurso de Pedro en el pórtico de Salomón

**11** Y teniendo asidos a Pedro y a Juan el cojo que había sido sanado, todo el pueblo, atónito, concurrió a ellos al pórtico que se llama de Salomón.

**12** Viendo esto Pedro, respondió al pueblo: Varones israelitas, ¿por qué os maravilláis de esto? ¿o por qué ponéis los ojos en nosotros, como si por nuestro poder o piedad hubiésemos hecho andar a éste?

**13** El Dios de Abraham, de Isaac y de Jacob, el Dios de nuestros padres, ha glorificado a su Hijo Jesús, a quien vosotros entregasteis y negasteis delante de Pilato, cuando éste había resuelto ponerle en libertad.

**14** Mas vosotros negasteis al Santo y al Justo, y pedisteis que se os diese un homicida,[a]

**15** y matasteis al Autor de la vida, a quien Dios ha resucitado de los muertos, de lo cual nosotros somos testigos.

---

**2.44** [h] Hch. 4.32-35. **2.45** [i] Mt. 19.21; Mr. 10.21; Lc. 12.33; 18.22. **3.14** [a] Mt. 27.15-23; Mr. 15.6-14; Lc. 23.13-23; Jn. 19.12-15.

---

**2.37-39** La predicación de Pedro llevó a la gente a examinar sus vidas, y rápidamente reconocieron su necesidad de salvación en Cristo. Pedro les aseguró que si se arrepentían de sus pecados y entregaban sus vidas a Dios, podrían ser perdonados y recibir el don del Espíritu Santo. Nosotros podemos esperar las mismas bendiciones si presentamos nuestros pecados ante la presencia de Dios. Su perdón nos libertará de la esclavitud de nuestros pecados pasados. La presencia de su Espíritu Santo nos dará el poder para perseverar en los momentos difíciles. Si Dios está en nuestra vida, él nos guiará a una recuperación exitosa.

**2.42-47** Lucas mencionó las actividades que caracterizaban a la comunidad de los primeros cristianos. Ellos se comprometieron con el crecimiento espiritual, estudiando juntos la Palabra, compartiendo unos con otros y orando juntos. Ayudaban a los necesitados vendiendo sus posesiones y repartiendo generosamente las ganancias con ellos. Su fe, gozo y cuidado amoroso eran tan contagiosos que muchos más se hicieron creyentes. La recuperación sigue el mismo patrón al ir creciendo en la fe; nunca se logra en el aislamiento. Necesitamos personas que caminen con nosotros, alentándonos cuando estemos desanimados y pidiéndonos cuentas cuando nos descarriemos.

**3.1-11** Este hombre cojo era realmente desvalido; un candidato de primera para la poderosa ayuda de Dios. Note las etapas de esta sanidad: Pedro estableció un contacto personal pidiéndole al hombre que lo mirara; luego le dijo que se levantara y caminara en el nombre de Jesús; Pedro lo ayudó a pararse y de repente ¡estaba caminando, saltando y alabando a Dios! La sanidad puede llegar al tocar Dios nuestras vidas a través del ministerio de otros. Conforme experimentamos la sanidad y compartimos nuestra historia, podemos bendecir a otros conduciéndoles a Jesucristo.

**16** Y por la fe en su nombre, a éste, que vosotros veis y conocéis, le ha confirmado su nombre; y la fe que es por él ha dado a éste esta completa sanidad en presencia de todos vosotros.

**17** Mas ahora, hermanos, sé que por ignorancia lo habéis hecho, como también vuestros gobernantes.

**18** Pero Dios ha cumplido así lo que había antes anunciado por boca de todos sus profetas, que su Cristo había de padecer.

**19** Así que, arrepentíos y convertíos, para que sean borrados vuestros pecados; para que vengan de la presencia del Señor tiempos de refrigerio,

**20** y él envíe a Jesucristo, que os fue antes anunciado;

**21** a quien de cierto es necesario que el cielo reciba hasta los tiempos de la restauración de todas las cosas, de que habló Dios por boca de sus santos profetas que han sido desde tiempo antiguo.

**22** Porque Moisés dijo a los padres: El Señor vuestro Dios os levantará profeta de entre vuestros hermanos, como a mí; a él oiréis en todas las cosas que os hable;*b*

**23** y toda alma que no oiga a aquel profeta, será desarraigada del pueblo.*c*

**24** Y todos los profetas desde Samuel en adelante, cuantos han hablado, también han anunciado estos días.

**25** Vosotros sois los hijos de los profetas, y del pacto que Dios hizo con nuestros padres, diciendo a Abraham: En tu simiente serán benditas todas las familias de la tierra.*d*

**26** A vosotros primeramente, Dios, habiendo levantado a su Hijo, lo envió para que os bendijese, a fin de que cada uno se convierta de su maldad.

### Pedro y Juan ante el concilio

**4** **1** Hablando ellos al pueblo, vinieron sobre ellos los sacerdotes con el jefe de la guardia del templo, y los saduceos,

**2** resentidos de que enseñasen al pueblo, y anunciasen en Jesús la resurrección de entre los muertos.

**3** Y les echaron mano, y los pusieron en la cárcel hasta el día siguiente, porque era ya tarde.

**4** Pero muchos de los que habían oído la palabra, creyeron; y el número de los varones era como cinco mil.

**5** Aconteció al día siguiente, que se reunieron en Jerusalén los gobernantes, los ancianos y los escribas,

**6** y el sumo sacerdote Anás, y Caifás y Juan y Alejandro, y todos los que eran de la familia de los sumos sacerdotes;

**7** y poniéndoles en medio, les preguntaron: ¿Con qué potestad, o en qué nombre, habéis hecho vosotros esto?

**8** Entonces Pedro, lleno del Espíritu Santo, les dijo: Gobernantes del pueblo, y ancianos de Israel:

**9** Puesto que hoy se nos interroga acerca del beneficio hecho a un hombre enfermo, de qué manera éste haya sido sanado,

**10** sea notorio a todos vosotros, y a todo el pueblo de Israel, que en el nombre de Jesucristo de Nazaret, a quien vosotros crucificasteis y a quien Dios resucitó de los muertos, por él este hombre está en vuestra presencia sano.

**11** Este Jesús es la piedra reprobada por vosotros los edificadores, la cual ha venido a ser cabeza del ángulo.*a*

**12** Y en ningún otro hay salvación; porque no hay otro nombre bajo el cielo, dado a los hombres, en que podamos ser salvos.

**13** Entonces viendo el denuedo de Pedro y de Juan, y sabiendo que eran hombres sin letras y del vulgo, se maravillaban; y les reconocían que habían estado con Jesús.

**14** Y viendo al hombre que había sido sanado, que estaba en pie con ellos, no podían decir nada en contra.

**15** Entonces les ordenaron que saliesen del concilio; y conferenciaban entre sí,

**16** diciendo: ¿Qué haremos con estos hombres? Porque de cierto, señal manifiesta ha sido hecha por ellos, notoria a todos los que moran en Jerusalén, y no lo podemos negar.

**17** Sin embargo, para que no se divulgue más entre el pueblo, amenacémosles para que no hablen de aquí en adelante a hombre alguno en este nombre.

**18** Y llamándolos, les intimaron que en ninguna manera hablasen ni enseñasen en el nombre de Jesús.

---

**3.22** *b* Dt. 18.15-16.   **3.23** *c* Dt. 18.19.   **3.25** *d* Gn. 22.18.   **4.11** *a* Sal. 118.22.

---

**4.10-12** Pedro consistentemente hacía responsables a sus oyentes por sus acciones (4.10; véase 2.36; 3.12-23), pero nunca terminaba sus mensajes en tono negativo. Siempre declaraba que Dios puede hacer lo que nosotros somos incapaces de hacer: librarnos de la destructiva sujeción al pecado. Todos necesitamos el perdón y la recuperación que sólo Jesús ofrece. Jesús desea nuestra recuperación completa -espiritual, emocional y física- y él tiene el poder para hacer que se produzca.

**4.13-22** El denuedo y poder de Pedro tomaron por sorpresa a los líderes religiosos, quienes no estaban seguros de cómo debían proceder. Le ordenaron a Pedro que dejara de predicar y sanar, pero Pedro se negó a obedecer, afirmando su compromiso con un Poder mucho mayor. Los líderes no podían detener la expansión del mensaje de Jesús en Jerusalén y más allá. Dios quiere que todas las personas del mundo

**19** Mas Pedro y Juan respondieron diciéndoles: Juzgad si es justo delante de Dios obedecer a vosotros antes que a Dios;

**20** porque no podemos dejar de decir lo que hemos visto y oído.

**21** Ellos entonces les amenazaron y les soltaron, no hallando ningún modo de castigarles, por causa del pueblo; porque todos glorificaban a Dios por lo que se había hecho,

**22** ya que el hombre en quien se había hecho este milagro de sanidad, tenía más de cuarenta años.

### Los creyentes piden confianza y valor

**23** Y puestos en libertad, vinieron a los suyos y contaron todo lo que los principales sacerdotes y los ancianos les habían dicho.

**24** Y ellos, habiéndolo oído, alzaron unánimes la voz a Dios, y dijeron: Soberano Señor, tú eres el Dios que hiciste el cielo y la tierra, el mar y todo lo que en ellos hay;*b*

**25** que por boca de David tu siervo dijiste:

¿Por qué se amotinan las gentes,
Y los pueblos piensan cosas vanas?

**26** Se reunieron los reyes de la tierra,
Y los príncipes se juntaron en uno
Contra el Señor, y contra su Cristo.*c*

**27** Porque verdaderamente se unieron en esta ciudad contra tu santo Hijo Jesús, a quien ungiste, Herodes*d* y Poncio Pilato,*e* con los gentiles y el pueblo de Israel,

**28** para hacer cuanto tu mano y tu consejo habían antes determinado que sucediera.

**29** Y ahora, Señor, mira sus amenazas, y concede a tus siervos que con todo denuedo hablen tu palabra,

**30** mientras extiendes tu mano para que se hagan sanidades y señales y prodigios mediante el nombre de tu santo Hijo Jesús.

**31** Cuando hubieron orado, el lugar en que estaban congregados tembló; y todos fueron llenos del Espíritu Santo, y hablaban con denuedo la palabra de Dios.

### Todas las cosas en común

**32** Y la multitud de los que habían creído era de un corazón y un alma; y ninguno decía ser suyo propio nada de lo que poseía, sino que tenían todas las cosas en común.*f*

**33** Y con gran poder los apóstoles daban testimonio de la resurrección del Señor Jesús, y abundante gracia era sobre todos ellos.

**34** Así que no había entre ellos ningún necesitado; porque todos los que poseían heredades o casas, las vendían, y traían el precio de lo vendido,

**35** y lo ponían a los pies de los apóstoles; y se repartía a cada uno según su necesidad.*g*

**36** Entonces José, a quien los apóstoles pusieron por sobrenombre Bernabé (que traducido es, Hijo de consolación), levita, natural de Chipre,

**37** como tenía una heredad, la vendió y trajo el precio y lo puso a los pies de los apóstoles.

### Ananías y Safira

**5** **1** Pero cierto hombre llamado Ananías, con Safira su mujer, vendió una heredad,

**2** y sustrajo del precio, sabiéndolo también su mujer; y trayendo sólo una parte, la puso a los pies de los apóstoles.

**3** Y dijo Pedro: Ananías, ¿por qué llenó Satanás tu corazón para que mintieses al Espíritu Santo, y sustrajeses del precio de la heredad?

**4** Reteniéndola, ¿no se te quedaba a ti? y vendida, ¿no estaba en tu poder? ¿Por qué pusiste esto en tu corazón? No has mentido a los hombres, sino a Dios.

---

**4.24** *b* Ex. 20.11; Sal. 146.6.   **4.25-26** *c* Sal. 2.1-2.   **4.27** *d* Lc. 23.7-11.   *e* Mt. 27.1-2; Mr. 15.1; Lc. 23.1; Jn. 18.28-29.
**4.32** *f* Hch. 2.44-45.   **4.34-35** *g* Mt. 19.21; Mr. 10.21; Lc. 12.33; 18.22.

---

encuentren perdón y libertad, a pesar de lo que puedan decir las autoridades gubernamentales. Una vez que hayamos experimentado la realidad del poder y la dirección de Dios en nuestras vidas no querremos volver a nuestra antigua forma de vivir.

**4.23-31** Los líderes religiosos liberaron a Pedro y a Juan, y estos regresaron a su círculo de apoyo. Lucharon con sus dificultades discutiendo los problemas, adorando a Dios y orando. Esto dio por resultado en una nueva manifestación de la presencia de Dios en medio de ellos, y el Espíritu Santo les concedió audacia renovada. Podemos aprender de estos primeros cristianos. Podemos encontrar ayuda en grupos de apoyo, donde pueden discutirse nuestros problemas en total confianza y orar por ellos. Al depender de Dios, él nos da el poder para perseverar a pesar de las dificultades. Cuando traemos nuestros problemas ante Dios, él puede transformar las circunstancias aparentemente devastadoras en motivos de gozo.

**4.32-37** Los primeros cristianos estaban creciendo espiritualmente al preocuparse los unos por los otros, cubriendo las necesidades básicas de todos y llevando las buenas nuevas a personas que todavía no las habían escuchado. Bernabé fue un buen ejemplo. Su nombre era José, pero los discípulos le pusieron por sobrenombre Bernabé, que significa "hijo de la consolación". Él vendió un terreno que poseía para ayudar a los que pasaban necesidad. Como parte del proceso de recuperación, tal vez sea necesario ponernos un nombre nuevo que refleje aquello en lo que nos estamos convirtiendo. ¿Quién sabe? Tal vez también podamos transformarnos en hijos e hijas de la consolación.

**5** Al oír Ananías estas palabras, cayó y expiró. Y vino un gran temor sobre todos los que lo oyeron.
**6** Y levantándose los jóvenes, lo envolvieron, y sacándolo, lo sepultaron.

**7** Pasado un lapso como de tres horas, sucedió que entró su mujer, no sabiendo lo que había acontecido.
**8** Entonces Pedro le dijo: Dime, ¿vendisteis en tanto la heredad? Y ella dijo: Sí, en tanto.
**9** Y Pedro le dijo: ¿Por qué convinisteis en tentar al Espíritu del Señor? He aquí a la puerta los pies de los que han sepultado a tu marido, y te sacarán a ti.
**10** Al instante ella cayó a los pies de él, y expiró; y cuando entraron los jóvenes, la hallaron muerta; y la sacaron, y la sepultaron junto a su marido.
**11** Y vino gran temor sobre toda la iglesia, y sobre todos los que oyeron estas cosas.

### Muchas señales y maravillas

**12** Y por la mano de los apóstoles se hacían muchas señales y prodigios en el pueblo; y estaban todos unánimes en el pórtico de Salomón.
**13** De los demás, ninguno se atrevía a juntarse con ellos; mas el pueblo los alababa grandemente.
**14** Y los que creían en el Señor aumentaban más, gran número así de hombres como de mujeres;
**15** tanto que sacaban los enfermos a las calles, y los ponían en camas y lechos, para que al pasar Pedro, a lo menos su sombra cayese sobre alguno de ellos.
**16** Y aun de las ciudades vecinas muchos venían a Jerusalén, trayendo enfermos y atormentados de espíritus inmundos; y todos eran sanados.

### Pedro y Juan son perseguidos

**17** Entonces levantándose el sumo sacerdote y todos los que estaban con él, esto es, la secta de los saduceos, se llenaron de celos;
**18** y echaron mano a los apóstoles y los pusieron en la cárcel pública.
**19** Mas un ángel del Señor, abriendo de noche las puertas de la cárcel y sacándolos, dijo:
**20** Id, y puestos en pie en el templo, anunciad al pueblo todas las palabras de esta vida.
**21** Habiendo oído esto, entraron de mañana en el templo, y enseñaban.

Entre tanto, vinieron el sumo sacerdote y los que estaban con él, y convocaron al concilio y a todos los ancianos de los hijos de Israel, y enviaron a la cárcel para que fuesen traídos.
**22** Pero cuando llegaron los alguaciles, no los hallaron en la cárcel; entonces volvieron y dieron aviso,
**23** diciendo: Por cierto, la cárcel hemos hallado cerrada con toda seguridad, y los guardas afuera de pie ante las puertas; mas cuando abrimos, a nadie hallamos dentro.
**24** Cuando oyeron estas palabras el sumo sacerdote y el jefe de la guardia del templo y los principales sacerdotes, dudaban en qué vendría a parar aquello.
**25** Pero viniendo uno, les dio esta noticia: He aquí, los varones que pusisteis en la cárcel están en el templo, y enseñan al pueblo.
**26** Entonces fue el jefe de la guardia con los alguaciles, y los trajo sin violencia, porque temían ser apedreados por el pueblo.
**27** Cuando los trajeron, los presentaron en el concilio, y el sumo sacerdote les preguntó,
**28** diciendo: ¿No os mandamos estrictamente que no enseñaseis en ese nombre? Y ahora habéis llenado a Jerusalén de vuestra doctrina, y queréis echar sobre nosotros la sangre de ese hombre.*a*

---

**5.28** *a* Mt. 27.25.

**5.1-11** El juicio divino de Ananías y Safira es un caso único en la historia de la iglesia, pero de aplicación universal. Normalmente Dios no castiga el engaño y la falsedad con la muerte inmediata. Todos somos culpables de engaños y de tratar de impresionar a otros con mentiras y medias verdades. Aunque hoy las consecuencias puede que no sean serias, mentir es pecado y destruye el proceso de recuperación. Nuestro inventario moral regular necesita enfocarse en nuestra destructiva tendencia al engaño y a la negación. Sólo entonces podremos dar los pasos necesarios para desarraigarlos de cuajo.
**5.9-11** Pedro confrontó a Ananías y Safira respecto a su deshonestidad, haciéndolos responsables por sus pecados. La confrontación sincera es esencial hoy día para la recuperación, de la misma forma en que fue necesaria para mantener la sanidad espiritual en esta comunidad de primeros cristianos. La confrontación y la disciplina son vitales en cualquier comunidad, ya sea una iglesia cristiana, un grupo de recuperación o una familia. Cuando se nos confronta con la verdad sobre nosotros mismos, necesitamos admitir humilde y honestamente nuestros pecados y defectos de carácter. Al hacer esto, Dios nos ayudará a superarlos.
**5.12-16** Quizás nos preguntemos cómo es posible que Dios pueda hacer algo por nosotros. Tal vez nunca lo hemos visto, oído o sentido. En las actividades de la iglesia primitiva se nos muestran los medios principales que usa Dios para obrar en la vida del ser humano. Con la ayuda de personas que sufren, él toca a otras personas que sufren. Dios canaliza su poder a través de gente como nosotros para que así otros puedan experimentar su poder para sanidad y recuperación. Probablemente Dios ha tocado nuestra vida usando la ayuda de individuos o grupos. Al llevar a otros las buenas nuevas a través de nuestras palabras y acciones, Dios puede usarnos para llevar a otros esperanza y sanidad.

**29** Respondiendo Pedro y los apóstoles, dijeron: Es necesario obedecer a Dios antes que a los hombres.

**30** El Dios de nuestros padres levantó a Jesús, a quien vosotros matasteis colgándole en un madero.

**31** A éste, Dios ha exaltado con su diestra por Príncipe y Salvador, para dar a Israel arrepentimiento y perdón de pecados.

**32** Y nosotros somos testigos suyos de estas cosas, y también el Espíritu Santo, el cual ha dado Dios a los que le obedecen.

**33** Ellos, oyendo esto, se enfurecían y querían matarlos.

**34** Entonces levantándose en el concilio un fariseo llamado Gamaliel, doctor de la ley, venerado de todo el pueblo, mandó que sacasen fuera por un momento a los apóstoles,

**35** y luego dijo: Varones israelitas, mirad por vosotros lo que vais a hacer respecto a estos hombres.

**36** Porque antes de estos días se levantó Teudas, diciendo que era alguien. A éste se unió un número como de cuatrocientos hombres; pero él fue muerto, y todos los que le obedecían fueron dispersados y reducidos a nada.

**37** Después de éste, se levantó Judas el galileo, en los días del censo, y llevó en pos de sí a mucho pueblo. Pereció también él, y todos los que le obedecían fueron dispersados.

**38** Y ahora os digo: Apartaos de estos hombres, y dejadlos; porque si este consejo o esta obra es de los hombres, se desvanecerá;

**39** mas si es de Dios, no la podréis destruir; no seáis tal vez hallados luchando contra Dios.

**40** Y convinieron con él; y llamando a los apóstoles, después de azotarlos, les intimaron que no hablasen en el nombre de Jesús, y los pusieron en libertad.

**41** Y ellos salieron de la presencia del concilio, gozosos de haber sido tenidos por dignos de padecer afrenta por causa del Nombre.

**42** Y todos los días, en el templo y por las casas, no cesaban de enseñar y predicar a Jesucristo.

## Elección de siete diáconos

**6** **1** En aquellos días, como creciera el número de los discípulos, hubo murmuración de los griegos contra los hebreos, de que las viudas de aquéllos eran desatendidas en la distribución diaria.

**2** Entonces los doce convocaron a la multitud de los discípulos, y dijeron: No es justo que nosotros dejemos la palabra de Dios, para servir a las mesas.

**3** Buscad, pues, hermanos, de entre vosotros a siete varones de buen testimonio, llenos del Espíritu Santo y de sabiduría, a quienes encarguemos de este trabajo.

**4** Y nosotros persistiremos en la oración y en el ministerio de la palabra.

**5** Agradó la propuesta a toda la multitud; y eligieron a Esteban, varón lleno de fe y del Espíritu Santo, a Felipe, a Prócoro, a Nicanor, a Timón, a Parmenas, y a Nicolás prosélito de Antioquía;

**6** a los cuales presentaron ante los apóstoles, quienes, orando, les impusieron las manos.

**7** Y crecía la palabra del Señor, y el número de los discípulos se multiplicaba grandemente en Jerusalén; también muchos de los sacerdotes obedecían a la fe.

## Arresto de Esteban

**8** Y Esteban, lleno de gracia y de poder, hacía grandes prodigios y señales entre el pueblo.

**9** Entonces se levantaron unos de la sinagoga llamada de los libertos, y de los de Cirene, de Alejandría, de Cilicia y de Asia, disputando con Esteban.

**10** Pero no podían resistir a la sabiduría y al Espíritu con que hablaba.

**11** Entonces sobornaron a unos para que dijesen que le habían oído hablar palabras blasfemas contra Moisés y contra Dios.

---

**5.17-42** Esta lucha de poder entre la institución religiosa y los apóstoles es instructiva para la recuperación. Quizás ya hemos enfrentado oposición. Otros tal vez hayan intentado interponerse en nuestro camino hacia la madurez en nuestra relación con Dios o mientras participamos en actividades de recuperación. Quizás han intentado imponer su voluntad en nosotros, poniendo trabas para que no sigamos la voluntad de Dios. La recuperación debe centrarse en Dios y su voluntad para nosotros; entonces nada podrá detener nuestro progreso. La clave está en obedecer a Dios en lugar de obedecer a otras personas.

**6.2-6** La solución de conflictos es vital para la recuperación hoy día, así como lo fue para la iglesia primitiva. Los primeros creyentes aceptaron sus limitaciones, establecieron sus prioridades y planearon tareas específicas para satisfacer sus necesidades. En este caso, buscaron la sabiduría de Dios y seleccionaron a siete líderes llenos del Espíritu y muy respetados, para administrar el programa de alimentos. Ningún problema que se plantee en el proceso de recuperación es insuperable. Con la sabiduría divina, y con la ayuda de una red de apoyo de gente piadosa, podemos trabajar con los viejos patrones disfuncionales y encontrar maneras saludables y balanceadas para reconstruir nuestra vida y satisfacer las necesidades de la gente que nos rodea.

**6.8-15** Esteban era un hombre "lleno de gracia y de poder" y realizó asombrosos milagros entre el pueblo. El poder religioso judío lo acusó falsamente de atacar la ley de Moisés y al templo de Jerusalén. Esteban los

**12** Y soliviantaron al pueblo, a los ancianos y a los escribas; y arremetiendo, le arrebataron, y le trajeron al concilio.

**13** Y pusieron testigos falsos que decían: Este hombre no cesa de hablar palabras blasfemas contra este lugar santo y contra la ley;

**14** pues le hemos oído decir que ese Jesús de Nazaret destruirá este lugar, y cambiará las costumbres que nos dio Moisés.

**15** Entonces todos los que estaban sentados en el concilio, al fijar los ojos en él, vieron su rostro como el rostro de un ángel.

## Defensa y muerte de Esteban

**7** **1** El sumo sacerdote dijo entonces: ¿Es esto así?

**2** Y él dijo:

Varones hermanos y padres, oíd: El Dios de la gloria apareció a nuestro padre Abraham, estando en Mesopotamia, antes que morase en Harán,

**3** y le dijo: Sal de tu tierra y de tu parentela, y ven a la tierra que yo te mostraré.*a*

**4** Entonces salió de la tierra de los caldeos y habitó en Harán;*b* y de allí, muerto su padre, Dios le trasladó a esta tierra, en la cual vosotros habitáis ahora.*c*

**5** Y no le dio herencia en ella, ni aun para asentar un pie; pero le prometió que se la daría en posesión, y a su descendencia después de él,*d* cuando él aún no tenía hijo.

**6** Y le dijo Dios así: Que su descendencia sería extranjera en tierra ajena, y que los reducirían a servidumbre y los maltratarían, por cuatrocientos años.

**7** Mas yo juzgaré, dijo Dios, a la nación de la cual serán siervos; y después de esto saldrán y me servirán en este lugar.*e*

**8** Y le dio el pacto de la circuncisión;*f* y así Abraham engendró a Isaac,*g* y le circuncidó al octavo día; e Isaac a Jacob,*h* y Jacob a los doce patriarcas.*i*

**9** Los patriarcas, movidos por envidia,*j* vendieron a José para Egipto;*k* pero Dios estaba con él,*l*

**10** y le libró de todas sus tribulaciones, y le dio gracia y sabiduría delante de Faraón rey de Egipto, el cual lo puso por gobernador sobre Egipto y sobre toda su casa.*m*

**11** Vino entonces hambre en toda la tierra de Egipto y de Canaán, y grande tribulación; y nuestros padres no hallaban alimentos.*n*

**12** Cuando oyó Jacob que había trigo en Egipto, envió a nuestros padres la primera vez.*o*

**13** Y en la segunda, José se dio a conocer a sus hermanos,*p* y fue manifestado a Faraón el linaje de José.*q*

**14** Y enviando José, hizo venir a su padre Jacob,*r* y a toda su parentela, en número de setenta y cinco personas.*s*

**15** Así descendió Jacob a Egipto,*t* donde murió él,*u* y también nuestros padres;

**16** los cuales fueron trasladados a Siquem, y puestos en el sepulcro que a precio de dinero compró Abraham de los hijos de Hamor en Siquem.*v*

**17** Pero cuando se acercaba el tiempo de la promesa, que Dios había jurado a Abraham, el pueblo creció y se multiplicó en Egipto,

**18** hasta que se levantó en Egipto otro rey que no conocía a José.*w*

**19** Este rey, usando de astucia con nuestro pueblo, maltrató a nuestros padres,*x* a fin de que expusiesen a la muerte a sus niños, para que no se propagasen.*y*

**20** En aquel mismo tiempo nació Moisés, y fue agradable a Dios; y fue criado tres meses en casa de su padre.*z*

**21** Pero siendo expuesto a la muerte, la hija de Faraón le recogió y le crió como a hijo suyo.*a*

**22** Y fue enseñado Moisés en toda la sabiduría de los egipcios; y era poderoso en sus palabras y obras.

**23** Cuando hubo cumplido la edad de cuarenta años, le vino al corazón el visitar a sus hermanos, los hijos de Israel.

**24** Y al ver a uno que era maltratado, lo defendió, e hiriendo al egipcio, vengó al oprimido.

---

**7.2-3** *a* Gn. 12.1.  **7.4** *b* Gn. 11.31.  *c* Gn. 12.4.  **7.5** *d* Gn. 12.7; 13.15; 15.18; 17.8.  **7.6-7** *e* Gn. 15.13-14.  **7.8** *f* Gn. 17.10-14.  *g* Gn. 21.2-4.  *h* Gn. 25.26.  *i* Gn. 29.31—35.18.  **7.9** *j* Gn. 37.11.  *k* Gn. 37.28.  *l* Gn. 39.2, 21.  **7.10** *m* Gn. 41.39-41.  **7.11** *n* Gn. 41.54-57.  **7.12** *o* Gn. 42.1-2.  **7.13** *p* Gn. 45.1.  *q* Gn. 45.16.  **7.14** *r* Gn. 45.9-10, 17-18.  *s* Gn. 46.27.  **7.15** *t* Gn. 46.1-7.  *u* Gn. 49.33.  **7.16** *v* Gn. 23.3-16; 33.19; 50.7-13; Jos. 24.32.  **7.17-18** *w* Ex. 1.7-8.  **7.19** *x* Ex. 1.10-11.  *y* Ex. 1.22.  **7.20** *z* Ex. 2.2.  **7.21** *a* Ex. 2.3-10.

---

confrontó con su falsa religión y con su rechazo, y los desafió a encarar la verdad. Quizás necesitemos hacer lo mismo por otros que luchan como nosotros. Esto requiere sabiduría y poder de Dios. Podemos recibir la sabiduría y el poder de Dios entregándole a él nuestra vida y obedeciendo fielmente a su Palabra.

**7.1-53** Esteban no se puso a la defensiva ni tomó personalmente las acusaciones de sus compatriotas judíos. En vez de eso, asumió control de la situación y defendió su fe con denuedo. Al igual que Esteban, no necesitamos avergonzarnos de nuestra fe o de que estamos en proceso de recuperación. Cuando experimentamos el poder sanador de Dios en nuestra vida, podemos llevar a otros ese mismo mensaje con fervor, sin pedir disculpas, sin miedo ni vergüenza. Otros pueden tratar de lastimarnos, como hicieron con Esteban, pero eso no niega la realidad del poder de Dios en nuestra vida.

# ESTEBAN

Esteban fue un hombre lleno del Espíritu Santo que mostraba el poder y el amor de Dios en todo lo que hacía. Se lo conoció por realizar asombrosos milagros y ayudar a otros necesitados. Fue llamado a ser uno de los primeros diáconos y su tarea consistía en asegurarse de que nadie (especialmente las viudas) fuera pasado por alto en la distribución de alimentos. Esteban también proclamó con denuedo y poder las buenas nuevas de Jesús. Aun mientras los líderes religiosos lo apedreaban hasta la muerte, la mano de Dios estaba claramente sobre él.

Esteban mostró públicamente el poder del mensaje de Dios por medio de los milagros que hizo en el nombre de Jesús. Quienes trataron de refutar la verdad sobre Jesucristo no fueron capaces de enfrentarse a su sabiduría y a su espíritu. Por eso mintieron acerca de él, para así poder arrestarlo y llevarlo ante el concilio de líderes judíos.

Esteban respondió a la indagación contando la historia del pueblo judío, comenzando con Abraham, pasando por Moisés y terminando con la llegada de Jesús el Mesías. Concluyó con un mordaz ataque a los líderes religiosos, quienes, al igual que muchos de sus ancestros, se resistieron contra el mensaje de la palabra revelada de Dios y la dirección del Espíritu Santo.

Las palabras de Esteban causó que lo sacaran apresuradamente de la ciudad y lo apedrearon hasta la muerte. Mientras sucumbía bajo la lluvia de piedras, Esteban clamaba a Dios para que recibiera su espíritu y perdonara a los que lo estaban matando. A diferencia de Esteban, muchos de nosotros guardamos resentimiento por heridas pasadas y le permitimos que controle nuestra vida. Esto hace imposible el proceso de completa sanidad y recuperación. Si entregamos nuestra vida a Dios podemos vivir y morir gozosos, sabiendo que Dios tomará control de los detalles que nosotros no podemos controlar o cambiar.

## FORTALEZAS Y LOGROS:
* Esteban conocía de veras a Dios, tanto personalmente como a través de las Escrituras.
* Debido a su confianza en Dios, fue capaz de sobreponerse a sus circunstancias.
* Sentía pasión por Dios y compasión por los demás.
* Usó sus muchos dones para servir a los pobres y a los desamparados.

## LECCIONES PARA NUESTRA VIDA:
* Servir a otros es algo natural cuando hemos entregado nuestra vida a Dios.
* Si podemos confiar en Dios en la vida diaria, seremos capaces de enfrentar la muerte con gozo.
* Podemos enfrentar hasta las circunstancias más difíciles si Dios está con nosotros.

## VERSÍCULO CLAVE:
«Y Esteban, lleno de gracia y de poder, hacía grandes prodigios y señales entre el pueblo» (Hechos 6.8).

La historia de Esteban se cuenta en Hechos 6—8, 11 y 22.

---

**25** Pero él pensaba que sus hermanos comprendían que Dios les daría libertad por mano suya; mas ellos no lo habían entendido así.

**26** Y al día siguiente, se presentó a unos de ellos que reñían, y los ponía en paz, diciendo: Varones, hermanos sois, ¿por qué os maltratáis el uno al otro?

**27** Entonces el que maltrataba a su prójimo le rechazó, diciendo: ¿Quién te ha puesto por gobernante y juez sobre nosotros?

**28** ¿Quieres tú matarme, como mataste ayer al egipcio?

**29** Al oír esta palabra, Moisés huyó, y vivió como extranjero en tierra de Madián,*b* donde engendró dos hijos.*c*

**30** Pasados cuarenta años, un ángel se le apareció en el desierto del monte Sinaí, en la llama de fuego de una zarza.

**31** Entonces Moisés, mirando, se maravilló de la vi-sión; y acercándose para observar, vino a él la voz del Señor:

**32** Yo soy el Dios de tus padres, el Dios de Abraham, el Dios de Isaac, y el Dios de Jacob. Y Moisés, temblando, no se atrevía a mirar.

**33** Y le dijo el Señor: Quita el calzado de tus pies, porque el lugar en que estás es tierra santa.

**34** Ciertamente he visto la aflicción de mi pueblo que está en Egipto, y he oído su gemido, y he descendido para librarlos. Ahora, pues, ven, te enviaré a Egipto.*d*

**35** A este Moisés, a quien habían rechazado, diciendo: ¿Quién te ha puesto por gobernante y juez?, a éste lo envió Dios como gobernante y libertador por mano del ángel que se le apareció en la zarza.

**36** Este los sacó, habiendo hecho prodigios y señales en tierra de Egipto,*e* y en el Mar Rojo,*f* y en el desierto por cuarenta años.*g*

**7.23-29** *b* Ex. 2.11-15.   **7.29** *c* Ex. 18.3-4.   **7.30-34** *d* Ex. 3.1-10.   **7.36** *e* Ex. 7.3.   *f* Ex. 14.21.   *g* Nm. 14.33.

**37** Este Moisés es el que dijo a los hijos de Israel: Profeta os levantará el Señor vuestro Dios de entre vuestros hermanos, como a mí;*h* a él oiréis.
**38** Este es aquel Moisés que estuvo en la congregación en el desierto con el ángel que le hablaba en el monte Sinaí,*i* y con nuestros padres, y que recibió palabras de vida que darnos;
**39** al cual nuestros padres no quisieron obedecer, sino que le desecharon, y en sus corazones se volvieron a Egipto,
**40** cuando dijeron a Aarón: Haznos dioses que vayan delante de nosotros; porque a este Moisés, que nos sacó de la tierra de Egipto, no sabemos qué le haya acontecido.*j*
**41** Entonces hicieron un becerro, y ofrecieron sacrificio al ídolo, y en las obras de sus manos se regocijaron.*k*
**42** Y Dios se apartó, y los entregó a que rindiesen culto al ejército del cielo; como está escrito en el libro de los profetas:

¿Acaso me ofrecisteis víctimas y sacrificios
En el desierto por cuarenta años,
    casa de Israel?
**43** Antes bien llevasteis el tabernáculo de Moloc,
Y la estrella de vuestro dios Renfán,
Figuras que os hicisteis para adorarlas.
Os transportaré, pues, más allá de Babilonia.*l*
**44** Tuvieron nuestros padres el tabernáculo del testimonio en el desierto, como había ordenado Dios cuando dijo a Moisés que lo hiciese conforme al modelo que había visto.*m*
**45** El cual, recibido a su vez por nuestros padres, lo introdujeron con Josué*n* al tomar posesión de la tierra de los gentiles, a los cuales Dios arrojó de la presencia de nuestros padres, hasta los días de David.
**46** Este halló gracia delante de Dios, y pidió proveer tabernáculo para el Dios de Jacob.*o*
**47** Mas Salomón le edificó casa;*p*

**48** si bien el Altísimo no habita en templos hechos de mano, como dice el profeta:
**49** El cielo es mi trono,
Y la tierra el estrado de mis pies.
¿Qué casa me edificaréis? dice el Señor;
¿O cuál es el lugar de mi reposo?
**50** ¿No hizo mi mano todas estas cosas?*q*
**51** ¡Duros de cerviz, e incircuncisos de corazón y de oídos! Vosotros resistís siempre al Espíritu Santo; como vuestros padres, así también vosotros.*r*
**52** ¿A cuál de los profetas no persiguieron vuestros padres? Y mataron a los que anunciaron de antemano la venida del Justo, de quien vosotros ahora habéis sido entregadores y matadores;
**53** vosotros que recibisteis la ley por disposición de ángeles, y no la guardasteis.
**54** Oyendo estas cosas, se enfurecían en sus corazones, y crujían los dientes contra él.
**55** Pero Esteban, lleno del Espíritu Santo, puestos los ojos en el cielo, vio la gloria de Dios, y a Jesús que estaba a la diestra de Dios,
**56** y dijo: He aquí, veo los cielos abiertos, y al Hijo del Hombre que está a la diestra de Dios.
**57** Entonces ellos, dando grandes voces, se taparon los oídos, y arremetieron a una contra él.
**58** Y echándole fuera de la ciudad, le apedrearon; y los testigos pusieron sus ropas a los pies de un joven que se llamaba Saulo.
**59** Y apedreaban a Esteban, mientras él invocaba y decía: Señor Jesús, recibe mi espíritu.
**60** Y puesto de rodillas, clamó a gran voz: Señor, no les tomes en cuenta este pecado. Y habiendo dicho esto, durmió.

## Saulo persigue a la iglesia

**8** **1** Y Saulo consentía en su muerte. En aquel día hubo una gran persecución contra la iglesia que estaba en Jerusalén; y todos fueron esparcidos

**7.37** *h* Dt. 18.15, 18.   **7.38** *i* Ex. 19.1—20.17; Dt. 5.1-33.   **7.40** *j* Ex. 32.1.   **7.41** *k* Ex. 32.2-6.   **7.42-43** *l* Am. 5.25-27.
**7.44** *m* Ex. 25.9, 40.   **7.45** *n* Jos. 3.14-17.   **7.46** *o* 2 S. 7.1-16; 1 Cr. 17.1-14.   **7.47** *p* 1 R. 6.1-38; 2 Cr. 3.1-17.
**7.49-50** *q* Is. 66.1-2.   **7.51** *r* Is. 63.10.

**7.44-50** Esteban se refirió al templo para hacer una observación que es importante para los que estamos en recuperación. Israel había encerrado a Dios en el templo y en las instituciones relacionadas con la adoración allí. Habían tomado al Dios eterno -el dueño del universo- y lo habían amarrado, en un sentido figurado, a las paredes del templo. A veces intentamos definir a Dios en formas que podamos entender y controlar. Le damos forma y lo limitamos con nuestros sistemas teológicos, nuestros dogmas eclesiásticos, nuestras presuposiciones políticas y nuestras experiencias personales. Dios es mucho más grande que cualquier concepto que podamos tener de él. ¡Su omnipresencia y abundante gracia llenan todo el universo! A medida que vamos conociendo más y más a Dios y su poder, descubrimos también que él es mucho más grande que nuestros problemas.

**7.51-60** Esteban confrontó a los líderes religiosos sobre su obstinado rechazo. Estaban resistiendo al Espíritu Santo y no le gustó ser amonestados. Pensaríamos que como adultos maduros, estos líderes habrían ponderado las palabras de Esteban y habrían hecho algún tipo de sincera autoevaluación. Pero estaban furiosos y decidieron matar a Esteban. A pesar de su ira, Esteban no deseó vengarse ni albergó rencor. Mantuvo su vista enfocada en Cristo, perdonando a todos aun cuando ellos lo estaban matando. La paz y el autocontrol de Esteban son dones del Espíritu Santo que están disponibles para todos nosotros por medio de la fe.

por las tierras de Judea y de Samaria, salvo los apóstoles.

**2** Y hombres piadosos llevaron a enterrar a Esteban, e hicieron gran llanto sobre él.

**3** Y Saulo asolaba la iglesia, y entrando casa por casa, arrastraba a hombres y a mujeres, y los entregaba en la cárcel.*ª*

### Predicación del evangelio en Samaria

**4** Pero los que fueron esparcidos iban por todas partes anunciando el evangelio.

**5** Entonces Felipe, descendiendo a la ciudad de Samaria, les predicaba a Cristo.

**6** Y la gente, unánime, escuchaba atentamente las cosas que decía Felipe, oyendo y viendo las señales que hacía.

**7** Porque de muchos que tenían espíritus inmundos, salían éstos dando grandes voces; y muchos paralíticos y cojos eran sanados;

**8** así que había gran gozo en aquella ciudad.

**9** Pero había un hombre llamado Simón, que antes ejercía la magia en aquella ciudad, y había engañado a la gente de Samaria, haciéndose pasar por algún grande.

**10** A éste oían atentamente todos, desde el más pequeño hasta el más grande, diciendo: Este es el gran poder de Dios.

**11** Y le estaban atentos, porque con sus artes mágicas les había engañado mucho tiempo.

**12** Pero cuando creyeron a Felipe, que anunciaba el evangelio del reino de Dios y el nombre de Jesucristo, se bautizaban hombres y mujeres.

**13** También creyó Simón mismo, y habiéndose bautizado, estaba siempre con Felipe; y viendo las señales y grandes milagros que se hacían, estaba atónito.

**14** Cuando los apóstoles que estaban en Jerusalén oyeron que Samaria había recibido la palabra de Dios, enviaron allá a Pedro y a Juan;

**15** los cuales, habiendo venido, oraron por ellos para que recibiesen el Espíritu Santo;

**16** porque aún no había descendido sobre ninguno de ellos, sino que solamente habían sido bautizados en el nombre de Jesús.

**17** Entonces les imponían las manos, y recibían el Espíritu Santo.

**18** Cuando vio Simón que por la imposición de las manos de los apóstoles se daba el Espíritu Santo, les ofreció dinero,

**19** diciendo: Dadme también a mí este poder, para que cualquiera a quien yo impusiere las manos reciba el Espíritu Santo.

**20** Entonces Pedro le dijo: Tu dinero perezca contigo, porque has pensado que el don de Dios se obtiene con dinero.

**21** No tienes tú parte ni suerte en este asunto, porque tu corazón no es recto delante de Dios.*b*

**22** Arrepiéntete, pues, de esta tu maldad, y ruega a

---

**8.1-3** *ª* Hch. 22.4-5; 26.9-11.   **8.21** *b* Sal. 78.37.

---

**8.1-3** Aquellos que parecen los candidatos menos probables para la recuperación encabezan con frecuencia la lista de Dios. Saulo (luego llamado Pablo; véase 13.9) era uno de esos candidatos. Saulo presenció la muerte de Esteban y era uno de los más temidos enemigos del incipiente movimiento cristiano. Iba de casa en casa, llevando a los creyentes a la cárcel. No obstante, la historia de Saulo es realmente la historia de la maravillosa gracia de Dios. Saulo el perseguidor se convirtió en Pablo el apóstol, uno de los líderes más importantes en la historia cristiana. Muchos de nosotros comenzamos el proceso de recuperación como candidatos poco probables, pero no hay límite en lo que podemos convertirnos con la ayuda poderosa y misericordiosa de Dios.

**8.1-3** Dios usó para su gloria las terribles circunstancias de la persecución. Los creyentes eran sacados de sus casas en Jerusalén, pero llevaban las buenas nuevas dondequiera que iban. Con frecuencia Dios usa las circunstancias dolorosas para su gloria. Muchos de nosotros no estaríamos recuperándonos si no hubiera sido por el sufrimiento causado por nuestra adicción. Nuestro dolor nos ha impulsado a aprovechar la oportunidad de construir una nueva vida de fe. Podemos reconstruir nuestras relaciones quebrantadas y reparar las faltas contra la gente a la que hemos lastimado. Dios ha usado nuestras dolorosas circunstancias para darnos a cada uno de nosotros una segunda oportunidad.

**8.4-17** Felipe había predicado con denuedo a los samaritanos, a quienes los judíos no consideraban mejores que los gentiles debido a la ascendencia mezclada de los samaritanos. Muchos samaritanos respondieron al mensaje del evangelio y muchos fueron bautizados. Al oír sobre el exitoso ministerio allí, Pedro y Juan se unieron a Felipe y oraron para que los creyentes samaritanos recibieran el Espíritu Santo. Las buenas nuevas de salvación en Cristo no eran sólo para los judíos: eran para todo el mundo, incluyendo a los samaritanos. Las buenas nuevas de Jesucristo también son para nosotros, sin importar quiénes somos o qué hayamos hecho.

**8.18-25** Cuando Simón el mago vio el ministerio de Pedro y Juan, ofreció comprar el secreto de su poder. Esto le demostró a Pedro que Simón no entendía su relación con Dios; él sólo buscaba a Dios por lo que podía obtener de esa relación. Quizás deseaba recuperar el prestigio que había perdido cuando Felipe llegó a la ciudad (véase 8.9-13). Pedro le advirtió a Simón que necesitaba examinarse y arrepentirse. Este problema de motivaciones impuras también se aplica a la recuperación. Si estamos en el proceso de

Dios, si quizá te sea perdonado el pensamiento de tu corazón;

**23** porque en hiel de amargura y en prisión de maldad veo que estás.

**24** Respondiendo entonces Simón, dijo: Rogad vosotros por mí al Señor, para que nada de esto que habéis dicho venga sobre mí.

**25** Y ellos, habiendo testificado y hablado la palabra de Dios, se volvieron a Jerusalén, y en muchas poblaciones de los samaritanos anunciaron el evangelio.

### Felipe y el etíope

**26** Un ángel del Señor habló a Felipe, diciendo: Levántate y ve hacia el sur, por el camino que desciende de Jerusalén a Gaza, el cual es desierto.

**27** Entonces él se levantó y fue. Y sucedió que un etíope, eunuco, funcionario de Candace reina de los etíopes, el cual estaba sobre todos sus tesoros, y había venido a Jerusalén para adorar,

**28** volvía sentado en su carro, y leyendo al profeta Isaías.

**29** Y el Espíritu dijo a Felipe: Acércate y júntate a ese carro.

**30** Acudiendo Felipe, le oyó que leía al profeta Isaías, y dijo: Pero ¿entiendes lo que lees?

**31** El dijo: ¿Y cómo podré, si alguno no me enseñare? Y rogó a Felipe que subiese y se sentara con él.

**32** El pasaje de la Escritura que leía era este:
Como oveja a la muerte fue llevado;
Y como cordero mudo delante
del que lo trasquila,
Así no abrió su boca.

**33** En su humillación no se le hizo justicia;
Mas su generación, ¿quién la contará?
Porque fue quitada de la tierra su vida.$^c$

**34** Respondiendo el eunuco, dijo a Felipe: Te ruego que me digas: ¿de quién dice el profeta esto; de sí mismo, o de algún otro?

**35** Entonces Felipe, abriendo su boca, y comenzando desde esta escritura, le anunció el evangelio de Jesús.

**36** Y yendo por el camino, llegaron a cierta agua, y dijo el eunuco: Aquí hay agua; ¿qué impide que yo sea bautizado?

**37** Felipe dijo: Si crees de todo corazón, bien puedes. Y respondiendo, dijo: Creo que Jesucristo es el Hijo de Dios.

**38** Y mandó parar el carro; y descendieron ambos al agua, Felipe y el eunuco, y le bautizó.

**39** Cuando subieron del agua, el Espíritu del Señor arrebató a Felipe; y el eunuco no le vio más, y siguió gozoso su camino.

**40** Pero Felipe se encontró en Azoto; y pasando, anunciaba el evangelio en todas las ciudades, hasta que llegó a Cesarea.

### Conversión de Saulo

**9** **1** Saulo, respirando aún amenazas y muerte contra los discípulos del Señor, vino al sumo sacerdote,

**2** y le pidió cartas para las sinagogas de Damasco, a fin de que si hallase algunos hombres o mujeres de este Camino, los trajese presos a Jerusalén.

**3** Mas yendo por el camino, aconteció que al llegar cerca de Damasco, repentinamente le rodeó un resplandor de luz del cielo;

**4** y cayendo en tierra, oyó una voz que le decía: Saulo, Saulo, ¿por qué me persigues?

**5** El dijo: ¿Quién eres, Señor? Y le dijo: Yo soy Jesús, a quien tú persigues; dura cosa te es dar coces contra el aguijón.

**6** El, temblando y temeroso, dijo: Señor, ¿qué quieres que yo haga? Y el Señor le dijo: Levántate y entra en la ciudad, y se te dirá lo que debes hacer.

**7** Y los hombres que iban con Saulo se pararon atónitos, oyendo a la verdad la voz, mas sin ver a nadie.

**8** Entonces Saulo se levantó de tierra, y abriendo los ojos, no veía a nadie; así que, llevándole por la mano, le metieron en Damasco,

**9** donde estuvo tres días sin ver, y no comió ni bebió.

**10** Había entonces en Damasco un discípulo llamado Ananías, a quien el Señor dijo en visión: Ananías. Y él respondió: Heme aquí, Señor.

**11** Y el Señor le dijo: Levántate, y ve a la calle que se llama Derecha, y busca en casa de Judas a uno llamado Saulo, de Tarso; porque he aquí, él ora,

**12** y ha visto en visión a un varón llamado Ananías, que entra y le pone las manos encima para que recobre la vista.

**8.32-33** $^c$ Is. 53.7-8.

---

recuperación sólo para vernos bien, estamos en esto por razones equivocadas. Cuando buscamos la ayuda de Dios, estamos haciendo que su voluntad sea la nuestra. Tenemos éxito en la recuperación sólo si nos sometemos completamente a la voluntad de Dios para nuestra vida.

**9.10-16** Durante el intenso autoexamen de Saulo, Dios envió a Ananías para que fuera su amigo, para orar por él y restablecerle la vista. Al principio Ananías tuvo miedo pues no estaba seguro de que Saulo hubiera cambiado realmente. Sin embargo, cuando lo conoció, Ananías comprendió que nadie está fuera del alcance de la ayuda de Dios. Al ayudar a Saulo, Ananías descubrió una verdad que nosotros descubrimos mientras nos estamos recuperando: Cuando nos relacionamos con otros y les hablamos de las buenas nuevas, Dios no sólo nos usa para ayudarlos sino que también fortalece nuestra propia fe.

**13** Entonces Ananías respondió: Señor, he oído de muchos acerca de este hombre, cuántos males ha hecho a tus santos en Jerusalén;

**14** y aun aquí tiene autoridad de los principales sacerdotes para prender a todos los que invocan tu nombre.

**15** El Señor le dijo: Ve, porque instrumento escogido me es éste, para llevar mi nombre en presencia de los gentiles, y de reyes, y de los hijos de Israel;

**16** porque yo le mostraré cuánto le es necesario padecer por mi nombre.

**17** Fue entonces Ananías y entró en la casa, y poniendo sobre él las manos, dijo: Hermano Saulo, el Señor Jesús, que se te apareció en el camino por donde venías, me ha enviado para que recibas la vista y seas lleno del Espíritu Santo.

**18** Y al momento le cayeron de los ojos como escamas, y recibió al instante la vista; y levantándose, fue bautizado.

**19** Y habiendo tomado alimento, recobró fuerzas. Y estuvo Saulo por algunos días con los discípulos que estaban en Damasco.

### Saulo predica en Damasco

**20** En seguida predicaba a Cristo en las sinagogas, diciendo que éste era el Hijo de Dios.

**21** Y todos los que le oían estaban atónitos, y decían: ¿No es éste el que asolaba en Jerusalén a los que invocaban este nombre, y a eso vino acá, para llevarlos presos ante los principales sacerdotes?

**22** Pero Saulo mucho más se esforzaba, y confundía a los judíos que moraban en Damasco, demostrando que Jesús era el Cristo.

### Saulo escapa de los judíos

**23** Pasados muchos días, los judíos resolvieron en consejo matarle;

**24** pero sus asechanzas llegaron a conocimiento de Saulo. Y ellos guardaban las puertas de día y de noche para matarle.

**25** Entonces los discípulos, tomándole de noche, le bajaron por el muro, descolgándole en una canasta.[a]

### Saulo en Jerusalén

**26** Cuando llegó a Jerusalén, trataba de juntarse con los discípulos; pero todos le tenían miedo, no creyendo que fuese discípulo.

**9.23-25** [a] 2 Co. 11.32-33.

PASO **12**

### Escuchemos primero

LECTURA BÍBLICA: Hechos 8.26-40

**Luego de experimentar un despertar espiritual como resultado de estos pasos, tratamos de llevar este mensaje a otros y practicar estos principios en todos nuestros asuntos.**

Quizás estemos tan emocionados por lo que Dios ha hecho por nosotros que queramos salir corriendo a contar nuestra historia a todo el mundo. O tal vez seamos muy tímidos y dudemos entre contarlo o no a otros, especialmente si creemos que ellos son mejores que nosotros. Todos tenemos una valiosa historia que contar; sólo necesitamos descubrir la mejor manera de comunicarla.

Dios dirigió al evangelista Felipe para que conociera a un influyente viajero que "había venido a Jerusalén para adorar, volvía sentado en su carro, leyendo al profeta Isaías. Y el Espíritu dijo a Felipe: Acércate y júntate a ese carro. Acudiendo Felipe, le oyó que leía al profeta Isaías, y dijo: Pero ¿entiendes lo que lees? Él dijo: ¿Y cómo podré, si alguno no me enseñare? ... Entonces Felipe, abriendo su boca, y comenzando desde esta escritura, le anunció el evangelio de Jesús" (Hechos 8.27-31, 35).

La forma como Felipe se comunicaba es un modelo para nosotros. Fue muy sensible al permitir que Dios lo guiara hacia alguien que ya estaba preparado. No se intimidó por la elevada condición social del hombre y no dudó en contarle las buenas nuevas sobre Jesús. Felipe comenzó escuchando cuidadosamente. Se puso en sintonía con la necesidad e intereses del hombre y luego explicó la relación que estos tenían con el mensaje que estaba listo para compartir. Ya sea que seamos entusiastas o tímidos, seguir este modelo puede ayudarnos a comunicar nuestro mensaje en una forma que la gente pueda entender y aceptar. *Vaya a la página 349, 1 Timoteo 4.*

**9.20-25** Saulo se quedó con los cristianos de Damasco por algunos días y les habló de las buenas nuevas de salvación en Jesucristo, mostrando así que su transformación era real. Tanto los judíos como los cristianos se asombraron ante los cambios operados en Saulo. Los judíos se volvieron en su contra y tramaban para matarlo, pero sus nuevos amigos cristianos lo ayudaron a escapar. Es posible que nosotros experimentemos la oposición de nuestros viejos amigos cuando entremos en el proceso de recuperación. Ellos pueden sentirse culpables por su propia dependencia o tal vez tengan miedo de perder a un amigo. Sea cual sea la razón, nuestros amigos pueden intentar obstaculizar nuestra recuperación. Es entonces cuando nuestros nuevos grupos de apoyo asumen un papel esencial, protegiéndonos y guiándonos a través de estos momentos difíciles.

**27** Entonces Bernabé, tomándole, lo trajo a los apóstoles, y les contó cómo Saulo había visto en el camino al Señor, el cual le había hablado, y cómo en Damasco había hablado valerosamente en el nombre de Jesús.

**28** Y estaba con ellos en Jerusalén; y entraba y salía,

**29** y hablaba denodadamente en el nombre del Señor, y disputaba con los griegos; pero éstos procuraban matarle.

**30** Cuando supieron esto los hermanos, le llevaron hasta Cesarea, y le enviaron a Tarso.

**31** Entonces las iglesias tenían paz por toda Judea, Galilea y Samaria; y eran edificadas, andando en el temor del Señor, y se acrecentaban fortalecidas por el Espíritu Santo.

### Curación de Eneas

**32** Aconteció que Pedro, visitando a todos, vino también a los santos que habitaban en Lida.

**33** Y halló allí a uno que se llamaba Eneas, que hacía ocho años que estaba en cama, pues era paralítico.

**34** Y le dijo Pedro: Eneas, Jesucristo te sana; levántate, y haz tu cama. Y en seguida se levantó.

**35** Y le vieron todos los que habitaban en Lida y en Sarón, los cuales se convirtieron al Señor.

### Dorcas es resucitada

**36** Había entonces en Jope una discípula llamada Tabita, que traducido quiere decir, Dorcas. Esta abundaba en buenas obras y en limosnas que hacía.

**37** Y aconteció que en aquellos días enfermó y murió. Después de lavada, la pusieron en una sala.

**38** Y como Lida estaba cerca de Jope, los discípulos, oyendo que Pedro estaba allí, le enviaron dos hombres, a rogarle: No tardes en venir a nosotros.

**39** Levantándose entonces Pedro, fue con ellos; y cuando llegó, le llevaron a la sala, donde le rodearon todas las viudas, llorando y mostrando las túnicas y los vestidos que Dorcas hacía cuando estaba con ellas.

**40** Entonces, sacando a todos, Pedro se puso de rodillas y oró; y volviéndose al cuerpo, dijo: Tabita, levántate. Y ella abrió los ojos, y al ver a Pedro, se incorporó.

**41** Y él, dándole la mano, la levantó; entonces, llamando a los santos y a las viudas, la presentó viva.

**42** Esto fue notorio en toda Jope, y muchos creyeron en el Señor.

**43** Y aconteció que se quedó muchos días en Jope en casa de un cierto Simón, curtidor.

### Pedro y Cornelio

**10** **1** Había en Cesarea un hombre llamado Cornelio, centurión de la compañía llamada la Italiana,

**2** piadoso y temeroso de Dios con toda su casa, y que hacía muchas limosnas al pueblo, y oraba a Dios siempre.

**3** Este vio claramente en una visión, como a la hora novena del día, que un ángel de Dios entraba donde él estaba, y le decía: Cornelio.

**4** El, mirándole fijamente, y atemorizado, dijo: ¿Qué es, Señor? Y le dijo: Tus oraciones y tus limosnas han subido para memoria delante de Dios.

**5** Envía, pues, ahora hombres a Jope, y haz venir a Simón, el que tiene por sobrenombre Pedro.

**6** Este posa en casa de cierto Simón curtidor, que tiene su casa junto al mar; él te dirá lo que es necesario que hagas.

**7** Ido el ángel que hablaba con Cornelio, éste llamó a dos de sus criados, y a un devoto soldado de los que le asistían;

**8** a los cuales envió a Jope, después de haberles contado todo.

**9** Al día siguiente, mientras ellos iban por el camino y se acercaban a la ciudad, Pedro subió a la azotea para orar, cerca de la hora sexta.

**10** Y tuvo gran hambre, y quiso comer; pero mientras le preparaban algo, le sobrevino un éxtasis;

**11** y vio el cielo abierto, y que descendía algo semejante a un gran lienzo, que atado de las cuatro puntas era bajado a la tierra;

---

**9.26-30** Saulo regresó a Jerusalén y trató de reunirse allí con los creyentes cristianos. De inmediato enfrentó el escepticismo de casi todos. Ellos no podían creer que un enemigo tan cruel hubiera cambiado tan rápidamente. Con el tiempo Saulo probó su sinceridad y lo aceptaron. Cuando estamos en el proceso de recuperación, es posible que nos reciban con escepticismo por algún tiempo. La familia y los amigos pueden darnos la espalda. Sin embargo, si continuamos obedeciendo la voluntad de Dios para nuestra vida y buscamos enmendar las faltas cometidas, a su tiempo las relaciones quebrantadas comenzarán a sanar. Nuestras relaciones rotas, así como nuestra adicción, necesitaron tiempo para desarrollarse. La recuperación también tomará tiempo.

**9.36-43** Pedro recibió una petición de ayuda de unos amigos de Jope que lloraban la muerte de un ser querido. Dorcas, una creyente que había servido a otras viudas y ayudado a los pobres, acababa de morir, y los que la amaban habían enviado por Pedro. Él oró y resucitó a esta mujer, manifestando así el poder de Dios sobre la muerte (véase Lucas 8.41-42, 49-56). Cuando el poder de Dios está operando en nosotros, nada es imposible. El poder de Dios nos puede sacar de nuestra adicción, como de la muerte, y darnos una nueva vida en Jesucristo.

**12** en el cual había de todos los cuadrúpedos terrestres y reptiles y aves del cielo.

**13** Y le vino una voz: Levántate, Pedro, mata y come.

**14** Entonces Pedro dijo: Señor, no; porque ninguna cosa común o inmunda he comido jamás.

**15** Volvió la voz a él la segunda vez: Lo que Dios limpió, no lo llames tú común.

**16** Esto se hizo tres veces; y aquel lienzo volvió a ser recogido en el cielo.

**17** Y mientras Pedro estaba perplejo dentro de sí sobre lo que significaría la visión que había visto, he aquí los hombres que habían sido enviados por Cornelio, los cuales, preguntando por la casa de Simón, llegaron a la puerta.

**18** Y llamando, preguntaron si moraba allí un Simón que tenía por sobrenombre Pedro.

**19** Y mientras Pedro pensaba en la visión, le dijo el Espíritu: He aquí, tres hombres te buscan.

**20** Levántate, pues, y desciende y no dudes de ir con ellos, porque yo los he enviado.

**21** Entonces Pedro, descendiendo a donde estaban los hombres que fueron enviados por Cornelio, les dijo: He aquí, yo soy el que buscáis; ¿cuál es la causa por la que habéis venido?

**22** Ellos dijeron: Cornelio el centurión, varón justo y temeroso de Dios, y que tiene buen testimonio en toda la nación de los judíos, ha recibido instrucciones de un santo ángel, de hacerte venir a su casa para oír tus palabras.

**23** Entonces, haciéndoles entrar, los hospedó. Y al día siguiente, levantándose, se fue con ellos; y le acompañaron algunos de los hermanos de Jope.

**24** Al otro día entraron en Cesarea. Y Cornelio los estaba esperando, habiendo convocado a sus parientes y amigos más íntimos.

**25** Cuando Pedro entró, salió Cornelio a recibirle, y postrándose a sus pies, adoró.

**26** Mas Pedro le levantó, diciendo: Levántate, pues yo mismo también soy hombre.

**27** Y hablando con él, entró, y halló a muchos que se habían reunido.

**28** Y les dijo: Vosotros sabéis cuán abominable es para un varón judío juntarse o acercarse a un extranjero; pero a mí me ha mostrado Dios que a ningún hombre llame común o inmundo;

**29** por lo cual, al ser llamado, vine sin replicar. Así que pregunto: ¿Por qué causa me habéis hecho venir?

**30** Entonces Cornelio dijo: Hace cuatro días que a

PASO 1

## Tiempo para decidir
LECTURA BÍBLICA: Hechos 9.1-9
**Confesamos que éramos impotentes ante nuestras dependencias y que nuestra vida se había vuelto inmanejable.**

Hay momentos importantes en la vida que pueden cambiar nuestro destino. Con frecuencia estos son tiempos cuando nos sentimos confrontados con nuestra impotencia ante los acontecimientos de nuestra vida. Estos momentos pueden destruirnos o reorientar para siempre nuestra vida en una mejor dirección.

Saulo de Tarso (luego llamado Pablo; véase 13.9), vivió uno de esos momentos. Después de la ascensión de Jesús, Saulo se dio a la tarea de dejar al mundo sin cristianos. Mientras iba camino a Damasco a cumplir su misión, "repentinamente le rodeó un resplandor de luz del cielo; y cayendo en tierra, oyó una voz que le decía: Saulo, Saulo, ¿por qué me persigues? ... Yo soy Jesús, a quien tú persigues ... Levántate y entra en la ciudad, y se te dirá lo que debes hacer. Entonces Saulo se levantó de tierra, y abriendo los ojos, no veía a nadie; así que, llevándole por la mano, le metieron en Damasco, donde estuvo tres días sin ver, y no comió ni bebió" (Hechos 9.3-6, 8-9).

De repente, Saulo fue confrontado con el hecho de que su vida no era tan perfecta como él había pensado. El legalismo había sido el rasgo más importante de su personalidad. Sin embargo, al abandonar sus ilusiones de poder, se convirtió en uno de los hombres más poderosos que jamás haya existido: el apóstol Pablo. Cuando se nos confronta con la verdad de que nuestra vida no está bajo nuestro control, es hora de decidir. Podemos seguir negando esa verdad y aferrados al legalismo, o podemos encarar el hecho de que hemos estado ciegos ante algunos asuntos importantes. Si estamos dispuestos a que nos guíen hacia nuestra recuperación y a una nueva forma de vivir, entonces encontraremos el verdadero poder. *Vaya a la página 281, 2 Corintios 4.*

---

**10.9-20** Dios le dio a Pedro una visión especial para revelarle algunos de sus prejuicios inconscientes. Pedro vio un gran lienzo repleto de animales que, de acuerdo con la ley judía, eran impuros. Al principio, Pedro no quiso tener nada que ver con ellos. Pero Dios le envió la visión tres veces, desafiando la comprensión de Pedro sobre lo que era puro o impuro. Dios estaba preparando a Pedro para llevar las

esta hora yo estaba en ayunas; y a la hora novena, mientras oraba en mi casa, vi que se puso delante de mí un varón con vestido resplandeciente,

**31** y dijo: Cornelio, tu oración ha sido oída, y tus limosnas han sido recordadas delante de Dios.

**32** Envía, pues, a Jope, y haz venir a Simón el que tiene por sobrenombre Pedro, el cual mora en casa de Simón, un curtidor, junto al mar; y cuando llegue, él te hablará.

**33** Así que luego envié por ti; y tú has hecho bien en venir. Ahora, pues, todos nosotros estamos aquí en la presencia de Dios, para oír todo lo que Dios te ha mandado.

**34** Entonces Pedro, abriendo la boca, dijo: En verdad comprendo que Dios no hace acepción de personas,*ᵃ*

**35** sino que en toda nación se agrada del que le teme y hace justicia.

**36** Dios envió mensaje a los hijos de Israel, anunciando el evangelio de la paz por medio de Jesucristo; éste es Señor de todos.

**37** Vosotros sabéis lo que se divulgó por toda Judea, comenzando desde Galilea, después del bautismo que predicó Juan:

**38** cómo Dios ungió con el Espíritu Santo y con poder a Jesús de Nazaret, y cómo éste anduvo haciendo bienes y sanando a todos los oprimidos por el diablo, porque Dios estaba con él.

**39** Y nosotros somos testigos de todas las cosas que Jesús hizo en la tierra de Judea y en Jerusalén; a quien mataron colgándole en un madero.

**40** A éste levantó Dios al tercer día, e hizo que se manifestase;

**41** no a todo el pueblo, sino a los testigos que Dios había ordenado de antemano, a nosotros que comimos y bebimos con él después que resucitó de los muertos.

**42** Y nos mandó que predicásemos al pueblo, y testificásemos que él es el que Dios ha puesto por Juez de vivos y muertos.

**43** De éste dan testimonio todos los profetas, que todos los que en él creyeren, recibirán perdón de pecados por su nombre.

**44** Mientras aún hablaba Pedro estas palabras, el Espíritu Santo cayó sobre todos los que oían el discurso.

**45** Y los fieles de la circuncisión que habían venido con Pedro se quedaron atónitos de que también sobre los gentiles se derramase el don del Espíritu Santo.

**46** Porque los oían que hablaban en lenguas, y que magnificaban a Dios.

**47** Entonces respondió Pedro: ¿Puede acaso alguno impedir el agua, para que no sean bautizados estos que han recibido el Espíritu Santo también como nosotros?

**48** Y mandó bautizarles en el nombre del Señor Jesús. Entonces le rogaron que se quedase por algunos días.

### Informe de Pedro a la iglesia de Jerusalén

**11** **1** Oyeron los apóstoles y los hermanos que estaban en Judea, que también los gentiles habían recibido la palabra de Dios.

**2** Y cuando Pedro subió a Jerusalén, disputaban con él los que eran de la circuncisión,

**3** diciendo: ¿Por qué has entrado en casa de hombres incircuncisos, y has comido con ellos?

---

**10.34** *ᵃ* Dt. 10.17.

buenas nuevas a los "impuros" gentiles y a la casa de Cornelio. Pedro necesitaba darse cuenta de que Dios acepta a las personas de todos los trasfondos. Esta verdad es también importante para nosotros. Al llevar las buenas nuevas a otros, no podemos permitir que nuestros prejuicios se interpongan en el camino de la voluntad de Dios. Si Dios abre una puerta para compartir el evangelio con alguien, necesitamos pasar por ella en fe. Dios irá con nosotros mientras esparcimos su mensaje de esperanza.

**10.21-33** Pedro no quería visitar la casa de este gentil "impuro". Pero cuando él y Cornelio se conocieron, hablaron emocionados de las cosas inusuales que acababan de ver y oír. Dios había logrado eliminar los prejuicios que habían evitado que ellos se hablaran. Como resultado, el Espíritu Santo llenó a todos los gentiles que estaban en casa de Cornelio. Dios juntó a personas que una vez habían estado separadas por enormes barreras. Tal vez tengamos relaciones rotas que parezcan no tener remedio. Las ásperas emociones y los prejuicios que se fueron formando durante nuestros años de esclavitud han hecho que la comunicación sea casi imposible. Sin importar lo irremediables que esas relaciones parezcan, Dios puede obrar para hacernos bajar nuestras defensas y mejorar la comunicación. Él hará esto en la medida en que le entreguemos nuestra vida y busquemos seguir su voluntad.

**11.1-3** Antes de que Pedro regresara a casa, ya los creyentes judíos se habían enterado de que los gentiles habían creído en Cristo. A causa de sus prejuicios, no aceptaron lo que habían oído, así que confrontaron a Pedro inmediatamente. En otro momento, cuando tuvo que hacer frente a la oposición poco antes de la muerte de Cristo (Lucas 22.54-62), Pedro había negado su fe. Pero en esta ocasión no se doblegó; Dios había hecho en él cambios asombrosos desde aquel doloroso fracaso. Pedro defendió la verdad que le había sido revelada sin importar el costo personal. A veces nos sorprenderemos de los cambios que Dios ha obrado en nuestra vida. Reconocer lo lejos que ya hemos llegado puede animarnos a perseverar en el proceso.

# CORNELIO Y FAMILIA

Usualmente la recuperación no se produce de un día para otro; es un proceso. Cuando Cornelio y su familia entran a escena en Hechos 10, el proceso de su recuperación ya había comenzado. En un trasfondo romano religioso y militar, este centurión era "temeroso de Dios con toda su casa". Oraban al Dios de Israel y daban generosamente para obras de caridad.

Sin lugar a dudas, la familia de Cornelio cambió muchos de los patrones y perspectivas propias de su trasfondo romano. En este momento, Dios intervino y les permitió alcanzar a un conocimiento más profundo de Dios, que les llevó a la vida eterna. Dios se encontró con ellos enviando al apóstol Pedro, quien llegó a ellos con la perspectiva espiritual que necesitaban.

La escena en la casa de Cornelio es un modelo de recuperación familiar. Al llegar Cornelio y su familia al conocimiento de la obra redentora de Jesús, también entraron en una fase de recuperación espiritual ampliada por el poder del Espíritu Santo. Este no fue, en absoluto, el final de su proceso de recuperación. Pero sí iban por muy buen camino porque habían establecido una relación saludable entre ellos y con Dios.

Cuando la familia de Cornelio recibió el regalo del Espíritu Santo, se inició una nueva época en la historia. Por primera vez Dios mostró que *todas* las personas son aceptables para él a través de Jesucristo; aun los "inmundos" gentiles. Debido a sus prejuicios culturales y religiosos, a Pedro se le hacía difícil aceptar esta verdad, pero cuando Cornelio y su familia recibieron el Espíritu Santo ya no pudo negarla. Dios desea que el poder del Espíritu Santo sea parte de nuestra vida. Si nos arrepentimos de nuestros pecados y aceptamos el perdón de Dios con base en la obra de Jesucristo, podemos experimentar el poder de Dios en nuestra vida. Con la ayuda de Dios, ningún problema ni nada de qué dependamos es tan poderoso que no podamos vencerlo.

**FORTALEZAS Y LOGROS:**
- Cornelio creyó en Dios en la medida en que lo entendía.
- Guió a su familia al conocimiento de Dios de la mejor manera que sabía.
- No estaba satisfecho con su nivel de madurez y buscó seguir creciendo.
- Él y su familia estaban abiertos al cambio y abrazaron una nueva vida en Jesucristo.

**DEBILIDADES Y ERRORES:**
- El entendimiento de Cornelio era limitado e inicialmente adoró a Pedro.

**LECCIONES PARA NUESTRA VIDA:**
- Dios alcanza a todos los que quieren conocerle mejor.
- El poder de Jesús es para todo el mundo, sin importar la raza o el trasfondo.
- La recuperación a veces necesita la orientación de otros que ya han pasado por la misma experiencia.

**VERSÍCULO CLAVE:**
«De éste dan testimonio todos los profetas, que todos los que en él creyeren, recibirán perdón de pecados por su nombre» (Hechos 10.43).

La historia de Cornelio y su familia se narra en Hechos 10—11.

---

4 Entonces comenzó Pedro a contarles por orden lo sucedido, diciendo:

5 Estaba yo en la ciudad de Jope orando, y vi en éxtasis una visión; algo semejante a un gran lienzo que descendía, que por las cuatro puntas era bajado del cielo y venía hasta mí.

6 Cuando fijé en él los ojos, consideré y vi cuadrúpedos terrestres, y fieras, y reptiles, y aves del cielo.

7 Y oí una voz que me decía: Levántate, Pedro, mata y come.

8 Y dije: Señor, no; porque ninguna cosa común o inmunda entró jamás en mi boca.

9 Entonces la voz me respondió del cielo por segunda vez: Lo que Dios limpió, no lo llames tú común.

10 Y esto se hizo tres veces, y volvió todo a ser llevado arriba al cielo.

11 Y he aquí, luego llegaron tres hombres a la casa donde yo estaba, enviados a mí desde Cesarea.

12 Y el Espíritu me dijo que fuese con ellos sin dudar. Fueron también conmigo estos seis hermanos, y entramos en casa de un varón,

13 quien nos contó cómo había visto en su casa un ángel, que se puso en pie y le dijo: Envía hombres a Jope, y haz venir a Simón, el que tiene por sobrenombre Pedro;

---

**11.4-18** Los creyentes judíos aceptaron muy lentamente en su comunidad de fe a los creyentes gentiles. Criticaron un hecho que en realidad debió haber sido un motivo de regocijo. Habían obedecido el mandato de Jesús de ser sus testigos "en Jerusalén, en toda Judea, en Samaria y hasta lo último de la tierra" (1.8). Muchos samaritanos ya habían creído en Cristo (8.1-25), y ahora gentiles de lo último de la tierra se habían

**14** él te hablará palabras por las cuales serás salvo tú, y toda tu casa.

**15** Y cuando comencé a hablar, cayó el Espíritu Santo sobre ellos también, como sobre nosotros al principio.

**16** Entonces me acordé de lo dicho por el Señor, cuando dijo: Juan ciertamente bautizó en agua, mas vosotros seréis bautizados con el Espíritu Santo.*a*

**17** Si Dios, pues, les concedió también el mismo don que a nosotros que hemos creído en el Señor Jesucristo, ¿quién era yo que pudiese estorbar a Dios?

**18** Entonces, oídas estas cosas, callaron, y glorificaron a Dios, diciendo: ¡De manera que también a los gentiles ha dado Dios arrepentimiento para vida!

### La iglesia en Antioquía

**19** Ahora bien, los que habían sido esparcidos a causa de la persecución que hubo con motivo de Esteban,*b* pasaron hasta Fenicia, Chipre y Antioquía, no hablando a nadie la palabra, sino sólo a los judíos.

**20** Pero había entre ellos unos varones de Chipre y de Cirene, los cuales, cuando entraron en Antioquía, hablaron también a los griegos, anunciando el evangelio del Señor Jesús.

**21** Y la mano del Señor estaba con ellos, y gran número creyó y se convirtió al Señor.

**22** Llegó la noticia de estas cosas a oídos de la iglesia que estaba en Jerusalén; y enviaron a Bernabé que fuese hasta Antioquía.

**23** Este, cuando llegó, y vio la gracia de Dios, se regocijó, y exhortó a todos a que con propósito de corazón permaneciesen fieles al Señor.

**24** Porque era varón bueno, y lleno del Espíritu Santo y de fe. Y una gran multitud fue agregada al Señor.

**25** Después fue Bernabé a Tarso para buscar a Saulo; y hallándole, le trajo a Antioquía.

**26** Y se congregaron allí todo un año con la iglesia, y enseñaron a mucha gente; y a los discípulos se les llamó cristianos por primera vez en Antioquía.

**27** En aquellos días unos profetas descendieron de Jerusalén a Antioquía.

**28** Y levantándose uno de ellos, llamado Agabo,*c* daba a entender por el Espíritu, que vendría una gran hambre en toda la tierra habitada; la cual sucedió en tiempo de Claudio.

**29** Entonces los discípulos, cada uno conforme a lo que tenía, determinaron enviar socorro a los hermanos que habitaban en Judea;

**30** lo cual en efecto hicieron, enviándolo a los ancianos por mano de Bernabé y de Saulo.

### Jacobo, muerto; Pedro, encarcelado

**12** **1** En aquel mismo tiempo el rey Herodes echó mano a algunos de la iglesia para maltratarles.

**2** Y mató a espada a Jacobo, hermano de Juan.

**3** Y viendo que esto había agradado a los judíos, procedió a prender también a Pedro. Eran entonces los días de los panes sin levadura.

**4** Y habiéndole tomado preso, le puso en la cárcel, entregándole a cuatro grupos de cuatro soldados cada uno, para que le custodiasen; y se proponía sacarle al pueblo después de la pascua.*a*

**5** Así que Pedro estaba custodiado en la cárcel; pero la iglesia hacía sin cesar oración a Dios por él.

### Pedro es librado de la cárcel

**6** Y cuando Herodes le iba a sacar, aquella misma noche estaba Pedro durmiendo entre dos soldados, sujeto con dos cadenas, y los guardas delante de la puerta custodiaban la cárcel.

**7** Y he aquí que se presentó un ángel del Señor, y una luz resplandeció en la cárcel; y tocando a Pedro en el costado, le despertó, diciendo: Levántate pronto. Y las cadenas se le cayeron de las manos.

**8** Le dijo el ángel: Cíñete, y átate las sandalias. Y lo hizo así. Y le dijo: Envuélvete en tu manto, y sígueme.

**9** Y saliendo, le seguía; pero no sabía que era verdad lo que hacía el ángel, sino que pensaba que veía una visión.

**10** Habiendo pasado la primera y la segunda guardia, llegaron a la puerta de hierro que daba a la ciudad, la cual se les abrió por sí misma; y salidos, pasaron una calle, y luego el ángel se apartó de él.

**11** Entonces Pedro, volviendo en sí, dijo: Ahora entiendo verdaderamente que el Señor ha enviado

---

**11.16** *a* Hch. 1.5.   **11.19** *b* Hch. 8.1-4.   **11.28** *c* Hch. 21.10.   **12.4** *a* Ex. 12.1-27.

---

unido a la comunidad cristiana (véase también 8.26-40). Podemos tener amigos que no reconozcan nuestros momentos de triunfo en nuestra recuperación. Pueden tratar de desanimarnos mientras damos pasos importantes para seguir la voluntad de Dios. No podemos permitirles que nos hagan perder nuestra fe o que le corten las alas a nuestro progreso.

**12.1-11** El milagroso escape de Pedro de la prisión muestra que nada puede frustrar los planes de Dios. En respuesta a la oración, Dios siempre puede vencer los obstáculos que se interpongan en nuestro camino. Él puede usar hasta medios sobrenaturales para liberarnos. Esto no quiere decir que nunca enfrentaremos dificultades en nuestro caminar con Dios. Aun cuando la iglesia primitiva disfrutó de un éxito fenomenal, también sufrió duras pruebas. Siempre enfrentaremos obstáculos al intentar realizar el plan de Dios para nuestra vida. Pero como Dios quiere que tengamos éxito en nuestra recuperación, nada podrá impedir nuestro camino al éxito si confiamos nuestra vida a su cuidado.

su ángel, y me ha librado de la mano de Herodes, y de todo lo que el pueblo de los judíos esperaba.

**12** Y habiendo considerado esto, llegó a casa de María la madre de Juan, el que tenía por sobrenombre Marcos, donde muchos estaban reunidos orando.

**13** Cuando llamó Pedro a la puerta del patio, salió a escuchar una muchacha llamada Rode,

**14** la cual, cuando reconoció la voz de Pedro, de gozo no abrió la puerta, sino que corriendo adentro, dio la nueva de que Pedro estaba a la puerta.

**15** Y ellos le dijeron: Estás loca. Pero ella aseguraba que así era. Entonces ellos decían: ¡Es su ángel!

**16** Mas Pedro persistía en llamar; y cuando abrieron y le vieron, se quedaron atónitos.

**17** Pero él, haciéndoles con la mano señal de que callasen, les contó cómo el Señor le había sacado de la cárcel. Y dijo: Haced saber esto a Jacobo y a los hermanos. Y salió, y se fue a otro lugar.

**18** Luego que fue de día, hubo no poco alboroto entre los soldados sobre qué había sido de Pedro.

**19** Mas Herodes, habiéndole buscado sin hallarle, después de interrogar a los guardas, ordenó llevarlos a la muerte. Después descendió de Judea a Cesarea y se quedó allí.

### Muerte de Herodes

**20** Y Herodes estaba enojado contra los de Tiro y de Sidón; pero ellos vinieron de acuerdo ante él, y sobornado Blasto, que era camarero mayor del rey, pedían paz, porque su territorio era abastecido por el del rey.

**21** Y un día señalado, Herodes, vestido de ropas reales, se sentó en el tribunal y les arengó.

**22** Y el pueblo aclamaba gritando: ¡Voz de Dios, y no de hombre!

**23** Al momento un ángel del Señor le hirió, por cuanto no dio la gloria a Dios; y expiró comido de gusanos.

**24** Pero la palabra del Señor crecía y se multiplicaba.

**25** Y Bernabé y Saulo, cumplido su servicio, volvieron de Jerusalén, llevando también consigo a Juan, el que tenía por sobrenombre Marcos.

### Bernabé y Saulo comienzan su primer viaje misionero

**13** **1** Había entonces en la iglesia que estaba en Antioquía, profetas y maestros: Bernabé, Simón el que se llamaba Niger, Lucio de Cirene, Manaén el que se había criado junto con Herodes el tetrarca, y Saulo.

**2** Ministrando éstos al Señor, y ayunando, dijo el Espíritu Santo: Apartadme a Bernabé y a Saulo para la obra a que los he llamado.

**3** Entonces, habiendo ayunado y orado, les impusieron las manos y los despidieron.

### Los apóstoles predican en Chipre

**4** Ellos, entonces, enviados por el Espíritu Santo, descendieron a Seleucia, y de allí navegaron a Chipre.

**5** Y llegados a Salamina, anunciaban la palabra de Dios en las sinagogas de los judíos. Tenían también a Juan de ayudante.

**6** Y habiendo atravesado toda la isla hasta Pafos, hallaron a cierto mago, falso profeta, judío, llamado Barjesús,

**7** que estaba con el procónsul Sergio Paulo, varón prudente. Este, llamando a Bernabé y a Saulo, deseaba oír la palabra de Dios.

**8** Pero les resistía Elimas, el mago (pues así se traduce su nombre), procurando apartar de la fe al procónsul.

**9** Entonces Saulo, que también es Pablo, lleno del Espíritu Santo, fijando en él los ojos,

**10** dijo: ¡Oh, lleno de todo engaño y de toda maldad, hijo del diablo, enemigo de toda justicia! ¿No cesarás de trastornar los caminos rectos del Señor?

**11** Ahora, pues, he aquí la mano del Señor está contra ti, y serás ciego, y no verás el sol por algún tiempo. E inmediatamente cayeron sobre él oscuridad y tinieblas; y andando alrededor, buscaba quien le condujese de la mano.

---

**12.20-24** Herodes Agripa alardeaba de considerarse a sí mismo totalmente autosuficiente; no necesitaba a nadie y mucho menos a un Poder superior. Disfrutaba la adoración que recibía de su pueblo, jugando el papel de dios en sus vidas. ¡Qué contraste con su inútil forma de morir! La muerte es la gran niveladora de toda la raza humana. Dios no puede ser burlado; él juzgará a aquellos que traten de desplazarlo del trono de sus vidas. Cuando renunciamos a nuestra autosuficiencia y nos volvemos a Dios, nuestro verdadero rey, descubrimos que su misericordia y su justicia son suficientes para cada día y para la eternidad.

**13.1-3** A pesar de lo renuente que la iglesia de Antioquía pudo haber estado por perder a Pablo y a Bernabé, se sometieron inmediatamente a la voz del Espíritu Santo. Aunque significaba un cambio importante, ellos enviaron y comisionaron a estos líderes clave para el servicio misionero. Antes de enviarlos, ellos ayunaron, oraron y les impusieron las manos. De igual manera, nosotros podemos apoyarnos unos a otros en la recuperación. Si Dios es el número uno en nuestra vida, debemos estar dispuestos a entregar nuestras posesiones, estilos de vida o relaciones de dependencia para obedecer a Dios. Aunque esto pueda exigir sacrificio personal, dará como fruto gozo y serenidad.

**12** Entonces el procónsul, viendo lo que había sucedido, creyó, maravillado de la doctrina del Señor.

## Pablo y Bernabé en Antioquía de Pisidia

**13** Habiendo zarpado de Pafos, Pablo y sus compañeros arribaron a Perge de Panfilia; pero Juan, apartándose de ellos, volvió a Jerusalén.
**14** Ellos, pasando de Perge, llegaron a Antioquía de Pisidia; y entraron en la sinagoga un día de reposo y se sentaron.
**15** Y después de la lectura de la ley y de los profetas, los principales de la sinagoga mandaron a decirles: Varones hermanos, si tenéis alguna palabra de exhortación para el pueblo, hablad.
**16** Entonces Pablo, levantándose, hecha señal de silencio con la mano, dijo:

Varones israelitas, y los que teméis a Dios, oíd:
**17** El Dios de este pueblo de Israel escogió a nuestros padres, y enalteció al pueblo, siendo ellos extranjeros en tierra de Egipto,*a* y con brazo levantado los sacó de ella.*b*
**18** Y por un tiempo como de cuarenta años los soportó en el desierto;*c*
**19** y habiendo destruido siete naciones en la tierra de Canaán,*d* les dio en herencia su territorio.*e*
**20** Después, como por cuatrocientos cincuenta años, les dio jueces*f* hasta el profeta Samuel.*g*
**21** Luego pidieron rey,*h* y Dios les dio a Saúl hijo de Cis, varón de la tribu de Benjamín,*i* por cuarenta años.
**22** Quitado éste,*j* les levantó por rey a David, de quien dio también testimonio diciendo: He hallado a David hijo de Isaí, varón conforme a mi corazón, quien hará todo lo que yo quiero.*k*
**23** De la descendencia de éste, y conforme a la promesa, Dios levantó a Jesús por Salvador a Israel.
**24** Antes de su venida, predicó Juan el bautismo de arrepentimiento*l* a todo el pueblo de Israel.
**25** Mas cuando Juan terminaba su carrera, dijo: ¿Quién pensáis que soy? No soy yo él;*m* mas he aquí viene tras mí uno de quien no soy digno de desatar el calzado de los pies.*n*
**26** Varones hermanos, hijos del linaje de Abraham, y los que entre vosotros teméis a Dios, a vosotros es enviada la palabra de esta salvación.
**27** Porque los habitantes de Jerusalén y sus gobernantes, no conociendo a Jesús, ni las palabras de los profetas que se leen todos los días de reposo, las cumplieron al condenarle.
**28** Y sin hallar en él causa digna de muerte, pidieron a Pilato que se le matase.*o*
**29** Y habiendo cumplido todas las cosas que de él estaban escritas, quitándolo del madero, lo pusieron en el sepulcro.*p*
**30** Mas Dios le levantó de los muertos.
**31** Y él se apareció durante muchos días a los que habían subido juntamente con él de Galilea a Jerusalén,*q* los cuales ahora son sus testigos ante el pueblo.
**32** Y nosotros también os anunciamos el evangelio de aquella promesa hecha a nuestros padres,
**33** la cual Dios ha cumplido a los hijos de ellos, a nosotros, resucitando a Jesús; como está escrito también en el salmo segundo: Mi hijo eres tú, yo te he engendrado hoy.*r*
**34** Y en cuanto a que le levantó de los muertos para nunca más volver a corrupción, lo dijo así: Os daré las misericordias fieles de David.*s*
**35** Por eso dice también en otro salmo: No permitirás que tu Santo vea corrupción.*t*
**36** Porque a la verdad David, habiendo servido a su propia generación según la voluntad de Dios, durmió, y fue reunido con sus padres, y vio corrupción.
**37** Mas aquel a quien Dios levantó, no vio corrupción.
**38** Sabed, pues, esto, varones hermanos: que por medio de él se os anuncia perdón de pecados,
**39** y que de todo aquello de que por la ley de Moisés no pudisteis ser justificados, en él es justificado todo aquel que cree.
**40** Mirad, pues, que no venga sobre vosotros lo que está dicho en los profetas:
**41** Mirad, oh menospreciadores, y asombraos, y desapareced;
Porque yo hago una obra en vuestros días, Obra que no creeréis, si alguien os la contare.*u*

**13.17** *a* Ex. 1.7. *b* Ex. 12.51. **13.18** *c* Nm. 14.34; Dt. 1.31. **13.19** *d* Dt. 7.1. *e* Jos. 14.1. **13.20** *f* Jue. 2.16. *g* 1 S. 3.20. **13.21** *h* 1 S. 8.5. *i* 1 S. 10.21. **13.22** *j* 1 S. 13.14. *k* 1 S. 16.12; Sal. 89.20. **13.24** *l* Mr. 1.4; Lc. 3.3. **13.25** *m* Jn. 1.20. *n* Mt. 3.11; Mr. 1.7; Lc. 3.16; Jn. 1.27. **13.28** *o* Mt. 27.22-23; Mr. 15.13-14; Lc. 23.21-23; Jn. 19.15. **13.29** *p* Mt. 27.57-61; Mr. 15.42-47; Lc. 23.50-56; Jn. 19.38-42. **13.31** *q* Hch. 1.3. **13.33** *r* Sal. 2.7. **13.34** *s* Is. 55.3. **13.35** *t* Sal. 16.10. **13.41** *u* Hab. 1.5.

**13.13-14** Juan Marcos abandonó al equipo misionero y regresó a Jerusalén. No estamos seguros de por qué se separó del grupo; quizás se debió a falta de fe, desengaño con el liderazgo de Pablo, choque cultural, nostalgia por su hogar o miedo. Este fracaso nos puede recordar nuestras experiencias de recaídas. Es alentador ver que más tarde se restauró la relación entre Juan Marcos, Bernabé y Pablo. Bernabé tomó a Juan Marcos bajo su protección, aun cuando Pablo lo rechazó (15.37-39). Por las cartas de Pablo escritas una década después (Colosenses 4.10; 2 Timoteo 4.11), sabemos que Juan Marcos llegó a ser un ministro fiel en la iglesia primitiva. Nuestros fracasos se pueden convertir en oportunidades para comenzar otra vez y para seguir aprendiendo y creciendo.

# PABLO

Saulo el fariseo (más tarde llamado Pablo) era ejemplar en su fervor religioso, y apoyaba sus convicciones con acciones inmediatas y audaces. Nadie podía dudar de su sinceridad. Su prioridad era erradicar la iglesia de Jesucristo, pues él pensaba que esto era lo que Dios quería que hiciera. Persiguió con saña a los primeros cristianos.

Un día Jesús confrontó a este orgulloso líder religioso en el camino a Damasco. Él intervino en la vida de Saulo cuando este vivía impulsado por un airado fanatismo religioso. Aunque Dios cegó a Saulo físicamente, le dio una clara visión espiritual. En un momento Saulo se humilló y comenzó a andar por el camino hacia la recuperación. Dios lo liberó de la mentalidad legalista que había controlado su vida. Saulo había experimentado el poder transformador de Dios.

Con el mismo tipo de dedicación e intensidad que antes había mostrado como fariseo, Saulo, ahora llamado Pablo, salió a hablarle al mundo acerca de Jesucristo. Soportó enfermedades, rechazo y repetidos ataques a su vida, con el fin de llevar el mensaje del perdón de Dios a las personas necesitadas. Habló ante judíos, griegos y romanos. Defendió su fe ante reyes y emperadores. Cuando su vida llegaba al final, la mayoría del mundo mediterráneo había sido alcanzada con el evangelio. Este antiguo fariseo se convirtió en el misionero más importante de la iglesia primitiva.

Al regocijarnos por la transformación en la vida de Pablo, es importante que recordemos que este cambio ocurrió debido a la maravillosa gracia de Dios. En un principio, él era sumamente disfuncional, movido por su desubicada pasión. Como resultado de su conversión, sin embargo, fue liberado de sus actitudes y conductas enfermizas. Nosotros también podemos experimentar esta transformadora y libertadora gracia de Dios. Podemos ser sanados y transformados sin importar cuán oscuro sea nuestro pasado o cuán grandes hayan sido nuestros errores.

**FORTALEZAS Y LOGROS:**
- Pablo mostró una entrega total a las causas en las que creía.
- Fue un brillante portavoz de Jesucristo.
- Después de su conversión ya no lo impulsaba el logro de sus propios intereses.
- Pablo fue, en gran medida, responsable del dramático desarrollo del evangelio.

**DEBILIDADES Y ERRORES:**
- Antes de su conversión, Pablo quería destruir la iglesia de Jesucristo.
- Antes de ser creyente, Pablo negó con vehemencia la verdad sobre Jesús.

**LECCIONES PARA NUESTRA VIDA:**
- El fervor y la energía solos no impresionan a Dios ni hacen que una persona sea exitosa.
- Cualquier persona puede ser sanada de su pasado y encontrar esperanza para el futuro.
- No importa cuándo comencemos la recuperación, siempre podemos impactar a otros.

**VERSÍCULOS CLAVE:**
«Hermanos, yo mismo no pretendo haberlo ya alcanzado; pero una cosa hago: olvidando ciertamente lo que queda atrás, y extendiéndome a lo que está delante, prosigo a la meta, al premio del supremo llamamiento de Dios en Cristo Jesús» (Filipenses 3.13-14).

La historia de Pablo se cuenta en Hechos 7—28. Puede encontrarse información adicional en las varias cartas que él escribió. También se menciona a Pablo en 2 Pedro 3.15-16.

---

**42** Cuando salieron ellos de la sinagoga de los judíos, los gentiles les rogaron que el siguiente día de reposo les hablasen de estas cosas.
**43** Y despedida la congregación, muchos de los judíos y de los prosélitos piadosos siguieron a Pablo y a Bernabé, quienes hablándoles, les persuadían a que perseverasen en la gracia de Dios.
**44** El siguiente día de reposo se juntó casi toda la ciudad para oír la palabra de Dios.

**45** Pero viendo los judíos la muchedumbre, se llenaron de celos, y rebatían lo que Pablo decía, contradiciendo y blasfemando.
**46** Entonces Pablo y Bernabé, hablando con denuedo, dijeron: A vosotros a la verdad era necesario que se os hablase primero la palabra de Dios; mas puesto que la desecháis, y no os juzgáis dignos de la vida eterna, he aquí, nos volvemos a los gentiles.

---

**13.44—14.6** Celos, rechazo, ridículo, venganza, abuso físico, planes para matarlos; Pablo y Bernabé experimentaron todo esto y más mientras predicaban a otros las buenas nuevas. Algunas veces Pablo y Bernabé se quedaban en una cuidad por semanas; otras veces tenían que salir huyendo por sus vidas luego de una corta estadía. Cuando queremos solidarizarnos con otros que están en proceso de recuperación,

**47** Porque así nos ha mandado el Señor, diciendo:
Te he puesto para luz de los gentiles,
A fin de que seas para salvación hasta lo
último de la tierra.ᵛ

**48** Los gentiles, oyendo esto, se regocijaban y glorificaban la palabra del Señor, y creyeron todos los que estaban ordenados para vida eterna.

**49** Y la palabra del Señor se difundía por toda aquella provincia.

**50** Pero los judíos instigaron a mujeres piadosas y distinguidas, y a los principales de la ciudad, y levantaron persecución contra Pablo y Bernabé, y los expulsaron de sus límites.

**51** Ellos entonces, sacudiendo contra ellos el polvo de sus pies,ʷ llegaron a Iconio.

**52** Y los discípulos estaban llenos de gozo y del Espíritu Santo.

### Pablo y Bernabé en Iconio

**14** **1** Aconteció en Iconio que entraron juntos en la sinagoga de los judíos, y hablaron de tal manera que creyó una gran multitud de judíos, y asimismo de griegos.

**2** Mas los judíos que no creían excitaron y corrompieron los ánimos de los gentiles contra los hermanos.

**3** Por tanto, se detuvieron allí mucho tiempo, hablando con denuedo, confiados en el Señor, el cual daba testimonio a la palabra de su gracia, concediendo que se hiciesen por las manos de ellos señales y prodigios.

**4** Y la gente de la ciudad estaba dividida: unos estaban con los judíos, y otros con los apóstoles.

**5** Pero cuando los judíos y los gentiles, juntamente con sus gobernantes, se lanzaron a afrentarlos y apedrearlos,

**6** habiéndolo sabido, huyeron a Listra y Derbe, ciudades de Licaonia, y a toda la región circunvecina,

**7** y allí predicaban el evangelio.

### Pablo es apedreado en Listra

**8** Y cierto hombre de Listra estaba sentado, imposibilitado de los pies, cojo de nacimiento, que jamás había andado.

**9** Este oyó hablar a Pablo, el cual, fijando en él sus ojos, y viendo que tenía fe para ser sanado,

**10** dijo a gran voz: Levántate derecho sobre tus pies. Y él saltó, y anduvo.

**11** Entonces la gente, visto lo que Pablo había hecho, alzó la voz, diciendo en lengua licaónica: Dioses bajo la semejanza de hombres han descendido a nosotros.

**12** Y a Bernabé llamaban Júpiter, y a Pablo, Mercurio, porque éste era el que llevaba la palabra.

**13** Y el sacerdote de Júpiter, cuyo templo estaba frente a la ciudad, trajo toros y guirnaldas delante de las puertas, y juntamente con la muchedumbre quería ofrecer sacrificios.

**14** Cuando lo oyeron los apóstoles Bernabé y Pablo, rasgaron sus ropas, y se lanzaron entre la multitud, dando voces

**15** y diciendo: Varones, ¿por qué hacéis esto? Nosotros también somos hombres semejantes a vosotros, que os anunciamos que de estas vanidades os convirtáis al Dios vivo, que hizo el cielo y la tierra, el mar, y todo lo que en ellos hay.

**16** En las edades pasadas él ha dejado a todas las gentes andar en sus propios caminos;

**17** si bien no se dejó a sí mismo sin testimonio, haciendo bien, dándonos lluvias del cielo y tiempos fructíferos, llenando de sustento y de alegría nuestros corazones.

**18** Y diciendo estas cosas, difícilmente lograron impedir que la multitud les ofreciese sacrificio.

**19** Entonces vinieron unos judíos de Antioquía y de Iconio, que persuadieron a la multitud, y habiendo apedreado a Pablo, le arrastraron fuera de la ciudad, pensando que estaba muerto.

**20** Pero rodeándole los discípulos, se levantó y entró en la ciudad; y al día siguiente salió con Bernabé para Derbe.

**21** Y después de anunciar el evangelio a aquella ciudad y de hacer muchos discípulos, volvieron a Listra, a Iconio y a Antioquía,

**22** confirmando los ánimos de los discípulos, exhortándoles a que permaneciesen en la fe, y diciéndoles: Es necesario que a través de muchas tribulaciones entremos en el reino de Dios.

---

**13.47** ᵛ Is. 42.6; 49.6. **13.51** ʷ Mt. 10.14; Mr. 6.11; Lc. 9.5; 10.11.

---

podemos necesitar valor para permanecer ahí ante personas poco receptivas que presentan desafíos a nuestro mensaje. En otros casos, tal vez necesitemos reducir nuestras pérdidas y salir corriendo. Se necesita sabiduría de lo alto para saber qué hacer en determinada situación.

**14.14-20** La multitud en Listra erróneamente pensó que Pablo y Bernabé eran dioses griegos. Los misioneros se horrorizaron ante una adoración tan mal encauzada. Rápidamente buscaron la forma de aclarar el malentendido. Poco después de esto, unos judíos de las ciudades vecinas de Antioquía y de Iconio persuadieron a la multitud diciendo que Pablo era un charlatán. Como resultado, por poco matan a Pablo, pero Dios intervino para salvarle la vida. La gente de Listra cambió sus actitudes y opiniones sobre Dios muy rápidamente y con muy pocas evidencias. El resultado fue devastador. Si perseveramos en nuestra fe y en nuestra dedicación a Dios, disfrutaremos de una recuperación duradera.

# BERNABÉ Y JUAN MARCOS

El desánimo con frecuencia drena nuestras energías, especialmente cuando enfrentamos las pruebas en el proceso de recuperación. En momentos como esos ayuda mucho pasar tiempo con gente que sabe cómo animar a otros. Algunas personas sencillamente saben qué hacer o decir para recordarnos que la vida vale la pena, aun en medio del dolor y el fracaso. Saben cómo inspirar esperanza cuando no parece haber nada por lo que debamos tenerla. Bernabé, cuyo nombre significa "hijo de la consolación", era justo ese tipo de persona.

El don de Bernabé de animar a otros quedó demostrado por su generosidad financiera, su liderazgo, su enseñanza a los nuevos creyentes en Antioquía y por aceptar a Pablo cuando otros tenían miedo y dudaban de su conversión. Probablemente sea acertado decir que Bernabé cambió el curso de la historia de la iglesia y hasta la forma del mismo Nuevo Testamento al insistir en animar a Juan Marcos.

Lamentablemente, Juan Marcos abandonó sus responsabilidades en el primer viaje misionero con Pablo y Bernabé. Más adelante Bernabé estuvo dispuesto a darle al joven una oportunidad de recuperarse al incluirlo en los planes para el segundo viaje, pero Pablo no estuvo de acuerdo. El desacuerdo entre Pablo y Bernabé fue tan grande que decidieron separarse. Pablo regresó a Asia Menor con su nuevo compañero, Silas; Bernabé salió en su propio viaje misionero con Juan Marcos a su lado.

Alentado por Bernabé, Marcos fue fiel en su ministerio misionero y pronto recobró el respeto de Pablo. Marcos también trabajaría con el apóstol Pedro. Él es el autor del Evangelio de Marcos, escrito para animar a otros a poner su fe en Jesucristo. Como ocurrió con Juan Marcos, el fracaso no tiene que ser la última palabra en nuestra vida. La recuperación que nos ofrece Jesucristo nos da la oportunidad de un nuevo comienzo. Mientras nos recuperamos, también tenemos el privilegio de animar a otros a lo largo del camino.

## FORTALEZAS Y LOGROS:
- Bernabé tenía un don especial para animar a otros.
- Bernabé estuvo dispuesto a invertir en Juan Marcos, aun después del fracaso de este.
- Juan Marcos se convirtió en un gran ministro y escritor.

## DEBILIDADES Y ERRORES:
- Juan Marcos se dio por vencido y regresó a su casa durante el primer viaje misionero de Pablo.

## LECCIONES PARA NUESTRA VIDA:
- Mientras trabajamos en el proceso de recuperación, necesitamos de personas que nos animen y abran ante nosotros nuevas perspectivas.
- Hay momentos en los que necesitamos hacer sacrificios personales para alentar a otros.
- Aunque bien puede llevarnos a la decepción, animar a otros puede pagar enormes dividendos.

## VERSÍCULOS CLAVE:
«Y Bernabé quería que llevasen consigo a Juan, el que tenía por sobrenombre Marcos; pero a Pablo no le parecía bien llevar consigo al que se había apartado de ellos desde Panfilia, y no había ido con ellos a la obra. Y hubo tal desacuerdo entre ellos, que se separaron el uno del otro; Bernabé, tomando a Marcos, navegó a Chipre" (Hechos 15.37-39).

La historia de Bernabé y Juan Marcos aparece en Hechos 12.25— 15.39. Ambos también se mencionan en Colosenses 4.10. Se hace referencia a Bernabé en Hechos 4, 9 y 11; 1 Corintios 9 y Gálatas 2. Y a Juan Marcos en 2 Timoteo 4; Filemón 1.24 y 1 Pedro 5.

---

**23** Y constituyeron ancianos en cada iglesia, y habiendo orado con ayunos, los encomendaron al Señor en quien habían creído.

### El regreso a Antioquía de Siria
**24** Pasando luego por Pisidia, vinieron a Panfilia. **25** Y habiendo predicado la palabra en Perge, descendieron a Atalia. **26** De allí navegaron a Antioquía, desde donde habían sido encomendados a la gracia de Dios para la obra que habían cumplido. **27** Y habiendo llegado, y reunido a la iglesia, refirie-

ron cuán grandes cosas había hecho Dios con ellos, y cómo había abierto la puerta de la fe a los gentiles. **28** Y se quedaron allí mucho tiempo con los discípulos.

### El concilio en Jerusalén
**15** **1** Entonces algunos que venían de Judea enseñaban a los hermanos: Si no os circuncidáis conforme al rito de Moisés,*a* no podéis ser salvos.
**2** Como Pablo y Bernabé tuviesen una discusión y contienda no pequeña con ellos, se dispuso que

**15.1** *a* Lv. 12.3.

subiesen Pablo y Bernabé a Jerusalén, y algunos otros de ellos, a los apóstoles y a los ancianos, para tratar esta cuestión.

**3** Ellos, pues, habiendo sido encaminados por la iglesia, pasaron por Fenicia y Samaria, contando la conversión de los gentiles; y causaban gran gozo a todos los hermanos.

**4** Y llegados a Jerusalén, fueron recibidos por la iglesia y los apóstoles y los ancianos, y refirieron todas las cosas que Dios había hecho con ellos.

**5** Pero algunos de la secta de los fariseos, que habían creído, se levantaron diciendo: Es necesario circuncidarlos, y mandarles que guarden la ley de Moisés.

**6** Y se reunieron los apóstoles y los ancianos para conocer de este asunto.

**7** Y después de mucha discusión, Pedro se levantó y les dijo: Varones hermanos, vosotros sabéis cómo ya hace algún tiempo que Dios escogió que los gentiles oyesen por mi boca la palabra del evangelio y creyesen.*b*

**8** Y Dios, que conoce los corazones, les dio testimonio, dándoles el Espíritu Santo*c* lo mismo que a nosotros;*d*

**9** y ninguna diferencia hizo entre nosotros y ellos, purificando por la fe sus corazones.

**10** Ahora, pues, ¿por qué tentáis a Dios, poniendo sobre la cerviz de los discípulos un yugo que ni nuestros padres ni nosotros hemos podido llevar?

**11** Antes creemos que por la gracia del Señor Jesús seremos salvos, de igual modo que ellos.

**12** Entonces toda la multitud calló, y oyeron a Bernabé y a Pablo, que contaban cuán grandes señales y maravillas había hecho Dios por medio de ellos entre los gentiles.

**13** Y cuando ellos callaron, Jacobo respondió diciendo: Varones hermanos, oídme.

**14** Simón ha contado cómo Dios visitó por primera vez a los gentiles, para tomar de ellos pueblo para su nombre.

**15** Y con esto concuerdan las palabras de los profetas, como está escrito:

**16** Después de esto volveré
Y reedificaré el tabernáculo de David,
que está caído;
Y repararé sus ruinas,
Y lo volveré a levantar,

**17** Para que el resto de los hombres busque al Señor,
Y todos los gentiles, sobre los cuales es invocado mi nombre,

**18** Dice el Señor, que hace conocer todo esto desde tiempos antiguos.*e*

**19** Por lo cual yo juzgo que no se inquiete a los gentiles que se convierten a Dios,

**20** sino que se les escriba que se aparten de las contaminaciones de los ídolos,*f* de fornicación,*g* de ahogado y de sangre.*h*

**21** Porque Moisés desde tiempos antiguos tiene en cada ciudad quien lo predique en las sinagogas, donde es leído cada día de reposo.

**22** Entonces pareció bien a los apóstoles y a los ancianos, con toda la iglesia, elegir de entre ellos varones y enviarlos a Antioquía con Pablo y Bernabé: a Judas que tenía por sobrenombre Barsabás, y a Silas, varones principales entre los hermanos;

**23** y escribir por conducto de ellos: Los apóstoles y los ancianos y los hermanos, a los hermanos de entre los gentiles que están en Antioquía, en Siria y en Cilicia, salud.

**24** Por cuanto hemos oído que algunos que han salido de nosotros, a los cuales no dimos orden, os han inquietado con palabras, perturbando vuestras almas, mandando circuncidaros y guardar la ley,

---

**15.7** *b* Hch. 10.1-43. **15.8** *c* Hch. 10.44. *d* Hch. 2.4. **15.16-18** *e* Am. 9.11-12. **15.20** *f* Ex. 34.15-17. *g* Lv. 18.6-23. *h* Lv. 17.10-16.

---

**15.1-5** El concilio en Jerusalén fue un momento crucial en la historia del cristianismo. En el centro de la crisis estaba la ley judía. Los cristianos judíos pensaban que se les debía exigir a los cristianos gentiles que cumplieran la ley de Moisés, incluyendo el rito de la circuncisión. La respuesta del concilio podría afectar los fundamentos de la fe, la comunión, la evangelización y el liderazgo en la iglesia. El mensaje mismo de la gracia estaba en juego. ¿Es la obra de Cristo por sí sola suficiente para la salvación? ¿O también tenemos que seguir la ley de Moisés? Al final, se defendió la suficiencia de Cristo. El autoexamen y la intervención en la crisis fueron esenciales para la salud de la iglesia primitiva, así como lo son hoy día para la recuperación. Reafirmar regularmente los fundamentos de nuestra fe, y en los momentos cruciales, es importante para la recuperación y el proceso de renovación.

**15.12-21** En esta reunión del concilio Jacobo concluyó la discusión y confirmó el argumento de Pedro de que los gentiles son aceptados por Dios por medio de Cristo sin tener que adherirse a la ley judía. Jacobo defendió su criterio usando las Escrituras como su máxima autoridad en asuntos de fe y práctica. Los creyentes gentiles no tuvieron que acatar la ley judía para ser aceptados en la comunidad cristiana. De la misma manera que los cristianos judíos, sabiamente, no añadieron requisitos innecesarios para la salvación en Cristo, nosotros debemos ser cuidadosos en mantener en su propia sencillez los requisitos para participar en la recuperación. Dios es quien tiene la última palabra en la recuperación. Conforme sigamos sometiéndonos a su voluntad, él nos mostrará lo que es esencial.

**25** nos ha parecido bien, habiendo llegado a un acuerdo, elegir varones y enviarlos a vosotros con nuestros amados Bernabé y Pablo,

**26** hombres que han expuesto su vida por el nombre de nuestro Señor Jesucristo.

**27** Así que enviamos a Judas y a Silas, los cuales también de palabra os harán saber lo mismo.

**28** Porque ha parecido bien al Espíritu Santo, y a nosotros, no imponeros ninguna carga más que estas cosas necesarias:

**29** que os abstengáis de lo sacrificado a ídolos, de sangre, de ahogado y de fornicación; de las cuales cosas si os guardareis, bien haréis. Pasadlo bien.

**30** Así, pues, los que fueron enviados descendieron a Antioquía, y reuniendo a la congregación, entregaron la carta;

**31** habiendo leído la cual, se regocijaron por la consolación.

**32** Y Judas y Silas, como ellos también eran profetas, consolaron y confirmaron a los hermanos con abundancia de palabras.

**33** Y pasando algún tiempo allí, fueron despedidos en paz por los hermanos, para volver a aquellos que los habían enviado.

**34** Mas a Silas le pareció bien el quedarse allí.

**35** Y Pablo y Bernabé continuaron en Antioquía, enseñando la palabra del Señor y anunciando el evangelio con otros muchos.

### Pablo se separa de Bernabé, y comienza su segundo viaje misionero

**36** Después de algunos días, Pablo dijo a Bernabé: Volvamos a visitar a los hermanos en todas las ciudades en que hemos anunciado la palabra del Señor, para ver cómo están.

**37** Y Bernabé quería que llevasen consigo a Juan, el que tenía por sobrenombre Marcos;

**38** pero a Pablo no le parecía bien llevar consigo al que se había apartado de ellos desde Panfilia,*i* y no había ido con ellos a la obra.

**39** Y hubo tal desacuerdo entre ellos, que se separaron el uno del otro; Bernabé, tomando a Marcos, navegó a Chipre,

**40** y Pablo, escogiendo a Silas, salió encomendado por los hermanos a la gracia del Señor,

**41** y pasó por Siria y Cilicia, confirmando a las iglesias.

### Timoteo acompaña a Pablo y a Silas

**16** **1** Después llegó a Derbe y a Listra; y he aquí, había allí cierto discípulo llamado Timoteo, hijo de una mujer judía creyente, pero de padre griego;

**2** y daban buen testimonio de él los hermanos que estaban en Listra y en Iconio.

**3** Quiso Pablo que éste fuese con él; y tomándole, le circuncidó por causa de los judíos que había en aquellos lugares; porque todos sabían que su padre era griego.

**4** Y al pasar por las ciudades, les entregaban las ordenanzas que habían acordado los apóstoles y los ancianos que estaban en Jerusalén, para que las guardasen.

**5** Así que las iglesias eran confirmadas en la fe, y aumentaban en número cada día.

### La visión del varón macedonio

**6** Y atravesando Frigia y la provincia de Galacia, les fue prohibido por el Espíritu Santo hablar la palabra en Asia;

**7** y cuando llegaron a Misia, intentaron ir a Bitinia, pero el Espíritu no se lo permitió.

**8** Y pasando junto a Misia, descendieron a Troas.

**9** Y se le mostró a Pablo una visión de noche: un varón macedonio estaba en pie, rogándole y diciendo: Pasa a Macedonia y ayúdanos.

**10** Cuando vio la visión, en seguida procuramos partir para Macedonia, dando por cierto que Dios nos llamaba para que les anunciásemos el evangelio.

---

**15.38** *i* Hch. 13.13.

---

**15.36-41** La recuperación y el crecimiento espiritual son procesos que nunca se acaban. Este hecho queda demostrado en el conflicto entre Pablo y Bernabé a causa de Juan Marcos. Pablo no podía perdonar a Juan Marcos por haberlos abandonado en su primer viaje misionero (véase 13.13-14). Esto resultó en un serio desacuerdo y en la separación entre Pablo y Bernabé. Aun cuando eran hombres maduros en la fe, Pablo y Bernabé tuvieron que lidiar con el conflicto y el enojo. Tuvieron que examinar sus motivos y reparar daños. Sabemos por las cartas de Pablo que más tarde los tres se reconciliaron, debido en parte a la disposición de Bernabé de llevar a Juan Marcos con él. Al igual que estos hombres piadosos, nunca nos libramos de la necesidad de recuperación y restauración.

**16.1-3** Pablo le aconsejó a Timoteo que se sometiera a la práctica judía de la circuncisión, aunque no fuera necesario para su salvación, según lo establecido por el concilio en Jerusalén (véase 15.12-21). Timoteo siguió voluntariamente el consejo de Pablo para remover así cualquier posible piedra de tropiezo que le impidiera comunicarse con sus oyentes judíos. Al tratar de transmitir las buenas nuevas sobre el poder liberador de Dios, debemos remover cualquier barrera cultural o social que impida la comunicación eficaz. De esta manera podemos llevar el mensaje a la mayor cantidad posible de personas que necesiten recuperación.

## Encarcelados en Filipos

**11** Zarpando, pues, de Troas, vinimos con rumbo directo a Samotracia, y el día siguiente a Neápolis; **12** y de allí a Filipos, que es la primera ciudad de la provincia de Macedonia, y una colonia; y estuvimos en aquella ciudad algunos días.

**13** Y un día de reposo salimos fuera de la puerta, junto al río, donde solía hacerse la oración; y sentándonos, hablamos a las mujeres que se habían reunido.

**14** Entonces una mujer llamada Lidia, vendedora de púrpura, de la ciudad de Tiatira, que adoraba a Dios, estaba oyendo; y el Señor abrió el corazón de ella para que estuviese atenta a lo que Pablo decía.

**15** Y cuando fue bautizada, y su familia, nos rogó diciendo: Si habéis juzgado que yo sea fiel al Señor, entrad en mi casa, y posad. Y nos obligó a quedarnos.

**16** Aconteció que mientras íbamos a la oración, nos salió al encuentro una muchacha que tenía espíritu de adivinación, la cual daba gran ganancia a sus amos, adivinando.

**17** Esta, siguiendo a Pablo y a nosotros, daba voces, diciendo: Estos hombres son siervos del Dios Altísimo, quienes os anuncian el camino de salvación.

**18** Y esto lo hacía por muchos días; mas desagradando a Pablo, éste se volvió y dijo al espíritu: Te mando en el nombre de Jesucristo, que salgas de ella. Y salió en aquella misma hora.

**19** Pero viendo sus amos que había salido la esperanza de su ganancia, prendieron a Pablo y a Silas, y los trajeron al foro, ante las autoridades;

**20** y presentándolos a los magistrados, dijeron: Estos hombres, siendo judíos, alborotan nuestra ciudad,

**21** y enseñan costumbres que no nos es lícito recibir ni hacer, pues somos romanos.

**22** Y se agolpó el pueblo contra ellos; y los magistrados, rasgándoles las ropas, ordenaron azotarles con varas.

**23** Después de haberles azotado mucho, los echaron en la cárcel, mandando al carcelero que los guardase con seguridad.

**24** El cual, recibido este mandato, los metió en el calabozo de más adentro, y les aseguró los pies en el cepo.

**25** Pero a medianoche, orando Pablo y Silas, cantaban himnos a Dios; y los presos los oían.

**26** Entonces sobrevino de repente un gran terremoto, de tal manera que los cimientos de la cárcel se sacudían; y al instante se abrieron todas las puertas, y las cadenas de todos se soltaron.

**27** Despertando el carcelero, y viendo abiertas las puertas de la cárcel, sacó la espada y se iba a matar, pensando que los presos habían huido.

**28** Mas Pablo clamó a gran voz, diciendo: No te hagas ningún mal, pues todos estamos aquí.

**29** El entonces, pidiendo luz, se precipitó adentro, y temblando, se postró a los pies de Pablo y de Silas;

**30** y sacándolos, les dijo: Señores, ¿qué debo hacer para ser salvo?

**31** Ellos dijeron: Cree en el Señor Jesucristo, y serás salvo, tú y tu casa.

**32** Y le hablaron la palabra del Señor a él y a todos los que estaban en su casa.

**33** Y él, tomándolos en aquella misma hora de la noche, les lavó las heridas; y en seguida se bautizó él con todos los suyos.

**34** Y llevándolos a su casa, les puso la mesa; y se regocijó con toda su casa de haber creído a Dios.

**35** Cuando fue de día, los magistrados enviaron alguaciles a decir: Suelta a aquellos hombres.

**36** Y el carcelero hizo saber estas palabras a Pablo: Los magistrados han mandado a decir que se os suelte; así que ahora salid, y marchaos en paz.

**37** Pero Pablo les dijo: Después de azotarnos públicamente sin sentencia judicial, siendo ciudadanos romanos, nos echaron en la cárcel, ¿y ahora nos echan encubiertamente? No, por cierto, sino vengan ellos mismos a sacarnos.

---

**16.11-18** En Macedonia, los primeros convertidos por el ministerio de Pablo fueron mujeres. Una de ellas era una mujer de negocios llamada Lidia, que vendía costosas vestimentas de púrpura a los ricos. La otra mujer mencionada en este pasaje es una muchacha esclava, poseída por demonios. Dos mujeres de niveles sociales y económicos totalmente distintos en la sociedad, con testimonios clave para la iglesia en Filipos. Todos somos bienvenidos ante el trono de Dios por medio de nuestra relación con Cristo. Tal vez podamos sentirnos tentados a discriminar contra otros por razones de sexo, edad, clase social, estatus de trabajo, estado civil o impedimentos físicos. Pero el poder de recuperación que procede de Dios está disponible para todo aquel que cree en él.

**16.25-34** Pablo y Silas habían sido golpeados y encarcelados. Sin embargo, cantaban alabanzas a Dios a pesar de las difíciles circunstancias que enfrentaban. Dios no había terminado su obra por medio de Pablo y Silas, y los liberó de esta situación de abuso. Al hacerlo, les enseñó una clara lección a los gobernantes de Filipos: Dios puede liberarnos aun de las circunstancias más abusivas y sostenernos con su poder. Cuando nuestra vida está centrada en Dios y en todo lo que él ha hecho por nosotros, se afirma nuestra identidad y nuestra fuerza interior. Nuestro gozo interno y la capacidad de alabar a Dios en medio de persecuciones y pruebas son señales del poder de Dios en nosotros y pueden resultar en que nuestros enemigos crean en Dios, como sucedió con el carcelero.

**38** Y los alguaciles hicieron saber estas palabras a los magistrados, los cuales tuvieron miedo al oír que eran romanos.

**39** Y viniendo, les rogaron; y sacándolos, les pidieron que salieran de la ciudad.

**40** Entonces, saliendo de la cárcel, entraron en casa de Lidia, y habiendo visto a los hermanos, los consolaron, y se fueron.

### El alboroto en Tesalónica

**17** **1** Pasando por Anfípolis y Apolonia, llegaron a Tesalónica, donde había una sinagoga de los judíos.

**2** Y Pablo, como acostumbraba, fue a ellos, y por tres días de reposo discutió con ellos,

**3** declarando y exponiendo por medio de las Escrituras, que era necesario que el Cristo padeciese, y resucitase de los muertos; y que Jesús, a quien yo os anuncio, decía él, es el Cristo.

**4** Y algunos de ellos creyeron, y se juntaron con Pablo y con Silas; y de los griegos piadosos gran número, y mujeres nobles no pocas.

**5** Entonces los judíos que no creían, teniendo celos, tomaron consigo a algunos ociosos, hombres malos, y juntando una turba, alborotaron la ciudad; y asaltando la casa de Jasón, procuraban sacarlos al pueblo.

**6** Pero no hallándolos, trajeron a Jasón y a algunos hermanos ante las autoridades de la ciudad, gritando: Estos que trastornan el mundo entero también han venido acá;

**7** a los cuales Jasón ha recibido; y todos éstos contravienen los decretos de César, diciendo que hay otro rey, Jesús.

**8** Y alborotaron al pueblo y a las autoridades de la ciudad, oyendo estas cosas.

**9** Pero obtenida fianza de Jasón y de los demás, los soltaron.

### Pablo y Silas en Berea

**10** Inmediatamente, los hermanos enviaron de noche a Pablo y a Silas hasta Berea. Y ellos, habiendo llegado, entraron en la sinagoga de los judíos.

**11** Y éstos eran más nobles que los que estaban en Tesalónica, pues recibieron la palabra con toda solicitud, escudriñando cada día las Escrituras para ver si estas cosas eran así.

**12** Así que creyeron muchos de ellos, y mujeres griegas de distinción, y no pocos hombres.

**13** Cuando los judíos de Tesalónica supieron que también en Berea era anunciada la palabra de Dios por Pablo, fueron allá, y también alborotaron a las multitudes.

**14** Pero inmediatamente los hermanos enviaron a Pablo que fuese hacia el mar; y Silas y Timoteo se quedaron allí.

**15** Y los que se habían encargado de conducir a Pablo le llevaron a Atenas; y habiendo recibido orden para Silas y Timoteo, de que viniesen a él lo más pronto que pudiesen, salieron.

### Pablo en Atenas

**16** Mientras Pablo los esperaba en Atenas, su espíritu se enardecía viendo la ciudad entregada a la idolatría.

**17** Así que discutía en la sinagoga con los judíos y piadosos, y en la plaza cada día con los que concurrían.

**18** Y algunos filósofos de los epicúreos y de los estoicos disputaban con él; y unos decían: ¿Qué querrá decir este palabrero? Y otros: Parece que es predicador de nuevos dioses; porque les predicaba el evangelio de Jesús, y de la resurrección.

**19** Y tomándole, le trajeron al Areópago, diciendo: ¿Podremos saber qué es esta nueva enseñanza de que hablas?

**20** Pues traes a nuestros oídos cosas extrañas. Queremos, pues, saber qué quiere decir esto.

**21** (Porque todos los atenienses y los extranjeros residentes allí, en ninguna otra cosa se interesaban sino en decir o en oír algo nuevo.)

**22** Entonces Pablo, puesto en pie en medio del Areópago, dijo: Varones atenienses, en todo observo que sois muy religiosos;

**23** porque pasando y mirando vuestros santuarios, hallé también un altar en el cual estaba esta

---

**17.1-9** En Tesalónica, Pablo interpretó las Escrituras y explicó las profecías a una audiencia mayormente judía. Como resultado, muchos judíos y gentiles entregaron sus vidas a Dios. No obstante, muchos otros judíos objetaron el mensaje de Pablo. Así que alborotaron a las multitudes y a las autoridades de la ciudad para que expulsaran a Pablo de allí. Esta respuesta mixta es similar a la respuesta frente al movimiento de recuperación. Sencillamente porque algunas personas no están de acuerdo con nuestro enfoque, que centra en Dios el proceso de recuperación, no significa que el mismo esté equivocado. Debemos mantener a Dios en el centro de nuestro programa y perseverar ante la oposición, como hicieron Pablo y Silas.

**17.10-12** En Berea, Pablo disfrutó una mejor acogida de la comunidad judía. Las personas de esta ciudad buscaron en las Escrituras para verificar si Pablo y Silas realmente estaban enseñando la verdad. Es muy emocionante cuando alguien está ansioso por escuchar las buenas nuevas del plan divino de salvación y recuperación. Pero nadie debe tomar sólo nuestra palabra como criterio de verdad. Afortunadamente, tenemos las Escrituras para apoyar cada afirmación que hacemos sobre la gracia de Dios y su poder para liberarnos.

inscripción: AL DIOS NO CONOCIDO. Al que vosotros adoráis, pues, sin conocerle, es a quien yo os anuncio.

**24** El Dios que hizo el mundo y todas las cosas que en él hay, siendo Señor del cielo y de la tierra, no habita en templos hechos por manos humanas,

**25** ni es honrado por manos de hombres, como si necesitase de algo; pues él es quien da a todos vida y aliento y todas las cosas.*a*

**26** Y de una sangre ha hecho todo el linaje de los hombres, para que habiten sobre toda la faz de la tierra; y les ha prefijado el orden de los tiempos, y los límites de su habitación;

**27** para que busquen a Dios, si en alguna manera, palpando, puedan hallarle, aunque ciertamente no está lejos de cada uno de nosotros.

**28** Porque en él vivimos, y nos movemos, y somos; como algunos de vuestros propios poetas también han dicho: Porque linaje suyo somos.

**29** Siendo, pues, linaje de Dios, no debemos pensar que la Divinidad sea semejante a oro, o plata, o piedra, escultura de arte y de imaginación de hombres.

**30** Pero Dios, habiendo pasado por alto los tiempos de esta ignorancia, ahora manda a todos los hombres en todo lugar, que se arrepientan;

**31** por cuanto ha establecido un día en el cual juzgará al mundo con justicia, por aquel varón a quien designó, dando fe a todos con haberle levantado de los muertos.

**32** Pero cuando oyeron lo de la resurrección de los muertos, unos se burlaban, y otros decían: Ya te oiremos acerca de esto otra vez.

**33** Y así Pablo salió de en medio de ellos.

**34** Mas algunos creyeron, juntándose con él; entre los cuales estaba Dionisio el areopagita, una mujer llamada Dámaris, y otros con ellos.

## Pablo en Corinto

**18** **1** Después de estas cosas, Pablo salió de Atenas y fue a Corinto.

**2** Y halló a un judío llamado Aquila, natural del Ponto, recién venido de Italia con Priscila su mujer, por cuanto Claudio había mandado que todos los judíos saliesen de Roma. Fue a ellos,

**3** y como era del mismo oficio, se quedó con ellos, y trabajaban juntos, pues el oficio de ellos era hacer tiendas.

**4** Y discutía en la sinagoga todos los días de reposo, y persuadía a judíos y a griegos.

**5** Y cuando Silas y Timoteo vinieron de Macedonia, Pablo estaba entregado por entero a la predicación de la palabra, testificando a los judíos que Jesús era el Cristo.

**6** Pero oponiéndose y blasfemando éstos, les dijo, sacudiéndose los vestidos: Vuestra sangre sea sobre vuestra propia cabeza; yo, limpio; desde ahora me iré a los gentiles.

**7** Y saliendo de allí, se fue a la casa de uno llamado Justo, temeroso de Dios, la cual estaba junto a la sinagoga.

**8** Y Crispo, el principal de la sinagoga, creyó en el Señor con toda su casa; y muchos de los corintios, oyendo, creían y eran bautizados.

**9** Entonces el Señor dijo a Pablo en visión de noche: No temas, sino habla, y no calles;

**10** porque yo estoy contigo, y ninguno pondrá sobre ti la mano para hacerte mal, porque yo tengo mucho pueblo en esta ciudad.

**11** Y se detuvo allí un año y seis meses, enseñándoles la palabra de Dios.

**12** Pero siendo Galión procónsul de Acaya, los judíos se levantaron de común acuerdo contra Pablo, y le llevaron al tribunal,

**13** diciendo: Este persuade a los hombres a honrar a Dios contra la ley.

**14** Y al comenzar Pablo a hablar, Galión dijo a los judíos: Si fuera algún agravio o algún crimen enorme, oh judíos, conforme a derecho yo os toleraría.

**15** Pero si son cuestiones de palabras, y de nombres, y de vuestra ley, vedlo vosotros; porque yo no quiero ser juez de estas cosas.

**16** Y los echó del tribunal.

---

**17.24-25** *a* Is. 42.5.

---

**17.22-31** En Atenas, Pablo predicó en la sinagoga, como solía hacer cuando entraba en una nueva ciudad. Pero luego también llevó las buenas nuevas a intelectuales y filósofos en la plaza pública. Pablo comenzó reconociendo que ellos creían en un desconocido Poder superior: el "DIOS NO CONOCIDO". Después identificó ese Poder superior como el Creador, el Señor de todo, el Padre de todos, el que resucitó a Jesús y el futuro Juez. Gracias a Jesucristo, podemos conocer a Dios personalmente (véase 1 Juan 1.1-3). No tenemos que buscar un poder superior anónimo o desconocido para que nos ayude en la recuperación. Podemos confiar en un Dios poderoso, amoroso y personal.

**18.1-9** Tal vez Pablo estaba desanimado porque su ministerio en Atenas había resultado en muy pocos convertidos. Esto quizás explique tanto su desaliento en Corinto como el hecho de que mientras estuvo en esta ciudad recibió ánimo directamente de Dios. Todos pasamos por momentos difíciles, especialmente mientras tratamos de recuperarnos. No obstante, si obedecemos la voluntad de Dios, él estará ahí para animarnos en momentos de dificultad. Dios no nos ayuda hasta cierto punto, para dejar sencillamente que después nos destruyan. La ayuda de Dios es permanente.

**17** Entonces todos los griegos, apoderándose de Sóstenes, principal de la sinagoga, le golpeaban delante del tribunal; pero a Galión nada se le daba de ello.

**18** Mas Pablo, habiéndose detenido aún muchos días allí, después se despidió de los hermanos y navegó a Siria, y con él Priscila y Aquila, habiéndose rapado la cabeza en Cencrea, porque tenía hecho voto.*a*

**19** Y llegó a Efeso, y los dejó allí; y entrando en la sinagoga, discutía con los judíos,

**20** los cuales le rogaban que se quedase con ellos por más tiempo; mas no accedió,

**21** sino que se despidió de ellos, diciendo: Es necesario que en todo caso yo guarde en Jerusalén la fiesta que viene; pero otra vez volveré a vosotros, si Dios quiere. Y zarpó de Efeso.

### Pablo regresa a Antioquía y comienza su tercer viaje misionero

**22** Habiendo arribado a Cesarea, subió para saludar a la iglesia, y luego descendió a Antioquía.

**23** Y después de estar allí algún tiempo, salió, recorriendo por orden la región de Galacia y de Frigia, confirmando a todos los discípulos.

### Apolos predica en Efeso

**24** Llegó entonces a Efeso un judío llamado Apolos, natural de Alejandría, varón elocuente, poderoso en las Escrituras.

**25** Este había sido instruido en el camino del Señor; y siendo de espíritu fervoroso, hablaba y enseñaba diligentemente lo concerniente al Señor, aunque solamente conocía el bautismo de Juan.

**26** Y comenzó a hablar con denuedo en la sinagoga; pero cuando le oyeron Priscila y Aquila, le tomaron aparte y le expusieron más exactamente el camino de Dios.

**27** Y queriendo él pasar a Acaya, los hermanos le animaron, y escribieron a los discípulos que le recibiesen; y llegado él allá, fue de gran provecho a los que por la gracia habían creído;

**28** porque con gran vehemencia refutaba públicamente a los judíos, demostrando por las Escrituras que Jesús era el Cristo.

PASO **3**

### Descubra a Dios

LECTURA BÍBLICA: Hechos 17.23-28

**Tomamos la decisión de poner nuestra voluntad y nuestra vida en las manos de Dios.** Antes de poder rendir nuestra vida a Dios, necesitamos saber bien quién es él. Es crucial que nos confiemos al Dios que nos ama y no al "dios" de este mundo, quien solo busca engañarnos y destruirnos. El apóstol Pablo describió al engañador de esta manera: "... el dios de este siglo [Satanás] cegó el entendimiento de los incrédulos, para que no les resplandezca la luz del evangelio de la gloria de Cristo, el cual es la imagen de Dios" (2 Corintios 4.4). ¿Nos ha engañado Satanás? ¿Cómo podemos estar seguros de que tenemos una verdadera comprensión de Dios?

Cuando Pablo se dirigió a los hombres de Atenas, les dijo: "porque pasando y mirando vuestros santuarios, hallé también un altar en el cual estaba esta inscripción: AL DIOS NO CONOCIDO. Al que vosotros adoráis, pues, sin conocerle, es a quien yo os anuncio ... para que busquen a Dios, si en alguna manera, palpando, puedan hallarle, aunque ciertamente no está lejos de cada uno de nosotros. Porque en él vivimos, y nos movemos, y somos" (Hechos 17.23, 27-28).

Aunque quizás Dios nos sea desconocido, él está cerca y dispuesto a revelarse. Dios ha prometido "me buscaréis y me hallaréis, porque me buscaréis de todo vuestro corazón" (Jeremías 29.13). Rendir nuestra voluntad incluye aceptar a Dios como él es en lugar de insistir en crearlo según nuestra propia imagen. Cuando buscamos a Dios con corazón y mente abiertos, lo encontraremos. ***Vaya a la página 399, Santiago 4.***

---

**18.18** *a* Nm. 6.18.

---

**18.24-28** Apolos era una persona muy bien educada en filosofía y en las Escrituras, además de ser un diestro orador. Sin embargo, luego de oírlo hablar en la sinagoga, Priscila y Aquila se dieron cuenta de que su conocimiento de las Escrituras estaba incompleto. Lo tomaron aparte y le explicaron el evangelio en más detalle, instruyéndolo en las cosas que todavía no sabía o no entendía. Tal vez conozcamos personas que parecen tenerlo todo en orden, pero a quienes quizás todavía le falte conocer algún aspecto esencial para su comprensión del evangelio y de su relación con Dios. Sus talentos no debe intimidarnos para compartir la verdad con ellos. Es posible que descubramos que sienten una necesidad de recuperación en sus vidas y que están listos para responder a nuestro mensaje.

## Pablo en Efeso

**19** ¹ Aconteció que entre tanto que Apolos estaba en Corinto, Pablo, después de recorrer las regiones superiores, vino a Efeso, y hallando a ciertos discípulos,

² les dijo: ¿Recibisteis el Espíritu Santo cuando creísteis? Y ellos le dijeron: Ni siquiera hemos oído si hay Espíritu Santo.

³ Entonces dijo: ¿En qué, pues, fuisteis bautizados? Ellos dijeron: En el bautismo de Juan.

⁴ Dijo Pablo: Juan bautizó con bautismo de arrepentimiento, diciendo al pueblo que creyesen en aquel que vendría después de él, esto es, en Jesús el Cristo.ᵃ

⁵ Cuando oyeron esto, fueron bautizados en el nombre del Señor Jesús.

⁶ Y habiéndoles impuesto Pablo las manos, vino sobre ellos el Espíritu Santo; y hablaban en lenguas, y profetizaban.

⁷ Eran por todos unos doce hombres.

⁸ Y entrando Pablo en la sinagoga, habló con denuedo por espacio de tres meses, discutiendo y persuadiendo acerca del reino de Dios.

⁹ Pero endureciéndose algunos y no creyendo, maldiciendo el Camino delante de la multitud, se apartó Pablo de ellos y separó a los discípulos, discutiendo cada día en la escuela de uno llamado Tiranno.

¹⁰ Así continuó por espacio de dos años, de manera que todos los que habitaban en Asia, judíos y griegos, oyeron la palabra del Señor Jesús.

¹¹ Y hacía Dios milagros extraordinarios por mano de Pablo,

¹² de tal manera que aun se llevaban a los enfermos los paños o delantales de su cuerpo, y las enfermedades se iban de ellos, y los espíritus malos salían.

¹³ Pero algunos de los judíos, exorcistas ambulantes, intentaron invocar el nombre del Señor Jesús sobre los que tenían espíritus malos, diciendo: Os conjuro por Jesús, el que predica Pablo.

¹⁴ Había siete hijos de un tal Esceva, judío, jefe de los sacerdotes, que hacían esto.

¹⁵ Pero respondiendo el espíritu malo, dijo: A Jesús conozco, y sé quién es Pablo; pero vosotros, ¿quiénes sois?

¹⁶ Y el hombre en quien estaba el espíritu malo, saltando sobre ellos y dominándolos, pudo más que ellos, de tal manera que huyeron de aquella casa desnudos y heridos.

¹⁷ Y esto fue notorio a todos los que habitaban en Efeso, así judíos como griegos; y tuvieron temor todos ellos, y era magnificado el nombre del Señor Jesús.

¹⁸ Y muchos de los que habían creído venían, confesando y dando cuenta de sus hechos.

¹⁹ Asimismo muchos de los que habían practicado la magia trajeron los libros y los quemaron delante de todos; y hecha la cuenta de su precio, hallaron que era cincuenta mil piezas de plata.

²⁰ Así crecía y prevalecía poderosamente la palabra del Señor.

²¹ Pasadas estas cosas, Pablo se propuso en espíritu ir a Jerusalén, después de recorrer Macedonia y Acaya, diciendo: Después que haya estado allí, me será necesario ver también a Roma.

²² Y enviando a Macedonia a dos de los que le ayudaban, Timoteo y Erasto, él se quedó por algún tiempo en Asia.

## El alboroto en Efeso

²³ Hubo por aquel tiempo un disturbio no pequeño acerca del Camino.

²⁴ Porque un platero llamado Demetrio, que hacía de plata templecillos de Diana, daba no poca ganancia a los artífices;

²⁵ a los cuales, reunidos con los obreros del mismo oficio, dijo: Varones, sabéis que de este oficio obtenemos nuestra riqueza;

²⁶ pero veis y oís que este Pablo, no solamente en Efeso, sino en casi toda Asia, ha apartado a muchas gentes con persuasión, diciendo que no son dioses los que se hacen con las manos.

²⁷ Y no solamente hay peligro de que este nuestro negocio venga a desacreditarse, sino también que el templo de la gran diosa Diana sea estimado en nada, y comience a ser destruida la majestad de aquella a quien venera toda Asia, y el mundo entero.

²⁸ Cuando oyeron estas cosas, se llenaron de ira, y gritaron, diciendo: ¡Grande es Diana de los efesios!

²⁹ Y la ciudad se llenó de confusión, y a una se lanzaron al teatro, arrebatando a Gayo y a Aristarco, macedonios, compañeros de Pablo.

**19.4** ᵃ Mt. 3.11; Mr. 1.4, 7-8; Lc. 3.4, 16; Jn. 1.26-27.

---

**19.11-20** La gente de Efeso vivía esclavizada por su miedo al mundo de los espíritus. Los sietes hijos de un tal Esceva se ganaban la vida apaciguando esos temores. Sin embargo, cuando se les enfrentó un verdadero demonio, estos hombres se mostraron impotentes. Pero el demonio reconoció la autoridad de Jesucristo y Pablo porque ellos eran representantes de Dios mismo. La gente supo de esta historia que probaba la soberanía de Dios sobre el mundo demoníaco, y le sobrecogió un saludable temor hacia Jesucristo y sus verdaderos representantes. Necesitamos que el poder de Dios opere en nuestra vida porque ningún otro poder puede vencer nuestros hábitos destructivos y sostenernos durante nuestra recuperación.

# PRISCILA Y AQUILA

Priscila y Aquila estaban unidos no sólo en matrimonio sino también en el ministerio. Al escribir acerca de esta pareja piadosa, Pablo y Lucas nunca los mencionaron separados el uno del otro. Sus habilidades y talentos se complementaban; juntos pudieron enriquecer las vidas de las personas a su alrededor.

Priscila y Aquila se mudaron a Corinto, Grecia, para comenzar una nueva vida después de que se les ordenó a los judíos salir de la ciudad de Roma. Mientras se adaptaban a este cambio, abrieron su hogar al apóstol Pablo. Hacía poco que Pablo había experimentado intensas pruebas en su ministerio y necesitaba un lugar para descansar y recuperarse. En el hogar de Priscila y Aquila, Pablo no sólo encontró aceptación y amor, sino también una forma de ganarse la vida. Pablo se unió a ellos en el negocio de hacer tiendas.

Pablo descansó y fue grandemente alentado en este tiempo con Priscila y Aquila. Reconfortado luego de su visita a este hogar piadoso, Pablo respondió a los desafíos que Dios le ponía delante y entró en nuevos territorios ministeriales. Priscila y Aquila se mudaron a Efeso con Pablo y lo ayudaron en el ministerio. Su fiel amistad le proporcionó a Pablo una relación alentadora y de confianza.

Cuando Pablo salió de Efeso, Aquila y Priscila se quedaron y supervisaron el ministerio en aquel lugar. Se percataron de que un muchacho judío, Apolos, hablaba con gran denuedo pero con un conocimiento incompleto de la verdad. Pacientemente ellos le explicaron en más detalle las cosas de Dios. Pronto Apolos se convirtió en uno de los más talentosos predicadores de la iglesia primitiva.

Como resultado de su perseverancia en la obra de Dios, Priscila y Aquila llegaron a convertir su hogar en lugar de reunión de la iglesia. Su fuerte relación con Dios y su piadoso ejemplo los convirtió en líderes ideales en la iglesia primitiva. Aunque nunca llegaron a ser predicadores o líderes famosos, Dios los usó para ministrar a algunos grandes líderes de la iglesia primitiva.

## FORTALEZAS Y LOGROS:
- Priscila y Aquila compartían las responsabilidades en su matrimonio.
- Disfrutaban de un matrimonio basado en respeto y amor.
- Estuvieron dispuestos a arriesgarse y aceptar nuevos retos.
- Abrieron las puertas de su hogar para ayudar y alentar a otros.

## LECCIONES PARA NUESTRA VIDA:
- Un matrimonio saludable brinda la oportunidad al esposo y a la esposa de ejercer sus talentos.
- Un hogar saludable y piadoso siempre está abierto para ministrar a otros que estén en necesidad.
- Con frecuencia se necesita descanso antes y después de momentos de estrés y cambio.

## VERSÍCULOS CLAVE:
«Saludad a Priscila y a Aquila, mis colaboradores en Cristo Jesús, que expusieron su vida por mí; a los cuales no sólo yo doy gracias, sino también todas las iglesias de los gentiles» (Romanos 16.3-4).

La historia de Priscila y Aquila se cuenta en Hechos 18. Se mencionan también en Romanos 16.3; 1 Corintios 16.19 y 2 Timoteo 4.19.

---

**30** Y queriendo Pablo salir al pueblo, los discípulos no le dejaron.

**31** También algunas de las autoridades de Asia, que eran sus amigos, le enviaron recado, rogándole que no se presentase en el teatro.

**32** Unos, pues, gritaban una cosa, y otros otra; porque la concurrencia estaba confusa, y los más no sabían por qué se habían reunido.

**33** Y sacaron de entre la multitud a Alejandro, empujándole los judíos. Entonces Alejandro, pedido silencio con la mano, quería hablar en su defensa ante el pueblo.

**34** Pero cuando le conocieron que era judío, todos a una voz gritaron casi por dos horas: ¡Grande es Diana de los efesios!

**35** Entonces el escribano, cuando había apacigua-do a la multitud, dijo: Varones efesios, ¿y quién es el hombre que no sabe que la ciudad de los efesios es guardiana del templo de la gran diosa Diana, y de la imagen venida de Júpiter?

**36** Puesto que esto no puede contradecirse, es necesario que os apacigüéis, y que nada hagáis precipitadamente.

**37** Porque habéis traído a estos hombres, sin ser sacrílegos ni blasfemadores de vuestra diosa.

**38** Que si Demetrio y los artífices que están con él tienen pleito contra alguno, audiencias se conceden, y procónsules hay; acúsense los unos a los otros.

**39** Y si demandáis alguna otra cosa, en legítima asamblea se puede decidir.

**40** Porque peligro hay de que seamos acusados de

sedición por esto de hoy, no habiendo ninguna causa por la cual podamos dar razón de este concurso.

**41** Y habiendo dicho esto, despidió la asamblea.

## Viaje de Pablo a Macedonia y Grecia

**20** **1** Después que cesó el alboroto, llamó Pablo a los discípulos, y habiéndolos exhortado y abrazado, se despidió y salió para ir a Macedonia.

**2** Y después de recorrer aquellas regiones, y de exhortarles con abundancia de palabras, llegó a Grecia.

**3** Después de haber estado allí tres meses, y siéndole puestas asechanzas por los judíos para cuando se embarcase para Siria, tomó la decisión de volver por Macedonia.

**4** Y le acompañaron hasta Asia, Sópater de Berea, Aristarco y Segundo de Tesalónica, Gayo de Derbe, y Timoteo; y de Asia, Tíquico y Trófimo.

**5** Estos, habiéndose adelantado, nos esperaron en Troas.

**6** Y nosotros, pasados los días de los panes sin levadura, navegamos de Filipos, y en cinco días nos reunimos con ellos en Troas, donde nos quedamos siete días.

## Visita de despedida de Pablo en Troas

**7** El primer día de la semana, reunidos los discípulos para partir el pan, Pablo les enseñaba, habiendo de salir al día siguiente; y alargó el discurso hasta la medianoche.

**8** Y había muchas lámparas en el aposento alto donde estaban reunidos;

**9** y un joven llamado Eutico, que estaba sentado en la ventana, rendido de un sueño profundo, por cuanto Pablo disertaba largamente, vencido del sueño cayó del tercer piso abajo, y fue levantado muerto.

**10** Entonces descendió Pablo y se echó sobre él, y abrazándole, dijo: No os alarméis, pues está vivo.

**11** Después de haber subido, y partido el pan y comido, habló largamente hasta el alba; y así salió.

**12** Y llevaron al joven vivo, y fueron grandemente consolados.

## Viaje de Troas a Mileto

**13** Nosotros, adelantándonos a embarcarnos, navegamos a Asón para recoger allí a Pablo, ya que así lo había determinado, queriendo él ir por tierra.

**14** Cuando se reunió con nosotros en Asón, tomándole a bordo, vinimos a Mitilene.

**15** Navegando de allí, al día siguiente llegamos delante de Quío, y al otro día tomamos puerto en Samos; y habiendo hecho escala en Trogilio, al día siguiente llegamos a Mileto.

**16** Porque Pablo se había propuesto pasar de largo a Efeso, para no detenerse en Asia, pues se apresuraba por estar el día de Pentecostés, si le fuese posible, en Jerusalén.

## Discurso de despedida de Pablo en Mileto

**17** Enviando, pues, desde Mileto a Efeso, hizo llamar a los ancianos de la iglesia.

**18** Cuando vinieron a él, les dijo:

Vosotros sabéis cómo me he comportado entre vosotros todo el tiempo, desde el primer día que entré en Asia,

**19** sirviendo al Señor con toda humildad, y con muchas lágrimas, y pruebas que me han venido por las asechanzas de los judíos;

**20** y cómo nada que fuese útil he rehuido de anunciaros y enseñaros, públicamente y por las casas,

**21** testificando a judíos y a gentiles acerca del arrepentimiento para con Dios, y de la fe en nuestro Señor Jesucristo.

**22** Ahora, he aquí, ligado yo en espíritu, voy a Jerusalén, sin saber lo que allá me ha de acontecer;

**20.1-6** Pablo no actuaba como un llanero solitario; él viajaba con otros hombres piadosos. Él era responsable por ellos y ante ellos. No sólo ganaba convertidos, sino que se preocupaba por ellos y los ayudaba a crecer espiritualmente. Cuando comunicamos a otros nuestro mensaje de esperanza y recuperación es importante que hagamos algo más que sencillamente hablar de las buenas nuevas. Necesitamos acompañar paso a paso en el camino de la recuperación a aquellos que desean cambiar. El séquito de Pablo trabajaba como equipo por el bienestar de los creyentes. Así también nosotros podemos unir nuestros esfuerzos con los de otros creyentes para ayudar en el progreso de personas heridas y recibir aliento para nuestras propias luchas diarias.

**20.7-12** Eutico se quedó dormido mientras Pablo predicaba, se cayó de un tercer piso y murió. Pero Pablo lo resucitó. Como ya sabemos que tuvo un final feliz, esta historia puede parecer un tanto cómica, especialmente porque nos sentimos identificados con Eutico. (¿Quién de nosotros no se ha quedado dormido durante un sermón?) Lucas cuenta este suceso para recordarnos que Dios tiene el poder para restaurar a la vida lo que está muerto. Dios obra superando nuestras leyes naturales y nuestras capacidades, haciendo lo que podríamos considerar imposible. Él puede hacer lo mismo por los que estamos muertos en pecado y atrapados por adicciones. Podemos encontrar esperanza para nuestra restauración en esta asombrosa historia de resurrección.

# APOLOS

Apolos era un maestro de Biblia judío y un talentoso orador de Alejandría. Él había oído sobre el mensaje de Juan el Bautista referente a la llegada del Mesías. Como había estudiado las Escrituras seriamente, sabía que el mensaje era cierto. Apolos viajó hacia el norte, a Efeso, predicando el mensaje del reino de Dios y debatiendo con denuedo con los escépticos.

Priscila y Aquila oyeron predicar a Apolos en Efeso. Ellos eran dos devotos seguidores de Cristo que habían sido grandemente impactados por el ministerio de Pablo. Aunque apreciaron el fervor de Apolos, se dieron cuenta de que tenía un conocimiento incompleto de las Escrituras. Así que le tomaron aparte y le explicaron más detalladamente la verdad sobre Jesucristo, la salvación que él trajo y el Espíritu Santo que habita en los creyentes y les da poder. Por primera vez, ¡Apolos pudo entenderlo todo!

Con esta nueva comprensión, Apolos fue a ministrar en la ciudad de Corinto. Su ministerio fue tan eficaz que Pablo tuvo que advertir a los creyentes allí que mantuvieran fijos sus ojos en Cristo, y no en Apolos ni en él. Apolos siguió viajando y predicando por toda Grecia. Pablo lo apreciaba tanto que animó a Tito a que apoyara a Apolos lo más posible.

La historia de Apolos demuestra el gran valor que tiene un sabio consejo en nuestra vida. Lamentablemente, los consejeros que muchos buscan carecen de una verdadera perspectiva espiritual. Algunos de nosotros andamos tropezando en la vida por tener una visión muy limitada del amor y el poder disponibles para nosotros en Jesucristo. Mientras más se nos exponga a la verdad por medio del consejo sabio, más comprenderemos la obra de Cristo a nuestro favor. Y entonces podemos interiorizar la naturaleza sanadora del evangelio y estar mejor equipados para ministrar a otros necesitados.

## FORTALEZAS Y LOGROS:
- Apolos creía en Dios y se había entregado a él.
- Usó sus fortalezas y habilidades para el reino de Dios.
- Tuvo predisposición para aprender cuando se le confrontó con la verdad.

## DEBILIDADES Y ERRORES:
- Al principio Apolos estaba ministrando con una comprensión incompleta de la verdad.

## LECCIONES PARA NUESTRA VIDA:
- La sabiduría y la verdad de Dios están disponibles para nuestra sanidad personal.
- Conforme descubrimos la verdad de Dios y experimentamos su poder, estamos mejor capacitados para ayudar a otros que luchan como nosotros.
- Si estamos dispuestos a actuar en lo poco que sabemos, Dios hará posible que aprendamos más y más acerca de la verdad.

## VERSÍCULOS CLAVE:
«Llegó entonces a Efeso un judío llamado Apolos, natural de Alejandría, varón elocuente, poderoso en las Escrituras. ... y siendo de espíritu fervoroso, hablaba y enseñaba diligentemente lo concerniente al Señor, aunque solamente conocía el bautismo de Juan. Y comenzó a hablar con denuedo en la sinagoga; pero cuando le oyeron Priscila y Aquila, le tomaron aparte y le expusieron más exactamente el camino de Dios» (Hechos 18.24-26).

La historia de Apolos se narra en Hechos 18.24-28. También se menciona en 1 Corintios 1.12; 3.4-6, 22; 4.1,6; 16.12 y Tito 3.13.

---

**23** salvo que el Espíritu Santo por todas las ciudades me da testimonio, diciendo que me esperan prisiones y tribulaciones. **24** Pero de ninguna cosa hago caso, ni estimo preciosa mi vida para mí mismo, con tal que acabe mi carrera<sup>a</sup> con gozo, y el ministerio que recibí del Señor Jesús, para dar testimonio del evangelio de la gracia de Dios. **25** Y ahora, he aquí, yo sé que ninguno de todos vosotros, entre quienes he pasado predicando el reino de Dios, verá más mi rostro.

**26** Por tanto, yo os protesto en el día de hoy, que estoy limpio de la sangre de todos; **27** porque no he rehuido anunciaros todo el consejo de Dios. **28** Por tanto, mirad por vosotros, y por todo el rebaño en que el Espíritu Santo os ha puesto por obispos, para apacentar la iglesia del Señor, la cual él ganó por su propia sangre. **29** Porque yo sé que después de mi partida entrarán en medio de vosotros lobos rapaces, que no perdonarán al rebaño.

**20.24** <sup>a</sup> 2 Ti. 4.7.

**30** Y de vosotros mismos se levantarán hombres que hablen cosas perversas para arrastrar tras sí a los discípulos.
**31** Por tanto, velad, acordándoos que por tres años, de noche y de día, no he cesado de amonestar con lágrimas a cada uno.
**32** Y ahora, hermanos, os encomiendo a Dios, y a la palabra de su gracia, que tiene poder para sobreedificaros y daros herencia con todos los santificados.
**33** Ni plata ni oro ni vestido de nadie he codiciado.
**34** Antes vosotros sabéis que para lo que me ha sido necesario a mí y a los que están conmigo, estas manos me han servido.
**35** En todo os he enseñado que, trabajando así, se debe ayudar a los necesitados, y recordar las palabras del Señor Jesús, que dijo: Más bienaventurado es dar que recibir.
**36** Cuando hubo dicho estas cosas, se puso de rodillas, y oró con todos ellos.
**37** Entonces hubo gran llanto de todos; y echándose al cuello de Pablo, le besaban,
**38** doliéndose en gran manera por la palabra que dijo, de que no verían más su rostro. Y le acompañaron al barco.

### Viaje de Pablo a Jerusalén

**21** **1** Después de separarnos de ellos, zarpamos y fuimos con rumbo directo a Cos, y al día siguiente a Rodas, y de allí a Pátara.
**2** Y hallando un barco que pasaba a Fenicia, nos embarcamos, y zarpamos.
**3** Al avistar Chipre, dejándola a mano izquierda, navegamos a Siria, y arribamos a Tiro, porque el barco había de descargar allí.
**4** Y hallados los discípulos, nos quedamos allí siete días; y ellos decían a Pablo por el Espíritu, que no subiese a Jerusalén.
**5** Cumplidos aquellos días, salimos, acompañándonos todos, con sus mujeres e hijos, hasta fuera

de la ciudad; y puestos de rodillas en la playa, oramos.
**6** Y abrazándonos los unos a los otros, subimos al barco y ellos se volvieron a sus casas.
**7** Y nosotros completamos la navegación, saliendo de Tiro y arribando a Tolemaida; y habiendo saludado a los hermanos, nos quedamos con ellos un día.
**8** Al otro día, saliendo Pablo y los que con él estábamos, fuimos a Cesarea; y entrando en casa de Felipe*a* el evangelista, que era uno de los siete, posamos con él.
**9** Este tenía cuatro hijas doncellas que profetizaban.
**10** Y permaneciendo nosotros allí algunos días, descendió de Judea un profeta llamado Agabo,*b*
**11** quien viniendo a vernos, tomó el cinto de Pablo, y atándose los pies y las manos, dijo: Esto dice el Espíritu Santo: Así atarán los judíos en Jerusalén al varón de quien es este cinto, y le entregarán en manos de los gentiles.
**12** Al oír esto, le rogamos nosotros y los de aquel lugar, que no subiese a Jerusalén.
**13** Entonces Pablo respondió: ¿Qué hacéis llorando y quebrantándome el corazón? Porque yo estoy dispuesto no sólo a ser atado, mas aun a morir en Jerusalén por el nombre del Señor Jesús.
**14** Y como no le pudimos persuadir, desistimos, diciendo: Hágase la voluntad del Señor.
**15** Después de esos días, hechos ya los preparativos, subimos a Jerusalén.
**16** Y vinieron también con nosotros de Cesarea algunos de los discípulos, trayendo consigo a uno llamado Mnasón, de Chipre, discípulo antiguo, con quien nos hospedaríamos.

### Arresto de Pablo en el templo

**17** Cuando llegamos a Jerusalén, los hermanos nos recibieron con gozo.
**18** Y al día siguiente Pablo entró con nosotros a ver

**21.8** *a* Hch. 6.5; 8.5.  **21.10** *b* Hch. 11.28.

---

**20.22-38** Cuando Pablo se reunió con los ancianos de Efeso, les habló de sus planes de regresar a Jerusalén. Pablo sentía que el Espíritu Santo lo guiaba claramente y había decidido seguir sus indicaciones. Evidentemente, Pablo sabía que el plan de Dios lo llevaría a pasar por circunstancias difíciles. No obstante, sentía la obligación de llevar a cabo la tarea que Dios le había asignado. No es fácil seguir la voluntad de Dios en los procesos de recuperación. A veces resulta en soledad y pérdida. Otras veces causa de conflictos con nuestros familiares y amigos. Aunque seguir la voluntad de Dios pueda ser difícil en algunos momentos, es siempre el mejor camino. El ejemplo de Pablo nos anima a orar para tener un claro conocimiento de la voluntad de Dios y el poder para obedecerla.
**21.7-9** El último suceso registrado que involucra a Felipe había tenido lugar hacía aproximadamente veinticinco años cuando viajaba a Cesarea (8.40). Desde entonces, Felipe no sólo mantuvo un ministerio continuo sino que también tenía una familia piadosa, con cuatro hijas con el don de profecía. Felipe había inculcado en ellas su fe en Cristo y en el poder de Dios para la vida y el ministerio. Esto muestra que el cristianismo, aunque nuevo, tenía el poder para transformar vidas de forma permanente. Felipe demostró el tipo de perseverancia y productividad que nosotros podemos tener al poner en acción hoy día nuestro programa de recuperación.

a Jacobo, y se hallaban reunidos todos los ancianos;

**19** a los cuales, después de haberles saludado, les contó una por una las cosas que Dios había hecho entre los gentiles por su ministerio.

**20** Cuando ellos lo oyeron, glorificaron a Dios, y le dijeron: Ya ves, hermano, cuántos millares de judíos hay que han creído; y todos son celosos por la ley.

**21** Pero se les ha informado en cuanto a ti, que enseñas a todos los judíos que están entre los gentiles a apostatar de Moisés, diciéndoles que no circunciden a sus hijos, ni observen las costumbres.

**22** ¿Qué hay, pues? La multitud se reunirá de cierto, porque oirán que has venido.

**23** Haz, pues, esto que te decimos: Hay entre nosotros cuatro hombres que tienen obligación de cumplir voto.

**24** Tómalos contigo, purifícate con ellos, y paga sus gastos para que se rasuren la cabeza;*c* y todos comprenderán que no hay nada de lo que se les informó acerca de ti, sino que tú también andas ordenadamente, guardando la ley.

**25** Pero en cuanto a los gentiles que han creído, nosotros les hemos escrito determinando que no guarden nada de esto; solamente que se abstengan de lo sacrificado a los ídolos, de sangre, de ahogado y de fornicación.*d*

**26** Entonces Pablo tomó consigo a aquellos hombres, y al día siguiente, habiéndose purificado con ellos, entró en el templo, para anunciar el cumplimiento de los días de la purificación, cuando había de presentarse la ofrenda por cada uno de ellos.

**27** Pero cuando estaban para cumplirse los siete días, unos judíos de Asia, al verle en el templo, alborotaron a toda la multitud y le echaron mano,

**28** dando voces: ¡Varones israelitas, ayudad! Este es el hombre que por todas partes enseña a todos contra el pueblo, la ley y este lugar; y además de esto, ha metido a griegos en el templo, y ha profanado este santo lugar.

**29** Porque antes habían visto con él en la ciudad a Trófimo,*e* de Efeso, a quien pensaban que Pablo había metido en el templo.

**30** Así que toda la ciudad se conmovió, y se agolpó el pueblo; y apoderándose de Pablo, le arrastraron fuera del templo, e inmediatamente cerraron las puertas.

**31** Y procurando ellos matarle, se le avisó al tribuno de la compañía, que toda la ciudad de Jerusalén estaba alborotada.

**32** Este, tomando luego soldados y centuriones, corrió a ellos. Y cuando ellos vieron al tribuno y a los soldados, dejaron de golpear a Pablo.

**33** Entonces, llegando el tribuno, le prendió y le mandó atar con dos cadenas, y preguntó quién era y qué había hecho.

**34** Pero entre la multitud, unos gritaban una cosa, y otros otra; y como no podía entender nada de cierto a causa del alboroto, le mandó llevar a la fortaleza.

**35** Al llegar a las gradas, aconteció que era llevado en peso por los soldados a causa de la violencia de la multitud;

**36** porque la muchedumbre del pueblo venía detrás, gritando: ¡Muera!

## Defensa de Pablo ante el pueblo

**37** Cuando comenzaron a meter a Pablo en la fortaleza, dijo al tribuno: ¿Se me permite decirte algo? Y él dijo: ¿Sabes griego?

**38** ¿No eres tú aquel egipcio que levantó una sedición antes de estos días, y sacó al desierto los cuatro mil sicarios?

**39** Entonces dijo Pablo: Yo de cierto soy hombre judío de Tarso, ciudadano de una ciudad no insignificante de Cilicia; pero te ruego que me permitas hablar al pueblo.

**40** Y cuando él se lo permitió, Pablo, estando en pie en las gradas, hizo señal con la mano al pueblo. Y hecho gran silencio, habló en lengua hebrea, diciendo:

**22** **1** Varones hermanos y padres, oíd ahora mi defensa ante vosotros.

**2** Y al oír que les hablaba en lengua hebrea, guardaron más silencio. Y él les dijo:

**3** Yo de cierto soy judío, nacido en Tarso de Cilicia, pero criado en esta ciudad, instruido a los pies de Gamaliel,*a* estrictamente conforme a la ley de nuestros padres, celoso de Dios, como hoy lo sois todos vosotros.

---

**21.23-24** *c* Nm. 6.13-20.   **21.25** *d* Hch. 15.29.   **21.29** *e* Hch. 20.4.   **22.3** *a* Hch. 5.34-39.

---

**21.18-26** A Pablo lo habían acusado de animar a los judíos a seguir el estilo de vida de los gentiles. Por eso, los ancianos le sugirieron que participara en la ceremonia de un voto especial para mostrar a los judíos que él era todavía uno de ellos. El amor de Pablo por sus hermanos y hermanas lo llevó a hacer todo lo posible por eliminar cualquier cosa que pudiera destruir la fe de un judío creyente. De este modo, Pablo siguió el consejo de los ancianos y participó en la adoración de rigor en el templo. Como Pablo, quizás tengamos que hacer algunos sacrificios personales para así alentar a alguien que esté en el proceso de recuperación. Conforme aprendemos a no aferrarnos a nuestros derechos por el bienestar de otros, descubriremos el gozo de servir a Dios y a su pueblo.

**4** Perseguía yo este Camino hasta la muerte, prendiendo y entregando en cárceles a hombres y mujeres;

**5** como el sumo sacerdote también me es testigo, y todos los ancianos, de quienes también recibí cartas para los hermanos, y fui a Damasco para traer presos a Jerusalén también a los que estuviesen allí, para que fuesen castigados.*b*

## Pablo relata su conversión

**6** Pero aconteció que yendo yo, al llegar cerca de Damasco, como a mediodía, de repente me rodeó mucha luz del cielo;

**7** y caí al suelo, y oí una voz que me decía: Saulo, Saulo, ¿por qué me persigues?

**8** Yo entonces respondí: ¿Quién eres, Señor? Y me dijo: Yo soy Jesús de Nazaret, a quien tú persigues.

**9** Y los que estaban conmigo vieron a la verdad la luz, y se espantaron; pero no entendieron la voz del que hablaba conmigo.

**10** Y dije: ¿Qué haré, Señor? Y el Señor me dijo: Levántate, y ve a Damasco, y allí se te dirá todo lo que está ordenado que hagas.

**11** Y como yo no veía a causa de la gloria de la luz, llevado de la mano por los que estaban conmigo, llegué a Damasco.

**12** Entonces uno llamado Ananías, varón piadoso según la ley, que tenía buen testimonio de todos los judíos que allí moraban,

**13** vino a mí, y acercándose, me dijo: Hermano Saulo, recibe la vista. Y yo en aquella misma hora recobré la vista y lo miré.

**14** Y él dijo: El Dios de nuestros padres te ha escogido para que conozcas su voluntad, y veas al Justo, y oigas la voz de su boca.

**15** Porque serás testigo suyo a todos los hombres, de lo que has visto y oído.

**16** Ahora, pues, ¿por qué te detienes? Levántate y bautízate, y lava tus pecados, invocando su nombre.

## Pablo es enviado a los gentiles

**17** Y me aconteció, vuelto a Jerusalén, que orando en el templo me sobrevino un éxtasis.

**18** Y le vi que me decía: Date prisa, y sal prontamente de Jerusalén; porque no recibirán tu testimonio acerca de mí.

**19** Yo dije: Señor, ellos saben que yo encarcelaba y azotaba en todas las sinagogas a los que creían en ti;

**20** y cuando se derramaba la sangre de Esteban tu testigo, yo mismo también estaba presente, y consentía en su muerte, y guardaba las ropas de los que le mataban.*c*

**21** Pero me dijo: Ve, porque yo te enviaré lejos a los gentiles.

## Pablo en manos del tribuno

**22** Y le oyeron hasta esta palabra; entonces alzaron la voz, diciendo: Quita de la tierra a tal hombre, porque no conviene que viva.

**23** Y como ellos gritaban y arrojaban sus ropas y lanzaban polvo al aire,

**24** mandó el tribuno que le metiesen en la fortaleza, y ordenó que fuese examinado con azotes, para saber por qué causa clamaban así contra él.

**25** Pero cuando le ataron con correas, Pablo dijo al centurión que estaba presente: ¿Os es lícito azotar a un ciudadano romano sin haber sido condenado?

**26** Cuando el centurión oyó esto, fue y dio aviso al tribuno, diciendo: ¿Qué vas a hacer? Porque este hombre es ciudadano romano.

**27** Vino el tribuno y le dijo: Dime, ¿eres tú ciudadano romano? El dijo: Sí.

**28** Respondió el tribuno: Yo con una gran suma adquirí esta ciudadanía. Entonces Pablo dijo: Pero yo lo soy de nacimiento.

**29** Así que, luego se apartaron de él los que le iban a dar tormento; y aun el tribuno, al saber que era ciudadano romano, también tuvo temor por haberle atado.

## Pablo ante el concilio

**30** Al día siguiente, queriendo saber de cierto la causa por la cual le acusaban los judíos, le soltó de las cadenas, y mandó venir a los principales sacerdotes y a todo el concilio, y sacando a Pablo, le presentó ante ellos.

**23** **1** Entonces Pablo, mirando fijamente al concilio, dijo: Varones hermanos, yo con toda buena conciencia he vivido delante de Dios hasta el día de hoy.

**2** El sumo sacerdote Ananías ordenó entonces a los que estaban junto a él, que le golpeasen en la boca.

---

**22.4-5** *b* Hch. 8.3; 26.9-11.   **22.20** *c* Hch. 7.58.

---

**22.1-21** En este segundo relato de la conversión de Pablo (véase 9.1-18), encontramos un detalle adicional: Pablo estudió con el gran erudito rabínico, Gamaliel. Se nos recuerda la ira de Pablo contra los creyentes, antes de su conversión. Pero a pesar de su antigua autosuficiencia, Pablo admitió rápidamente su impotencia cuando Cristo se le apareció en una luz deslumbrante. Su estado de impotencia era tal, que otros tuvieron que llevarlo de la mano debido a su ceguera. Afortunadamente no todos necesitamos que nos ocurra un suceso tan dramático para obligarnos a enfrentar nuestra impotencia. Pero todos tenemos que reconocer que sin Dios no podemos vencer nuestra compulsión o adicción. Cuando entendamos esta verdad, habremos comenzado la jornada hacia la recuperación.

**3** Entonces Pablo le dijo: ¡Dios te golpeará a ti, pared blanqueada!ª ¿Estás tú sentado para juzgarme conforme a la ley, y quebrantando la ley me mandas golpear?

**4** Los que estaban presentes dijeron: ¿Al sumo sacerdote de Dios injurias?

**5** Pablo dijo: No sabía, hermanos, que era el sumo sacerdote; pues escrito está: No maldecirás a un príncipe de tu pueblo.ᵇ

**6** Entonces Pablo, notando que una parte era de saduceos y otra de fariseos, alzó la voz en el concilio: Varones hermanos, yo soy fariseo,ᶜ hijo de fariseo; acerca de la esperanza y de la resurrección de los muertos se me juzga.

**7** Cuando dijo esto, se produjo disensión entre los fariseos y los saduceos, y la asamblea se dividió.

**8** Porque los saduceos dicen que no hay resurrección,ᵈ ni ángel, ni espíritu; pero los fariseos afirman estas cosas.

**9** Y hubo un gran vocerío; y levantándose los escribas de la parte de los fariseos, contendían, diciendo: Ningún mal hallamos en este hombre; que si un espíritu le ha hablado, o un ángel, no resistamos a Dios.

**10** Y habiendo grande disensión, el tribuno, teniendo temor de que Pablo fuese despedazado por ellos, mandó que bajasen soldados y le arrebatasen de en medio de ellos, y le llevasen a la fortaleza.

**11** A la noche siguiente se le presentó el Señor y le dijo: Ten ánimo, Pablo, pues como has testificado de mí en Jerusalén, así es necesario que testifiques también en Roma.

### Complot contra Pablo

**12** Venido el día, algunos de los judíos tramaron un complot y se juramentaron bajo maldición, diciendo que no comerían ni beberían hasta que hubiesen dado muerte a Pablo.

**13** Eran más de cuarenta los que habían hecho esta conjuración,

**14** los cuales fueron a los principales sacerdotes y a los ancianos y dijeron: Nosotros nos hemos juramentado bajo maldición, a no gustar nada hasta que hayamos dado muerte a Pablo.

**15** Ahora pues, vosotros, con el concilio, requerid al tribuno que le traiga mañana ante vosotros, como que queréis indagar alguna cosa más cierta acerca de él; y nosotros estaremos listos para matarle antes que llegue.

**16** Mas el hijo de la hermana de Pablo, oyendo hablar de la celada, fue y entró en la fortaleza, y dio aviso a Pablo.

**17** Pablo, llamando a uno de los centuriones, dijo: Lleva a este joven ante el tribuno, porque tiene cierto aviso que darle.

**18** El entonces tomándole, le llevó al tribuno, y dijo: El preso Pablo me llamó y me rogó que trajese ante ti a este joven, que tiene algo que hablarte.

**19** El tribuno, tomándole de la mano y retirándose aparte, le preguntó: ¿Qué es lo que tienes que decirme?

**20** El le dijo: Los judíos han convenido en rogarte que mañana lleves a Pablo ante el concilio, como que van a inquirir alguna cosa más cierta acerca de él.

**21** Pero tú no les creas; porque más de cuarenta hombres de ellos le acechan, los cuales se han juramentado bajo maldición, a no comer ni beber hasta que le hayan dado muerte; y ahora están listos esperando tu promesa.

**22** Entonces el tribuno despidió al joven, mandándole que a nadie dijese que le había dado aviso de esto.

### Pablo es enviado a Félix el gobernador

**23** Y llamando a dos centuriones, mandó que preparasen para la hora tercera de la noche doscientos soldados, setenta jinetes y doscientos lanceros, para que fuesen hasta Cesarea;

**24** y que preparasen cabalgaduras en que poniendo a Pablo, le llevasen a salvo a Félix el gobernador.

**25** Y escribió una carta en estos términos:

**26** Claudio Lisias al excelentísimo gobernador Félix: Salud.

**27** A este hombre, aprehendido por los judíos, y que iban ellos a matar, lo libré yo acudiendo con la tropa, habiendo sabido que era ciudadano romano.

**28** Y queriendo saber la causa por qué le acusaban, le llevé al concilio de ellos;

**29** y hallé que le acusaban por cuestiones de la ley de ellos, pero que ningún delito tenía digno de muerte o de prisión.

**30** Pero al ser avisado de asechanzas que los judíos habían tendido contra este hombre, al punto le he

**23.3** ª Mt. 23.27-28; Lc. 11.44.   **23.5** ᵇ Ex. 22.28.   **23.6** ᶜ Hch. 26.5; Fil. 3.5.   **23.8** ᵈ Mt. 22.23; Mr. 12.18; Lc. 20.27.

**23.12-35** El valiente sobrino de Pablo arriesgó su vida para advertir a su tío sobre el complot para matarlo. Con esta información de espionaje, el comandante romano hizo ajustes en su plan y trasladó a Pablo a Cesarea sin peligro alguno. Una escolta militar acompañó a Pablo en su viaje esa misma noche y una carta de presentación dirigida al gobernador Félix le ganó a Pablo otra oportunidad para hablar en su nombre y en el de Dios. De esta manera Dios obró providencialmente a través de varias personas para llevar a Pablo un paso más cerca de Roma. Dios usa a personas -lo mismo a niños que a gobernadores- para cumplir su divina voluntad.

enviado a ti, intimando también a los acusadores que traten delante de ti lo que tengan contra él. Pásalo bien.

**31** Y los soldados, tomando a Pablo como se les ordenó, le llevaron de noche a Antípatris.

**32** Y al día siguiente, dejando a los jinetes que fuesen con él, volvieron a la fortaleza.

**33** Cuando aquéllos llegaron a Cesarea, y dieron la carta al gobernador, presentaron también a Pablo delante de él.

**34** Y el gobernador, leída la carta, preguntó de qué provincia era; y habiendo entendido que era de Cilicia,

**35** le dijo: Te oiré cuando vengan tus acusadores. Y mandó que le custodiasen en el pretorio de Herodes.

### Defensa de Pablo ante Félix

**24** **1** Cinco días después, descendió el sumo sacerdote Ananías con algunos de los ancianos y un cierto orador llamado Tértulo, y comparecieron ante el gobernador contra Pablo.

**2** Y cuando éste fue llamado, Tértulo comenzó a acusarle, diciendo:

Como debido a ti gozamos de gran paz, y muchas cosas son bien gobernadas en el pueblo por tu prudencia,

**3** oh excelentísimo Félix, lo recibimos en todo tiempo y en todo lugar con toda gratitud.

**4** Pero por no molestarte más largamente, te ruego que nos oigas brevemente conforme a tu equidad.

**5** Porque hemos hallado que este hombre es una plaga, y promotor de sediciones entre todos los judíos por todo el mundo, y cabecilla de la secta de los nazarenos.

**6** Intentó también profanar el templo; y prendiéndole, quisimos juzgarle conforme a nuestra ley.

**7** Pero interviniendo el tribuno Lisias, con gran violencia le quitó de nuestras manos,

**8** mandando a sus acusadores que viniesen a ti. Tú mismo, pues, al juzgarle, podrás informarte de todas estas cosas de que le acusamos.

**9** Los judíos también confirmaban, diciendo ser así todo.

**10** Habiéndole hecho señal el gobernador a Pablo para que hablase, éste respondió:

Porque sé que desde hace muchos años eres juez de esta nación, con buen ánimo haré mi defensa.

**11** Como tú puedes cerciorarte, no hace más de doce días que subí a adorar a Jerusalén;

**12** y no me hallaron disputando con ninguno, ni amotinando a la multitud; ni en el templo, ni en las sinagogas ni en la ciudad;

**13** ni te pueden probar las cosas de que ahora me acusan.

**14** Pero esto te confieso, que según el Camino que ellos llaman herejía, así sirvo al Dios de mis padres, creyendo todas las cosas que en la ley y en los profetas están escritas;

**15** teniendo esperanza en Dios, la cual ellos también abrigan, de que ha de haber resurrección de los muertos, así de justos como de injustos.

**16** Y por esto procuro tener siempre una conciencia sin ofensa ante Dios y ante los hombres.

**17** Pero pasados algunos años, vine a hacer limosnas a mi nación y presentar ofrendas.

**18** Estaba en ello, cuando unos judíos de Asia me hallaron purificado en el templo, no con multitud ni con alboroto.*a*

**19** Ellos debieran comparecer ante ti y acusarme, si contra mí tienen algo.

**20** O digan éstos mismos si hallaron en mí alguna cosa mal hecha, cuando comparecí ante el concilio,

**21** a no ser que estando entre ellos prorrumpí en alta voz: Acerca de la resurrección de los muertos soy juzgado hoy por vosotros.*b*

**22** Entonces Félix, oídas estas cosas, estando bien informado de este Camino, les aplazó, diciendo: Cuando descendiere el tribuno Lisias, acabaré de conocer de vuestro asunto.

**23** Y mandó al centurión que se custodiase a Pablo, pero que se le concediese alguna libertad, y que no impidiese a ninguno de los suyos servirle o venir a él.

**24** Algunos días después, viniendo Félix con Drusila su mujer, que era judía, llamó a Pablo, y le oyó acerca de la fe en Jesucristo.

**25** Pero al disertar Pablo acerca de la justicia, del dominio propio y del juicio venidero, Félix se espantó, y dijo: Ahora vete; pero cuando tenga oportunidad te llamaré.

**26** Esperaba también con esto, que Pablo le diera dinero para que le soltase; por lo cual muchas veces lo hacía venir y hablaba con él.

**27** Pero al cabo de dos años recibió Félix por sucesor a Porcio Festo; y queriendo Félix congraciarse con los judíos, dejó preso a Pablo.

---

**24.17-18** *a* Hch. 21.17-28.   **24.21** *b* Hch. 23.6.

---

**24.26-27** Félix no tomó ninguna decisión en el caso de Pablo. Probablemente temía que si liberaba a Pablo, los judíos se rebelarían. Dejó a Pablo en prisión por dos años. Tal vez tenía la esperanza de que Pablo tratara de comprar su libertad. No cabe duda de que las miserables condiciones de la prisión fueron para Pablo un gran desafío. Por la gracia de Dios, soportó pacientemente los años de su encarcelamiento. Pablo dependía de Dios para que lo ayudara un día a la vez; lo mismo podemos hacer nosotros.

## Pablo apela a César

**25** ¹ Llegado, pues, Festo a la provincia, subió de Cesarea a Jerusalén tres días después.

² Y los principales sacerdotes y los más influyentes de los judíos se presentaron ante él contra Pablo, y le rogaron,

³ pidiendo contra él, como gracia, que le hiciese traer a Jerusalén; preparando ellos una celada para matarle en el camino.

⁴ Pero Festo respondió que Pablo estaba custodiado en Cesarea, adonde él mismo partiría en breve.

⁵ Los que de vosotros puedan, dijo, desciendan conmigo, y si hay algún crimen en este hombre, acúsenle.

⁶ Y deteniéndose entre ellos no más de ocho o diez días, venido a Cesarea, al siguiente día se sentó en el tribunal, y mandó que fuese traído Pablo.

⁷ Cuando éste llegó, lo rodearon los judíos que habían venido de Jerusalén, presentando contra él muchas y graves acusaciones, las cuales no podían probar;

⁸ alegando Pablo en su defensa: Ni contra la ley de los judíos, ni contra el templo, ni contra César he pecado en nada.

⁹ Pero Festo, queriendo congraciarse con los judíos, respondiendo a Pablo dijo: ¿Quieres subir a Jerusalén, y allá ser juzgado de estas cosas delante de mí?

¹⁰ Pablo dijo: Ante el tribunal de César estoy, donde debo ser juzgado. A los judíos no les he hecho ningún agravio, como tú sabes muy bien.

¹¹ Porque si algún agravio, o cosa alguna digna de muerte he hecho, no rehúso morir; pero si nada hay de las cosas de que éstos me acusan, nadie puede entregarme a ellos. A César apelo.

¹² Entonces Festo, habiendo hablado con el consejo, respondió: A César has apelado; a César irás.

## Pablo ante Agripa y Berenice

¹³ Pasados algunos días, el rey Agripa y Berenice vinieron a Cesarea para saludar a Festo.

¹⁴ Y como estuvieron allí muchos días, Festo expuso al rey la causa de Pablo, diciendo: Un hombre ha sido dejado preso por Félix,

¹⁵ respecto al cual, cuando fui a Jerusalén, se me presentaron los principales sacerdotes y los ancianos de los judíos, pidiendo condenación contra él.

¹⁶ A éstos respondí que no es costumbre de los romanos entregar alguno a la muerte antes que el acusado tenga delante a sus acusadores, y pueda defenderse de la acusación.

¹⁷ Así que, habiendo venido ellos juntos acá, sin ninguna dilación, al día siguiente, sentado en el tribunal, mandé traer al hombre.

**26.5** ᵃ Hch. 23.6; Fil. 3.5.

¹⁸ Y estando presentes los acusadores, ningún cargo presentaron de los que yo sospechaba,

¹⁹ sino que tenían contra él ciertas cuestiones acerca de su religión, y de un cierto Jesús, ya muerto, el que Pablo afirmaba estar vivo.

²⁰ Yo, dudando en cuestión semejante, le pregunté si quería ir a Jerusalén y allá ser juzgado de estas cosas.

²¹ Mas como Pablo apeló para que se le reservase para el conocimiento de Augusto, mandé que le custodiasen hasta que le enviara yo a César.

²² Entonces Agripa dijo a Festo: Yo también quisiera oír a ese hombre. Y él le dijo: Mañana le oirás.

²³ Al otro día, viniendo Agripa y Berenice con mucha pompa, y entrando en la audiencia con los tribunos y principales hombres de la ciudad, por mandato de Festo fue traído Pablo.

²⁴ Entonces Festo dijo: Rey Agripa, y todos los varones que estáis aquí juntos con nosotros, aquí tenéis a este hombre, respecto del cual toda la multitud de los judíos me ha demandado en Jerusalén y aquí, dando voces que no debe vivir más.

²⁵ Pero yo, hallando que ninguna cosa digna de muerte ha hecho, y como él mismo apeló a Augusto, he determinado enviarle a él.

²⁶ Como no tengo cosa cierta que escribir a mi señor, le he traído ante vosotros, y mayormente ante ti, oh rey Agripa, para que después de examinarle, tenga yo qué escribir.

²⁷ Porque me parece fuera de razón enviar un preso, y no informar de los cargos que haya en su contra.

## Defensa de Pablo ante Agripa

**26** ¹ Entonces Agripa dijo a Pablo: Se te permite hablar por ti mismo. Pablo entonces, extendiendo la mano, comenzó así su defensa:

² Me tengo por dichoso, oh rey Agripa, de que haya de defenderme hoy delante de ti de todas las cosas de que soy acusado por los judíos.

³ Mayormente porque tú conoces todas las costumbres y cuestiones que hay entre los judíos; por lo cual te ruego que me oigas con paciencia.

## Vida anterior de Pablo

⁴ Mi vida, pues, desde mi juventud, la cual desde el principio pasé en mi nación, en Jerusalén, la conocen todos los judíos;

⁵ los cuales también saben que yo desde el principio, si quieren testificarlo, conforme a la más rigurosa secta de nuestra religión, viví fariseo.ᵃ

⁶ Y ahora, por la esperanza de la promesa que hizo Dios a nuestros padres soy llamado a juicio;

**7** promesa cuyo cumplimiento esperan que han de alcanzar nuestras doce tribus, sirviendo constantemente a Dios de día y de noche. Por esta esperanza, oh rey Agripa, soy acusado por los judíos. **8** ¡Qué! ¿Se juzga entre vosotros cosa increíble que Dios resucite a los muertos?

### Pablo el perseguidor

**9** Yo ciertamente había creído mi deber hacer muchas cosas contra el nombre de Jesús de Nazaret;
**10** lo cual también hice en Jerusalén. Yo encerré en cárceles a muchos de los santos, habiendo recibido poderes de los principales sacerdotes; y cuando los mataron, yo di mi voto.
**11** Y muchas veces, castigándolos en todas las sinagogas, los forcé a blasfemar; y enfurecido sobremanera contra ellos, los perseguí hasta en las ciudades extranjeras.b

### Pablo relata su conversión

**12** Ocupado en esto, iba yo a Damasco con poderes y en comisión de los principales sacerdotes,
**13** cuando a mediodía, oh rey, yendo por el camino, vi una luz del cielo que sobrepasaba el resplandor del sol, la cual me rodeó a mí y a los que iban conmigo.
**14** Y habiendo caído todos nosotros en tierra, oí una voz que me hablaba, y decía en lengua hebrea: Saulo, Saulo, ¿por qué me persigues? Dura cosa te es dar coces contra el aguijón.
**15** Yo entonces dije: ¿Quién eres, Señor? Y el Señor dijo: Yo soy Jesús, a quien tú persigues.
**16** Pero levántate, y ponte sobre tus pies; porque para esto he aparecido a ti, para ponerte por ministro y testigo de las cosas que has visto, y de aquellas en que me apareceré a ti,

**17** librándote de tu pueblo, y de los gentiles, a quienes ahora te envío,
**18** para que abras sus ojos, para que se conviertan de las tinieblas a la luz, y de la potestad de Satanás a Dios; para que reciban, por la fe que es en mí, perdón de pecados y herencia entre los santificados.

### Pablo obedece a la visión

**19** Por lo cual, oh rey Agripa, no fui rebelde a la visión celestial,
**20** sino que anuncié primeramente a los que están en Damasco,c y Jerusalén,d y por toda la tierra de Judea, y a los gentiles, que se arrepintiesen y se convirtiesen a Dios, haciendo obras dignas de arrepentimiento.
**21** Por causa de esto los judíos, prendiéndome en el templo, intentaron matarme.
**22** Pero habiendo obtenido auxilio de Dios, persevero hasta el día de hoy, dando testimonio a pequeños y a grandes, no diciendo nada fuera de las cosas que los profetas y Moisés dijeron que habían de suceder:
**23** Que el Cristo había de padecer, y ser el primero de la resurrección de los muertos, para anunciar luz al pueblo y a los gentiles.e

### Pablo insta a Agripa a que crea

**24** Diciendo él estas cosas en su defensa, Festo a gran voz dijo: Estás loco, Pablo; las muchas letras te vuelven loco.
**25** Mas él dijo: No estoy loco, excelentísimo Festo, sino que hablo palabras de verdad y de cordura.
**26** Pues el rey sabe estas cosas, delante de quien también hablo con toda confianza. Porque no pienso que ignora nada de esto; pues no se ha hecho esto en algún rincón.

**26.9-11** b Hch. 8.3; 22.4-5.   **26.20** c Hch. 9.20.   d Hch. 9.28-29.   **26.23** e Is. 42.6; 49.6.

**26.1-23** Este es el tercer relato, en el libro de Hechos, de la conversión de Pablo (véanse 9.1-20; 22.1-21). Pablo se había vuelto bastante diestro en contar su historia a cualquiera que quisiera oírla. Antes de conocer a Cristo, Pablo era un poderoso enemigo de la fe cristiana e hizo cosas horribles para juzgar a los cristianos y parar su crecimiento. El dramático encuentro de Pablo con Jesús lo llevó a un doloroso despertar espiritual. Después de su conversión, predicó a otros que necesitaban oir el mensaje de salvación que Dios ofrece. Si no estamos seguros sobre cómo compartir nuestra historia con otros, podemos seguir el ejemplo de Pablo y contarles lo que pasó en nuestra vida antes, durante y después de experimentar la liberación operada por Dios en nosotros.

**26.19-23** Pablo le aseguró al rey Agripa que estaba sufriendo persecución no porque hubiera hecho algo incorrecto sino porque estaba predicando la fe que una vez había intentado destruir. Pablo demostró que su predicación estaba de acuerdo con las Escrituras judías. La enseñanza básica del Antiguo y del Nuevo Testamento es que Dios desea liberar a todo el mundo del poder del pecado y lo ha hecho perfectamente a través de la obra del Ungido de Dios: el Mesías. Saber que Dios desea salvarnos es esencial para el proceso de recuperación.

**26.24-29** Pablo estaba tan preocupado por la salvación de otras personas que tenía poco tiempo para preocuparse por sus propios problemas. Aquí arriesgó su vida para testificarle a un hombre que tenía el poder para ordenar que lo mataran. Esta conversación con el rey Agripa muestra el ardiente deseo de Pablo de ablandar hasta los corazones más endurecidos y reclamarlos para Dios. Para todo el que esté en recuperación es muy útil desviar la vista de nuestras propias aflicciones y enfocarla en las necesidades de

**27** ¿Crees, oh rey Agripa, a los profetas? Yo sé que crees.

**28** Entonces Agripa dijo a Pablo: Por poco me persuades a ser cristiano.

**29** Y Pablo dijo: ¡Quisiera Dios que por poco o por mucho, no solamente tú, sino también todos los que hoy me oyen, fueseis hechos tales cual yo soy, excepto estas cadenas!

**30** Cuando había dicho estas cosas, se levantó el rey, y el gobernador, y Berenice, y los que se habían sentado con ellos;

**31** y cuando se retiraron aparte, hablaban entre sí, diciendo: Ninguna cosa digna ni de muerte ni de prisión ha hecho este hombre.

**32** Y Agripa dijo a Festo: Podía este hombre ser puesto en libertad, si no hubiera apelado a César.

## Pablo es enviado a Roma

**27** **1** Cuando se decidió que habíamos de navegar para Italia, entregaron a Pablo y a algunos otros presos a un centurión llamado Julio, de la compañía Augusta.

**2** Y embarcándonos en una nave adramitena que iba a tocar los puertos de Asia, zarpamos, estando con nosotros Aristarco, macedonio de Tesalónica.

**3** Al otro día llegamos a Sidón; y Julio, tratando humanamente a Pablo, le permitió que fuese a los amigos, para ser atendido por ellos.

**4** Y haciéndonos a la vela desde allí, navegamos a sotavento de Chipre, porque los vientos eran contrarios.

**5** Habiendo atravesado el mar frente a Cilicia y Panfilia, arribamos a Mira, ciudad de Licia.

**6** Y hallando allí el centurión una nave alejandrina que zarpaba para Italia, nos embarcó en ella.

**7** Navegando muchos días despacio, y llegando a duras penas frente a Gnido, porque nos impedía el viento, navegamos a sotavento de Creta, frente a Salmón.

**8** Y costeándola con dificultad, llegamos a un lugar que llaman Buenos Puertos, cerca del cual estaba la ciudad de Lasea.

**9** Y habiendo pasado mucho tiempo, y siendo ya peligrosa la navegación, por haber pasado ya el ayuno, Pablo les amonestaba,

**10** diciéndoles: Varones, veo que la navegación va a ser con perjuicio y mucha pérdida, no sólo del

**PASO 5**

### Recibamos el perdón

LECTURA BÍBLICA: Hechos 26.12-18

**Confesamos a Dios, a nosotros mismos y a los demás la naturaleza exacta de nuestros defectos.**

Mientras trabajamos en nuestro programa de recuperación, pasamos por el proceso de aceptar la verdad sobre nuestra vida y sobre las consecuencias de nuestras decisiones. Quizás sintamos que tenemos que merecer el perdón en vez de sólo recibirlo. Tal vez se nos haga más fácil perdonar a quienes nos han lastimado que perdonarnos a nosotros mismos por el daño que hemos causado.

Cuando Jesús confrontó al apóstol Pablo le dio esta misión: "[...] levántate, y ponte sobre tus pies; porque para esto he aparecido a ti, para ponerte por ministro y testigo de las cosas que has visto ... y de los gentiles, a quienes ahora te envío, para que abras sus ojos, para que se conviertan de las tinieblas a la luz, y de la potestad de Satanás a Dios; para que reciban, por la fe que es en mí, perdón de pecados y herencia entre los santificados" (Hechos 26.16-18).

La meta de Dios al enviarnos su Palabra es que podamos recibir su perdón. El proceso incluye que primero abramos los ojos ante nuestra verdadera condición (lo que ocurre en los Pasos 1, 2 y 4). Esto nos da la oportunidad para arrepentirnos y cambiar nuestra mente, de manera que estemos de acuerdo con Dios y listos para confesar nuestros pecados. Dios quiere que recibamos perdón inmediato, basado en la obra consumada por Jesucristo. No somos ciudadanos de segunda categoría en el reino de Dios. No tenemos que pasar por los restantes Doce Pasos como si se tratara de una forma de penitencia. El perdón nos espera en este mismo momento si tan solo lo recibimos. ***Vaya a la página 233, Romanos 2.***

---

otros. Al ayudar a otros a descubrir la senda hacia la recuperación, nos liberaremos de nuestro egocentrismo y seremos fortalecidos en nuestra propia recuperación.

**27.1-15** El plan de Dios era que Pablo fuera a Roma, pero el camino hasta allá no sería nada fácil. Después de años en prisión, Pablo finalmente tomó una embarcación rumbo a Roma; llegó allí no sin antes sobrevivir a una tormenta que amenazó su vida y a un naufragio. Pablo no tenía control de los medios ni del tiempo para llegar a su destino. Pero sabía que Dios lo quería en Roma y estaba confiado en que a la larga llegaría allí. Podemos estar seguros de que Dios quiere que progresemos en nuestra recuperación. Sin embargo,

cargamento y de la nave, sino también de nuestras personas.

**11** Pero el centurión daba más crédito al piloto y al patrón de la nave, que a lo que Pablo decía.

**12** Y siendo incómodo el puerto para invernar, la mayoría acordó zarpar también de allí, por si pudiesen arribar a Fenice, puerto de Creta que mira al nordeste y sudeste, e invernar allí.

## La tempestad en el mar

**13** Y soplando una brisa del sur, pareciéndoles que ya tenían lo que deseaban, levaron anclas e iban costeando Creta.

**14** Pero no mucho después dio contra la nave un viento huracanado llamado Euroclidón.

**15** Y siendo arrebatada la nave, y no pudiendo poner proa al viento, nos abandonamos a él y nos dejamos llevar.

**16** Y habiendo corrido a sotavento de una pequeña isla llamada Clauda, con dificultad pudimos recoger el esquife.

**17** Y una vez subido a bordo, usaron de refuerzos para ceñir la nave; y teniendo temor de dar en la Sirte, arriaron las velas y quedaron a la deriva.

**18** Pero siendo combatidos por una furiosa tempestad, al siguiente día empezaron a alijar,

**19** y al tercer día con nuestras propias manos arrojamos los aparejos de la nave.

**20** Y no apareciendo ni sol ni estrellas por muchos días, y acosados por una tempestad no pequeña, ya habíamos perdido toda esperanza de salvarnos.

**21** Entonces Pablo, como hacía ya mucho que no comíamos, puesto en pie en medio de ellos, dijo: Habría sido por cierto conveniente, oh varones, haberme oído, y no zarpar de Creta tan sólo para recibir este perjuicio y pérdida.

**22** Pero ahora os exhorto a tener buen ánimo, pues no habrá ninguna pérdida de vida entre vosotros, sino solamente de la nave.

**23** Porque esta noche ha estado conmigo el ángel del Dios de quien soy y a quien sirvo,

**24** diciendo: Pablo, no temas; es necesario que comparezcas ante César; y he aquí, Dios te ha concedido todos los que navegan contigo.

**25** Por tanto, oh varones, tened buen ánimo; porque yo confío en Dios que será así como se me ha dicho.

**26** Con todo, es necesario que demos en alguna isla.

**27** Venida la decimacuarta noche, y siendo llevados a través del mar Adriático, a la medianoche los marineros sospecharon que estaban cerca de tierra;

**28** y echando la sonda, hallaron veinte brazas; y pasando un poco más adelante, volviendo a echar la sonda, hallaron quince brazas.

**29** Y temiendo dar en escollos, echaron cuatro anclas por la popa, y ansiaban que se hiciese de día.

**30** Entonces los marineros procuraron huir de la nave, y echando el esquife al mar, aparentaban como que querían largar las anclas de proa.

**31** Pero Pablo dijo al centurión y a los soldados: Si éstos no permanecen en la nave, vosotros no podéis salvaros.

**32** Entonces los soldados cortaron las amarras del esquife y lo dejaron perderse.

**33** Cuando comenzó a amanecer, Pablo exhortaba a todos que comiesen, diciendo: Este es el decimocuarto día que veláis y permanecéis en ayunas, sin comer nada.

**34** Por tanto, os ruego que comáis por vuestra salud; pues ni aun un cabello de la cabeza de ninguno de vosotros perecerá.

**35** Y habiendo dicho esto, tomó el pan y dio gracias a Dios en presencia de todos, y partiéndolo, comenzó a comer.

**36** Entonces todos, teniendo ya mejor ánimo, comieron también.

**37** Y éramos todas las personas en la nave doscientas setenta y seis.

**38** Y ya satisfechos, aligeraron la nave, echando el trigo al mar.

## El naufragio

**39** Cuando se hizo de día, no reconocían la tierra, pero veían una ensenada que tenía playa, en la cual acordaron varar, si pudiesen, la nave.

**40** Cortando, pues, las anclas, las dejaron en el

---

como Pablo, no tenemos completo control sobre la ruta que tomaremos para llegar. La fidelidad no nos garantiza una vida sin tormentas o naufragios. No obstante, Dios sí nos garantiza que su presencia y poder estará con nosotros y que sí llegaremos a nuestro destino final.

**27.13-26** Después de dos semanas azotados por tormentas, los marineros habían perdido todas sus esperanzas, y todo el mundo estaba hambriento y aterrado. Aun así, Pablo los instó a confiar en su promesa de parte de Dios de que sobrevivirían. El destino de 276 personas -pasajeros y tripulantes- pendía de un hilo. La valerosa fe de Pablo se sostuvo en la seguridad de que llegaría a Roma, pero no sin pasar por tribulaciones. La vida durante la recuperación es muchas veces así. Se nos asegura por fe un resultado positivo, pero usualmente se obtiene perseverando en medio de momentos difíciles.

**27.27-42** El capitán y el dueño de la embarcación no habían hecho caso antes a Pablo (27.9-12), pero en este momento lo escucharon cuidadosamente (27.30-32). Pablo les aseguró que aunque la nave sería destruida, todos los pasajeros llegarían a tierra a salvo. Al día siguiente la embarcación naufragó, y los

mar, largando también las amarras del timón; e izada al viento la vela de proa, enfilaron hacia la playa.

**41** Pero dando en un lugar de dos aguas, hicieron encallar la nave; y la proa, hincada, quedó inmóvil, y la popa se abría con la violencia del mar.

**42** Entonces los soldados acordaron matar a los presos, para que ninguno se fugase nadando.

**43** Pero el centurión, queriendo salvar a Pablo, les impidió este intento, y mandó que los que pudiesen nadar se echasen los primeros, y saliesen a tierra;

**44** y los demás, parte en tablas, parte en cosas de la nave. Y así aconteció que todos se salvaron saliendo a tierra.

## Pablo en la isla de Malta

**28** **1** Estando ya a salvo, supimos que la isla se llamaba Malta.

**2** Y los naturales nos trataron con no poca humanidad; porque encendiendo un fuego, nos recibieron a todos, a causa de la lluvia que caía, y del frío.

**3** Entonces, habiendo recogido Pablo algunas ramas secas, las echó al fuego; y una víbora, huyendo del calor, se le prendió en la mano.

**4** Cuando los naturales vieron la víbora colgando de su mano, se decían unos a otros: Ciertamente este hombre es homicida, a quien, escapado del mar, la justicia no deja vivir.

**5** Pero él, sacudiendo la víbora en el fuego, ningún daño padeció.

**6** Ellos estaban esperando que él se hinchase, o cayese muerto de repente; mas habiendo esperado mucho, y viendo que ningún mal le venía, cambiaron de parecer y dijeron que era un dios.

**7** En aquellos lugares había propiedades del hombre principal de la isla, llamado Publio, quien nos recibió y hospedó solícitamente tres días.

**8** Y aconteció que el padre de Publio estaba en cama, enfermo de fiebre y de disentería; y entró Pablo a verle, y después de haber orado, le impuso las manos, y le sanó.

**9** Hecho esto, también los otros que en la isla tenían enfermedades, venían, y eran sanados;

**10** los cuales también nos honraron con muchas atenciones; y cuando zarpamos, nos cargaron de las cosas necesarias.

## Pablo llega a Roma

**11** Pasados tres meses, nos hicimos a la vela en una nave alejandrina que había invernado en la isla, la cual tenía por enseña a Cástor y Pólux.

**12** Y llegados a Siracusa, estuvimos allí tres días.

**13** De allí, costeando alrededor, llegamos a Regio; y otro día después, soplando el viento sur, llegamos al segundo día a Puteoli,

**14** donde habiendo hallado hermanos, nos rogaron que nos quedásemos con ellos siete días; y luego fuimos a Roma,

**15** de donde, oyendo de nosotros los hermanos, salieron a recibirnos hasta el Foro de Apio y las Tres Tabernas; y al verlos, Pablo dio gracias a Dios y cobró aliento.

**16** Cuando llegamos a Roma, el centurión entregó los presos al prefecto militar, pero a Pablo se le permitió vivir aparte, con un soldado que le custodiase.

## Pablo predica en Roma

**17** Aconteció que tres días después, Pablo convocó a los principales de los judíos, a los cuales, luego que estuvieron reunidos, les dijo: Yo, varones hermanos, no habiendo hecho nada contra el pueblo, ni contra las costumbres de nuestros padres, he sido entregado preso desde Jerusalén en manos de los romanos;

**18** los cuales, habiéndome examinado, me querían soltar, por no haber en mí ninguna causa de muerte.

**19** Pero oponiéndose los judíos, me vi obligado a apelar a César;*a* no porque tenga de qué acusar a mi nación.

**20** Así que por esta causa os he llamado para veros y hablaros; porque por la esperanza de Israel estoy sujeto con esta cadena.

**21** Entonces ellos le dijeron: Nosotros ni hemos recibido de Judea cartas acerca de ti, ni ha venido alguno de los hermanos que haya denunciado o hablado algún mal de ti.

**28.19** *a* Hch. 25.11.

vientos y las olas la destruyeron. Pero todos los pasajeros estuvieron a salvo. Pocos de nosotros recibimos advertencias sobre el futuro como las recibió Pablo. Pero podemos tener la misma confianza en el poder de Dios para protegernos cuando hacemos su voluntad. Podemos tener éxito en nuestra recuperación caminando obedientemente en fe, un paso a la vez.

**28.1-10** Los tripulantes y los pasajeros de la embarcación pasaron el invierno seguros en la isla de Malta. Si los mares tormentosos no pudieron frustrar el plan de Dios para Pablo, tampoco lo haría la mordida de una serpiente venenosa. Pablo fue mordido por una víbora, pero no sufrió ningún efecto adverso. Mientras se le impedía a Pablo llegar a Roma, él ayudaba a las personas que lo rodeaban. Para Pablo, aun los obstáculos eran oportunidades para servir a otros y hablarles de su fe. Mientras pasamos el proceso de recuperación, nosotros también podemos transformar nuestros obstáculos en maravillosas oportunidades de crecimiento y servicio.

**22** Pero querríamos oír de ti lo que piensas; porque de esta secta nos es notorio que en todas partes se habla contra ella.

**23** Y habiéndole señalado un día, vinieron a él muchos a la posada, a los cuales les declaraba y les testificaba el reino de Dios desde la mañana hasta la tarde, persuadiéndoles acerca de Jesús, tanto por la ley de Moisés como por los profetas.

**24** Y algunos asentían a lo que se decía, pero otros no creían.

**25** Y como no estuviesen de acuerdo entre sí, al retirarse, les dijo Pablo esta palabra: Bien habló el Espíritu Santo por medio del profeta Isaías a nuestros padres, diciendo:

**26** Ve a este pueblo, y diles:
De oído oiréis, y no entenderéis;
Y viendo veréis, y no percibiréis;

**27** Porque el corazón de este pueblo se ha engrosado,
Y con los oídos oyeron pesadamente,
Y sus ojos han cerrado,
Para que no vean con los ojos,
Y oigan con los oídos,
Y entiendan de corazón,
Y se conviertan,
Y yo los sane.b

**28** Sabed, pues, que a los gentiles es enviada esta salvación de Dios; y ellos oirán.

**29** Y cuando hubo dicho esto, los judíos se fueron, teniendo gran discusión entre sí.

**30** Y Pablo permaneció dos años enteros en una casa alquilada, y recibía a todos los que a él venían,

**31** predicando el reino de Dios y enseñando acerca del Señor Jesucristo, abiertamente y sin impedimento.

---

**28.26-27** b Is. 6.9-10.

---

**28.30-31** Aun bajo arresto domiciliario, Pablo experimentó la paz y el contentamiento que sólo vienen de odedecer la voluntad de Dios. Pablo llevó el mensaje de salvación a personas necesitadas sin importar las circunstancias por las que él atravesaba. Su vida es un ejemplo para cada uno de nosotros, que demuestra la importancia y los beneficios de perseverar en nuestra relación con Dios y de compartir nuestra fe. Conforme conocemos mejor a Dios, aprendamos a confiar en su amor y poder, y compartamos con otros este poder para recuperación, podremos vivir cada nuevo día con serenidad y valor.

REFLEXIONES SOBRE
# HECHOS

## ✳ *perspectivas* ACERCA DEL ESPÍRITU SANTO

En **Hechos 2.5-15**, cuando el Espíritu Santo vino con poder, los resultados fueron inmediatamente manifiestos en los creyentes, especialmente en Pedro. Este hombre, que antes había fracasado en el cumplimiento de su compromiso con Cristo (Lucas 22.54-62), ahora estaba predicando con confianza y ayudando a otros a descubrir este nuevo poder para vivir. Cuando experimentamos el poder de Dios en nuestra vida, nunca seremos los mismos ni podremos callarnos las buenas nuevas.

## ✳ *perspectivas* DESDE LA COMUNIDAD CRISTIANA PRIMITIVA

Según fue creciendo la comunidad cristiana, surgieron varios problemas. Uno de esos problemas se menciona en **Hechos 6.1** y tiene que ver con la distribución de alimentos entre las viudas necesitadas. Al parecer, el conflicto tenía sus raíces en las diferencias culturales entre varios miembros de la iglesia. La mayoría de los miembros eran judíos palestinos que hablaban arameo, pero también había judíos que hablaban griego y se habían criado fuera de Palestina. Según parece, los judíos originarios de Palestina no les prestaban cuidado a los judíos de habla griega. Las relaciones dentro de la iglesia, así como en el proceso de recuperación personal, pueden volverse tirantes, y hasta romperse, si los miembros se niegan a aceptarse los unos a los otros. En la medida en que reconozcamos humildemente nuestra necesidad personal del misericordioso perdón de Dios, iremos teniendo menos problemas para aceptar a las personas que son diferentes a nosotros.

## ✳ *perspectivas* ACERCA DE LA VIDA DE FELIPE

En **Hechos 8.26-40**, Felipe es llamado a compartir las buenas nuevas con un etíope eunuco. Felipe es un excelente modelo de cómo nosotros podemos involucrarnos efectivamente en esta importante actividad de recuperación. Él no se apresuró, por lo que no comenzó a predicar de una vez. Se tomó el tiempo necesario para entender dónde estaba el etíope con respecto a su fe. Luego procedió humilde y confiadamente a hablarle de la verdad de Dios; esto es, que Jesús es el Mesías y que por medio de él podemos experimentar liberación del pecado y del poder del pecado. Hablar de nuestra fe como lo hizo Felipe toma tiempo y requiere paciencia y sensibilidad. Pero al seguir el ejemplo de Felipe, aprenderemos a compartir nuestra fe no sólo con palabras sino también con obras.

## ✳ *perspectivas* ACERCA DE LA VIDA DE PABLO

En **Hechos 9.3-9** Pablo va camino a Damasco para perseguir allí a los cristianos. Cuando estaba cerca de su destino, repentinamente lo tiró al suelo una brillante luz del cielo. Ciego e impotente, Pablo fue llevado a Damasco para esperar allí instrucciones adicionales de parte de Dios. No comió ni bebió nada por tres días. Fue forzado a un riguroso período de evaluación interior. Este tipo de experiencia con frecuencia es muy útil en la recuperación. Es posible que algunos de nosotros hayamos sido confrontados repentina y dramáticamente con la dolorosa verdad sobre nuestra vida. Pero ya sea que haya ocurrido como un trueno o como un susurro, todos hemos tenido que enfrentar cara a cara nuestros pecados y defectos de carácter. La recuperación comienza cuando descubrimos nuestra impotencia; y sigue con una sincera autocrítica y una continua dependencia del poder de Dios.

# ROMANOS

## EL PANORAMA

La iglesia en Roma fue un testimonio del poder de Dios. Había prosperado a pesar de los obstáculos que planteaban las culturas paganas a su alrededor. Sin embargo, los creyentes de Roma no eran perfectos; de hecho, enfrentaban algunos problemas serios. Aunque estaban bien cimentados en su fe, sus convicciones y su unidad como grupo estaban amenazadas por sus divisiones raciales y culturales.

El tema principal de esta carta es el evangelio: la buena noticia de que la salvación del pecado está disponible por medio de Jesucristo. En el corazón del evangelio está la verdad de que Dios es más grande que nuestro pasado. No importa quiénes somos o qué hayamos hecho, podemos ser salvos por gracia (favor inmerecido de Dios) por medio de la fe (confianza absoluta) en Cristo. Podemos pararnos ante Dios, justificados, al ser declarados «no culpables». ¡Y estas sí que son buenas noticias!

En Romanos, Pablo explica cuatro asuntos principales. Primero, Dios no hace distinción entre nosotros como individuos: todos somos culpables y a todos se nos ofrece su regalo de salvación. Segundo, todos podemos ser libres del poder del pecado por medio de la gracia de Dios y el Espíritu Santo en nosotros. Tercero, todos estamos «en recuperación» y por lo tanto no hay lugar para la arrogancia. Y cuarto, debido a la misericordia de Dios todos debemos respetarnos unos a otros, a pesar de nuestras diferencias.

Mucha gente ha dicho que este es el tratado teológico más profundo jamás escrito, pero realmente es una carta sobre cómo vivir como cristianos. Nos enseña cómo lidiar con nuestras actitudes y conductas pecaminosas, y nos habla acerca de cómo regresar al camino correcto. La carta de Pablo nos habla directamente a nosotros, enseñándonos cómo recuperarnos de los efectos del pecado y de los desórdenes en nuestra vida.

## EN ESENCIA

PROPÓSITO: Hacer la presentación del autor ante la iglesia de Roma y resumir su mensaje antes de llegar allí personalmente. AUTOR: El apóstol Pablo. DESTINATARIO: La iglesia de Roma. FECHA: 57 d.C., desde Corinto, justo antes del regreso de Pablo a Jerusalén. ESCENARIO: Pablo escribió esta carta como anticipación a una futura visita a los creyentes de Roma. VERSÍCULOS CLAVE: «Por lo cual estoy seguro de que ni la muerte, ni la vida, ni ángeles, ni principados, ni potestades, ni lo presente, ni lo por venir, ni lo alto, ni lo profundo, ni ninguna otra cosa creada nos podrá separar del amor de Dios» (8.38-39). PERSONAS Y RELACIONES CLAVE: Pablo con los creyentes de Roma y con Febe, quien ayudó a Pablo en su ministerio.

## TEMAS SOBRE RECUPERACIÓN

*Nuestra necesidad universal:* Todos hemos pecado; ninguno ha llegado a la altura del glorioso estándar de Dios. Sin importar si hemos caído en las profundidades de una adicción que nos domina, si los miembros de una familia disfuncional han abusado de nosotros o si hemos escapado de un trauma severo, todos tenemos necesidad de recuperarnos de un tipo de pecado o de otro. Desde que Adán y Eva se rebelaron contra Dios, nuestra naturaleza ha sido desobedecerlo; hemos sido adictos a no tomar en cuenta la voluntad de Dios. Todos somos impotentes en nuestro pecado y necesitamos a Dios para salvarnos.

*El poder de Dios para libertar:* Nuestra necesidad de recuperación incluye la necesidad de recibir perdón y de perdonar, así como de ser purificados de los efectos de nuestro pasado. A pesar de que somos impotentes para ayudarnos a nosotros mismos y realmente no merecemos que nos ayuden, Dios, en su inmenso amor, se nos acerca, nos ofrece perdonarnos, limpiarnos y darnos la capacidad de convertirnos en lo que él quiere que seamos. ¡Estas son realmente buenas noticias! Nuestra parte consiste en admitir nuestra impotencia y entregar nuestra vida y voluntad a este poderoso y amoroso Dios.

*La recuperación conduce a la libertad:* Debido a que Dios ha atacado la raíz de nuestros problemas, es decir, ha hecho posible que nos liberemos de nuestros pecados, podemos liberarnos de la adicción que nos domina. Por medio del poder de Dios, nuestra vida puede volverse manejable. Aunque el proceso nunca es fácil, con el tiempo podemos ser más y más como Cristo, al caminar con él cada día. Mientras mejor lo conozcamos, más fortaleza recibiremos. Al continuar haciendo inventario, confesando nuestros pecados, pidiendo su perdón y buscando reparar el daño causado a otros, podemos experimentar verdadera libertad.

*El rol de la fe:* Gran parte de esta carta describe la importancia de la fe o la confianza en Dios. «Mas el justo por la fe vivirá» (1.17). No hay otro camino para la recuperación; el rol de la fe es central. El proceso de recuperación comenzó con la fe, cuando entregamos a Dios nuestra voluntad y nuestra vida, y cada paso posterior en ese proceso se apoya en aquel primer paso de fe. No hay una fórmula mágica para lograrlo: se trata de confiar diariamente en nuestro todopoderoso Dios, quien nos promete no abandonarnos nunca y amarnos siempre sin importar cuán difíciles de amar seamos.

---

### Salutación

**1** ¹ Pablo, siervo de Jesucristo, llamado a ser apóstol, apartado para el evangelio de Dios,
² que él había prometido antes por sus profetas en las santas Escrituras,
³ acerca de su Hijo, nuestro Señor Jesucristo, que era del linaje de David según la carne,
⁴ que fue declarado Hijo de Dios con poder, según el Espíritu de santidad, por la resurrección de entre los muertos,
⁵ y por quien recibimos la gracia y el apostolado, para la obediencia a la fe en todas las naciones por amor de su nombre;
⁶ entre las cuales estáis también vosotros, llamados a ser de Jesucristo;

⁷ a todos los que estáis en Roma, amados de Dios, llamados a ser santos: Gracia y paz a vosotros, de Dios nuestro Padre y del Señor Jesucristo.

### Deseo de Pablo de visitar Roma

⁸ Primeramente doy gracias a mi Dios mediante Jesucristo con respecto a todos vosotros, de que vuestra fe se divulga por todo el mundo.
⁹ Porque testigo me es Dios, a quien sirvo en mi espíritu en el evangelio de su Hijo, de que sin cesar hago mención de vosotros siempre en mis oraciones,
¹⁰ rogando que de alguna manera tenga al fin, por la voluntad de Dios, un próspero viaje para ir a vosotros.

---

**1.1** En esta carta Pablo, se presenta como siervo de Jesucristo. Pablo era ciudadano romano; para él sería inconcebible escoger una vida de servidumbre. Pablo usó a propósito esta palabra para demostrar su humildad y dependencia de Dios. Pablo mostró el tipo de humildad que necesitamos en el proceso de recuperación. Progresamos en la recuperación cuando reconocemos lo impotentes que somos y lo mucho que necesitamos a Dios. Sólo cuando nos sometemos gozosamente a la voluntad de Dios para nuestra vida podemos comenzar el proceso de recuperación.

**1.16-17** Todos hemos fallado de una forma u otra, y todos sabemos qué vergüenza se siente entonces. Nos avergonzamos de nuestros pasados fracasos, de nuestros malos hábitos y hasta de los abusos que

**11** Porque deseo veros, para comunicaros algún don espiritual, a fin de que seáis confirmados;
**12** esto es, para ser mutuamente confortados por la fe que nos es común a vosotros y a mí.

**13** Pero no quiero, hermanos, que ignoréis que muchas veces me he propuesto ir a vosotros*a* (pero hasta ahora he sido estorbado), para tener también entre vosotros algún fruto, como entre los demás gentiles.
**14** A griegos y a no griegos, a sabios y a no sabios soy deudor.
**15** Así que, en cuanto a mí, pronto estoy a anunciaros el evangelio también a vosotros que estáis en Roma.

### El poder del evangelio

**16** Porque no me avergüenzo del evangelio, porque es poder de Dios para salvación a todo aquel que cree; al judío primeramente, y también al griego.
**17** Porque en el evangelio la justicia de Dios se revela por fe y para fe, como está escrito: Mas el justo por la fe vivirá.*b*

### La culpabilidad del hombre

**18** Porque la ira de Dios se revela desde el cielo contra toda impiedad e injusticia de los hombres que detienen con injusticia la verdad;
**19** porque lo que de Dios se conoce les es manifiesto, pues Dios se lo manifestó.
**20** Porque las cosas invisibles de él, su eterno poder y deidad, se hacen claramente visibles desde la creación del mundo, siendo entendidas por medio de las cosas hechas, de modo que no tienen excusa.
**21** Pues habiendo conocido a Dios, no le glorificaron como a Dios, ni le dieron gracias, sino que se envanecieron en sus razonamientos, y su necio corazón fue entenebrecido.
**22** Profesando ser sabios, se hicieron necios,
**23** y cambiaron la gloria del Dios incorruptible en semejanza de imagen de hombre corruptible, de aves, de cuadrúpedos y de reptiles.
**24** Por lo cual también Dios los entregó a la inmundicia, en las concupiscencias de sus corazones, de modo que deshonraron entre sí sus próprios cuerpos,
**25** ya que cambiaron la verdad de Dios por la mentira, honrando y dando culto a las criaturas antes que al Creador, el cual es bendito por los siglos. Amén.
**26** Por esto Dios los entregó a pasiones vergonzosas; pues aun sus mujeres cambiaron el uso natural por el que es contra naturaleza,

PASO 2

### Cómo llegar a creer

LECTURA BÍBLICA: Romanos 1.18-20

**Llegamos a creer que un Poder superior a nosotros podía devolvernos el sano juicio.**
Decir que «llegamos a creer» sugiere un proceso. Creer es el resultado de considerar, dudar, razonar y concluir. La habilidad de dar forma a una creencia es parte de lo que significa estar hechos a la imagen de Dios. Involucra emoción y lógica. Nos lleva a la acción. Entonces, ¿cuál es el proceso que nos lleva a una creencia sólida y cambia nuestra vida?

Comenzamos con nuestras experiencias personales y vemos qué es lo que no funciona. Al examinar nuestra propia condición, nos damos cuenta de que no tenemos suficiente poder para vencer nuestra dependencia. Tratamos con todas nuestras fuerzas, pero sin ningún resultado. Cuando estamos lo suficientemente tranquilos como para escuchar, oímos esa quieta y suave vocecita interior que nos dice: «Existe un Dios y es extremadamente poderoso.» El apóstol Pablo lo dijo de esta manera: «Porque lo que de Dios se conoce les es manifiesto [a todas las personas], pues Dios se lo manifestó» (Romanos 1.19).

Reconocer nuestras íntimas debilidades es el primer paso hacia la recuperación. Cuando miramos más allá de nosotros, descubrimos que hay otros que han luchado contra una adicción y se han recuperado. Sabemos que ellos también eran incapaces de sanarse por sí mismos, sin embargo, ahora viven libres de sus conductas adictivas. Concluimos que debe haber un Poder superior que los ayudó. Puesto que podemos ver las similitudes entre sus luchas y las nuestras, llegamos al conocimiento de que nuestro poderoso Dios puede restaurarnos y darnos cordura. Aquí es donde mucha gente se encuentra cuando llega al Paso Dos, y en el camino hacia la recuperación, ese es un buen lugar para estar. *Vaya a la página 381, Hebreos 11.*

---

**1.13** *a* Hch. 19.21.   **1.17** *b* Hab. 2.4.

---

hemos sufrido. Pablo nos dice que la buena nueva de Jesucristo es el poder de Dios para liberarnos de todas las cosas vergonzosas que haya en nuestra vida. ¡Y es para todo el mundo! Dios tiene el poder para liberarnos y transformarnos cuando le entregamos nuestra vida. ¡Ciertamente, no hay nada de qué avergonzarse en las buenas nuevas de salvación!

**27** y de igual modo también los hombres, dejando el uso natural de la mujer, se encendieron en su lascivia unos con otros, cometiendo hechos vergonzosos hombres con hombres, y recibiendo en sí mismos la retribución debida a su extravío.

**28** Y como ellos no aprobaron tener en cuenta a Dios, Dios los entregó a una mente reprobada, para hacer cosas que no convienen;

**29** estando atestados de toda injusticia, fornicación, perversidad, avaricia, maldad; llenos de envidia, homicidios, contiendas, engaños y malignidades;

**30** murmuradores, detractores, aborrecedores de Dios, injuriosos, soberbios, altivos, inventores de males, desobedientes a los padres,

**31** necios, desleales, sin afecto natural, implacables, sin misericordia;

**32** quienes habiendo entendido el juicio de Dios, que los que practican tales cosas son dignos de muerte, no sólo las hacen, sino que también se complacen con los que las practican.

## El justo juicio de Dios

**2** **1** Por lo cual eres inexcusable, oh hombre, quienquiera que seas tú que juzgas; pues en lo que juzgas a otro, te condenas a ti mismo;*a* porque tú que juzgas haces lo mismo.

**2** Mas sabemos que el juicio de Dios contra los que practican tales cosas es según verdad.

**3** ¿Y piensas esto, oh hombre, tú que juzgas a los que tal hacen, y haces lo mismo, que tú escaparás del juicio de Dios?

**4** ¿O menosprecias las riquezas de su benignidad, paciencia y longanimidad, ignorando que su benignidad te guía al arrepentimiento?

**5** Pero por tu dureza y por tu corazón no arrepentido, atesoras para ti mismo ira para el día de la ira y de la revelación del justo juicio de Dios,

**6** el cual pagará a cada uno conforme a sus obras:*b*

**7** vida eterna a los que, perseverando en bien hacer, buscan gloria y honra e inmortalidad,

**8** pero ira y enojo a los que son contenciosos y no obedecen a la verdad, sino que obedecen a la injusticia;

**9** tribulación y angustia sobre todo ser humano que hace lo malo, el judío primeramente y también el griego,

**10** pero gloria y honra y paz a todo el que hace lo bueno, al judío primeramente y también al griego;

**11** porque no hay acepción de personas para con Dios.*c*

**12** Porque todos los que sin ley han pecado, sin ley también perecerán; y todos los que bajo la ley han pecado, por la ley serán juzgados;

**2.1** *a* Mt. 7.1; Lc. 6.37.  **2.6** *b* Sal. 62.12.  **2.11** *c* Dt. 10.17.

---

**1.21-32** Cuando nos negamos a confesar nuestra impotencia y nos aferramos a nuestra autosuficiencia, seguimos el camino descendente que Pablo describe aquí. Primero, cambiamos la adoración a Dios por la adoración a las cosas que se convierten en nuestra adicción o compulsión. Segundo, cambiamos la adoración al Dios viviente por una deliberada forma de pecado. Tercero, vamos más allá de estas formas de pecado, a la negación profunda: creemos las mentiras y rechazamos la verdad. Este pasaje describe la vida que se ha vuelto totalmente inmanejable, la consecuencia natural de negarnos a reconocer a Dios. La única forma de escapar de tal destrucción es reconociendo nuestra impotencia y entregando a Dios nuestra vida.

**2.1-4** Cuando vemos a personas cuyas vidas son perversas y están completamente fuera de control, resulta fácil sentirnos superiores hasta el punto de señalarlos con el dedo. Pablo corrige rápidamente esta tendencia al mostrar que todos estamos en el mismo bote. Todos hacemos cosas incorrectas y escondemos todo tipo de problemas, hábitos y pecados en los recovecos oscuros de nuestra vida. Si con frecuencia aplicamos este pasaje a otras personas, probablemente necesitemos aplicárnoslo a nosotros mismos. La recuperación comienza haciendo un inventario personal sincero.

**2.5-16** Dios es imparcial. Él no nos perdona porque seamos miembros de un grupo especial de personas. No nos juzga por nuestra forma de hablar, caminar o vestir. Él juzga si estamos obedeciéndolo y creyendo en él o no. Los judíos en tiempos de Pablo creían que habían recibido privilegios especiales de Dios, pero aquí vemos que Dios trata por igual a todas las personas. Si admitimos nuestros fracasos y procuramos obedecer la voluntad de Dios para nosotros, somos su pueblo especial. Además, vamos entonces por el camino hacia la recuperación. Algunos nos hemos sentido toda la vida como intrusos, siendo rechazados por otros debido a nuestros problemas y fracasos. Dios nunca nos rechazará si confesamos nuestros pecados, aceptamos su perdón y le obedecemos humildemente.

**2.28-29** Pablo hace un claro señalamiento en estos versículos: Dios se preocupa por que nuestro corazón esté abierto y le sea obediente. Nuestras actividades religiosas o de recuperación dirigidas hacia los demás son importantes sólo si reflejan nuestro amor a Dios y al prójimo. Siempre podemos fingir que estamos recuperándonos, de la misma forma que podemos fingir nuestra relación con Dios. Si nos limitamos a hacer las cosas de la forma debida pero no nos entregamos realmente a Dios, no podemos progresar por mucho tiempo. Pero si estamos llenos de su Espíritu y motivados por nuestro amor a Dios y a los demás, ningún obstáculo en el camino de recuperación será demasiado grande para que no lo podamos vencer.

**13** porque no son los oidores de la ley los justos ante Dios, sino los hacedores de la ley serán justificados.

**14** Porque cuando los gentiles que no tienen ley, hacen por naturaleza lo que es de la ley, éstos, aunque no tengan ley, son ley para sí mismos,

**15** mostrando la obra de la ley escrita en sus corazones, dando testimonio su conciencia, y acusándoles o defendiéndoles sus razonamientos,

**16** en el día en que Dios juzgará por Jesucristo los secretos de los hombres, conforme a mi evangelio.

### Los judíos y la ley

**17** He aquí, tú tienes el sobrenombre de judío, y te apoyas en la ley, y te glorías en Dios,

**18** y conoces su voluntad, e instruido por la ley apruebas lo mejor,

**19** y confías en que eres guía de los ciegos, luz de los que están en tinieblas,

**20** instructor de los indoctos, maestro de niños, que tienes en la ley la forma de la ciencia y de la verdad.

**21** Tú, pues, que enseñas a otro, ¿no te enseñas a ti mismo? Tú que predicas que no se ha de hurtar, ¿hurtas?

**22** Tú que dices que no se ha de adulterar, ¿adulteras? Tú que abominas de los ídolos, ¿cometes sacrilegio?

**23** Tú que te jactas de la ley, ¿con infracción de la ley deshonras a Dios?

**24** Porque como está escrito, el nombre de Dios es blasfemado entre los gentiles por causa de vosotros.*d*

**25** Pues en verdad la circuncisión aprovecha, si guardas la ley; pero si eres transgresor de la ley, tu circuncisión viene a ser incircuncisión.

**26** Si, pues, el incircunciso guardare las ordenanzas de la ley, ¿no será tenida su incircuncisión como circuncisión?

**27** Y el que físicamente es incircunciso, pero guarda perfectamente la ley, te condenará a ti, que con la letra de la ley y con la circuncisión eres transgresor de la ley.

**28** Pues no es judío el que lo es exteriormente, ni es la circuncisión la que se hace exteriormente en la carne;

**29** sino que es judío el que lo es en lo interior, y la circuncisión es la del corazón, en espíritu, no en letra; la alabanza del cual no viene de los hombres, sino de Dios.

**3** **1** ¿Qué ventaja tiene, pues, el judío? ¿o de qué aprovecha la circuncisión?

**2** Mucho, en todas maneras. Primero, ciertamente, que les ha sido confiada la palabra de Dios.

PASO

5

### Libertad por medio de la confesión

LECTURA BÍBLICA: Romanos 2.12-15

**Confesamos a Dios, a nosotros mismos y a los demás la naturaleza exacta de nuestros defectos.**

Todos luchamos con nuestra conciencia, tratando de hacer las paces dentro de nuestro corazón. Podemos negar lo que hemos hecho, buscar excusas o tratar de escabullirnos debajo de todo el peso de nuestra conducta. Podemos esforzarnos para ser «buenos», intentando contrarrestar nuestros errores. Hacemos todo lo posible por empatar la pelea. Sin embargo, para poder deshacernos de nuestro pasado, tenemos que dejar de justificar nuestros pecados y confesar la verdad.

Todos nacemos con un sistema de alarma interno que nos alerta cuando hacemos algo incorrecto. Dios nos hace responsables a todos: « ... aunque no tengan ley, son ley para sí mismos, mostrando la obra de la ley escrita en sus corazones, dando testimonio su conciencia, y acusándoles o defendiéndoles sus razonamientos» (Romanos 2.14-15).

En el Paso Cinco nos proponemos detener esta lucha interna y admitir que lo que está mal, está mal. Es tiempo de ser sinceros con Dios y con nosotros mismos respecto de nuestros encubrimientos y de la naturaleza exacta de nuestros errores. Necesitamos confesar los pecados que hemos cometido y el dolor que hemos causado a otros. Tal vez hayamos pasado años elaborando coartadas, inventando excusas y tratando de beneficiarnos con negociaciones. Es tiempo de decir la verdad. Es tiempo de admitir lo que sabemos muy bien que es cierto: «Sí, soy culpable de la acusación.»

No hay libertad real sin confesión. Qué gran alivio cuando finalmente nos quitamos de encima el peso de nuestras mentiras y excusas. Cuando confesemos nuestros pecados, encontraremos la paz interna que hace tanto tiempo habíamos perdido. También estaremos un paso más cerca de la recuperación.

*Vaya a la página 299, Gálatas 6.*

**3** ¿Pues qué, si algunos de ellos han sido incrédulos? ¿Su incredulidad habrá hecho nula la fidelidad de Dios?
**4** De ninguna manera; antes bien sea Dios veraz, y todo hombre mentiroso; como está escrito:
Para que seas justificado en tus palabras,
Y venzas cuando fueres juzgado.*a*
**5** Y si nuestra injusticia hace resaltar la justicia de Dios, ¿qué diremos? ¿Será injusto Dios que da castigo? (Hablo como hombre.)
**6** En ninguna manera; de otro modo, ¿cómo juzgaría Dios al mundo?
**7** Pero si por mi mentira la verdad de Dios abundó para su gloria, ¿por qué aún soy juzgado como pecador?
**8** ¿Y por qué no decir (como se nos calumnia, y como algunos, cuya condenación es justa, afirman que nosotros decimos): Hagamos males para que vengan bienes?

**No hay justo**

**9** ¿Qué, pues? ¿Somos nosotros mejores que ellos? En ninguna manera; pues ya hemos acusado a judíos y a gentiles, que todos están bajo pecado.
**10** Como está escrito:
No hay justo, ni aun uno;
**11** No hay quien entienda,
No hay quien busque a Dios.
**12** Todos se desviaron, a una se hicieron inútiles;
No hay quien haga lo bueno,
no hay ni siquiera uno.*b*
**13** Sepulcro abierto es su garganta;
Con su lengua engañan.*c*
Veneno de áspides hay debajo de sus labios;*d*

**14** Su boca está llena de maldición
y de amargura.*e*
**15** Sus pies se apresuran para derramar sangre;
**16** Quebranto y desventura hay en sus caminos;
**17** Y no conocieron camino de paz.*f*
**18** No hay temor de Dios delante de sus ojos.*g*
**19** Pero sabemos que todo lo que la ley dice, lo dice a los que están bajo la ley, para que toda boca se cierre y todo el mundo quede bajo el juicio de Dios;
**20** ya que por las obras de la ley ningún ser humano será justificado delante de él;*h* porque por medio de la ley es el conocimiento del pecado.

**La justicia es por medio de la fe**

**21** Pero ahora, aparte de la ley, se ha manifestado la justicia de Dios, testificada por la ley y por los profetas;
**22** la justicia de Dios por medio de la fe en Jesucristo,*i* para todos los que creen en él. Porque no hay diferencia,
**23** por cuanto todos pecaron, y están destituidos de la gloria de Dios,
**24** siendo justificados gratuitamente por su gracia, mediante la redención que es en Cristo Jesús,
**25** a quien Dios puso como propiciación por medio de la fe en su sangre, para manifestar su justicia, a causa de haber pasado por alto, en su paciencia, los pecados pasados,
**26** con la mira de manifestar en este tiempo su justicia, a fin de que él sea el justo, y el que justifica al que es de la fe de Jesús.
**27** ¿Dónde, pues, está la jactancia? Queda excluida. ¿Por cuál ley? ¿Por la de las obras? No, sino por la ley de la fe.

**3.4** *a* Sal. 51.4.  **3.10-12** *b* Sal. 14.1-3; 53.1-3.  **3.13** *c* Sal. 5.9.  *d* Sal. 140.3.  **3.14** *e* Sal. 10.7.
**3.15-17** *f* Is. 59.7-8.  **3.18** *g* Sal. 36.1.  **3.20** *h* Sal. 143.2; Gá. 2.16.  **3.22** *i* Gá. 2.16.

**3.20** Mientras mejor conozcamos las leyes divinas, el corazón de Dios y sus demandas en nuestra vida, más claro se nos hará que no estamos a la altura de lo que se espera de nosotros. Las leyes divinas del Antiguo Testamento representan la voluntad de Dios para nosotros; obedecerlas nos conduce a una vida piadosa. Pero ninguno de nosotros puede seguir estos ideales por fuerza propia. Tenemos que reconocer a diario nuestra necesidad del misericordioso perdón de Dios y de su poder para ayudarnos a seguir el programa que él ha trazado para una vida sana. Cuando fallamos en nuestra obediencia a Dios, podemos recordarnos a nosotros mismos que somos impotentes sin él. Este es el primer paso para regresar al proceso de recuperación.
**3.21-26** Esta porción de las Escrituras establece claramente por qué Jesús murió en la cruz. Somos justificados ante Dios por medio de la fe en Jesucristo. Ninguno de nosotros es tan bueno que no necesite a Dios; ninguno es tan malo que esté fuera del alcance de su gracia amorosa. Jesús nos declaró inocentes y nos liberó de la ira de Dios. La salvación es gratuita, ¡pero Dios pagó un precio muy caro por ella!
**3.27** Dios trata con todas las personas con las mismas exigencias, sin que importen la raza o la clase social. En nuestros días Pablo podría haber dicho que Dios le presta la misma atención al clamor de un desamparado alcohólico que la que le presta a la persona más rica del mundo. Nadie puede ganarse la aceptación de Dios. Todos debemos llegar a la recuperación por medio de la fe y la confianza en él. Esto nos deja sin nada de qué jactarnos; ninguno de nosotros puede salvarse por algo que haga o diga. Pero tampoco hay ninguna razón para escondernos de Dios; no hay nada tan malo en nuestra vida que no pueda ser completamente perdonado por nuestro misericordioso y amoroso Dios.

**28** Concluimos, pues, que el hombre es justificado por fe sin las obras de la ley.

**29** ¿Es Dios solamente Dios de los judíos? ¿No es también Dios de los gentiles? Ciertamente, también de los gentiles.

**30** Porque Dios es uno, y él justificará por la fe a los de la circuncisión, y por medio de la fe a los de la incircuncisión.

**31** ¿Luego por la fe invalidamos la ley? En ninguna manera, sino que confirmamos la ley.

## El ejemplo de Abraham

**4** **1** ¿Qué, pues, diremos que halló Abraham, nuestro padre según la carne?

**2** Porque si Abraham fue justificado por las obras, tiene de qué gloriarse, pero no para con Dios.

**3** Porque ¿qué dice la Escritura? Creyó Abraham a Dios, y le fue contado por justicia.*a*

**4** Pero al que obra, no se le cuenta el salario como gracia, sino como deuda;

**5** mas al que no obra, sino cree en aquel que justifica al impío, su fe le es contada por justicia.

**6** Como también David habla de la bienaventuranza del hombre a quien Dios atribuye justicia sin obras,

**7** diciendo:

>Bienaventurados aquellos cuyas iniquidades
>    son perdonadas,
>Y cuyos pecados son cubiertos.
>**8** Bienaventurado el varón
>    a quien el Señor
>    no inculpa de pecado.*b*

**9** ¿Es, pues, esta bienaventuranza solamente para los de la circuncisión, o también para los de la incircuncisión? Porque decimos que a Abraham le fue contada la fe por justicia.

**10** ¿Cómo, pues, le fue contada? ¿Estando en la circuncisión, o en la incircuncisión? No en la circuncisión, sino en la incircuncisión.

**11** Y recibió la circuncisión*c* como señal, como sello de la justicia de la fe que tuvo estando aún incircunciso; para que fuese padre de todos los creyentes no circuncidados, a fin de que también a ellos la fe les sea contada por justicia;

**12** y padre de la circuncisión, para los que no solamente son de la circuncisión, sino que también siguen las pisadas de la fe que tuvo nuestro padre Abraham antes de ser circuncidado.

# Percepción de uno mismo

LEA ROMANOS 3.10-12

Tal vez sintamos que somos diferentes de los demás; ya sea mucho peor o mucho mejor. Quizás nos subestimemos y nos comparemos continuamente con «buenas» personas. O es posible que nuestra adicción nos parezca más socialmente aceptable que otras. Así que nos consolamos despreciando a otros cuyos pecados parecen peores que los nuestros.

«Como está escrito: No hay justo, ni aun uno; no hay quien entienda, no hay quien busque a Dios. Todos se desviaron, a una se hicieron inútiles; no hay quien haga lo bueno, no hay ni siquiera uno» (Romanos 3.10-12).

Con frecuencia se usa el primer capítulo de Romanos para condenar los pecados o las adicciones sexuales. La gente tiende a ignorar los últimos versículos, en los que se condenan los pecados más «aceptables», tales como la murmuración, la desobediencia a los padres o la jactancia. En el segundo capítulo el apóstol Pablo se dirige a las personas que se consideran a sí mismas mejores que los demás: «Por lo cual eres inexcusable, oh hombre, quienquiera que seas tú que juzgas; pues en lo que juzgas a otro, te condenas a ti mismo; porque tú que juzgas haces lo mismo» (Romanos 2.1).

Todos estamos hechos de la misma materia, tanto de la buena como de la mala. Podemos actuar de distintas maneras, pero ante los ojos de Dios todos somos iguales. Admitir nuestros defectos nos ayuda a recordar que, después de todo, no somos tan diferentes de los demás. Al invocar a Dios y admitir nuestra incapacidad, podemos iniciar el camino hacia la sanidad y la recuperación. ***Vaya a la página 239, Romanos 4.***

---

**4.3** *a* Gn. 15.6; Gá. 3.6.  **4.7-8** *b* Sal. 32.1-2.  **4.11** *c* Gn. 17.10.

---

**4.6-8** Muchos de nosotros hemos fallado lamentablemente; hemos lastimado a otros de tal manera que las heridas no pueden sanarse con facilidad. ¿Qué podemos hacer con nuestra culpa? El rey David era culpable de serios pecados –adulterio, engaño y asesinato–, sin embargo, cuando reconoció su culpa, confesó a Dios sus pecados y experimentó el perdón divino, encontró gozo. Cada uno de estos pasos fue un acto de fe, pero el resultado fue el gozo. Los pasos que damos en la recuperación son también actos de fe, pero al dar fielmente cada paso, también experimentaremos el perdón y el gozo de Dios.

## La promesa realizada mediante la fe

**13** Porque no por la ley fue dada a Abraham o a su descendencia la promesa de que sería heredero del mundo,*d* sino por la justicia de la fe.
**14** Porque si los que son de la ley son los herederos, vana resulta la fe, y anulada la promesa.*e*
**15** Pues la ley produce ira; pero donde no hay ley, tampoco hay transgresión.
**16** Por tanto, es por fe, para que sea por gracia, a fin de que la promesa sea firme para toda su descendencia; no solamente para la que es de la ley, sino también para la que es de la fe de Abraham, el cual es padre de todos nosotros*f*
**17** (como está escrito: Te he puesto por padre de muchas gentes*g*) delante de Dios, a quien creyó, el cual da vida a los muertos, y llama las cosas que no son, como si fuesen.
**18** El creyó en esperanza contra esperanza, para llegar a ser padre de muchas gentes, conforme a lo que se le había dicho: Así será tu descendencia.*h*
**19** Y no se debilitó en la fe al considerar su cuerpo, que estaba ya como muerto (siendo de casi cien años*i*), o la esterilidad de la matriz de Sara.
**20** Tampoco dudó, por incredulidad, de la promesa de Dios, sino que se fortaleció en fe, dando gloria a Dios,
**21** plenamente convencido de que era también poderoso para hacer todo lo que había prometido;
**22** por lo cual también su fe le fue contada por justicia.
**23** Y no solamente con respecto a él se escribió que le fue contada,
**24** sino también con respecto a nosotros a quienes ha de ser contada, esto es, a los que creemos

en el que levantó de los muertos a Jesús, Señor nuestro,
**25** el cual fue entregado por nuestras transgresiones, y resucitado para nuestra justificación.

## Resultados de la justificación

**5** **1** Justificados, pues, por la fe, tenemos paz para con Dios por medio de nuestro Señor Jesucristo;
**2** por quien también tenemos entrada por la fe a esta gracia en la cual estamos firmes, y nos gloriamos en la esperanza de la gloria de Dios.
**3** Y no sólo esto, sino que también nos gloriamos en las tribulaciones, sabiendo que la tribulación produce paciencia;
**4** y la paciencia, prueba; y la prueba, esperanza;
**5** y la esperanza no avergüenza; porque el amor de Dios ha sido derramado en nuestros corazones por el Espíritu Santo que nos fue dado.
**6** Porque Cristo, cuando aún éramos débiles, a su tiempo murió por los impíos.
**7** Ciertamente, apenas morirá alguno por un justo; con todo, pudiera ser que alguno osara morir por el bueno.
**8** Mas Dios muestra su amor para con nosotros, en que siendo aún pecadores, Cristo murió por nosotros.
**9** Pues mucho más, estando ya justificados en su sangre, por él seremos salvos de la ira.
**10** Porque si siendo enemigos, fuimos reconciliados con Dios por la muerte de su Hijo, mucho más, estando reconciliados, seremos salvos por su vida.
**11** Y no sólo esto, sino que también nos gloriamos

**4.13** *d* Gá. 3.29.  **4.14** *e* Gá. 3.18.  **4.16** *f* Gá. 3.7.  **4.17** *g* Gn 17.5.  **4.18** *h* Gn. 15.5.  **4.19** *i* Gn. 17.17.

---

**4.23-25** Cuando creemos en Dios y en la restauración que él ofrece en Jesucristo, se opera un intercambio: Entregamos a Dios nuestra vida inmanejable, incluyendo todos nuestros pecados y culpas, y él nos da a cambio su bondad y su perdón. Cuando Jesús murió en la cruz, cargó con nuestros pecados y culpas. Cuando Jesús se levantó de la tumba, Dios demostró su poder para transformarnos y llenarnos de su bondad. Al seguir el programa divino para nuestra restauración, morimos a nuestros pecados y fracasos, y experimentamos una nueva y mejor vida por medio del poder de Dios.

**5.12-14** ¿Cómo es posible que se nos juzgue por algo que hizo Adán hace miles de años? No parece justo. Para muchos de nosotros es fácil culpar a otros por nuestros problemas, citando a nuestros parientes o hasta a Adán y a Eva como la causa de nuestros fracasos y pecados. Pablo estableció claramente que el pecado de Adán y los errores de nuestros antepasados no son nuestra mayor preocupación. Puede que nuestros problemas hayan comenzado con los errores de otros, pero todos nos hemos alineado firmemente con Adán repitiendo sus mismas faltas. Estamos hechos del mismo material, propensos a rebelarnos contra Dios y sus métodos. Sufriremos las consecuencias si Dios no interviene. No necesitamos justicia de parte del Señor; necesitamos misericordia. Y eso es lo que Dios provee para todos los que creen en él.

**5.15-21** Pablo ya había afirmado que somos perdonados y nos gozamos en la gracia de Dios (5.2). Ahora elabora ese pensamiento. La naturaleza esencial de la gracia de Dios es que reina sobre el pecado y la muerte en nuestro mundo. Mientras que Adán trajo pecado y muerte, Jesús ha traído vida por medio de su gracia para todo el que esté dispuesto a recibirla. Nuestra antigua vida de pecado representa el dominio de la muerte por medio de Adán. Nuestra vida en recuperación por medio de Jesucristo representa el dominio de la gracia, bondad y amor de Dios. Cuando entregamos nuestra vida a Dios, podemos comenzar a recibir el maravilloso gozo y perdón que él ofrece.

en Dios por el Señor nuestro Jesucristo, por quien hemos recibido ahora la reconciliación.

### Adán y Cristo

**12** Por tanto, como el pecado entró en el mundo por un hombre, y por el pecado la muerte,*ª* así la muerte pasó a todos los hombres, por cuanto todos pecaron.

**13** Pues antes de la ley, había pecado en el mundo; pero donde no hay ley, no se inculpa de pecado.

**14** No obstante, reinó la muerte desde Adán hasta Moisés, aun en los que no pecaron a la manera de la transgresión de Adán, el cual es figura del que había de venir.

**15** Pero el don no fue como la transgresión; porque si por la transgresión de aquel uno murieron los muchos, abundaron mucho más para los muchos la gracia y el don de Dios por la gracia de un hombre, Jesucristo.

**16** Y con el don no sucede como en el caso de aquel uno que pecó; porque ciertamente el juicio vino a causa de un solo pecado para condenación, pero el don vino a causa de muchas transgresiones para justificación.

**17** Pues si por la transgresión de uno solo reinó la muerte, mucho más reinarán en vida por uno solo, Jesucristo, los que reciben la abundancia de la gracia y del don de la justicia.

**18** Así que, como por la transgresión de uno vino la condenación a todos los hombres, de la misma manera por la justicia de uno vino a todos los hombres la justificación de vida.

**19** Porque así como por la desobediencia de un hombre los muchos fueron constituidos pecadores, así también por la obediencia de uno, los muchos serán constituidos justos.

**20** Pero la ley se introdujo para que el pecado abundase; mas cuando el pecado abundó, sobreabundó la gracia;

**21** para que así como el pecado reinó para muerte, así también la gracia reine por la justicia para vida eterna mediante Jesucristo, Señor nuestro.

### Muertos al pecado

**6** **1** ¿Qué, pues, diremos? ¿Perseveraremos en el pecado para que la gracia abunde?

**5.12** *ª* Gn. 3.6.

**PASO 7**

### Declarado «inocente»

LECTURA BÍBLICA: Romanos 3.23-28

**Le pedimos a él humildemente que eliminara nuestras imperfecciones.**

¿Cuáles son nuestros defectos? Todos sabemos que los tenemos. ¿Es esta, quizás, otra manera de decir que no hemos llegado a la altura de nuestros propios ideales? En algún momento todos hemos tenido altos ideales para definir lo que quisiéramos ser en la vida. Pero la mayoría de nosotros aprendió muy pronto que no podíamos vivir a la altura de ellos. Peor aún, con frecuencia no hemos alcanzado las expectativas de los demás ni los estándares de Dios. ¡Ah, el peso de la culpa que cargamos! ¡Ah, el dolor de pensar en cómo hemos decepcionado a las personas que amamos! ¡Ah, las ansias de encontrar alguna forma de ser lo que deberíamos ser!

El apóstol Pablo escribió: «Por cuanto todos pecaron, y están destituidos de la gloria de Dios, siendo justificados gratuitamente por su gracia, mediante la redención que es en Cristo Jesús» (Romanos 3.23-24). Pablo continúa y nos pregunta: «¿Dónde, pues, está la jactancia? Queda excluida. ¿Por cuál ley? ¿Por la de las obras? No, sino por la ley de la fe. Concluimos, pues, que el hombre es justificado por fe sin las obras de la ley» (Romanos 3.27-28).

¡Dios hace un excelente trabajo cuando elimina nuestros pecados!: «Cuanto está lejos el oriente del occidente, hizo alejar de nosotros nuestras rebeliones» (Salmo 103.12). Podemos confiar en que Dios corrija nuestras deficiencias, paso a paso, si nos humillamos para obedecer su Palabra. Esto significa tener fe en Jesús para corregir nuestras debilidades, tanto de carácter como de conducta. *Vaya a la página 317, Filipenses 2.*

**6.1-3** Si Dios ama perdonar, ¿por qué no pecar para darle más oportunidades para que nos perdone? Quizás no lo aceptemos, pero con demasiada frecuencia actuamos basados en este principio. La respuesta de Pablo a esta excusa para pecar es un enfático *¡no!* Una actitud como esta es una presunción sobre la gracia de Dios y clara evidencia de que estamos asumiendo una actitud negativa. Cuando seguimos pecando a sabiendas, estamos desvalorando el ingente costo de nuestra salvación. Es inconcebible que sigamos permitiendo que el pecado sea nuestro amo cuando le hemos entregado nuestra vida a Dios.

**2** En ninguna manera. Porque los que hemos muerto al pecado, ¿cómo viviremos aún en él? **3** ¿O no sabéis que todos los que hemos sido bautizados en Cristo Jesús, hemos sido bautizados en su muerte? **4** Porque somos sepultados juntamente con él para muerte por el bautismo, a fin de que como Cristo resucitó de los muertos por la gloria del Padre, así también nosotros andemos en vida nueva.*ª*

**5** Porque si fuimos plantados juntamente con él en la semejanza de su muerte, así también lo seremos en la de su resurrección; **6** sabiendo esto, que nuestro viejo hombre fue crucificado juntamente con él, para que el cuerpo del pecado sea destruido, a fin de que no sirvamos más al pecado. **7** Porque el que ha muerto, ha sido justificado del pecado. **8** Y si morimos con Cristo, creemos que también viviremos con él; **9** sabiendo que Cristo, habiendo resucitado de los muertos, ya no muere; la muerte no se enseñorea más de él. **10** Porque en cuanto murió, al pecado murió una vez por todas; mas en cuanto vive, para Dios vive. **11** Así también vosotros consideraos muertos al pecado, pero vivos para Dios en Cristo Jesús, Señor nuestro.

**12** No reine, pues, el pecado en vuestro cuerpo mortal, de modo que lo obedezcáis en sus concupiscencias; **13** ni tampoco presentéis vuestros miembros al pecado como instrumentos de iniquidad, sino presentaos vosotros mismos a Dios como vivos de entre los muertos, y vuestros miembros a Dios como instrumentos de justicia.

**14** Porque el pecado no se enseñoreará de vosotros; pues no estáis bajo la ley, sino bajo la gracia.

### Siervos de la justicia

**15** ¿Qué, pues? ¿Pecaremos, porque no estamos bajo la ley, sino bajo la gracia? En ninguna manera. **16** ¿No sabéis que si os sometéis a alguien como esclavos para obedecerle, sois esclavos de aquel a quien obedecéis, sea del pecado para muerte, o sea de la obediencia para justicia? **17** Pero gracias a Dios, que aunque erais esclavos del pecado, habéis obedecido de corazón a aquella forma de doctrina a la cual fuisteis entregados; **18** y libertados del pecado, vinisteis a ser siervos de la justicia. **19** Hablo como humano, por vuestra humana debilidad; que así como para iniquidad presentasteis vuestros miembros para servir a la inmundicia y a la iniquidad, así ahora para santificación presentad vuestros miembros para servir a la justicia. **20** Porque cuando erais esclavos del pecado, erais libres acerca de la justicia. **21** ¿Pero qué fruto teníais de aquellas cosas de las cuales ahora os avergonzáis? Porque el fin de ellas es muerte. **22** Mas ahora que habéis sido libertados del pecado y hechos siervos de Dios, tenéis por vuestro fruto la santificación, y como fin, la vida eterna. **23** Porque la paga del pecado es muerte, mas la dádiva de Dios es vida eterna en Cristo Jesús Señor nuestro.

### Analogía tomada del matrimonio

**7 1** ¿Acaso ignoráis, hermanos (pues hablo con los que conocen la ley), que la ley se enseñorea del hombre entre tanto que éste vive?

---

**6.4** *ª* Col. 2.12.

---

**6.12-14** Mientras nos recuperamos de nuestra adicción o de conductas compulsivas, quizás nos sintamos desalentados porque los viejos deseos todavía nos tientan. Pablo reconoció que esa tentación sería un problema constante, así que nos dio esta advertencia: «¡No te rindas!» Las tentaciones que enfrentamos son proyecciones de los defectos de carácter que existen en cada uno de nosotros. Si bien no podemos vencer solos nuestra naturaleza pecaminosa, sí podemos pedirle a Dios que nos ayude. Al ayudarnos Dios a eliminar los patrones destructivos de nuestra vida, podremos reemplazarlos con patrones y deseos saludables. Conforme seamos transformados con la ayuda de Dios, venceremos las poderosas tentaciones que nos sobrevengan.

**6.19-22** Es imposible ser neutral. Todos tenemos un amo: el pecado o Dios. Hacer del pecado nuestro amo puede parecer más fácil y divertido por algún tiempo, pero sólo nos conducirá al dolor y a la destrucción. Cuando le entregamos nuestra vida a Dios y nos esforzamos en nuestra recuperación, estamos afirmando que él es nuestro amo. Esta es la única manera como podemos experimentar la restauración de nuestra vida. Al principio, el camino de Dios puede parecer más difícil que el camino del pecado, pero con el tiempo descubriremos que el camino de Dios es el único camino a una vida gozosa y con sentido.

**7.1-6** Pablo estableció una analogía con el matrimonio para ampliar su razonamiento. Si muere la persona con la que nos casamos, ya no se aplican a nosotros las leyes del matrimonio. No estamos sujetos a un cónyuge muerto. De la misma manera, cuando entregamos nuestra vida a Dios ya no se aplica nuestra antigua esclavitud al pecado. Ahora estamos «casados» con Dios, y le hemos cedido la posición de poder y autoridad en nuestra vida. Si estamos dispuestos a vivir bajo la autoridad de Dios, experimentaremos la vida verdadera que él desea para cada uno de sus hijos.

**2** Porque la mujer casada está sujeta por la ley al marido mientras éste vive; pero si el marido muere, ella queda libre de la ley del marido.

**3** Así que, si en vida del marido se uniere a otro varón, será llamada adúltera; pero si su marido muriere, es libre de esa ley, de tal manera que si se uniere a otro marido, no será adúltera.

**4** Así también vosotros, hermanos míos, habéis muerto a la ley mediante el cuerpo de Cristo, para que seáis de otro, del que resucitó de los muertos, a fin de que llevemos fruto para Dios.

**5** Porque mientras estábamos en la carne, las pasiones pecaminosas que eran por la ley obraban en nuestros miembros llevando fruto para muerte.

**6** Pero ahora estamos libres de la ley, por haber muerto para aquella en que estábamos sujetos, de modo que sirvamos bajo el régimen nuevo del Espíritu y no bajo el régimen viejo de la letra.

### El pecado que mora en mí

**7** ¿Qué diremos, pues? ¿La ley es pecado? En ninguna manera. Pero yo no conocí el pecado sino por la ley; porque tampoco conociera la codicia, si la ley no dijera: No codiciarás.*a*

**8** Mas el pecado, tomando ocasión por el mandamiento, produjo en mí toda codicia; porque sin la ley el pecado está muerto.

**9** Y yo sin la ley vivía en un tiempo; pero venido el mandamiento, el pecado revivió y yo morí.

**10** Y hallé que el mismo mandamiento que era para vida, a mí me resultó para muerte;

**11** porque el pecado, tomando ocasión por el mandamiento, me engañó, y por él me mató.

**12** De manera que la ley a la verdad es santa, y el mandamiento santo, justo y bueno.

**13** ¿Luego lo que es bueno, vino a ser muerte para mí? En ninguna manera; sino que el pecado, para mostrarse pecado, produjo en mí la muerte por medio de lo que es bueno, a fin de que por el mandamiento el pecado llegase a ser sobremanera pecaminoso.

**14** Porque sabemos que la ley es espiritual; mas yo soy carnal, vendido al pecado.

## F*e*

LEA ROMANOS 4.1-5

Nuestros patrones de conducta adictiva son «pecaminosos», por lo que es normal sentirnos algo incómodos al querer acercarnos a Dios. Nos sentimos inelegibles para recibir el amor de Dios y, en cambio, esperamos su airado juicio. Podemos sentirnos culpables y temer que Dios nos rechace. Secretamente deseamos poder entablar una relación íntima con Dios, pero tememos que nunca vamos a poder ser lo suficientemente buenos para merecerla.

El apóstol Pablo nos mostró que podemos tener el amor y la aceptación que deseamos: «Porque ¿qué dice la Escritura? Creyó Abraham a Dios, y le fue contado por justicia. Pero al que obra, no se le cuenta el salario como gracia ... su fe le es contada por justicia. Y no solamente con respecto a él se escribió que le fue contada, sino también con respecto a nosotros a quienes ha de ser contada, esto es, a los que creemos en el que levantó de los muertos a Jesús, Señor nuestro, el cual fue entregado por nuestras transgresiones, y resucitado para nuestra justificación» (Romanos 4.3-5, 23-25).

Hay unos regalos que esperan por nosotros y que son esenciales para el proceso de recuperación: perdón, aceptación y sólido apoyo. Dios deja claro que hemos sido declarados «inocentes» en su tribunal de justicia si hemos confiado en Cristo. Él ha prometido darnos una morada especial en el cielo con nuestro nombre escrito en ella. No necesitamos hacer nada, sino aceptar sus regalos. Cuando le entregamos nuestra vida a Dios, ganamos mucho más de lo que jamás podríamos perder. ***Vaya a la página 245, Romanos 7.***

---

**7.7** *a* Ex. 20.17; Dt. 5.21.

---

**7.13** Pablo no quiso dejarnos con la impresión de que las leyes de Dios son malas. Cada una de ellas tiene el propósito de llevarnos a una vida piadosa en una relación íntima con Dios. El problema real radica en nuestra incapacidad para vivir a la altura de las normas que Dios ha establecido. Por naturaleza somos criaturas imperfectas y pecadoras. Pocos nos propusimos convertirnos en esclavos de alguna realidad o relación destructiva, pero fuimos vencidos por nuestra tendencia inherente al pecado. Podemos estar agradecidos porque Dios hizo provisión para resolver el problema de nuestro pecado por medio de la muerte y resurrección de Jesucristo. Ahora, si volvemos nuestra vida a Dios, podemos experimentar su poder transformador. Él nos ayudará a vencer nuestras conductas destructivas.

**7.14-17** Todos podemos identificarnos con la lucha que Pablo describe. Todos anhelamos hacer lo que es bueno, saludable y correcto, pero terminamos haciendo las mismas cosas destructivas. Al hacer inventario personal, reconocemos nuestros fracasos y procuramos cambiar, pero entonces regresamos a nuestros

**15** Porque lo que hago, no lo entiendo; pues no hago lo que quiero, sino lo que aborrezco, eso hago.*b*

**16** Y si lo que no quiero, esto hago, apruebo que la ley es buena.

**17** De manera que ya no soy yo quien hace aquello, sino el pecado que mora en mí.

**18** Y yo sé que en mí, esto es, en mi carne, no mora el bien; porque el querer el bien está en mí, pero no el hacerlo.

**19** Porque no hago el bien que quiero, sino el mal que no quiero, eso hago.

**20** Y si hago lo que no quiero, ya no lo hago yo, sino el pecado que mora en mí.

**21** Así que, queriendo yo hacer el bien, hallo esta ley: que el mal está en mí.

**22** Porque según el hombre interior, me deleito en la ley de Dios;

**23** pero veo otra ley en mis miembros, que se rebela contra la ley de mi mente, y que me lleva cautivo a la ley del pecado que está en mis miembros.

**24** ¡Miserable de mí! ¿quién me librará de este cuerpo de muerte?

**25** Gracias doy a Dios, por Jesucristo Señor nuestro. Así que, yo mismo con la mente sirvo a la ley de Dios, mas con la carne a la ley del pecado.

### Viviendo en el Espíritu

**8** **1** Ahora, pues, ninguna condenación hay para los que están en Cristo Jesús, los que no andan conforme a la carne, sino conforme al Espíritu.

**2** Porque la ley del Espíritu de vida en Cristo Jesús me ha librado de la ley del pecado y de la muerte.

**3** Porque lo que era imposible para la ley, por cuanto era débil por la carne, Dios, enviando a su Hijo en semejanza de carne de pecado y a causa del pecado, condenó al pecado en la carne;

**4** para que la justicia de la ley se cumpliese en nosotros, que no andamos conforme a la carne, sino conforme al Espíritu.

**5** Porque los que son de la carne piensan en las cosas de la carne; pero los que son del Espíritu, en las cosas del Espíritu.

**6** Porque el ocuparse de la carne es muerte, pero el ocuparse del Espíritu es vida y paz.

**7** Por cuanto los designios de la carne son enemistad contra Dios; porque no se sujetan a la ley de Dios, ni tampoco pueden;

**8** y los que viven según la carne no pueden agradar a Dios.

**9** Mas vosotros no vivís según la carne, sino según el Espíritu, si es que el Espíritu de Dios mora en vosotros. Y si alguno no tiene el Espíritu de Cristo, no es de él.

**10** Pero si Cristo está en vosotros, el cuerpo en verdad está muerto a causa del pecado, mas el espíritu vive a causa de la justicia.

**11** Y si el Espíritu de aquel que levantó de los

**7.15** *b* Gá. 5.17.

---

hábitos destructivos. No somos los únicos que estamos en esta lucha; esto es parte de ser humanos. No debemos desanimarnos. En lugar de ello, debemos usar nuestros fracasos para realizar un nuevo inventario moral y luego regresar a la recuperación una vez más. Con el tiempo, nuestros pecados y fracasos disminuirán a medida que Dios continúa transformándonos.

**8.1** Esta es una de las afirmaciones más grandiosas de las Escrituras. Dios nunca nos condenará por nuestros pecados porque Jesucristo ya pagó el precio de una vez por todas. Cuando decidimos entregar nuestra vida al cuidado de Dios, podemos estar seguros de que él no nos condenará. Si hemos confesado nuestros pecados y aceptado el perdón de Dios en Cristo, ya no hay «ninguna condenación».

**8.2-4** Una vez que reconozcamos que somos impotentes para pelear contra nuestra dependencia, debemos buscar a Dios para recibir el poder que necesitamos. El Espíritu de vida que Pablo menciona aquí es el Espíritu Santo. Él estaba presente en la creación del mundo (Génesis 1—2) y está disponible para ayudarnos mientras procuramos reconstruir nuestra vida. No podemos vencer nuestra adicción o compulsión solos, pero Dios está más que dispuesto a ayudarnos. Él envió a su Hijo quien, mediante su muerte y resurrección, destruyó el poder del pecado. Ahora podemos seguir el plan de Dios y elevar una vida piadosa gracias al poder del Espíritu Santo en nosotros.

**8.5-6** Pablo divide a las personas en dos categorías: los que se dejan controlar por su egoísta «naturaleza pecaminosa» y los que andan conforme al Espíritu Santo. Una vez que hayamos tomado la decisión de entregarle a Dios nuestra vida, debemos escoger conscientemente seguir su camino para permanecer a diario en la ruta de la recuperación. Debemos reevaluar continuamente nuestro progreso, haciendo un constante inventario moral de nuestra vida.

**8.9-11** O tenemos al Espíritu Santo y este mora en nosotros o no lo tenemos. ¿Cómo viene el Espíritu Santo a morar en nosotros? Mediante un acto de fe al entregar nuestra vida a Dios y al aceptar la obra de Cristo a nuestro favor. ¿Podemos sentir el Espíritu de Dios dentro de nosotros? A veces, pero podemos estar seguros de que él está ahí sea que sintamos su presencia o no. Dios ha prometido darnos el Espíritu Santo cuando lo pedimos. Recibimos el mismo Espíritu Santo que resucitó a Jesús. Dios usará en nosotros este mismo poder para llevar a cabo nuestra recuperación.

muertos a Jesús mora en vosotros, el que levantó de los muertos a Cristo Jesús vivificará también vuestros cuerpos mortales por su Espíritu que mora en vosotros.

**12** Así que, hermanos, deudores somos, no a la carne, para que vivamos conforme a la carne;

**13** porque si vivís conforme a la carne, moriréis; mas si por el Espíritu hacéis morir las obras de la carne, viviréis.

**14** Porque todos los que son guiados por el Espíritu de Dios, éstos son hijos de Dios.

**15** Pues no habéis recibido el espíritu de esclavitud para estar otra vez en temor, sino que habéis recibido el espíritu de adopción, por el cual clamamos: ¡Abba, Padre!

**16** El Espíritu mismo da testimonio a nuestro espíritu, de que somos hijos de Dios.

**17** Y si hijos, también herederos;*ª* herederos de Dios y coherederos con Cristo, si es que padecemos juntamente con él, para que juntamente con él seamos glorificados.

**18** Pues tengo por cierto que las aflicciones del tiempo presente no son comparables con la gloria venidera que en nosotros ha de manifestarse.

**19** Porque el anhelo ardiente de la creación es el aguardar la manifestación de los hijos de Dios.

**20** Porque la creación fue sujetada a vanidad, no por su propia voluntad, sino por causa del que la sujetó en esperanza;

**21** porque también la creación misma será libertada de la esclavitud de corrupción, a la libertad gloriosa de los hijos de Dios.

**22** Porque sabemos que toda la creación gime a una, y a una está con dolores de parto hasta ahora;

**23** y no sólo ella, sino que también nosotros mismos, que tenemos las primicias del Espíritu, nosotros también gemimos dentro de nosotros mismos, esperando la adopción, la redención de nuestro cuerpo.

**24** Porque en esperanza fuimos salvos; pero la esperanza que se ve, no es esperanza; porque lo que alguno ve, ¿a qué esperarlo?

**25** Pero si esperamos lo que no vemos, con paciencia lo aguardamos.

**26** Y de igual manera el Espíritu nos ayuda en nuestra debilidad; pues qué hemos de pedir como conviene, no lo sabemos, pero el Espíritu mismo intercede por nosotros con gemidos indecibles.

**27** Mas el que escudriña los corazones sabe cuál es la intención del Espíritu, porque conforme a la voluntad de Dios intercede por los santos.

## Más que vencedores

**28** Y sabemos que a los que aman a Dios, todas

### Perdón reiterado

LECTURA BÍBLICA: Romanos 5.3-5

**Continuamos haciendo nuestro inventario personal y cuando nos equivocamos, lo admitimos inmediatamente.**

Tal vez nos impacientemos con nosotros mismos cuando continuamos cometiendo los mismos pecados una y otra vez. Esto puede hacer que nos desalentemos, o puede que temamos estar condenados a las recaídas.

Pedro le preguntó a Jesús: «Señor, ¿cuántas veces perdonaré a mi hermano que peque contra mí? ¿Hasta siete? Jesús le dijo: No te digo hasta siete, sino aun hasta setenta veces siete» (Mateo 18.21-22). Si esta debe ser nuestra actitud hacia los demás, ¿acaso no tiene sentido que nos tratemos a nosotros mismos con igual benevolencia? Debemos ser tan pacientes con nosotros como Dios espera que seamos con otros.

Pablo escribió: «También nos gloriamos en las tribulaciones, sabiendo que la tribulación produce paciencia; y la paciencia, prueba; y la prueba, es- peranza; y la esperanza no avergüenza; porque el amor de Dios ha sido derramado en nuestros corazones por el Espíritu Santo que nos fue dado» (Romanos 5.3-5).

Aprender a esperar pacientemente es una característica importante que debemos desarrollar. Cada vez que confesamos haber pecado y aceptamos el perdón de Dios, tenemos la oportunidad de ejercer nuestra esperanza y fe, y así fortalecerlas. Ya no tenemos que escondernos avergonzados cada vez que caigamos. Podemos confesar nuestras faltas, arrepentidos, y seguir adelante. El amor de Dios por nosotros se reafirma cada vez que confiamos en él. De esta forma el Señor nos ayuda a mantener en alto nuestras cabezas sin importar lo que pase. ***Vaya a la*** ***página 311, Efesios 4.***

las cosas les ayudan a bien, esto es, a los que conforme a su propósito son llamados.

**29** Porque a los que antes conoció, también los predestinó para que fuesen hechos conformes a la imagen de su Hijo, para que él sea el primogénito entre muchos hermanos.

**30** Y a los que predestinó, a éstos también llamó; y a los que llamó, a éstos también justificó; y a los que justificó, a éstos también glorificó.

**31** ¿Qué, pues, diremos a esto? Si Dios es por nosotros, ¿quién contra nosotros?

**32** El que no escatimó ni a su propio Hijo, sino que lo entregó por todos nosotros, ¿cómo no nos dará también con él todas las cosas?

**33** ¿Quién acusará a los escogidos de Dios? Dios es el que justifica.

**34** ¿Quién es el que condenará? Cristo es el que murió; más aun, el que también resucitó, el que además está a la diestra de Dios, el que también intercede por nosotros.

**35** ¿Quién nos separará del amor de Cristo? ¿Tribulación, o angustia, o persecución, o hambre, o desnudez, o peligro, o espada?

**36** Como está escrito:
Por causa de ti somos muertos
todo el tiempo;
Somos contados como ovejas de matadero.*b*

**37** Antes, en todas estas cosas somos más que vencedores por medio de aquel que nos amó.

**38** Por lo cual estoy seguro de que ni la muerte, ni la vida, ni ángeles, ni principados, ni potestades, ni lo presente, ni lo por venir,

**39** ni lo alto, ni lo profundo, ni ninguna otra cosa creada nos podrá separar del amor de Dios, que es en Cristo Jesús Señor nuestro.

## La elección de Israel

**9** **1** Verdad digo en Cristo, no miento, y mi conciencia me da testimonio en el Espíritu Santo,

**2** que tengo gran tristeza y continuo dolor en mi corazón.

**3** Porque deseara yo mismo ser anatema, separado de Cristo, por amor a mis hermanos, los que son mis parientes según la carne;

**4** que son israelitas, de los cuales son la adopción, la gloria, el pacto, la promulgación de la ley, el culto y las promesas;

**5** de quienes son los patriarcas, y de los cuales, según la carne, vino Cristo, el cual es Dios sobre todas las cosas, bendito por los siglos. Amén.

**6** No que la palabra de Dios haya fallado; porque no todos los que descienden de Israel son israelitas,

**7** ni por ser descendientes de Abraham, son todos hijos; sino: En Isaac te será llamada descendencia.*a*

**8** Esto es: No los que son hijos según la carne son los hijos de Dios, sino que los que son hijos según la promesa son contados como descendientes.

**9** Porque la palabra de la promesa es esta: Por este tiempo vendré, y Sara tendrá un hijo.*b*

**10** Y no sólo esto, sino también cuando Rebeca concibió de uno, de Isaac nuestro padre

**11** (pues no habían aún nacido, ni habían hecho aún ni bien ni mal, para que el propósito de Dios conforme a la elección permaneciese, no por las obras sino por el que llama),

**12** se le dijo: El mayor servirá al menor.*c*

**13** Como está escrito: A Jacob amé, mas a Esaú aborrecí.*d*

**14** ¿Qué, pues, diremos? ¿Que hay injusticia en Dios? En ninguna manera.

**15** Pues a Moisés dice: Tendré misericordia del que yo tenga misericordia, y me compadeceré del que yo me compadezca.*e*

**16** Así que no depende del que quiere, ni del que corre, sino de Dios que tiene misericordia.

**17** Porque la Escritura dice a Faraón: Para esto mismo te he levantado, para mostrar en ti mi poder, y para que mi nombre sea anunciado por toda la tierra.*f*

**18** De manera que de quien quiere, tiene misericordia, y al que quiere endurecer, endurece.

**19** Pero me dirás: ¿Por qué, pues, inculpa? porque ¿quién ha resistido a su voluntad?

**20** Mas antes, oh hombre, ¿quién eres tú, para que alterques con Dios? ¿Dirá el vaso de barro al que lo formó: ¿Por qué me has hecho así?*g*

**21** ¿O no tiene potestad el alfarero sobre el barro, para hacer de la misma masa un vaso para honra y otro para deshonra?

**22** ¿Y qué, si Dios, queriendo mostrar su ira y hacer notorio su poder, soportó con mucha paciencia los vasos de ira preparados para destrucción,

**23** y para hacer notorias las riquezas de su gloria,

---

**8.36** *b* Sal. 44.22.   **9.7** *a* Gn. 21.12.   **9.9** *b* Gn. 18.10.   **9.12** *c* Gn. 25.23.   **9.13** *d* Mal. 1.2-3.
**9.15** *e* Ex. 33.19.   **9.17** *f* Ex. 9.16.   **9.20** *g* Is. 45.9.

---

**8.31-39** Nuestra seguridad en la vida y en la recuperación se basa en el inconmovible amor de Dios por nosotros. El amor que Dios siente por nosotros no es sencillamente una emoción sino un asunto de registro histórico. Dios probó su amor por nosotros al enviar voluntariamente a su Hijo para sufrir y morir. ¿Por qué entonces retendría un regalo menor? De hecho, ¡no hay nada en todo el universo que pueda separarnos del amor de Dios! ¿Qué más tiene Dios que decir o hacer para que estemos seguros de su amor?

las mostró para con los vasos de misericordia que él preparó de antemano para gloria,

**24** a los cuales también ha llamado, esto es, a nosotros, no sólo de los judíos, sino también de los gentiles?

**25** Como también en Oseas dice:

Llamaré pueblo mío al que no era
   mi pueblo,
Y a la no amada, amada.*h*

**26** Y en el lugar donde se les dijo: Vosotros
   no sois pueblo mío,
Allí serán llamados hijos del Dios viviente.*i*

**27** También Isaías clama tocante a Israel: Si fuere el número de los hijos de Israel como la arena del mar, tan sólo el remanente será salvo;

**28** porque el Señor ejecutará su sentencia sobre la tierra en justicia y con prontitud.*j*

**29** Y como antes dijo Isaías:

Si el Señor de los ejércitos no nos hubiera
   dejado descendencia,
Como Sodoma habríamos venido a ser, y a
   Gomorra seríamos semejantes.*k*

### La justicia que es por fe

**30** ¿Qué, pues, diremos? Que los gentiles, que no iban tras la justicia, han alcanzado la justicia, es decir, la justicia que es por fe;

**31** mas Israel, que iba tras una ley de justicia, no la alcanzó.

**32** ¿Por qué? Porque iban tras ella no por fe, sino como por obras de la ley, pues tropezaron en la piedra de tropiezo,

**33** como está escrito:

He aquí pongo en Sion piedra de tropiezo
   y roca de caída;
Y el que creyere en él, no será avergonzado.*l*

**10** **1** Hermanos, ciertamente el anhelo de mi corazón, y mi oración a Dios por Israel, es para salvación.

**2** Porque yo les doy testimonio de que tienen celo de Dios, pero no conforme a ciencia.

**3** Porque ignorando la justicia de Dios, y procurando establecer la suya propia, no se han sujetado a la justicia de Dios;

**9.25** *h* Os. 2.23.   **9.26** *i* Os. 1.10.
**9.27-28** *j* Is. 10.22-23.   **9.29** *k* Is. 1.9.
**9.33** *l* Is. 28.16.

## PASO 6

### Eliminado, no mejorado
LECTURA BÍBLICA: Romanos 6.5-11
**Estuvimos completamente listos para que Dios eliminara todos estos defectos de carácter.**

La mayoría de nosotros ha hecho numerosos intentos de superación personal. Quizás hayamos tratado conscientemente de mejorar nuestras actitudes, nuestra educación, nuestra apariencia o nuestros hábitos. Tal vez hayamos logrado cierta medida de superación personal. Sin embargo, cuando se trata de nuestras luchas con los defectos de carácter, lo más probable es que hayamos experimentado sólo una profunda frustración.

Hay una razón que explica nuestra frustración. ¡Los defectos de carácter sólo pueden ser eliminados, no mejorados! La ilustración que se nos da en la Biblia es que debe dársele muerte a nuestros pecados y defectos de carácter, como murió Jesús, con la esperanza de que vivamos una nueva vida. El apóstol Pablo escribió: «Nuestro viejo hombre fue crucificado juntamente con él, para que el cuerpo del pecado sea destruido, a fin de que no sirvamos más al pecado» (Romanos 6.6). «Pero los que son de Cristo han crucificado la carne con sus pasiones y deseos» (Gálatas 5.24).

No hay remedios pasajeros para nuestros pecados y defectos de carácter. Ambos han sido fatalmente heridos y deben morir en la cruz. Este proceso nunca es fácil. ¿Quién va a una crucifixión sin algún grado de ansiedad? Pero cuando aceptamos esto y le permitimos a Dios que elimine nuestros defectos, la nueva vida que nos espera nos sorprenderá placenteramente. ***Vaya a la página 319, Filipenses 3.***

**9.25-26** Dios se especializa en amar a aquellos que son difíciles de amar y no lo merecen. Ninguno de nosotros es digno del amor de Dios, y los que piensen que no es así asumen una actitud de rechazo. Dios otorga su amor a todos los que admiten su necesidad y responden a su amor por ellos. A veces quienes menos lo merecen son los primeros en reconocer su necesidad de Dios. Nadie está totalmente libre de maldad; sin embargo, ningún pecado es demasiado grande para el perdón divino. Por consiguiente, los adictos desesperados que han confesado sus pecados están en mejor posición ante Dios que las personas «respetables» que niegan su necesidad de él. Confesar que hemos fallado y que necesitamos a Dios es parte esencial del proceso de recuperación.

**4** porque el fin de la ley es Cristo, para justicia a todo aquel que cree.

**5** Porque de la justicia que es por la ley Moisés escribe así: El hombre que haga estas cosas, vivirá por ellas.*a*

**6** Pero la justicia que es por la fe dice así: No digas en tu corazón: ¿Quién subirá al cielo? (esto es, para traer abajo a Cristo);

**7** o, ¿quién descenderá al abismo? (esto es, para hacer subir a Cristo de entre los muertos).

**8** Mas ¿qué dice? Cerca de ti está la palabra, en tu boca y en tu corazón.*b* Esta es la palabra de fe que predicamos:

**9** que si confesares con tu boca que Jesús es el Señor, y creyeres en tu corazón que Dios le levantó de los muertos, serás salvo.

**10** Porque con el corazón se cree para justicia, pero con la boca se confiesa para salvación.

**11** Pues la Escritura dice: Todo aquel que en él creyere, no será avergonzado.*c*

**12** Porque no hay diferencia entre judío y griego, pues el mismo que es Señor de todos, es rico para con todos los que le invocan;

**13** porque todo aquel que invocare el nombre del Señor, será salvo.*d*

**14** ¿Cómo, pues, invocarán a aquel en el cual no han creído? ¿Y cómo creerán en aquel de quien no han oído? ¿Y cómo oirán sin haber quien les predique?

**15** ¿Y cómo predicarán si no fueren enviados? Como está escrito: ¡Cuán hermosos son los pies de los que anuncian la paz, de los que anuncian buenas nuevas!*e*

**16** Mas no todos obedecieron al evangelio; pues Isaías dice: Señor, ¿quién ha creído a nuestro anuncio?*f*

**17** Así que la fe es por el oír, y el oír, por la palabra de Dios.

**18** Pero digo: ¿No han oído? Antes bien,
Por toda la tierra ha salido la voz de ellos,

Y hasta los fines de la tierra
    sus palabras.*g*

**19** También digo: ¿No ha conocido esto Israel? Primeramente Moisés dice:
Yo os provocaré a celos con un pueblo
    que no es pueblo;
Con pueblo insensato os provocaré a ira.*h*

**20** E Isaías dice resueltamente:
Fui hallado de los que no me buscaban;
Me manifesté a los que no preguntaban
    por mí.*i*

**21** Pero acerca de Israel dice: Todo el día extendí mis manos a un pueblo rebelde y contradictor.*j*

## El remanente de Israel

**11** **1** Digo, pues: ¿Ha desechado Dios a su pueblo? En ninguna manera. Porque también yo soy israelita, de la descendencia de Abraham, de la tribu de Benjamín.*a*

**2** No ha desechado Dios a su pueblo, al cual desde antes conoció. ¿O no sabéis qué dice de Elías la Escritura, cómo invoca a Dios contra Israel, diciendo:

**3** Señor, a tus profetas han dado muerte, y tus altares han derribado; y sólo yo he quedado, y procuran matarme?*b*

**4** Pero ¿qué le dice la divina respuesta? Me he reservado siete mil hombres, que no han doblado la rodilla delante de Baal.*c*

**5** Así también aun en este tiempo ha quedado un remanente escogido por gracia.

**6** Y si por gracia, ya no es por obras; de otra manera la gracia ya no es gracia. Y si por obras, ya no es gracia; de otra manera la obra ya no es obra.

**7** ¿Qué pues? Lo que buscaba Israel, no lo ha alcanzado; pero los escogidos sí lo han alcanzado, y los demás fueron endurecidos;

**8** como está escrito: Dios les dio espíritu de estupor, ojos con que no vean y oídos con que no oigan, hasta el día de hoy.*d*

**9** Y David dice:

**10.5** *a* Lv. 18.5.   **10.6-8** *b* Dt. 30.12-14.   **10.11** *c* Is. 28.16.   **10.13** *d* Jl. 2.32.   **10.15** *e* Is. 52.7.   **10.16** *f* Is. 53.1.   **10.18** *g* Sal. 19.4.   **10.19** *h* Dt. 32.21.   **10.20** *i* Is. 65.1.   **10.21** *j* Is. 65.2.   **11.1** *a* Fil. 3.5.   **11.3** *b* 1 R. 19.10, 14.   **11.4** *c* 1 R. 19.18.   **11.8** *d* Dt. 29.4; Is. 29.10.

**10.8-15** La salvación viene por creer en Jesucristo; no podemos hacer nada para merecerla. Muchos de nosotros hemos pasado toda nuestra vida tratando de ganar la aprobación de otros. Tal vez el dolor que sentimos por no poder alcanzar la perfección es la causa de nuestra conducta compulsiva. Debemos estar agradecidos porque Dios no se basa en nuestro desempeño para aceptarnos. Él nos acepta por lo que Cristo ha hecho a nuestro favor, sin importar lo graves que hayan sido nuestros pecados. No hay ninguna razón para esconder nuestros pecados de Dios; él sólo quiere aligerar nuestras cargas. El Señor nos invita a encomendarle nuestra vida y a hacer su voluntad.

**11.1-10** Pablo preguntó: «¿Ha desechado Dios a su pueblo?» El apóstol contestó a su propia pregunta con un rotundo ¡no! Aunque la mayoría de los judíos había rechazado los reclamos mesiánicos de Jesús, todavía había esperanza para ellos. Nunca es demasiado tarde para entregar nuestra vida a Dios y experimentar su poder sanador y su gracia. Mientras tengamos vida, todavía podemos pedir la ayuda y el perdón de Dios. Si bien esto es cierto, no obstante, un período de rechazo muy largo siempre es costoso. Podemos hacerles mucho daño a otros, y mientras más esperemos, más difícil será cambiar. ¡Ahora es el tiempo de cambiar!

Sea vuelto su convite en trampa y en red,
En tropezadero y en retribución;

**10** Sean oscurecidos sus ojos para que no vean,
Y agóbiales la espalda para siempre.*e*

### La salvación de los gentiles

**11** Digo, pues: ¿Han tropezado los de Israel para que cayesen? En ninguna manera; pero por su transgresión vino la salvación a los gentiles, para provocarles a celos.
**12** Y si su transgresión es la riqueza del mundo, y su defección la riqueza de los gentiles, ¿cuánto más su plena restauración?
**13** Porque a vosotros hablo, gentiles. Por cuanto yo soy apóstol a los gentiles, honro mi ministerio,
**14** por si en alguna manera pueda provocar a celos a los de mi sangre, y hacer salvos a algunos de ellos.
**15** Porque si su exclusión es la reconciliación del mundo, ¿qué será su admisión, sino vida de entre los muertos?
**16** Si las primicias son santas, también lo es la masa restante; y si la raíz es santa, también lo son las ramas.
**17** Pues si algunas de las ramas fueron desgajadas, y tú, siendo olivo silvestre, has sido injertado en lugar de ellas, y has sido hecho participante de la raíz y de la rica savia del olivo,
**18** no te jactes contra las ramas; y si te jactas, sabe que no sustentas tú a la raíz, sino la raíz a ti.
**19** Pues las ramas, dirás, fueron desgajadas para que yo fuese injertado.
**20** Bien; por su incredulidad fueron desgajadas, pero tú por la fe estás en pie. No te ensoberbezcas, sino teme.
**21** Porque si Dios no perdonó a las ramas naturales, a ti tampoco te perdonará.
**22** Mira, pues, la bondad y la severidad de Dios; la severidad ciertamente para con los que cayeron, pero la bondad para contigo, si permaneces en esa bondad; pues de otra manera tú también serás cortado.
**23** Y aun ellos, si no permanecieren en incredulidad, serán injertados, pues poderoso es Dios para volverlos a injertar.
**24** Porque si tú fuiste cortado del que por naturaleza es olivo silvestre, y contra naturaleza fuiste injertado en el buen olivo, ¿cuánto más éstos, que son las ramas naturales, serán injertados en su propio olivo?

### La restauración de Israel

**25** Porque no quiero, hermanos, que ignoréis este misterio, para que no seáis arrogantes en cuanto a

## Percepción de uno mismo

**LEA ROMANOS 7.18-25**

Quizás ya hayamos comenzado a percatarnos de que hay defectos de carácter que están fuera de nuestro control. Muy dentro de nosotros hay una sensación de quiebre que nos recuerda constantemente nuestra humanidad. Tenemos la esperanza de que llegará el momento cuando nuestra conducta esté bajo control y seamos capaces de mantener la sobriedad. Pero mientras estemos en este cuerpo mortal, tendremos que luchar con nuestra naturaleza pecaminosa.

Pablo dijo de sí mismo: «Y yo sé que en mí, esto es, en mi carne, no mora el bien; porque el querer el bien está en mí, pero no el hacerlo. Pero veo otra ley ... que se rebela contra la ley de mi mente, y que me lleva cautivo a la ley del pecado que está en mis miembros» (Romanos 7.18, 23). El rey David describió la ternura de Dios hacia nosotros debido a nuestra condición humana: «Como el padre se compadece de los hijos, se compadece Jehová de los que le temen. Porque él conoce nuestra condición; se acuerda de que somos polvo» (Salmo 103.13-14).

No importa lo mucho que podamos progresar, nuestra naturaleza pecaminosa siempre será susceptible a la seducción de nuestra adicción y tenderá hacia ella. No podemos darnos el lujo de olvidar esto o bajar nuestra guardia. Mantener la sobriedad es algo que necesitaremos cuidar por el resto de nuestra vida, un día a la vez. Pero también tenemos motivos de gran esperanza. Al confiar en Dios y reconocer nuestra impotencia ante el poder del pecado, abrimos nuestra vida al poder transformador de Dios. ***Vaya a la página 247, Romanos 12.***

vosotros mismos: que ha acontecido a Israel endurecimiento en parte, hasta que haya entrado la plenitud de los gentiles;

**26** y luego todo Israel será salvo, como está escrito:
Vendrá de Sion el Libertador,
Que apartará de Jacob la impiedad.*f*

**27** Y este será mi pacto con ellos,
Cuando yo quite sus pecados.*g*

**28** Así que en cuanto al evangelio, son enemigos por causa de vosotros; pero en cuanto a la elección, son amados por causa de los padres.

**29** Porque irrevocables son los dones y el llamamiento de Dios.

**30** Pues como vosotros también en otro tiempo erais desobedientes a Dios, pero ahora habéis alcanzado misericordia por la desobediencia de ellos,

**31** así también éstos ahora han sido desobedientes, para que por la misericordia concedida a vosotros, ellos también alcancen misericordia.

**32** Porque Dios sujetó a todos en desobediencia, para tener misericordia de todos.

**33** ¡Oh profundidad de las riquezas de la sabiduría y de la ciencia de Dios! ¡Cuán insondables son sus juicios, e inescrutables sus caminos!

**34** Porque ¿quién entendió la mente del Señor? ¿O quién fue su consejero?*h*

**35** ¿O quién le dio a él primero, para que le fuese recompensado?*i*

**36** Porque de él, y por él, y para él, son todas las cosas. A él sea la gloria por los siglos. Amén.

**Deberes cristianos**

**12** **1** Así que, hermanos, os ruego por las misericordias de Dios, que presentéis vuestros cuerpos en sacrificio vivo, santo, agradable a Dios, que es vuestro culto racional.

**2** No os conforméis a este siglo, sino transformaos por medio de la renovación de vuestro entendimiento, para que comprobéis cuál sea la buena voluntad de Dios, agradable y perfecta.

**3** Digo, pues, por la gracia que me es dada, a cada cual que está entre vosotros, que no tenga más alto concepto de sí que el que debe tener, sino que piense de sí con cordura, conforme a la medida de fe que Dios repartió a cada uno.

**4** Porque de la manera que en un cuerpo tenemos muchos miembros, pero no todos los miembros tienen la misma función,

**5** así nosotros, siendo muchos, somos un cuerpo en Cristo,*a* y todos miembros los unos de los otros.

**6** De manera que, teniendo diferentes dones, según la gracia que nos es dada,*b* si el de profecía, úsese conforme a la medida de la fe;

**7** o si de servicio, en servir; o el que enseña, en la enseñanza;

**8** el que exhorta, en la exhortación; el que reparte, con liberalidad; el que preside, con solicitud; el que hace misericordia, con alegría.

**9** El amor sea sin fingimiento. Aborreced lo malo, seguid lo bueno.

**10** Amaos los unos a los otros con amor fraternal; en cuanto a honra, prefiriéndoos los unos a los otros.

**11** En lo que requiere diligencia, no perezosos; fervientes en espíritu, sirviendo al Señor;

**12** gozosos en la esperanza; sufridos en la tribulación; constantes en la oración;

**13** compartiendo para las necesidades de los santos; practicando la hospitalidad.

**11.26** *f* Is. 59.20.   **11.27** *g* Jer. 31.33-34.   **11.34** *h* Is. 40.13.   **11.35** *i* Job 41.11.   **12.4-5** *a* 1 Co. 12.12.
**12.6-8** *b* 1 Co. 12.4-11.

**11.33-36** Luego de describir a grandes rasgos el plan de Dios para nosotros, Pablo sólo podía adorar la majestad del Señor. El plan, la sabiduría, el conocimiento y los caminos de Dios están tan por encima de los nuestros que sólo tenemos una opción: ¡darle humildemente a él la alabanza que merece! Para quienes reconocemos nuestras impotencias y limitaciones, el hecho de que el poder y la sabiduría de Dios sean tan grandiosos puede servirnos de estímulo, especialmente cuando sabemos que él nos ama y quiere ayudarnos.
**12.3** Este versículo es un llamado a la sinceridad y a la verdadera humildad. Debemos hacer un inventario personal de nuestra vida, evaluar con sinceridad tanto nuestras fortalezas como nuestras debilidades y medir nuestro valor conforme a la medida de nuestra fe. Esto nos enseñará humildad, al exponer nuestros pecados y faltas. También nos ayudará a desarrollar una actitud de agradecimiento hacia Dios al descubrir los muchos dones que él nos ha dado.
**12.4-8** Dios tiene una función importante para cada uno de nosotros, aun cuando podamos preguntarnos cómo podría usarnos de manera significativa. Nuestra adicción puede haber diezmado nuestros recursos y destruido nuestras relaciones. Tal vez nos sintamos inútiles, aislados y solos. Pero todos tenemos dones especiales que otros necesitan. Pablo mencionó el don de alentar (exhortar) a otros. Esto es algo que los que estamos en recuperación estamos especialmente capacitados para hacer. ¿Quién mejor para ayudar a una persona devastada por la adicción que alguien que ya haya pasado por esa experiencia? Parte de la recuperación incluye contar a otros nuestra historia de liberación. Esto podría establecer la diferencia entre la vida y la muerte para algún necesitado. Al procurar alentar a otros, nuestro aislamiento se convertirá en confraternidad.
**12.9-21** Dios nos dice que dejemos que el amor gobierne todas nuestras actitudes y acciones, y esto ciertamente se aplica al proceso de recuperación. Se nos llama a amar aun a nuestros enemigos. Todos

**14** Bendecid a los que os persiguen;c bendecid, y no maldigáis.

**15** Gozaos con los que se gozan; llorad con los que lloran.

**16** Unánimes entre vosotros; no altivos, sino asociándoos con los humildes. No seáis sabios en vuestra propia opinión.d

**17** No paguéis a nadie mal por mal; procurad lo bueno delante de todos los hombres.

**18** Si es posible, en cuanto dependa de vosotros, estad en paz con todos los hombres.

**19** No os venguéis vosotros mismos, amados míos, sino dejad lugar a la ira de Dios; porque escrito está: Mía es la venganza, yo pagaré, dice el Señor.e

**20** Así que, si tu enemigo tuviere hambre, dale de comer; si tuviere sed, dale de beber; pues haciendo esto, ascuas de fuego amontonarás sobre su cabeza.f

**21** No seas vencido de lo malo, sino vence con el bien el mal.

**13** **1** Sométase toda persona a las autoridades superiores; porque no hay autoridad sino de parte de Dios, y las que hay, por Dios han sido establecidas.

**2** De modo que quien se opone a la autoridad, a lo establecido por Dios resiste; y los que resisten, acarrean condenación para sí mismos.

**3** Porque los magistrados no están para infundir temor al que hace el bien, sino al malo. ¿Quieres, pues, no temer la autoridad? Haz lo bueno, y tendrás alabanza de ella;

**4** porque es servidor de Dios para tu bien. Pero si haces lo malo, teme; porque no en vano lleva la espada, pues es servidor de Dios, vengador para castigar al que hace lo malo.

**5** Por lo cual es necesario estarle sujetos, no solamente por razón del castigo, sino también por causa de la conciencia.

**6** Pues por esto pagáis también los tributos, porque son servidores de Dios que atienden continuamente a esto mismo.

**7** Pagad a todos lo que debéis: al que tributo, tributo; al que impuesto, impuesto; al que respeto, respeto; al que honra, honra.a

**12.14** c Lc. 6.28. **12.16** d Pr. 3.7. **12.19** e Dt. 32.35. **12.20** f Pr. 25.21-22. **13.6-7** a Mt. 22.21; Mr. 12.17; Lc. 20.25.

# Percepción de uno mismo

**LEA ROMANOS 12.1-2**

¿Cuántas veces hemos deseado ser como otra persona? El desprecio por nosotros mismos quizás sea una razón para mantener nuestra adicción. El desprecio propio se asocia con frecuencia a una personalidad adictiva-compulsiva. Si no nos gusta cómo somos y nos sentimos impotentes para cambiar, podemos encontrar seguridad en saber que Dios tiene el poder para transformarnos dramáticamente.

El apóstol Pablo escribió: «Así que, hermanos, os ruego por las misericordias de Dios, que presentéis vuestros cuerpos en sacrificio vivo, santo, agradable a Dios, que es vuestro culto racional. No os conforméis a este siglo, sino transformaos por medio de la renovación de vuestro entendimiento, para que comprobéis cuál sea la buena voluntad de Dios, agradable y perfecta» (Romanos 12.1-2).

Pablo nos dice que evitemos ser como el mundo que nos rodea. Si copiamos las conductas y costumbres de este mundo, caeremos directamente en conductas egoístas y en dependencias destructivas. A nosotros nos toca rendir nuestra voluntad y nuestra vida al cuidado de Dios. Cuando confiamos en él y lo obedecemos, Dios obrará cambios en nosotros de adentro hacia fuera. Una vez nuestro interior cambie, comenzaremos a dar evidencia de esos cambios en nuestras actitudes y acciones externas.

Tenemos grandes posibilidades de cambiar, pero no podemos hacerlo por nuestras propias fuerzas. Conforme rindamos nuestra vida y voluntad a Dios, podremos depender de él para la renovación de nuestra mente y corazón. Él nos ayudará a superar nuestras deficiencias de carácter, transformándonos de adentro hacia fuera. *Vaya a la página 259, 1 Corintios 6.*

hemos sido heridos por alguien. El amor de Dios nos permite perdonarlos y buscar la reconciliación. Todos hemos lastimado a alguien. El amor hace posible que pidamos su perdón y procuremos poner remedio al problema y al dolor que hemos causado. Con frecuencia tenemos que hacer un esfuerzo especial para relacionarnos estrechamente con familiares cercanos: padres, hermanos, hijos, cónyuge. Amar de verdad no es fácil; demanda que nos traguemos el orgullo y admitamos ante otros nuestros errores. Sin embargo, con todo y lo doloroso que pueda ser amar, es la única forma de experimentar el gozo de reconstruir nuestras relaciones y progresar en nuestra recuperación.

**13.1-7** Nuestro estilo de vida en recuperación incluye la forma en la que nos relacionamos con las autoridades gubernamentales. Pablo señala que el gobierno existe porque Dios lo puso allí. Por lo tanto,

**8** No debáis a nadie nada, sino el amaros unos a otros; porque el que ama al prójimo, ha cumplido la ley.

**9** Porque: No adulterarás,*b* no matarás,*c* no hurtarás,*d* no dirás falso testimonio,*e* no codiciarás,*f* y cualquier otro mandamiento, en esta sentencia se resume: Amarás a tu prójimo como a ti mismo.*g*

**10** El amor no hace mal al prójimo; así que el cumplimiento de la ley es el amor.

**11** Y esto, conociendo el tiempo, que es ya hora de levantarnos del sueño; porque ahora está más cerca de nosotros nuestra salvación que cuando creímos.

**12** La noche está avanzada, y se acerca el día. Desechemos, pues, las obras de las tinieblas, y vistámonos las armas de la luz.

**13** Andemos como de día, honestamente; no en glotonerías y borracheras, no en lujurias y lascivias, no en contiendas y envidia,

**14** sino vestíos del Señor Jesucristo, y no proveáis para los deseos de la carne.

## Los débiles en la fe

**14** **1** Recibid al débil en la fe, pero no para contender sobre opiniones.

**2** Porque uno cree que se ha de comer de todo; otro, que es débil, come legumbres.

**3** El que come, no menosprecie al que no come, y el que no come, no juzgue al que come; porque Dios le ha recibido.

**4** ¿Tú quién eres, que juzgas al criado ajeno? Para su propio señor está en pie, o cae; pero estará firme, porque poderoso es el Señor para hacerle estar firme.

**5** Uno hace diferencia entre día y día; otro juzga iguales todos los días. Cada uno esté plenamente convencido en su propia mente.

**6** El que hace caso del día, lo hace para el Señor; y el que no hace caso del día, para el Señor no lo hace. El que come, para el Señor come, porque da gracias a Dios; y el que no come, para el Señor no come, y da gracias a Dios.*a*

**7** Porque ninguno de nosotros vive para sí, y ninguno muere para sí.

**8** Pues si vivimos, para el Señor vivimos; y si morimos, para el Señor morimos. Así pues, sea que vivamos, o que muramos, del Señor somos.

**9** Porque Cristo para esto murió y resucitó, y volvió a vivir, para ser Señor así de los muertos como de los que viven.

**10** Pero tú, ¿por qué juzgas a tu hermano? O tú también, ¿por qué menosprecias a tu hermano? Porque todos compareceremos ante el tribunal de Cristo.*b*

**13.9** *b* Ex. 20.14; Dt. 5.18. **13.9** *c* Ex. 20.13; Dt. 5.17. *d* Ex. 20.15; Dt. 5.19. *e* Ex. 20.16; Dt. 5.20. *f* Ex. 20.17; Dt. 5.21. *g* Lv. 19.18. **14.1-6** *a* Col. 2.16. **14.10** *b* 2 Co. 5.10.

necesitamos someternos al gobierno como nos someteríamos a Dios mismo. Algunos de nosotros quizás hayamos sufrido grandes abusos por parte de personas con autoridad sobre nosotros. ¿Cómo puede Dios querer que nos sometamos a autoridades que no actúan de manera sabia o justa? En otras partes de la Biblia encontramos que hay lugar para la desobediencia civil (véase Hechos 4.13-22). A veces necesitamos resistir las injusticias cometidas contra nosotros. Podemos hacer esto hablando con personas dignas de confianza sobre los abusos de que hayamos sido víctimas. Somos llamados a apoyar y a obedecer a las autoridades que buscan defender la justicia. Pero cuando están en directa oposición a la voluntad de Dios, necesitamos buscar el apoyo de otros y tratar de cambiar la situación.

**13.8-10** Solo podemos progresar en la recuperación cuando aprendamos a amar a otros. El amor no es una emoción que sentimos; es una actitud y una manifestación de preocupación desinteresada por otros. Si amamos a Dios y a las personas que nos rodean, trataremos a los demás con respeto. Nunca les robaremos ni les causaremos daño de ningún tipo para satisfacer nuestros deseos egoístas. Conforme sigamos haciendo un constante inventario personal, podremos usar el amor como el patrón según el cual juzguemos nuestra conducta. ¿Actuamos teniendo en mente el beneficio de los demás? Si medimos todas nuestras acciones según el modelo de amor divino, experimentaremos un gran progreso en la recuperación y en todas nuestras relaciones.

**13.12-14** Cuando entregamos nuestra vida a Dios, recibimos una nueva identidad; nos convertimos en hijos de la luz. La gente que vive en la luz está despierta; tiene los ojos abiertos. No están en la oscuridad del rechazo; tienen la habilidad para ver y reconocer la verdad relativa a ellos mismos. Una manera de estar seguros de que estamos caminando en la luz es hacer regularmente un inventario moral. Esto nos ayudará a deshacernos de los deseos de la carne y a que «andemos como de día, honestamente».

**14.1-4** Tal vez tengamos la tendencia de juzgar a otros que todavía están luchando para su recuperación con un pie todavía puesto en los antiguos patrones del pasado. Quizás hasta estemos tentados a «demostrarles» lo fuertes que somos participando en actividades que todavía pueden llevarlos a caídas aparatosas. Aun cuando hayamos progresado en la recuperación hasta el punto de que ya no nos tienten ciertas circunstancias, aún tenemos que ser sensibles al hecho de que nuestros amigos pueden desviarse a causa de nuestras acciones. Nuestro amor por los demás nos llevará a evitar actividades que puedan hacer que se desplomen. Mientras más maduros seamos, más responsables seremos respondiendo a otros con actos llenos de amor.

**14.10-12** Pablo nos recuerda que no debemos hacer inventarios por otros. Muchos de nosotros encontramos más fácil señalar las faltas de otros que mirar crítica y honestamente nuestra propia vida. No

**11** Porque escrito está:

Vivo yo, dice el Señor, que ante
mí se doblará toda rodilla,
Y toda lengua confesará a Dios.<sup>c</sup>

**12** De manera que cada uno de nosotros dará a Dios cuenta de sí.

**13** Así que, ya no nos juzguemos más los unos a los otros, sino más bien decidid no poner tropiezo u ocasión de caer al hermano.

**14** Yo sé, y confío en el Señor Jesús, que nada es inmundo en sí mismo; mas para el que piensa que algo es inmundo, para él lo es.

**15** Pero si por causa de la comida tu hermano es contristado, ya no andas conforme al amor. No hagas que por la comida tuya se pierda aquel por quien Cristo murió.

**16** No sea, pues, vituperado vuestro bien;

**17** porque el reino de Dios no es comida ni bebida, sino justicia, paz y gozo en el Espíritu Santo.

**18** Porque el que en esto sirve a Cristo, agrada a Dios, y es aprobado por los hombres.

**19** Así que, sigamos lo que contribuye a la paz y a la mutua edificación.

**20** No destruyas la obra de Dios por causa de la comida. Todas las cosas a la verdad son limpias; pero es malo que el hombre haga tropezar a otros con lo que come.

**21** Bueno es no comer carne, ni beber vino, ni nada en que tu hermano tropiece, o se ofenda, o se debilite.

**22** ¿Tienes tú fe? Tenla para contigo delante de Dios. Bienaventurado el que no se condena a sí mismo en lo que aprueba.

**23** Pero el que duda sobre lo que come, es condenado, porque no lo hace con fe; y todo lo que no proviene de fe, es pecado.

**15** **1** Así que, los que somos fuertes debemos soportar las flaquezas de los débiles, y no agradarnos a nosotros mismos.

**2** Cada uno de nosotros agrade a su prójimo en lo que es bueno, para edificación.

**3** Porque ni aun Cristo se agradó a sí mismo; antes bien, como está escrito: Los vituperios de los que te vituperaban, cayeron sobre mí.<sup>a</sup>

**4** Porque las cosas que se escribieron antes, para nuestra enseñanza se escribieron, a fin de que por la paciencia y la consolación de las Escrituras, tengamos esperanza.

**5** Pero el Dios de la paciencia y de la consolación os dé entre vosotros un mismo sentir según Cristo Jesús,

**6** para que unánimes, a una voz, glorifiquéis al Dios y Padre de nuestro Señor Jesucristo.

## El evangelio a los gentiles

**7** Por tanto, recibíos los unos a los otros, como también Cristo nos recibió, para gloria de Dios.

**8** Pues os digo, que Cristo Jesús vino a ser siervo de la circuncisión para mostrar la verdad de Dios, para confirmar las promesas hechas a los padres,

**9** y para que los gentiles glorifiquen a Dios por su misericordia, como está escrito:

Por tanto, yo te confesaré
entre los gentiles,
Y cantaré a tu nombre.<sup>b</sup>

**10** Y otra vez dice:

Alegraos, gentiles,
con su pueblo.<sup>c</sup>

**11** Y otra vez:

Alabad al Señor todos los gentiles,
Y magnificadle todos los pueblos.<sup>d</sup>

**14.11** <sup>c</sup> Is. 45.23.   **15.3** <sup>a</sup> Sal. 69.9.   **15.9** <sup>b</sup> 2 S. 22.50; Sal. 18.49.   **15.10** <sup>c</sup> Dt. 32.43.
**15.11** <sup>d</sup> Sal. 117.1.

---

es nuestra principal responsabilidad enderezar la vida de los demás. Debemos recordar que todos tendremos que rendir cuentas personalmente ante Dios por nuestras acciones. Si pasamos el tiempo apuntando a los demás con el dedo, nunca enmendaremos nuestra vida ni progresaremos en nuestra propia recuperación.

**14.22-23** En el proceso de la recuperación a veces podemos sentir la tentación de hacer cosas que no son necesariamente malas pero que pueden producirnos una recaída. Sabemos que tales actividades son peligrosas, pero es difícil darles la espalda, especialmente si nuestros amigos están involucrados. Necesitamos aprender que cuando *sentimos* que algo es malo para nosotros, *es* malo para nosotros. Si lo hacemos de todas maneras, estamos pecando. Muchas actividades son malas, pura y sencillamente. Pero los pensamientos o las actividades que no son específicamente pecaminosas son las que de manera particular debemos tratar con cuidado. Si tenemos dudas con respecto a algo, no debemos hacerlo. Debemos pedirle a Dios la sabiduría y el poder para resistirlo.

**15.1-6** Ser considerados con los demás es crucial para lograr una recuperación exitosa. Nuestras relaciones humanas ocupan un segundo lugar en importancia, sólo después de nuestra relación con Dios. Si no estamos en paz con otros, tendremos una batalla interna. Y esa es la receta perfecta para una recaída. Necesitamos aprender a postergar nuestra gratificación personal en beneficio del bienestar de otros. Esto nos ayudará a desarrollar relaciones saludables con las personas importantes en nuestra vida, y esto es necesario para el avance de cualquier programa de recuperación. Estas relaciones nos ayudarán a encontrar el balance entre la satisfacción de las necesidades de los demás y la sana satisfacción de las nuestras.

**12** Y otra vez dice Isaías:

Estará la raíz de Isaí,

Y el que se levantará a regir los gentiles;

Los gentiles esperarán en él.*e*

**13** Y el Dios de esperanza os llene de todo gozo y paz en el creer, para que abundéis en esperanza por el poder del Espíritu Santo.

**14** Pero estoy seguro de vosotros, hermanos míos, de que vosotros mismos estáis llenos de bondad, llenos de todo conocimiento, de tal manera que podéis amonestaros los unos a los otros.

**15** Mas os he escrito, hermanos, en parte con atrevimiento, como para haceros recordar, por la gracia que de Dios me es dada

**16** para ser ministro de Jesucristo a los gentiles, ministrando el evangelio de Dios, para que los gentiles le sean ofrenda agradable, santificada por el Espíritu Santo.

**17** Tengo, pues, de qué gloriarme en Cristo Jesús en lo que a Dios se refiere.

**18** Porque no osaría hablar sino de lo que Cristo ha hecho por medio de mí para la obediencia de los gentiles, con la palabra y con las obras,

**19** con potencia de señales y prodigios, en el poder del Espíritu de Dios; de manera que desde Jerusalén, y por los alrededores hasta Ilírico, todo lo he llenado del evangelio de Cristo.

**20** Y de esta manera me esforcé a predicar el evangelio, no donde Cristo ya hubiese sido nombrado, para no edificar sobre fundamento ajeno,

**21** sino, como está escrito:

Aquellos a quienes nunca les

fue anunciado acerca de él, verán;

Y los que nunca han oído de él, entenderán.*f*

### Pablo se propone ir a Roma

**22** Por esta causa me he visto impedido muchas veces de ir a vosotros.*g*

**23** Pero ahora, no teniendo más campo en estas regiones, y deseando desde hace muchos años ir a vosotros,

**24** cuando vaya a España, iré a vosotros; porque espero veros al pasar, y ser encaminado allá por vosotros, una vez que haya gozado con vosotros.

**25** Mas ahora voy a Jerusalén para ministrar a los santos.

**26** Porque Macedonia y Acaya tuvieron a bien hacer una ofrenda para los pobres que hay entre los santos que están en Jerusalén.*h*

**27** Pues les pareció bueno, y son deudores a ellos; porque si los gentiles han sido hechos participantes de sus bienes espirituales, deben también ellos ministrarles de los materiales.*i*

**28** Así que, cuando haya concluido esto, y les haya entregado este fruto, pasaré entre vosotros rumbo a España.

**29** Y sé que cuando vaya a vosotros, llegaré con abundancia de la bendición del evangelio de Cristo.

**30** Pero os ruego, hermanos, por nuestro Señor Jesucristo y por el amor del Espíritu, que me ayudéis orando por mí a Dios,

**31** para que sea librado de los rebeldes que están en Judea, y que la ofrenda de mi servicio a los santos en Jerusalén sea acepta;

**32** para que con gozo llegue a vosotros por la voluntad de Dios, y que sea recreado juntamente con vosotros.

**33** Y el Dios de paz sea con todos vosotros. Amén.

### Saludos personales

**16** **1** Os recomiendo además nuestra hermana Febe, la cual es diaconisa de la iglesia en Cencrea;

**2** que la recibáis en el Señor, como es digno de los santos, y que la ayudéis en cualquier cosa en que necesite de vosotros; porque ella ha ayudado a muchos, y a mí mismo.

**3** Saludad a Priscila y a Aquila,*a* mis colaboradores en Cristo Jesús,

**4** que expusieron su vida por mí; a los cuales no sólo yo doy gracias, sino también todas las iglesias de los gentiles.

**5** Saludad también a la iglesia de su casa. Saludad a Epeneto, amado mío, que es el primer fruto de Acaya para Cristo.

**6** Saludad a María, la cual ha trabajado mucho entre vosotros.

**7** Saludad a Andrónico y a Junias, mis parientes y mis compañeros de prisiones, los cuales son muy estimados entre los apóstoles, y que también fueron antes de mí en Cristo.

**8** Saludad a Amplias, amado mío en el Señor.

**9** Saludad a Urbano, nuestro colaborador en Cristo Jesús, y a Estaquis, amado mío.

**10** Saludad a Apeles, aprobado en Cristo. Saludad a los de la casa de Aristóbulo.

**11** Saludad a Herodión, mi pariente. Saludad a los de la casa de Narciso, los cuales están en el Señor.

**12** Saludad a Trifena y a Trifosa, las cuales trabajan en el Señor. Saludad a la amada Pérsida, la cual ha trabajado mucho en el Señor.

**13** Saludad a Rufo,*b* escogido en el Señor, y a su madre y mía.

**14** Saludad a Asíncrito, a Flegonte, a Hermas, a Pa-

---

**15.12** *e* Is. 11.10.   **15.21** *f* Is.52.15.   **15.22** *g* Ro. 1.13.   **15.25-26** *h* 1 Co. 16.1-4.   **15.27** *i* 1 Co. 9.11.
**16.3** *a* Hch. 18.2.   **16.13:** *b* Mr. 15.21.

trobas, a Hermes y a los hermanos que están con ellos.

**15** Saludad a Filólogo, a Julia, a Nereo y a su hermana, a Olimpas y a todos los santos que están con ellos.

**16** Saludaos los unos a los otros con ósculo santo. Os saludan todas las iglesias de Cristo.

**17** Mas os ruego, hermanos, que os fijéis en los que causan divisiones y tropiezos en contra de la doctrina que vosotros habéis aprendido, y que os apartéis de ellos.

**18** Porque tales personas no sirven a nuestro Señor Jesucristo, sino a sus propios vientres, y con suaves palabras y lisonjas engañan los corazones de los ingenuos.

**19** Porque vuestra obediencia ha venido a ser notoria a todos, así que me gozo de vosotros; pero quiero que seáis sabios para el bien, e ingenuos para el mal.

**20** Y el Dios de paz aplastará en breve a Satanás bajo vuestros pies. La gracia de nuestro Señor Jesucristo sea con vosotros.

**21** Os saludan Timoteo[c] mi colaborador, y Lucio, Jasón y Sosípater, mis parientes.

**22** Yo Tercio, que escribí la epístola, os saludo en el Señor.

**23** Os saluda Gayo,[d] hospedador mío y de toda la iglesia. Os saluda Erasto,[e] tesorero de la ciudad, y el hermano Cuarto.

**24** La gracia de nuestro Señor Jesucristo sea con todos vosotros. Amén.

## Doxología final

**25** Y al que puede confirmaros según mi evangelio y la predicación de Jesucristo, según la revelación del misterio que se ha mantenido oculto desde tiempos eternos,

**26** pero que ha sido manifestado ahora, y que por las Escrituras de los profetas, según el mandamiento del Dios eterno, se ha dado a conocer a todas las gentes para que obedezcan a la fe,

**27** al único y sabio Dios, sea gloria mediante Jesucristo para siempre. Amén.

**16.21:**[c] Hch. 16.1. **16.23:**[d] Hch. 19.29; 1 Co. 1.14. **16.23:**[e] 2 Ti. 4.20.

REFLEXIONES SOBRE

**R**OMANOS

**✱ *perspectivas*** ACERCA DEL PODER DE LA RESURRECCIÓN DE CRISTO
En **Romanos 6.2-11** Pablo analiza cómo podemos recibir nueva vida por medio de la muerte y resurrección de Jesucristo. Él hizo un recuento de la vida de Jesús: (1) su cuerpo terrenal sujeto a la muerte; (2) su muerte, entierro y resurrección; (3) su cuerpo resucitado que ya no estaba sujeto al poder de la muerte. Luego Pablo nos muestra cómo nuestra vida puede compararse a la de Jesús: (1) comenzamos bajo el dominio del pecado y la muerte; (2) nos identificamos con la muerte, entierro y resurrección de Jesús; (3) recibimos nueva vida, con el poder para vencer el pecado y la muerte. Dios tiene poder para tomar una vida encaminada a la destrucción y colocarla en el camino hacia una nueva vida.

**✱ *perspectivas*** ACERCA DE NUESTRA IMPOTENCIA
En **Romanos 3.9-10** Pablo resume su discusión anterior concluyendo que «todos están bajo pecado». Nadie está exento; todos hemos caído y somos disfuncionales; todos necesitamos salvación y recuperación. Si pretendemos que estamos sanos y sin pecado, lo único que probamos es que tenemos una actitud negativa. La recuperación puede comenzar sólo después de haber admitido esta verdad. Cuando reconocemos nuestro quebrantamiento e impotencia, y nos volvemos a Dios, él entra en escena y nos da el poder que necesitamos para la recuperación.
En **Romanos 5.1-11** Pablo usó varias frases para describir nuestra penosa condición: «éramos débiles» (5.6), «pecadores» (5.6, 8-9) y «enemigos» de Dios (5.10). Precisamente cuando estábamos en esta condición, Dios decidió solucionar por nosotros nuestro problema de pecado. Nos amó tanto que envió a

su Hijo a morir en la cruz para liberarnos del poder del pecado. No podemos ser peores de como Pablo nos describe aquí, ¡así que los errores de nuestro pasado nunca podrán invalidar el amor y la aceptación de Dios! Con un Salvador como este, podemos entregarle confiadamente nuestra vida.

En **Romanos 7.18-20** Pablo reconoció el poder del pecado en su vida y admitió lo impotente que era contra su persistencia y fuerza. Al admitir su impotencia, estaba comenzando el viaje que duraría toda su vida, hacia la recuperación de sus sueños ilusorios de que podría salvarse haciendo cosas buenas. Cuando podamos admitir lo impotentes que somos ante nuestra dependencia, habremos dado un paso importante hacia la recuperación. Sólo entonces estaremos listos para aceptar la ayuda de Dios; y sólo con el poder de Dios seremos capaces de vencer las tentaciones que enfrentemos.

## ✳ *perspectivas* ACERCA DE LA FE

En **Romanos 4.1-3** Pablo mostró cómo Abraham fue aceptado por Dios y declarado justo debido a su fe. Cuando vemos a Abraham en el libro de Génesis, nos encontramos con un hombre consagrado a Dios. A pesar de sus errores, puede considerarse que Abraham era una persona que lo tenía todo. Pero Abraham tuvo que acudir a Dios de la misma forma que nosotros: por medio de la fe. Él no hizo nada para merecer ninguna de las importantes promesas que Dios le hizo. De igual manera, nosotros no podemos hacer nada para merecer las promesas de perdón y recuperación que el Señor nos ofrece. No hay estatus social ni buena obra que pueda hacernos merecedores del misericordioso perdón de Dios; ni ningún fracaso es un obstáculo demasiado grande para el poder restaurador de Dios. Cuando confiamos nuestra vida a Dios y creemos que él puede ayudarnos, Dios nos da el poder y el valor para ir hacia delante, un paso a la vez.

## ✳ *perspectivas* ACERCA DE LA ORACIÓN

La oración se menciona en **Romanos 8.26-28** como una de las maneras para mejorar nuestro contacto consciente con Dios. Pablo nos asegura que el Espíritu Santo que mora en nosotros está actuando cuando oramos. No estamos solos lidiando con nuestros problemas. Cuando entregamos nuestra vida a Dios, él permite cada suceso que ocurre en nuestra vida, aun los dolorosos, para nuestro beneficio. Él puede transformar hasta nuestros pecados y errores en medios para nuestro crecimiento y bendición.

## ✳ *perspectivas* ACERCA DE LOS BENEFICIOS DE SOMETERNOS A DIOS

En **Romanos 12.1-2** se nos dice que presentemos nuestra vida como un sacrificio vivo y santo. Se nos exhorta a entregar a Dios nuestra vida y voluntad para que él pueda transformarnos en las personas piadosas que él quiere que seamos. Se nos invita a seguir el plan de Dios para nuestra vida, usando el poder que él nos ofrece. Al obedecer así, nos convertiremos en un ejemplo para otros de lo que puede hacer el poder transformador de Dios. Y mientras crecemos, descubriremos el gozo y el significado que pueden experimentarse cuando ofrecemos nuestra vida a Dios. Cuando ofrecemos a Dios todo lo que somos y tenemos, él nos devolverá, multiplicado muchas veces más, lo que hayamos ofrecido.

# PRIMERA CORINTIOS

## EL PANORAMA

La ciudad griega de Corinto se hizo famosa por su corrupción, inmoralidad y por sus prácticas religiosas paganas. Seguir a Cristo en ese contexto significaba dejar atrás muchas de las prácticas aceptadas por la cultura general. Esto presentaba todo tipo de tentaciones y problemas para los nuevos creyentes.

Aunque los creyentes corintios habían recibido una nueva vida en Cristo, tenían mucho que aprender. Les tomaría tiempo madurar su fe. En resumen, sus intenciones eran aceptables pero necesitaban más instrucción sobre cómo seguir a Cristo. Necesitaban entender la perspectiva de Dios con respecto a lo correcto y lo incorrecto. Pablo escribió esta carta para ayudarles a avanzar, para darles consejos sobre cómo cambiar.

El proceso de recuperación con frecuencia exige una lucha similar contra el ambiente circundante. Aunque hayamos decidido cambiar, el mundo en el que vivimos se mantiene igual. Vivimos y trabajamos con la misma gente, vamos a muchos lugares semejantes y hacemos muchas de las mismas cosas que los demás hacen; y todo ello mientras nos esforzamos por introducir cambios radicales en nuestra vida. Los sentimientos de soledad que pueden resultar de esta lucha pueden hacernos tan vulnerables como lo fueron alguna vez los creyentes en Corinto.

A pesar de las dificultades que enfrentemos, Dios entiende nuestra lucha. Por esto nos ha dado su Palabra, su poder y su pueblo; todo esto ha sido puesto a nuestra disposición para ayudarnos a dar un paso a la vez. Esta carta sola contiene muchas perspectivas que ayudan a la recuperación. En ella podemos aprender cómo separarnos de nuestra antigua forma de vida y abrirnos a las nuevas demandas divinas. La transformación puede ser lenta,·y hasta dolorosa, pero por la gracia de Dios y en virtud de nuestro compromiso, se producirá.

## EN ESENCIA

PROPÓSITO: Animar a los creyentes que vivían en Corinto a resolver sus problemas y a honrar a Dios. AUTOR: El apóstol Pablo. DESTINATARIOS: La iglesia en Corinto, una ciudad en Grecia. FECHA: Alrededor del 55 d.C., cerca del final de la estadía de tres años de Pablo en Efeso. ESCENARIO: Corinto era una ciudad grande y cosmopolita repleta de idolatría e inmoralidad. La iglesia en Corinto era bastante nueva y estaba compuesta principalmente de cristianos no-judíos (gentiles). VERSÍCULO CLAVE: «Pero por la gracia de Dios soy lo que soy; y su gracia no ha sido en vano para conmigo, antes he trabajado más que todos ellos; pero no yo, sino la gracia de Dios conmigo» (15.10). PERSONAS Y RELACIONES CLAVE: Pablo con Timoteo, la familia de Cloé y los creyentes corintios.

## TEMAS SOBRE RECUPERACIÓN

*Jesús es el centro de la recuperación:* Los creyentes de Corinto nos muestran lo que pasa cuando quitamos nuestros ojos de Jesucristo. Aunque eran seguidores de Cristo, se identificaban principalmente con sus varios maestros. Esto provocó divisiones innecesarias entre ellos y evitó que crecieran espiritualmente. Aunque el apoyo y consejo que demos a los demás es algo importante, nuestro Salvador es Jesucristo. Él es el centro de todos nuestros esfuerzos; debemos fijar nuestra mirada en él. Las personas y las técnicas de recuperación son sus herramientas, no nuestras.

*Libertad con un control amoroso:* Los nuevos creyentes de Corinto tenían que romper de raíz con su pasado. Algunos de estos creyentes eran bastante maduros y ya no se dejaban molestar por las pasadas tentaciones. Pero otros no estaban tan seguros. Por eso Pablo instruyó a los más maduros para que no hicieran alarde de su libertad frente a los que todavía estaban luchando. La recuperación exitosa o la madurez espiritual no nos da licencia para ser desconsiderados o insensibles con los demás. Podemos animarnos unos a otros siendo cuidadosos de cómo usamos nuestra libertad. Siempre tendremos la responsabilidad de cuidar los unos de los otros.

*La vida es para que la disfrutemos responsablemente:* Los creyentes de Corinto vivían en una sociedad inclinada a buscar el placer y muy inmoral. Las normas de conducta que Dios había establecido para ellos eran bastante diferentes de los que se usaban en su cultura. Pero si esos creyentes pensaban que tales normas parecían muy restrictivas, estaban equivocados. Anhelar «libertad» respecto de las leyes de Dios es como anhelar la «diversión» de ser alcohólico. Es como querer estar atrapado en una vida de adicción, compulsión y otras conductas destructivas, pensando en que al entregar nuestra vida a Dios dejaremos de divertirnos. Por el contrario, Dios nos desafía a vivir una vida sin concesiones porque esa es la forma de disfrutarla al máximo. Lo mismo se aplica para los que estamos en el proceso de recuperación: ¡Estamos descubriendo el verdadero significado de la vida!

*La invitación a amar:* Uno de los pasajes más hermosos sobre el amor jamás escritos lo encontramos en el capítulo trece de esta carta a los corintios. Pablo señala que el amor es más que una emoción; es conducta exenta de egoísmo. Si amamos, entonces actuaremos sin interponer intereses personales. Cuando no sintamos deseos de amar o no nos sintamos amados, entonces 1 Corintios 13 será un maravilloso recordatorio de cómo Dios nos ama y cómo podemos mostrar nuestro amor a otros.

## Salutación

**1** ¹ Pablo, llamado a ser apóstol de Jesucristo por la voluntad de Dios, y el hermano Sóstenes,

² a la iglesia de Dios que está en Corinto,ᵃ a los santificados en Cristo Jesús, llamados a ser santos con todos los que en cualquier lugar invocan el nombre de nuestro Señor Jesucristo, Señor de ellos y nuestro:

³ Gracia y paz a vosotros, de Dios nuestro Padre y del Señor Jesucristo.

## Acción de gracias por dones espirituales

⁴ Gracias doy a mi Dios siempre por vosotros, por la gracia de Dios que os fue dada en Cristo Jesús;

⁵ porque en todas las cosas fuisteis enriquecidos en él, en toda palabra y en toda ciencia;

⁶ así como el testimonio acerca de Cristo ha sido confirmado en vosotros,

⁷ de tal manera que nada os falta en ningún don, esperando la manifestación de nuestro Señor Jesucristo;

---

**1.2** ᵃ Hch. 18.1.

**1.2** Corinto era un crisol cultural gigante con una gran diversidad de grupos étnicos, religiones, perspectivas intelectuales y patrones morales. Tenía la reputación de ser intensamente independiente y decadente. La idolatría florecía; en un determinado momento, más de una docena de templos paganos habían empleado por lo menos a mil prostitutas «sagradas». Los nuevos creyentes de Corinto tenían que lidiar con hábitos y actitudes profundamente enraizadas, mientras buscaban nutrir su nueva vida en Cristo. Tentaciones de todo tipo abundaban por toda la ciudad. Corinto no era muy diferente de nuestro mundo actual. Los consejos que el apóstol Pablo da a estos primeros creyentes también tienen que ver con muchos de los problemas que enfrentamos hoy.

**1.4-9** Aunque había problemas entre los creyentes corintios, Pablo comenzó esta carta con una nota positiva. Comprendía muy bien que al confrontar a otros con sus fracasos es más eficaz si lo hacemos con

**8** el cual también os confirmará hasta el fin, para que seáis irreprensibles en el día de nuestro Señor Jesucristo.

**9** Fiel es Dios, por el cual fuisteis llamados a la comunión con su Hijo Jesucristo nuestro Señor.

### ¿Está dividido Cristo?

**10** Os ruego, pues, hermanos, por el nombre de nuestro Señor Jesucristo, que habléis todos una misma cosa, y que no haya entre vosotros divisiones, sino que estéis perfectamente unidos en una misma mente y en un mismo parecer.

**11** Porque he sido informado acerca de vosotros, hermanos míos, por los de Cloé, que hay entre vosotros contiendas.

**12** Quiero decir, que cada uno de vosotros dice: Yo soy de Pablo; y yo de Apolos;*b* y yo de Cefas; y yo de Cristo.

**13** ¿Acaso está dividido Cristo? ¿Fue crucificado Pablo por vosotros? ¿O fuisteis bautizados en el nombre de Pablo?

**14** Doy gracias a Dios de que a ninguno de vosotros he bautizado, sino a Crispo*c* y a Gayo,*d*

**15** para que ninguno diga que fuisteis bautizados en mi nombre.

**16** También bauticé a la familia de Estéfanas;*e* de los demás, no sé si he bautizado a algún otro.

**17** Pues no me envió Cristo a bautizar, sino a predicar el evangelio; no con sabiduría de palabras, para que no se haga vana la cruz de Cristo.

### Cristo, poder y sabiduría de Dios

**18** Porque la palabra de la cruz es locura a los que se pierden; pero a los que se salvan, esto es, a nosotros, es poder de Dios.

**19** Pues está escrito:
> Destruiré la sabiduría de los sabios,
> Y desecharé el entendimiento de los entendidos.*f*

**20** ¿Dónde está el sabio? ¿Dónde está el escriba? ¿Dónde está el disputador de este siglo? ¿No ha enloquecido Dios la sabiduría del mundo?*g*

**21** Pues ya que en la sabiduría de Dios, el mundo no conoció a Dios mediante la sabiduría, agradó a Dios salvar a los creyentes por la locura de la predicación.

**22** Porque los judíos piden señales, y los griegos buscan sabiduría;

**23** pero nosotros predicamos a Cristo crucificado, para los judíos ciertamente tropezadero, y para los gentiles locura;

**24** mas para los llamados, así judíos como griegos, Cristo poder de Dios, y sabiduría de Dios.

**25** Porque lo insensato de Dios es más sabio que los hombres, y lo débil de Dios es más fuerte que los hombres.

**26** Pues mirad, hermanos, vuestra vocación, que no sois muchos sabios según la carne, ni muchos poderosos, ni muchos nobles;

**27** sino que lo necio del mundo escogió Dios, para avergonzar a los sabios; y lo débil del mundo escogió Dios, para avergonzar a lo fuerte;

**28** y lo vil del mundo y lo menospreciado escogió Dios, y lo que no es, para deshacer lo que es,

**29** a fin de que nadie se jacte en su presencia.

**30** Mas por él estáis vosotros en Cristo Jesús, el cual nos ha sido hecho por Dios sabiduría, justificación, santificación y redención;

**31** para que, como está escrito: El que se gloría, gloríese en el Señor.*h*

**1.12** *b* Hch. 18.24.   **1.14** *c* Hch. 18.8.   *d* Hch. 19.29; Ro. 16.23.   **1.16** *e* 1 Co. 16.15.   **1.19** *f* Is. 29.14.
**1.20** *g* Is. 44.25.   **1.31** *h* Jer. 9.24.

diplomacia. Necesitamos ganarnos el derecho a ser escuchados reconociendo las cosas buenas en las vidas de aquellos con los que necesitemos confrontarnos. De esta forma les mostramos que ellos sí nos importan y que los valoramos como personas. Nuestra intervención será eficaz sólo si primero mostramos amor a la gente a la que queremos ayudar.

**1.12** Los creyentes corintios habían comenzado a elevar a varios líderes a posiciones peligrosas en sus vidas. Estaban atribuyendo a estas personas un poder y una sabiduría que sólo Dios podía reclamar como suyos legítimamente. Esta es una forma de idolatría, pecado que Dios condena (véase Éxodo 20.3). Con demasiada frecuencia les damos a las personas, tal vez sean líderes religiosos o líderes de movimientos de recuperación, posiciones de dioses en nuestra vida. Creemos todo lo que dicen y estamos dispuestos a hacer cualquier cosa que nos pidan. Esto es peligroso. Debemos recordar que todas las personas carecen de poder; el único digno de adoración es Cristo. Debemos juzgar todo lo que oímos de acuerdo con la verdad eterna de la palabra de Dios.

**1.18-19** Algunos creyentes de Corinto actuaban conforme a la sabiduría humana del momento, que cuestionaba la idea de la salvación en Cristo. ¡Parecía demasiado simple! ¿Cómo podía Dios perdonarnos por medio de lo que Cristo hizo en la cruz? ¡De seguro debemos hacer o saber algo especial para ser salvos! Pablo dejó muy claro que lo único que necesitamos es un corazón dispuesto a recibir el poder y el perdón de Dios. No tenemos ningún poder ni habilidad que puedan vencer el poder del pecado en nuestra vida. De hecho, una vida de autosuficiencia sólo conduce a la autodestrucción. Cuando entregamos nuestra vida al Señor, aceptamos su camino —el camino de la cruz. Sólo entonces podemos experimentar el poder de Dios.

## Proclamando a Cristo crucificado

**2** **1** Así que, hermanos, cuando fui a vosotros para anunciaros el testimonio de Dios, no fui con excelencia de palabras o de sabiduría.

**2** Pues me propuse no saber entre vosotros cosa alguna sino a Jesucristo, y a éste crucificado.

**3** Y estuve entre vosotros con debilidad, y mucho temor y temblor;*a*

**4** y ni mi palabra ni mi predicación fue con palabras persuasivas de humana sabiduría, sino con demostración del Espíritu y de poder,

**5** para que vuestra fe no esté fundada en la sabiduría de los hombres, sino en el poder de Dios.

## La revelación por el Espíritu de Dios

**6** Sin embargo, hablamos sabiduría entre los que han alcanzado madurez; y sabiduría, no de este siglo, ni de los príncipes de este siglo, que perecen.

**7** Mas hablamos sabiduría de Dios en misterio, la sabiduría oculta, la cual Dios predestinó antes de los siglos para nuestra gloria,

**8** la que ninguno de los príncipes de este siglo conoció; porque si la hubieran conocido, nunca habrían crucificado al Señor de gloria.

**9** Antes bien, como está escrito:

Cosas que ojo no vio, ni oído oyó,
Ni han subido en corazón de hombre,
Son las que Dios ha preparado
para los que le aman.*b*

**10** Pero Dios nos las reveló a nosotros por el Espíritu; porque el Espíritu todo lo escudriña, aun lo profundo de Dios.

**11** Porque ¿quién de los hombres sabe las cosas del hombre, sino el espíritu del hombre que está en él? Así tampoco nadie conoció las cosas de Dios, sino el Espíritu de Dios.

**12** Y nosotros no hemos recibido el espíritu del mundo, sino el Espíritu que proviene de Dios, para que sepamos lo que Dios nos ha concedido,

**13** lo cual también hablamos, no con palabras enseñadas por sabiduría humana, sino con las que enseña el Espíritu, acomodando lo espiritual a lo espiritual.

**14** Pero el hombre natural no percibe las cosas que son del Espíritu de Dios, porque para él son locura, y no las puede entender, porque se han de discernir espiritualmente.

**15** En cambio el espiritual juzga todas las cosas; pero él no es juzgado de nadie.

**16** Porque ¿quién conoció la mente del Señor? ¿Quién le instruirá?*c* Mas nosotros tenemos la mente de Cristo.

## Colaboradores de Dios

**3** **1** De manera que yo, hermanos, no pude hablaros como a espirituales, sino como a carnales, como a niños en Cristo.

**2** Os di a beber leche, y no vianda;*a* porque aún no erais capaces, ni sois capaces todavía,

**3** porque aún sois carnales; pues habiendo entre vosotros celos, contiendas y disensiones, ¿no sois carnales, y andáis como hombres?

**4** Porque diciendo el uno: Yo ciertamente soy de Pablo; y el otro: Yo soy de Apolos,*b* ¿no sois carnales?

**2.3** *a* Hch. 18.9.   **2.9** *b* Is. 64.4.   **2.16** *c* Is. 40.13.   **3.2** *a* He. 5.12-13.   **3.4** *b* 1 Co. 1.12.

**2.1-5** Muchas veces, cuando tratamos de ayudar a otros los abrumamos con teorías e instrucciones complicadas. Pablo se dio cuenta de que hacer esto solo confundiría a los corintios y les haría pensar que la salvación dependía de algún tipo especial de sabiduría o conocimiento. Así que les presentó el claro y sencillo mensaje del evangelio: no hay nada que podamos hacer para salvarnos a nosotros mismos, pues Dios ya hizo todo lo necesario para nuestra liberación. Al compartir con otros nuestra historia de liberación, necesitamos hacer que las cosas se mantengan simples y confiar en el poder del Espíritu Santo para que obre en sus vidas.

**2.7** Dios ha elaborado un buen plan para nosotros desde el principio de los tiempos. Si le permitimos obrar en nuestra vida, ese plan se cumplirá. No importa lo mucho que hayamos pecado, Dios todavía puede transformar las cosas para que obren de acuerdo con su voluntad. A nosotros nos toca es confiarle a él nuestra vida y hacer su voluntad según él nos la vaya revelando. No importa lo que hayamos hecho en el pasado, Dios nos sigue amando y desea llevar a cabo su restauración en nosotros.

**2.9-10** Cuando nuestra vida se torna inmanejable y sentimos que hemos perdido la dirección, a menudo culpamos a Dios o sentimos que de alguna manera él está empeorando las cosas. Pablo les recordó a los corintios que Dios tenía planes maravillosos para ellos, cosas aun mejores que las que podían imaginar. Este mensaje es también para nosotros. Si entregamos a Dios nuestra vida y voluntad, él puede darnos una nueva vida que superará nuestros sueños más increíbles.

**2.14-15** La gente que se rehúsa a entregar su vida al cuidado de Dios no puede entender ni la verdad ni el plan de Dios. Por esto la recuperación no comienza con la comprensión sino con la decisión de seguir a Dios. Antes de tomar esta decisión, el camino de Dios puede parecer una locura. Sólo cuando enfrentamos la verdad de que nuestra vida está perturbada podemos abrirnos a Dios y aceptar su buen plan para nosotros.

**3.1-4** Parte del proceso de maduración consiste en darse cuenta de que seguir nuestros propios deseos nos lleva a un callejón sin salida. Seguiremos siendo «niños» en la medida en que tratemos de hacer las cosas a

**5** ¿Qué, pues, es Pablo, y qué es Apolos? Servidores por medio de los cuales habéis creído; y eso según lo que a cada uno concedió el Señor.

**6** Yo planté,<sup>c</sup> Apolos regó;<sup>d</sup> pero el crecimiento lo ha dado Dios.

**7** Así que ni el que planta es algo, ni el que riega, sino Dios, que da el crecimiento.

**8** Y el que planta y el que riega son una misma cosa; aunque cada uno recibirá su recompensa conforme a su labor.

**9** Porque nosotros somos colaboradores de Dios, y vosotros sois labranza de Dios, edificio de Dios.

**10** Conforme a la gracia de Dios que me ha sido dada, yo como perito arquitecto puse el fundamento, y otro edifica encima; pero cada uno mire cómo sobreedifica.

**11** Porque nadie puede poner otro fundamento que el que está puesto, el cual es Jesucristo.

**12** Y si sobre este fundamento alguno edificare oro, plata, piedras preciosas, madera, heno, hojarasca,

**13** la obra de cada uno se hará manifiesta; porque el día la declarará, pues por el fuego será revelada; y la obra de cada uno cuál sea, el fuego la probará.

**14** Si permaneciere la obra de alguno que sobreedificó, recibirá recompensa.

**15** Si la obra de alguno se quemare, él sufrirá pérdida, si bien él mismo será salvo, aunque así como por fuego.

**16** ¿No sabéis que sois templo de Dios, y que el Espíritu de Dios mora en vosotros?<sup>e</sup>

**17** Si alguno destruyere el templo de Dios, Dios le destruirá a él; porque el templo de Dios, el cual sois vosotros, santo es.

**18** Nadie se engañe a sí mismo; si alguno entre vosotros se cree sabio en este siglo, hágase ignorante, para que llegue a ser sabio.

**19** Porque la sabiduría de este mundo es insensatez para con Dios; pues escrito está: El prende a los sabios en la astucia de ellos.<sup>f</sup>

**20** Y otra vez: El Señor conoce los pensamientos de los sabios, que son vanos.<sup>g</sup>

**21** Así que, ninguno se gloríe en los hombres; porque todo es vuestro:

**22** sea Pablo, sea Apolos, sea Cefas, sea el mundo, sea la vida, sea la muerte, sea lo presente, sea lo por venir, todo es vuestro,

**23** y vosotros de Cristo, y Cristo de Dios.

## El ministerio de los apóstoles

**4** **1** Así, pues, ténganos los hombres por servidores de Cristo, y administradores de los misterios de Dios.

**2** Ahora bien, se requiere de los administradores, que cada uno sea hallado fiel.

**3** Yo en muy poco tengo el ser juzgado por vosotros, o por tribunal humano; y ni aun yo me juzgo a mí mismo.

---

**3.6** <sup>c</sup> Hch. 18.4-11. <sup>d</sup> Hch. 18.24-28. **3.16** <sup>e</sup> 1 Co. 6.19; 2 Co. 6.16. **3.19** <sup>f</sup> Job 5.13. **3.20** <sup>g</sup> Sal. 94.11.

---

nuestra manera. La madurez ocurre sólo cuando comenzamos a seguir la voluntad de Dios en nuestra vida. Entonces consideraremos lo que Dios quiere y lo que otros necesitan antes de actuar. Para lograr esto tenemos que entregarle a Dios el control de nuestra vida y de nuestra voluntad. También puede significar que tengamos que posponer nuestra propia satisfacción en beneficio de otros. Esto no es fácil, pero cuando lo hagamos, experimentaremos la verdadera vida que Dios quiere para cada uno de nosotros.

**3.5-6** Mientras avanzamos en la recuperación, tenemos que relacionarnos con otros. Al hablarles de nuestra liberación, con la esperanza de ayudarlos a darles un giro a sus vidas, estos versículos pueden servirnos de estímulo. Aun cuando parezca que el mensaje no los está tocando, podemos dejar los resultados en las manos de Dios. Algunas veces la gente responde inmediatamente a nuestra historia y comienza la recuperación. Otras veces nuestras palabras serán sólo semillas que con el tiempo crecerán y harán que el poder de Dios cambie la vida de alguien. Quizás seamos una de las muchas personas que Dios usará para cambiar la vida de alguna persona. Una cosa es segura: si hablamos con valentía, Dios nos usará para cambiar vidas.

**3.13-15** Muchos de nosotros batallamos con el rechazo porque la verdad es demasiado dolorosa. Evitamos aceptar la verdad sobre nuestros pecados para así no tener que hacer cambios difíciles en nuestra vida. Pero no importa lo mucho que nos escondamos de nuestros errores, con el tiempo regresarán para perseguirnos. Dejar que nuestra dependencia siga su curso desenfrenado producirá consecuencias dolorosas. Aquí se nos recuerda que esas consecuencias siguen en la eternidad. ¡Vendrá un día de ajuste de cuentas! ¿Hemos puesto nuestra vida en las manos de Dios? Al entregar a él nuestra vida, él nos ayudará a edificar sobre un fundamento firme. Cuando llegue el día de ajuste de cuentas, entonces todavía estaremos de pie.

**3.18-20** Es posible que la inteligencia entorpezca el progreso en nuestra recuperación. Al analizar los pasos que se nos pide que demos, podemos encontrarlos de alguna manera absurdos o denigrantes. La verdad es que, a veces, seguir el plan de Dios no tendrá mucho sentido para nosotros. Quizás hasta nos preguntemos cómo puede cambiar algo si entregamos nuestra vida a Dios. Podemos llegar a pensar que seguir la voluntad de Dios es a veces bochornoso. La verdadera comprensión ocurre a menudo sólo cuando comenzamos a dar los pasos para obedecer el programa que Dios tiene para nuestra sanidad. Tal vez nos vaya mejor si dejamos a un lado nuestra necesidad de analizar y entender todo, para así poder experimentar el poder sanador de Dios por medio de una fe y obediencia sencillas.

**4** Porque aunque de nada tengo mala conciencia, no por eso soy justificado; pero el que me juzga es el Señor.

**5** Así que, no juzguéis nada antes de tiempo, hasta que venga el Señor, el cual aclarará también lo oculto de las tinieblas, y manifestará las intenciones de los corazones; y entonces cada uno recibirá su alabanza de Dios.

**6** Pero esto, hermanos, lo he presentado como ejemplo en mí y en Apolos por amor de vosotros, para que en nosotros aprendáis a no pensar más de lo que está escrito, no sea que por causa de uno, os envanezcáis unos contra otros.

**7** Porque ¿quién te distingue? ¿o qué tienes que no hayas recibido? Y si lo recibiste, ¿por qué te glorías como si no lo hubieras recibido?

**8** Ya estáis saciados, ya estáis ricos, sin nosotros reináis. ¡Y ojalá reinaseis, para que nosotros reinásemos también juntamente con vosotros!

**9** Porque según pienso, Dios nos ha exhibido a nosotros los apóstoles como postreros, como a sentenciados a muerte; pues hemos llegado a ser espectáculo al mundo, a los ángeles y a los hombres.

**10** Nosotros somos insensatos por amor de Cristo, mas vosotros prudentes en Cristo; nosotros débiles, mas vosotros fuertes; vosotros honorables, mas nosotros despreciados.

**11** Hasta esta hora padecemos hambre, tenemos sed, estamos desnudos, somos abofeteados, y no tenemos morada fija.

**12** Nos fatigamos trabajando con nuestras propias manos;*a* nos maldicen, y bendecimos; padecemos persecución, y la soportamos.

**13** Nos difaman, y rogamos; hemos venido a ser hasta ahora como la escoria del mundo, el desecho de todos.

**14** No escribo esto para avergonzaros, sino para amonestaros como a hijos míos amados.

**15** Porque aunque tengáis diez mil ayos en Cristo, no tendréis muchos padres; pues en Cristo Jesús yo os engendré por medio del evangelio.

**16** Por tanto, os ruego que me imitéis.*b*

**17** Por esto mismo os he enviado a Timoteo, que es mi hijo amado y fiel en el Señor, el cual os recordará mi proceder en Cristo, de la manera que enseño en todas partes y en todas las iglesias.

**18** Mas algunos están envanecidos, como si yo nunca hubiese de ir a vosotros.

**19** Pero iré pronto a vosotros, si el Señor quiere, y conoceré, no las palabras, sino el poder de los que andan envanecidos.

**20** Porque el reino de Dios no consiste en palabras, sino en poder.

**21** ¿Qué queréis? ¿Iré a vosotros con vara, o con amor y espíritu de mansedumbre?

### Un caso de inmoralidad juzgado

**5** **1** De cierto se oye que hay entre vosotros fornicación, y tal fornicación cual ni aun se nombra entre los gentiles; tanto que alguno tiene la mujer de su padre.*a*

**4.12** *a* Hch. 18.3. **4.16** *b* 1 Co. 11.1; Fil. 3.17. **5.1** *a* Dt. 22.30.

**4.6-13** Qué fácil es inflarnos con el éxito y olvidar que el orgullo lleva a la caída. Los creyentes corintios eran muy autosuficientes, y miraban a Pablo y su ministerio por encima del hombro. Sus actitudes orgullosas los alejaron de las enseñanzas de Pablo acerca de Cristo, algo muy peligroso para cualquiera que viviera en un ambiente religioso tan diverso como el de ellos. Es igualmente peligroso que nosotros nos llenemos de orgullo por nuestro éxito en la recuperación. Olvidamos que fue el poder de Dios el que nos libertó y que seguimos necesitando su ayuda. Si permitimos que el orgullo se introduzca en nuestra vida, descubriremos que la autosuficiencia conduce a la recaída.

**4.17** Pablo envió a Timoteo para recordarles a los creyentes de Corinto lo que él les había enseñado. El apóstol se percató de que necesitaban a alguien a quien rendir cuentas por la verdad que habían recibido y para animarlos a perseverar en su fe. Una de las mejores maneras de protegernos de la autosuficiencia es ser responsables ante otros. Los mentores y padrinos están ahí para ayudarnos a recordar qué es lo que resulta eficaz en la recuperación. También están ahí para ayudarnos a aprender cómo ser cada día más fieles en nuestra vida, pues eso es parte esencial de nuestro crecimiento espiritual.

**5.1-5** Nosotros enfrentamos muchas de las formas de inmoralidad sexual que enfrentaron los corintios. Como los creyentes de Corinto, tendemos a ponernos una venda en los ojos y a convencernos de que todo está bien. No obstante, al negar que existan tales actividades sexuales ilícitas y abusos sexuales, sólo logramos levantar barreras entre nosotros y las demás personas. Con el tiempo podemos incluso alejarnos de Dios. Tal actitud hace que se agraven los problemas en nuestras iglesias y comunidades, hasta el punto que los individuos y las familias terminan haciéndose añicos. Necesitamos abrir nuestros ojos ante los problemas que nos rodean y confrontarlos como comunidad, que fue lo que Pablo les aconsejó a los corintios que hicieran.

**5.6-8** Pablo exhortó a los creyentes corintios a que sacaran al pecador impenitente de su congregación. Si no lo hacían, sus actividades destructivas carcomerían a la comunidad como un cáncer. Este principio es importante en la recuperación. Al comenzar nuestro programa, necesitamos alejarnos de las relaciones y actividades que seguramente nos llevarían a una recaída. Cuando Pablo recomendó a los corintios a

**2** Y vosotros estáis envanecidos. ¿No debierais más bien haberos lamentado, para que fuese quitado de en medio de vosotros el que cometió tal acción?

**3** Ciertamente yo, como ausente en cuerpo, pero presente en espíritu, ya como presente he juzgado al que tal cosa ha hecho.

**4** En el nombre de nuestro Señor Jesucristo, reunidos vosotros y mi espíritu, con el poder de nuestro Señor Jesucristo,

**5** el tal sea entregado a Satanás para destrucción de la carne, a fin de que el espíritu sea salvo en el día del Señor Jesús.

**6** No es buena vuestra jactancia. ¿No sabéis que un poco de levadura leuda toda la masa?[b]

**7** Limpiaos, pues, de la vieja levadura, para que seáis nueva masa, sin levadura como sois; porque nuestra pascua,[c] que es Cristo, ya fue sacrificada por nosotros.

**8** Así que celebremos la fiesta, no con la vieja levadura, ni con la levadura de malicia y de maldad, sino con panes sin levadura,[d] de sinceridad y de verdad.

**9** Os he escrito por carta, que no os juntéis con los fornicarios;

**10** no absolutamente con los fornicarios de este mundo, o con los avaros, o con los ladrones, o con los idólatras; pues en tal caso os sería necesario salir del mundo.

**11** Más bien os escribí que no os juntéis con ninguno que, llamándose hermano, fuere fornicario, o avaro, o idólatra, o maldiciente, o borracho, o ladrón; con el tal ni aun comáis.

**12** Porque ¿qué razón tendría yo para juzgar a los que están fuera? ¿No juzgáis vosotros a los que están dentro?

**13** Porque a los que están fuera, Dios juzgará. Quitad, pues, a ese perverso de entre vosotros.

## Litigios delante de los incrédulos

**6** **1** ¿Osa alguno de vosotros, cuando tiene algo contra otro, ir a juicio delante de los injustos, y no delante de los santos?

**5.6** [b] Gá. 5.9.   **5.7** [c] Ex. 12.5.   **5.8** [d] Ex. 13.7; Dt. 16.3.

## Gratificación diferida

LEA 1 CORINTIOS 6.1-13

Nuestros apetitos pueden dominarnos y esclavizarnos. Actividades perfectamente buenas pueden meternos en problemas cuando no las practicamos con moderación. También puede haber momentos en los que no alimentamos nuestros apetitos de una manera balanceada. En esas situaciones nos sentimos tan necesitados que, a la primera oportunidad, caemos en la tentación de nuestra adicción.

Esto le pasó a Esaú. Un día llegó a la casa con tanta hambre que le vendió los derechos de su progenitura a su hermano por un plato de lentejas. Se nos advierte: «No sea que haya algún fornicario, o profano, como Esaú, que por una sola comida vendió su primogenitura. Porque ya sabéis que aun después, deseando heredar la bendición, fue desechado, y no hubo oportunidad para el arrepentimiento, aunque la procuró con lágrimas» (Hebreos 12.16-17). El apóstol Pablo escribió: «Todas las cosas me son lícitas, mas no todas convienen; todas las cosas me son lícitas, mas yo no me dejaré dominar de ninguna» (1 Corintios 6.12).

Necesitamos satisfacer nuestros apetitos de forma correcta para así no pasar hambre y evitar volvernos más susceptibles a la tentación. Quizás haya algunas cosas buenas que ejercen tal control sobre nosotros que mejor sería evitarlas por completo. Si permitimos que las demandas de nuestros apetitos se vuelvan abrumadoras, nos arriesgamos a perder cosas (o personas) que tal vez nunca recuperaremos. *Vaya a la página 269, 1 Corintios 13.*

---

excomulgar este pecador impenitente, también les instruyó para que se involucraran en actividades sanas. De igual manera, cuando dejamos atrás nuestras actividades y relaciones personales destructivas, debemos reemplazarlas con actividades provechosas y con personas piadosas que nos alienten en el proceso de recuperación.

**5.9-13** Pablo aconsejó a su gente que evitara las relaciones estrechas con otros creyentes que mantuvieran una actitud condescendiente con respecto a sus pecados. No obstante, tampoco debían aislarse por completo de los incrédulos. Debían seguir llevando las buenas nuevas a las personas que necesitaban oír el mensaje. Nosotros también debemos evitar mantener relaciones estrechas con gente que nos arrastra y trata de obstaculizar nuestra recuperación. Sin embargo, mientras experimentamos el poder de Dios en nuestra vida, necesitamos compartir estas noticias con otros. El relato de nuestra liberación puede salvar las vidas de otros que viven en esclavitud. Al llevar el mensaje, no sólo seremos un instrumento de esperanza para otros, sino que también encontraremos fuerzas renovadas para continuar nuestra propia recuperación.

**6.1-6** Llevar a alguien a juicio, con todo y lo doloroso que pueda ser, es a menudo la manera más fácil de solucionar un conflicto. Lidiar con un problema de esa forma tan indirecta, usualmente produce separación

**2** ¿O no sabéis que los santos han de juzgar al mundo? Y si el mundo ha de ser juzgado por vosotros, ¿sois indignos de juzgar cosas muy pequeñas?

**3** ¿O no sabéis que hemos de juzgar a los ángeles? ¿Cuánto más las cosas de esta vida?

**4** Si, pues, tenéis juicios sobre cosas de esta vida, ¿ponéis para juzgar a los que son de menor estima en la iglesia?

**5** Para avergonzaros lo digo. ¿Pues qué, no hay entre vosotros sabio, ni aun uno, que pueda juzgar entre sus hermanos,

**6** sino que el hermano con el hermano pleitea en juicio, y esto ante los incrédulos?

**7** Así que, por cierto es ya una falta en vosotros que tengáis pleitos entre vosotros mismos. ¿Por qué no sufrís más bien el agravio? ¿Por qué no sufrís más bien el ser defraudados?

**8** Pero vosotros cometéis el agravio, y defraudáis, y esto a los hermanos.

**9** ¿No sabéis que los injustos no heredarán el reino de Dios? No erréis; ni los fornicarios, ni los idólatras, ni los adúlteros, ni los afeminados, ni los que se echan con varones,

**10** ni los ladrones, ni los avaros, ni los borrachos, ni los maldicientes, ni los estafadores, heredarán el reino de Dios.

**11** Y esto erais algunos; mas ya habéis sido lavados, ya habéis sido santificados, ya habéis sido justificados en el nombre del Señor Jesús, y por el Espíritu de nuestro Dios.

## Glorificad a Dios en vuestro cuerpo

**12** Todas las cosas me son lícitas, mas no todas convienen;*a* todas las cosas me son lícitas, mas yo no me dejaré dominar de ninguna.

**13** Las viandas para el vientre, y el vientre para las viandas; pero tanto al uno como a las otras

destruirá Dios. Pero el cuerpo no es para la fornicación, sino para el Señor, y el Señor para el cuerpo.

**14** Y Dios, que levantó al Señor, también a nosotros nos levantará con su poder.

**15** ¿No sabéis que vuestros cuerpos son miembros de Cristo? ¿Quitaré, pues, los miembros de Cristo y los haré miembros de una ramera? De ningún modo.

**16** ¿O no sabéis que el que se une con una ramera, es un cuerpo con ella? Porque dice: Los dos serán una sola carne.*b*

**17** Pero el que se une al Señor, un espíritu es con él.

**18** Huid de la fornicación. Cualquier otro pecado que el hombre cometa, está fuera del cuerpo; mas el que fornica, contra su propio cuerpo peca.

**19** ¿O ignoráis que vuestro cuerpo es templo del Espíritu Santo, el cual está en vosotros,*c* el cual tenéis de Dios, y que no sois vuestros?

**20** Porque habéis sido comprados por precio; glorificad, pues, a Dios en vuestro cuerpo y en vuestro espíritu, los cuales son de Dios.

## Problemas del matrimonio

**7** **1** En cuanto a las cosas de que me escribisteis, bueno le sería al hombre no tocar mujer;

**2** pero a causa de las fornicaciones, cada uno tenga su propia mujer, y cada una tenga su propio marido.

**3** El marido cumpla con la mujer el deber conyugal, y asimismo la mujer con el marido.

**4** La mujer no tiene potestad sobre su propio cuerpo, sino el marido; ni tampoco tiene el marido potestad sobre su propio cuerpo, sino la mujer.

**5** No os neguéis el uno al otro, a no ser por algún tiempo de mutuo consentimiento, para ocuparos sosegadamente en la oración; y volved a juntaros

---

**6.12** *a* 1 Co. 10.23.   **6.16** *b* Gn. 2.24.   **6.19** *c* 1 Co. 3.16; 2 Co. 6.16.

---

en lugar de reconciliación. Pablo les advirtió a los creyentes corintios que no acudieran a jueces incrédulos para resolver sus disputas. Si el poder de Dios está obrando en nosotros, podemos usar la sabiduría y guía del Espíritu Santo para resolver nuestros conflictos. Necesitamos tener esto en mente al tratar de reparar los daños que les hemos causado a otros.

**6.18-20** Los pecados sexuales nos afectan más que cualquier otro pecado. No se trata de que sean los más pesados en algún tipo de balanza imaginaria, sino porque sus efectos son amplios y devastadores. En el pecado sexual, pecamos no sólo contra nosotros mismos sino también contra otras personas y contra Dios. Nuestro cuerpo es la morada del Espíritu Santo de Dios y le pertenece a él. Esta es una razón convincente para cuidar de nuestro cuerpo y buscar una nueva vida en la recuperación.

**7.2-5** El matrimonio es el sitio establecido por Dios para la expresión y satisfacción sexual. Nuestro cuerpo no nos pertenece; le pertenece a Dios. Pero aquí Pablo nos dice que también le pertenece a nuestro cónyuge. Si buscamos satisfacción sexual fuera del matrimonio, quedaremos atrapados en una búsqueda egoísta de placer. Sólo en el matrimonio nuestra sexualidad puede expresarse con preocupación por la otra persona involucrada y con entrega a ella. Si les pertenecemos a Dios y a nuestro cónyuge, podemos actuar de tal manera que les brindemos gran felicidad. Nuestra meta es no buscar solamente nuestra satisfacción personal. Al mantener nuestra sexualidad dentro de los límites del matrimonio, experimentamos el gozo que resulta de vivir fielmente con otra persona en presencia de Dios.

en uno, para que no os tiente Satanás a causa de vuestra incontinencia.

**6** Mas esto digo por vía de concesión, no por mandamiento.

**7** Quisiera más bien que todos los hombres fuesen como yo; pero cada uno tiene su propio don de Dios, uno a la verdad de un modo, y otro de otro.

**8** Digo, pues, a los solteros y a las viudas, que bueno les fuera quedarse como yo;

**9** pero si no tienen don de continencia, cásense, pues mejor es casarse que estarse quemando.

**10** Pero a los que están unidos en matrimonio, mando, no yo, sino el Señor: Que la mujer no se separe del marido;

**11** y si se separa, quédese sin casar, o reconcíliese con su marido; y que el marido no abandone a su mujer.*ª*

**12** Y a los demás yo digo, no el Señor: Si algún hermano tiene mujer que no sea creyente, y ella consiente en vivir con él, no la abandone.

**13** Y si una mujer tiene marido que no sea creyente, y él consiente en vivir con ella, no lo abandone.

**14** Porque el marido incrédulo es santificado en la mujer, y la mujer incrédula en el marido; pues de otra manera vuestros hijos serían inmundos, mientras que ahora son santos.

**15** Pero si el incrédulo se separa, sepárese; pues no está el hermano o la hermana sujeto a servidumbre en semejante caso, sino que a paz nos llamó Dios.

**16** Porque ¿qué sabes tú, oh mujer, si quizá harás salvo a tu marido? ¿O qué sabes tú, oh marido, si quizá harás salva a tu mujer?

**17** Pero cada uno como el Señor le repartió, y como Dios llamó a cada uno, así haga; esto ordeno en todas las iglesias.

**18** ¿Fue llamado alguno siendo circunciso? Quédese circunciso. ¿Fue llamado alguno siendo incircunciso? No se circuncide.

**19** La circuncisión nada es, y la incircuncisión nada es, sino el guardar los mandamientos de Dios.

**20** Cada uno en el estado en que fue llamado, en él se quede.

**21** ¿Fuiste llamado siendo esclavo? No te dé cuidado; pero también, si puedes hacerte libre, procúralo más.

**22** Porque el que en el Señor fue llamado siendo esclavo, liberto es del Señor; asimismo el que fue llamado siendo libre, esclavo es de Cristo.

**23** Por precio fuisteis comprados; no os hagáis esclavos de los hombres.

**24** Cada uno, hermanos, en el estado en que fue llamado, así permanezca para con Dios.

**25** En cuanto a las vírgenes no tengo mandamiento del Señor; mas doy mi parecer, como quien ha alcanzado misericordia del Señor para ser fiel.

**26** Tengo, pues, esto por bueno a causa de la necesidad que apremia; que hará bien el hombre en quedarse como está.

**27** ¿Estás ligado a mujer? No procures soltarte. ¿Estás libre de mujer? No procures casarte.

**28** Mas también si te casas, no pecas; y si la doncella se casa, no peca; pero los tales tendrán aflicción de la carne, y yo os la quisiera evitar.

**29** Pero esto digo, hermanos: que el tiempo es corto;

---

**7.10-11** *ª* Mt. 5.32; 19.9; Mr. 10.11-12; Lc. 16.18.

---

**7.8-9** Si somos solteros, quizás sintamos que la recuperación sería más fácil si tuviéramos la ayuda de un cónyuge. Si estamos casados, tal vez pensemos que nos concentraríamos más en la recuperación si fuéramos solteros. Seamos solteros o casados, existen dificultades con las que debemos lidiar. Cuando deseamos estar en una situación diferente, usualmente lo que queremos es evitar las responsabilidades de nuestra condición actual. Debemos buscar la manera de mejorar la situación en la que estamos, en lugar de abandonarla por otra cosa. Abandonar nuestras relaciones con otras personas o aferrarnos desesperadamente a una nueva relación nunca solucionará nuestros problemas.

**7.10-15** Muchos hemos sufrido a causa de un divorcio, ya sea como participantes directos o como hijos de padres divorciados. Pablo recuerda firmemente a sus lectores el mandato de Dios de evitar el divorcio a toda costa. Aun así, reconoció que hay situaciones en las que el divorcio es una opción legítima. Dios quiere que vivamos en armonía los unos con los otros. Cuando no estamos viviendo en armonía, debemos examinar nuestra vida para ver qué necesitamos cambiar. Si después de hacer los cambios apropiados todavía enfrentamos problemas serios, tal vez necesitemos ayudar a nuestra pareja a pasar por un proceso similar. A menudo un consejero matrimonial puede facilitar este proceso. El divorcio se convierte en alternativa sólo cuando una de las partes se niega a mantenerse fiel al compromiso del matrimonio.

**7.20-24** El mundo romano estaba lleno de personas oprimidas, muchas de las cuales habían sido llevadas desde su infancia a un país extranjero para servir como esclavas. Algunos de estos esclavos conocieron a Cristo y, naturalmente, anhelaban su libertad. Tal vez pensaron que podían ser mejores cristianos si eran libres. Nosotros podemos caer en la misma trampa. Miramos a otros y pensamos que unas circunstancias diferentes de las nuestras podrían facilitarnos la recuperación. En lugar de desear que ocurran milagros, podemos empezar el proceso de recuperación sin importar en qué situación estemos. Cuando entregamos nuestra voluntad y nuestra vida a Dios, tenemos un nuevo poder que actúa en nosotros, sin importar nuestras circunstancias externas.

resta, pues, que los que tienen esposa sean como si no la tuviesen;

**30** y los que lloran, como si no llorasen; y los que se alegran, como si no se alegrasen; y los que compran, como si no poseyesen;

**31** y los que disfrutan de este mundo, como si no lo disfrutasen; porque la apariencia de este mundo se pasa.

**32** Quisiera, pues, que estuvieseis sin congoja. El soltero tiene cuidado de las cosas del Señor, de cómo agradar al Señor;

**33** pero el casado tiene cuidado de las cosas del mundo, de cómo agradar a su mujer.

**34** Hay asimismo diferencia entre la casada y la doncella. La doncella tiene cuidado de las cosas del Señor, para ser santa así en cuerpo como en espíritu; pero la casada tiene cuidado de las cosas del mundo, de cómo agradar a su marido.

**35** Esto lo digo para vuestro provecho; no para tenderos lazo, sino para lo honesto y decente, y para que sin impedimento os acerquéis al Señor.

**36** Pero si alguno piensa que es impropio para su hija virgen que pase ya de edad, y es necesario que así sea, haga lo que quiera, no peca; que se case.

**37** Pero el que está firme en su corazón, sin tener necesidad, sino que es dueño de su propia voluntad, y ha resuelto en su corazón guardar a su hija virgen, bien hace.

**38** De manera que el que la da en casamiento hace bien, y el que no la da en casamiento hace mejor.

**39** La mujer casada está ligada por la ley mientras su marido vive; pero si su marido muriere, libre es para casarse con quien quiera, con tal que sea en el Señor.

**40** Pero a mi juicio, más dichosa será si se quedare así; y pienso que también yo tengo el Espíritu de Dios.

## Lo sacrificado a los ídolos

**8** **1** En cuanto a lo sacrificado a los ídolos, sabemos que todos tenemos conocimiento. El conocimiento envanece, pero el amor edifica.

**2** Y si alguno se imagina que sabe algo, aún no sabe nada como debe saberlo.

**3** Pero si alguno ama a Dios, es conocido por él.

**4** Acerca, pues, de las viandas que se sacrifican a los ídolos, sabemos que un ídolo nada es en el mundo, y que no hay más que un Dios.

**5** Pues aunque haya algunos que se llamen dioses, sea en el cielo, o en la tierra (como hay muchos dioses y muchos señores),

**6** para nosotros, sin embargo, sólo hay un Dios, el Padre, del cual proceden todas las cosas, y nosotros somos para él; y un Señor, Jesucristo, por medio del cual son todas las cosas, y nosotros por medio de él.

**7** Pero no en todos hay este conocimiento; porque algunos, habituados hasta aquí a los ídolos, comen como sacrificado a ídolos, y su conciencia, siendo débil, se contamina.

**8** Si bien la vianda no nos hace más aceptos ante Dios; pues ni porque comamos, seremos más, ni porque no comamos, seremos menos.

**9** Pero mirad que esta libertad vuestra no venga a ser tropezadero para los débiles.

**10** Porque si alguno te ve a ti, que tienes conocimiento, sentado a la mesa en un lugar de ídolos, la conciencia de aquel que es débil, ¿no será estimulada a comer de lo sacrificado a los ídolos?

**11** Y por el conocimiento tuyo, se perderá el hermano débil por quien Cristo murió.

**12** De esta manera, pues, pecando contra los hermanos e hiriendo su débil conciencia, contra Cristo pecáis.

**13** Por lo cual, si la comida le es a mi hermano ocasión de caer, no comeré carne jamás, para no poner tropiezo a mi hermano.

## Los derechos de un apóstol

**9** **1** ¿No soy apóstol? ¿No soy libre? ¿No he visto a Jesús el Señor nuestro? ¿No sois vosotros mi obra en el Señor?

**2** Si para otros no soy apóstol, para vosotros ciertamente lo soy; porque el sello de mi apostolado sois vosotros en el Señor.

---

**8.1-3** El amor es un estilo de vida en el que nuestra preocupación por los demás guía todos nuestros pensamientos y acciones. La mayoría de nosotros necesitamos mantenernos en recuperación porque hemos vivido para nuestra satisfacción personal. Al tratar de escapar de nuestro dolor interior recurriendo a los placeres pasajeros de las actividades o sustancias adictivas, nos cegamos y no vemos las necesidades de la gente que está a nuestro alrededor. Ese estilo de vida llenó nuestro pasado de personas heridas y de amistades rotas. Una vida gobernada por un amor desinteresado es el único camino para reconstruir nuestro quebrantado pasado. Saber que Dios nos ama sin importar cuál sea nuestro pasado es el punto de partida de la recuperación.

**8.10-13** Nuestra libertad personal es un derecho valioso mientras no prive a otra persona de su libertad personal. Podemos tratar de justificar nuestras acciones racionalizándolas, pero el amor es el único principio que nos guiará a la hora de tomar decisiones morales legítimas. Cuando amamos, nuestra libertad para hacer ciertas cosas no será tan importante como nuestras relaciones con los demás. Necesitamos aprender a anteponer las necesidades de otros a nuestros deseos personales. El amor debe ser el patrón para hacer nuestro inventario moral y la motivación para reparar el daño que les hemos causado a otros.

**3** Contra los que me acusan, esta es mi defensa:
**4** ¿Acaso no tenemos derecho de comer y beber?
**5** ¿No tenemos derecho de traer con nosotros una hermana por mujer como también los otros apóstoles, y los hermanos del Señor, y Cefas?
**6** ¿O sólo yo y Bernabé no tenemos derecho de no trabajar?
**7** ¿Quién fue jamás soldado a sus propias expensas? ¿Quién planta viña y no come de su fruto? ¿O quién apacienta el rebaño y no toma de la leche del rebaño?
**8** ¿Digo esto sólo como hombre? ¿No dice esto también la ley?
**9** Porque en la ley de Moisés está escrito: No pondrás bozal al buey que trilla.*a* ¿Tiene Dios cuidado de los bueyes,
**10** o lo dice enteramente por nosotros? Pues por nosotros se escribió; porque con esperanza debe arar el que ara, y el que trilla, con esperanza de recibir del fruto.
**11** Si nosotros sembramos entre vosotros lo espiritual, ¿es gran cosa si segáremos de vosotros lo material?*b*
**12** Si otros participan de este derecho sobre vosotros, ¿cuánto más nosotros?

Pero no hemos usado de este derecho, sino que lo soportamos todo, por no poner ningún obstáculo al evangelio de Cristo.
**13** ¿No sabéis que los que trabajan en las cosas sagradas, comen del templo, y que los que sirven al altar, del altar participan?*c*
**14** Así también ordenó el Señor a los que anuncian el evangelio, que vivan del evangelio.*d*

**15** Pero yo de nada de esto me he aprovechado, ni tampoco he escrito esto para que se haga así conmigo; porque prefiero morir, antes que nadie desvanezca esta mi gloria.
**16** Pues si anuncio el evangelio, no tengo por qué gloriarme; porque me es impuesta necesidad; y ¡ay de mí si no anunciare el evangelio!
**17** Por lo cual, si lo hago de buena voluntad, recompensa tendré; pero si de mala voluntad, la comisión me ha sido encomendada.
**18** ¿Cuál, pues, es mi galardón? Que predicando el evangelio, presente gratuitamente el evangelio de Cristo, para no abusar de mi derecho en el evangelio.
**19** Por lo cual, siendo libre de todos, me he hecho siervo de todos para ganar a mayor número.
**20** Me he hecho a los judíos como judío, para ganar a los judíos; a los que están sujetos a la ley (aunque yo no esté sujeto a la ley) como sujeto a la ley, para ganar a los que están sujetos a la ley;
**21** a los que están sin ley, como si yo estuviera sin ley (no estando yo sin ley de Dios, sino bajo la ley de Cristo), para ganar a los que están sin ley.
**22** Me he hecho débil a los débiles, para ganar a los débiles; a todos me he hecho de todo, para que de todos modos salve a algunos.
**23** Y esto hago por causa del evangelio, para hacerme copartícipe de él.
**24** ¿No sabéis que los que corren en el estadio, todos a la verdad corren, pero uno solo se lleva el premio? Corred de tal manera que lo obtengáis.
**25** Todo aquel que lucha, de todo se abstiene; ellos,

**9.9** *a* Dt. 25.4.   **9.11** *b* Ro. 15.27.   **9.13** *c* Dt. 18.1.   **9.14** *d* Mt. 10.10; Lc. 10.7.

**9.4-12** Pablo mismo fue un modelo de renuncia de la libertad personal para mostrar su amor hacia los demás. Él tenía sus derechos –al igual que nosotros–, pero renunció a ellos debido a su relación con Jesucristo y a su deseo de ayudar a otros. Podemos sentir que tenemos ciertas libertades y derechos, pero si deseamos avanzar en nuestra recuperación, quizás tengamos que renunciar a algunos de esos derechos. Podemos tener el derecho de participar en ciertas actividades o frecuentar ciertos lugares, pero probablemente sepamos que algunas de estas cosas nos llevarían a una caída. Necesitamos dejar a un lado las actividades y relaciones personales que puedan hacernos recaer. Es posible que también necesitemos renunciar a algunos de nuestros derechos para apoyar a otros en su recuperación.
**9.15-18** Pablo renunció a su derecho de devengar un salario por su trabajo en el ministerio, y en vez de esto decidió mantenerse a sí mismo. Lo importante no fue si debió pagársele un sueldo o no. Lo que él estaba ilustrando es el principio de que cuando Dios nos llama a hacer algo, es posible que tengamos que renunciar a algunos de nuestros derechos y libertades para llevarlo a cabo. Si aspiramos a progresar en nuestra recuperación, entonces nuestra relación con Jesucristo y el compromiso de mantenernos dentro de sus planes deben ocupar el centro de nuestra vida. Tal vez tengamos que renunciar a algunas de nuestras posesiones, actividades y relaciones de codependencia para lograr la libertad que tanto anhelamos.
**9.19-23** Una parte esencial de la recuperación es hablar a otros de las buenas nuevas del perdón y de la ayuda de Dios. Pablo nos enseña que si queremos comunicarnos con otros, primero tenemos que dedicar tiempo a entender de dónde vienen. Él escuchó a su audiencia y estableció relaciones de afinidad con ellos ante de ayudarlos a cambiar. Cuando queremos ayudar a otros, debemos comenzar por ganarnos su confianza. No necesitamos ser buenos para ganar las discusiones; necesitamos ser buenos para escuchar y mostrar que sí nos importan. Pablo prestó atención a las necesidades de las personas y luego les presentó su mensaje en forma tal que llenó sus necesidades específicas. Podemos hacer lo mismo cuando llevemos el mensaje de esperanza a personas heridas.

a la verdad, para recibir una corona corruptible, pero nosotros, una incorruptible.

**26** Así que, yo de esta manera corro, no como a la ventura; de esta manera peleo, no como quien golpea el aire,

**27** sino que golpeo mi cuerpo, y lo pongo en servidumbre, no sea que habiendo sido heraldo para otros, yo mismo venga a ser eliminado.

## Amonestaciones contra la idolatría

**10** **1** Porque no quiero, hermanos, que ignoréis que nuestros padres todos estuvieron bajo la nube,*a* y todos pasaron el mar;*b*

**2** y todos en Moisés fueron bautizados en la nube y en el mar,

**3** y todos comieron el mismo alimento espiritual,*c*

**4** y todos bebieron la misma bebida espiritual;*d* porque bebían de la roca espiritual que los seguía, y la roca era Cristo.

**5** Pero de los más de ellos no se agradó Dios; por lo cual quedaron postrados en el desierto.*e*

**6** Mas estas cosas sucedieron como ejemplos para nosotros, para que no codiciemos cosas malas, como ellos codiciaron.*f*

**7** Ni seáis idólatras, como algunos de ellos, según está escrito: Se sentó el pueblo a comer y a beber, y se levantó a jugar.*g*

**8** Ni forniquemos, como algunos de ellos fornicaron, y cayeron en un día veintitrés mil.*h*

**9** Ni tentemos al Señor, como también algunos de ellos le tentaron, y perecieron por las serpientes.*i*

**10** Ni murmuréis, como algunos de ellos murmuraron, y perecieron por el destructor.*j*

**11** Y estas cosas les acontecieron como ejemplo, y están escritas para amonestarnos a nosotros, a quienes han alcanzado los fines de los siglos.

**12** Así que, el que piensa estar firme, mire que no caiga.

**13** No os ha sobrevenido ninguna tentación que no sea humana; pero fiel es Dios, que no os dejará ser tentados más de lo que podéis resistir, sino que dará también juntamente con la tentación la salida, para que podáis soportar.

**14** Por tanto, amados míos, huid de la idolatría.

**15** Como a sensatos os hablo; juzgad vosotros lo que digo.

**16** La copa de bendición que bendecimos, ¿no es la comunión de la sangre de Cristo? El pan que partimos, ¿no es la comunión del cuerpo de Cristo?*k*

**17** Siendo uno solo el pan, nosotros, con ser muchos, somos un cuerpo; pues todos participamos de aquel mismo pan.

**18** Mirad a Israel según la carne; los que comen de los sacrificios, ¿no son partícipes del altar?*l*

**19** ¿Qué digo, pues? ¿Que el ídolo es algo, o que sea algo lo que se sacrifica a los ídolos?

**20** Antes digo que lo que los gentiles sacrifican, a los demonios lo sacrifican, y no a Dios;*m* y no quiero que vosotros os hagáis partícipes con los demonios.

**21** No podéis beber la copa del Señor, y la copa de los demonios; no podéis participar de la mesa del Señor, y de la mesa de los demonios.

**22** ¿O provocaremos a celos al Señor?*n* ¿Somos más fuertes que él?

## Haced todo para la gloria de Dios

**23** Todo me es lícito, pero no todo conviene;*o* todo me es lícito, pero no todo edifica.

---

**10.1** *a* Ex. 13.21-22. *b* Ex. 14.22-29. **10.3** *c* Ex. 16.35. **10.4** *d* Ex. 17.6; Nm. 20.11. **10.5** *e* Nm. 14.29-30. **10.6** *f* Nm. 11.4. **10.7** *g* Ex. 32.6. **10.8** *h* Nm. 25.1-18. **10.9** *i* Nm. 21.5-6. **10.10** *j* Nm. 16.41-49. **10.16** *k* Mt. 26.26-28; Mr. 14.22-24; Lc. 22.19-20. **10.18** *l* Lv. 7.6. **10.20** *m* Dt. 32.17. **10.22** *n* Dt. 32.21. **10.23** *o* 1 Co. 6.12.

---

**9.24-27** El proceso de recuperación se parece mucho al entrenamiento para una pelea de boxeo en la que está en juego un título o a prepararse para un maratón. Estas actividades les exigen, a los que quieran ganar, muchísima resistencia y estricta disciplina. Nadie dijo que la recuperación sería fácil, y Pablo da a entender que crecer en nuestra relación con Dios puede ser difícil. Si queremos tener éxito en nuestra recuperación y crecer espiritualmente, tenemos que fijar nuestra vista en esas metas. Necesitamos tanto renunciar a las actividades destructivas que puedan obstaculizar nuestro progreso como entrenar rigurosamente. Si reconocemos desde el principio de nuestro programa de recuperación que las cosas no serán fáciles y perseveramos en nuestra recompensa eterna, experimentaremos el poder de Dios y la libertad que la propia recuperación nos proporcionará.

**10.1-13** Pablo acaba de ponerse a sí mismo como ejemplo de un atleta disciplinado y alerta. Ahora usa la historia de Israel para mostrarnos cómo no debemos ser. La falta de disciplina y vigilancia llevó a los israelitas al pecado. Estaban demasiado confiados, y esa actitud los llevó a desobedecer las buenas instrucciones que Dios les había dado. Pablo sostuvo que el fracaso de Israel es una advertencia para nosotros. Si seguimos el ejemplo de los israelitas sufriremos sus mismas dolorosas consecuencias.

**10.19-22** No podemos servir a Cristo y al diablo. No podemos estar en recuperación y al mismo tiempo seguir entreteniéndonos con nuestros antiguos estilos de vida. Comprometer nuestros estándares personales para complacer a los que representan la parte disfuncional de nuestro pasado es caminar sobre terreno peligroso. Si seguimos este patrón, nuestra relación con Dios pronto se tambaleará y nuestra recuperación estará en riesgo. La recuperación requiere decisión, y esa decisión implica que tenemos que dejar atrás algunas cosas.

*SEÑOR, concédeme serenidad para aceptar las cosas que no puedo cambiar, valor para cambiar las que sí puedo y sabiduría para reconocer la diferencia entre ambas. AMÉN*

Creer en una cura instantánea para la adicción pondrá en riesgo nuestra recuperación; por otro lado, creer que algún día estaremos fuera del alcance de la tentación es también peligroso.

Lamentablemente, la tentación es una parte permanente de nuestro mundo pecaminoso y de la experiencia humana. La Biblia dice: «No os ha sobrevenido ninguna tentación que no sea humana» (1 Corintios 10.13a). No sólo la tentación nos rodea por todos lados; está también en nosotros: «...sino que cada uno es tentado, cuando de su propia concupiscencia es atraído y seducido» (Santiago 1.14). Aun cuando podamos deshacernos de todas las tentaciones externas, todavía tenemos que vivir con los destructivos deseos que yacen en el interior de nuestra vieja naturaleza.

Incluso Jesucristo enfrentó la tentación y, sin embargo, nunca pecó. Antes de ser tentado, pasó un largo período de tiempo en el desierto, y lo pasó sin comida. Usualmente somos más tentados cuando estamos solos y con hambre.

Enfrentar la tentación es parte de aceptar la realidad. Necesitamos aceptar el hecho de que siempre seremos susceptibles a la tentación en aquellos aspectos en los que somos más débiles y a los que somos más propensos. Cuando recibimos a Cristo como nuestro Salvador, Dios nos da una nueva naturaleza, pero es irreal pensar que nuestra vieja naturaleza pecaminosa vaya a desaparecer alguna vez. Cuando desechemos la falsa creencia de que la tentación va a desaparecer mágicamente al volvernos a Dios, estaremos más conscientes y más capacitados para evitar rendirnos al poder de la tentación. Necesitamos buscar la ayuda de Dios en oración para lidiar con esta realidad de la vida. *Vaya a la página 321, Filipenses 4.*

24 Ninguno busque su propio bien, sino el del otro. 25 De todo lo que se vende en la carnicería, comed, sin preguntar nada por motivos de conciencia; 26 porque del Señor es la tierra y su plenitud.P 27 Si algún incrédulo os invita, y queréis ir, de todo lo que se os ponga delante comed, sin preguntar nada por motivos de conciencia.

28 Mas si alguien os dijere: Esto fue sacrificado a los ídolos; no lo comáis, por causa de aquel que lo declaró, y por motivos de conciencia; porque del Señor es la tierra y su plenitud. 29 La conciencia, digo, no la tuya, sino la del otro. Pues ¿por qué se ha de juzgar mi libertad por la conciencia de otro?

**10.26** P Sal. 24.1.

**10.23-33** Aquí Pablo buscó balancear su argumentación, pues es fácil volverse legalista cuando vamos en el camino de la recuperación. El balance puede lograrse si tenemos la disposición de renunciar a cualquier derecho personal que pueda provocar que otros caigan, sin tampoco forzar a nadie a aceptar nuestros estándares. Esto no conduce a la dependencia mutua que busca complacer a otros por razones enfermizas.

**30** Y si yo con agradecimiento participo, ¿por qué he de ser censurado por aquello de que doy gracias?

**31** Si, pues, coméis o bebéis, o hacéis otra cosa, hacedlo todo para la gloria de Dios.

**32** No seáis tropiezo ni a judíos, ni a gentiles, ni a la iglesia de Dios;

**33** como también yo en todas las cosas agrado a todos, no procurando mi propio beneficio, sino el de muchos, para que sean salvos.

# 11

**1** Sed imitadores de mí,*a* así como yo de Cristo.

## Atavío de las mujeres

**2** Os alabo, hermanos, porque en todo os acordáis de mí, y retenéis las instrucciones tal como os las entregué.

**3** Pero quiero que sepáis que Cristo es la cabeza de todo varón, y el varón es la cabeza de la mujer, y Dios la cabeza de Cristo.

**4** Todo varón que ora o profetiza con la cabeza cubierta, afrenta su cabeza.

**5** Pero toda mujer que ora o profetiza con la cabeza descubierta, afrenta su cabeza; porque lo mismo es que si se hubiese rapado.

**6** Porque si la mujer no se cubre, que se corte también el cabello; y si le es vergonzoso a la mujer cortarse el cabello o raparse, que se cubra.

**7** Porque el varón no debe cubrirse la cabeza, pues él es imagen y gloria de Dios;*b* pero la mujer es gloria del varón.

**8** Porque el varón no procede de la mujer, sino la mujer del varón,

**9** y tampoco el varón fue creado por causa de la mujer, sino la mujer por causa del varón.*c*

**10** Por lo cual la mujer debe tener señal de autoridad sobre su cabeza, por causa de los ángeles.

**11** Pero en el Señor, ni el varón es sin la mujer, ni la mujer sin el varón;

**12** porque así como la mujer procede del varón, también el varón nace de la mujer; pero todo procede de Dios.

**13** Juzgad vosotros mismos: ¿Es propio que la mujer ore a Dios sin cubrirse la cabeza?

**14** La naturaleza misma ¿no os enseña que al varón le es deshonroso dejarse crecer el cabello?

**15** Por el contrario, a la mujer dejarse crecer el cabello le es honroso; porque en lugar de velo le es dado el cabello.

**16** Con todo eso, si alguno quiere ser contencioso, nosotros no tenemos tal costumbre, ni las iglesias de Dios.

## Abusos en la Cena del Señor

**17** Pero al anunciaros esto que sigue, no os alabo; porque no os congregáis para lo mejor, sino para lo peor.

**18** Pues en primer lugar, cuando os reunís como iglesia, oigo que hay entre vosotros divisiones; y en parte lo creo.

**19** Porque es preciso que entre vosotros haya disensiones, para que se hagan manifiestos entre vosotros los que son aprobados.

**20** Cuando, pues, os reunís vosotros, esto no es comer la cena del Señor.

**21** Porque al comer, cada uno se adelanta a tomar su propia cena; y uno tiene hambre, y otro se embriaga.

**22** Pues qué, ¿no tenéis casas en que comáis y bebáis? ¿O menospreciáis la iglesia de Dios, y avergonzáis a los que no tienen nada? ¿Qué os diré? ¿Os alabaré? En esto no os alabo.

## Institución de la Cena del Señor

**23** Porque yo recibí del Señor lo que también os he enseñado: Que el Señor Jesús, la noche que fue entregado, tomó pan;

**24** y habiendo dado gracias, lo partió, y dijo: Tomad, comed; esto es mi cuerpo que por vosotros es partido; haced esto en memoria de mí.

**25** Asimismo tomó también la copa, después de haber cenado, diciendo: Esta copa es el nuevo pacto*d* en mi sangre;*e* haced esto todas las veces que la bebiereis, en memoria de mí.

**26** Así, pues, todas las veces que comiereis este pan,

**11.1** *a* 1 Co. 4.16; Fil. 3.17. **11.7** *b* Gn. 1.26. **11.8-9** *c* Gn. 2.18-23. **11.25** *d* Jer. 31.31-34. *e* Ex. 24.6-8.

Pablo procuraba complacer a otros con el propósito específico de llevarlos a la salvación. Si el amor por los demás gobierna nuestras acciones, vamos por el camino correcto para desarrollar sólidas relaciones personales y superar los problemas provocados por nuestra adicción o compulsión. Dios también nos usará como instrumentos poderosos para ayudar a otras personas que sufren.

**11.17-22** Pablo trató de solucionar un problema en la iglesia de Corinto. Al parecer, algunos de los creyentes más ricos miraban por encima del hombro a los más pobres, y se negaban a compartir de su abundancia en la comida de comunión fraternal (ágape). Pablo muestra con claridad que la actitud de superioridad es extremadamente destructiva. Mientras estamos en el proceso de recuperación, debemos compartir el proceso con otros. Puede haber personas en nuestros grupos a las que consideremos inferiores a nosotros, pero este tipo de actitud es destructivo. Ante los ojos de Dios nadie es mejor que nadie. Todos estamos quebrantados por el pecado y necesitamos el poder transformador de Dios. Nuestro bienestar material o nivel de educación no nos hace mejores. Cuando reconocemos esto y humildemente hablamos de nuestros fracasos con otros, podemos progresar en nuestra recuperación.

y bebiereis esta copa, la muerte del Señor anunciáis hasta que él venga.

## Tomando la Cena indignamente

**27** De manera que cualquiera que comiere este pan o bebiere esta copa del Señor indignamente, será culpado del cuerpo y de la sangre del Señor.
**28** Por tanto, pruébese cada uno a sí mismo, y coma así del pan, y beba de la copa.
**29** Porque el que come y bebe indignamente, sin discernir el cuerpo del Señor, juicio come y bebe para sí.
**30** Por lo cual hay muchos enfermos y debilitados entre vosotros, y muchos duermen.
**31** Si, pues, nos examinásemos a nosotros mismos, no seríamos juzgados;
**32** mas siendo juzgados, somos castigados por el Señor, para que no seamos condenados con el mundo.
**33** Así que, hermanos míos, cuando os reunís a comer, esperaos unos a otros.
**34** Si alguno tuviere hambre, coma en su casa, para que no os reunáis para juicio. Las demás cosas las pondré en orden cuando yo fuere.

## Dones espirituales

**12** **1** No quiero, hermanos, que ignoréis acerca de los dones espirituales.
**2** Sabéis que cuando erais gentiles, se os extraviaba llevándoos, como se os llevaba, a los ídolos mudos.
**3** Por tanto, os hago saber que nadie que hable por el Espíritu de Dios llama anatema a Jesús; y nadie puede llamar a Jesús Señor, sino por el Espíritu Santo.
**4** Ahora bien, hay diversidad de dones, pero el Espíritu es el mismo.
**5** Y hay diversidad de ministerios, pero el Señor es el mismo.
**6** Y hay diversidad de operaciones, pero Dios, que hace todas las cosas en todos, es el mismo.

**7** Pero a cada uno le es dada la manifestación del Espíritu para provecho.
**8** Porque a éste es dada por el Espíritu palabra de sabiduría; a otro, palabra de ciencia según el mismo Espíritu;
**9** a otro, fe por el mismo Espíritu; y a otro, dones de sanidades por el mismo Espíritu.
**10** A otro, el hacer milagros; a otro, profecía; a otro, discernimiento de espíritus; a otro, diversos géneros de lenguas; y a otro, interpretación de lenguas.
**11** Pero todas estas cosas las hace uno y el mismo Espíritu, repartiendo a cada uno en particular como él quiere.*a*

**12** Porque así como el cuerpo es uno, y tiene muchos miembros, pero todos los miembros del cuerpo, siendo muchos, son un solo cuerpo, así también Cristo.*b*
**13** Porque por un solo Espíritu fuimos todos bautizados en un cuerpo, sean judíos o griegos, sean esclavos o libres; y a todos se nos dio a beber de un mismo Espíritu.
**14** Además, el cuerpo no es un solo miembro, sino muchos.
**15** Si dijere el pie: Porque no soy mano, no soy del cuerpo, ¿por eso no será del cuerpo?
**16** Y si dijere la oreja: Porque no soy ojo, no soy del cuerpo, ¿por eso no será del cuerpo?
**17** Si todo el cuerpo fuese ojo, ¿dónde estaría el oído? Si todo fuese oído, ¿dónde estaría el olfato?
**18** Mas ahora Dios ha colocado los miembros cada uno de ellos en el cuerpo, como él quiso.
**19** Porque si todos fueran un solo miembro, ¿dónde estaría el cuerpo?
**20** Pero ahora son muchos los miembros, pero el cuerpo es uno solo.
**21** Ni el ojo puede decir a la mano: No te necesito, ni tampoco la cabeza a los pies: No tengo necesidad de vosotros.

**12.4-11** *a* Ro. 12.6-8. **12.12** *b* Ro. 12.4-5.

---

**11.27-30** En estos versículos Pablo insta a los corintios a hacer un profundo y atrevido inventario moral de sus vidas. Algunos de ellos necesitaban reconocer su orgullo y dar los pasos para eliminarlo. Esto es algo que todos necesitamos hacer regularmente; debe convertirse en hábito para nosotros. El crecimiento espiritual y emocional, así como la recuperación, dependen de nuestra fidelidad en hacer nuestro inventario personal. Aquí Pablo da a entender que hasta la enfermedad física puede ser el resultado de no examinar nuestra vida antes de tomar la comunión. Cuando tomemos el tiempo para hacer un inventario moral regular obtendremos la victoria sobre las fuerzas destructivas que operen en nuestra vida.
**12.4-11** Dios nos ha dado algún don a cada uno de nosotros. No hay nadie que no tenga talentos o habilidades especiales. Cuando no nos valoramos, estamos rechazando esos dones de Dios en lugar de deleitarnos con ellos. No necesitamos excedernos en nuestra autoestima; sólo necesitamos ver con más claridad quiénes somos y cómo Dios nos ha dado sus talentos. Ya sea que lo hayamos reconocido o no, estar en recuperación es de por sí un regalo extraordinario. Después de haber sufrido en el proceso de fracaso y liberación, hemos sido especialmente dotados para ayudar a otros que luchan de igual manera. Al hablarles a otros de lo que Dios ha hecho por nosotros, quizás estemos dando el regalo de la vida a algún necesitado.
**12.12-26** Cuando nos enorgullecemos por nuestros dones y logros, invariablemente terminamos hiriéndonos a nosotros mismos y a otros. Dios nos ha dotado a todos de una u otra forma. Si no

**22** Antes bien los miembros del cuerpo que parecen más débiles, son los más necesarios;

**23** y a aquellos del cuerpo que nos parecen menos dignos, a éstos vestimos más dignamente; y los que en nosotros son menos decorosos, se tratan con más decoro.

**24** Porque los que en nosotros son más decorosos, no tienen necesidad; pero Dios ordenó el cuerpo, dando más abundante honor al que le faltaba,

**25** para que no haya desavenencia en el cuerpo, sino que los miembros todos se preocupen los unos por los otros.

**26** De manera que si un miembro padece, todos los miembros se duelen con él, y si un miembro recibe honra, todos los miembros con él se gozan.

**27** Vosotros, pues, sois el cuerpo de Cristo, y miembros cada uno en particular.

**28** Y a unos puso Dios en la iglesia, primeramente apóstoles, luego profetas, lo tercero maestros,c luego los que hacen milagros, después los que sanan, los que ayudan, los que administran, los que tienen don de lenguas.

**29** ¿Son todos apóstoles? ¿son todos profetas? ¿todos maestros? ¿hacen todos milagros?

**30** ¿Tienen todos dones de sanidad? ¿hablan todos lenguas? ¿interpretan todos?

**31** Procurad, pues, los dones mejores. Mas yo os muestro un camino aun más excelente.

## La preeminencia del amor

**13** **1** Si yo hablase lenguas humanas y angélicas, y no tengo amor, vengo a ser como metal que resuena, o címbalo que retiñe.

**2** Y si tuviese profecía, y entendiese todos los misterios y toda ciencia, y si tuviese toda la fe, de tal manera que trasladase los montes,a y no tengo amor, nada soy.

**3** Y si repartiese todos mis bienes para dar de comer a los pobres, y si entregase mi cuerpo para ser quemado, y no tengo amor, de nada me sirve.

**4** El amor es sufrido, es benigno; el amor no tiene envidia, el amor no es jactancioso, no se envanece;

**5** no hace nada indebido, no busca lo suyo, no se irrita, no guarda rencor;

**6** no se goza de la injusticia, mas se goza de la verdad.

**7** Todo lo sufre, todo lo cree, todo lo espera, todo lo soporta.

**8** El amor nunca deja de ser; pero las profecías se acabarán, y cesarán las lenguas, y la ciencia acabará.

**9** Porque en parte conocemos, y en parte profetizamos;

**10** mas cuando venga lo perfecto, entonces lo que es en parte se acabará.

**11** Cuando yo era niño, hablaba como niño, pensaba como niño, juzgaba como niño; mas cuando ya fui hombre, dejé lo que era de niño.

**12** Ahora vemos por espejo, oscuramente; mas entonces veremos cara a cara. Ahora conozco en parte; pero entonces conoceré como fui conocido.

**13** Y ahora permanecen la fe, la esperanza y el amor, estos tres; pero el mayor de ellos es el amor.

## El hablar en lenguas

**14** **1** Seguid el amor; y procurad los dones espirituales, pero sobre todo que profeticéis.

**2** Porque el que habla en lenguas no habla a los hombres, sino a Dios; pues nadie le entiende, aunque por el Espíritu habla misterios.

**3** Pero el que profetiza habla a los hombres para edificación, exhortación y consolación.

**4** El que habla en lengua extraña, a sí mismo se edifica; pero el que profetiza, edifica a la iglesia.

---

**12.28** c Ef. 4.11.  **13.2** a Mt. 17.20; 21.21; Mr. 11.23.

---

reconocemos esta verdad, podemos apropiarnos del mérito por nuestro progreso y hacer alarde de nuestro éxito. Este tipo de orgullo causa dolor a otros y nos conduce a una caída segura. Cuando tenemos una imagen precisa de nosotros mismos, le atribuiremos a Dios el mérito por los dones que nos ha dado y estaremos agradecidos por su ayuda en nuestra recuperación. Si no podemos hacer esto, necesitamos regresar al Paso Uno y confesar una vez más lo impotentes que realmente somos.

**13.1-3** Pablo estaba escribiendo a un grupo de creyentes que había empezado a olvidar lo que es el verdadero amor. Él les mostró que todas sus habilidades, talentos y dones espirituales se vuelven nada si no se aman los unos a los otros. Sin amor desinteresado, no tenemos nada. Las relaciones basadas en el amor son también esenciales para el proceso de recuperación.

**13.11-13** La recuperación y el crecimiento nunca llegan a completarse en esta vida; siempre estamos en recuperación, siempre estamos creciendo. Todavía somos como niños, necesitamos madurar. Sólo cuando veamos a Dios cara a cara conoceremos la plenitud. Pablo habla de esta verdad no para desanimarnos, sino para darnos la esperanza de que algún día alcanzaremos la perfección. Perseveraremos en el proceso de recuperación si tenemos *fe* en Dios y en las personas que nos rodean. Necesitamos *esperanza* para soportar nuestros dolorosos problemas y adicción y recibir sanidad. La mayoría de nosotros necesita *amor* genuino para superar las barreras y la esclavitud de nuestro pasado. La fe, la esperanza y el amor son necesarios para una recuperación exitosa. Sin embargo, el amor genuino es el mejor sanador de todos.

**14.1-12** Pablo retomó el tema de los dones espirituales. Nos advirtió que no usemos nuestros dones para

⁵ Así que, quisiera que todos vosotros hablaseis en lenguas, pero más que profetizaseis; porque mayor es el que profetiza que el que habla en lenguas, a no ser que las interprete para que la iglesia reciba edificación.

⁶ Ahora pues, hermanos, si yo voy a vosotros hablando en lenguas, ¿qué os aprovechará, si no os hablare con revelación, o con ciencia, o con profecía, o con doctrina?

⁷ Ciertamente las cosas inanimadas que producen sonidos, como la flauta o la cítara, si no dieren distinción de voces, ¿cómo se sabrá lo que se toca con la flauta o con la cítara?

⁸ Y si la trompeta diere sonido incierto, ¿quién se preparará para la batalla?

⁹ Así también vosotros, si por la lengua no diereis palabra bien comprensible, ¿cómo se entenderá lo que decís? Porque hablaréis al aire.

¹⁰ Tantas clases de idiomas hay, seguramente, en el mundo, y ninguno de ellos carece de significado.

¹¹ Pero si yo ignoro el valor de las palabras, seré como extranjero para el que habla, y el que habla será como extranjero para mí.

¹² Así también vosotros; pues que anheláis dones espirituales, procurad abundar en ellos para edificación de la iglesia.

¹³ Por lo cual, el que habla en lengua extraña, pida en oración poder interpretarla.

¹⁴ Porque si yo oro en lengua desconocida, mi espíritu ora, pero mi entendimiento queda sin fruto.

¹⁵ ¿Qué, pues? Oraré con el espíritu, pero oraré también con el entendimiento; cantaré con el espíritu, pero cantaré también con el entendimiento.

¹⁶ Porque si bendices sólo con el espíritu, el que ocupa lugar de simple oyente, ¿cómo dirá el Amén a tu acción de gracias? pues no sabe lo que has dicho.

¹⁷ Porque tú, a la verdad, bien das gracias; pero el otro no es edificado.

¹⁸ Doy gracias a Dios que hablo en lenguas más que todos vosotros;

¹⁹ pero en la iglesia prefiero hablar cinco palabras con mi entendimiento, para enseñar también a otros, que diez mil palabras en lengua desconocida.

²⁰ Hermanos, no seáis niños en el modo de pensar, sino sed niños en la malicia, pero maduros en el modo de pensar.

²¹ En la ley está escrito: En otras lenguas y con otros labios hablaré a este pueblo; y ni aun así me oirán, dice el Señor.ᵃ

# Amor

## LEA 1 CORINTIOS 13.1-7

Es posible que hayamos desistido de amar. Tal vez hayamos esperado que el amor nos encuentre, y hemos terminado decepcionados. Quizás nuestros seres queridos nos hayan lastimado tanto que necesitábamos insensibilizarnos al dolor. En el pasado nuestra adicción nos ayudó a mantenernos adormecidos, pero ahora que estamos en recuperación, tenemos que encontrar la forma de lidiar con el asunto del amor una vez más.

Es la voluntad de Dios que amemos a otros; sin amor, nada más importa (véase 1 Corintios 13.1-3). El amor es más que un sentimiento; es decidir comportarnos amorosamente. Es un fruto del Espíritu Santo que se produce en nuestras vidas cuando nos rendimos a Dios. La Biblia lo describe de esta manera: «El amor es sufrido, es benigno; el amor no tiene envidia, el amor no es jactancioso, no se envanece; no hace nada indebido, no busca lo suyo, no se irrita, no guarda rencor; no se goza de la injusticia ... Todo lo sufre, todo lo cree, todo lo espera, todo lo soporta» (1 Corintios 13.4-7).

Este pasaje es una descripción de cómo nos ama Dios. Cuando comencemos a absorber su amor, nos sorprenderemos intentando amar otra vez. Nadie ama perfectamente, pero debemos aprender cómo amar. Podemos pedirle a Dios que nos ayude a amar a otros y dejar de esperar que ellos nos amen a nosotros. No podemos esperar ser buenos de inmediato en esto de amar; debemos ser pacientes mientras el amor de Dios crece en nosotros y Dios mismo nos enseña cómo amar. Cuando decidimos actuar de forma amorosa, se producirán emociones y descubriremos que nuestro amor será correspondido. ***Vaya a la página 283, 2 Corintios 5.***

**14.21** ᵃ Is. 28.11-12.

volvernos engreídos ni para afirmar nuestro sentido de autosuficiencia. Todos los dones espirituales son exactamente eso: dones. Dios los da para que los usemos en la edificación de otros y para animarlos en su crecimiento espiritual. Usar para nuestros propósitos personales los dones que Dios nos da muestra que hemos olvidado a aquel que nos los dio en primer lugar: Dios. Este tipo de actitud nos lleva invariablemente al fracaso. Tendremos éxito cuando reconozcamos que somos impotentes y que necesitamos la poderosa ayuda de Dios.

**22** Así que, las lenguas son por señal, no a los creyentes, sino a los incrédulos; pero la profecía, no a los incrédulos, sino a los creyentes.

**23** Si, pues, toda la iglesia se reúne en un solo lugar, y todos hablan en lenguas, y entran indoctos o incrédulos, ¿no dirán que estáis locos?

**24** Pero si todos profetizan, y entra algún incrédulo o indocto, por todos es convencido, por todos es juzgado;

**25** lo oculto de su corazón se hace manifiesto; y así, postrándose sobre el rostro, adorará a Dios, declarando que verdaderamente Dios está entre vosotros.

**26** ¿Qué hay, pues, hermanos? Cuando os reunís, cada uno de vosotros tiene salmo, tiene doctrina, tiene lengua, tiene revelación, tiene interpretación. Hágase todo para edificación.

**27** Si habla alguno en lengua extraña, sea esto por dos, o a lo más tres, y por turno; y uno interprete.

**28** Y si no hay intérprete, calle en la iglesia, y hable para sí mismo y para Dios.

**29** Asimismo, los profetas hablen dos o tres, y los demás juzguen.

**30** Y si algo le fuere revelado a otro que estuviere sentado, calle el primero.

**31** Porque podéis profetizar todos uno por uno, para que todos aprendan, y todos sean exhortados.

**32** Y los espíritus de los profetas están sujetos a los profetas;

**33** pues Dios no es Dios de confusión, sino de paz.

Como en todas las iglesias de los santos,

**34** vuestras mujeres callen en las congregaciones; porque no les es permitido hablar, sino que estén sujetas, como también la ley lo dice.

**35** Y si quieren aprender algo, pregunten en casa a sus maridos; porque es indecoroso que una mujer hable en la congregación.

**36** ¿Acaso ha salido de vosotros la palabra de Dios, o sólo a vosotros ha llegado?

**37** Si alguno se cree profeta, o espiritual, reconozca que lo que os escribo son mandamientos del Señor.

**38** Mas el que ignora, ignore.

**39** Así que, hermanos, procurad profetizar, y no impidáis el hablar lenguas;

**40** pero hágase todo decentemente y con orden.

## La resurrección de los muertos

**15** **1** Además os declaro, hermanos, el evangelio que os he predicado, el cual también recibisteis, en el cual también perseveráis;

**2** por el cual asimismo, si retenéis la palabra que os he predicado, sois salvos, si no creísteis en vano.

**3** Porque primeramente os he enseñado lo que asimismo recibí: Que Cristo murió por nuestros pecados, conforme a las Escrituras;*a*

**4** y que fue sepultado, y que resucitó al tercer día, conforme a las Escrituras;*b*

**5** y que apareció a Cefas,*c* y después a los doce.*d*

**6** Después apareció a más de quinientos hermanos a la vez, de los cuales muchos viven aún, y otros ya duermen.

**7** Después apareció a Jacobo; después a todos los apóstoles;

**8** y al último de todos, como a un abortivo, me apareció a mí.*e*

**9** Porque yo soy el más pequeño de los apóstoles, que no soy digno de ser llamado apóstol, porque perseguí a la iglesia de Dios.*f*

**10** Pero por la gracia de Dios soy lo que soy; y su gracia no ha sido en vano para conmigo, antes he trabajado más que todos ellos; pero no yo, sino la gracia de Dios conmigo.

---

**15.3** *a* Is. 53.5-12. **15.4** *b* Sal. 16.8-10; Os. 6.2. **15.5** *c* Lc. 24.34. *d* Mt. 28.16-17; Mr. 16.14; Lc. 24.36; Jn. 20.19. **15.8** *e* Hch. 9.3-6. **15.9** *f* Hch. 8.3.

---

**14.26-39** Pablo resumió sus enseñanzas con respecto a las relaciones personales, especialmente las que se caracterizan por una interdependencia saludable. Debemos vivir en comunidad con otros, animándolos y supliendo sus necesidades. Es importante distinguir entre este tipo de relación y una relación de codependencia, en la que nos relacionamos con otros por un motivo oculto, quizás tratando de suplir nuestra carencia o necesidad. Las sanas relaciones interdependientes tratan de satisfacer las necesidades mutuas sin buscar ninguna recompensa escondida. Cuando aprendamos a amar desinteresadamente como propuso Pablo, las necesidades físicas y emocionales de todos los miembros de la comunidad serán suplidas. Una de las metas de la recuperación es restablecer las relaciones personales rotas y disfuncionales, transformándolas en relaciones saludables e interdependientes.

**15.10** En el estado de recuperación a menudo utilizamos expresiones que comienzan con «pero por la gracia de Dios, yo...». Tal forma de expresarnos comenzó con Pablo, al reconocer que sin la gracia de Dios no habría podido alcanzar ningún éxito. Tenemos que reconocer que nuestro éxito en la recuperación viene de Dios. Cuando no le damos crédito a Dios por lo que ha pasado en nuestra vida, negamos nuestro progreso pues hemos olvidado las lecciones de los primeros pasos. Nótese, sin embargo, que Pablo también reconoció su arduo esfuerzo en el proceso. La recuperación se basa en la gracia de Dios y su deseo de ayudarnos, pero todavía tenemos una parte en el proceso: ¡tenemos que trabajar duro! La recuperación necesita una combinación del poder de Dios y nuestra fiel disposición a obedecerlo.

**11** Porque o sea yo o sean ellos, así predicamos, y así habéis creído.

**12** Pero si se predica de Cristo que resucitó de los muertos, ¿cómo dicen algunos entre vosotros que no hay resurrección de muertos?

**13** Porque si no hay resurrección de muertos, tampoco Cristo resucitó.

**14** Y si Cristo no resucitó, vana es entonces nuestra predicación, vana es también vuestra fe.

**15** Y somos hallados falsos testigos de Dios; porque hemos testificado de Dios que él resucitó a Cristo, al cual no resucitó, si en verdad los muertos no resucitan.

**16** Porque si los muertos no resucitan, tampoco Cristo resucitó;

**17** y si Cristo no resucitó, vuestra fe es vana; aún estáis en vuestros pecados.

**18** Entonces también los que durmieron en Cristo perecieron.

**19** Si en esta vida solamente esperamos en Cristo, somos los más dignos de conmiseración de todos los hombres.

**20** Mas ahora Cristo ha resucitado de los muertos; primicias de los que durmieron es hecho.

**21** Porque por cuanto la muerte entró por un hombre; también por un hombre la resurrección de los muertos.

**22** Porque así como en Adán todos mueren, también en Cristo todos serán vivificados.

**23** Pero cada uno en su debido orden: Cristo, las primicias; luego los que son de Cristo, en su venida.

**24** Luego el fin, cuando entregue el reino al Dios y Padre, cuando haya suprimido todo dominio, toda autoridad y potencia.

**25** Porque preciso es que él reine hasta que haya puesto a todos sus enemigos debajo de sus pies.*g*

**26** Y el postrer enemigo que será destruido es la muerte.

**27** Porque todas las cosas las sujetó debajo de sus pies.*h* Y cuando dice que todas las cosas han sido sujetadas a él, claramente se exceptúa aquel que sujetó a él todas las cosas.

**28** Pero luego que todas las cosas le estén sujetas, entonces también el Hijo mismo se sujetará al que le sujetó a él todas las cosas, para que Dios sea todo en todos.

**29** De otro modo, ¿qué harán los que se bautizan por los muertos, si en ninguna manera los muertos resucitan? ¿Por qué, pues, se bautizan por los muertos?

**30** ¿Y por qué nosotros peligramos a toda hora?

**31** Os aseguro, hermanos, por la gloria que de vosotros tengo en nuestro Señor Jesucristo, que cada día muero.

**32** Si como hombre batallé en Efeso contra fieras, ¿qué me aprovecha? Si los muertos no resucitan, comamos y bebamos, porque mañana moriremos.*i*

**33** No erréis; las malas conversaciones corrompen las buenas costumbres.

**34** Velad debidamente, y no pequéis; porque algunos no conocen a Dios; para vergüenza vuestra lo digo.

**35** Pero dirá alguno: ¿Cómo resucitarán los muertos? ¿Con qué cuerpo vendrán?

**36** Necio, lo que tú siembras no se vivifica, si no muere antes.

**37** Y lo que siembras no es el cuerpo que ha de salir,

---

**15.25** *g* Sal. 110.1. **15.27** *h* Sal. 8.6. **15.32** *i* Is. 22.13.

---

**15.12-20** Algunos de los creyentes en Corinto habían comenzado a cuestionar la esperanza en la resurrección a una nueva vida cuando se produzca la segunda venida de Cristo. Por eso, Pablo volvió a enfatizar la importancia de la resurrección y de la esperanza que este hecho significa para todos, aun para aquellos que ya han muerto. La máxima expresión del poder de Dios fue resucitar a Jesús de entre los muertos. Si Dios pudo hacer eso, entonces ¡tiene el poder para hacer cualquier cosa! Sin embargo, si Dios no levantó a Jesús de la tumba, entonces nuestro Dios no tiene poder y nosotros estamos perdidos. Pablo afirmó que Jesús sí resucitó de la muerte y que, precisamente porque resucitó, nosotros tenemos acceso al mayor poder en el universo: ¡Dios mismo!

**15.29-34** Si la muerte fuera el final de todo, entonces cualquier estilo de vida egoísta que sólo busque el placer podría ser una alternativa justificable. No obstante, Pablo nos recuerda que nuestra esperanza y recuperación nos conducen a una existencia que trasciende la muerte. Esta verdad sobre la resurrección es lo que nos motiva a tomar decisiones correctas y a dejar nuestra antigua forma de vida. Si hacemos las cosas a la manera de Dios, podemos esperar una eternidad de paz y felicidad. Si hacemos las cosas a nuestra manera, encararemos una eternidad de sufrimiento.

**15.35-58** No importa cuán aterradora pueda haberse vuelto nuestra dependencia, la muerte sigue siendo probablemente lo que más miedo nos provoca. A veces el miedo a la muerte puede motivarnos a buscar la ayuda de Dios para poder enfrentar nuestros problemas destructivos. Sin embargo, este mismo miedo también puede llevarnos a la desesperación y puede llegar a alimentar nuestra dependencia. Pablo nos recuerda un hecho que puede eliminar nuestro temor a la muerte: Jesucristo ya la conquistó. Con su resurrección venció a la muerte y destruyó el «aguijón» de muerte, que es el pecado. Con el poder de la resurrección de Jesucristo obrando en nosotros, nada de lo que hagamos se desaprovecha. Dios puede usar aun nuestros fracasos y recaídas para enseñarnos algo para su gloria.

sino el grano desnudo, ya sea de trigo o de otro grano;

**38** pero Dios le da el cuerpo como él quiso, y a cada semilla su propio cuerpo.

**39** No toda carne es la misma carne, sino que una carne es la de los hombres, otra carne es la de las bestias, otra la de los peces, y otra la de las aves.

**40** Y hay cuerpos celestiales, y cuerpos terrenales; pero una es la gloria de los celestiales, y otra la de los terrenales.

**41** Una es la gloria del sol, otra la gloria de la luna, y otra la gloria de las estrellas, pues una estrella es diferente de otra en gloria.

**42** Así también es la resurrección de los muertos. Se siembra en corrupción, resucitará en incorrupción.

**43** Se siembra en deshonra, resucitará en gloria; se siembra en debilidad, resucitará en poder.

**44** Se siembra cuerpo animal, resucitará cuerpo espiritual. Hay cuerpo animal, y hay cuerpo espiritual.

**45** Así también está escrito: Fue hecho el primer hombre Adán alma viviente;[j] el postrer Adán, espíritu vivificante.

**46** Mas lo espiritual no es primero, sino lo animal; luego lo espiritual.

**47** El primer hombre es de la tierra, terrenal; el segundo hombre, que es el Señor, es del cielo.

**48** Cual el terrenal, tales también los terrenales; y cual el celestial, tales también los celestiales.

**49** Y así como hemos traído la imagen del terrenal, traeremos también la imagen del celestial.

**50** Pero esto digo, hermanos: que la carne y la sangre no pueden heredar el reino de Dios, ni la corrupción hereda la incorrupción.

**51** He aquí, os digo un misterio: No todos dormiremos; pero todos seremos transformados,

**52** en un momento, en un abrir y cerrar de ojos, a la final trompeta; porque se tocará la trompeta, y los muertos serán resucitados incorruptibles, y nosotros seremos transformados.[k]

**53** Porque es necesario que esto corruptible se vista de incorrupción, y esto mortal se vista de inmortalidad.

**54** Y cuando esto corruptible se haya vestido de incorrupción, y esto mortal se haya vestido de inmortalidad, entonces se cumplirá la palabra que está escrita: Sorbida es la muerte en victoria.[l]

**55** ¿Dónde está, oh muerte, tu aguijón? ¿Dónde, oh sepulcro, tu victoria?[m]

**56** ya que el aguijón de la muerte es el pecado, y el poder del pecado, la ley.

**57** Mas gracias sean dadas a Dios, que nos da la victoria por medio de nuestro Señor Jesucristo.

**58** Así que, hermanos míos amados, estad firmes y constantes, creciendo en la obra del Señor siempre, sabiendo que vuestro trabajo en el Señor no es en vano.

## La ofrenda para los santos

**16** **1** En cuanto a la ofrenda para los santos,[a] haced vosotros también de la manera que ordené en las iglesias de Galacia.

**2** Cada primer día de la semana cada uno de vosotros ponga aparte algo, según haya prosperado, guardándolo, para que cuando yo llegue no se recojan entonces ofrendas.

**3** Y cuando haya llegado, a quienes hubiereis designado por carta, a éstos enviaré para que lleven vuestro donativo a Jerusalén.

**4** Y si fuere propio que yo también vaya, irán conmigo.

## Planes de Pablo

**5** Iré a vosotros, cuando haya pasado por Macedonia,[b] pues por Macedonia tengo que pasar.

**6** Y podrá ser que me quede con vosotros, o aun pase el invierno, para que vosotros me encaminéis a donde haya de ir.

**7** Porque no quiero veros ahora de paso, pues espero estar con vosotros algún tiempo, si el Señor lo permite.

**8** Pero estaré en Efeso hasta Pentecostés;[c]

**9** porque se me ha abierto puerta grande y eficaz, y muchos son los adversarios.[d]

**10** Y si llega Timoteo,[e] mirad que esté con vosotros con tranquilidad, porque él hace la obra del Señor así como yo.

**11** Por tanto, nadie le tenga en poco, sino encaminadle en paz, para que venga a mí, porque le espero con los hermanos.

**12** Acerca del hermano Apolos, mucho le rogué que fuese a vosotros con los hermanos, mas de ninguna manera tuvo voluntad de ir por ahora; pero irá cuando tenga oportunidad.

---

**15.45** *j* Gn. 2.7.   **15.51-52** *k* 1 Ts. 4.15-17.   **15.54** *l* Is. 25.8.   **15.55** *m* Os. 13.14.   **16.1** *a* Ro. 15.25-26.
**16.5** *b* Hch. 19.21.   **16.8** *c* Lv. 23.15-21; Dt. 16.9-11.   **16.8-9** *d* Hch. 19.8-10.   **16.10** *e* 1 Co. 4.17.

---

**16.5-18** A lo largo de su carta, Pablo alentó a los corintios en su camino de recuperación y crecimiento espiritual. Al terminar la carta, reveló su amor y la confianza que les tenía presentando sus propias peticiones personales. Debe haber siempre un balance entre nuestra preocupación por las heridas y necesidades de otros, y la presentación de nuestras peticiones por lo que nosotros mismos necesitamos. Las relaciones saludables se caracterizan por este balanceado «dar y recibir».

## Salutaciones finales

**13** Velad, estad firmes en la fe; portaos varonilmente, y esforzaos.

**14** Todas vuestras cosas sean hechas con amor.

**15** Hermanos, ya sabéis que la familia de Estéfanas[f] es las primicias de Acaya, y que ellos se han dedicado al servicio de los santos.

**16** Os ruego que os sujetéis a personas como ellos, y a todos los que ayudan y trabajan.

**17** Me regocijo con la venida de Estéfanas, de Fortunato y de Acaico, pues ellos han suplido vuestra ausencia.

**16.15** [f] 1 Co. 1.16.  **16.19** [g] Hch. 18.2.
**16.22** [1] Gr. del arameo, *Maran-ata*.

**18** Porque confortaron mi espíritu y el vuestro; reconoced, pues, a tales personas.

**19** Las iglesias de Asia os saludan. Aquila y Priscila,[g] con la iglesia que está en su casa, os saludan mucho en el Señor.

**20** Os saludan todos los hermanos. Saludaos los unos a los otros con ósculo santo.

**21** Yo, Pablo, os escribo esta salutación de mi propia mano.

**22** El que no amare al Señor Jesucristo, sea anatema. El Señor viene.[1]

**23** La gracia del Señor Jesucristo esté con vosotros.

**24** Mi amor en Cristo Jesús esté con todos vosotros. Amén.

REFLEXIONES SOBRE PRIMERA CORINTIOS

### ✳ *perspectivas* ACERCA DE NUESTRA DEBILIDAD Y EL PODER DE DIOS

Por medio de una serie de ilustraciones, Pablo señaló en **1 Corintios 1.26-31** que el plan de Dios para nuestra recuperación no recurre a nuestra sabiduría humana ni a nuestras fuerzas ni a nuestras habilidades. No tenemos que ser famosos o ricos para recibir el perdón y el poder de Dios. Para las personas autosuficientes esto puede ser difícil de aceptar. Queremos sentir que merecemos nuestra salvación o recuperación. Pero hasta que podamos admitir que somos incapaces de cambiar sin la ayuda de Dios, estaremos condenados a ciclos de doloroso fracaso. Los regalos divinos del perdón y el poder para vivir una vida nueva pueden parecernos tonterías. Pero cuando aceptamos a Cristo como nuestro Salvador y le entregamos a él nuestra vida y voluntad, descubrimos el verdadero poder y que somos libres de la esclavitud de nuestro pasado.

### ✳ *perspectivas* ACERCA DE CÓMO ENCONTRAR LA VOLUNTAD DE DIOS

Tal vez algunos nos preguntemos si alguna vez podremos conocer la voluntad de Dios para nuestra vida. En **1 Corintios 2.11-12** encontramos que podemos conocer la mente y el corazón de Dios porque él ha puesto en nosotros su Espíritu Santo para comunicarnos estas cosas. Con frecuencia, el Espíritu Santo usa la palabra de Dios para comunicarse con nosotros. ¡Qué privilegio leer los pensamientos y sentimientos de Dios! La presencia de Dios en nosotros nos ayudará a saber cómo lidiar con nuestro doloroso pasado conforme él nos ayuda a hacer un acertado inventario personal. Esto nos llevará a tener una correcta comprensión de nosotros mismos y a la restauración de nuestra vida y relaciones quebrantadas. Si seguimos constantemente la dirección de Dios en nuestra vida por medio del Espíritu Santo, nuestra recuperación está asegurada.

### ✳ *perspectivas* ACERCA DE RELACIONES SALUDABLES

En **1 Corintios 6.12** Pablo les dijo a los creyentes corintios que evitaran involucrarse en actividades que pudieran seducirlos a regresar a su antigua forma de vivir. Esta advertencia es también importante para quienes estamos en recuperación. Muchas de nuestras viejas actividades y de nuestras relaciones no son malas en sí mismas, pero mantenernos involucrados en esas cosas nos llevará de forma natural a las recaídas. Si es así, entonces tales actividades no son buenas para nosotros ni para nuestra recuperación. Necesitamos evitar todo lo que pueda impedir u obstaculizar de alguna manera nuestro crecimiento espiritual.

## ✳ *perspectivas* ACERCA DEL AMOR

La mayoría de nosotros define el amor como una emoción, y ahí nos detenemos. Pero en **1 Corintios 13.4-7** Pablo define el amor como un compromiso de actuar de cierta manera en nuestra relación con los demás. Tal vez no siempre seamos capaces de evocar las emociones y sentimientos del amor, pero ciertamente siempre podremos comportarnos como se indica en estos versículos. El apóstol sabía que cuando actuamos de forma amorosa, pronto surgen los sentimientos de amor. Mientras buscamos restablecer nuestras relaciones rotas y reparar el daño causado, encontraremos que la descripción de Pablo de una acción amorosa es una receta eficaz para la restauración y la sanidad.

# SEGUNDA CORINTIOS

## EL PANORAMA

A. PABLO DISCUTE SUS MOTIVOS Y SUS ACCIONES (1.1—2.13)

B. PABLO RELACIONA SU MINISTERIO CON EL NUEVO PACTO (2.14—7.16)

C. PABLO PIDE EL APOYO DE SUS LECTORES (8.1—9.15)

D. PABLO DEFIENDE SU AUTORIDAD APOSTÓLICA (10.1—13.13)

Pablo escribió esta carta principalmente para defender la autoridad de sus enseñanzas acerca de Cristo. La iglesia de Corinto tenía dificultades, y uno de sus problemas era la presencia de miembros que cuestionaban abiertamente la autoridad de Pablo. Estas personas difamaron el carácter del apóstol y pusieron en duda el mensaje que predicaba. Además, introdujeron una serie de doctrinas falsas muy peligrosas. Como los creyentes de Corinto habían llegado a la fe por medio del ministerio de Pablo, esta situación puso en peligro a toda la iglesia.

Los falsos maestros reclamaban que seguir las leyes judías era requisito para la salvación. Para contrarrestar esta falsa enseñanza, Pablo enfatizó la verdad de que Dios nos transforma de adentro hacia fuera. No podemos cambiarnos a nosotros mismos simplemente haciendo cambios en nuestra conducta externa. Al ser reconciliados con Dios, él nos transforma en personas totalmente nuevas; en esencia, él cambia nuestro viejo yo.

Claro está, el cambio nunca es fácil cuando tiene que ver con nuestro estilo de vida. Los viejos hábitos son difíciles de eliminar, y los hábitos positivos tienen la tendencia a morir como víctimas de la negligencia. Por lo general, los hábitos más difíciles de eliminar son nuestros pensamientos negativos o enfermizos, y los patrones de conducta inapropiada. «Adiós a lo viejo, bienvenida a lo nuevo» suena simple, pero incluso cuando anhelamos poner fin a nuestros malos hábitos, nos aferramos a ellos.

Afortunadamente, Dios hizo algo para remediar nuestra irremediable situación. Esta es la razón por la que podemos reconocer nuestra impotencia y venir a él en busca de ayuda. Es esencial para la recuperación que entreguemos nuestra vida a Dios. Por medio de la muerte y resurrección de Jesús, Dios hizo posible que podamos experimentar los cambios que tanto anhelamos. Al reconciliarnos con él, podemos tener una nueva vida en Cristo, transformados de adentro hacia fuera.

## EN ESENCIA

PROPÓSITO: Explicar la nueva vida en Cristo y al mismo tiempo defender la autoridad de Pablo para predicar. AUTOR: El apóstol Pablo. DESTINATARIO: La iglesia de Corinto, ciudad en Grecia. FECHA: Alrededor del 55 d.C., desde Macedonia. ESCENARIO: Después de oír varias acusaciones en su contra que circulaban en Corinto, Pablo escribió a los creyentes corintios para aclarar sus malentendidos y ayudarlos con otros problemas. VERSÍCULO CLAVE: «De modo que si alguno está en Cristo, nueva criatura es; las cosas viejas pasaron; he aquí todas son hechas nuevas» (5.17). LUGARES CLAVE: Corinto, Macedonia, Troas, Jerusalén. PERSONAS Y RELACIONES CLAVE: Pablo con Timoteo, Tito, los creyentes corintios y algunos falsos profetas.

## TEMAS SOBRE RECUPERACIÓN

*El poder de Dios para nuestra recuperación:* Todos hemos tomado decisiones respecto a cómo vamos a cambiar. Los resultados son usualmente los mismos: regresamos a los mismos viejos y malos hábitos que prometimos dejar. Al parecer los corintios estaban haciendo eso mismo, con los mismos resultados. Lo que no podían entender, mientras prestaban atención a los falsos profetas, era que sólo el poder de Dios podía capacitarlos para realizar cambios en sus vidas. De igual forma, nuestros propios esfuerzos siempre se quedan cortos. En lugar de simplemente tomar decisiones, necesitamos confesar nuestra impotencia y entregar nuestra vida a Dios. Luego podemos permitir que su poder nos cambie desde nuestro interior.

*Aprender a aceptar la crítica:* Uno de los propósitos de Pablo al escribir esta carta era disciplinar a los que necesitaban ser corregidos. Usualmente la crítica duele. Sin embargo, también nos obliga a enfrentar nuestros problemas y nos ayuda a ver lo que necesitamos cambiar. Si queremos tener éxito en nuestra recuperación, tenemos que enfrentar y solucionar los problemas, no ignorarlos. Esto implica estar abiertos a la crítica.

*El conflicto puede producir crecimiento:* Los conflictos interpersonales son una parte inevitable del hecho de ser humanos. Estos conflictos pueden ser tan desalentadores que pueden hacernos fracasar. Pero lo que nos hagan los conflictos depende de cómo lidiemos con ellos. Si los vemos como oportunidades de crecimiento, como Pablo instó a hacer a los corintios, pueden impulsarnos a ser productivos. Si los enfrentamos y tratamos de resolverlos con amabilidad, nos pueden impulsar hacia adelante en la recuperación y a renovar nuestro compromiso mutuo. Si no les prestamos atención, pueden devorarnos como un cáncer, destruyendo el trabajo de recuperación no sólo en nosotros sino también en los que nos rodean. Los conflictos son oportunidades para crecer si los usamos como tales.

*La fuerza de Dios en nuestra debilidad:* En esta carta Pablo nos habla acerca de un «aguijón» particular en su carne (12.7). No sabemos en qué consistía el problema, porque él no nos lo dice. Algunos han sugerido que se trataba de una enfermedad física, o hasta de un mal que afectaba sus ojos. Fuera lo que fuera, era debilitante y crónico, y a veces interfería con su trabajo. También hacía que Pablo se mantuviera humilde, ya que lo obligaba a depender de Dios. Por medio de esta adversidad, Pablo aprendió a agradecer a Dios por su debilidad. En cada uno de nosotros siempre habrá deficiencias que nos abrumen y retrasen nuestro crecimiento. Pero nuestras debilidades tienen un propósito: acercarnos a Dios. ¿A qué mejor sitio podrían llevarnos?

### Salutación

**1** **1** Pablo, apóstol de Jesucristo por la voluntad de Dios, y el hermano Timoteo, a la iglesia de Dios que está en Corinto,[a] con todos los santos que están en toda Acaya:
**2** Gracia y paz a vosotros, de Dios nuestro Padre y del Señor Jesucristo.

### Aflicciones de Pablo

**3** Bendito sea el Dios y Padre de nuestro Señor Jesucristo, Padre de misericordias y Dios de toda consolación,
**4** el cual nos consuela en todas nuestras tribulaciones, para que podamos también nosotros consolar a los que están en cualquier tribulación, por medio de la consolación con que nosotros somos consolados por Dios.
**5** Porque de la manera que abundan en nosotros las aflicciones de Cristo, así abunda también por el mismo Cristo nuestra consolación.
**6** Pero si somos atribulados, es para vuestra consolación y salvación; o si somos consolados, es para vuestra consolación y salvación, la cual se opera en el sufrir las mismas aflicciones que nosotros también padecemos.
**7** Y nuestra esperanza respecto de vosotros es firme, pues sabemos que así como sois compañeros en las aflicciones, también lo sois en la consolación.

1.1 [a] Hch. 18.1.

---

**1.1-7** Dios no sólo es el Dios de paz, sino también el Dios de misericordia y consolación. Esas son buenas noticias, ya sea que estemos pasando por pruebas particulares o que estemos tratando de recuperarnos de situaciones incontrolables o que son resultado de actos abusivos. Jesucristo sufrió enorme e injustamente cuando fue a la cruz. Por eso, él entiende a cabalidad, se identifica con nuestro sufrimiento y sabe qué tipo de consuelo necesitamos. Él se merece nuestra confianza y es capaz de librarnos de nuestras dolorosas circunstancias.

**8** Porque hermanos, no queremos que ignoréis acerca de nuestra tribulación que nos sobrevino en Asia;*b* pues fuimos abrumados sobremanera más allá de nuestras fuerzas, de tal modo que aun perdimos la esperanza de conservar la vida.

**9** Pero tuvimos en nosotros mismos sentencia de muerte, para que no confiásemos en nosotros mismos, sino en Dios que resucita a los muertos;

**10** el cual nos libró, y nos libra, y en quien esperamos que aún nos librará, de tan gran muerte;

**11** cooperando también vosotros a favor nuestro con la oración, para que por muchas personas sean dadas gracias a favor nuestro por el don concedido a nosotros por medio de muchos.

## Por qué Pablo pospuso su visita a Corinto

**12** Porque nuestra gloria es esta: el testimonio de nuestra conciencia, que con sencillez y sinceridad de Dios, no con sabiduría humana, sino con la gracia de Dios, nos hemos conducido en el mundo, y mucho más con vosotros.

**13** Porque no os escribimos otras cosas de las que leéis, o también entendéis; y espero que hasta el fin las entenderéis;

**14** como también en parte habéis entendido que somos vuestra gloria, así como también vosotros la nuestra, para el día del Señor Jesús.

**15** Con esta confianza quise ir primero a vosotros, para que tuvieseis una segunda gracia,

**16** y por vosotros pasar a Macedonia,*c* y desde Macedonia venir otra vez a vosotros, y ser encaminado por vosotros a Judea.

**17** Así que, al proponerme esto, ¿usé quizá de ligereza? ¿O lo que pienso hacer, lo pienso según la carne, para que haya en mí Sí y No?

**18** Mas, como Dios es fiel, nuestra palabra a vosotros no es Sí y No.

**19** Porque el Hijo de Dios, Jesucristo, que entre vosotros ha sido predicado por nosotros, por mí, Silvano y Timoteo,*d* no ha sido Sí y No; mas ha sido Sí en él;

**20** porque todas las promesas de Dios son en él Sí, y

en él Amén, por medio de nosotros, para la gloria de Dios.

**21** Y el que nos confirma con vosotros en Cristo, y el que nos ungió, es Dios,

**22** el cual también nos ha sellado, y nos ha dado las arras del Espíritu en nuestros corazones.

**23** Mas yo invoco a Dios por testigo sobre mi alma, que por ser indulgente con vosotros no he pasado todavía a Corinto.

**24** No que nos enseñoreemos de vuestra fe, sino que colaboramos para vuestro gozo; porque por la fe estáis firmes.

**2** **1** Esto, pues, determiné para conmigo, no ir otra vez a vosotros con tristeza.

**2** Porque si yo os contristo, ¿quién será luego el que me alegre, sino aquel a quien yo contristé?

**3** Y esto mismo os escribí, para que cuando llegue no tenga tristeza de parte de aquellos de quienes me debiera gozar; confiando en vosotros todos que mi gozo es el de todos vosotros.

**4** Porque por la mucha tribulación y angustia del corazón os escribí con muchas lágrimas, no para que fueseis contristados, sino para que supieseis cuán grande es el amor que os tengo.

## Pablo perdona al ofensor

**5** Pero si alguno me ha causado tristeza, no me la ha causado a mí solo, sino en cierto modo (por no exagerar) a todos vosotros.

**6** Le basta a tal persona esta represión hecha por muchos;

**7** así que, al contrario, vosotros más bien debéis perdonarle y consolarle, para que no sea consumido de demasiada tristeza.

**8** Por lo cual os ruego que confirméis el amor para con él.

**9** Porque también para este fin os escribí, para tener la prueba de si vosotros sois obedientes en todo.

**10** Y al que vosotros perdonáis, yo también; porque también yo lo que he perdonado, si algo he perdonado, por vosotros lo he hecho en presencia de Cristo,

**1.8** *b* 1 Co. 15.32.   **1.16** *c* Hch. 19.21.   **1.19** *d* Hch. 18.5.

**1.8-10** Pablo escribió sobre su más reciente necesidad de consolación divina (véase 1.3-7). Al parecer, por poco matan a Pablo y a su grupo misionero mientras ministraban en la provincia romana de Asia, hoy día el suroeste de Turquía. Aunque Pablo y sus acompañantes pensaron que había llegado el final, Dios los liberó. Muchos hemos experimentado el poder liberador de Dios en nuestra vida. Aun cuando todo parece hacerse añicos, Dios puede rescatarnos de lo que parece ser una destrucción segura.

**1.23—2.4** A pesar de tener una fuerte personalidad, Pablo no era insensible al dolor de sus lectores. El apóstol sabía que la dura reprimenda que necesitaba dar a estas personas sería devastadora. Él realmente quería mostrarse positivo pero concluyó que no había forma de evitar la confrontación honesta con ellos con respecto a sus responsabilidades ante Dios y ante los demás. Algunas veces necesitamos que nos consuelen; otras veces necesitamos que nos confronten. Cuando confrontamos a otros con sus fracasos, debemos asegurarnos de que estamos buscando su bienestar, tal como lo hizo Pablo. A veces es tentador juzgar a otros para cubrir nuestros propios defectos.

**11** para que Satanás no gane ventaja alguna sobre nosotros; pues no ignoramos sus maquinaciones.

## Ansiedad de Pablo en Troas

**12** Cuando llegué a Troas para predicar el evangelio de Cristo, aunque se me abrió puerta en el Señor,

**13** no tuve reposo en mi espíritu, por no haber hallado a mi hermano Tito; así, despidiéndome de ellos, partí para Macedonia.*a*

## Triunfantes en Cristo

**14** Mas a Dios gracias, el cual nos lleva siempre en triunfo en Cristo Jesús, y por medio de nosotros manifiesta en todo lugar el olor de su conocimiento.

**15** Porque para Dios somos grato olor de Cristo en los que se salvan, y en los que se pierden;

**16** a éstos ciertamente olor de muerte para muerte, y a aquéllos olor de vida para vida. Y para estas cosas, ¿quién es suficiente?

**17** Pues no somos como muchos, que medran falsificando la palabra de Dios, sino que con sinceridad, como de parte de Dios, y delante de Dios, hablamos en Cristo.

## Ministros del nuevo pacto

**3** **1** ¿Comenzamos otra vez a recomendarnos a nosotros mismos? ¿O tenemos necesidad, como algunos, de cartas de recomendación para vosotros, o de recomendación de vosotros?

**2** Nuestras cartas sois vosotros, escritas en nuestros corazones, conocidas y leídas por todos los hombres;

**3** siendo manifiesto que sois carta de Cristo expedida por nosotros, escrita no con tinta, sino con el Espíritu del Dios vivo; no en tablas de piedra,*a* sino en tablas de carne del corazón.

**4** Y tal confianza tenemos mediante Cristo para con Dios;

**5** no que seamos competentes por nosotros mismos para pensar algo como de nosotros mismos, sino que nuestra competencia proviene de Dios,

**6** el cual asimismo nos hizo ministros competentes de un nuevo pacto,*b* no de la letra, sino del espíritu; porque la letra mata, mas el espíritu vivifica.

**7** Y si el ministerio de muerte grabado con letras en piedras fue con gloria, tanto que los hijos de Israel no pudieron fijar la vista en el rostro de Moisés a causa de la gloria de su rostro,*c* la cual había de perecer,

**8** ¿cómo no será más bien con gloria el ministerio del espíritu?

**9** Porque si el ministerio de condenación fue con gloria, mucho más abundará en gloria el ministerio de justificación.

**10** Porque aun lo que fue glorioso, no es glorioso en este respecto, en comparación con la gloria más eminente.

**11** Porque si lo que perece tuvo gloria, mucho más glorioso será lo que permanece.

**12** Así que, teniendo tal esperanza, usamos de mucha franqueza;

---

**2.12-13** *a* Hch. 20.1.   **3.3** *a* Ex. 24.12.   **3.6** *b* Jer. 31.31-34.   **3.7** *c* Ex. 34.29.

---

**2.14-17** La recuperación continua requiere que compartamos las buenas nuevas de la salvación que nos ha dado Dios. Para algunos de nosotros, esto puede parecer imposible y aterrador. Pablo nos muestra aquí que esta es otra obra que la gracia de Dios hace en nuestra vida. A medida que Dios nos transforma, dándonos la victoria sobre nuestra dependencia, comenzamos a reflejar su gracia en nuestras vidas. La fragancia de la obra transformadora de Dios será un «olor de vida» para otros si somos sinceros y transparentes con ellos. No tenemos que ser oradores elocuentes para compartir nuestra historia y las buenas nuevas de salvación. Nuestro sencillo mensaje, comunicado por medio de nuestras propias palabras y obras puede alentar a alguien que necesite enderezar su vida.

**3.4-5** En sus cartas, Pablo frecuentemente deja la impresión de ser una persona muy confiada. Aquí explicó, sin embargo, que su confianza no era tanto «en sí mismo» sino que se trataba de una confianza que «proviene de Dios». Si confiamos en que Dios actúa en nosotros y por medio de nosotros, podemos estar seguros de que existen recursos disponibles para solucionar cualquier problema que podamos enfrentar. El fundamento más sólido de la autoestima consiste en saber que fuimos hechos a la imagen de Dios (véase Génesis 1.26-27) y que somos competentes gracias a la obra de Dios a nuestro favor.

**3.6-16** El contraste que establece Pablo entre el antiguo pacto (la ley de Moisés) y el nuevo pacto (la salvación por medio de Jesucristo) se aplica al proceso de recuperación. La gloria de la ley, así como la gloria de Dios que resplandecía en el rostro de Moisés, se desvaneció, con lo que se implicaba que la ley no era una solución a largo plazo para el problema del pecado. De igual forma, los muchos programas de recuperación humanistas y otros medios para lidiar con el dolor y las dependencias pueden parecer «gloriosamente» eficaces a corto plazo, pero su éxito por medio de ellos puede desvanecerse rápidamente. La nueva vida que Dios ofrece a través de una relación continua con Jesucristo es el único medio para una recuperación permanente.

**3.17-18** La gloria de Dios se ve tanto en el nuevo pacto como en el antiguo. Pero en lugar de que se refleje en el exterior, como sucedió en el caso del rostro de Moisés, la gloria del nuevo pacto es una transformación de adentro hacia fuera. Esta gloria resplandece en la vida de todos los que confían en

**13** y no como Moisés, que ponía un velo sobre su rostro,*d* para que los hijos de Israel no fijaran la vista en el fin de aquello que había de ser abolido.

**14** Pero el entendimiento de ellos se embotó; porque hasta el día de hoy, cuando leen el antiguo pacto, les queda el mismo velo no descubierto, el cual por Cristo es quitado.

**15** Y aun hasta el día de hoy, cuando se lee a Moisés, el velo está puesto sobre el corazón de ellos.

**16** Pero cuando se conviertan al Señor, el velo se quitará.

**17** Porque el Señor es el Espíritu; y donde está el Espíritu del Señor, allí hay libertad.

**18** Por tanto, nosotros todos, mirando a cara descubierta como en un espejo la gloria del Señor, somos transformados de gloria en gloria en la misma imagen, como por el Espíritu del Señor.

**4** **1** Por lo cual, teniendo nosotros este ministerio según la misericordia que hemos recibido, no desmayamos.

**2** Antes bien renunciamos a lo oculto y vergonzoso, no andando con astucia, ni adulterando la palabra de Dios, sino por la manifestación de la verdad recomendándonos a toda conciencia humana delante de Dios.

**3** Pero si nuestro evangelio está aún encubierto, entre los que se pierden está encubierto;

**4** en los cuales el dios de este siglo cegó el entendimiento de los incrédulos, para que no les resplandezca la luz del evangelio de la gloria de Cristo, el cual es la imagen de Dios.

**5** Porque no nos predicamos a nosotros mismos, sino a Jesucristo como Señor, y a nosotros como vuestros siervos por amor de Jesús.

**6** Porque Dios, que mandó que de las tinieblas resplandeciese la luz,*a* es el que resplandeció en nuestros corazones, para iluminación del conocimiento de la gloria de Dios en la faz de Jesucristo.

### Viviendo por la fe

**7** Pero tenemos este tesoro en vasos de barro, para que la excelencia del poder sea de Dios, y no de nosotros,

**8** que estamos atribulados en todo, mas no angustiados; en apuros, mas no desesperados;

**3.13** *d* Ex. 34.33.  **4.6** *a* Gn. 1.3.

PASO 8

### Fruto del perdón

LECTURA BÍBLICA: 2 Corintios 2.5-8

**Hicimos una lista de todas las personas a las que habíamos lastimado y estuvimos dispuestos a reparar el daño hecho a cada una de ellas.** Algunas de nuestras acciones habrán merecido desaprobación y posiblemente habrán sido la causa de que otros hayan dejado de amarnos. Hemos descubierto que algunas personas nos aman sólo si pueden aprobar nuestra conducta. Tal vez hayamos luchado contra el resentimiento hacia ellos porque sentimos que han tratado de castigarnos. Si nuestros «pecados» se han hecho públicos, podemos asumir que hemos perdido el amor de todos los que desaprueban nuestras acciones. Este miedo al rechazo puede evitar que tratemos de reparar el daño que hemos causado.

En la joven iglesia de Corinto, un hombre fue expulsado de la congregación cuando sus pecados se hicieron públicos. Después de cambiar y tratar de reparar el daño causado, algunos se negaron a recibirlo otra vez en la iglesia. El apóstol les dijo a los creyentes: «Pero si alguno me ha causado tristeza ... Le basta a tal persona esta reprensión hecha por muchos; así que, al contrario, vosotros más bien debéis perdonarle y conso-larle, para que no sea consumido de demasiada tristeza. Por lo cual os ruego que confirméis el amor para con él» (2 Corintios 2.5-8). Algunas personas seguirán este consejo y reafirmarán su amor cuando usted vaya a donde ellos.

Habrá personas que responderán con perdón, estímulo, aceptación y amor. Esto nos ayudará a sobreponernos de la tristeza, la amargura y el desánimo que podamos sentir. Su perdón nos ayudará a seguir adelante con la recuperación. *Vaya a la página 301, Gálatas 6.*

---

Jesucristo y buscan una verdadera recuperación en el poder del Espíritu Santo. Mientras más ahondemos en nuestra relación con Dios, más visible se hará la gloria de Dios en nuestra vida.

**4.3-4** Si no reconocemos los pecados en nuestra vida, estamos asumiendo una actitud de rechazo y nos encaminamos a la destrucción. Si Satanás nos ha cegado para que no veamos nuestros pecados y adicción, no podemos aceptar el regalo de perdón que Dios nos ofrece a través de una relación con Jesucristo. La única forma de vencer los poderosos efectos de nuestros pecados es confesando nuestra impotencia y confiando nuestra vida al Señor. Él nos ayudará a hacer un honesto inventario de nuestra vida y nos dará el poder para cambiar. Pero comencemos el proceso despojándonos de nuestras actitudes negativas y aceptando las buenas nuevas de salvación por medio de Jesucristo.

**9** perseguidos, mas no desamparados; derribados, pero no destruidos;

**10** llevando en el cuerpo siempre por todas partes la muerte de Jesús, para que también la vida de Jesús se manifieste en nuestros cuerpos.

**11** Porque nosotros que vivimos, siempre estamos entregados a muerte por causa de Jesús, para que también la vida de Jesús se manifieste en nuestra carne mortal.

**12** De manera que la muerte actúa en nosotros, y en vosotros la vida.

**13** Pero teniendo el mismo espíritu de fe, conforme a lo que está escrito: Creí, por lo cual hablé,[b] nosotros también creemos, por lo cual también hablamos,

**14** sabiendo que el que resucitó al Señor Jesús, a nosotros también nos resucitará con Jesús, y nos presentará juntamente con vosotros.

**15** Porque todas estas cosas padecemos por amor a vosotros, para que abundando la gracia por medio de muchos, la acción de gracias sobreabunde para gloria de Dios.

**16** Por tanto, no desmayamos; antes aunque este nuestro hombre exterior se va desgastando, el interior no obstante se renueva de día en día.

**17** Porque esta leve tribulación momentánea produce en nosotros un cada vez más excelente y eterno peso de gloria;

**18** no mirando nosotros las cosas que se ven, sino las que no se ven; pues las cosas que se ven son temporales, pero las que no se ven son eternas.

**5** **1** Porque sabemos que si nuestra morada terrestre, este tabernáculo, se deshiciere, tenemos de Dios un edificio, una casa no hecha de manos, eterna, en los cielos.

**2** Y por esto también gemimos, deseando ser revestidos de aquella nuestra habitación celestial;

**3** pues así seremos hallados vestidos, y no desnudos.

**4** Porque asimismo los que estamos en este tabernáculo gemimos con angustia; porque no quisiéramos ser desnudados, sino revestidos, para que lo mortal sea absorbido por la vida.

**5** Mas el que nos hizo para esto mismo es Dios, quien nos ha dado las arras del Espíritu.

**6** Así que vivimos confiados siempre, y sabiendo que entre tanto que estamos en el cuerpo, estamos ausentes del Señor

**7** (porque por fe andamos, no por vista);

**8** pero confiamos, y más quisiéramos estar ausentes del cuerpo, y presentes al Señor.

**9** Por tanto procuramos también, o ausentes o presentes, serle agradables.

**10** Porque es necesario que todos nosotros comparezcamos ante el tribunal de Cristo,[a] para que cada uno reciba según lo que haya hecho mientras estaba en el cuerpo, sea bueno o sea malo.

### El ministerio de la reconciliación

**11** Conociendo, pues, el temor del Señor, persuadimos a los hombres; pero a Dios le es manifiesto lo que somos; y espero que también lo sea a vuestras conciencias.

---

**4.13** [b] Sal. 116.10. **5.10** [a] Ro. 14.10.

---

**4.16-18** Cuando le confiamos nuestra vida a Dios, dos procesos opuestos, que en cierto modo nos confunden, se realizan al mismo tiempo. Por un lado, el deterioro físico del cuerpo y la muerte final son inevitables, así como lo son las angustiosas pruebas que acompañan la vida en esta tierra. Por otro lado, nuestro espíritu está siendo renovado, preparándonos día a día para la asombrosa gloria y bendición que experimentaremos en la presencia de Dios por toda la eternidad. Si confiamos en Dios para que nos ayude en nuestros problemas ahora, podemos mirar más allá de esos problemas hasta el gozo eterno que él tiene para nosotros en la eternidad.

**5.6-9** El hecho de que Dios esté preparando un nuevo cuerpo y un mejor hogar para nosotros al final de nuestra vida no puede probarse científicamente; debe aceptarse por fe, porque Dios lo dice así (véase Hebreos 11.1). Tal fe siempre complace a Dios y nos ayuda a superar el gran miedo a la muerte, la puerta a la vida eterna con Dios (véase Juan 14.2-3). Es importante, en el proceso de recuperación, que confiemos nuestra vida al Señor y busquemos agradarle. Saber que Dios quiere darnos algo especial después de esta vida puede darnos la confianza y la motivación para confiar en él ahora.

**5.10-11** Las consecuencias y los motivos son asuntos importantes en la recuperación. Las acciones egoístas y destructivas tienen consecuencias que trascienden los límites de esta vida. Todos tendremos que pararnos ante Cristo y pasar por su penetrante evaluación. Para quienes hemos creído en Jesucristo para nuestra salvación, este juicio también incluirá la distribución de recompensas. Entender que nuestras acciones y compromisos tienen consecuencias eternas puede ayudarnos a pensar dos veces antes de actuar y también puede motivarnos a vivir según los planes de Dios.

**5.17** La nueva vida que experimentamos en Jesucristo es tan abarcadora y completa que, por medio de él, nos convertimos en una persona totalmente nueva. Esto no quiere decir que nuestros pensamientos y hábitos, incluidas nuestras compulsiones y adicciones, desaparecerán automáticamente. Pero sí quiere decir que desde el punto de vista de Dios, hemos sido perdonados: somos una nueva criatura ante sus ojos. Y por el poder del Espíritu Santo de Dios, tenemos la fuerza necesaria para lograr la transformación total de cada aspecto de nuestra vida.

**12** No nos recomendamos, pues, otra vez a vosotros, sino os damos ocasión de gloriaros por nosotros, para que tengáis con qué responder a los que se glorían en las apariencias y no en el corazón.
**13** Porque si estamos locos, es para Dios; y si somos cuerdos, es para vosotros.
**14** Porque el amor de Cristo nos constriñe, pensando esto: que si uno murió por todos, luego todos murieron;
**15** y por todos murió, para que los que viven, ya no vivan para sí, sino para aquel que murió y resucitó por ellos.
**16** De manera que nosotros de aquí en adelante a nadie conocemos según la carne; y aun si a Cristo conocimos según la carne, ya no lo conocemos así.
**17** De modo que si alguno está en Cristo, nueva criatura es; las cosas viejas pasaron; he aquí todas son hechas nuevas.
**18** Y todo esto proviene de Dios, quien nos reconcilió consigo mismo por Cristo, y nos dio el ministerio de la reconciliación;
**19** que Dios estaba en Cristo reconciliando consigo al mundo, no tomándoles en cuenta a los hombres sus pecados, y nos encargó a nosotros la palabra de la reconciliación.
**20** Así que, somos embajadores en nombre de Cristo, como si Dios rogase por medio de nosotros; os rogamos en nombre de Cristo: Reconciliaos con Dios.
**21** Al que no conoció pecado, por nosotros lo hizo pecado, para que nosotros fuésemos hechos justicia de Dios en él.

**6** **1** Así, pues, nosotros, como colaboradores suyos, os exhortamos también a que no recibáis en vano la gracia de Dios.
**2** Porque dice:

En tiempo aceptable te he oído,
Y en día de salvación te he socorrido.*a*
He aquí ahora el tiempo aceptable; he aquí ahora el día de salvación.
**3** No damos a nadie ninguna ocasión de tropiezo, para que nuestro ministerio no sea vituperado;
**4** antes bien, nos recomendamos en todo como ministros de Dios, en mucha paciencia, en tribulaciones, en necesidades, en angustias;
**5** en azotes, en cárceles,*b* en tumultos, en trabajos, en desvelos, en ayunos;

**6.2** *a* Is. 49.8.   **6.5** *b* Hch. 16.23.

**PASO 1**

## La paradoja de la impotencia

LECTURA BÍBLICA: 2 Corintios 4.7-10
**Confesamos que éramos impotentes ante nuestras dependencias y que nuestra vida se había vuelto inmanejable.**
Tal vez temamos confesar que carecemos de fuerza y que nuestra vida resulta ya inmanejable.
Si reconociéramos que somos impotentes, ¿acaso no nos sentiríamos tentados a rendirnos completamente en la lucha contra nuestra adicción? No parece tener sentido que confesemos nuestra impotencia y que aun así encontremos el poder para seguir adelante. Trataremos con esta paradoja cuando pasemos por los Pasos Dos y Tres.

La vida está repleta de paradojas. El apóstol Pablo nos dice: «Pero tenemos este tesoro en vasos de barro, para que la excelencia del poder sea de Dios, y no de nosotros, que estamos atribulados en todo, mas no angustiados» (2 Corintios 4.7-8).

Esta ilustración nos presenta lo que parece una incongruencia entre un tesoro y el sencillo recipiente en el que está guardado ese tesoro. El poder viviente derramado en nuestra vida desde lo alto es el tesoro. Nuestro cuerpo humano, con todos sus defectos y debilidades, es el vaso de barro. Como seres humanos, somos imperfectos.

Una vez que reconozcamos la paradoja de la impotencia, podremos sentir bastante alivio. No tenemos que ser fuertes siempre o pretender ser perfectos. Podemos vivir una vida de verdad, con sus luchas diarias, con un cuerpo humano asediado por debilidades, por haber encontrado el poder de lo alto para seguir adelante sin estar angustiados ni desesperados. ***Vaya al Paso Dos página 63, Marcos 5.***

---

**5.18-21** Una de las necesidades más apremiantes en la mayoría de los casos de recuperación es el restablecimiento de relaciones que se volvieron disfuncionales o se habían roto. En el plano humano, esto no es fácil de conseguir. Pero en el caso de nuestra quebrantada relación con Dios, él ya tomó la iniciativa al ofrecernos la reconciliación por medio de Jesucristo. Esta obra de reconciliación es aún más profunda, ya que Dios no cometió ninguna falta en nuestra relación con él. Al aceptar el perdón que él nos ofrece, puede restaurarse nuestra relación con Dios. También se nos llama a imitar a Dios y perdonar a otros. Si otra persona nos ofrece el regalo del perdón, podemos aceptarlo humildemente. De esta forma comenzaremos a reconstruir nuestras relaciones y a reparar el daño que les hemos causado a otras personas.

**6** en pureza, en ciencia, en longanimidad, en bondad, en el Espíritu Santo, en amor sincero, **7** en palabra de verdad, en poder de Dios, con armas de justicia a diestra y a siniestra; **8** por honra y por deshonra, por mala fama y por buena fama; como engañadores, pero veraces; **9** como desconocidos, pero bien conocidos; como moribundos, mas he aquí vivimos; como castigados, mas no muertos; **10** como entristecidos, mas siempre gozosos; como pobres, mas enriqueciendo a muchos; como no teniendo nada, mas poseyéndolo todo.

**11** Nuestra boca se ha abierto a vosotros, oh corintios; nuestro corazón se ha ensanchado. **12** No estáis estrechos en nosotros, pero sí sois estrechos en vuestro propio corazón. **13** Pues, para corresponder del mismo modo (como a hijos hablo), ensanchaos también vosotros.

## Somos templo del Dios viviente

**14** No os unáis en yugo desigual con los incrédulos; porque ¿qué compañerismo tiene la justicia con la injusticia? ¿Y qué comunión la luz con las tinieblas?

**15** ¿Y qué concordia Cristo con Belial? ¿O qué parte el creyente con el incrédulo? **16** ¿Y qué acuerdo hay entre el templo de Dios y los ídolos? Porque vosotros sois el templo del Dios viviente,[c] como Dios dijo:

> Habitaré y andaré entre ellos,
> Y seré su Dios,
> Y ellos serán mi pueblo.[d]

**17** Por lo cual,

> Salid de en medio de ellos, y apartaos,
>    dice el Señor,
> Y no toquéis lo inmundo;
> Y yo os recibiré,[e]
> **18** Y seré para vosotros por Padre,
> Y vosotros me seréis hijos e hijas,
>    dice el Señor Todopoderoso.[f]

**7** **1** Así que, amados, puesto que tenemos tales promesas, limpiémonos de toda contaminación de carne y de espíritu, perfeccionando la santidad en el temor de Dios.

## Regocijo de Pablo al arrepentirse los corintios

**2** Admitidnos: a nadie hemos agraviado, a nadie hemos corrompido, a nadie hemos engañado.

---

**6.16** [c] 1 Co. 3.16; 6.19. [d] Lv. 26.12; Ez. 37.27. **6.17** [e] Is. 52.11. **6.18** [f] 2 S. 7.14; 1 Cr. 17.13.

---

**6.8-10** Cuando vivimos para Dios y seguimos el plan que él ha trazado para que llevemos una vida piadosa, las personas con las que nos relacionamos reaccionan de diversas maneras. Algunas nos respetan porque somos sinceros y apoyan lo que estamos tratando de hacer; otras nos difamarán y nos irrespetarán. Si estamos tratando de impresionar a otros para reforzar nuestra autoestima, la reacción negativa de los demás podrá ser devastadora. Tal reacción podría llevarnos a rendirnos y a abandonar lo que hemos comenzado. Pablo basó su autoestima en su relación con Dios y no necesitó que otros lo ensalzaran. Él sabía que de todas maneras nunca podría agradar a todo el mundo. Si vivimos para agradar a Dios, descubriremos que tendremos gozo mientras construimos relaciones saludables con otras personas.

**6.11-13** Pablo caminó la milla extra para reconciliarse con los corintios. Después de haber defendido anteriormente su sinceridad con ellos (véase 1.12-23), una vez más les dio su afecto sincero a sus lectores, y los invitó a que actuaran de la misma manera con él. En las relaciones que se dan en el proceso de recuperación, a menudo una de las partes no muestra afecto hacia la otra para castigarla. Esto revela una actitud infantil, que sólo conduce a la separación y a pérdidas más profundas. Es posible que no seamos capaces de controlar cómo actúan las personas cuando se ha roto una relación, pero sí podemos controlar la forma en que *nosotros* actuamos. Nunca debemos ser mezquinos a la hora de perdonar. Como Pablo, debemos extender a otros la invitación a la reconciliación, humildemente y sin reservas.

**6.14-18** Desde que comenzamos el proceso de recuperación, tal vez hayamos tenido dificultades en la relación con nuestras pasadas amistades. Algunos viejos amigos quizás se sientan incómodos con nosotros al sentirse culpables por su propia dependencia. Otros pueden sentirse amenazados por los cambios que estamos realizando en nuestra vida, porque ya no pueden controlarnos. Quizás estas personas intenten detener nuestro progreso. Con mucha frecuencia necesitamos suspender por un tiempo nuestras relaciones personales codependientes. A veces debemos hacerlo de forma permanente. Esto no quiere decir que no tratemos de llegar a los incrédulos; sólo significa que debemos tener cuidado de no acercarnos demasiado a personas que puedan separarnos de Dios y entorpecer la recuperación que él desea para nosotros. Necesitamos establecer relaciones principalmente con personas humildes y piadosas que apoyen nuestra recuperación.

**7.5-7** Por el estilo de su ministerio, resuelto y emprendedor, vemos que Pablo fue definitivamente un hombre apasionado. Aquí reconoce abiertamente sus temores durante una época muy difícil. Pero Dios lo alentó muchísimo con la llegada de Tito desde Corinto. Tito trajo noticias de que los creyentes corintios habían cambiado sus actitudes negativas hacia Pablo. En la etapa de recuperación es importante que mantengamos un balance similar entre nuestras tareas y nuestras relaciones personales. Si nos concentramos tanto en las tareas de recuperación hasta el punto de subestimar nuestras relaciones personales, nuestra recuperación estará en peligro. Una de las partes más importantes de la recuperación es la reconciliación con otras personas, sin la cual el éxito a largo plazo resultará imposible.

**3** No lo digo para condenaros; pues ya he dicho antes que estáis en nuestro corazón, para morir y para vivir juntamente.

**4** Mucha franqueza tengo con vosotros; mucho me glorío con respecto de vosotros; lleno estoy de consolación; sobreabundo de gozo en todas nuestras tribulaciones.

**5** Porque de cierto, cuando vinimos a Macedonia,*ª* ningún reposo tuvo nuestro cuerpo, sino que en todo fuimos atribulados; de fuera, conflictos; de dentro, temores.

**6** Pero Dios, que consuela a los humildes, nos consoló con la venida de Tito;

**7** y no sólo con su venida, sino también con la consolación con que él había sido consolado en cuanto a vosotros, haciéndonos saber vuestro gran afecto, vuestro llanto, vuestra solicitud por mí, de manera que me regocijé aun más.

**8** Porque aunque os contristé con la carta, no me pesa, aunque entonces lo lamenté; porque veo que aquella carta, aunque por algún tiempo, os contristó.

**9** Ahora me gozo, no porque hayáis sido contristados, sino porque fuisteis contristados para arrepentimiento; porque habéis sido contristados según Dios, para que ninguna pérdida padecieseis por nuestra parte.

**10** Porque la tristeza que es según Dios produce arrepentimiento para salvación, de que no hay que arrepentirse; pero la tristeza del mundo produce muerte.

**11** Porque he aquí, esto mismo de que hayáis sido contristados según Dios, ¡qué solicitud produjo en vosotros, qué defensa, qué indignación, qué temor, qué ardiente afecto, qué celo, y qué vindicación! En todo os habéis mostrado limpios en el asunto.

**12** Así que, aunque os escribí, no fue por causa del que cometió el agravio, ni por causa del que lo padeció, sino para que se os hiciese manifiesta nuestra solicitud que tenemos por vosotros delante de Dios.

**13** Por esto hemos sido consolados en vuestra consolación; pero mucho más nos gozamos por el gozo de Tito, que haya sido confortado su espíritu por todos vosotros.

**14** Pues si de algo me he gloriado con él respecto de vosotros, no he sido avergonzado, sino que así como en todo os hemos hablado con verdad, también nuestro gloriarnos con Tito resultó verdad.

**7.5** *ª* 2 Co. 2.13.

---

# Percepción de uno mismo

**LEA 2 CORINTIOS 5.12-21**

Nuestra adicción puede estar tan arraigada en nosotros que nos haga definir nuestra identidad por ella. Tal vez hasta comencemos a pensar que estamos predispuestos a comportarnos como lo hacemos. Es posible que nos desanimemos cuando nos condenen por conductas que parecen estar fuera de nuestro control. ¿Cómo podremos escapar de una percepción sobre nosotros que hace que nos definamos en cuanto a la adicción que domina nuestra vida?

Hay un pasaje en la Biblia que parece identificar a las personas por su conducta: «Ni los fornicarios, ni los idólatras, ni los adúlteros, ni los afeminados, ni los que se echan con varones, ni los ladrones, ni los avaros, ni los borrachos, ni los maldicientes, ni los estafadores, heredarán el reino de Dios» (1 Corintios 6.9-10). Esto no parece justo. Sentimos que nunca seremos capaces de liberarnos de nuestra naturaleza adictiva. Pero el pasaje continúa: «Y esto erais algunos; mas ya habéis sido lavados, ya habéis sido santificados, ya habéis sido justificados en el nombre del Señor Jesús, y por el Espíritu de nuestro Dios» (1 Corintios 6.11). «De modo que si alguno está en Cristo, nueva criatura es; las cosas viejas pasaron; he aquí todas son hechas nuevas» (2 Corintios 5.17).

Dios no se limita simplemente a borrar nuestras conductas pecaminosas. Cuando nos identificamos con Cristo, él nos da una nueva identidad. Siempre recordaremos lo que fuimos y estaremos conscientes de que nuestra naturaleza pecaminosa y nuestro cuerpo pueden estar predispuestos hacia una adicción particular. Hasta es posible que caigamos de vez en cuando, pero ya no necesitaremos definirnos por nuestra adicción. En Cristo todos somos hijos de Dios, perdonados, limpiados y santos. ***Vaya a la página 297, Gálatas 5.***

---

**7.11-13** Cuando confesamos nuestros pecados a Dios y a otros, y hacemos lo posible por seguir la voluntad de Dios, ocurren cambios maravillosos en nuestra vida. Vemos en estos versículos que tal arrepentimiento produce frutos en tres frentes: (1) purifica y revitaliza nuestra vida y nuestras emociones en una forma extraordinaria; (2) renueva nuestra relación con Dios; y (3) tiene un asombroso efecto en el mejoramiento de nuestras relaciones con otras personas, tanto con aquellas a las que hemos lastimado como con las que nos observan, que reciben ánimo por los estimulantes cambios que han tenido lugar en nosotros.

**15** Y su cariño para con vosotros es aun más abundante, cuando se acuerda de la obediencia de todos vosotros, de cómo lo recibisteis con temor y temblor.

**16** Me gozo de que en todo tengo confianza en vosotros.

### La ofrenda para los santos

**8** **1** Asimismo, hermanos, os hacemos saber la gracia de Dios que se ha dado a las iglesias de Macedonia;

**2** que en grande prueba de tribulación, la abundancia de su gozo y su profunda pobreza abundaron en riquezas de su generosidad.

**3** Pues doy testimonio de que con agrado han dado conforme a sus fuerzas, y aun más allá de sus fuerzas,

**4** pidiéndonos con muchos ruegos que les concediésemos el privilegio de participar en este servicio para los santos.*a*

**5** Y no como lo esperábamos, sino que a sí mismos se dieron primeramente al Señor, y luego a nosotros por la voluntad de Dios;

**6** de manera que exhortamos a Tito para que tal como comenzó antes, asimismo acabe también entre vosotros esta obra de gracia.

**7** Por tanto, como en todo abundáis, en fe, en palabra, en ciencia, en toda solicitud, y en vuestro amor para con nosotros, abundad también en esta gracia.

**8** No hablo como quien manda, sino para poner a prueba, por medio de la diligencia de otros, también la sinceridad del amor vuestro.

**9** Porque ya conocéis la gracia de nuestro Señor Jesucristo, que por amor a vosotros se hizo pobre, siendo rico, para que vosotros con su pobreza fueseis enriquecidos.

**10** Y en esto doy mi consejo; porque esto os conviene a vosotros, que comenzasteis antes, no sólo a hacerlo, sino también a quererlo, desde el año pasado.

**11** Ahora, pues, llevad también a cabo el hacerlo, para que como estuvisteis prontos a querer, así también lo estéis en cumplir conforme a lo que tengáis.

**12** Porque si primero hay la voluntad dispuesta, será acepta según lo que uno tiene, no según lo que no tiene.

**13** Porque no digo esto para que haya para otros holgura, y para vosotros estrechez,

**14** sino para que en este tiempo, con igualdad, la abundancia vuestra supla la escasez de ellos, para que también la abundancia de ellos supla la necesidad vuestra, para que haya igualdad,

**15** como está escrito: El que recogió mucho, no tuvo más, y el que poco, no tuvo menos.*b*

**16** Pero gracias a Dios que puso en el corazón de Tito la misma solicitud por vosotros.

**17** Pues a la verdad recibió la exhortación; pero estando también muy solícito, por su propia voluntad partió para ir a vosotros.

**18** Y enviamos juntamente con él al hermano cuya alabanza en el evangelio se oye por todas las iglesias;

**19** y no sólo esto, sino que también fue designado por las iglesias como compañero de nuestra peregrinación para llevar este donativo, que es administrado por nosotros para gloria del Señor mismo, y para demostrar vuestra buena voluntad;

**20** evitando que nadie nos censure en cuanto a esta ofrenda abundante que administramos,

**21** procurando hacer las cosas honradamente, no sólo delante del Señor sino también delante de los hombres.*c*

**22** Enviamos también con ellos a nuestro hermano, cuya diligencia hemos comprobado repetidas veces en muchas cosas, y ahora mucho más diligente por la mucha confianza que tiene en vosotros.

---

**8.1-4** *a* Ro. 15.26.  **8.15** *b* Ex. 16.18.  **8.21** *c* Pr. 3.4.

---

**7.15** A pesar de todos los errores que los corintios habían cometido en su relación con Pablo, hicieron bien una cosa: Prestaron atención cuando Tito les presentó la versión de Pablo sobre algunos sucesos anteriores que ellos habían malinterpretado. Esta buena disposición para aprender y el no ponerse a la defensiva produjeron gran admiración y amor tanto en Tito como en Pablo. Mantener una buena disposición para escuchar y para que nos enseñen es necesario para una recuperación exitosa. Esto nos ayudará a hacer un inventario moral sincero y a seguir el buen plan de Dios para nuestra vida.

**8.9** Jesucristo es el modelo perfecto para ayudar a otros con misericordia. Él se convirtió en un simple ser humano y murió como un criminal en una cruz para conquistar así nuestros enemigos: el pecado y la muerte. Él dejó su gloria celestial y sufrió voluntariamente en nuestro lugar (véase Filipenses 2.6-8). Así que, además de enriquecer nuestra vida espiritual, Cristo también puede identificarse solidariamente con nuestro dolor y tentación (véase Hebreos 4.15). Él está disponible y dispuesto para ayudarnos en nuestra recuperación. Conforme recibamos su ayuda, podremos entonces extender una mano amiga a otros que pasan necesidad.

**8.10-12** Es mucho más fácil empezar algo que terminarlo. Esto es especialmente cierto cuando se trata de seguir el proceso de recuperación. Por lo tanto, la perseverancia es crucial para aquellos que tendemos a «quedarnos sin gasolina». Los corintios habían comenzado con mucho entusiasmo un fondo de ayuda para la iglesia de Jerusalén, pero fracasaron al no hacer honor a su compromiso. Pablo los confrontó y los animó a perseverar en esta noble causa. La recuperación también requiere nuestra perseverancia. Necesitamos hacer más que promesas y compromisos verbales para nuestra recuperación; también necesitamos cumplirlos.

**23** En cuanto a Tito, es mi compañero y colaborador para con vosotros; y en cuanto a nuestros hermanos, son mensajeros de las iglesias, y gloria de Cristo.

**24** Mostrad, pues, para con ellos ante las iglesias la prueba de vuestro amor, y de nuestro gloriarnos respecto de vosotros.

**9** **1** Cuanto a la ministración para los santos, es por demás que yo os escriba;

**2** pues conozco vuestra buena voluntad, de la cual yo me glorío entre los de Macedonia, que Acaya está preparada desde el año pasado; y vuestro celo ha estimulado a la mayoría.

**3** Pero he enviado a los hermanos, para que nuestro gloriarnos de vosotros no sea vano en esta parte; para que como lo he dicho, estéis preparados;

**4** no sea que si vinieren conmigo algunos macedonios, y os hallaren desprevenidos, nos avergoncemos nosotros, por no decir vosotros, de esta nuestra confianza.

**5** Por tanto, tuve por necesario exhortar a los hermanos que fuesen primero a vosotros y preparasen primero vuestra generosidad antes prometida, para que esté lista como de generosidad, y no como de exigencia nuestra.

**6** Pero esto digo: El que siembra escasamente, también segará escasamente; y el que siembra generosamente, generosamente también segará.

**7** Cada uno dé como propuso en su corazón: no con tristeza, ni por necesidad, porque Dios ama al dador alegre.

**8** Y poderoso es Dios para hacer que abunde en vosotros toda gracia, a fin de que, teniendo siempre en todas las cosas todo lo suficiente, abundéis para toda buena obra;

**9** como está escrito:

Repartió, dio a los pobres;
Su justicia permanece para siempre.*a*

**10** Y el que da semilla al que siembra, y pan al que come,*b* proveerá y multiplicará vuestra sementera, y aumentará los frutos de vuestra justicia,

**11** para que estéis enriquecidos en todo para toda liberalidad, la cual produce por medio de nosotros acción de gracias a Dios.

**12** Porque la ministración de este servicio no solamente suple lo que a los santos falta, sino que

PASO **4**

## Tristeza constructiva

LECTURA BÍBLICA: 2 Corintios 7.8-11

**Sin miedo, hicimos un profundo y audaz inventario moral de nosotros mismos.**

Todos tenemos que lidiar con la tristeza. Podemos tratar de esconderla o ignorarla. Podemos ahogarla rindiéndonos a nuestra adicción; o intelectualizarla para no sentirla. Pero la tristeza no se va. Necesitamos aceptar que la tristeza formará parte del proceso al hacer el inventario.

No siempre la tristeza es mala para nosotros. El apóstol Pablo había escrito una carta a los creyentes corintios que les provocó mucha tristeza porque los confrontó con algo que estaban haciendo mal. Al principio se sintió apenado pensando que los había lastimado, pero luego dijo: «Ahora me gozo, no porque hayáis sido contristados, sino porque fuisteis contristados para arrepentimiento; porque habéis sido contristados según Dios ... Porque la tristeza que es según Dios produce arrepentimiento para salvación, de que no hay que arrepentirse ... Porque he aquí, esto mismo de que hayáis sido contristados según Dios, ¡qué solicitud produjo en vosotros...! En todo os habéis mostrado limpios en el asunto» (2 Corintios 7.9-11).

Jeremías dijo: «Antes si aflige, también se compadece según la multitud de sus misericordias; porque no aflige ni entristece voluntariamente a los hijos de los hombres» (Lamentaciones 3.32-33).

La aflicción de los corintios fue buena, pues fue producto de una honesta evaluación interna y no de una morbosa condenación de sí mismos. Podemos aprender a aceptar nuestra tristeza como un aspecto positivo de la recuperación y no como un castigo.

*Vaya a la página 457, Apocalipsis 20.*

---

**9.9** *a* Sal. 112.9.  **9.10** *b* Is. 55.10.

---

**9.6-9** Mientras más semillas espirituales sembremos ayudando generosamente a otros, mayor será nuestra cosecha de frutos. Dios nunca nos obliga a dar; él quiere que lo hagamos con corazones alegres. El Señor no sólo está interesado en lo que hacemos; también está interesado en las actitudes y motivaciones detrás de nuestras acciones. Algunos podemos sentir que no tenemos mucho que ofrecer a las personas que están en necesidad. Puede que nuestra vida esté arruinada; quizás estemos endeudados a causa de nuestros hábitos destructivos. Pero aun cuando no tengamos nada más que dar, podemos compartir la historia de cómo Dios nos dio una segunda oportunidad. Aunque esto pueda parecernos muy poco, podría ser el regalo de vida para alguien que esté en las garras de una adicción.

también abunda en muchas acciones de gracias a Dios;

**13** pues por la experiencia de esta ministración glorifican a Dios por la obediencia que profesáis al evangelio de Cristo, y por la liberalidad de vuestra contribución para ellos y para todos;

**14** asimismo en la oración de ellos por vosotros, a quienes aman a causa de la superabundante gracia de Dios en vosotros.

**15** ¡Gracias a Dios por su don inefable!

## Pablo defiende su ministerio

**10** **1** Yo Pablo os ruego por la mansedumbre y ternura de Cristo, yo que estando presente ciertamente soy humilde entre vosotros, mas ausente soy osado para con vosotros;

**2** ruego, pues, que cuando esté presente, no tenga que usar de aquella osadía con que estoy dispuesto a proceder resueltamente contra algunos que nos tienen como si anduviésemos según la carne.

**3** Pues aunque andamos en la carne, no militamos según la carne;

**4** porque las armas de nuestra milicia no son carnales, sino poderosas en Dios para la destrucción de fortalezas,

**5** derribando argumentos y toda altivez que se levanta contra el conocimiento de Dios, y llevando cautivo todo pensamiento a la obediencia a Cristo,

**6** y estando prontos para castigar toda desobediencia, cuando vuestra obediencia sea perfecta.

**7** Miráis las cosas según la apariencia. Si alguno está persuadido en sí mismo que es de Cristo, esto también piense por sí mismo, que como él es de Cristo, así también nosotros somos de Cristo.

**8** Porque aunque me gloríe algo más todavía de nuestra autoridad, la cual el Señor nos dio para edificación y no para vuestra destrucción, no me avergonzaré;

**9** para que no parezca como que os quiero amedrentar por cartas.

**10** Porque a la verdad, dicen, las cartas son duras y fuertes; mas la presencia corporal débil, y la palabra menospreciable.

**11** Esto tenga en cuenta tal persona, que así como somos en la palabra por cartas, estando ausentes, lo seremos también en hechos, estando presentes.

**12** Porque no nos atrevemos a contarnos ni a compararnos con algunos que se alaban a sí mismos; pero ellos, midiéndose a sí mismos por sí mismos, y comparándose consigo mismos, no son juiciosos.

**13** Pero nosotros no nos gloriaremos desmedidamente, sino conforme a la regla que Dios nos ha dado por medida, para llegar también hasta vosotros.

**14** Porque no nos hemos extralimitado, como si no llegásemos hasta vosotros, pues fuimos los primeros en llegar hasta vosotros con el evangelio de Cristo.

**15** No nos gloriamos desmedidamente en trabajos ajenos, sino que esperamos que conforme crezca vuestra fe seremos muy engrandecidos entre vosotros, conforme a nuestra regla;

**16** y que anunciaremos el evangelio en los lugares más allá de vosotros, sin entrar en la obra de otro para gloriarnos en lo que ya estaba preparado.

**17** Mas el que se gloría, gloríese en el Señor;[a]

**18** porque no es aprobado el que se alaba a sí mismo, sino aquel a quien Dios alaba.

**11** **1** ¡Ojalá me toleraseis un poco de locura! Sí, toleradme.

**2** Porque os celo con celo de Dios; pues os he desposado con un solo esposo, para presentaros como una virgen pura a Cristo.

**3** Pero temo que como la serpiente con su astucia engañó a Eva,[a] vuestros sentidos sean de alguna manera extraviados de la sincera fidelidad a Cristo.

**10.17** [a] Jer. 9.24. **11.3** [a] Gn. 3.1-5, 13.

**10.13-15** Desde la perspectiva de la recuperación, es muy esclarecedor notar que Pablo había establecido límites en su ministerio basados en su comprensión de la voluntad de Dios para él. Nuestras actividades en la recuperación también deben armonizar con el plan de Dios. Debemos concentrar nuestra limitada energía en prioridades que reflejen la voluntad del Señor. Pablo fue sensible a la voluntad de Dios para su vida, y estaba seguro de que su liderato sobre la iglesia de Corinto era parte de ese plan. Podemos confiar en que la recuperación es parte del plan divino para nosotros. Necesitamos descubrir en qué actividades diarias él quiere que nos involucremos. La comprensión de la voluntad de Dios para nosotros es muy probable que nos llegue por medio de la oración, el estudio de la Palabra, la ayuda de amigos piadosos y la dirección del Espíritu Santo.

**11.2-4** Pablo estaba preocupado por que los creyentes corintios fueran a reemplazar su fe en Jesús por una fe falsa. Corinto era una ciudad cosmopolita; allí se practicaban muchas religiones y cultos paganos. Pablo también estaba preocupado porque rechazar a Dios les acarrearía dolorosas consecuencias. Los creyentes podían rechazar la vida abundante que les ofrecía Jesucristo y en su lugar preferir una vida de absoluto desastre. Nosotros también vivimos en un mundo de muchas religiones. Casi todas ellas ofrecen programas de recuperación, pero la verdadera recuperación sólo es posible por medio de la obra de Jesucristo y el poder del Espíritu Santo. Rechazar la esperanza ofrecida en Cristo es rechazar el único poder real disponible para la recuperación. Preferir cualquier otro poder nos llevará a la desilusión y al fracaso.

**4** Porque si viene alguno predicando a otro Jesús que el que os hemos predicado, o si recibís otro espíritu que el que habéis recibido, u otro evangelio que el que habéis aceptado, bien lo toleráis;

**5** y pienso que en nada he sido inferior a aquellos grandes apóstoles.

**6** Pues aunque sea tosco en la palabra, no lo soy en el conocimiento; en todo y por todo os lo hemos demostrado.

**7** ¿Pequé yo humillándome a mí mismo, para que vosotros fueseis enaltecidos, por cuanto os he predicado el evangelio de Dios de balde?

**8** He despojado a otras iglesias, recibiendo salario para serviros a vosotros.

**9** Y cuando estaba entre vosotros y tuve necesidad, a ninguno fui carga, pues lo que me faltaba, lo suplieron los hermanos que vinieron de Macedonia,*b* y en todo me guardé y me guardaré de seros gravoso.

**10** Por la verdad de Cristo que está en mí, que no se me impedirá esta mi gloria en las regiones de Acaya.

**11** ¿Por qué? ¿Porque no os amo? Dios lo sabe.

**12** Mas lo que hago, lo haré aún, para quitar la ocasión a aquellos que la desean, a fin de que en aquello en que se glorían, sean hallados semejantes a nosotros.

**13** Porque éstos son falsos apóstoles, obreros fraudulentos, que se disfrazan como apóstoles de Cristo.

**14** Y no es maravilla, porque el mismo Satanás se disfraza como ángel de luz.

**15** Así que, no es extraño si también sus ministros se disfrazan como ministros de justicia; cuyo fin será conforme a sus obras.

## Sufrimientos de Pablo como apóstol

**16** Otra vez digo: Que nadie me tenga por loco; o de otra manera, recibidme como a loco, para que yo también me gloríe un poquito.

**17** Lo que hablo, no lo hablo según el Señor, sino como en locura, con esta confianza de gloriarme.

**18** Puesto que muchos se glorían según la carne, también yo me gloriaré;

**19** porque de buena gana toleráis a los necios, siendo vosotros cuerdos.

**20** Pues toleráis si alguno os esclaviza, si alguno os devora, si alguno toma lo vuestro, si alguno se enaltece, si alguno os da de bofetadas.

**21** Para vergüenza mía lo digo, para eso fuimos demasiado débiles.

Pero en lo que otro tenga osadía (hablo con locura), también yo tengo osadía.

**22** ¿Son hebreos? Yo también. ¿Son israelitas? Yo también. ¿Son descendientes de Abraham? También yo.

**23** ¿Son ministros de Cristo? (Como si estuviera loco hablo.) Yo más; en trabajos más abundante; en azotes sin número; en cárceles*c* más; en peligros de muerte muchas veces.

**24** De los judíos cinco veces he recibido cuarenta azotes menos uno.*d*

**25** Tres veces he sido azotado con varas;*e* una vez apedreado;*f* tres veces he padecido naufragio; una noche y un día he estado como náufrago en alta mar;

**26** en caminos muchas veces; en peligros de ríos, peligros de ladrones, peligros de los de mi nación,*g* peligros de los gentiles,*h* peligros en la ciudad, peligros en el desierto, peligros en el mar, peligros entre falsos hermanos;

**27** en trabajo y fatiga, en muchos desvelos, en hambre y sed, en muchos ayunos, en frío y en desnudez;

**28** y además de otras cosas, lo que sobre mí se agolpa cada día, la preocupación por todas las iglesias.

**29** ¿Quién enferma, y yo no enfermo? ¿A quién se le hace tropezar, y yo no me indigno?

**30** Si es necesario gloriarse, me gloriaré en lo que es de mi debilidad.

**11.9** *b* Fil. 4.15-18.    **11.23** *c* Hch. 16.23.    **11.24** *d* Dt. 25.3.    **11.25** *e* Hch. 16.22.    *f* Hch. 14.19.
**11.26** *g* Hch. 9.23.    *h* Hch. 14.5.

**11.13-15** Al parecer, los creyentes de Corinto habían dejado a un lado las enseñanzas de Pablo para seguir a unos falsos apóstoles que habían corrompido el mensaje cristiano. Es posible que estos falsos líderes fueran judaizantes que enseñaban que la salvación venía por medio de la fe en Cristo más el sometimiento a la ley judía (véase 11.22). Algunas veces nos vemos tentados a seguir la misma herejía. Queremos ganarnos la recuperación trabajando con tesón. Este esfuerzo, sin embargo, carece de poder sobre nuestra dependencia. Necesitamos la ayuda de Dios. Pablo enfatizó en todas sus cartas que la salvación es gratuita, pues el precio ya fue pagado con la obra expiatoria de Jesucristo. Sin Dios, somos impotentes contra el poder del pecado en nuestra vida. Pero con su ayuda, podemos vencer nuestra dependencia.
**11.23-29** Pablo mostró su compromiso con Jesucristo al mencionar las enormes pruebas que había sufrido. Aun dejando todo lo demás a un lado, tales abusos y continuas penurias, más la carga de su responsabilidad ministerial, revelaban su perseverancia. Pablo no fue de ninguna manera ministro o amigo sólo en los buenos tiempos. Si mostramos en nuestra recuperación el mismo tipo de compromiso que Pablo mostró en su ministerio, recibiremos la misma ayuda poderosa que Pablo recibió en su servicio a Cristo.

**31** El Dios y Padre de nuestro Señor Jesucristo, quien es bendito por los siglos, sabe que no miento. **32** En Damasco, el gobernador de la provincia del rey Aretas guardaba la ciudad de los damascenos para prenderme; **33** y fui descolgado del muro en un canasto por una ventana, y escapé de sus manos.*i*

## El aguijón en la carne

**12** **1** Ciertamente no me conviene gloriarme; pero vendré a las visiones y a las revelaciones del Señor.

**2** Conozco a un hombre en Cristo, que hace catorce años (si en el cuerpo, no lo sé; si fuera del cuerpo, no lo sé; Dios lo sabe) fue arrebatado hasta el tercer cielo.

**3** Y conozco al tal hombre (si en el cuerpo, o fuera del cuerpo, no lo sé; Dios lo sabe),

**4** que fue arrebatado al paraíso, donde oyó palabras inefables que no le es dado al hombre expresar.

**5** De tal hombre me gloriaré; pero de mí mismo en nada me gloriaré, sino en mis debilidades.

**6** Sin embargo, si quisiera gloriarme, no sería insensato, porque diría la verdad; pero lo dejo, para que nadie piense de mí más de lo que en mí ve, u oye de mí.

**7** Y para que la grandeza de las revelaciones no me exaltase desmedidamente, me fue dado un aguijón en mi carne, un mensajero de Satanás que me abofetee, para que no me enaltezca sobremanera; **8** respecto a lo cual tres veces he rogado al Señor, que lo quite de mí.

**9** Y me ha dicho: Bástate mi gracia; porque mi poder se perfecciona en la debilidad. Por tanto, de buena gana me gloriaré más bien en mis debilidades, para que repose sobre mí el poder de Cristo.

**10** Por lo cual, por amor a Cristo me gozo en las debilidades, en afrentas, en necesidades, en persecuciones, en angustias; porque cuando soy débil, entonces soy fuerte.

**11** Me he hecho un necio al gloriarme; vosotros me obligasteis a ello, pues yo debía ser alabado por vosotros; porque en nada he sido menos que aquellos grandes apóstoles, aunque nada soy.

**12** Con todo, las señales de apóstol han sido hechas entre vosotros en toda paciencia, por señales, prodigios y milagros.

**13** Porque ¿en qué habéis sido menos que las otras iglesias, sino en que yo mismo no os he sido carga? ¡Perdonadme este agravio!

## Pablo anuncia su tercera visita

**14** He aquí, por tercera vez estoy preparado para ir a vosotros; y no os seré gravoso, porque no busco lo vuestro, sino a vosotros, pues no deben atesorar los hijos para los padres, sino los padres para los hijos.

**15** Y yo con el mayor placer gastaré lo mío, y aun yo mismo me gastaré del todo por amor de vuestras almas, aunque amándoos más, sea amado menos.

**16** Pero admitiendo esto, que yo no os he sido carga, sino que como soy astuto, os prendí por engaño,

**17** ¿acaso os he engañado por alguno de los que he enviado a vosotros?

**18** Rogué a Tito, y envié con él al hermano. ¿Os engañó acaso Tito? ¿No hemos procedido con el mismo espíritu y en las mismas pisadas?

**19** ¿Pensáis aún que nos disculpamos con vosotros? Delante de Dios en Cristo hablamos; y todo, muy amados, para vuestra edificación.

**20** Pues me temo que cuando llegue, no os halle tales como quiero, y yo sea hallado de vosotros cual no queréis; que haya entre vosotros contiendas, envidias, iras, divisiones, maledicencias, murmuraciones, soberbias, desórdenes;

**21** que cuando vuelva, me humille Dios entre vo-

---

**11.32-33** *i* Hch. 9.23-25.

**11.30; 12.1-10** El «alarde» de Pablo no tenía la intención de hacerlo parecer mejor de lo que realmente era. Él hizo alarde de su debilidad para que así Cristo pudiera obrar a través de él (véase 12.9). Aun cuando el apóstol contó su increíble visión del cielo (12.1-4), rápidamente admitió sus propias debilidades (11.30; 12.5). Pablo describió cómo sintió la gracia de Dios aun en medio de su sufrimiento físico crónico y su lucha espiritual (12.9-10). Evaluó sinceramente su vida y reconoció tanto sus fortalezas como sus debilidades. Luego aceptó y recibió el poder que Dios ofrece a todos los que lo seguimos. Pablo es un buen modelo que debemos imitar. Cuando hagamos una evaluación sincera de nuestra vida y aprendamos a depender de los recursos infinitos de Dios, haremos un progreso significativo en nuestra recuperación.

**12.19-21** Todo lo que Pablo dijo a los corintios, tanto negativo como positivo, lo dijo con la intención de hacerles bien. Pablo se preocupaba por que maduraran en su fe e hizo lo que pudo para estimular su crecimiento espiritual. Las exigencias que les hizo a estos creyentes estaban motivadas por su amor y preocupación por ellos. Muchos de nosotros nos hemos dado cuenta de que con frecuencia nos comunicamos con otras personas por razones egoístas. Cuando elogiamos a otros, estamos buscando algo a cambio en lugar de tratar sinceramente de animarlos. Cuando criticamos a otros, estamos tratando de destruir en lugar de corregir. Al hacer nuestro inventario moral, debemos estar conscientes de nuestra tendencia a usar a otros para nuestros propósitos. Al procurar restaurar nuestras relaciones dañadas, el apóstol es un excelente modelo digno de seguir.

sotros, y quizá tenga que llorar por muchos de los que antes han pecado, y no se han arrepentido de la inmundicia y fornicación y lascivia que han cometido.

**13** ¹ Esta es la tercera vez que voy a vosotros. Por boca de dos o de tres testigos*ª* se decidirá todo asunto.

² He dicho antes, y ahora digo otra vez como si estuviera presente, y ahora ausente lo escribo a los que antes pecaron, y a todos los demás, que si voy otra vez, no seré indulgente;

³ pues buscáis una prueba de que habla Cristo en mí, el cual no es débil para con vosotros, sino que es poderoso en vosotros.

⁴ Porque aunque fue crucificado en debilidad, vive por el poder de Dios. Pues también nosotros somos débiles en él, pero viviremos con él por el poder de Dios para con vosotros.

⁵ Examinaos a vosotros mismos si estáis en la fe; probaos a vosotros mismos. ¿O no os conocéis a vosotros mismos, que Jesucristo está en vosotros, a menos que estéis reprobados?

⁶ Mas espero que conoceréis que nosotros no estamos reprobados.

⁷ Y oramos a Dios que ninguna cosa mala hagáis; no para que nosotros aparezcamos aprobados, sino para que vosotros hagáis lo bueno, aunque nosotros seamos como reprobados.

⁸ Porque nada podemos contra la verdad, sino por la verdad.

⁹ Por lo cual nos gozamos de que seamos nosotros débiles, y que vosotros estéis fuertes; y aun oramos por vuestra perfección.

¹⁰ Por esto os escribo estando ausente, para no usar de severidad cuando esté presente, conforme a la autoridad que el Señor me ha dado para edificación, y no para destrucción.

## Saludos y doxología final

¹¹ Por lo demás, hermanos, tened gozo, perfeccionaos, consolaos, sed de un mismo sentir, y vivid en paz; y el Dios de paz y de amor estará con vosotros.

¹² Saludaos unos a otros con ósculo santo.

¹³ Todos los santos os saludan.

¹⁴ La gracia del Señor Jesucristo, el amor de Dios, y la comunión del Espíritu Santo sean con todos vosotros. Amén.

**13.1** *ª* Dt. 17.6; 19.15.

---

**13.2-3** Pablo les había advertido con anterioridad a los corintios sobre el castigo que vendría si no enfrentaban sus pecados personales e interpersonales. Aquí les hace una nueva advertencia, ya que había estado lejos de Corinto más tiempo del que se había propuesto estar. Quería asegurarse de que el pueblo supiera que esta advertencia no era en vano. Ciertamente, Pablo la haría cumplir y haría a los creyentes corintios responsables de sus compromisos ante Dios. Todos necesitamos a personas como Pablo en nuestra vida; gente piadosa que nos obligue a rendir cuentas por nuestras promesas de recuperación y nuestra obediencia a Dios.

**13.5-6** Pablo urgió a los creyentes corintios a examinarse seriamente a sí mismos. Quería que evaluaran la naturaleza de su compromiso con Dios observando de cerca sus propias vidas. Esta es una parte esencial del proceso de recuperación. Necesitamos involucrarnos en un sincero examen interno si aspiramos a descubrir los problemas que destruyen nuestras relaciones personales e incitan nuestra dependencia. Conforme confesamos nuestros fracasos a Dios, él nos perdonará y nos ayudará a progresar en la recuperación.

**13.11** Al terminar Pablo esta carta a los corintios, les dejó algunos retos y les señaló algunas metas que bien vale la pena seguir. En esencia, les llamó la atención a abrir sus mentes y corazones al cambio personal y a la sanidad de sus relaciones personales. Este tipo de crecimiento espiritual y esa armonía interpersonal pueden alimentarse con la fe en Dios, quien es el máximo recurso para la sanidad, para el amor y para la paz. Como lectores modernos de esta carta, nosotros también podemos beneficiarnos siguiendo el sabio consejo de Pablo.

REFLEXIONES SOBRE

SEGUNDA
CORINTIOS

✱ *perspectivas* ACERCA DE LA ORACIÓN

Es esencial que aprendamos a alentar a otros que están en el proceso de recuperación sin perder el balance en nuestra propia vida. Esto es exactamente lo que Pablo les está pidiendo a los corintios que hagan en **2 Corintios 1.11** cuando les pide que oren por él. Al orar por las necesidades del apóstol y sus acompañantes, los creyentes corintios los ayudarían y fortalecerían desde la distancia. Debido a nuestras debilidades, a veces no podemos ayudar a algunas de las personas a las que amamos. Para mantener nuestra recuperación, debemos guardar nuestra distancia. Pero esto no significa que tenemos que olvidarnos de ellas. Podemos ayudarlas orando para que ellas descubran lo impotentes que somos sin Dios y para que le entreguen a él sus vidas para que los ayude. Dios tiene el poder para hacer por ellos lo que nosotros quizás no somos capaces de hacer en el contacto directo.

✱ *perspectivas* ACERCA DE LA RESTAURACIÓN DE LAS RELACIONES

Un problema en la iglesia de Corinto (probablemente el que se describe en **1 Corintios 5.1-11**) explica la amonestación de Pablo en **2 Corintios 2.5-11.** Cuando el ofensor en cuestión se arrepintió de su pecado y enfrentó honestamente las consecuencias de su conducta, los creyentes corintios se negaron a perdonarlo. Pabló señaló lo cruel que fue negarle el perdón. El apóstol explicó que debido a su falta de perdón estaban dándole ventaja a Satanás al desanimar a la persona arrepentida. Necesitamos asegurarnos de que cuando otros se arrepientan de sus pecados, nosotros hagamos nuestra parte para alentarlos en el proceso de restauración y sanidad. La mayoría de nosotros ha sufrido el dolor de ser rechazados, aun antes de reconocer nuestros errores y tratar de cambiar. Debemos ser los últimos en causar a otros el mismo tipo de dolor.

✱ *perspectivas* PARA SOBREVIVIR DURANTE TIEMPOS DIFÍCILES

En **2 Corintios 4.8-11** Pablo reflexiona sobre el valor del sufrimiento. Los tiempos duros de la vida tienden a doblegarnos y desilusionarnos, o a retarnos y estimularnos. Resulta difícil seguir adelante cuando la situación se torna muy problemática. Pero puede realmente servirnos de aliento saber que Dios está con nosotros en medio de las pruebas que enfrentamos, y que él puede usar incluso nuestras debilidades para su gloria. De hecho, nuestra perseverancia en la recuperación de nuestra adicción puede ser el regalo de vida para otras personas esclavas de una poderosa dependencia. Al ver a Dios obrando en nuestras vidas, podrían reunir el valor necesario para encarar su propia adicción y conquistarla con la poderosa ayuda de Dios.

En **2 Corintios 5.1-5** Pablo les recordó a sus lectores que sus débiles cuerpos algún día serían reemplazados por otros cuerpos gloriosos. Para muchos de nosotros el proceso de envejecimiento es una realidad deprimente, que nos gustaría evitar. Pero el envejecimiento tiene un lado alentador si confiamos en Jesucristo para nuestra salvación y recuperación. Dentro de poco, «devolveremos» a la tierra nuestro cuerpo y recibiremos un cuerpo eterno inmortal. La presencia del Espíritu Santo en nuestra vida es la garantía de que nos estamos acercando a ese punto.

✱ *perspectivas* ACERCA DE PROCLAMAR LAS BUENAS NUEVAS

Leemos en **2 Corintios 6.3-4** que Pablo trató de vivir de tal manera que nadie fuera ofendido por su culpa o mantenido lejos de Dios. Se convirtió así en un modelo digno de imitar por otros creyentes. Algunos de los que hemos estado en recuperación por algún tiempo podemos encontrar agotador ser un modelo de recuperación para otros. Hemos sentido las cargas de muchas expectativas. Como resultado, algunos hemos abandonado la tarea de ayudar a otros en su recuperación. Al crecer espiritualmente, la responsabilidad de ayudar a otros siempre va a estar ahí. El apóstol Pablo asumió esta responsabilidad muy seriamente y actuó impulsado por el deseo de lograr el bienestar de los demás. Aunque esta puede ser una carga muy pesada para algunos de nosotros, puede servirnos de ayuda para reconocer que ser un modelo para otros que están en recuperación es uno de los medios que Dios utiliza para mantenernos en el camino hacia la plenitud.

### ✳*perspectivas* ACERCA DE LA CONFRONTACIÓN

Al parecer, Pablo escribió una breve carta a los corintios, no incluida entre los libros del Nuevo Testamento, en el período entre las dos cartas que sí se incluyeron. Por lo que dice acerca de esa carta en **2 Corintios 7.8-10,** debió haber tenido un tono bastante cortante. Él admite que no estaba seguro respecto de enviar esa carta; pero debido a la respuesta positiva de los corintios a su persistente amor, todas sus dudas habían desaparecido. En las situaciones de recuperación, debemos darnos cuenta de que cuando confrontamos a otros, estamos asumiendo un riesgo calculado que puede llevarlos a la sanidad o a la enajenación. Cuando confrontemos a la gente con sus problemas, debemos hacerlo con humildad y amor, y confiarle a Dios la solución de tales problemas. Si hacemos esto, Dios obrará de acuerdo con su perfecta voluntad.

# GÁLATAS

Pablo plantó las iglesias en Galacia durante su primer viaje misionero por Asia Menor. Pero en el plazo de unos meses, ciertas personas comenzaron a oponerse a las buenas nuevas que Pablo había predicado. Estos maestros reclamaban que los convertidos a Cristo que no eran judíos tenían que guardar la ley judía para poder ser salvos. Esto implicaba que todos los gentiles que buscaran su membresía en la iglesia tenían que ser circuncidados.

Este evangelio alternativo resultaba muy atrayente para los creyentes de Galacia. Entre otras cosas, sus defensores reclamaban tener la bendición directa de los apóstoles de Jerusalén. Sus argumentos, basados en el Antiguo Testamento, parecían perfectos e irrefutables. Pero Pablo, sabiendo lo pernicioso que esta enseñanza podía ser, escribió esta carta para corregir tal desviación.

Pablo dejó claro a los gálatas que en Cristo ellos eran verdaderamente libres. Eran libres de las exigencias de las leyes judías, libres del poder del pecado y libres para vivir bajo la gracia de Dios. Quizás nos preguntemos por qué los gálatas querrían sacrificar la libertad que ya tenían en Cristo. Pero la esclavitud es sutil. Nadie comienza a beber con el propósito de convertirse en alcohólico. Es poco a poco como nos volvemos dependientes de ciertas conductas, sustancias y actitudes. Y, de manera que resulta un tanto patética, nuestra esclavitud nos da seguridad.

Esta carta a los gálatas nos desafía a aferrarnos a nuestra libertad. Estar controlados por el alcohol o por las drogas significa vivir en esclavitud. Lo mismo ocurre con cualquier programa de recuperación que esté basado en nuestras propias habilidades y fuerzas. No podemos escapar solos de la sujeción al pecado y a la adicción; pero al entregar nuestra vida a Dios, él nos dará en su gracia, el poder que necesitamos para vencer nuestra dependencia.

## EN ESENCIA

PROPÓSITO: Animar a los lectores a depender sólo de Cristo para su salvación y para recibir la fuerza necesaria para la vida diaria. AUTOR: El apóstol Pablo. DESTINATARIO: Varias iglesias del sur de Galacia. FECHA: Probablemente cerca del 49 d.C. ESCENARIO: Una de las controversias más apremiantes en la iglesia primitiva era sobre si los convertidos no judíos debían o no someterse a las leyes judías para ser parte de la iglesia. Pablo escribió esta carta para responder a ese problema. VERSÍCULO CLAVE: «Estad, pues, firmes en la libertad con que Cristo nos hizo libres, y no estéis otra vez sujetos al yugo de esclavitud» (5.1). PERSONAS Y RELACIONES CLAVE: Pablo, con los creyentes gálatas y con los apóstoles de Jerusalén, así como los falsos maestros.

## TEMAS SOBRE RECUPERACIÓN

*La seducción de la ley:* Para algunos de nosotros, seguir ciertas reglas puede resultar más fácil que realizar un inventario personal, orar, meditar en las Escrituras e involucrarnos en cualquier otra actividad que conduzca a una relación más profunda con Dios. Preferimos tener a alguien que nos diga qué tenemos que hacer. Tal vez los gálatas se sintieron de la misma manera. Quizás dijeron: «Sólo danos unas cuantas normas que debamos seguir, como la ley mosaica.» El camino al éxito no consiste en seguir sencillamente unas ciertas reglas para lograr la recuperación. Es imposible que lo hagamos solos, y seguir reglas también nos alejará de nuestra dependencia de Dios, la única fuente real del éxito.

*La recuperación nos lleva a la verdadera libertad:* Esta carta fue escrita para mostrarnos cómo encontrar verdadera libertad espiritual. El consejo de Pablo a los gálatas también se aplica a nosotros, que buscamos liberarnos de nuestra adicción y de nuestra conducta compulsiva, y que deseamos solucionar el problema de tener una familia disfuncional o relaciones de codependencia. La verdadera libertad se encuentra al entregarle nuestra vida a Dios, no dependiendo ya de nuestra autosuficiencia, sino de su poderosa y firme intervención. Tener fe en Cristo es la única forma en la que podemos gozar de verdadera libertad del pecado y de sus consecuencias, y de la esclavitud a nuestros defectos de carácter.

*El poder del Espíritu Santo:* Nos convertimos en creyentes por medio de la obra del Espíritu Santo, expresión personal del poder de Dios. Es también el Espíritu Santo el que nos capacita para nuestra recuperación. Él nos trae nueva vida; aun la fe para creer y el valor para reconocer nuestra propia impotencia son regalos de él. El Espíritu Santo instruye, guía, dirige y nos da poder. Él es quien nos libera de la esclavitud a nuestros malos deseos y conductas adictivas, y crea en nosotros amor, gozo, paz y serenidad.

*La necesidad de la fe:* Muchos nos hemos sentido frustrados e incluso desanimados hasta el punto de querer rendirnos a causa de los fracasos en nuestros esfuerzos por cambiar. Nuestra recuperación para librarnos del pecado y de sus efectos destructivos, incluyendo nuestra dependencia, sólo es posible por medio de la fe en Jesucristo. Entregar nuestra voluntad y nuestra vida a Dios no nos transforma milagrosa e instantáneamente (aunque algunos cambios puedan ocurrir de inmediato). Pero al poner nuestra fe y confianza en Jesucristo, experimentamos el perdón y la incondicional aceptación de parte de Dios. Y entonces su poder comienza a trabajar en nosotros para hacer posible nuestro continuo crecimiento y recuperación.

---

### Salutación

**1** ¹ Pablo, apóstol (no de hombres ni por hombre, sino por Jesucristo y por Dios el Padre que lo resucitó de los muertos),
² y todos los hermanos que están conmigo, a las iglesias de Galacia:
³ Gracia y paz sean a vosotros, de Dios el Padre y de nuestro Señor Jesucristo,
⁴ el cual se dio a sí mismo por nuestros pecados para librarnos del presente siglo malo, conforme a la voluntad de nuestro Dios y Padre,
⁵ a quien sea la gloria por los siglos de los siglos. Amén.

### No hay otro evangelio

⁶ Estoy maravillado de que tan pronto os hayáis alejado del que os llamó por la gracia de Cristo, para seguir un evangelio diferente.

---

**1.1-5** En esta carta Pablo no se limitó a un corto y convencional saludo. En estos versículos iniciales presentó los temas principales: su autoridad apostólica, dada por Dios, enseñanzas claras sobre la paternidad de Dios y el poder liberador de Jesucristo. Dios, nuestro Padre amoroso, tenía un plan para rescatarnos de este mundo de maldad por medio de la muerte de su Hijo. Cuando le entregamos nuestra vida, Dios es capaz de ayudarnos a superar nuestros problemas e imperfecciones.
**1.6-10** Los gálatas tenían que decidir entre el verdadero evangelio que Pablo les predicó y el falso evangelio que predicaban sus oponentes. La decisión con la que nos enfrentamos mientras buscamos la manera de lidiar con nuestros pecados y fracasos es igualmente clara. Podemos prestar atención a los que ofrecen fáciles y asombrosas novedades para ayudarnos en nuestra recuperación; o podemos doblegarnos ante un sistema legalista que nos manipula usando el sentimiento de culpa para llevar a cabo nuestra propia recuperación y haciendo que nos adhiramos a un conjunto de reglas; o podemos aceptar lo que Dios dice sobre el poder del pecado y la capacidad de Dios mismo para liberarnos si centramos nuestra vida en él.

**7** No que haya otro, sino que hay algunos que os perturban y quieren pervertir el evangelio de Cristo.
**8** Mas si aun nosotros, o un ángel del cielo, os anunciare otro evangelio diferente del que os hemos anunciado, sea anatema.
**9** Como antes hemos dicho, también ahora lo repito: Si alguno os predica diferente evangelio del que habéis recibido, sea anatema.

**10** Pues, ¿busco ahora el favor de los hombres, o el de Dios? ¿O trato de agradar a los hombres? Pues si todavía agradara a los hombres, no sería siervo de Cristo.

## El ministerio de Pablo

**11** Mas os hago saber, hermanos, que el evangelio anunciado por mí, no es según hombre;
**12** pues yo ni lo recibí ni lo aprendí de hombre alguno, sino por revelación de Jesucristo.
**13** Porque ya habéis oído acerca de mi conducta en otro tiempo en el judaísmo, que perseguía sobremanera a la iglesia de Dios, y la asolaba;*a*
**14** y en el judaísmo aventajaba a muchos de mis contemporáneos en mi nación, siendo mucho más celoso de las tradiciones de mis padres.*b*
**15** Pero cuando agradó a Dios, que me apartó desde el vientre de mi madre, y me llamó por su gracia,
**16** revelar a su Hijo en mí,*c* para que yo le predicase entre los gentiles, no consulté en seguida con carne y sangre,
**17** ni subí a Jerusalén a los que eran apóstoles antes que yo; sino que fui a Arabia, y volví de nuevo a Damasco.
**18** Después, pasados tres años, subí a Jerusalén*d* para ver a Pedro, y permanecí con él quince días;

**19** pero no vi a ningún otro de los apóstoles, sino a Jacobo el hermano del Señor.
**20** En esto que os escribo, he aquí delante de Dios que no miento.
**21** Después fui a las regiones de Siria y de Cilicia,
**22** y no era conocido de vista a las iglesias de Judea, que eran en Cristo;
**23** solamente oían decir: Aquel que en otro tiempo nos perseguía, ahora predica la fe que en otro tiempo asolaba.
**24** Y glorificaban a Dios en mí.

**2** **1** Después, pasados catorce años, subí otra vez a Jerusalén*a* con Bernabé, llevando también conmigo a Tito.
**2** Pero subí según una revelación, y para no correr o haber corrido en vano, expuse en privado a los que tenían cierta reputación el evangelio que predico entre los gentiles.
**3** Mas ni aun Tito, que estaba conmigo, con todo y ser griego, fue obligado a circuncidarse;
**4** y esto a pesar de los falsos hermanos introducidos a escondidas, que entraban para espiar nuestra libertad que tenemos en Cristo Jesús, para reducirnos a esclavitud,
**5** a los cuales ni por un momento accedimos a someternos, para que la verdad del evangelio permaneciese con vosotros.
**6** Pero de los que tenían reputación de ser algo (lo que hayan sido en otro tiempo nada me importa; Dios no hace acepción de personas*b*), a mí, pues, los de reputación nada nuevo me comunicaron.
**7** Antes por el contrario, como vieron que me había sido encomendado el evangelio de la incircuncisión, como a Pedro el de la circuncisión

---

1.13 *a* Hch. 8.3; 22.4-5; 26.9-11.   1.14 *b* Hch. 22.3.   1.15-16 *c* Hch. 9.3-6; 22.6-10; 26.13-18.
1.18 *d* Hch. 9.26-30.   2.1 *a* Hch. 11.30; 15.2.   2.6 *b* Dt. 10.17.

---

Sólo Dios, por medio de Jesucristo, puede ofrecernos el poder que necesitamos para nuestra verdadera recuperación. Ninguna otra solución a nuestros problemas y dependencia nos producirán en nosotros un cambio real y permanente.

**1.11-24** Al mirar Pablo hacia atrás, a su conversión, recordó cómo una vez había sido un judío extremadamente religioso. Había actuado fervorosamente para defender su fe contra la amenaza del cristianismo. Pero Dios, en su gracia, lo alcanzó y lo transformó radicalmente. Pablo reconoció que a fin de cuentas todas sus actividades religiosas habían sido infructuosas y nunca lo podrían liberar del poder del pecado. Sólo Dios podía perdonar sus pecados y darle poder para un nuevo comienzo. Si hemos tratado de vencer nuestra dependencia modificando nuestra conducta o participando en actividades religiosas, ya sabemos lo que significa fracasar. Pero si hemos entregado nuestra vida a Dios y estamos viviendo confiados en su poder, ya conocemos el secreto de la victoria. El poder de Dios por medio de Jesucristo es el único camino para la recuperación duradera.

**2.1-10** Pablo presentó un argumento claro contra las enseñanzas de los judaizantes. Estas personas reconocían la importancia de la obra de Dios por medio de Jesucristo, pero también creían que la gente estaba obligada a guardar las leyes judías para obtener su salvación. Para ellos, la salvación se basaba en acciones, y no únicamente en la gracia de Dios. Pablo quería que los gálatas se dieran de cuenta que ninguno de nosotros puede guardar adecuadamente las leyes divinas sin ayuda. Sólo Cristo tiene el poder para liberarnos del pecado y de sus destructivas consecuencias. La mayoría de nosotros ya ha descubierto que es impotente contra el pecado. Sabemos que necesitamos la ayuda del poder de Dios para vencer nuestras adicciones y compulsiones. El mensaje de gracia que Pablo predicó es una fuente de esperanza para nosotros que confiamos en Dios para que nos ayude a vencer nuestra dependencia.

**8** (pues el que actuó en Pedro para el apostolado de la circuncisión, actuó también en mí para con los gentiles),

**9** y reconociendo la gracia que me había sido dada, Jacobo, Cefas y Juan, que eran considerados como columnas, nos dieron a mí y a Bernabé la diestra en señal de compañerismo, para que nosotros fuésemos a los gentiles, y ellos a la circuncisión.

**10** Solamente nos pidieron que nos acordásemos de los pobres; lo cual también procuré con diligencia hacer.

## Pablo reprende a Pedro en Antioquía

**11** Pero cuando Pedro vino a Antioquía, le resistí cara a cara, porque era de condenar.

**12** Pues antes que viniesen algunos de parte de Jacobo, comía con los gentiles; pero después que vinieron, se retraía y se apartaba, porque tenía miedo de los de la circuncisión.

**13** Y en su simulación participaban también los otros judíos, de tal manera que aun Bernabé fue también arrastrado por la hipocresía de ellos.

**14** Pero cuando vi que no andaban rectamente conforme a la verdad del evangelio, dije a Pedro delante de todos: Si tú, siendo judío, vives como los gentiles y no como judío, ¿por qué obligas a los gentiles a judaizar?

**15** Nosotros, judíos de nacimiento, y no pecadores de entre los gentiles,

**16** sabiendo que el hombre no es justificado por las obras de la ley,$^c$ sino por la fe de Jesucristo,$^d$ nosotros también hemos creído en Jesucristo, para ser justificados por la fe de Cristo y no por las obras de la ley, por cuanto por las obras de la ley nadie será justificado.

**17** Y si buscando ser justificados en Cristo, también nosotros somos hallados pecadores, ¿es por eso Cristo ministro de pecado? En ninguna manera.

**18** Porque si las cosas que destruí, las mismas vuelvo a edificar, transgresor me hago.

**19** Porque yo por la ley soy muerto para la ley, a fin de vivir para Dios.

**20** Con Cristo estoy juntamente crucificado, y ya no vivo yo, mas vive Cristo en mí; y lo que ahora vivo en la carne, lo vivo en la fe del Hijo de Dios, el cual me amó y se entregó a sí mismo por mí.

**21** No desecho la gracia de Dios; pues si por la ley fuese la justicia, entonces por demás murió Cristo.

## El Espíritu se recibe por la fe

**3** **1** ¡Oh gálatas insensatos! ¿quién os fascinó para no obedecer a la verdad, a vosotros ante cuyos ojos Jesucristo fue ya presentado claramente entre vosotros como crucificado?

**2** Esto solo quiero saber de vosotros: ¿Recibisteis el Espíritu por las obras de la ley, o por el oír con fe?

**3** ¿Tan necios sois? ¿Habiendo comenzado por el Espíritu, ahora vais a acabar por la carne?

**4** ¿Tantas cosas habéis padecido en vano? si es que realmente fue en vano.

**5** Aquel, pues, que os suministra el Espíritu, y hace maravillas entre vosotros, ¿lo hace por las obras de la ley, o por el oír con fe?

## El pacto de Dios con Abraham

**6** Así Abraham creyó a Dios, y le fue contado por justicia.$^a$

**7** Sabed, por tanto, que los que son de fe, éstos son hijos de Abraham.$^b$

**2.16** $^c$ Sal. 143.2; Ro. 3.20. $^d$ Ro. 3.22. **3.6** $^a$ Gn. 15.6; Ro. 4.3. **3.7** $^b$ Ro. 4.16.

---

**2.11-16** El apóstol Pedro, judío cristiano, sabía que la salvación era un regalo de la gracia. Mientras estaba en Antioquia, se asoció voluntariamente con los gentiles cristianos, aun cuando ellos no habían cumplido con la ley judía de la circuncisión. Sin embargo, cuando llegaron otros líderes judíos cristianos, Pedro dejó de asociarse con los creyentes gentiles. Se dejó influir por sus compatriotas judíos y comenzó a actuar como si obedecer las leyes judías fuera necesario para la salvación. Pablo confrontó abiertamente a Pedro a causa de este prejuicio, y se resolvió el problema. Con toda seguridad, algunos de nosotros sabemos cómo se sintió Pedro cuando llegaron sus viejos amigos. Al iniciar el proceso de recuperación, tal vez hayamos sido avergonzados por algunos de esos viejos amigos. Quizás hayamos sucumbido a la tentación de alejarnos de nuestro compromiso con la verdad sobre nuestra necesidad de recuperación. Como Pedro, podemos evaluar humildemente nuestros fracasos y regresar al camino correcto.

**2.20-21** Pablo nos demostró que nuestro antiguo estilo de vida murió en la cruz con Jesucristo. Los judíos cristianos tenían que dejar de tratar de ganarse la salvación siguiendo la ley judía. Muchos de nosotros hemos luchado con el mismo problema. Algunos nos hemos esforzado muchísimo para vencer nuestra adicción, pero no hemos conseguido la verdadera libertad. Pablo quería que los creyentes judíos se dieran cuenta de que no lograrían nada simplemente luchando con ahínco. Debían renunciar a mantener el control y permitir que Dios los sanara y los capacitara para batallar contra el pecado. Nosotros tenemos que dejar atrás nuestras viejas formas de buscar la salvación y aceptar la gracia de Dios: el regalo de perdón y sanidad que Jesucristo nos ofrece.

**3.1-14** Pablo apeló a la clara evidencia manifestada entre los gálatas cuando recibieron el Espíritu Santo al creer en Cristo. Nos convertimos en hijos de Abraham, como dice la Biblia, cuando recibimos la redención disponible para nosotros por medio del sacrificio de Jesucristo. La evidencia de que nos hemos convertido en hijos e hijas de Abraham no es la circuncisión sino la presencia del Espíritu Santo en nuestras vidas.

**8** Y la Escritura, previendo que Dios había de justificar por la fe a los gentiles, dio de antemano la buena nueva a Abraham, diciendo: En ti serán benditas todas las naciones.c

**9** De modo que los de la fe son bendecidos con el creyente Abraham.

**10** Porque todos los que dependen de las obras de la ley están bajo maldición, pues escrito está: Maldito todo aquel que no permaneciere en todas las cosas escritas en el libro de la ley, para hacerlas.d

**11** Y que por la ley ninguno se justifica para con Dios, es evidente, porque: El justo por la fe vivirá;e

**12** y la ley no es de fe, sino que dice: El que hiciere estas cosas vivirá por ellas.f

**13** Cristo nos redimió de la maldición de la ley, hecho por nosotros maldición (porque está escrito: Maldito todo el que es colgado en un madero9),

**14** para que en Cristo Jesús la bendición de Abraham alcanzase a los gentiles, a fin de que por la fe recibiésemos la promesa del Espíritu.

**15** Hermanos, hablo en términos humanos: Un pacto, aunque sea de hombre, una vez ratificado, nadie lo invalida, ni le añade.

**16** Ahora bien, a Abraham fueron hechas las promesas, y a su simiente. No dice: Y a las simientes, como si hablase de muchos, sino como de uno: Y a tu simiente,h la cual es Cristo.

**17** Esto, pues, digo: El pacto previamente ratificado por Dios para con Cristo, la ley que vino cuatrocientos treinta años después,i no lo abroga, para invalidar la promesa.

**18** Porque si la herencia es por la ley, ya no es por la promesa;j pero Dios la concedió a Abraham mediante la promesa.

### El propósito de la ley

**19** Entonces, ¿para qué sirve la ley? Fue añadida a causa de las transgresiones, hasta que viniese la simiente a quien fue hecha la promesa; y fue ordenada por medio de ángeles en mano de un mediador.

**20** Y el mediador no lo es de uno solo; pero Dios es uno.

# Dominio propio

LEA GÁLATAS 5.16-23

Existe una lucha en nuestro interior: una batalla por tener el control. Nuestra fuerza de voluntad nos falla repetidamente. ¿A quién podemos acudir cuando nos damos cuenta de que no podemos controlar nuestra vida?

El apóstol Pablo dijo: «Digo, pues: Andad en el Espíritu, y no satisfagáis los deseos de la carne. Porque el deseo de la carne es contra el Espíritu, y el del Espíritu es contra la carne; y éstos se oponen entre sí, para que no hagáis lo que quisiereis. Mas el fruto del Espíritu es amor, gozo, paz, paciencia, benignidad, bondad, fe, mansedumbre, templanza; contra tales cosas no hay ley» (Gálatas 5.16-17, 22-23).

El dominio propio no es fuerza de voluntad. No es algo que obtenemos apretando los dientes y obligándonos a decir «no». La templanza es un fruto. La fruta no aparece de inmediato en el árbol. Según el árbol crece y pasan las estaciones, la fruta se desarrolla naturalmente. De la misma manera, conforme seguimos la dirección de Dios, dando un paso a la vez, desarrollaremos en forma gradual la virtud del dominio propio. Nuestra tarea es mantener nuestra relación con Dios. Es tarea del Espíritu Santo producir el fruto de templanza en nuestra vida. ***Vaya a la página 307, Efesios 2.***

---

**3.8** c Gn. 12.3.   **3.10** d Dt. 27.26.   **3.11** e Hab. 2.4.   **3.12** f Lv. 18.5.
**3.13** 9 Dt. 21.23.   **3.16** h Gn. 12.7.   **3.17** i Ex. 12.40.   **3.18** j Ro. 4.14.

---

Podemos estar seguros de la presencia del Espíritu Santo cuando comencemos a cambiar. Conocer a Dios y estar en la relación correcta con él nos capacita para conocer su voluntad y seguirla. Pero tratar de obedecer las leyes divinas dependiendo de nuestra propia fuerza nunca nos llevará a una relación correcta con Dios.

**3.15-29** Nuestra relación con Dios no se basa en que guardemos la ley sino en las promesas hechas a Abraham de bendecir a toda la humanidad por medio de su descendencia, Jesucristo. La ley nos muestra que somos pecadores que merecemos castigo y que tenemos necesidad de un Salvador. Obedecer la ley no es la solución al problema del pecado; la ley es la vara de medir que revela el problema del pecado. Nadie es capaz de obedecer verdadera y absolutamente. A pesar de nuestra impotencia, Dios desea bendecirnos cuando confiamos en sus promesas, no cuando actuamos de acuerdo con sus normas perfectas. Saber que Dios nos ama lo suficiente como para pagar por nuestros pecados puede ayudarnos a ser más audaces al momento de hacer nuestro inventario moral. Cuando confesemos a Dios nuestras faltas, él nos liberará del poder destructivo del pecado.

**21** ¿Luego la ley es contraria a las promesas de Dios? En ninguna manera; porque si la ley dada pudiera vivificar, la justicia fuera verdaderamente por la ley.

**22** Mas la Escritura lo encerró todo bajo pecado, para que la promesa que es por la fe en Jesucristo fuese dada a los creyentes.

**23** Pero antes que viniese la fe, estábamos confinados bajo la ley, encerrados para aquella fe que iba a ser revelada.

**24** De manera que la ley ha sido nuestro ayo, para llevarnos a Cristo, a fin de que fuésemos justificados por la fe.

**25** Pero venida la fe, ya no estamos bajo ayo,

**26** pues todos sois hijos de Dios por la fe en Cristo Jesús;

**27** porque todos los que habéis sido bautizados en Cristo, de Cristo estáis revestidos.

**28** Ya no hay judío ni griego; no hay esclavo ni libre; no hay varón ni mujer; porque todos vosotros sois uno en Cristo Jesús.

**29** Y si vosotros sois de Cristo, ciertamente linaje de Abraham sois, y herederos según la promesa.k

**4** **1** Pero también digo: Entre tanto que el heredero es niño, en nada difiere del esclavo, aunque es señor de todo;

**2** sino que está bajo tutores y curadores hasta el tiempo señalado por el padre.

**3** Así también nosotros, cuando éramos niños, estábamos en esclavitud bajo los rudimentos del mundo.

**4** Pero cuando vino el cumplimiento del tiempo, Dios envió a su Hijo, nacido de mujer y nacido bajo la ley,

**5** para que redimiese a los que estaban bajo la ley, a fin de que recibiésemos la adopción de hijos.

**6** Y por cuanto sois hijos, Dios envió a vuestros corazones el Espíritu de su Hijo, el cual clama: ¡Abba, Padre!

**7** Así que ya no eres esclavo, sino hijo; y si hijo, también heredero de Dios por medio de Cristo.a

## Exhortación contra el volver a la esclavitud

**8** Ciertamente, en otro tiempo, no conociendo a Dios, servíais a los que por naturaleza no son dioses;

**9** mas ahora, conociendo a Dios, o más bien, siendo conocidos por Dios, ¿cómo es que os volvéis de nuevo a los débiles y pobres rudimentos, a los cuales os queréis volver a esclavizar?

**10** Guardáis los días, los meses, los tiempos y los años.

**11** Me temo de vosotros, que haya trabajado en vano con vosotros.

**12** Os ruego, hermanos, que os hagáis como yo, porque yo también me hice como vosotros. Ningún agravio me habéis hecho.

**13** Pues vosotros sabéis que a causa de una enfermedad del cuerpo os anuncié el evangelio al principio;

**14** y no me despreciasteis ni desechasteis por la prueba que tenía en mi cuerpo, antes bien me recibisteis como a un ángel de Dios, como a Cristo Jesús.

**15** ¿Dónde, pues, está esa satisfacción que experimentabais? Porque os doy testimonio de que si hubieseis podido, os hubierais sacado vuestros propios ojos para dármelos.

**16** ¿Me he hecho, pues, vuestro enemigo, por deciros la verdad?

**17** Tienen celo por vosotros, pero no para bien, sino que quieren apartaros de nosotros para que vosotros tengáis celo por ellos.

**18** Bueno es mostrar celo en lo bueno siempre, y no solamente cuando estoy presente con vosotros.

**19** Hijitos míos, por quienes vuelvo a sufrir dolores de parto, hasta que Cristo sea formado en vosotros,

**20** quisiera estar con vosotros ahora mismo y

**3.29** k Ro. 4.13. **4.5-7** a Ro. 8.15-17.

**3.26-29** Cuando le entregamos nuestra vida a Dios por medio de Jesucristo, nos convertimos en sus hijos. ¡Qué maravillosa verdad! Todos tenemos un lugar en la familia de Dios sin que importen nuestros pecados pasados ni cuán disfuncional haya sido nuestra familia ni lo mucho que nos hayan lastimado. Él tiene un plan para cada uno de nosotros y, como cualquier padre, quiere ayudarnos a tener éxito. Tener fe en Cristo es todo lo que necesitamos para formar parte de esta privilegiada posición. Cada uno de nosotros es importante para Dios y él nos ama lo suficiente como para ayudarnos a vencer nuestras debilidades y defectos de carácter.

**4.8-11** Si no estamos dispuestos a confiar en Dios y obedecerlo, pronto nos convertimos en esclavos de otras cosas. Podemos recurrir a otras actividades o a determinadas sustancias para que nos ayuden a lidiar con nuestros problemas. Muchos de nosotros ya sabemos que esto nos lleva a distintas formas de adicción. Hemos descubierto que ni las drogas ni el alcohol ni la inmoralidad sexual, el trabajo y ni siquiera las actividades religiosas pueden solucionar nuestros problemas. De hecho, depender de cualquier cosa que no sea Dios mismo nos hunde más en nuestros problemas. Sólo Dios nos ofrece el poder para ser liberados de la esclavitud y construir una nueva vida. Pedirle a él que nos ayude es realmente la única alternativa válida que tenemos.

**4.17-20** Pablo estaba tratando de ayudar a los gálatas a experimentar la nueva vida que Dios ofrece por medio de Jesucristo. Los falsos maestros se esforzaban para que el pueblo volviera a la esclavitud bajo la ley judía. Había un marcado contraste entre las actitudes y acciones de Pablo y las de los falsos maestros. Estos

cambiar de tono, pues estoy perplejo en cuanto a vosotros.

## Alegoría de Sara y Agar

**21** Decidme, los que queréis estar bajo la ley: ¿no habéis oído la ley?
**22** Porque está escrito que Abraham tuvo dos hijos; uno de la esclava,*b* el otro de la libre.*c*
**23** Pero el de la esclava nació según la carne; mas el de la libre, por la promesa.
**24** Lo cual es una alegoría, pues estas mujeres son los dos pactos; el uno proviene del monte Sinaí, el cual da a hijos para esclavitud; éste es Agar.
**25** Porque Agar es el monte Sinaí en Arabia, y corresponde a la Jerusalén actual, pues ésta, junto con sus hijos, está en esclavitud.
**26** Mas la Jerusalén de arriba, la cual es madre de todos nosotros, es libre.
**27** Porque está escrito:

Regocíjate, oh estéril, tú que no das a luz;
Prorrumpe en júbilo y clama,
   tú que no tienes dolores de parto;
Porque más son los hijos de la desolada,
   que de la que tiene marido.*d*

**28** Así que, hermanos, nosotros, como Isaac, somos hijos de la promesa.
**29** Pero como entonces el que había nacido según la carne perseguía al que había nacido según el Espíritu,*e* así también ahora.
**30** Mas ¿qué dice la Escritura? Echa fuera a la esclava y a su hijo, porque no heredará el hijo de la esclava con el hijo de la libre.*f*
**31** De manera, hermanos, que no somos hijos de la esclava, sino de la libre.

## Estad firmes en la libertad

**5** **1** Estad, pues, firmes en la libertad con que Cristo nos hizo libres, y no estéis otra vez sujetos al yugo de esclavitud.
**2** He aquí, yo Pablo os digo que si os circuncidáis, de nada os aprovechará Cristo.
**3** Y otra vez testifico a todo hombre que se circuncida, que está obligado a guardar toda la ley.
**4** De Cristo os desligasteis, los que por la ley os justificáis; de la gracia habéis caído.
**5** Pues nosotros por el Espíritu aguardamos por fe la esperanza de la justicia;

PASO **5**

## Escape del autoengaño

LECTURA BÍBLICA: Gálatas 6.7-10

**Confesamos a Dios, a nosotros mismos y a los demás la naturaleza exacta de nuestros defectos.**

Podemos engañarnos al pensar que sencillamente podemos enterrar nuestros errores y seguir adelante sin tener que admitirlos. Con el tiempo, todos descubrimos que aquellos actos que pensábamos que estaban enterrados para siempre eran realmente semillas. Crecen y dan frutos. A la larga tendremos que enfrentarnos a una cosecha de consecuencias y al hecho de que el autoengaño no nos beneficia en lo más mínimo.

«No os engañéis; Dios no puede ser burlado: pues todo lo que el hombre sembrare, eso también segará. Porque el que siembra para su carne, de la carne segará corrupción; mas el que siembra para el Espíritu, del Espíritu segará vida eterna» (Gálatas 6.7-8). «Si decimos que no tenemos pecado, nos engañamos a nosotros mismos, y la verdad no está en nosotros. Si confesamos nuestros pecados, él es fiel y justo para perdonar nuestros pecados, y limpiarnos de toda maldad» (1 Juan 1.8-9).

El Paso Cinco le dice adiós al autoengaño y le da la bienvenida al perdón y a la purificación. Debemos notar que hay purificación de cada maldad, no de «hacer el mal» en un sentido general. Reconocer la naturaleza exacta de nuestros errores incluye rendir cuentas de manera exacta y específica. Sólo cuando confesemos específicamente nuestros pecados, dejaremos de engañarnos respecto a la naturaleza de nuestros errores. Como de todas formas no podemos dejar de lado a Dios y salirnos con las nuestras, lo mejor que podemos hacer es ser sinceros y recibir perdón.
*Vaya al Paso Seis, página 149, Juan 5.*

---

**4.22** *b* Gn. 16.15. *c* Gn. 21.2. **4.27** *d* Is. 54.1. **4.29** *e* Gn. 21.9. **4.30** *f* Gn. 21.10.

---

últimos no estaban preocupados por el bienestar del pueblo; Pablo sí lo estaba. Todos hemos visto modas pasajeras que ofrecen la recuperación y prometen resultados asombrosos. Estos programas usualmente cuestan mucho dinero y, cuando mucho, sólo producen resultados temporales. El único medio real para lograr la recuperación es el poder de Dios... ¡y no cuesta nada! Lo único que tenemos que hacer es aceptarlo.
**5.1-12** Los gálatas tuvieron que tomar la misma decisión radical que todos nosotros debemos tomar. ¿Escogeremos el poder y la libertad en Cristo o la esclavitud que viene de soluciones inútiles y destructivas?

**6** porque en Cristo Jesús ni la circuncisión vale algo, ni la incircuncisión, sino la fe que obra por el amor.

**7** Vosotros corríais bien; ¿quién os estorbó para no obedecer a la verdad?

**8** Esta persuasión no procede de aquel que os llama.

**9** Un poco de levadura leuda toda la masa.*a*

**10** Yo confío respecto de vosotros en el Señor, que no pensaréis de otro modo; mas el que os perturba llevará la sentencia, quienquiera que sea.

**11** Y yo, hermanos, si aún predico la circuncisión, ¿por qué padezco persecución todavía? En tal caso se ha quitado el tropiezo de la cruz.

**12** ¡Ojalá se mutilasen los que os perturban!

**13** Porque vosotros, hermanos, a libertad fuisteis llamados; solamente que no uséis la libertad como ocasión para la carne, sino servíos por amor los unos a los otros.

**14** Porque toda la ley en esta sola palabra se cumple: Amarás a tu prójimo como a ti mismo.*b*

**15** Pero si os mordéis y os coméis unos a otros, mirad que también no os consumáis unos a otros.

## Las obras de la carne y el fruto del Espíritu

**16** Digo, pues: Andad en el Espíritu, y no satisfagáis los deseos de la carne.

**17** Porque el deseo de la carne es contra el Espíritu, y el del Espíritu es contra la carne; y éstos se oponen entre sí, para que no hagáis lo que quisiereis.*c*

**18** Pero si sois guiados por el Espíritu, no estáis bajo la ley.

**19** Y manifiestas son las obras de la carne, que son: adulterio, fornicación, inmundicia, lascivia,

**20** idolatría, hechicerías, enemistades, pleitos, celos, iras, contiendas, disensiones, herejías,

**21** envidias, homicidios, borracheras, orgías, y cosas semejantes a estas; acerca de las cuales os amonesto, como ya os lo he dicho antes, que los que practican tales cosas no heredarán el reino de Dios.

**22** Mas el fruto del Espíritu es amor, gozo, paz, paciencia, benignidad, bondad, fe,

**23** mansedumbre, templanza; contra tales cosas no hay ley.

**24** Pero los que son de Cristo han crucificado la carne con sus pasiones y deseos.

**25** Si vivimos por el Espíritu, andemos también por el Espíritu.

**26** No nos hagamos vanagloriosos, irritándonos unos a otros, envidiándonos unos a otros,

**6** **1** Hermanos, si alguno fuere sorprendido en alguna falta, vosotros que sois espirituales, restauradle con espíritu de mansedumbre, considerándote a ti mismo, no sea que tú también seas tentado.

**2** Sobrellevad los unos las cargas de los otros, y cumplid así la ley de Cristo.

**3** Porque el que se cree ser algo, no siendo nada, a sí mismo se engaña.

**4** Así que, cada uno someta a prueba su propia

**5.9** *a* 1 Co. 5.6. **5.14** *b* Lv. 19.18. **5.17** *c* Ro. 7.15-23.

Si tomamos una mala decisión, nos arriesgamos a quedar sin los beneficios de la liberación disponible para el pueblo de Dios. No hay liberación del poder del pecado excepto por medio de Cristo y su poderosa presencia en nosotros. Sólo su poder nos puede restaurar.

**5.22-24** Estas cualidades son el resultado de la obra del Espíritu Santo en una vida sometida a Dios. De la misma forma en que un árbol produce frutos gracias a la obra silenciosa de Dios en la naturaleza, nosotros experimentamos este fruto del Espíritu sólo por medio del poder de Dios. A nosotros nos toca confiarle a él nuestra vida. Cuando el Espíritu Santo comienza a producir este fruto en nuestra vida, aquello que ha producido dependencia pierde su poder. Con el *gozo* y la *paz* vencemos el dolor de nuestro arruinado pasado. Con el *amor,* la *benignidad,* la *bondad,* la *fe* y la *mansedumbre* reestablecemos nuestras relaciones con los demás y podemos reparar el daño causado. Con la *paciencia* perseveramos en los tiempos difíciles. Con la *templanza* luchamos contra nuestra tendencia a recaer. El Espíritu de Dios puede suplir todo lo necesario para una recuperación exitosa.

**6.1-3** Pablo instruyó a los gálatas para que compartieran los problemas unos con otros. Esta práctica es muy sana y provee oportunidades para que los creyentes se ayuden entre sí. Pablo incluyó una nota especial de ánimo para aquellos que pudieran ser demasiado orgullosos para admitir sus problemas. Una parte esencial de la recuperación es admitir ante otros la naturaleza exacta de nuestros errores. Al compartir estos asuntos con otros, descubriremos que se nos quita de encima gran parte de la carga de nuestro doloroso pasado o de nuestra tendencia adictiva. Con este estímulo y con el llamado a rendir cuentas, podemos superar nuestro angustioso pasado y continuar avanzando hacia un futuro productivo.

**6.11-18** En estos versículos con los que cerró su carta, Pablo repasó sus argumentos más importantes y añadió una emotiva súplica para que sus lectores se mantuvieran firmes contra los falsos maestros que trataban de alejarlos del mensaje liberador del evangelio. Admitir que somos incapaces de vencer nuestros pecados, y aceptar la ayuda de Dios son decisiones responsables. En lugar de humillarnos, Dios nos da dignidad y sanidad cuando iniciamos el proceso de recuperación por medio de la fe en Cristo. Conforme Dios nos va sanando, nosotros podemos llevar las buenas nuevas a otros, tal como hizo Pablo con los creyentes en Galacia.

obra, y entonces tendrá motivo de gloriarse sólo respecto de sí mismo, y no en otro;

5 porque cada uno llevará su propia carga.

6 El que es enseñado en la palabra, haga partícipe de toda cosa buena al que lo instruye.

7 No os engañéis; Dios no puede ser burlado: pues todo lo que el hombre sembrare, eso también segará.

8 Porque el que siembra para su carne, de la carne segará corrupción; mas el que siembra para el Espíritu, del Espíritu segará vida eterna.

9 No nos cansemos, pues, de hacer bien; porque a su tiempo segaremos, si no desmayamos.

10 Así que, según tengamos oportunidad, hagamos bien a todos, y mayormente a los de la familia de la fe.

## Pablo se gloría en la cruz de Cristo

11 Mirad con cuán grandes letras os escribo de mi propia mano.

12 Todos los que quieren agradar en la carne, éstos os obligan a que os circuncidéis, solamente para no padecer persecución a causa de la cruz de Cristo.

13 Porque ni aun los mismos que se circuncidan guardan la ley; pero quieren que vosotros os circuncidéis, para gloriarse en vuestra carne.

14 Pero lejos esté de mí gloriarme, sino en la cruz de nuestro Señor Jesucristo, por quien el mundo me es crucificado a mí, y yo al mundo.

15 Porque en Cristo Jesús ni la circuncisión vale nada, ni la incircuncisión, sino una nueva creación.

16 Y a todos los que anden conforme a esta regla, paz y misericordia sea a ellos, y al Israel de Dios.

17 De aquí en adelante nadie me cause molestias; porque yo traigo en mi cuerpo las marcas del Señor Jesús.

## Bendición final

18 Hermanos, la gracia de nuestro Señor Jesucristo sea con vuestro espíritu. Amén.

**PASO 8**

## Cosechar bondad

LECTURA BÍBLICA: Gálatas 6.7-10

**Hicimos una lista de todas las personas a las que habíamos lastimado y estuvimos dispuestos a reparar el daño hecho a cada una de ellas.**

Cuando estamos en recuperación, aprendemos a aceptar la responsabilidad por nuestras acciones, aun cuando seamos impotentes ante nuestra adicción. Nos damos cuenta de que todas nuestras acciones producen consecuencias. Algunos nos hemos engañado pensando que podíamos escapar de las consecuencias de lo que hicimos. Pero con el tiempo, se hizo evidente no sólo que Dios nos obliga a rendir cuentas sino también que este hecho es un elemento necesario para poder vivir saludablemente.

«No os engañéis; Dios no puede ser burlado: pues todo lo que el hombre sembrare, eso también segará. Porque el que siembra para su carne, de la carne segará corrupción; mas el que siembra para el Espíritu, del Espíritu segará vida eterna» (Gálatas 6.7-8).

La ley de la siembra y la cosecha también puede ser beneficiosa para nosotros. Dios habló por medio del profeta Oseas: «Sembrad para vosotros en justicia, segad para vosotros en misericordia; haced para vosotros barbecho; porque es el tiempo de buscar a Jehová, hasta que venga y os enseñe justicia» (Oseas 10.12).

Dios dice que *siempre* cosecharemos lo que hemos sembrado. Aun después de haber sido perdonados, debemos tratar con las consecuencias de nuestras acciones. Quizás tome tiempo terminar con la cosecha de consecuencias negativas de nuestro pasado, pero no podemos permitir que esto nos desanime. Elaborar una lista de personas a las que hemos lastimado es un paso hacia la siembra de buenas semillas. Con el tiempo veremos cómo comienza a crecer una buena cosecha. ***Vaya al Paso Nueve, página 9, Mateo 5.***

# REFLEXIONES SOBRE GÁLATAS

✲ ***perspectivas*** ACERCA DE LA VOLUNTAD DE DIOS
Con mucha frecuencia, la voluntad de Dios para nosotros está en directa oposición a nuestros deseos naturales. La recuperación depende de la aceptación del hecho de que seguir nuestros deseos egoístas es pernicioso. En **Gálatas 5.16-21** encontramos una lista completa de las conductas destructivas que surgen de una vida centrada en sí misma. Pero cuando entregamos a Dios nuestra vida, le permitimos a su Espíritu que nos ayude a controlar esos malos deseos, y cada vez más los deseos de Dios se convierten en los nuestros. Someter nuestra vida a la voluntad de Dios es la mejor decisión que podemos tomar.

✲ ***perspectivas*** CON RESPECTO A LAS CONSECUENCIAS
En **Gálatas 6.7-10** Pablo nos dejó a todos un importante recordatorio: cosecharemos lo que hayamos sembrado. En otras palabras, los pecados y las adicciones tienen consecuencias dolorosas. Podemos engañarnos por algún tiempo pensando que ciertas actividades y relaciones personales son correctas. Pero cuando nos alcancen las consecuencias, no podremos negar los hechos. Necesitamos tomar en serio esta advertencia y dar ahora los pasos necesarios para cambiar. Para actuar no tenemos que esperar hasta llegar al fondo. Si usamos la palabra de Dios como nuestro estandarte, podemos hacer un audaz inventario moral y esforzarnos para vivir una vida piadosa, antes que sea demasiado tarde.

# ƐFESIOS

La iglesia de Efeso había sido plantada por influencia de Pablo, y por algunos años él había ejercido su ministerio como su pastor. Esta iglesia prosperó en una ciudad reconocida como el centro de adoración de la diosa Artemisa (también conocida como Diana). Mientras Pablo estuvo allí, los creyentes efesios se mantuvieron muy apegados a él, y cuando se fue expresaron abiertamente su tristeza.

¿Cómo podría sobrevivir la iglesia de Efeso a largo plazo en un ambiente hostil? Ellos no podían depender de la presencia de Pablo por siempre; con la ayuda de Dios tendrían que aprender a mantenerse de pie por ellos mismos. Pablo escribió esta carta para recordarles a los creyentes efesios que pusieran su fe en el único fundamento sólido para una vida saludable: Dios.

¿Cómo podemos nosotros mantenernos en recuperación en un ambiente hostil? Ninguno de nosotros cuenta con los recursos o con la fuerza para iniciar o mantener solos nuestra recuperación. Pablo afirmó algo importante: ¡podemos cambiar! Pero nuestra transformación es posible sólo de acuerdo con lo que Dios establece. Podemos recuperarnos si rompemos con nuestra antigua forma de vida y dependemos del poder de Dios para que él nos ayude a cambiar. Si bien los programas de recuperación y la gente que los apoya son de gran ayuda, la recuperación duradera sólo es posible cuando reconocemos nuestra necesidad de una ayuda superior: el Dios que nos creó y que sostiene nuestra vida.

Creer en Dios y obedecer su voluntad son hechos indispensables para una recuperación genuina y estable. Si adoptamos una actitud de sumisión a la autoridad y cuidado del Señor, y nuestras actitudes y acciones reflejan la verdad de Dios, sin duda progresaremos. Los esfuerzos de recuperación que no toman a Dios en cuenta están condenados al fracaso; los que dependen de Dios alcanzarán el éxito.

## EN ESENCIA

PROPÓSITO: Fortalecer a los creyentes de Efeso tanto en su relación con Dios como en su relación mutua. AUTOR: El apóstol Pablo. DESTINATARIO: Los creyentes de Efeso, ciudad situada en la parte oeste del Asia Menor y los creyentes de todas partes. FECHA: Cerca del 60 d.C., durante la encarcelación de Pablo en Roma. ESCENARIO: Esta carta no se envió para resolver ningún problema en particular. Era, más bien, una especie de mensaje personal de Pablo a algunos queridos amigos en aquella iglesia de Asia. Pablo probablemente quería que fuese una carta de aliento que se leyera en las iglesias de la región. VERSÍCULO CLAVE: «Por lo demás, hermanos míos, fortaleceos en el Señor, y en el poder de su fuerza» (6.10). PERSONAS Y RELACIONES CLAVE: Pablo con Tíquico, y con sus amigos íntimos en la iglesia de Efeso.

## TEMAS SOBRE RECUPERACIÓN

*Dios desea nuestra recuperación:* Desde el principio de los tiempos, Dios ha tenido un plan para nosotros. Su plan no incluye nuestra esclavitud al pecado o al pasado. Él quiere que nos mantengamos en relación con él de manera que podamos disfrutar de su amor y compañía. Él también quiere que nos recuperemos ¡y aún más de lo que nosotros mismos queremos! Muchos tenemos una distorsionada imagen de Dios, formada con base en las dolorosas imágenes de las personas que han ejercido autoridad en nuestro pasado. Esta carta nos muestra que Dios es un padre amoroso, que nos ha amado desde el principio de los tiempos. Él nos seguirá amando, no importa lo que hagamos.

*La importancia de Jesucristo:* En el Nuevo Testamento, y especialmente en Efesios, se exalta a Jesucristo como el centro de toda la historia y como el único camino para experimentar una vida plena de sentido. Sólo por medio del Hijo de Dios, Jesucristo, puede vencerse el poder del pecado. Esta carta nos insta a poner a Cristo en el centro de todo lo que hagamos, manteniendo comunión consciente con él todos los días.

*La recuperación verdadera conduce a una conducta sabia:* Es fácil pensar en nuestra recuperación sólo como si se tratase de dejar atrás patrones de conducta destructivos. Pero es importante notar que la mejor manera de abandonar hábitos destructivos es cultivando otros hábitos saludables que los reemplacen. Seremos capaces de dejar a un lado los viejos patrones de conducta cuando nos arrepintamos conscientemente, entreguemos nuestra vida a Dios y procuremos hacer cada día su voluntad. A medida que comencemos a obedecer la voluntad de Dios para nuestra vida, descubriremos que ya no vamos camino a la destrucción.

*Adopción en la familia de Dios:* Muchos tenemos recuerdos dolorosos del pasado, particularmente por las experiencias en el seno de nuestra familia. Algunos no conservamos ningún recuerdo positivo de la vida familiar. La carta a los efesios nos recuerda que cuando creemos en Dios como nuestro Salvador, él nos adopta como miembros de una nueva familia. En esta familia, Dios es nuestro padre perfecto y amoroso. Aun la familia de Dios, la iglesia, tiene sus imperfecciones y limitaciones. Pero nuestro Padre es perfecto y llegar a formar parte de su familia es un paso importantísimo en el camino hacia nuestra recuperación.

---

### Salutación

**1** ¹ Pablo, apóstol de Jesucristo por la voluntad de Dios, a los santos y fieles en Cristo Jesús que están en Efeso:ᵃ

² Gracia y paz a vosotros, de Dios nuestro Padre y del Señor Jesucristo.

### Bendiciones espirituales en Cristo

³ Bendito sea el Dios y Padre de nuestro Señor Jesucristo, que nos bendijo con toda bendición espiritual en los lugares celestiales en Cristo,

⁴ según nos escogió en él antes de la fundación del mundo, para que fuésemos santos y sin mancha delante de él,

⁵ en amor habiéndonos predestinado para ser adoptados hijos suyos por medio de Jesucristo, según el puro afecto de su voluntad,

⁶ para alabanza de la gloria de su gracia, con la cual nos hizo aceptos en el Amado,

⁷ en quien tenemos redención por su sangre, el perdón de pecadosᵇ según las riquezas de su gracia,

⁸ que hizo sobreabundar para con nosotros en toda sabiduría e inteligencia,

⁹ dándonos a conocer el misterio de su voluntad, según su beneplácito, el cual se había propuesto en sí mismo,

¹⁰ de reunir todas las cosas en Cristo, en la dispensación del cumplimiento de los tiempos, así las que están en los cielos, como las que están en la tierra.

**1.1** ᵃ Hch. 18.19-21; 19.1.   **1.7** ᵇ Col. 1.14.

---

**1.3-6** Nuestra recuperación no puede comenzar hasta que confesemos que nuestra vida es inmanejable y que somos incapaces de enfrentarnos a nuestras circunstancias. El apóstol Pablo nos recuerda que Dios es soberano sobre todos los aspectos de nuestra vida. Dios tiene un plan especial para cada uno de nosotros, y ese plan inmutable incluye adoptarnos como miembros de su familia. Ya nos hemos dado cuenta de que hacer las cosas a nuestra manera produce dolorosas consecuencias. Con esto en mente, podemos sentirnos motivados a someter nuestra vida a la perfecta voluntad de Dios. El Señor sólo quiere lo mejor para nosotros. Siempre es la voluntad de Dios que encontremos una nueva vida en él.

**11** En él asimismo tuvimos herencia, habiendo sido predestinados conforme al propósito del que hace todas las cosas según el designio de su voluntad,

**12** a fin de que seamos para alabanza de su gloria, nosotros los que primeramente esperábamos en Cristo.

**13** En él también vosotros, habiendo oído la palabra de verdad, el evangelio de vuestra salvación, y habiendo creído en él, fuisteis sellados con el Espíritu Santo de la promesa,

**14** que es las arras de nuestra herencia hasta la redención de la posesión adquirida, para alabanza de su gloria.

### El espíritu de sabiduría y de revelación

**15** Por esta causa también yo, habiendo oído de vuestra fe en el Señor Jesús, y de vuestro amor para con todos los santos,

**16** no ceso de dar gracias por vosotros, haciendo memoria de vosotros en mis oraciones,

**17** para que el Dios de nuestro Señor Jesucristo, el Padre de gloria, os dé espíritu de sabiduría y de revelación en el conocimiento de él,

**18** alumbrando los ojos de vuestro entendimiento, para que sepáis cuál es la esperanza a que él os ha llamado, y cuáles las riquezas de la gloria de su herencia en los santos,

**19** y cuál la supereminente grandeza de su poder para con nosotros los que creemos, según la operación del poder de su fuerza,

**20** la cual operó en Cristo, resucitándole de los muertos y sentándole a su diestra[c] en los lugares celestiales,

**21** sobre todo principado y autoridad y poder y señorío, y sobre todo nombre que se nombra, no sólo en este siglo, sino también en el venidero;

**22** y sometió todas las cosas bajo sus pies,[d] y lo dio por cabeza sobre todas las cosas a la iglesia,

**23** la cual es su cuerpo,[e] la plenitud de Aquel que todo lo llena en todo.

### Salvos por gracia

**2** **1** Y él os dio vida a vosotros, cuando estabais muertos en vuestros delitos y pecados,

**2** en los cuales anduvisteis en otro tiempo, siguiendo la corriente de este mundo, conforme al príncipe de la potestad del aire, el espíritu que ahora opera en los hijos de desobediencia,

**3** entre los cuales también todos nosotros vivimos en otro tiempo en los deseos de nuestra carne, haciendo la voluntad de la carne y de los pensamientos, y éramos por naturaleza hijos de ira, lo mismo que los demás.

**4** Pero Dios, que es rico en misericordia, por su gran amor con que nos amó,

**5** aun estando nosotros muertos en pecados, nos dio vida juntamente con Cristo[a] (por gracia sois salvos),

**6** y juntamente con él nos resucitó, y asimismo nos hizo sentar en los lugares celestiales con Cristo Jesús,

**7** para mostrar en los siglos venideros las abundantes riquezas de su gracia en su bondad para con nosotros en Cristo Jesús.

**8** Porque por gracia sois salvos por medio de la fe; y esto no de vosotros, pues es don de Dios;

---

**1.20** [c] Sal. 110.1.   **1.22** [d] Sal. 8.6.   **1.22-23** [e] Col. 1.18.   **2.1-5** [a] Col. 2.13.

---

**1.11-12** Algunos de nosotros tal vez nos preguntemos cómo podemos conocer el plan de Dios para nuestra vida. Aunque hay detalles que nunca conoceremos por adelantado, la palabra de Dios nos señala la dirección correcta. Dios desea muchas cosas para todos nosotros, y estas cosas están reveladas en las Escrituras. Dios quiere que tengamos una experiencia íntima con él por medio de Cristo. En esta relación, Dios se deleitará en nosotros y, a cambio, nosotros lo alabaremos. Esta es una verdad maravillosa: Dios quiere tener una relación cercana con nosotros, sin importar quiénes somos o qué hayamos hecho. Gracias a lo que Dios ha hecho por nosotros por medio de Jesucristo, podemos alabarlo y compartir las buenas nuevas con otras personas que sufren necesidad.

**1.13-14** El plan divino para nuestra salvación es continuado por el Espíritu Santo, quien nos sella. Así como un funcionario sella un documento para indicar que es genuino, de igual modo el Espíritu Santo garantiza nuestra identidad como hijos adoptivos de Dios. Todo esto es posible gracias a Jesucristo y su obra redentora a nuestro favor. Esto se vuelve realidad en nuestra vida cuando depositamos nuestra fe en él. Nuestro conocimiento del amor de Dios por nosotros y la ayuda que él nos ofrece es razón suficiente para tener esperanza mientras tratamos de solucionar nuestros problemas y superar nuestra dependencia. Cuando confiamos en Dios, llegamos a formar parte de su poderosa solución para enfrentar el pecado en nuestro mundo.

**2.1-10** Pablo afirma aquí dos verdades esenciales relacionadas con la recuperación: (1) todos nacemos con una naturaleza mala, y somos impotentes para resistir la tendencia hacia el pecado y el fracaso; (2) Dios es rico en gracia y amor, y aunque estemos lejos de él y atrapados por el pecado, en su misericordia, él se allega a nosotros. El Señor quiere perdonarnos y darnos las fuerzas para reconstruir nuestra vida. Por medio de la obra de Jesucristo, Dios ya venció el poder del pecado y de la muerte. Cuando reconocemos que necesitamos la ayuda de Dios y le pedimos que actúe en nuestro beneficio, Dios nos capacita para resolver nuestros problemas y superar nuestra dependencia.

**9** no por obras, para que nadie se gloríe.
**10** Porque somos hechura suya, creados en Cristo Jesús para buenas obras, las cuales Dios preparó de antemano para que anduviésemos en ellas.

## Reconciliación por medio de la cruz

**11** Por tanto, acordaos de que en otro tiempo vosotros, los gentiles en cuanto a la carne, erais llamados incircuncisión por la llamada circuncisión hecha con mano en la carne.
**12** En aquel tiempo estabais sin Cristo, alejados de la ciudadanía de Israel y ajenos a los pactos de la promesa, sin esperanza y sin Dios en el mundo.
**13** Pero ahora en Cristo Jesús, vosotros que en otro tiempo estabais lejos, habéis sido hechos cercanos por la sangre de Cristo.
**14** Porque él es nuestra paz, que de ambos pueblos hizo uno, derribando la pared intermedia de separación,
**15** aboliendo en su carne las enemistades, la ley de los mandamientos expresados en ordenanzas,*b* para crear en sí mismo de los dos un solo y nuevo hombre, haciendo la paz,
**16** y mediante la cruz reconciliar con Dios a ambos en un solo cuerpo,*c* matando en ella las enemistades.
**17** Y vino y anunció las buenas nuevas de paz a vosotros que estabais lejos, y a los que estaban cerca;*d*
**18** porque por medio de él los unos y los otros tenemos entrada por un mismo Espíritu al Padre.
**19** Así que ya no sois extranjeros ni advenedizos, sino conciudadanos de los santos, y miembros de la familia de Dios,
**20** edificados sobre el fundamento de los apóstoles y profetas, siendo la principal piedra del ángulo Jesucristo mismo,
**21** en quien todo el edificio, bien coordinado, va creciendo para ser un templo santo en el Señor;
**22** en quien vosotros también sois juntamente edificados para morada de Dios en el Espíritu.

## Ministerio de Pablo a los gentiles

**3** **1** Por esta causa yo Pablo, prisionero de Cristo Jesús por vosotros los gentiles;
**2** si es que habéis oído de la administración de la gracia de Dios que me fue dada para con vosotros;
**3** que por revelación me fue declarado el misterio, como antes lo he escrito brevemente,
**4** leyendo lo cual podéis entender cuál sea mi conocimiento en el misterio de Cristo,
**5** misterio que en otras generaciones no se dio a conocer a los hijos de los hombres, como ahora es revelado a sus santos apóstoles y profetas por el Espíritu:
**6** que los gentiles son coherederos y miembros del mismo cuerpo, y copartícipes de la promesa en Cristo Jesús por medio del evangelio,*a*
**7** del cual yo fui hecho ministro por el don de la gracia de Dios que me ha sido dado según la operación de su poder.
**8** A mí, que soy menos que el más pequeño de todos los santos, me fue dada esta gracia de anunciar

---

**2.15** *b* Col. 2.14.   **2.16** *c* Col. 1.20.   **2.17** *d* Is. 57.19.   **3.4-6** *a* Col. 1.26-27.

---

**2.14-19** Por medio de Jesucristo fue quitada la barrera de separación entre Dios y sus criaturas pecadoras. Pero la obra de reconciliación realizada por Cristo no se agota en eso. Él también puede quitar los obstáculos que nos separan de otras personas. En Cristo podemos tener paz con Dios y con los demás. El restablecimiento de nuestras relaciones personales rotas es una parte necesaria del proceso de recuperación. Algunos quizás sintamos que nunca podremos restablecer tales relaciones. Pero reconocer que Cristo sí puede darnos el poder para vivir en paz con otros nos da una nueva esperanza. Su poder nos capacitará para reparar el daño que hayamos causado a otras personas. Todos los que creen en Cristo se convierten en hermanos y hermanas en él.
**3.1-13** En estos versículos se destaca una verdad: Dios nos acepta a todos por medio de la fe. Ni la raza, ni la reputación ni la posición social o económica tienen relevancia a la hora de recibir el perdón de Dios. Pablo escribió estas palabras para convencer a los creyentes que eran uno en Cristo. Al parecer, algunos creyentes judíos reclamaban su superioridad basándose en lo que el Antiguo Testamento dice respecto de su relación con Dios. Pablo refutó este punto de vista recordándoles que nuestra relación con Dios se basa en nuestra confianza en Jesucristo, y no en nuestra historia personal o posición en la sociedad. Esta importante verdad nos alienta a quienes estamos en recuperación. Nuestra adicción puede haber destruido la reputación que alguna vez hayamos tenido. Dios no toma en cuenta nada de eso. Si buscamos su perdón, él nos aceptará y nos ayudará a comenzar de nuevo.
**3.14-21** Para que las iglesias o los pequeños grupos puedan funcionar eficazmente como vehículos de recuperación, necesitan el impulso del dinámico e ilimitado amor de Dios. Pablo oró para que sus amigos estuvieran anclados y arraigados en el amor divino. A medida que descubramos lo mucho que Dios nos ama, aumentará nuestra confianza en que él es capaz de hacer en nosotros y por medio de nosotros mucho más de lo que jamás imaginamos. ¡Podemos fundamentar nuestra recuperación en esta verdad! Quizás sintamos que ya no hay esperanzas de recuperación para nosotros. Pero por medio de Dios, la restauración y la sanidad son posibles. Si estamos cimentados en el amor del Señor, la recuperación se producirá.

entre los gentiles el evangelio de las inescrutables riquezas de Cristo,

**9** y de aclarar a todos cuál sea la dispensación del misterio escondido desde los siglos en Dios, que creó todas las cosas;

**10** para que la multiforme sabiduría de Dios sea ahora dada a conocer por medio de la iglesia a los principados y potestades en los lugares celestiales,

**11** conforme al propósito eterno que hizo en Cristo Jesús nuestro Señor,

**12** en quien tenemos seguridad y acceso con confianza por medio de la fe en él;

**13** por lo cual pido que no desmayéis a causa de mis tribulaciones por vosotros, las cuales son vuestra gloria.

### El amor que excede a todo conocimiento

**14** Por esta causa doblo mis rodillas ante el Padre de nuestro Señor Jesucristo,

**15** de quien toma nombre toda familia en los cielos y en la tierra,

**16** para que os dé, conforme a las riquezas de su gloria, el ser fortalecidos con poder en el hombre interior por su Espíritu;

**17** para que habite Cristo por la fe en vuestros corazones, a fin de que, arraigados y cimentados en amor,

**18** seáis plenamente capaces de comprender con todos los santos cuál sea la anchura, la longitud, la profundidad y la altura,

**19** y de conocer el amor de Cristo, que excede a todo conocimiento, para que seáis llenos de toda la plenitud de Dios.

**20** Y a Aquel que es poderoso para hacer todas las cosas mucho más abundantemente de lo que pedimos o entendemos, según el poder que actúa en nosotros,

**21** a él sea gloria en la iglesia en Cristo Jesús por todas las edades, por los siglos de los siglos. Amén.

### La unidad del Espíritu

**4** **1** Yo pues, preso en el Señor, os ruego que andéis como es digno de la vocación con que fuisteis llamados,

**2** con toda humildad y mansedumbre, soportándoos con paciencia los unos a los otros en amor,*a*

**3** solícitos en guardar la unidad del Espíritu en el vínculo de la paz;

**4.2** *a* Col. 3.12-13.

# Percepción de uno mismo

**LEA EFESIOS 2.1-13**

Tal vez sintamos que no somos lo suficientemente buenos como para servir de ejemplo a otros. Es posible que nos demos cuenta de que necesitamos a otras personas, pero se nos hace difícil creer que nuestra historia de liberación pueda ayudar a alguien.

El apóstol Pablo dijo: «Porque de la manera que en un cuerpo tenemos muchos miembros, pero no todos los miembros tienen la misma función, así nosotros, siendo muchos, somos un cuerpo en Cristo, y todos miembros los unos de los otros» (Romanos 12.4-5). Y también: «Porque somos hechura suya, creados en Cristo Jesús para buenas obras, las cuales Dios preparó de antemano para que anduviésemos en ellas» (Efesios 2.10).

Para tener una perspectiva real de dónde encajamos en el esquema de las cosas, necesitamos aceptar que Dios tiene un propósito para nuestra vida. Dios nos creó a cada uno de nosotros con habilidades y talentos. Él nos compara con una parte de un cuerpo: cada una de las partes es necesaria para que el cuerpo funcione apropiadamente como un todo. Si uno aísla alguna de las partes de un cuerpo y la examina separada del lugar que le corresponde entre los otros miembros, puede que le parezca extraña e inútil. Sólo cuando está relacionada con el cuerpo y realizando la función que le es propia puede percibirse su utilidad. Lo mismo ocurre con nosotros.

Necesitamos encontrar los lugares dónde podamos usar nuestros talentos y habilidades para ayudar a otros. Hacer esto nos demostrará que hemos alcanzado una clara comprensión de la persona que Dios quería que fuéramos cuando nos creó. Él nos ama y quiere ayudarnos a entender cuál es nuestro lugar en el cuerpo de Cristo y nuestro propósito específico en la vida. ***Vaya a la página 309, Efesios 4.***

---

**4.1-6** Si bien el plan de recuperación que Dios tiene para nosotros se centra en sus propósitos soberanos y en su poder, nosotros también tenemos que asumir importantes responsabilidades. Lo que creemos sobre Dios es crucial, pero también lo es la manera en que vivimos. Para muchos de nosotros, el proceso de recuperación se ve afectado por nuestros fracasos, especialmente por nuestro terco orgullo, que evita que hagamos un audaz inventario de nuestra vida. La recuperación es imposible hasta que humildemente

**4** un cuerpo, y un Espíritu, como fuisteis también llamados en una misma esperanza de vuestra vocación;

**5** un Señor, una fe, un bautismo,

**6** un Dios y Padre de todos, el cual es sobre todos, y por todos, y en todos.

**7** Pero a cada uno de nosotros fue dada la gracia conforme a la medida del don de Cristo.

**8** Por lo cual dice:

Subiendo a lo alto, llevó cautiva la cautividad,
Y dio dones a los hombres.*b*

**9** Y eso de que subió, ¿qué es, sino que también había descendido primero a las partes más bajas de la tierra?

**10** El que descendió, es el mismo que también subió por encima de todos los cielos para llenarlo todo.

**11** Y él mismo constituyó a unos, apóstoles; a otros, profetas; a otros, evangelistas; a otros, pastores y maestros,

**12** a fin de perfeccionar a los santos para la obra del ministerio, para la edificación del cuerpo de Cristo,

**13** hasta que todos lleguemos a la unidad de la fe y del conocimiento del Hijo de Dios, a un varón perfecto, a la medida de la estatura de la plenitud de Cristo;

**14** para que ya no seamos niños fluctuantes, llevados por doquiera de todo viento de doctrina, por estratagema de hombres que para engañar emplean con astucia las artimañas del error,

**15** sino que siguiendo la verdad en amor, crezcamos en todo en aquel que es la cabeza, esto es, Cristo,

**16** de quien todo el cuerpo, bien concertado y unido entre sí por todas las coyunturas que se ayudan mutuamente, según la actividad propia de cada miembro, recibe su crecimiento para ir edificándose en amor.*c*

## La nueva vida en Cristo

**17** Esto, pues, digo y requiero en el Señor: que ya no andéis como los otros gentiles, que andan en la vanidad de su mente,

**18** teniendo el entendimiento entenebrecido, ajenos de la vida de Dios por la ignorancia que en ellos hay, por la dureza de su corazón;

**19** los cuales, después que perdieron toda sensibilidad, se entregaron a la lascivia para cometer con avidez toda clase de impureza.

**20** Mas vosotros no habéis aprendido así a Cristo,

**21** si en verdad le habéis oído, y habéis sido por él enseñados, conforme a la verdad que está en Jesús.

**22** En cuanto a la pasada manera de vivir, despojaos del viejo hombre,*d* que está viciado conforme a los deseos engañosos,

**23** y renovaos en el espíritu de vuestra mente,

**24** y vestíos del nuevo hombre,*e* creado según Dios*f* en la justicia y santidad de la verdad.

**25** Por lo cual, desechando la mentira, hablad verdad cada uno con su prójimo;*g* porque somos miembros los unos de los otros.

**26** Airaos, pero no pequéis;*h* no se ponga el sol sobre vuestro enojo,

**27** ni deis lugar al diablo.

**28** El que hurtaba, no hurte más, sino trabaje, haciendo con sus manos lo que es bueno, para que tenga qué compartir con el que padece necesidad.

**29** Ninguna palabra corrompida salga de vuestra boca, sino la que sea buena para la necesaria edificación, a fin de dar gracia a los oyentes.

**30** Y no contristéis al Espíritu Santo de Dios, con el cual fuisteis sellados para el día de la redención.

**31** Quítense de vosotros toda amargura, enojo, ira, gritería y maledicencia, y toda malicia.

---

**4.8** *b* Sal. 68.18.   **4.16** *c* Col. 2.19.   **4.22** *d* Col. 3.9.   **4.24** *e* Col. 3.10.   *f* Gn. 1.26.   **4.25** *g* Zac. 8.16.   **4.26** *h* Sal. 4.4.

---

reconozcamos que somos incapaces de lograrla y que necesitamos la ayuda de Dios. Conforme confiemos en Dios para que nos ayude, su Espíritu Santo reemplazará los defectos de nuestro carácter por humildad, amor y paciencia. Si Dios nos pide que vivamos de una determinada manera, él nos provee el poder que necesitamos para lograrlo.

**4.7-16** Hemos recibido dones que hacen que otros nos necesiten. Y otras personas han recibido dones que hacen que nosotros las necesitemos. Algunos tenemos dones personales para enseñar a otros acerca de Dios. Otros pueden tener el don de preocuparse por las personas que sufren. Nuestros dones individuales son importantes para el crecimiento emocional y espiritual de otros. Dios tiene un propósito para cada uno de nosotros, así que debemos esforzarnos por conocerlo mejor por medio de la oración y el estudio de su Palabra. Él nos mostrará cuáles son nuestros dones y cómo podemos usarlos para ayudar a otros. Al compartir nuestros dones y recibir los beneficios de los dones de otros, descubriremos que el cuerpo de Cristo se hace cada vez más fuerte y se llena de amor.

**4.31-32** Una vida en recuperación está entregada a conocer mejor a Dios por medio de la oración y el estudio de su Palabra. Al examinar nuestras vidas, nos damos cuenta de cuán estrictas son las exigencias divinas para una vida piadosa; pero como es la gracia de Dios la que nos ayuda a cumplir su voluntad, no tenemos por qué desesperarnos. Conforme lo obedezcamos, él nos enseñará a vivir sin amarguras, enojos o palabras hirientes. Dios está interesado en restablecer nuestras relaciones personales. Cuando hagamos las cosas a su modo, iremos por buen camino hacia la reconciliación con los amigos que han estado distanciados y el establecimiento de bases sólidas para nuestra recuperación.

**32** Antes sed benignos unos con otros, misericordiosos, perdonándoos unos a otros, como Dios también os perdonó a vosotros en Cristo.[i]

## Andad como hijos de luz

**5** **1** Sed, pues, imitadores de Dios como hijos amados.

**2** Y andad en amor, como también Cristo nos amó, y se entregó a sí mismo por nosotros, ofrenda y sacrificio a Dios en olor fragante.[a]

**3** Pero fornicación y toda inmundicia, o avaricia, ni aun se nombre entre vosotros, como conviene a santos;

**4** ni palabras deshonestas, ni necedades, ni truhanerías, que no convienen, sino antes bien acciones de gracias.

**5** Porque sabéis esto, que ningún fornicario, o inmundo, o avaro, que es idólatra, tiene herencia en el reino de Cristo y de Dios.

**6** Nadie os engañe con palabras vanas, porque por estas cosas viene la ira de Dios sobre los hijos de desobediencia.

**7** No seáis, pues, partícipes con ellos.

**8** Porque en otro tiempo erais tinieblas, mas ahora sois luz en el Señor; andad como hijos de luz

**9** (porque el fruto del Espíritu es en toda bondad, justicia y verdad),

**10** comprobando lo que es agradable al Señor.

**11** Y no participéis en las obras infructuosas de las tinieblas, sino más bien reprendedlas;

**12** porque vergonzoso es aun hablar de lo que ellos hacen en secreto.

**13** Mas todas las cosas, cuando son puestas en evidencia por la luz, son hechas manifiestas; porque la luz es lo que manifiesta todo.

**14** Por lo cual dice:

Despiértate, tú que duermes,
Y levántate de los muertos,
Y te alumbrará Cristo.

**15** Mirad, pues, con diligencia cómo andéis, no como necios sino como sabios,

**16** aprovechando bien el tiempo,[b] porque los días son malos.

**17** Por tanto, no seáis insensatos, sino entendidos de cuál sea la voluntad del Señor.

**18** No os embriaguéis con vino, en lo cual hay disolución; antes bien sed llenos del Espíritu,

# S inceridad

### LEA EFESIOS 4.12-27

Quizás hayamos crecido creyendo mentiras sobre la vida, sobre nosotros mismos, sobre nuestra familia. Tal vez todavía experimentemos confusión e incertidumbre porque no sabemos a ciencia cierta qué es realmente verdadero. Las mentiras que creamos pueden acentuar a nuestros patrones adictivos, y por eso necesitamos reexaminar nuestra vida a la luz de lo que es verdadero.

El apóstol Pablo habló sobre cómo los que creían en Cristo deberían actuar como un solo cuerpo. Cada miembro debe llegar «a la medida de la estatura de la plenitud de Cristo» (Efesios 4.13), ofreciendo los dones que tenga para ayudar a conseguir la madurez de todo el cuerpo. Puesto que Jesús se describió a sí mismo como «la verdad» (Juan 14.6) y nosotros debemos estar llenos de él, el proceso de recuperación requiere que nos convirtamos en personas «veraces». Pablo continuó: «Para que ya no seamos niños fluctuantes, llevados por doquiera de todo viento de doctrina, por estratagema de hombres que para engañar emplean con astucia las artimañas del error, sino que siguiendo la verdad en amor, crezcamos en todo en aquel que es la cabeza, esto es, Cristo» (Efesios 4.14-15).

La recuperación puede significar algo así como crecer de nuevo. Mientras crecemos, nuestra meta debe ser siempre lo que es verdadero. En el pasado comprobábamos la verdad de acuerdo con cualquier cosa que nos sonara bien en aquel entonces. Ahora podemos tener el patrón de medida correcto: la palabra de Dios y Jesucristo mismo. Desde esta perspectiva podemos reevaluar nuestras creencias. ¿Qué es cierto acerca de Dios? ¿Qué es cierto sobre mí? ¿Qué es correcto? ¿Qué es incorrecto? ***Vaya a la página 315, Filipenses 1.***

---

**4.32** [i] Col. 3.13.  **5.2** [a] Ex. 29.18.  **5.16** [b] Col. 4.5.

---

**5.1-7** Mientras estamos en recuperación se nos dice que sigamos el ejemplo de Dios en todo lo que hacemos. Dios quiere que seamos como Jesucristo; que pensemos y actuemos como él. Debemos amar a nuestros enemigos. Debemos evitar la inmoralidad sexual, la avaricia y el vocabulario obsceno, ya que todo esto se opone al carácter de Dios. Estas exigencias están muy acordes con lo que se necesita en la recuperación. Debemos intentar reconstruir nuestras relaciones rotas, evitar conductas destructivas, confesar nuestros errores y tratar de reparar el daño que hayamos causado. Aunque nos pueda parecer muy difícil imitar a Cristo, todo es posible con la poderosa ayuda de Dios.

**19** hablando entre vosotros con salmos, con himnos y cánticos espirituales, cantando y alabando al Señor en vuestros corazones;

**20** dando siempre gracias por todo al Dios y Padre, en el nombre de nuestro Señor Jesucristo.*c*

## Someteos los unos a los otros

**21** Someteos unos a otros en el temor de Dios.

**22** Las casadas estén sujetas a sus propios maridos,*d* como al Señor;

**23** porque el marido es cabeza de la mujer, así como Cristo es cabeza de la iglesia, la cual es su cuerpo, y él es su Salvador.

**24** Así que, como la iglesia está sujeta a Cristo, así también las casadas lo estén a sus maridos en todo.

**25** Maridos, amad a vuestras mujeres,*e* así como Cristo amó a la iglesia, y se entregó a sí mismo por ella,

**26** para santificarla, habiéndola purificado en el lavamiento del agua por la palabra,

**27** a fin de presentársela a sí mismo, una iglesia gloriosa, que no tuviese mancha ni arruga ni cosa semejante, sino que fuese santa y sin mancha.

**28** Así también los maridos deben amar a sus mujeres como a sus mismos cuerpos. El que ama a su mujer, a sí mismo se ama.

**29** Porque nadie aborreció jamás a su propia carne, sino que la sustenta y la cuida, como también Cristo a la iglesia,

**30** porque somos miembros de su cuerpo, de su carne y de sus huesos.

**31** Por esto dejará el hombre a su padre y a su madre, y se unirá a su mujer, y los dos serán una sola carne.*f*

**32** Grande es este misterio; mas yo digo esto respecto de Cristo y de la iglesia.

**33** Por lo demás, cada uno de vosotros ame también a su mujer como a sí mismo; y la mujer respete a su marido.

**6** **1** Hijos, obedeced en el Señor a vuestros padres, porque esto es justo.*a*

**2** Honra a tu padre y a tu madre, que es el primer mandamiento con promesa;

**3** para que te vaya bien, y seas de larga vida sobre la tierra.*b*

**4** Y vosotros, padres, no provoquéis a ira a vuestros hijos,*c* sino criadlos en disciplina y amonestación del Señor.

**5** Siervos, obedeced a vuestros amos terrenales con temor y temblor, con sencillez de vuestro corazón, como a Cristo;

**6** no sirviendo al ojo, como los que quieren agradar a los hombres, sino como siervos de Cristo, de corazón haciendo la voluntad de Dios;

**7** sirviendo de buena voluntad, como al Señor y no a los hombres,

**8** sabiendo que el bien que cada uno hiciere, ése recibirá del Señor, sea siervo o sea libre.*d*

**9** Y vosotros, amos, haced con ellos lo mismo, dejando las amenazas, sabiendo que el Señor de ellos y vuestro está en los cielos,*e* y que para él no hay acepción de personas.*f*

---

**5.19-20** *c* Col. 3.16-17. **5.22** *d* Col. 3.18; 1 P. 3.1. **5.25** *e* Col. 3.19; 1 P. 3.7. **5.31** *f* Gn. 2.24. **6.1** *a* Col. 3.20. **6.2-3** *b* Ex. 20.12; Dt. 5.16. **6.4** *c* Col. 3.21. **6.5-8** *d* Col. 3.22-25. **6.9** *e* Col. 4.1. *f* Dt. 10.17; Col. 3.25.

---

**5.21-33** Cuando nuestra vida está fuera de control, las tensiones familiares y los conflictos son comunes. Pablo nos dice que el hogar debe ser un lugar donde se manifiesten el amor y el respeto mutuo. Los esposos y las esposas deben amarse entre sí, y ser sensibles a las necesidades mutuas, reflejando de esa manera el mismo amor que Cristo le mostró a la iglesia. Nuestros familiares son quienes sienten de forma más profunda las dolorosas consecuencias de nuestra adicción. Por querer satisfacer egoístamente nuestras propias necesidades por medio de una conducta adictiva, hemos descuidado y herido a las personas a las que debíamos amar y apoyar. Uno de los retos más importantes que enfrentamos durante nuestra recuperación es la reconstrucción de las relaciones familiares. Al reconocer la naturaleza de nuestros errores e intentar reparar el daño causado a nuestros seres queridos, podremos comenzar a restablecer una atmósfera familiar de amor y respeto mutuo.

**6.1-4** Pablo instruyó tanto a los padres como a los hijos para que se demostraran amor los unos a los otros. Los hijos deben honrar a sus padres. La generalizada falta de respeto hacia los padres que vemos hoy día produce profundas heridas emocionales tanto en los padres como en los propios hijos. Pablo también advirtió a los padres que trataran a los hijos con amor y respeto. La negligencia de los padres y el ridiculizar a sus hijos pueden crear un resentimiento que marque para siempre sus vidas. Ya sea que seamos padres o hijos que hayamos fallado, necesitamos reconocer nuestros fracasos y tratar de reparar el daño causado, siempre que sea posible.

**6.10-12** Aunque estemos firmemente arraigados en la sana doctrina y aceptemos nuestra responsabilidad de vivir una vida piadosa, debemos ser conscientes de la feroz e invisible guerra espiritual que Satanás libra contra nosotros. Muchas de nuestras luchas contra la adicción pueden ser el resultado de ataques directos de enemigos espirituales. Debido a que continuamos luchando contra una dependencia que ya nos había vuelto incapaces para hacerle frente, necesitamos confesar nuestra debilidad para manejar nuestra vida. Entonces, al entregar a Dios nuestra vida y nuestra voluntad, él estará con nosotros en medio de la batalla.

## La armadura de Dios

**10** Por lo demás, hermanos míos, fortaleceos en el Señor, y en el poder de su fuerza.

**11** Vestíos de toda la armadura de Dios, para que podáis estar firmes contra las asechanzas del diablo.

**12** Porque no tenemos lucha contra sangre y carne, sino contra principados, contra potestades, contra los gobernadores de las tinieblas de este siglo, contra huestes espirituales de maldad en las regiones celestes.

**13** Por tanto, tomad toda la armadura de Dios, para que podáis resistir en el día malo, y habiendo acabado todo, estar firmes.

**14** Estad, pues, firmes, ceñidos vuestros lomos con la verdad,*g* y vestidos con la coraza de justicia,*h*

**15** y calzados los pies con el apresto del evangelio de la paz.*i*

**16** Sobre todo, tomad el escudo de la fe, con que podáis apagar todos los dardos de fuego del maligno.

**17** Y tomad el yelmo de la salvación,*j* y la espada del Espíritu, que es la palabra de Dios;

**18** orando en todo tiempo con toda oración y súplica en el Espíritu, y velando en ello con toda perseverancia y súplica por todos los santos;

**19** y por mí, a fin de que al abrir mi boca me sea dada palabra para dar a conocer con denuedo el misterio del evangelio,

**20** por el cual soy embajador en cadenas; que con denuedo hable de él, como debo hablar.

## Salutaciones finales

**21** Para que también vosotros sepáis mis asuntos, y lo que hago, todo os lo hará saber Tíquico,*k* hermano amado y fiel ministro en el Señor,

**22** el cual envié a vosotros para esto mismo, para que sepáis lo tocante a nosotros, y que consuele vuestros corazones.*l*

**23** Paz sea a los hermanos, y amor con fe, de Dios Padre y del Señor Jesucristo.

**24** La gracia sea con todos los que aman a nuestro Señor Jesucristo con amor inalterable. Amén.

**6.14** *g* ls. 11.5.  *h* ls. 59.17.  **6.15** *i* ls. 52.7.
**6.17** *j* ls. 59.17.  **6.21** *k* Hch. 20.4; 2 Ti. 4.12.
**6.21-22** *l* Col. 4.7-8.

PASO **10**

### Cómo lidiar con el enojo

LECTURA BÍBLICA: Efesios 4.26-27

**Continuamos haciendo nuestro inventario personal y cuando nos equivocamos, lo admitimos inmediatamente.**

A muchos de nosotros se nos hace muy difícil lidiar con el enojo. Algunos tenemos un historial de ira, así que tratamos de reprimir nuestros sentimientos. Otros ocultamos los sentimientos de coraje, pretendiendo que no existen, porque en el pasado nunca se nos permitió expresarlos. Si algunos de nuestros problemas se derivan de no saber cómo expresar apropiadamente nuestro enojo, quizás procuremos no tratar del todo con ellos. Tal vez tratemos de «ponerlos a un lado», con la esperanza de que desaparezcan. Evaluar cómo tratar con el enojo en forma adecuada es parte importante de nuestro inventario diario.

El apóstol Pablo dijo: «Airaos, pero no pequéis; no se ponga el sol sobre vuestro enojo, ni deis lugar al diablo» (Efesios 4.26-27). Una clave es establecer un tiempo límite diario para lidiar con nuestro coraje; un tiempo para encontrar la manera de expresar nuestros sentimientos y luego abandonarlos.

Lidiar con el enojo rápidamente es importante, pues cuando lo dejamos madurar se convierte en amargura. La amargura es coraje que se ha enterrado y se le ha dado tiempo para crecer. La Biblia nos advierte: «Quítense de vosotros toda amargura, enojo, ira, gritería y maledicencia, y toda malicia. Antes sed benignos unos con otros, misericordiosos, perdonándoos unos a otros, como Dios también os perdonó a vosotros en Cristo» (Efesios 4.31-32).

Alcohólicos Anónimos enseña que nunca debemos llegar al punto de estar demasiado hambrientos, enojados, solos o cansados. Esto lo podremos conseguir si tan pronto como aparece el enojo lidiamos con él. *Vaya a la página 347, 1 Timoteo 4.*

---

**6.13-20** Nótese que cada pieza de la armadura espiritual (excepto la espada) es de naturaleza defensiva. Como adictos en recuperación, necesitamos mejorar nuestro contacto consciente con Dios, para así conocerlo mejor y rodearnos con la verdad, la justicia, la fe y la oración. Esto nos protegerá contra los ataques de las huestes espirituales de maldad. Las fuerzas que se ciernen contra nosotros son poderosas, pero las armas que Dios nos da son adecuadas para nuestra defensa. Parte de esa armadura -los zapatos- nos permiten llevar a otros las buenas nuevas de liberación divina, dándoles esperanza mientras al mismo tiempo fortalecemos nuestra propia recuperación personal.

# FILIPENSES

## EL PANORAMA

A. GOZO EN MEDIO DE LAS CIRCUNSTANCIAS DIFÍCILES (1.1-30)
B. EL SECRETO PARA UNA VIDA VICTORIOSA (2.1-30)
C. CÓMO TENER UN ENFOQUE VICTORIOSO (3.1-21)
D. CÓMO ENCONTRAR UNA CONGREGACIÓN GOZOSA (4.1-23)

Como misionero y pastor itinerante, algunas veces Pablo tuvo que depender del apoyo financiero de otros. La iglesia de Filipos, que Pablo plantó durante su segundo viaje misionero, lo había sostenido por diez años. Se trataba de una comunidad caritativa que se dio a conocer por su compromiso con Cristo y por apoyar su obra.

Pablo escribió esta carta para agradecer a los filipenses y desafiarlos a mantenerse firmes en Cristo y alegres en medio de sus circunstancias. La plenitud de la vida, les recordó, no viene de las cosas materiales o de las situaciones placenteras. El gozo genuino, el significado de la vida y la satisfacción vienen de seguir a Cristo y ayudar a otros a crecer espiritualmente.

Pablo sabía de lo que estaba hablando. Escribió esta carta de estímulo mientras estaba esperando un juicio en Roma que, por lo que sabía, podía llevarlo a su ejecución. Pablo había vivido en riqueza y en pobreza, en comodidad y en dolor, en enfermedad y en salud, había sido popular y también el blanco de multitudes. Había aprendido a estar contento, aun gozoso, sin importar sus circunstancias materiales.

La carta a los filipenses tiene mucho que decirnos. Nuestra vida se había vuelto inmanejable y llegamos a herir a las personas a las que amamos. Habíamos llegado a una situación extrema. Aunque lo peor ha quedado atrás, todavía debemos batallar día a día contra la frustración, la ira y los conflictos. No obstante, a pesar de nuestras dolorosas circunstancias, Cristo puede ser nuestro gozo. Es posible que la recuperación nunca sea placentera, pero al mismo tiempo debemos recordar que tenemos a Dios para que nos ayude. Gracias a eso, podemos tener gozo. El secreto para estar llenos de gozo puede encontrarse en conocer mejor a Cristo y en hacer que él sea, cada día, el centro de nuestra vida.

## EN ESENCIA

PROPÓSITO: Agradecer a los creyentes filipenses por el apoyo que le dieron al ministerio de Pablo y darles aliento. AUTOR: El apóstol Pablo. DESTINATARIO: Los creyentes de Filipos, una ciudad en Macedonia. FECHA: Cerca del 61-62 d.C. ESCENARIO: Pablo, prisionero en Roma, escribió esta cálida carta a los creyentes de Filipos después de que estos le enviaron un generoso donativo. VERSÍCULO CLAVE: «Lo que aprendisteis y recibisteis y oísteis y visteis en mí, esto haced; y el Dios de paz estará con vosotros» (4.9). PERSONAS Y RELACIONES CLAVE: Pablo con Timoteo, Epafrodito y los creyentes filipenses.

## TEMAS SOBRE RECUPERACIÓN

*La importancia de la humildad:* Cuando le entregamos a Dios nuestra vida, experimentamos el poder de su Espíritu Santo obrando en nosotros. Él cambia nuestra vida y nos da el control del que antes carecíamos. Pero un largo período de recuperación exitosa puede volvernos propensos al orgullo. Podemos empezar a olvidar la fuente de nuestro poder y comenzar a sentirnos autosuficientes. La carta a los filipenses nos recuerda que debemos ser humildes, adoptar la actitud de Cristo quien, aunque era Dios, «no estimó el ser igual a Dios como cosa a qué aferrarse» (2.6). La recuperación siempre debe incluir la humildad.

*La recuperación conduce al verdadero gozo:* Nuestra vida ha estado fuera de control y ha sido inmanejable. Cuando confesamos nuestra debilidad y entregamos nuestra vida a Dios, no sólo comenzamos el proceso de recuperación sino que también damos los primeros pasos hacia la consecución del verdadero gozo. Podemos tener gozo aun en tiempos difíciles porque el verdadero gozo no depende de las circunstancias externas sino de la fortaleza interior. El gozo viene de conocer a Cristo personalmente y de depender cada día de su fuerza y poder.

*La recuperación exige sacrificio:* Una segura señal de que estamos progresando en nuestra recuperación se manifiesta cuando comenzamos a preocuparnos por las personas a nuestro alrededor que todavía son esclavas de su adicción. De la misma manera como Cristo sufrió y murió por nosotros para que pudiéramos tener vida, también debemos nosotros sacrificarnos por otros. Se necesita madurez para dejar a un lado nuestra propia agenda e intereses personales con el propósito de compartir con otros el mensaje de esperanza y recuperación. Tales sacrificios son parte del proceso de recuperación. Mantenernos preocupados sólo por nosotros mismos nos puede inclinar hacia el orgullo y llevarnos a una recaída; llevar el mensaje de recuperación a otros siempre nos fortalecerá.

*Pelear contra los verdaderos enemigos:* En la lucha propia del proceso de recuperación, es normal que surjan conflictos con otras personas. Algunas veces puede que nos sintamos heridos y resultará muy fácil volvernos contra las personas que nos están causando ese dolor. Los creyentes de Filipos a veces se «entretenían» buscándose faltas unos a los otros. Pero como nos recuerda esta carta, nuestras batallas no deben ser de unos contra otros. Necesitamos concentrar nuestras energías para luchar contra enemigos mucho más poderosos: la poderosa dependencia que nos esclaviza y nuestro destructivo orgullo.

---

### Salutación

**1** ¹ Pablo y Timoteo, siervos de Jesucristo, a todos los santos en Cristo Jesús que están en Filipos,ᵃ con los obispos y diáconos:
² Gracia y paz a vosotros, de Dios nuestro Padre y del Señor Jesucristo.

### Oración de Pablo por los creyentes

³ Doy gracias a mi Dios siempre que me acuerdo de vosotros,
⁴ siempre en todas mis oraciones rogando con gozo por todos vosotros,

⁵ por vuestra comunión en el evangelio, desde el primer día hasta ahora;
⁶ estando persuadido de esto, que el que comenzó en vosotros la buena obra, la perfeccionará hasta el día de Jesucristo;
⁷ como me es justo sentir esto de todos vosotros, por cuanto os tengo en el corazón; y en mis prisiones, y en la defensa y confirmación del evangelio, todos vosotros sois participantes conmigo de la gracia.
⁸ Porque Dios me es testigo de cómo os amo a todos vosotros con el entrañable amor de Jesucristo.

---

**1.1** ᵃ Hch. 16.12.

---

**1.3-11** Pablo les dijo a los filipenses que había estado orando por ellos, lo que debió haber sido muy alentador para aquellos primeros creyentes. Nuestro despertar espiritual nos llevará a sentir una creciente preocupación por las personas que pasan necesidad. Al mismo tiempo que compartimos el mensaje de esperanza con otros, debemos orar por su progreso, como parte del servicio que les prestamos. Nuestras oraciones por otras personas que luchan con la adicción impactarán significativamente su crecimiento espiritual. Al dejarles saber que los estamos apoyando en oración, no sólo ellos crecerán en su fe, sino que también nosotros recibiremos ánimo para perseverar en nuestra propia recuperación.

**9** Y esto pido en oración, que vuestro amor abunde aun más y más en ciencia y en todo conocimiento,

**10** para que aprobéis lo mejor, a fin de que seáis sinceros e irreprensibles para el día de Cristo,

**11** llenos de frutos de justicia que son por medio de Jesucristo, para gloria y alabanza de Dios.

## Para mí el vivir es Cristo

**12** Quiero que sepáis, hermanos, que las cosas que me han sucedido, han redundado más bien para el progreso del evangelio,

**13** de tal manera que mis prisiones[b] se han hecho patentes en Cristo en todo el pretorio, y a todos los demás.

**14** Y la mayoría de los hermanos, cobrando ánimo en el Señor con mis prisiones, se atreven mucho más a hablar la palabra sin temor.

**15** Algunos, a la verdad, predican a Cristo por envidia y contienda; pero otros de buena voluntad.

**16** Los unos anuncian a Cristo por contención, no sinceramente, pensando añadir aflicción a mis prisiones;

**17** pero los otros por amor, sabiendo que estoy puesto para la defensa del evangelio.

**18** ¿Qué, pues? Que no obstante, de todas maneras, o por pretexto o por verdad, Cristo es anunciado; y en esto me gozo, y me gozaré aún.

**19** Porque sé que por vuestra oración y la suministración del Espíritu de Jesucristo, esto resultará en mi liberación,

**20** conforme a mi anhelo y esperanza de que en nada seré avergonzado; antes bien con toda confianza, como siempre, ahora también será magnificado Cristo en mi cuerpo, o por vida o por muerte.

**21** Porque para mí el vivir es Cristo, y el morir es ganancia.

**22** Mas si el vivir en la carne resulta para mí en beneficio de la obra, no sé entonces qué escoger.

**23** Porque de ambas cosas estoy puesto en estrecho, teniendo deseo de partir y estar con Cristo, lo cual es muchísimo mejor;

**24** pero quedar en la carne es más necesario por causa de vosotros.

**25** Y confiado en esto, sé que quedaré, que aún per-

# Perseverancia

LEA FILIPENSES 1.2-6

A veces nos sentimos listos para darnos por vencidos. Tratamos de perseverar, sólo para caer una vez más. Damos dos pasos hacia delante, pero entonces damos un traspié y retrocedemos. Nos sentimos condenados y tememos que hasta Dios se haya dado por vencido con nosotros. En determinados momentos hay tantas dificultades, tantos asuntos con los que tenemos que esforzarnos, tantos hábitos en nuestra vida que tenemos que cambiar, que comenzamos a sentir como si nos estuviéramos volviendo locos.

Dios reconoce las dificultades que enfrentamos, pero también nos promete que al final obtendremos la victoria. El apóstol Pablo escribió: «Antes, en todas estas cosas somos más que vencedores por medio de aquel que nos amó. Por lo cual estoy seguro de que ni la muerte, ni la vida, ni ángeles, ni principados, ni potestades, ni lo presente, ni lo por venir ... ni ninguna otra cosa creada nos podrá separar del amor de Dios, que es en Cristo Jesús Señor nuestro» (Romanos 8.37-39). Y también dijo: «Estando persuadido de esto, que el que comenzó en vosotros la buena obra, la perfeccionará hasta el día de Jesucristo» (Filipenses 1.6).

Cuando sentimos que nos estamos volviendo locos y pensamos que ya no podemos manejar nuestra vida, Dios está ahí. Él está decidido a no rendirse en su esfuerzo por rescatarnos. Podemos confiar en su persistente amor. Dios ha prometido seguir trabajando en nosotros hasta que alcancemos la plenitud. Habrá momentos difíciles, pero con su ayuda podremos manejarlos, un día a la vez. *Vaya a la página 327, Colosenses 3.*

---

**1.13:**[b] Hch. 28.30.

---

**1.12-14** En retrospectiva, Pablo podía ver que Dios había permitido los acontecimientos que habían tenido lugar en su vida, tanto los buenos como los malos, para ayudarle a esparcir las buenas nuevas. Si nos analizamos con sinceridad, tal vez descubramos que lo mismo nos ha ocurrido a nosotros. A través de nuestra dolorosa adicción hemos adquirido la perspectiva necesaria para compartir el mensaje de esperanza con otros. Nuestra historia personal de liberación es una herramienta esencial para alcanzar a otros que están necesitados en recuperación. Como en el caso de Pablo, nuestro doloroso pasado y la poderosa liberación provista por Dios nos abren la puerta para servir al Señor ayudando a otros.

**1.19-24** No podemos perder si le pertenecemos a Dios. Sea que vivamos o que muramos, sabemos que a fin de cuentas ganaremos. Durante los tiempos de recaídas y fracasos quizás nos sintamos tentados a darnos

maneceré con todos vosotros, para vúestro provecho y gozo de la fe,

**26** para que abunde vuestra gloria de mí en Cristo Jesús por mi presencia otra vez entre vosotros.

**27** Solamente que os comportéis como es digno del evangelio de Cristo, para que o sea que vaya a veros, o que esté ausente, oiga de vosotros que estáis firmes en un mismo espíritu, combatiendo unánimes por la fe del evangelio,

**28** y en nada intimidados por los que se oponen, que para ellos ciertamente es indicio de perdición, mas para vosotros de salvación; y esto de Dios.

**29** Porque a vosotros os es concedido a causa de Cristo, no sólo que creáis en él, sino también que padezcáis por él,

**30** teniendo el mismo conflicto que habéis visto en mí,c y ahora oís que hay en mí.

## Humillación y exaltación de Cristo

**2** **1** Por tanto, si hay alguna consolación en Cristo, si algún consuelo de amor, si alguna comunión del Espíritu, si algún afecto entrañable, si alguna misericordia,

**2** completad mi gozo, sintiendo lo mismo, teniendo el mismo amor, unánimes, sintiendo una misma cosa.

**3** Nada hagáis por contienda o por vanagloria; antes bien con humildad, estimando cada uno a los demás como superiores a él mismo;

**4** no mirando cada uno por lo suyo propio, sino cada cual también por lo de los otros.

**5** Haya, pues, en vosotros este sentir que hubo también en Cristo Jesús,

**6** el cual, siendo en forma de Dios, no estimó el ser igual a Dios como cosa a que aferrarse,

**7** sino que se despojó a sí mismo, tomando forma de siervo, hecho semejante a los hombres;

**8** y estando en la condición de hombre, se humilló a sí mismo, haciéndose obediente hasta la muerte, y muerte de cruz.

**9** Por lo cual Dios también le exaltó hasta lo sumo, y le dio un nombre que es sobre todo nombre,

**10** para que en el nombre de Jesús se doble toda

**1.30** c Hch. 16.19-40.

por vencidos completamente. La principal motivación de Pablo para perseverar fue su profunda preocupación por la gente que todavía necesitaba oír las buenas nuevas del amoroso poder de Dios. No importa cuán difíciles sean las circunstancias, si confiamos en Dios, él vendrá a nuestro rescate. Entonces tendremos otro testimonio de victoria que compartir con otros. No importa cuán profundamente hayamos fracasado ni las muchas veces que hayamos caído, Dios puede seguir usándonos para salvar las vidas de otros que estén en la misma situación. Siempre hay una razón para vivir.

**2.1-4** No somos islas; somos parte de un todo, miembros del cuerpo de Cristo. Si somos parte de una comunidad amorosa, cuando otros se sienten afligidos, nosotros también nos sentimos afligidos; cuando nosotros nos afligimos, otros se afligen con nosotros. Al inicio del proceso de recuperación tal vez necesitemos concentrarnos en nuestro propio bienestar. Pero al ir madurando, tenemos que ir más allá de nuestro egocentrismo e interesarnos en los demás. Parte del hecho de compensar a las personas a las que hemos lastimado es demostrarles que hemos cambiado. Al amar a otros, descubriremos que otros nos amarán. Conforme nuestras relaciones personales se fortalezcan, nos liberaremos del yugo de nuestra adicción.

**2.5-11** Jesucristo es nuestro ideal de humildad en obediencia y servicio. Nuestros pensamientos, actitudes y acciones deben seguir el modelo de Cristo. Su disposición para obedecer con humildad a su Padre es un excelente ejemplo para nosotros. Al hacer un sincero inventario moral de nuestra vida, debemos reconocer humildemente nuestras faltas para poder comenzar a cambiar nuestros patrones de conducta destructivos. Si seguimos a Jesucristo con humildad y aprendemos a reconocer nuestros fracasos sin vacilaciones, nada podrá detener nuestra recuperación.

**2.12-18** La obediencia al plan de Dios es uno de los requisitos para el crecimiento espiritual. Pero, ¿cómo podemos vivir una vida pura e inocente como la que él quiere que vivamos? Ya hemos reconocido que somos impotentes ante nuestra adicción; pero Dios no sólo nos pide que vivamos una vida piadosa, sino que nos da el poder para lograrlo. Él obra en nosotros, dándonos el deseo de obedecerlo y la habilidad para ser obedientes. Conforme vamos conociendo a Dios por medio de la lectura de la Biblia y de la oración, él puede transformarnos desde nuestro interior, de modo que podamos ser luces resplandecientes para él.

**2.25-28** Creer en Cristo no es siempre fácil. Como Epafrodito demostró claramente, necesitamos aguante para hacer el trabajo y una actitud de servicio para triunfar en nuestras batallas espirituales. Debemos entregarnos a la causa de Cristo, poniendo las necesidades de otros por encima de nuestras comodidades personales. A medida que llevamos el mensaje de salvación y recuperación a otros compañeros de lucha a pesar de las dificultades y el ridículo, de que nos hagan objeto, nos damos cuenta de que al renunciar a nuestros propios deseos para suplir las necesidades de los demás, también dejamos atrás la carga de nuestra adicción. Al servir a otros, desarrollamos relaciones significativas y ponemos un fundamento sólido para una recuperación permanente. Al ayudar a otros nos ayudamos también a nosotros mismos.

rodilla de los que están en los cielos, y en la tierra, y debajo de la tierra;

**11** y toda lengua confiese*a* que Jesucristo es el Señor, para gloria de Dios Padre.

### Luminares en el mundo

**12** Por tanto, amados míos, como siempre habéis obedecido, no como en mi presencia solamente, sino mucho más ahora en mi ausencia, ocupaos en vuestra salvación con temor y temblor,

**13** porque Dios es el que en vosotros produce así el querer como el hacer, por su buena voluntad.

**14** Haced todo sin murmuraciones y contiendas,

**15** para que seáis irreprensibles y sencillos, hijos de Dios sin mancha en medio de una generación maligna y perversa,*b* en medio de la cual resplandeceis como luminares en el mundo;

**16** asidos de la palabra de vida, para que en el día de Cristo yo pueda gloriarme de que no he corrido en vano, ni en vano he trabajado.

**17** Y aunque sea derramado en libación sobre el sacrificio y servicio de vuestra fe, me gozo y regocijo con todos vosotros.

**18** Y asimismo gozaos y regocijaos también vosotros conmigo.

### Timoteo y Epafrodito

**19** Espero en el Señor Jesús enviaros pronto a Timoteo, para que yo también esté de buen ánimo al saber de vuestro estado;

**20** pues a ninguno tengo del mismo ánimo, y que tan sinceramente se interese por vosotros.

**21** Porque todos buscan lo suyo propio, no lo que es de Cristo Jesús.

**22** Pero ya conocéis los méritos de él, que como hijo a padre ha servido conmigo en el evangelio.

**23** Así que a éste espero enviaros, luego que yo vea cómo van mis asuntos;

**24** y confío en el Señor que yo también iré pronto a vosotros.

**25** Mas tuve por necesario enviaros a Epafrodito, mi hermano y colaborador y compañero de milicia, vuestro mensajero, y ministrador de mis necesidades;

**26** porque él tenía gran deseo de veros a todos vosotros, y gravemente se angustió porque habíais oído que había enfermado.

**27** Pues en verdad estuvo enfermo, a punto de morir; pero Dios tuvo misericordia de él, y no solamente de él, sino también de mí, para que yo no tuviese tristeza sobre tristeza.

**28** Así que le envío con mayor solicitud, para que al verle de nuevo, os gocéis, y yo esté con menos tristeza.

PASO 7

### Al descubierto

LECTURA BÍBLICA: Filipenses 2.5-9

**Le pedimos a él humildemente que eliminara nuestras imperfecciones.**

Debido a nuestro orgullo, podemos escondernos detrás de nuestras defensas durante el proceso de recuperación. Quizás nos ocultemos detrás de nuestra buena reputación, de nuestra importante posición o de una falsa ilusión de superioridad. Podemos sentir tal vergüenza interior que quizás hagamos un esfuerzo supremo por escondernos tras una identidad pública impecable. Quizás hayamos tratado de protegernos recurriendo a alguno de estos subterfugios, hemos estado necesitando un dramático cambio de actitud.

El apóstol Pablo escribió: «Haya, pues, en vosotros este sentir que hubo también en Cristo Jesús, el cual, siendo en forma de Dios, no estimó el ser igual a Dios como cosa a que aferrarse, sino que se despojó a sí mismo, tomando forma de siervo, hecho semejante a los hombres; y estando en la condición de hombre, se humilló a sí mismo, haciéndose obediente hasta la muerte, y muerte de cruz. Por lo cual Dios también le exaltó hasta lo sumo, y le dio un nombre que es sobre todo nombre» (Filipenses 2.5-9). Y el autor de Hebreos habló de Jesús como «el autor y consumador de la fe, el cual por el gozo puesto delante de él sufrió la cruz, menospreciando el oprobio, y se sentó a la diestra del trono de Dios» (Hebreos 12.2).

Podemos pedirle a Dios que cambie nuestras actitudes. Cuando él se encargue de nuestro orgullo, seremos capaces de dejar de escondernos detrás de nuestra reputación. Nos podremos permitir volvernos «anónimos», y que los demás nos conozcan sencillamente como una persona más que lucha con su adicción. Cuando nos rendimos humildemente ante Dios para nuestra recuperación, él nos promete honra futura y la restauración de nuestro buen nombre. ***Vaya a la página 425, 1 Juan 5.***

**2.10-11** *a* Is. 45.23.   **2.15** *b* Dt. 32.5.

**29** Recibidle, pues, en el Señor, con todo gozo, y tened en estima a los que son como él;

**30** porque por la obra de Cristo estuvo próximo a la muerte, exponiendo su vida para suplir lo que faltaba en vuestro servicio por mí.

## Prosigo al blanco

**3** **1** Por lo demás, hermanos, gozaos en el Señor. A mí no me es molesto el escribiros las mismas cosas, y para vosotros es seguro.

**2** Guardaos de los perros, guardaos de los malos obreros, guardaos de los mutiladores del cuerpo.

**3** Porque nosotros somos la circuncisión, los que en espíritu servimos a Dios y nos gloriamos en Cristo Jesús, no teniendo confianza en la carne.

**4** Aunque yo tengo también de qué confiar en la carne. Si alguno piensa que tiene de qué confiar en la carne, yo más:

**5** circuncidado al octavo día, del linaje de Israel, de la tribu de Benjamín,*a* hebreo de hebreos; en cuanto a la ley, fariseo;*b*

**6** en cuanto a celo, perseguidor de la iglesia;*c* en cuanto a la justicia que es en la ley, irreprensible.

**7** Pero cuantas cosas eran para mí ganancia, las he estimado como pérdida por amor de Cristo.

**8** Y ciertamente, aun estimo todas las cosas como pérdida por la excelencia del conocimiento de Cristo Jesús, mi Señor, por amor del cual lo he perdido todo, y lo tengo por basura, para ganar a Cristo,

**9** y ser hallado en él, no teniendo mi propia justicia, que es por la ley, sino la que es por la fe de Cristo, la justicia que es de Dios por la fe;

**10** a fin de conocerle, y el poder de su resurrección, y la participación de sus padecimientos, llegando a ser semejante a él en su muerte,

**11** si en alguna manera llegase a la resurrección de entre los muertos.

**12** No que lo haya alcanzado ya, ni que ya sea perfecto; sino que prosigo, por ver si logro asir aquello para lo cual fui también asido por Cristo Jesús.

**13** Hermanos, yo mismo no pretendo haberlo ya alcanzado; pero una cosa hago: olvidando ciertamente lo que queda atrás, y extendiéndome a lo que está delante,

**14** prosigo a la meta, al premio del supremo llamamiento de Dios en Cristo Jesús.

**15** Así que, todos los que somos perfectos, esto mismo sintamos; y si otra cosa sentís, esto también os lo revelará Dios.

**16** Pero en aquello a que hemos llegado, sigamos una misma regla, sintamos una misma cosa.

**17** Hermanos, sed imitadores de mí,*d* y mirad a los que así se conducen según el ejemplo que tenéis en nosotros.

**18** Porque por ahí andan muchos, de los cuales os dije muchas veces, y aun ahora lo digo llorando, que son enemigos de la cruz de Cristo;

**19** el fin de los cuales será perdición, cuyo dios es el

---

**3.5** *a* Ro. 11.1.   *b* Hch. 23.6; 26.5.   **3.6** *c* Hch. 8.3; 22.4; 26.9-11.   **3.17** *d* 1 Co. 4.16; 11.1.

---

**3.2-3** El mundo está lleno de engañadores. Debemos estar especialmente alertas contra los que ofrecen planes de recuperación que excluyen a Dios. Los falsos maestros que Pablo mencionaba exigían que los cristianos gentiles obedecieran la ley judía de la circuncisión para poder ser salvos. El apóstol se opuso a esta exigencia, recordándoles a los filipenses que sólo Dios por medio de Jesucristo podía traerles liberación. Este mensaje es también para nosotros. Si hay gente que alega que no necesitamos a Dios para lograr una recuperación exitosa, no debemos hacerle caso. Los programas que dependen sólo de nuestras acciones no tendrán éxito por mucho tiempo. Hasta que no reconozcamos que somos impotentes para ayudarnos a nosotros mismos, nuestra recuperación no será exitosa.

**3.4-11** Pablo hizo un detallado inventario de sus conductas pasadas –incluidas sus actividades religiosas– y no descubrió nada digno a qué aferrarse. Desechó su vida pasada y la reemplazó con su nueva vida en Cristo. Debemos hacer un sincero inventario de nuestra herencia y de nuestros logros, tal como hizo Pablo. Al comparar el valor de nuestros logros pasados con el poder que Cristo ofrece, descubriremos que la nueva vida que Dios nos ofrece es la opción obvia. Nuestro inventario personal nos ayudará a descubrir que las cosas de este mundo no pueden satisfacer nuestras necesidades eternas; sólo Dios puede hacer esto.

**3.17-21** En el plano humano, necesitamos que nuestra vida siga el ejemplo de aquellos que, a pesar de las dificultades, han vivido exitosamente para Cristo. Los que rehúsan en evaluarse a sí mismos, terminan malgastando todos sus esfuerzos viviendo para sí mismos, esclavizados por hábitos y dependencias destructivos. La recuperación total, sin embargo, puede experimentarse confiando en Jesucristo y siguiendo sus pasos. Algunos tal vez nos preguntemos si alguna vez superaremos el dolor que experimentamos a diario. Pero aunque el dolor permanezca a lo largo de nuestra vida, seremos totalmente transformados cuando Cristo regrese.

**4.1-3** Como sabemos con certeza cuál es nuestro destino final, podemos enfrentar confiadamente las pruebas de la vida. Pablo nos dio un buen ejemplo de cómo crecer espiritualmente y estimular a otros en su crecimiento. Al animar a estas dos mujeres cristianas a restablecer una relación armoniosa entre ellas, él también las elogió por su previo servicio a Dios. Pablo estaba dando por sentado que ellas eran lo suficientemente humildes para aceptar la crítica y cambiar para mejorar. Cuando cuidamos atentamente

vientre, y cuya gloria es su vergüenza; que sólo piensan en lo terrenal.

**20** Mas nuestra ciudadanía está en los cielos, de donde también esperamos al Salvador, al Señor Jesucristo;

**21** el cual transformará el cuerpo de la humillación nuestra, para que sea semejante al cuerpo de la gloria suya, por el poder con el cual puede también sujetar a sí mismo todas las cosas.

### Regocijaos en el Señor siempre

**4** **1** Así que, hermanos míos amados y deseados, gozo y corona mía, estad así firmes en el Señor, amados.

**2** Ruego a Evodia y a Síntique, que sean de un mismo sentir en el Señor.

**3** Asimismo te ruego también a ti, compañero fiel, que ayudes a éstas que combatieron juntamente conmigo en el evangelio, con Clemente también y los demás colaboradores míos, cuyos nombres están en el libro de la vida.

**4** Regocijaos en el Señor siempre. Otra vez digo: ¡Regocijaos!

**5** Vuestra gentileza sea conocida de todos los hombres. El Señor está cerca.

**6** Por nada estéis afanosos, sino sean conocidas vuestras peticiones delante de Dios en toda oración y ruego, con acción de gracias.

**7** Y la paz de Dios, que sobrepasa todo entendimiento, guardará vuestros corazones y vuestros pensamientos en Cristo Jesús.

### En esto pensad

**8** Por lo demás, hermanos, todo lo que es verdadero, todo lo honesto, todo lo justo, todo lo puro, todo lo amable, todo lo que es de buen nombre; si hay virtud alguna, si algo digno de alabanza, en esto pensad.

**9** Lo que aprendisteis y recibisteis y oísteis y visteis en mí, esto haced; y el Dios de paz estará con vosotros.

### Dádivas de los filipenses

**10** En gran manera me gocé en el Señor de que ya al fin habéis revivido vuestro cuidado de mí; de lo cual también estabais solícitos, pero os faltaba la oportunidad.

**11** No lo digo porque tenga escasez, pues he aprendido a contentarme, cualquiera que sea mi situación.

**12** Sé vivir humildemente, y sé tener abundancia;

PASO

6

### Actitudes y acciones

LECTURA BÍBLICA: Filipenses 3.12-14

**Estuvimos completamente listos para que Dios eliminara todos estos defectos de carácter.**

Estar «completamente listos» para que Dios elimine «todos» nuestros defectos de carácter suena imposible. En realidad, sabemos que tal perfección está fuera del alcance humano. Esta es otra manera de decir que vamos a hacer todo lo posible por avanzar durante toda nuestra vida hacia una meta que nadie va a alcanzar sino hasta la eternidad.

El apóstol Pablo expresó un pensamiento similar: «No que lo haya alcanzado ya, ni que ya sea perfecto; sino que prosigo, por ver si logro asir aquello para lo cual fui también asido por Cristo Jesús ... olvidando ciertamente lo que queda atrás, y extendiéndome a lo que está delante, prosigo a la meta, al premio del supremo llamamiento de Dios en Cristo Jesús» (Filipenses 3.12-14).

Esta combinación de una actitud positiva y un enérgico esfuerzo es parte del misterio de nuestra cooperación con Dios. Pablo dijo: «Por tanto, amados míos, como siempre habéis obedecido, no como en mi presencia solamente, sino mucho más ahora en mi ausencia, ocupaos en vuestra salvación con temor y temblor, porque Dios es el que en vosotros produce así el querer como el hacer, por su buena voluntad» (Filipenses 2.12-13).

Necesitaremos practicar estos pasos por el resto de nuestra vida. No tenemos que exigirnos perfección; es suficiente con mantenernos progresando de la mejor manera posible. Podemos aspirar a nuestra recompensa con la esperanza de convertirnos en todo lo que Dios quiere que seamos. El Señor nos fortalecerá y animará mientras seguimos avanzando. ***Vaya a la página 499, Salmo 51.***

---

nuestra propia vida, como hizo Pablo, estaremos más capacitados para hacer que otros se sientan responsables de su compromiso con la recuperación.

**4.4-9** La verdadera felicidad puede encontrarse en cada situación de la vida cuando reconocemos que Dios está obrando y siempre mantiene el control. Como Cristo está con nosotros y su regreso es seguro, podemos actuar con calma en medio del dolor y de las dificultades. La paz y el gozo vienen cuando

en todo y por todo estoy enseñado, así para estar saciado como para tener hambre, así para tener abundancia como para padecer necesidad.

**13** Todo lo puedo en Cristo que me fortalece.

**14** Sin embargo, bien hicisteis en participar conmigo en mi tribulación.

**15** Y sabéis también vosotros, oh filipenses, que al principio de la predicación del evangelio, cuando partí de Macedonia, ninguna iglesia participó conmigo en razón de dar y recibir, sino vosotros solos;

**16** pues aun a Tesalónica*ª* me enviasteis una y otra vez para mis necesidades.*b*

**17** No es que busque dádivas, sino que busco fruto que abunde en vuestra cuenta.

**18** Pero todo lo he recibido, y tengo abundancia; estoy lleno, habiendo recibido de Epafrodito lo que enviasteis; olor fragante,*c* sacrificio acepto, agradable a Dios.

**19** Mi Dios, pues, suplirá todo lo que os falta conforme a sus riquezas en gloria en Cristo Jesús.

**20** Al Dios y Padre nuestro sea gloria por los siglos de los siglos. Amén.

## Salutaciones finales

**21** Saludad a todos los santos en Cristo Jesús. Los hermanos que están conmigo os saludan.

**22** Todos los santos os saludan, y especialmente los de la casa de César.

**23** La gracia de nuestro Señor Jesucristo sea con todos vosotros. Amén.

**4.16:***ª* Hch. 17.1.   **4.15-16:***b* 2 Co. 11.9.   **4.18:***c* Ex. 29.18.

---

centramos nuestra vida en aquellas cosas que le dan valor eterno. Mientras más nos dediquemos a conocer la voluntad de Dios por medio de la oración y el estudio de su Palabra, mejor preparados estaremos para ayudarnos a nosotros y a otros que también estén en el proceso de la recuperación.

**4.12-13** Algunos de nosotros tal vez nos preguntemos si por acaso volveremos a experimentar la paz. Nuestra batalla contra la adicción parece difícil e interminable. Continuamente nos encontramos en callejones sin salida. Cuando nos desanimemos y reconozcamos que la recuperación es demasiado difícil para que podamos alcanzarla solos, podemos recurrir a lo que nos dicen estos versículos para renovar nuestra esperanza. Dios quiere que progresemos en nuestra recuperación y él tiene el poder para ayudarnos a hacerlo. Conforme le confiemos a Dios nuestra vida, podremos progresar en la recuperación con la ayuda de Cristo, quien nos dará la fortaleza que necesitemos. Con Dios, ¡nada es imposible!

**4.15-20** La relación de Pablo con los creyentes filipenses se caracterizaba por un compartir en respeto mutuo. Estas cualidades importantes para mantener relaciones sólidas, incluidas nuestras relaciones personales mientras estemos en recuperación. Pablo era un líder cristiano respetado en la iglesia primitiva. Otros líderes que estuvieran en su posición quizá habrían encontrado difícil aceptar la ayuda de los filipenses y tal vez la habrían rechazado. A veces resulta difícil aceptar la ayuda de otros. Quizás sintamos que realmente no entienden de dónde venimos, o consideremos que sencillamente están tratando de manipularnos, haciendo cosas que los hagan sentirse bien con ellos mismos. Sin embargo, si queremos tener éxito en la recuperación, necesitamos seguir el ejemplo de Pablo. Él aceptó con gozo la ayuda de los creyentes filipenses y, como resultado, se mantuvo firme en tiempos difíciles y de soledad.

*SEÑOR, concédeme serenidad para aceptar las cosas que no puedo cambiar, valor para cambiar las que sí puedo y sabiduría para reconocer la diferencia entre ambas. AMÉN*

**S**erenidad es tener calma interior en medio de los altibajos de la vida. Esto incluye aprender a contentarse con aquellas cosas en nuestra vida que no pueden cambiarse.

Algunos de nosotros nunca hemos aceptado las lamentables circunstancias que han rodeado nuestra vida. Quizás hayamos asumido una actitud negativa para evitar el sufrimiento. Seguimos luchando contra las realidades que producen dolor, y nos rebelamos contra la persona que hemos llegado a ser o contra lo que nos ha pasado. Otros hemos aceptado lo malo, aún hasta el punto de sentir que es normal y placentero. Y así repetimos el destructivo ciclo de conducta.

El apóstol Pablo dijo: «No lo digo porque tenga escasez, pues he aprendido a contentarme, cualquiera que sea mi situación. Sé vivir humildemente, y sé tener abundancia; en todo y por todo estoy enseñado, así para estar saciado como para tener hambre, así para tener abundancia como para padecer necesidad» (Filipenses 4.11-12). Cuando Pablo escribió esto, estaba en una prisión romana esperando para saber si sería ejecutado. Y aun así no lo oímos quejarse ni lamentarse. En lugar de eso, aprendió a aceptar las circunstancias que no podía cambiar.

El proceso de recuperación es tiempo para aprender a encontrar serenidad mientras también se acepta la vida tal y como es. Esta no es siempre justa. No es predecible ni controlable. Puede ser maravillosamente rica en algunos aspectos y terriblemente difícil en otros. Cuando estamos dispuestos a enfrentar el dolor en nuestra vida y considerar cómo hemos reaccionado frente a él, entonces nuestro malestar puede llevarnos a romper el destructivo círculo vicioso. Entonces podemos aprender a contentarnos con las cosas que no podemos cambiar. *Vaya a la página 325, Colosenses 1.*

# COLOSENSES

## EL PANORAMA

A. EL PODER DE JESUCRISTO
   (1.1—2.23)
B. EL PODER DE CRISTO EN
   NOSOTROS (3.1—4.18)

Colosenses es una carta sobre la grandeza de Cristo. Desde su conversión, los creyentes de la ciudad de Colosas habían oído muchas teorías sobre la salvación, y todas ellas empequeñecían a Cristo de alguna manera. Algunas personas tenían fe en los ángeles, otras en determinados rituales y aun otros en varias filosofías y prácticas religiosas. Pablo les escribió para corregirlos a todos: Cristo es Dios hecho carne y el único que es suficiente para salvarnos del pecado y de su poder destructivo.

En esta carta, Pablo incluyó consejos prácticos sobre cómo deben vivir los creyentes. Los instó a permanecer en la verdad, llevar vidas sexualmente puras, tener paz con sus amigos y vecinos, y vivir dependiendo de Dios. Pablo no esperaba que los colosenses lograran solos estas cosas. Enfatizó que cuando procuramos hacer la voluntad de Dios, podemos depender de la ayuda divina. Nuestras acciones pueden ser revitalizadas por el más grande poder en el universo: el poder de Dios en Jesucristo.

La recuperación resulta más fácil cuando nos apoyamos en otros, pero a fin de cuentas Dios es el único que puede rescatarnos completamente. Necesitamos el poder divino para comenzar el proceso de sanidad en la recuperación. El mismo poder que hace posible la salvación, posibilita nuestra recuperación. Podemos confiar en Cristo para nuestra salvación y podemos confiar en su poder para ayudarnos con nuestras luchas, mientras vivimos cada día según este se presente.

## EN ESENCIA

PROPÓSITO: Mostrar que Cristo es la única fuente real de poder en nuestra vida. AUTOR: El apóstol Pablo. DESTINATARIO: Los creyentes de Colosas, ciudad de Asia Menor. FECHA: Cerca del 60 d.C., durante el encarcelamiento de Pablo en Roma. ESCENARIO: Pablo escribió a una iglesia que nunca había visitado. La iglesia había sido iniciada por algunos conversos, incluyendo a un hombre llamado Epafras. VERSÍCULO CLAVE: «Porque en él habita corporalmente toda la plenitud de la Deidad, y vosotros estáis completos en él, que es la cabeza de todo principado y potestad» (2.9-10). PERSONAS Y RELACIONES CLAVE: Pablo con Timoteo, Tíquico, Onésimo, Juan Marcos y Epafras.

## TEMAS SOBRE RECUPERACIÓN

*La recuperación es un proceso que dura toda la vida:* Tal vez anhelemos que llegue un día en el que seamos totalmente liberados de la esclavitud de nuestro pasado; un día cuando nuestra recuperación sea completa y podamos seguir adelante con nuestra vida. Sin embargo, la recuperación es un proceso que dura toda la vida, con desafíos diarios de mantenernos en contacto con nuestro poderoso y amoroso Dios. De esta carta a los creyentes colosenses aprendemos que nuestra vida con Cristo no es simplemente una operación de rescate que se realiza de una sola vez, sino un compromiso de por vida.

*La verdadera recuperación requiere fe en Dios:* Uno de los peligros que enfrentamos después de un período de recuperación exitosa es la tendencia a olvidar lo mucho que necesitamos a Dios. Es fácil comenzar a pensar que podemos seguir solos, dependiendo de reglas o fórmulas para el éxito. Pablo advirtió a los colosenses de este peligro, apremiándolos para que vivieran en contacto y comunicación diarios con Dios. Es cierto que con la madurez llega la fortaleza de carácter, pero no es cierto que podamos prescindir de nuestra necesidad de fe en Dios. Fue la autosuficiencia la que nos metió en problemas en primer lugar, y nos puede provocar fácilmente una recaída. Si queremos experimentar una verdadera recuperación, necesitamos reconocer nuestra continua necesidad de fe en Dios.

*Jesús es el Señor del universo:* Todo el universo se mantiene en orden por el poder de Jesucristo. Él es el gobernante supremo y Señor de toda la creación. Es el reflejo del Dios invisible. Él es eterno, omnipotente, siempre ha existido y es igual al Padre. Él es también el Señor de cada recuperación exitosa. Qué gran privilegio es depender no meramente de un anónimo «poder supremo», sino del ¡más alto Poder supremo! ¡Qué increíble que nos invite a cada uno de nosotros a tener una relación personal con él!

*Relaciones saludables:* Una parte importante del proceso de recuperación incluye reparar el daño a las personas a las que hayamos lastimado. Esta carta a los colosenses nos ofrece una guía práctica para realizar esta área. Pablo nos llama a vivir de acuerdo con los principios del amor desinteresado y a respetar a todas las personas. Si tratamos a otros de tal manera que ellos sean edificados, nuestras relaciones personales se fortalecerán y nos alentarán en el proceso de recuperación.

---

### Salutación

**1** **1** Pablo, apóstol de Jesucristo por la voluntad de Dios, y el hermano Timoteo,
**2** a los santos y fieles hermanos en Cristo que están en Colosas: Gracia y paz sean a vosotros, de Dios nuestro Padre y del Señor Jesucristo.

### Pablo pide que Dios les conceda sabiduría espiritual

**3** Siempre orando por vosotros, damos gracias a Dios, Padre de nuestro Señor Jesucristo,
**4** habiendo oído de vuestra fe en Cristo Jesús, y del amor que tenéis a todos los santos,
**5** a causa de la esperanza que os está guardada en los cielos, de la cual ya habéis oído por la palabra verdadera del evangelio,
**6** que ha llegado hasta vosotros, así como a todo el mundo, y lleva fruto y crece también en vosotros,

desde el día que oísteis y conocisteis la gracia de Dios en verdad,
**7** como lo habéis aprendido de Epafras,[a] nuestro consiervo amado, que es un fiel ministro de Cristo para vosotros,
**8** quien también nos ha declarado vuestro amor en el Espíritu.
**9** Por lo cual también nosotros, desde el día que lo oímos, no cesamos de orar por vosotros, y de pedir que seáis llenos del conocimiento de su voluntad en toda sabiduría e inteligencia espiritual,
**10** para que andéis como es digno del Señor, agradándole en todo, llevando fruto en toda buena obra, y creciendo en el conocimiento de Dios;
**11** fortalecidos con todo poder, conforme a la potencia de su gloria, para toda paciencia y longanimidad;

---

**1.7** [a] Col. 4.12; Flm. 23.

---

**1.11-14** Como siempre, Pablo fue muy cuidadoso al señalar que nuestra fortaleza y poder no proceden de nosotros sino de Dios. Sólo «la potencia de su gloria» actuando en nosotros puede fortalecernos y darnos «paciencia y longanimidad» para la recuperación. Ya hemos confesado que somos impotentes frente a nuestra dependencia. Al reconocer que Dios tiene poder para restaurarnos, podemos comenzar a pensar más positivamente con respecto a la recuperación.

*SEÑOR, concédeme serenidad para aceptar las cosas que no puedo cambiar, valor para cambiar las que sí puedo y sabiduría para reconocer la diferencia entre ambas. AMÉN*

Es posible que necesitemos algunas pautas que nos ayuden a identificar la sabiduría en nuestros pensamientos y decisiones.

De acuerdo con la Biblia, la sabiduría tiene dos aspectos: el espiritual y el práctico. La sabiduría espiritual nos lleva a mirar la naturaleza real de las cosas. Pablo dijo: «Por lo cual también nosotros, desde el día que lo oímos, no cesamos de orar por vosotros, y de pedir que seáis llenos del conocimiento de su voluntad en toda sabiduría e inteligencia espiritual, para que ... [crezcáis] en el conocimiento de Dios» (Colosenses 1.9-10). A veces también se otorga a los creyentes una sabiduría especial, para que sepan «cuál es la esperanza a que él os ha llamado, y cuáles las riquezas de la gloria de su herencia en los santos» (Efesios 1.18).

La sabiduría divina puede evaluarse por sus cualidades. La Biblia nos dice que la sabiduría de Dios «es primeramente pura, después pacífica, amable, benigna, llena de misericordia y de buenos frutos, sin incertidumbre ni hipocresía» (Santiago 3.17).

En sus aspectos prácticos, nuestra sabiduría puede juzgarse considerando si nuestras acciones están o no de acuerdo con las instrucciones divinas. Las instrucciones de Dios nos fueron dadas porque de forma natural nos conducen a vivir saludablemente. Al seguirlas, podemos encontrar la sabiduría que necesitamos para caminar hacia la plenitud. Este puede ser uno de los estándares que usemos al hacer nuestro diario y continuo inventario. ***Vaya a la página 357, 2 Timoteo 4.***

Muchos de los que estamos en recuperación estamos aprendiendo a pensar y a actuar de maneras novedosas. Tal vez se nos haga difícil reconocer la verdadera sabiduría, aun cuando la tengamos frente a nosotros.

---

**12** con gozo dando gracias al Padre que nos hizo aptos para participar de la herencia de los santos en luz;
**13** el cual nos ha librado de la potestad de las tinieblas, y trasladado al reino de su amado Hijo,
**14** en quien tenemos redención por su sangre, el perdón de pecados.*b*

## Reconciliación por medio de la muerte de Cristo

**15** El es la imagen del Dios invisible, el primogénito de toda creación.
**16** Porque en él fueron creadas todas las cosas, las que hay en los cielos y las que hay en la tierra, visibles e invisibles; sean tronos, sean dominios,

**1.14** *b* Ef. 1.7.

sean principados, sean potestades; todo fue creado por medio de él y para él.

**17** Y él es antes de todas las cosas, y todas las cosas en él subsisten;

**18** y él es la cabeza del cuerpo que es la iglesia, *c* él que es el principio, el primogénito de entre los muertos, para que en todo tenga la preeminencia;

**19** por cuanto agradó al Padre que en él habitase toda plenitud,

**20** y por medio de él reconciliar consigo todas las cosas, así las que están en la tierra como las que están en los cielos, haciendo la paz mediante la sangre de su cruz. *d*

**21** Y a vosotros también, que erais en otro tiempo extraños y enemigos en vuestra mente, haciendo malas obras, ahora os ha reconciliado

**22** en su cuerpo de carne, por medio de la muerte, para presentaros santos y sin mancha e irreprensibles delante de él;

**23** si en verdad permanecéis fundados y firmes en la fe, y sin moveros de la esperanza del evangelio que habéis oído, el cual se predica en toda la creación que está debajo del cielo; del cual yo Pablo fui hecho ministro.

### Ministerio de Pablo a los gentiles

**24** Ahora me gozo en lo que padezco por vosotros, y cumplo en mi carne lo que falta de las aflicciones de Cristo por su cuerpo, que es la iglesia;

**25** de la cual fui hecho ministro, según la administración de Dios que me fue dada para con vosotros, para que anuncie cumplidamente la palabra de Dios,

**26** el misterio que había estado oculto desde los siglos y edades, pero que ahora ha sido manifestado a sus santos,

**27** a quienes Dios quiso dar a conocer las riquezas de la gloria de este misterio entre los gentiles; que es Cristo en vosotros, la esperanza de gloria,

**28** a quien anunciamos, amonestando a todo hombre, y enseñando a todo hombre en toda sabiduría, a fin de presentar perfecto en Cristo Jesús a todo hombre;

**29** para lo cual también trabajo, luchando según la potencia de él, la cual actúa poderosamente en mí.

**2** **1** Porque quiero que sepáis cuán gran lucha sostengo por vosotros, y por los que están en Laodicea, y por todos los que nunca han visto mi rostro;

**2** para que sean consolados sus corazones, unidos en amor, hasta alcanzar todas las riquezas de pleno entendimiento, a fin de conocer el misterio de Dios el Padre, y de Cristo,

**3** en quien están escondidos todos los tesoros de la sabiduría y del conocimiento.

**4** Y esto lo digo para que nadie os engañe con palabras persuasivas.

**5** Porque aunque estoy ausente en cuerpo, no obstante en espíritu estoy con vosotros, gozándome y mirando vuestro buen orden y la firmeza de vuestra fe en Cristo.

**6** Por tanto, de la manera que habéis recibido al Señor Jesucristo, andad en él;

**7** arraigados y sobreedificados en él, y confirmados en la fe, así como habéis sido enseñados, abundando en acciones de gracias.

### Plenitud de vida en Cristo

**8** Mirad que nadie os engañe por medio de filosofías y huecas sutilezas, según las tradiciones de los hombres, conforme a los rudimentos del mundo, y no según Cristo.

**9** Porque en él habita corporalmente toda la plenitud de la Deidad,

---

**1.18** *c* Ef. 1.22-23.    **1.20** *d* Ef. 2.16.

---

**1.15-17** Estos versículos describen a Dios en Jesucristo, nuestro poder supremo. Como Creador de nuestro mundo, él tiene los medios para reconstruir nuestras vidas, sin importar cuán destruidas estén. De hecho, el universo entero se desvanecería si él dejara de sostenerlo. Aun las personas que parecen tener todo bajo control no podrían existir ni un solo momento si no fuera por el poder de Dios desplegado a su favor. Todos necesitamos a Dios y su poder, ya sea que lo admitamos o no. Dios es nuestra fuente infinita de poder y puede darnos todo el que necesitemos para continuar con nuestra recuperación.

**1.20-23** Cuando nuestra vida está fuera de control y se torna inmanejable, nos convertimos en enemigos de Dios y nuestros pensamientos y acciones nos separan de él. Pero Dios, por medio de la muerte de Cristo en la cruz, se allega a nosotros para hacernos sus amigos. Cuando le entregamos a él nuestra vida y voluntad, él nos lleva ante su misma presencia del Señor y nos hace irreprensibles delante de él.

**1.28-29** Una parte esencial en la reconstrucción de nuestra vida consiste en llevar a otros el mensaje de nuestra recuperación en Jesucristo. Estábamos lejos de Dios, y a pesar de esto él nos dio no sólo la solución para nuestro problema, sino también el poder para cambiar. ¡Estas son noticias dignas de comunicarse! Tal vez al principio sintamos temor de hacerlo, pero el poder disponible para nuestra recuperación también está disponible para ayudarnos a contarles a otros nuestra historia.

**2.6-7** La misma fe que ejercitamos cuando le entregamos a Dios nuestra vida debe fortalecerse diariamente al caminar con él y obedecerle. Pablo nos insta a mejorar nuestro contacto consciente con Dios para que su poder esté obrando en nosotros, llenándonos de gozo y acción de gracias. Si el poder de Dios no nos sostiene, estamos a merced de nuestros hábitos y dependencia destructivos.

**10** y vosotros estáis completos en él, que es la cabeza de todo principado y potestad.

**11** En él también fuisteis circuncidados con circuncisión no hecha a mano, al echar de vosotros el cuerpo pecaminoso carnal, en la circuncisión de Cristo;

**12** sepultados con él en el bautismo, en el cual fuisteis también resucitados con él, mediante la fe en el poder de Dios que le levantó de los muertos.*a*

**13** Y a vosotros, estando muertos en pecados y en la incircuncisión de vuestra carne, os dio vida juntamente con él,*b* perdonándoos todos los pecados,

**14** anulando el acta de los decretos que había contra nosotros, que nos era contraria, quitándola de en medio y clavándola en la cruz,*c*

**15** y despojando a los principados y a las potestades, los exhibió públicamente, triunfando sobre ellos en la cruz.

**16** Por tanto, nadie os juzgue en comida o en bebida, o en cuanto a días de fiesta, luna nueva o días de reposo,*d*

**17** todo lo cual es sombra de lo que ha de venir; pero el cuerpo es de Cristo.

**18** Nadie os prive de vuestro premio, afectando humildad y culto a los ángeles, entremetiéndose en lo que no ha visto, vanamente hinchado por su propia mente carnal,

**19** y no asiéndose de la Cabeza, en virtud de quien todo el cuerpo, nutriéndose y uniéndose por las coyunturas y ligamentos, crece con el crecimiento que da Dios.*e*

**20** Pues si habéis muerto con Cristo en cuanto a los rudimentos del mundo, ¿por qué, como si vivieseis en el mundo, os sometéis a preceptos

**21** tales como: No manejes, ni gustes, ni aun toques

**22** (en conformidad a mandamientos y doctrinas de hombres), cosas que todas se destruyen con el uso?

**23** Tales cosas tienen a la verdad cierta reputación de sabiduría en culto voluntario, en humildad y

# Autoprotección

### LEA COLOSENSES 3.1-4

El mundo no mejora sencillamente porque estemos en recuperación. Es necesario también que paguemos nuestras cuentas, tratemos con la gente y enfrentemos los estresantes cambios que la recuperación pueda traer. Existen presiones que están fuera de nuestro control que nos pueden hacer caer en la ansiedad o el agotamiento si no somos cuidadosos y no nos protegemos contra los embates del mundo.

El apóstol Pablo nos sugiere una estrategia para protegernos contra los problemas de la vida diaria. Él escribió: «Poned la mira en las cosas de arriba, no en las de la tierra» (Colosenses 3.2). El Apóstol también dijo: «Por nada estéis afanosos, sino sean conocidas vuestras peticiones delante de Dios en toda oración y ruego, con acción de gracias. Y la paz de Dios, que sobrepasa todo entendimiento, guardará vuestros corazones y vuestros pensamientos en Cristo Jesús» (Filipenses 4.6-7).

La idea de que Dios nos guarda de la maldad que enfrentamos en la vida es reconfortante. Se nos promete la paz de Dios sólo si habitualmente llevamos ante él todas nuestras preocupaciones y necesidades, y desarrollamos una actitud de agradecimiento. Cuando entregamos nuestras preocupaciones al cuidado de Dios, descubrimos su protección y experimentamos la paz interior que sobrepasa todo entendimiento. ***Vaya a la página 339, 2 Tesalonicenses 3.***

---

**2.12** *a* Ro. 6.4.   **2.13** *b* Ef. 2.1-5.   **2.14** *c* Ef. 2.15.
**2.16** *d* Ro. 14.1-6.   **2.19** *e* Ef. 4.16.

---

**2.9-10** Cuando en el pasado tratamos de cambiar por nuestros propios esfuerzos, nos dimos cuenta de lo impotentes que somos. Fue entonces cuando nos percatamos de la verdad que se encuentra en la afirmación de Pablo: lo que necesitamos no se encuentra en nosotros, ni en otras personas, sino en Jesucristo. Una recuperación que no esté cimentada en la persona y poder de Jesucristo siempre será incompleta.

**2.11-15** El poder de Cristo es capaz de darnos cordura y ayudarnos a superar nuestros patrones de conducta destructivos. Puesto que él tiene autoridad sobre todo poder, incluyendo el poder del mal en nuestra vida, Jesús puede libertarnos. Esa libertad no es sólo de la esclavitud física del pasado, sino también de la esclavitud espiritual de nuestra antigua naturaleza pecaminosa. En Cristo podemos experimentar la vida de paz, gozo y victoria que Dios desea para nosotros.

**2.20-23** Hay muchos programas de recuperación con estrictas normas que deben seguirse. Quizás hayamos escogido los programas que tienen más reglas, para tratar así de liberarnos de nuestra esclavitud. «Sólo necesito tratar con más ahínco», nos decimos a nosotros mismos. Pero Pablo nos dice que no

en duro trato del cuerpo; pero no tienen valor alguno contra los apetitos de la carne.

**3** ¹ Si, pues, habéis resucitado con Cristo, buscad las cosas de arriba, donde está Cristo sentado a la diestra de Dios.ᵃ

² Poned la mira en las cosas de arriba, no en las de la tierra.

³ Porque habéis muerto, y vuestra vida está escondida con Cristo en Dios.

⁴ Cuando Cristo, vuestra vida, se manifieste, entonces vosotros también seréis manifestados con él en gloria.

### La vida antigua y la nueva

⁵ Haced morir, pues, lo terrenal en vosotros: fornicación, impureza, pasiones desordenadas, malos deseos y avaricia, que es idolatría;

⁶ cosas por las cuales la ira de Dios viene sobre los hijos de desobediencia,

⁷ en las cuales vosotros también anduvisteis en otro tiempo cuando vivíais en ellas.

⁸ Pero ahora dejad también vosotros todas estas cosas: ira, enojo, malicia, blasfemia, palabras deshonestas de vuestra boca.

⁹ No mintáis los unos a los otros, habiéndoos despojado del viejo hombreᵇ con sus hechos,

¹⁰ y revestido del nuevo,ᶜ el cual conforme a la imagen del que lo creóᵈ se va renovando hasta el conocimiento pleno,

¹¹ donde no hay griego ni judío, circuncisión ni incircuncisión, bárbaro ni escita, siervo ni libre, sino que Cristo es el todo, y en todos.

¹² Vestíos, pues, como escogidos de Dios, santos y amados, de entrañable misericordia, de benignidad, de humildad, de mansedumbre, de paciencia;

¹³ soportándoos unos a otros, y perdonándoos unos a otrosᵉ si alguno tuviere queja contra otro. De la manera que Cristo os perdonó, así también hacedlo vosotros.ᶠ

¹⁴ Y sobre todas estas cosas vestíos de amor, que es el vínculo perfecto.

¹⁵ Y la paz de Dios gobierne en vuestros corazones, a la que asimismo fuisteis llamados en un solo cuerpo; y sed agradecidos.

¹⁶ La palabra de Cristo more en abundancia en vosotros, enseñándoos y exhortándoos unos a otros en toda sabiduría, cantando con gracia en vuestros corazones al Señor con salmos e himnos y cánticos espirituales.

¹⁷ Y todo lo que hacéis, sea de palabra o de hecho, hacedlo todo en el nombre del Señor Jesús, dando gracias a Dios Padre por medio de él.ᵍ

### Deberes sociales de la nueva vida

¹⁸ Casadas, estad sujetas a vuestros maridos,ʰ como conviene en el Señor.

¹⁹ Maridos, amad a vuestras mujeres,ⁱ y no seáis ásperos con ellas.

²⁰ Hijos, obedeced a vuestros padres en todo, porque esto agrada al Señor.ʲ

---

**3.1** ᵃ Sal. 110.1. **3.9** ᵇ Ef. 4.22. **3.10** ᶜ Ef. 4.24. ᵈ Gn. 1.26. **3.12-13** ᵉ Ef. 4.2. **3.13** ᶠ Ef. 4.32. **3.16-17** ᵍ Ef. 5.19-20. **3.18** ʰ Ef. 5.22; 1 P. 3.1. **3.19** ⁱ Ef. 5.25; 1 P. 3.7. **3.20** ʲ Ef. 6.1.

---

encontraremos el éxito en nuestras propias fuerzas ni en reglas, que más bien nos alejan de la única fuente adecuada de poder: Dios. Él es el único con poder para transformarnos, ayudarnos a conquistar el mal y reconstruir nuestra vida.

**3.1-3** Pablo no nos insta a negar las duras realidades de la vida; simplemente nos recuerda dónde debemos centrar nuestra vida. Cuando tenemos nuestros ojos puestos en Cristo, percibimos esta vida desde una perspectiva diferente. Nos damos cuenta de que hay esperanza, aun cuando todo parezca oscuro y sin remedio. Al contemplar la vida con perspectiva eterna, las luchas de nuestra recuperación no desaparecen, sino que podemos verlas bajo la luz correcta. Ya no tienen el poder aterrador que una vez tuvieron. En la medida en que mantengamos fija la vista en Cristo y en sus promesas para nuestra recuperación, ningún obstáculo será tan grande que no podamos vencerlo.

**3.9-11** Para avanzar en la recuperación es esencial que hagamos un inventario personal y luego reparemos el daño a las personas que hayamos herido. Esto implica despojarnos de nuestras actitudes negativas y ser honestos con respecto a nuestros fracasos. Al reconocer nuestros defectos de carácter e intentar cambiar con la ayuda de Dios, comenzamos a vivir una nueva clase de vida. Este nuevo estilo de vida, con Dios en el centro, incluye hacer un sincero inventario personal regularmente. Aunque nunca alcanzaremos la perfección en esta vida, al percibir nuestro progreso afirmamos la nueva vida que Dios está creando en nosotros por medio de Jesucristo.

**3.12-13** Pablo nos pide encarecidamente que cultivemos nuestras relaciones con otras personas. Nuestra adicción probablemente haya destruido o haya puesto demasiada tensión en todas nuestras importantes relaciones personales, por lo que tendremos mucho trabajo que hacer al respecto. Necesitamos reparar el daño causado donde sea necesario, buscar el perdón de aquellos a quienes hayamos lastimado y perdonar a los que nos hayan herido. Obviamente, habrá situaciones en las que no podamos o no debamos involucrar directamente a las personas que hayamos herido. En tales casos, Pablo nos insta a tener cuidado, pidiéndonos que seamos gentiles y que no guardemos rencor. A medida que busquemos reparar el daño causado, nuestras acciones deberán estar dirigidas por el principio del amor desinteresado.

21 Padres, no exasperéis a vuestros hijos,k para que no se desalienten.

22 Siervos, obedeced en todo a vuestros amos terrenales, no sirviendo al ojo, como los que quieren agradar a los hombres, sino con corazón sincero, temiendo a Dios.

23 Y todo lo que hagáis, hacedlo de corazón, como para el Señor y no para los hombres;

24 sabiendo que del Señor recibiréis la recompensa de la herencia, porque a Cristo el Señor servís.

25 Mas el que hace injusticia, recibirá la injusticia que hiciere,l porque no hay acepción de personas.m

**4** 1 Amos, haced lo que es justo y recto con vuestros siervos, sabiendo que también vosotros tenéis un Amo en los cielos.a

2 Perseverad en la oración, velando en ella con acción de gracias;

3 orando también al mismo tiempo por nosotros, para que el Señor nos abra puerta para la palabra, a fin de dar a conocer el misterio de Cristo, por el cual también estoy preso,

4 para que lo manifieste como debo hablar.

5 Andad sabiamente para con los de afuera, redimiendo el tiempo.b

6 Sea vuestra palabra siempre con gracia, sazonada con sal, para que sepáis cómo debéis responder a cada uno.

### Salutaciones finales

7 Todo lo que a mí se refiere, os lo hará saber Tíquico,c amado hermano y fiel ministro y consiervo en el Señor,

8 el cual he enviado a vosotros para esto mismo, para que conozca lo que a vosotros se refiere, y conforte vuestros corazones,d

9 con Onésimo,e amado y fiel hermano, que es uno de vosotros. Todo lo que acá pasa, os lo harán saber.

10 Aristarco,f mi compañero de prisiones, os saluda, y Marcosg el sobrino de Bernabé, acerca del cual habéis recibido mandamientos; si fuere a vosotros, recibidle;

11 y Jesús, llamado Justo; que son los únicos de la circuncisión que me ayudan en el reino de Dios, y han sido para mí un consuelo.

12 Os saluda Epafras,h el cual es uno de vosotros, siervo de Cristo, siempre rogando encarecidamente por vosotros en sus oraciones, para que estéis firmes, perfectos y completos en todo lo que Dios quiere.

13 Porque de él doy testimonio de que tiene gran solicitud por vosotros, y por los que están en Laodicea, y los que están en Hierápolis.

14 Os saluda Lucasi el médico amado, y Demas.j

15 Saludad a los hermanos que están en Laodicea, y a Ninfas y a la iglesia que está en su casa.

16 Cuando esta carta haya sido leída entre vosotros, haced que también se lea en la iglesia de los laodicenses, y que la de Laodicea la leáis también vosotros.

17 Decid a Arquipo:k Mira que cumplas el ministerio que recibiste en el Señor.

18 La salutación de mi propia mano, de Pablo. Acordaos de mis prisiones. La gracia sea con vosotros. Amén.

**3.21** k Ef. 6.4. **3.22-25** l Ef. 6.5-8. **3.25** m Dt. 10.17; Ef. 6.9. **4.1** a Ef. 6.9. **4.5** b Ef. 5.16. **4.7** c Hch. 20.4; 2 Ti. 4.12. **4.7-8** d Ef. 6.21-22. **4.9** e Flm. 10-12. **4.10** f Hch. 19.29; 27.2; Flm. 24. g Hch. 12.12, 25; 13.13; 15.37-39. **4.12** h Col. 1.7; Flm. 23. **4.14** i 2 Ti. 4.11; Flm. 24. j 2 Ti. 4.10; Flm. 24. **4.17** k Flm. 2.

**4.2-3** Pablo alentó a los creyentes colosenses a perseverar en la oración. Este es también un buen consejo para nosotros. Al orar, reconocemos nuestra necesidad de Dios y al mismo tiempo se nos recuerda que debemos mantener los ojos fijos en él. Conforme hacemos de la oración nuestra prioridad diaria, debemos dar gracias a Dios por su ayuda y así estamos cada vez más conscientes de su actividad en nuestra vida. Cuando nos sintamos débiles, podemos acercarnos a Dios en oración y él nos dará el poder para «seguir en la lucha». Al acudir a Dios en oración, aceptamos ese poder que es suficiente para cubrir todo lo necesario para nuestra recuperación.

# PRIMERA TESALONICENSES

## EL PANORAMA

Pablo y sus acompañantes Silas y Timoteo viajaron por primera vez a Tesalónica en el segundo viaje misionero de Pablo (véase Hechos 17.1-4). Muchos tesalonicenses que habían adorado ídolos entregaron sus vidas a Dios, y por esto Pablo los elogió. Los creyentes de Tesalónica habían pasado de depender de cosas materiales y de rituales vacíos a servir al Dios vivo y verdadero.

Sin embargo, el nuevo estilo de vida como creyentes no era fácil para ellos. Muchos de sus amigos y familiares se oponían a su fe. A pesar de los cambios positivos que Dios había hecho en ellos, algunos fueron víctimas del acoso y la burla. Esta misma persecución obligó a Pablo y a sus acompañantes a marcharse de Tesalónica. Después de irse, Pablo comenzó a preocuparse por los nuevos creyentes que habían quedado allí. ¿Estaban lo suficientemente firmes en su nueva fe en Dios? ¿Regresarían a sus antiguas creencias y prácticas? Pablo envió a Timoteo a verificar cómo estaban, y, animado por el informe de Timoteo, les envió esta carta de aliento.

Cuando, en nuestra recuperación, enfrentemos oposiciones, podemos identificarnos con Pablo y los creyentes de Tesalónica. Tal vez nuestros familiares y amigos no entiendan nuestra fe; los viejos hábitos pueden ser una fuente de presión, empujándonos desde nuestro interior a que regresemos a las antiguas costumbres. Pero podemos sentirnos animados por el progreso que ya hayamos hecho. El poder de Dios está operando en nosotros. No tenemos que rendirnos sólo porque enfrentemos oposición.

## EN ESENCIA

PROPÓSITO: Elogiar a los creyentes de Tesalónica por su confianza en Dios, animarlos a continuar creyendo y asegurarles que Cristo regresaría. AUTOR: El apóstol Pablo. DESTINATARIO: Los creyentes de Tesalónica, ciudad de Macedonia. FECHA: Cerca del 50-51 d.C., durante el segundo viaje misionero de Pablo. ESCENARIO: La iglesia de Tesalónica tenía apenas dos o tres años cuando Pablo escribió esta carta. Los creyentes allí debían madurar espiritualmente y necesitaban ayuda para entender qué podrían esperar al regreso de Cristo. VERSÍCULO CLAVE: «Porque todos vosotros sois hijos de luz e hijos del día; no somos de la noche ni de las tinieblas» (5.5). PERSONAS Y RELACIONES CLAVE: Pablo con los creyentes de Tesalónica y con Timoteo.

## TEMAS SOBRE RECUPERACIÓN

*Dios es nuestra fuente de esperanza:* Si hemos puesto nuestra confianza en Cristo para que nos salve del pecado, viviremos con él para siempre: ¡tenemos vida eterna! Pero podemos aspirar a algo más que simplemente tener vida después de la tumba; también podemos tener esperanza en lo que Dios nos ofrece en el presente. El poder que resucitó a Jesucristo de la muerte no es nada menos que el poder de Dios; el Dios al que le hemos confiado nuestra vida. Con este tipo de poder puesto a nuestra disposición, ¡siempre hay esperanza!

*La recuperación es una forma de vida:* Pablo retó a los tesalonicenses a vivir en todo momento en humilde anticipación de la venida de Cristo; vivir cada día como si fuera importante. De forma similar, necesitamos vivir un día a la vez, reconociendo que en esta vida nunca terminaremos el proceso de recuperación. Necesitamos vivir responsablemente, trabajando y viviendo en total dependencia de Dios en todo momento. Siempre estamos en recuperación; cuando nos volvemos complacientes y olvidamos ese hecho, nos exponemos a una recaída.

*Compromiso que supera los obstáculos:* Todos somos seres humanos imperfectos, con muchísimas limitaciones y problemas. Debido a esto, siempre enfrentaremos obstáculos para continuar nuestra recuperación. Vivir en este mundo significa que necesitamos mantenernos firmes en nuestro compromiso de recuperarnos seguros de que el Espíritu Santo nos capacitará con el poder de Dios. Aunque este poder está a nuestra disposición, Dios no hará el trabajo de recuperación que nos corresponde a nosotros. Para progresar, debemos pedirle ayuda y comprometernos nosotros mismos en la tarea.

### Salutación

**1** **1** Pablo, Silvano y Timoteo, a la iglesia de los tesalonicenses[a] en Dios Padre y en el Señor Jesucristo: Gracia y paz sean a vosotros, de Dios nuestro Padre y del Señor Jesucristo.

### Ejemplo de los tesalonicenses

**2** Damos siempre gracias a Dios por todos vosotros, haciendo memoria de vosotros en nuestras oraciones,
**3** acordándonos sin cesar delante del Dios y Padre nuestro de la obra de vuestra fe, del trabajo de vuestro amor y de vuestra constancia en la esperanza en nuestro Señor Jesucristo.
**4** Porque conocemos, hermanos amados de Dios, vuestra elección;
**5** pues nuestro evangelio no llegó a vosotros en pala-

bras solamente, sino también en poder, en el Espíritu Santo y en plena certidumbre, como bien sabéis cuáles fuimos entre vosotros por amor de vosotros.
**6** Y vosotros vinisteis a ser imitadores de nosotros y del Señor, recibiendo la palabra en medio de gran tribulación,[b] con gozo del Espíritu Santo,
**7** de tal manera que habéis sido ejemplo a todos los de Macedonia y de Acaya que han creído.
**8** Porque partiendo de vosotros ha sido divulgada la palabra del Señor, no sólo en Macedonia y Acaya, sino que también en todo lugar vuestra fe en Dios se ha extendido, de modo que nosotros no tenemos necesidad de hablar nada;
**9** porque ellos mismos cuentan de nosotros la manera en que nos recibisteis, y cómo os convertisteis de los ídolos a Dios, para servir al Dios vivo y verdadero,

---

**1.1** [a] Hch. 17.1.  **1.6** [b] Hch. 17.5-9.

**1.2-3** Pablo está agradecido por los creyentes tesalonicenses y porque se aman entre ellos, por su trabajo fiel y su esperanza en el regreso de Cristo. Esta tríada (fe, amor y esperanza) resume la vida cristiana (véase 1 Corintios 13.13). La *fe* en un Dios todopoderoso se demuestra viviendo un día a la vez. El *amor* se evidencia como principios de verdad demostrados por medio del servicio sacrificado a otros. La *esperanza* nos sostiene en tiempos difíciles mientras dependemos de Dios.
**1.4-6** Los tesalonicenses habían sido restaurados para ejercer funciones productivas en el reino de Dios y habían sido liberados de su esclavitud idólatra porque habían creído en Jesucristo y experimentaron su poder transformador en sus vidas. Este mismo poder –nuestro Poder superior– marca la diferencia radical entre una recuperación condenada al fracaso (al estilo de «hágalo usted mismo») y una recuperación verdadera centrada en Dios. Cuando reconocemos nuestra impotencia y confiamos nuestra vida a Dios, abrimos las puertas para que los infinitos recursos divinos operen en nuestro favor.
**1.7-9** Los creyentes tesalonicenses habían experimentado un despertar espiritual al creer en Jesucristo. Al imitar a su señor, y a pesar de la persecución que ello les causó, se convirtieron en ejemplos que hicieron que muchas personas de las regiones circundantes experimentaran la salvación ofrecida por Dios. Una parte

**10** y esperar de los cielos a su Hijo, al cual resucitó de los muertos, a Jesús, quien nos libra de la ira venidera.

## Ministerio de Pablo en Tesalónica

**2** **1** Porque vosotros mismos sabéis, hermanos, que nuestra visita a vosotros no resultó vana; **2** pues habiendo antes padecido y sido ultrajados en Filipos,*a* como sabéis, tuvimos denuedo en nuestro Dios para anunciaros el evangelio de Dios en medio de gran oposición.*b*
**3** Porque nuestra exhortación no procedió de error ni de impureza, ni fue por engaño,
**4** sino que según fuimos aprobados por Dios para que se nos confiase el evangelio, así hablamos; no como para agradar a los hombres, sino a Dios, que prueba nuestros corazones.
**5** Porque nunca usamos de palabras lisonjeras, como sabéis, ni encubrimos avaricia; Dios es testigo;
**6** ni buscamos gloria de los hombres; ni de vosotros, ni de otros, aunque podíamos seros carga como apóstoles de Cristo.
**7** Antes fuimos tiernos entre vosotros, como la nodriza que cuida con ternura a sus propios hijos.
**8** Tan grande es nuestro afecto por vosotros, que hubiéramos querido entregaros no sólo el evangelio de Dios, sino también nuestras propias vidas; porque habéis llegado a sernos muy queridos.
**9** Porque os acordáis, hermanos, de nuestro trabajo y fatiga; cómo trabajando de noche y de día, para no ser gravosos a ninguno de vosotros, os predicamos el evangelio de Dios.
**10** Vosotros sois testigos, y Dios también, de cuán santa, justa e irreprensiblemente nos comportamos con vosotros los creyentes;

**11** así como también sabéis de qué modo, como el padre a sus hijos, exhortábamos y consolábamos a cada uno de vosotros,
**12** y os encargábamos que anduvieseis como es digno de Dios, que os llamó a su reino y gloria.
**13** Por lo cual también nosotros sin cesar damos gracias a Dios, de que cuando recibisteis la palabra de Dios que oísteis de nosotros, la recibisteis no como palabra de hombres, sino según es en verdad, la palabra de Dios, la cual actúa en vosotros los creyentes.
**14** Porque vosotros, hermanos, vinisteis a ser imitadores de las iglesias de Dios en Cristo Jesús que están en Judea; pues habéis padecido de los de vuestra propia nación*c* las mismas cosas que ellas padecieron de los judíos,
**15** los cuales mataron al Señor Jesús y a sus propios profetas, y a nosotros nos expulsaron;*d* y no agradan a Dios, y se oponen a todos los hombres,
**16** impidiéndonos hablar a los gentiles para que éstos se salven; así colman ellos siempre la medida de sus pecados, pues vino sobre ellos la ira hasta el extremo.

## Ausencia de Pablo de la iglesia

**17** Pero nosotros, hermanos, separados de vosotros por un poco de tiempo, de vista pero no de corazón, tanto más procuramos con mucho deseo ver vuestro rostro;
**18** por lo cual quisimos ir a vosotros, yo Pablo ciertamente una y otra vez; pero Satanás nos estorbó.
**19** Porque ¿cuál es nuestra esperanza, o gozo, o corona de que me gloríe? ¿No lo sois vosotros, delante de nuestro Señor Jesucristo, en su venida?
**20** Vosotros sois nuestra gloria y gozo.

---

**2.2** *a* Hch. 16.19-24.  *b* Hch. 17.1-9.  **2.14** *c* Hch. 17.5.  **2.15** *d* Hch. 9.23, 29; 13.45, 50; 14.2, 5, 19; 17.5, 13; 18.12.

---

esencial de la recuperación consiste en compartir con otros las buenas nuevas de la poderosa liberación realizada por Dios: esta es una expresión natural de nuestra experiencia de salvación. A medida que Dios nos liberta de nuestra dependencia, podemos dar esperanzas a otros contándoles nuestra historia. No sólo les daremos a otros esperanza, sino que nosotros mismos seremos animados al recordar todo lo que Dios ha hecho por nosotros.

**2.3-12** Pablo no ministró en Tesalónica para obtener ganancia personal. Pero sus enemigos lo acusaron de eso mismo con el propósito de desacreditarlo. El apóstol hizo un recuento de su ministerio entre ellos, demostrando que no había ganado nada de él. El trabajo de Pablo entre los tesalonicenses había sido motivado por su amor sincero y por su solidaridad con otros. En la recuperación, debemos llevar a otros el mensaje de esperanza. Pero antes de involucrarnos en las vidas de otros, necesitamos evaluar nuestras motivaciones. ¿Estamos ayudando a otras personas por ganancia personal o porque estamos sinceramente preocupados por ellas? Debemos hacer de esta pregunta una parte integral de nuestro inventario moral personal.

**2.19-20** Pablo había descubierto el mensaje de esperanza en el evangelio de Jesucristo. Al ir madurando en la fe, lo compartía gozosamente con otros. El ministerio de Pablo no sólo ayudó a los tesalonicenses, sino que también lo ayudó a él mismo. Al ver crecer espiritualmente a los tesalonicenses, Pablo experimentó un gran gozo en su propia vida. Así como las penas de ellos habían sido las de él, también hacía suyas las victorias de ellos. Los tesalonicenses se convirtieron en «recompensa y corona», «gloria y gozo» de Pablo. El vínculo común que compartimos con otros en Cristo puede ser una fuente de gran gozo y estímulo mientras continuamos en el proceso de recuperación.

**3** **1** Por lo cual, no pudiendo soportarlo más, acordamos quedarnos solos en Atenas,*a*
**2** y enviamos a Timoteo nuestro hermano, servidor de Dios y colaborador nuestro en el evangelio de Cristo, para confirmaros y exhortaros respecto a vuestra fe,
**3** a fin de que nadie se inquiete por estas tribulaciones; porque vosotros mismos sabéis que para esto estamos puestos.
**4** Porque también estando con vosotros, os predecíamos que íbamos a pasar tribulaciones, como ha acontecido y sabéis.
**5** Por lo cual también yo, no pudiendo soportar más, envié para informarme de vuestra fe, no sea que os hubiese tentado el tentador, y que nuestro trabajo resultase en vano.
**6** Pero cuando Timoteo volvió de vosotros a nosotros,*b* y nos dio buenas noticias de vuestra fe y amor, y que siempre nos recordáis con cariño, deseando vernos, como también nosotros a vosotros,
**7** por ello, hermanos, en medio de toda nuestra necesidad y aflicción fuimos consolados de vosotros por medio de vuestra fe;
**8** porque ahora vivimos, si vosotros estáis firmes en el Señor.
**9** Por lo cual, ¿qué acción de gracias podremos dar a Dios por vosotros, por todo el gozo con que nos gozamos a causa de vosotros delante de nuestro Dios,
**10** orando de noche y de día con gran insistencia, para que veamos vuestro rostro, y completemos lo que falte a vuestra fe?

**11** Mas el mismo Dios y Padre nuestro, y nuestro Señor Jesucristo, dirija nuestro camino a vosotros.
**12** Y el Señor os haga crecer y abundar en amor unos para con otros y para con todos, como también lo hacemos nosotros para con vosotros,
**13** para que sean afirmados vuestros corazones, irreprensibles en santidad delante de Dios nuestro Padre, en la venida de nuestro Señor Jesucristo con todos sus santos.

## La vida que agrada a Dios

**4** **1** Por lo demás, hermanos, os rogamos y exhortamos en el Señor Jesús, que de la manera que aprendisteis de nosotros cómo os conviene conduciros y agradar a Dios, así abundéis más y más.
**2** Porque ya sabéis qué instrucciones os dimos por el Señor Jesús;
**3** pues la voluntad de Dios es vuestra santificación; que os apartéis de fornicación;
**4** que cada uno de vosotros sepa tener su propia esposa en santidad y honor;
**5** no en pasión de concupiscencia, como los gentiles que no conocen a Dios;
**6** que ninguno agravie ni engañe en nada a su hermano; porque el Señor es vengador de todo esto, como ya os hemos dicho y testificado.
**7** Pues no nos ha llamado Dios a inmundicia, sino a santificación.
**8** Así que, el que desecha esto, no desecha a hombre, sino a Dios, que también nos dio su Espíritu Santo.

**3.1** *a* Hch. 17.15. **3.6** *b* Hch. 18.5.

---

**3.2-4** Pablo dejó claro que debemos esperar problemas en la vida, aun en una vida de recuperación en Cristo. Cuando confiamos en Dios, no podemos esperar que de ahí en adelante todo vaya a ser fácil. Dios nunca prometió hacer desaparecer milagrosamente nuestra dependencia, aunque pudiera hacerlo en raras ocasiones. El Señor se mantiene a nuestro lado mientras luchamos contra nuestros problemas, dándonos fortaleza para hacerle frente a cada nuevo reto. Reconocer que siempre tendremos problemas en esta vida puede ayudarnos a superar los momentos difíciles en el proceso de recuperación. En el momento de enfrentar las luchas propias de todo ser humano, podemos contar con la presencia de Dios con nosotros.
**3.6-8** Timoteo regresó de Tesalónica con buenas noticias. El bienestar espiritual de los tesalonicenses fue un gran estímulo para Pablo y lo ayudó a sostenerse en los duros momentos por los que estaba pasando. Nuestras relaciones con otras personas que están en recuperación pueden ser una fuente valiosa de ayuda mutua. Cuando estemos decaídos, los éxitos de otros podrán animarnos. Cuando seamos vencedores, nuestro gozo podrá levantar a otros de su desaliento. Al compartir nuestra vida unos con otros, nos animaremos mutuamente y ofreceremos el estímulo necesario para una recuperación exitosa.
**3.11-13** Pablo concluyó esta porción de su carta con una corta oración por los creyentes de Tesalónica. Oró por que este pueblo transformado espiritualmente continuara madurando en su amor a Dios. Pidió que este nuevo amor a Dios los llevara a «crecer y abundar» en amor hacia otros. La oración de Pablo por estos creyentes puede servirnos de modelo al tratar de animar a otros que están en recuperación. Podemos llevar continuamente a otros ante Dios en oración y luego regocijarnos al ver que el Señor transforma sus vidas.
**4.3-8** La Biblia presenta un cuadro diáfano de lo que Dios quiere que seamos. Aquí se nos dan las características de las que debemos ser ejemplo si estamos siguiendo la voluntad de Dios. Pasajes como este pueden servirnos de patrón de medida al hacer nuestro inventario personal. Si no llegamos a la altura de los estándares establecidos por Dios, debemos confesarle nuestros fracasos y permitirle que nos cambie. Al confiarle a él todo nuestro ser, comenzaremos a ver cómo van apareciendo estas características positivas en nuestras propias vidas.

**9** Pero acerca del amor fraternal no tenéis necesidad de que os escriba, porque vosotros mismos habéis aprendido de Dios que os améis unos a otros; **10** y también lo hacéis así con todos los hermanos que están por toda Macedonia. Pero os rogamos, hermanos, que abundéis en ello más y más; **11** y que procuréis tener tranquilidad, y ocuparos en vuestros negocios, y trabajar con vuestras manos de la manera que os hemos mandado, **12** a fin de que os conduzcáis honradamente para con los de afuera, y no tengáis necesidad de nada.

## La venida del Señor

**13** Tampoco queremos, hermanos, que ignoréis acerca de los que duermen, para que no os entristezcáis como los otros que no tienen esperanza. **14** Porque si creemos que Jesús murió y resucitó, así también traerá Dios con Jesús a los que durmieron en él. **15** Por lo cual os decimos esto en palabra del Señor: que nosotros que vivimos, que habremos quedado hasta la venida del Señor, no precederemos a los que durmieron. **16** Porque el Señor mismo con voz de mando, con voz de arcángel, y con trompeta de Dios, descenderá del cielo; y los muertos en Cristo resucitarán primero. **17** Luego nosotros los que vivimos, los que hayamos quedado, seremos arrebatados juntamente con ellos en las nubes para recibir al Señor en el aire, y así estaremos siempre con el Señor.*a* **18** Por tanto, alentaos los unos a los otros con estas palabras.

**5** **1** Pero acerca de los tiempos y de las ocasiones, no tenéis necesidad, hermanos, de que yo os escriba. **2** Porque vosotros sabéis perfectamente que el día del Señor vendrá así como ladrón en la noche;*a* **3** que cuando digan: Paz y seguridad, entonces vendrá sobre ellos destrucción repentina, como los dolores a la mujer encinta, y no escaparán. **4** Mas vosotros, hermanos, no estáis en tinieblas, para que aquel día os sorprenda como ladrón. **5** Porque todos vosotros sois hijos de luz e hijos del día; no somos de la noche ni de las tinieblas. **6** Por tanto, no durmamos como los demás, sino velemos y seamos sobrios. **7** Pues los que duermen, de noche duermen, y los que se embriagan, de noche se embriagan. **8** Pero nosotros, que somos del día, seamos sobrios, habiéndonos vestido con la coraza de fe y de amor, y con la esperanza de salvación como yelmo.*b* **9** Porque no nos ha puesto Dios para ira, sino para alcanzar salvación por medio de nuestro Señor Jesucristo, **10** quien murió por nosotros para que ya sea que velemos, o que durmamos, vivamos juntamente con él. **11** Por lo cual, animaos unos a otros, y edificaos unos a otros, así como lo hacéis.

## Pablo exhorta a los hermanos

**12** Os rogamos, hermanos, que reconozcáis a los que trabajan entre vosotros, y os presiden en el Señor, y os amonestan; **13** y que los tengáis en mucha estima y amor por causa de su obra. Tened paz entre vosotros. **14** También os rogamos, hermanos, que amonestéis a los ociosos, que alentéis a los de poco ánimo, que sostengáis a los débiles, que seáis pacientes para con todos. **15** Mirad que ninguno pague a otro mal por mal; antes seguid siempre lo bueno unos para con otros, y para con todos. **16** Estad siempre gozosos. **17** Orad sin cesar. **18** Dad gracias en todo, porque esta es la voluntad de Dios para con vosotros en Cristo Jesús. **19** No apaguéis al Espíritu.

---

**4.15-17** *a* 1 Co. 15.51-52.   **5.2** *a* Mt. 24.43; Lc. 12.39; 2 P. 3.10.   **5.8** *b* Is. 59.17.

---

**4.13-18** Al parecer, los creyentes tesalonicenses temían que los cristianos que murieran antes del regreso de Jesús perderían la oportunidad de estar en el glorioso reino de Cristo. Pablo les explicó que los cristianos fallecidos resucitarían y tendrían parte en la comunión y en el reinado de Jesús en el reino de Dios. Todos nosotros tenemos esta misma esperanza. Todos los creyentes pueden estar seguros de que ejercerán una función especial cuando Cristo regrese. No importa que estemos vivos o muertos; el plan de Dios nos incluye.

**5.1-11** Pablo nos advierte que Dios le pedirá cuenta a todo el mundo por sus actitudes y acciones. Este día del Señor llegará inesperadamente, así que necesitamos mantenernos alertas y estar listos todo el tiempo. Esto es especialmente importante para aquellos a quienes nos gusta dejar las cosas para más tarde, pensando que podemos comenzar la recuperación en cualquier momento. Dios quiere que actuemos de inmediato para recibir su perdón y su poder para ayudarnos a cambiar. Quienes le pertenecemos a Dios daremos evidencia de nuestra fe actuando en forma tal que nuestra conducta testifique de la obra de Dios en nosotros. Si le confiamos a Dios nuestra vida y procuramos hacer su voluntad, no tenemos nada que temer. Si continuamos haciendo las cosas a nuestra manera, rechazando el plan de salvación trazado por Dios, el día de rendir cuentas será el día de nuestra condena.

**20** No menospreciéis las profecías.

**21** Examinadlo todo; retened lo bueno.

**22** Absteneos de toda especie de mal.

**23** Y el mismo Dios de paz os santifique por completo; y todo vuestro ser, espíritu, alma y cuerpo, sea guardado irreprensible para la venida de nuestro Señor Jesucristo.

**24** Fiel es el que os llama, el cual también lo hará.

### Salutaciones y bendición final

**25** Hermanos, orad por nosotros.

**26** Saludad a todos los hermanos con ósculo santo.

**27** Os conjuro por el Señor, que esta carta se lea a todos los santos hermanos.

**28** La gracia de nuestro Señor Jesucristo sea con vosotros. Amén.

---

**5.14-28** Pablo se despide dejándonos este buen consejo. Si seguimos estas instrucciones con la ayuda de Dios, iremos por buen camino hacia nuestra recuperación. Somos llamados a servir a otros, y este servicio es parte de la recuperación, que da esperanza a otros y refuerza nuestra propia victoria. Pablo nos dice que reconstruyamos nuestras relaciones personales devolviendo con bondad el daño que hemos hecho a otros. Somos llamados a vivir con gozo, siempre en oración, buscando continuamente la voluntad de Dios. Se nos recuerda que el Espíritu Santo es el regalo de la continua presencia divina para ayudarnos en nuestra vida. Dios nos da lo que necesitamos para tener éxito en nuestra recuperación. A nosotros nos toca participar en el buen plan que él tiene para nosotros.

# SEGUNDA TESALONICENSES

## EL PANORAMA

A. SALUDOS (1.1-2)
B. ELOGIOS EN MEDIO DE LA PERSECUCIÓN (1.3-12)
C. CORRECCIÓN RESPECTO AL DÍA DEL SEÑOR (2.1-17)
D. ESTÍMULO A LA ORACIÓN Y A UNA VIDA DISCIPLINADA (3.1-15)
E. BENDICIÓN FINAL (3.16-18)

Los mensajes que recibimos no siempre son los mensajes que fueron originalmente enviados. La primera carta de Pablo a los tesalonicenses impactó a sus lectores, pero no de la manera como el apóstol esperaba. Pablo había afirmado que Jesús regresaría pronto. Por ello, algunas personas consideraron que debían dedicarse sólo a esperar el regreso de Cristo. Algunos hasta dejaron de trabajar, anticipando que ya no necesitarían comida ni otros suministros.

No todos los creyentes de Tesalónica pensaban así. Muchos siguieron actuando de forma responsable, aun cuando esperaban con ilusión el regreso de Cristo. Pero esto sólo aumentó la tensión entre los miembros de la iglesia. Las personas diligentes sintieron la responsabilidad de hacerse cargo de los descuidos de los otros. Los perezosos aducían que estaban viviendo una vida de verdadera fe. Después de oír sobre este problema, Pablo les envió esta segunda carta a los cristianos tesalonicenses.

Aunque Pablo escribió para corregir el malentendido de sus destinatarios, los elogió por su fidelidad a Dios. Él estaba seguro, debido al compromiso de ellos de hacer la voluntad de Dios, de que el Señor los ayudaría a resolver este asunto. El mensaje de Pablo fue sencillo. Los instó a estar contentos en su situación y a ser disciplinados en el cumplimiento de sus responsabilidades.

La segunda carta a los tesalonicenses es un buen recordatorio para quienes estamos en recuperación. Aunque hayamos entregado nuestra vida a Dios y estemos esperando el día cuando quedarán atrás todos nuestros problemas, tenemos que vivir aquí y ahora. Estar en recuperación no quiere decir que podemos descuidar a nuestra familia, nuestro trabajo o a nuestras amistades. Cumplir con las responsabilidades que Dios nos ha dado contribuye a que nuestra vida regrese a la normalidad. La recuperación implica asumir nuestras responsabilidades, no dejarlas a un lado.

## EN ESENCIA

PROPÓSITO: Animar a los creyentes de Tesalónica a cumplir con sus responsabilidades diarias mientras esperaban con ansiedad el regreso de Cristo. AUTOR: El apóstol Pablo. DESTINATARIO: La iglesia de Tesalónica, ciudad en Macedonia. FECHA: Cerca del 51-52 d.C., durante el segundo viaje misionero de Pablo; poco después de haber escrito 1 Tesalonicenses. ESCENARIO: Algunos de los nuevos creyentes habían malentendido la primera carta de Pablo, pues pensaban que Jesús regresaría en cualquier momento. Luego usaron esa creencia como excusa y se volvieron perezosos y gente molesta, mientras esperaban el regreso de Cristo. VERSÍCULO CLAVE: «Y el Señor encamine vuestros corazones al amor de Dios, y a la paciencia de Cristo» (3.5). PERSONAS Y RELACIONES CLAVES: Pablo con Silas, Timoteo y los creyentes de Tesalónica.

## TEMAS SOBRE RECUPERACIÓN

*Dios es la fuente de nuestra esperanza:* A veces apartamos nuestros ojos de Dios y enfocamos demasiado nuestra atención en la recuperación. Nos decimos a nosotros mismos que si mantenemos nuestro empeño, todo va a salir bien. Pero cuando ponemos nuestra esperanza en cualquier cosa que no sea Dios, estamos preparando el camino para una recaída. Parte de las razones por las que estamos en recuperación es que reconocimos que nuestra vida se había vuelto inmanejable y que necesitábamos la ayuda de Dios. Si sólo dependemos de nuestra determinación, a la larga nos cansaremos demasiado de nuestras cargas y vamos a querer rendirnos. Pero si dependemos de Dios, él nos dará la fortaleza y el gozo que necesitamos para perseverar.

*La importancia de la perseverancia:* Algunos de los creyentes de Tesalónica se sentaron a esperar el regreso de Cristo. Su actitud perezosa e indiferente hacia las preocupaciones de la vida diaria les impidió vivir responsablemente. Pronto se convirtieron en carga para los demás. El hecho de confiar nuestra vida a Dios no nos da licencia para sencillamente no hacer nada. Debemos continuar esforzándonos, confiando en que Dios nos sostendrá y hará que el resultado de nuestra recuperación sea el deseado. Nuestra dependencia de Dios es una asociación con él; él no se convierte en nuestro esclavo. Si esperamos que él haga todo el trabajo, estamos condenados a recaer y nos alejaremos de las personas que tendrán que hacerse responsables por lo que nosotros no hagamos.

*El poder y la presencia consoladora de Dios:* Vivimos en una época en que la maldad parece ir en aumento, como ocurría en Tesalónica. El Nuevo Testamento nos dice que hasta que Cristo regrese, la maldad en efecto, seguirá aumentando. Pero esto no debe sorprendernos ni causarnos miedo; Dios es soberano sobre toda la tierra, sin importar lo malvado que se torne nuestro mundo. Mientras desarrollemos conscientemente nuestra relación con Dios y le sigamos entregando nuestra vida y nuestra voluntad, el Señor nos promete guardarnos del mal. Podemos obtener la victoria sobre la maldad en nuestra vida si nos mantenemos fieles a Dios y lo obedecemos.

---

### Salutación

**1** ¹ Pablo, Silvano y Timoteo, a la iglesia de los tesalonicenses*ᵃ* en Dios nuestro Padre y en el Señor Jesucristo:

² Gracia y paz a vosotros, de Dios nuestro Padre y del Señor Jesucristo.

### Dios juzgará a los pecadores en la venida de Cristo

³ Debemos siempre dar gracias a Dios por vosotros, hermanos, como es digno, por cuanto vuestra fe va creciendo, y el amor de todos y cada uno de vosotros abunda para con los demás;

⁴ tanto, que nosotros mismos nos gloriamos de vosotros en las iglesias de Dios, por vuestra paciencia y fe en todas vuestras persecuciones y tribulaciones que soportáis.

⁵ Esto es demostración del justo juicio de Dios, para que seáis tenidos por dignos del reino de Dios, por el cual asimismo padecéis.

⁶ Porque es justo delante de Dios pagar con tribulación a los que os atribulan,

⁷ y a vosotros que sois atribulados, daros reposo con nosotros, cuando se manifieste el Señor Jesús desde el cielo con los ángeles de su poder,

⁸ en llama de fuego, para dar retribución a los que

**1.1** *ᵃ* Hch. 17.1.

---

**1.3-5** Pablo se regocijó porque los tesalonicenses estaban madurando en su fe. Las dificultades por las que pasaron fueron un importante impulso para su crecimiento espiritual. Pablo nos recuerda que las pruebas son oportunidades de aprendizaje. Muchos de nosotros no estaríamos en recuperación si no hubiera sido por el dolor causado por nuestra dependencia. De la misma forma que Dios usó las dificultades para dar impulso al crecimiento de los tesalonicenses, también hace lo mismo con nosotros. Las situaciones dolorosas nos obligan a confesar que no podemos hacer nada sin Dios. Cuando reconozcamos que somos impotentes, podremos comenzar a edificar nuestra vida sobre el único fundamento seguro: Jesucristo.

**1.5-8** A veces consideramos que las dificultades son algo que tenemos que evadir a toda costa. No obstante, huimos de situaciones dolorosas sólo para que nos atrapen otros problemas serios. A veces el deseo de escapar del dolor es la base de nuestra destructiva adicción y de nuestra compulsión. A medida que aprendamos a enfrentar las circunstancias difíciles con la ayuda de Dios, seremos liberados del hábito adictivo que una vez usamos como escape. Las pruebas pueden convertirse en el motor que impulse nuestro crecimiento espiritual, y no en causa de fracaso y recaída.

no conocieron a Dios, ni obedecen al evangelio de nuestro Señor Jesucristo;

**9** los cuales sufrirán pena de eterna perdición, excluidos de la presencia del Señor y de la gloria de su poder,

**10** cuando venga en aquel día para ser glorificado en sus santos y ser admirado en todos los que creyeron (por cuanto nuestro testimonio ha sido creído entre vosotros).

**11** Por lo cual asimismo oramos siempre por vosotros, para que nuestro Dios os tenga por dignos de su llamamiento, y cumpla todo propósito de bondad y toda obra de fe con su poder,

**12** para que el nombre de nuestro Señor Jesucristo sea glorificado en vosotros, y vosotros en él, por la gracia de nuestro Dios y del Señor Jesucristo.

## Manifestación del hombre de pecado

**2** **1** Pero con respecto a la venida de nuestro Señor Jesucristo, y nuestra reunión con él,*a* os rogamos, hermanos,

**2** que no os dejéis mover fácilmente de vuestro modo de pensar, ni os conturbéis, ni por espíritu, ni por palabra, ni por carta como si fuera nuestra, en el sentido de que el día del Señor está cerca.

**3** Nadie os engañe en ninguna manera; porque no vendrá sin que antes venga la apostasía, y se manifieste el hombre de pecado, el hijo de perdición,

**4** el cual se opone y se levanta contra todo lo que se llama Dios o es objeto de culto;*b* tanto que se sienta en el templo de Dios como Dios, haciéndose pasar por Dios.

**5** ¿No os acordáis que cuando yo estaba todavía con vosotros, os decía esto?

**6** Y ahora vosotros sabéis lo que lo detiene, a fin de que a su debido tiempo se manifieste.

**7** Porque ya está en acción el misterio de la iniquidad; sólo que hay quien al presente lo detiene, hasta que él a su vez sea quitado de en medio.

**8** Y entonces se manifestará aquel inicuo, a quien el Señor matará con el espíritu de su boca,*c* y destruirá con el resplandor de su venida;

**2.1** *a* 1 Ts. 4.15-17.   **2.4** *b* Dn. 11.36.   **2.8** *c* Is. 11.4.

# Autoprotección

LEA 2 TESALONICENSES 3.1-8

Muchos de nosotros sabemos lo que es ser una carga para otros. Este es un efecto secundario común de estar bajo el control de alguna adicción o conducta compulsiva. A veces nuestra conducta hace que perdamos el trabajo. Como resultado, nos vemos en una gran necesidad económica. Esta humillación puede afectar a nuestra familia de muchas maneras. Nuestros seres queridos pueden volverse ansiosos y estar avergonzados por no haber provisto para sus necesidades.

El apóstol Pablo nos enseñó el siguiente modelo de comportamiento: «Porque vosotros mismos sabéis de qué manera debéis imitarnos; pues nosotros no anduvimos desordenadamente entre vosotros, ni comimos de balde el pan de nadie, sino que trabajamos con afán y fatiga día y noche» (2 Tesalonicenses 3.7-8). «Y que procuréis tener tranquilidad, y ocuparos en vuestros negocios, y trabajar con vuestras manos ... a fin de que os conduzcáis honradamente para con los de afuera, y no tengáis necesidad de nada» (1 Tesalonicenses 4.11-12).

Es importante que pensemos en cómo ha afectado a otros nuestra irresponsabilidad. Es posible que hayamos causado mucho dolor por nuestro fracaso al proveer para las necesidades de nuestra familia. Necesitamos reflexionar acerca de cómo este fracaso ha provocado que hayamos perdido su respeto y su confianza. La vergüenza de no hacer frente a este aspecto de nuestra vida puede ser sobradamente desalentadora. Una vez que enfrentemos esto y estemos dispuestos a reparar el daño, nuestra autoestima mejorará significativamente. Esto nos ayudará a eliminar algunas de nuestras tensiones diarias, dejándonos libres para continuar con nuestra recuperación.

*Vaya a la página 379, Hebreos 10.*

**1.9-10** La eterna perdición no se refiere al exterminio total sino a la eterna separación de la presencia sanadora de Dios y de su glorioso poder. Los tesalonicenses escaparon de esta terrible suerte al comprometer sus vidas con Dios. Nosotros tenemos la misma oportunidad: comenzar el proceso de fe que conduce a la recuperación emocional, física y espiritual.

**2.3-10** Pablo advirtió a los tesalonicenses sobre un poder maligno que opera en el mundo. Estos nuevos creyentes habían experimentando la obra de este opresor durante sus años como adoradores de ídolos. Nosotros experimentamos esa obra del mal en nuestra adicción o compulsión o en cualquier otra conducta disfuncional. Podemos regocijarnos en que cuando Jesús regrese vencerá completamente los poderes malignos que hay en este mundo. Y si le confiamos a él nuestra vida ahora, comenzará de inmediato en nosotros su obra de liberación.

**9** inicuo cuyo advenimiento es por obra de Satanás, con gran poder y señales y prodigios mentirosos,[d] **10** y con todo engaño de iniquidad para los que se pierden, por cuanto no recibieron el amor de la verdad para ser salvos. **11** Por esto Dios les envía un poder engañoso, para que crean la mentira, **12** a fin de que sean condenados todos los que no creyeron a la verdad, sino que se complacieron en la injusticia.

### Escogidos para salvación

**13** Pero nosotros debemos dar siempre gracias a Dios respecto a vosotros, hermanos amados por el Señor, de que Dios os haya escogido desde el principio para salvación, mediante la santificación por el Espíritu y la fe en la verdad, **14** a lo cual os llamó mediante nuestro evangelio, para alcanzar la gloria de nuestro Señor Jesucristo. **15** Así que, hermanos, estad firmes, y retened la doctrina que habéis aprendido, sea por palabra, o por carta nuestra.

**16** Y el mismo Jesucristo Señor nuestro, y Dios nuestro Padre, el cual nos amó y nos dio consolación eterna y buena esperanza por gracia, **17** conforte vuestros corazones, y os confirme en toda buena palabra y obra.

### Que la palabra de Dios sea glorificada

**3** **1** Por lo demás, hermanos, orad por nosotros, para que la palabra del Señor corra y sea glorificada, así como lo fue entre vosotros,

**2** y para que seamos librados de hombres perversos y malos; porque no es de todos la fe. **3** Pero fiel es el Señor, que os afirmará y guardará del mal. **4** Y tenemos confianza respecto a vosotros en el Señor, en que hacéis y haréis lo que os hemos mandado. **5** Y el Señor encamine vuestros corazones al amor de Dios, y a la paciencia de Cristo.

### El deber de trabajar

**6** Pero os ordenamos, hermanos, en el nombre de nuestro Señor Jesucristo, que os apartéis de todo hermano que ande desordenadamente, y no según la enseñanza que recibisteis de nosotros. **7** Porque vosotros mismos sabéis de qué manera debéis imitarnos; pues nosotros no anduvimos desordenadamente entre vosotros, **8** ni comimos de balde el pan de nadie, sino que trabajamos con afán y fatiga día y noche, para no ser gravosos a ninguno de vosotros; **9** no porque no tuviésemos derecho, sino por daros nosotros mismos un ejemplo para que nos imitaseis. **10** Porque también cuando estábamos con vosotros, os ordenábamos esto: Si alguno no quiere trabajar, tampoco coma. **11** Porque oímos que algunos de entre vosotros andan desordenadamente, no trabajando en nada, sino entremetiéndose en lo ajeno. **12** A los tales mandamos y exhortamos por nuestro Señor Jesucristo, que trabajando sosegadamente, coman su propio pan.

**2.9** [d] Mt. 24.24.

---

**2.15-16** Pablo elogió a los tesalonicenses por su fe ejemplar y los animó a mantenerse firmes y a retener las verdades que habían aprendido. Nosotros debemos hacer lo mismo si aspiramos a progresar en la recuperación. Si no podemos encarar la verdad sobre nuestra vida, entonces ni siquiera podemos empezar el proceso. Es imperativo reconocer que somos impotentes y que necesitamos la ayuda de Dios para sobrevivir y crecer espiritualmente. Reconocer este hecho es un paso fundamental hacia la recuperación.

**3.1-2** Pablo involucró a sus lectores en su vida y ministerio al pedirles que oraran por él. Él no se colocó por encima de ellos, sino que les comunicó cuánto necesitaba de sus oraciones, de la misma manera que necesitaba del poder de Dios para su continua protección. Nos muestra así cómo su supervivencia estaba unida al crecimiento espiritual de otros. En tanto que los tesalonicenses oraban por Pablo, formaban parte de la vida de él, tanto en sus luchas como en sus victorias. Al ser Pablo liberado, ellos se regocijaron y fueron fortalecidos, pues vieron la clara respuesta de Dios a sus oraciones. De igual manera, nuestras relaciones personales en el proceso de recuperación producen aliento mutuo.

**3.6-10** Al parecer, muchos de los tesalonicenses habían dejado de trabajar mientras esperaban el regreso de Cristo. Su comprensión errónea los había llevado a vivir irresponsablemente. Por eso Pablo les dijo a estos creyentes que regresaran al trabajo. Si se negaban a trabajar, entonces tendrían que enfrentar las consecuencias: no comerían. Como Dios ha prometido ayudarnos en nuestra recuperación, podemos vernos tentados a esperar ociosamente que venga esa ayuda. Pero la cosa no es así. Necesitamos participar activamente en el plan que Dios tiene para nosotros. Si no damos los pasos de fe necesarios, tendremos que enfrentar la consecuencia: el fracaso de nuestra recuperación.

**3.11-13** Algunos tesalonicenses habían comenzado a entrometerse en los asuntos de otras personas. Esta práctica es extremadamente destructiva para el proceso de recuperación. No sólo fomenta el desaliento en las personas a las que se molesta, sino que evita que examinemos nuestra vida como es

**13** Y vosotros, hermanos, no os canséis de hacer bien.

**14** Si alguno no obedece a lo que decimos por medio de esta carta, a ése señaladlo, y no os juntéis con él, para que se avergüence.

**15** Mas no lo tengáis por enemigo, sino amonestadle como a hermano.

## Bendición final

**16** Y el mismo Señor de paz os dé siempre paz en toda manera. El Señor sea con todos vosotros.

**17** La salutación es de mi propia mano, de Pablo, que es el signo en toda carta mía; así escribo.

**18** La gracia de nuestro Señor Jesucristo sea con todos vosotros. Amén.

debido. En lugar de hacer un inventario de nuestra vida, enfocamos nuestro interés en las vidas de los demás. Pablo exhortó a los tesalonicenses a enderezar las cosas y a vivir en el poder de Dios. De no hacerlo, ese estilo de vida, lleno de chismes, provocaría el retraso de su propia recuperación, además de desalentar a otros.

# PRIMERA TIMOTEO

Pablo y Timoteo mantenían una relación especial. Timoteo había llegado a la fe en Cristo como resultado del ministerio de Pablo y rápidamente se unió al grupo itinerante del apóstol. Mientras viajaban y ministraban juntos, la relación que se estableció entre ellos fue como la de un padre y su hijo. Al madurar Timoteo en su fe, Pablo lo puso al frente de la iglesia de Efeso. Como ministro joven, Timoteo tuvo que hacer frente a muchos retos y problemas. Pablo escribió esta carta para aconsejar y alentar a su joven protegido.

Aunque esta carta es de naturaleza personal, Pablo incluyó en ella un caudal de consejos sobre cómo enfrentar los problemas que surgen en la iglesia. Además, presentó una clara imagen de cómo debe ser una iglesia cristiana. Cada iglesia, por ejemplo, debe tener una sana enseñanza espiritual, fiel adoración, fuerte liderazgo, dedicación a la palabra de Dios y servicios a los necesitados. Estas son las características que hacen de una comunidad de fe un lugar de redención y sanidad.

La recuperación es un proceso a largo plazo. En la búsqueda de plenitud necesitamos un ambiente sano y estimulante, donde podamos poner nuestros asuntos en orden y forjar una nueva vida. En este aspecto, tanto los consejeros profesionales como los grupos de recuperación tienen sus límites. Necesitamos encontrar un contexto más permanente para nuestro propio cuidado y apoyo a largo plazo.

El contexto ideal para este tipo de ayuda es una sana comunidad de fe. Sin embargo, no todas las iglesias califican para alcanzar esta distinción. La iglesia ideal provee el contexto adecuado para que se dé una afectuosa rendición de cuentas, como en la iglesia que se describe en esta carta. Una iglesia debe ser una especie de hospital para los que sufren, un lugar donde puedan curarse viejas heridas y reconstruirse vidas. Todos necesitamos una familia de fe que sea saludable y nos ayude en el continuo proceso de recuperación.

## EN ESENCIA

PROPÓSITO: Alentar a Timoteo, joven ministro del evangelio, en un momento en el que enfrentaba circunstancias difíciles. AUTOR: El apóstol Pablo. DESTINATARIO: Timoteo. FECHA: Cerca del 64 d.C., justo antes de que Pablo fuera encarcelado en Roma. ESCENARIO: Timoteo era uno de los amigos más cercanos de Pablo. El apóstol lo había enviado a ayudar a la iglesia de Efeso y ahora le estaba escribiendo para darle consejos prácticos sobre ciertos problemas que Timoteo estaba enfrentando. VERSÍCULO CLAVE: «Manteniendo la fe y buena conciencia» (1.19). PERSONAS Y RELACIONES CLAVE: Pablo con Timoteo.

## TEMAS SOBRE RECUPERACIÓN

*La verdad produce sanidad:* Pablo instó a Timoteo a preservar la fe cristiana y hablar solamente la verdad. Timoteo se enfrentaba a falsos maestros que estaban tratando de socavar su trabajo. Las únicas armas que tenía eran la verdad sobre Cristo y un estilo de vida piadoso que respaldaba todo lo que enseñaba. Pablo sabía que sólo la verdad sobre Dios en Jesucristo podía producir sanidad y recuperación en las personas quebrantadas, y quería que Timoteo también estuviera convencido de esto. Y sigue siendo verdad: sólo Jesucristo nos ofrece verdadera libertad. Nuestra tarea es defender y comunicar el mensaje de que Dios tiene poder para sanarnos por medio de la fe en Cristo. Podemos hacer esto proclamando la verdad sobre el poder de Dios y respaldando nuestras palabras con el testimonio de nuestra vida transformada.

*La importancia de la disciplina:* Pablo le pidió encarecidamente a Timoteo que se disciplinara. La autodisciplina no niega nuestra necesidad del poder de Dios, de la misma manera que tampoco la ayuda misericordiosa de Dios niega nuestra necesidad de autodisciplina. Ambas cosas son necesarias para que el programa de recuperación sea exitoso. Necesitamos mantenernos en buena condición espiritual y emocional para así recibir la poderosa ayuda que Dios nos ofrece. Debemos continuar haciendo nuestro inventario moral y corrigiendo los errores que descubramos. También debemos involucrarnos en actividades que intensifiquen nuestro contacto consciente con Dios. Estas disciplinas estimularán nuestro crecimiento espiritual y nos mantendrán en el camino correcto hacia la recuperación.

*Dios obra a través de las personas:* Una parte importante de la recuperación tiene que ver con nuestras relaciones con otras personas. Pablo le dio a Timoteo instrucciones específicas sobre cómo relacionarse con la gente de su iglesia. El consejo de Pablo también se aplica a nuestras relaciones, especialmente al llevar a otros el mensaje de esperanza. Preocuparnos los unos por los otros muestra el poder de Dios que obra en nosotros; y nos recuerda, además, cómo se preocuparon otros por nosotros cuando comenzamos nuestra recuperación.

*Hacer inventario moral conduce a una conducta sabia:* La recuperación siempre se produce en un contexto de relaciones personales. Por lo tanto, hacer nuestro inventario personal debe llevarnos a mejorar la manera en que nos relacionamos con los demás. Quizás no ocupemos en una posición de liderazgo, pero siempre somos ejemplo para otros. Si hacemos regularmente nuestro inventario, todo el mundo gana: nosotros ganamos porque crecemos; otros ganan porque reciben aliento. La recuperación exitosa nos conducirá a la sanidad de nuestras relaciones quebrantadas.

---

### Salutación

**1** ¹ Pablo, apóstol de Jesucristo por mandato de Dios nuestro Salvador, y del Señor Jesucristo nuestra esperanza,

² a Timoteo,ª verdadero hijo en la fe: Gracia, misericordia y paz, de Dios nuestro Padre y de Cristo Jesús nuestro Señor.

### Advertencia contra falsas doctrinas

³ Como te rogué que te quedases en Efeso, cuando fui a Macedonia, para que mandases a algunos que no enseñen diferente doctrina,

⁴ ni presten atención a fábulas y genealogías interminables, que acarrean disputas más bien que edificación de Dios que es por fe, así te encargo ahora.

⁵ Pues el propósito de este mandamiento es el amor nacido de corazón limpio, y de buena conciencia, y de fe no fingida,

⁶ de las cuales cosas desviándose algunos, se apartaron a vana palabrería,

⁷ queriendo ser doctores de la ley, sin entender ni lo que hablan ni lo que afirman.

⁸ Pero sabemos que la ley es buena, si uno la usa legítimamente;

**1.2** ª Hch. 16.1.

---

**1.3-7** Al parecer, algunos falsos maestros en Efeso estaban enseñando que para alcanzar la salvación era necesario tener cierto conocimiento y realizar ciertas actividades. Tales enseñanzas estaban dividiendo a los creyentes, y algunos de ellos sostenían poseer un conocimiento especial. Esto también alejó a los creyentes de los fundamentos de la fe y único camino a la salvación: la fe en Jesucristo. Hoy día muchos pretenden tener soluciones para lograr la recuperación de las personas adictas y muchos de sus programas asumen que pueden lograr tal recuperación sin la ayuda de Dios. Debemos prestar atención a la exhortación de Pablo y alejarnos de quienes enseñen tales cosas. Sólo Dios tiene poder para libertarnos.

# TIMOTEO

Cuando encontramos un buen amigo, encontramos un tesoro. Esto es especialmente cierto cuando estamos luchando en las diferentes etapas de la recuperación. Necesitamos personas que sean fieles y estén dispuestas a perseverar con nosotros a través de los momentos difíciles. Necesitamos el amor y la aceptación que sólo los buenos amigos pueden dar. La amistad entre el joven Timoteo y el apóstol Pablo les dio mucho apoyo y aliento a ambos.

Pablo describió a Timoteo como un hermano fiel con una sólida reputación. Timoteo sentía devoción por Pablo y fue parte de muchos de los triunfos del ministerio del apóstol. Pero Timoteo no se mantuvo cerca de Pablo sólo cuando las cosas iban bien, sino que lo acompañó durante los momentos difíciles de encarcelamiento, tortura y burla. Sus años de ministerio compartido produjeron una amistad de toda la vida.

Pablo se refiere a Timoteo con admiración en muchas de sus cartas. Lo llamó «mi hijo amado y fiel en el Señor» (1 Corintios 4.17) y «mi colaborador» (Romanos 16.21). En su carta a los filipenses, Pablo se refirió a Timoteo muy elogiosamente, y dijo que este había sido «como hijo» para él (Filipenses 2.22). En sus cartas al propio Timoteo, Pablo le expresó su gran cariño por él. La intervención personal de Pablo en el ministerio de Timoteo se hizo evidente cuando el apóstol le dice: «aviva el fuego del don de Dios que está en ti por la imposición de mis manos» (2 Timoteo 1.6).

A Timoteo nunca se le conoció como un líder carismático o de fuerte personalidad. Al parecer era en cierto modo tímido y temía enfrentarse a los demás, especialmente a los ancianos. Pero era fiel y perseveró en su ministerio a pesar de sus temores y sus pruebas. Pablo apoyó a Timoteo en su ministerio, reconociendo que Dios había escogido a este joven para un servicio especial para él. A pesar de las debilidades del joven Timoteo, Dios lo usó para edificar la iglesia y para alentar a Pablo, su colaborador más carismático.

La recuperación requiere que permitamos que otras personas lleguen a ser parte de nuestra vida, tanto para mutuo apoyo como para rendición de cuentas. Necesitamos pedirle a Dios algunos «Timoteos», personas con integridad, en las que podamos confiar y que permanezcan a nuestro lado bajo cualquier circunstancia. Cuando encontremos a nuestros Timoteos, estaremos mejor preparados para enfrentar las pruebas de la recuperación.

## FORTALEZAS Y LOGROS:
- Timoteo tenía una excelente reputación por su fidelidad.
- Era un amigo especial del apóstol Pablo.
- Se mantuvo al lado de Pablo aún en las circunstancias más difíciles.
- Era un fiel ministro del evangelio.

## DEBILIDADES Y ERRORES:
- Timoteo luchó con su juventud y timidez.
- Tenía problemas estomacales, posiblemente relacionados con la ansiedad.

## LECCIONES PARA NUESTRA VIDA:
- Nuestros miedos y defectos no deben detener nuestro servicio a Dios.
- Las buenas amistades son extremadamente valiosas, en especial en la recuperación.

## VERSÍCULOS CLAVE:
«Por lo cual, no pudiendo soportarlo más, acordamos quedarnos solos en Atenas, y enviamos a Timoteo nuestro hermano, servidor de Dios y colaborador nuestro en el evangelio de Cristo, para confirmaros y exhortaros respecto a vuestra fe, a fin de que nadie se inquiete por estas tribulaciones; porque vosotros mismos sabéis que para esto estamos puestos» (1 Tesalonicenses 3.1-3).

A Timoteo se lo menciona por primera vez en Hechos 16.1-5 y también en otros pasajes de ese libro. Él es el recipiente de las cartas paulinas que llevan su nombre (1 y 2 de Timoteo). Se lo menciona, además, en estos textos: Romanos 16.21; 1 Corintios 4.17; 16.10-11; 2 Corintios 1.1,19; Filipenses 1.1; 2.19-23; Colosenses 1.1; 1 Tesalonicenses 1.1-10; 3.2-6; Filemón 1.1 y Hebreos 13.23.

---

**9** conociendo esto, que la ley no fue dada para el justo, sino para los transgresores y desobedientes, para los impíos y pecadores, para los irreverentes y profanos, para los parricidas y matricidas, para los homicidas,
**10** para los fornicarios, para los sodomitas, para los secuestradores, para los mentirosos y perjuros, y para cuanto se oponga a la sana doctrina,

**11** según el glorioso evangelio del Dios bendito, que a mí me ha sido encomendado.

## El ministerio de Pablo
**12** Doy gracias al que me fortaleció, a Cristo Jesús nuestro Señor, porque me tuvo por fiel, poniéndome en el ministerio,
**13** habiendo yo sido antes blasfemo, perseguidor[b]

**1.13** [b] Hch. 8.3; 9.4-5.

e injuriador; mas fui recibido a misericordia porque lo hice por ignorancia, en incredulidad.

**14** Pero la gracia de nuestro Señor fue más abundante con la fe y el amor que es en Cristo Jesús.

**15** Palabra fiel y digna de ser recibida por todos: que Cristo Jesús vino al mundo para salvar a los pecadores, de los cuales yo soy el primero.

**16** Pero por esto fui recibido a misericordia, para que Jesucristo mostrase en mí el primero toda su clemencia, para ejemplo de los que habrían de creer en él para vida eterna.

**17** Por tanto, al Rey de los siglos, inmortal, invisible, al único y sabio Dios, sea honor y gloria por los siglos de los siglos. Amén.

**18** Este mandamiento, hijo Timoteo, te encargo, para que conforme a las profecías que se hicieron antes en cuanto a ti, milites por ellas la buena milicia,

**19** manteniendo la fe y buena conciencia, desechando la cual naufragaron en cuanto a la fe algunos,

**20** de los cuales son Himeneo y Alejandro, a quienes entregué a Satanás para que aprendan a no blasfemar.

**Instrucciones sobre la oración**

**2** **1** Exhorto ante todo, a que se hagan rogativas, oraciones, peticiones y acciones de gracias, por todos los hombres;

**2** por los reyes y por todos los que están en eminencia, para que vivamos quieta y reposadamente en toda piedad y honestidad.

**3** Porque esto es bueno y agradable delante de Dios nuestro Salvador,

**4** el cual quiere que todos los hombres sean salvos y vengan al conocimiento de la verdad.

**5** Porque hay un solo Dios, y un solo mediador entre Dios y los hombres, Jesucristo hombre,

**6** el cual se dio a sí mismo en rescate por todos, de lo cual se dio testimonio a su debido tiempo.

**7** Para esto yo fui constituido predicador y apóstol (digo verdad en Cristo, no miento), y maestro de los gentiles en fe y verdad.[a]

**8** Quiero, pues, que los hombres oren en todo lugar, levantando manos santas, sin ira ni contienda.

**9** Asimismo que las mujeres se atavíen de ropa decorosa, con pudor y modestia; no con peinado ostentoso, ni oro, ni perlas, ni vestidos costosos,[b]

**10** sino con buenas obras, como corresponde a mujeres que profesan piedad.

**11** La mujer aprenda en silencio, con toda sujeción.

**12** Porque no permito a la mujer enseñar, ni ejercer dominio sobre el hombre, sino estar en silencio.

**13** Porque Adán fue formado primero,[c] después Eva;[d]

**14** y Adán no fue engañado, sino que la mujer, siendo engañada, incurrió en transgresión.[e]

**15** Pero se salvará engendrando hijos, si permaneciere en fe, amor y santificación, con modestia.

---

**2.7** [a] 2 Ti. 1.11.   **2.9** [b] 1 P. 3.3.   **2.13** [c] Gn. 2.7.   [d] Gn. 2.21-22.   **2.14** [e] Gn. 3.1-6.

---

**1.18-20** Pablo le ordenó a Timoteo que peleara bien las batallas de Dios. En cierto sentido, este mandato estaba en consonancia con los pensamientos anteriores sobre defender la verdad de Dios ante los falsos maestros. Sin embargo, la verdadera batalla no se daba en el plano de las ideas; implicaba, más bien, actuar de tal manera que la conducta reflejara una relación íntima con Dios. Pablo le dijo a Timoteo que se aferrara a su fe y mantuviera su conciencia limpia. Su vida debía exhibir el poder de Dios. Nuestras creencias son también importantes, pero debemos avanzar desde *pensar* las cosas correctas a *hacer* las cosas correctas. Es ahí donde se ganan las verdaderas batallas divinas. Nuestro compromiso con la recuperación se hará evidente cuando demos los pasos necesarios, aunque algunos de ellos sean dolorosos, y vivamos de tal manera nuestra relación con Dios que les mostremos a los demás el consuelo y la liberación que pueden encontrarse en él.

**2.1-2** Aquí Pablo muestra porqué la oración es esencial para crear un ambiente apacible para el crecimiento espiritual. Por medio de la oración, tanto pública como privada, se promueven y se fortalecen el orden y la paz. La oración incluye dar gracias por las bendiciones de Dios e interceder por otros. Este es uno de los beneficios que con frecuencia pasamos por alto mientras trabajamos en nuestro programa. Con tanta facilidad podemos centrarnos tanto en nuestras actividades que olvidamos pedirle ayuda a Dios. La oración mejora nuestro contacto consciente con Dios. La oración regular también nos recuerda que somos impotentes sin la continua y poderosa ayuda divina.

**2.3-5** El que Dios quiera que todos seamos salvos es una noticia alentadora. No importa cuán irremediable pueda parecer nuestra vida, cuán malos hayamos sido o cuán mal otros nos hayan tratado, Dios quiere que nos acerquemos a él. La verdad es que todos estamos separados de Dios por el pecado hasta que le entregamos nuestra vida a Cristo, quien tendió un puente sobre el abismo entre el hombre y Dios. El Señor nos da poder para recuperarnos cuando confesamos nuestra impotencia y le pedimos a Jesús perdón, salvación y ayuda.

**3.1-7** Pablo describió al posible líder como alguien que tiene autocontrol y madurez espiritual, y que gobierna bien a su propia familia. El hogar es la prueba más confiable para los líderes potenciales. Es también el lugar donde podemos manifestar nuestro progreso en la recuperación. Como es muy probable

## Requisitos de los obispos

**3** **1** Palabra fiel: Si alguno anhela obispado, buena obra desea.

**2** Pero es necesario que el obispo sea irreprensible, marido de una sola mujer, sobrio, prudente, decoroso, hospedador, apto para enseñar;

**3** no dado al vino, no pendenciero, no codicioso de ganancias deshonestas, sino amable, apacible, no avaro;

**4** que gobierne bien su casa, que tenga a sus hijos en sujeción con toda honestidad

**5** (pues el que no sabe gobernar su propia casa, ¿cómo cuidará de la iglesia de Dios?);

**6** no un neófito, no sea que envaneciéndose caiga en la condenación del diablo.

**7** También es necesario que tenga buen testimonio de los de afuera, para que no caiga en descrédito y en lazo del diablo.ª

## Requisitos de los diáconos

**8** Los diáconos asimismo deben ser honestos, sin doblez, no dados a mucho vino, no codiciosos de ganancias deshonestas;

**9** que guarden el misterio de la fe con limpia conciencia.

**10** Y éstos también sean sometidos a prueba primero, y, entonces ejerzan el diaconado, si son irreprensibles.

**11** Las mujeres asimismo sean honestas, no calumniadoras, sino sobrias, fieles en todo.

**12** Los diáconos sean maridos de una sola mujer, y que gobiernen bien sus hijos y sus casas.

**13** Porque los que ejerzan bien el diaconado, ganan para sí un grado honroso, y mucha confianza en la fe que es en Cristo Jesús.

## El misterio de la piedad

**14** Esto te escribo, aunque tengo la esperanza de ir pronto a verte,

**15** para que si tardo, sepas cómo debes conducirte en la casa de Dios, que es la iglesia del Dios viviente, columna y baluarte de la verdad.

**16** E indiscutiblemente, grande es el misterio de la piedad:

Dios fue manifestado en carne,
Justificado en el Espíritu,
Visto de los ángeles,
Predicado a los gentiles,

**3.2-7** ª Tit. 1.6-9.

**PASO 10**

## Ejercicios espirituales

LECTURA BÍBLICA: 1 Timoteo 4.7-8

**Continuamos haciendo nuestro inventario personal y cuando nos equivocamos, lo admitimos inmediatamente.**

Es asombroso lo que pueden hacer los seres humanos como resultado de sus persistentes esfuerzos disciplinados. ¿Cuántas veces hemos visto a experimentados gimnastas u otros atletas y nos hemos maravillado ante la desenvoltura de sus ejecuciones? Nos damos cuenta de que han desarrollado esas habilidades a través de un riguroso entrenamiento, que es lo que distingue a los verdaderos atletas de los espectadores. Realizar regularmente nuestro inventario personal exige una autodisciplina parecida.

Pablo le escribió a Timoteo: «Desecha las fábulas profanas y de viejas. Ejercítate para la piedad; porque el ejercicio corporal para poco es provechoso, pero la piedad para todo aprovecha, pues tiene promesa de esta vida presente, y de la venidera» (1 Timoteo 4.7-8). La palabra que se traduce por «ejercicio» se refería específicamente al disciplinado entrenamiento que llevaban a cabo los gimnastas en tiempos de Pablo.

La fortaleza y la agilidad espiritual vienen sólo a través de la práctica. Necesitamos desarrollar nuestros músculos espirituales por medio del esfuerzo perseverante y de la disciplina diaria. Seguir haciendo nuestro inventario personal es una disciplina que necesitamos desarrollar. Como el atleta, podemos motivarnos a nosotros mismos para seguir practicando disciplinadamente las rutinas diarias si estamos a la expectativa de nuestra recompensa. Este tipo de disciplina «tiene promesa de esta vida presente, y de la venidera» (1 Timoteo 4.8). Los resultados no llegan de un día para otro. Pero al seguir practicando estas disciplinas cada día, a la larga cosecharemos los beneficios. ***Vaya a la página 355, 2 Timoteo 2.***

que nuestros familiares hayan sido víctimas de nuestra dependencia, es esencial que reparemos el daño que les hemos causado. A veces resulta más difícil restaurar nuestras relaciones personales más cercanas. Pero la recuperación exitosa siempre involucra a los miembros de nuestra familia y produce el restablecimiento de las relaciones familiares rotas.

**3.16** Pablo les había estado recordando a los creyentes tesalonicenses que el camino para vivir

Creído en el mundo,
Recibido arriba en gloria.

## Predicción de la apostasía

**4** **1** Pero el Espíritu dice claramente que en los postreros tiempos algunos apostatarán de la fe, escuchando a espíritus engañadores y a doctrinas de demonios;

**2** por la hipocresía de mentirosos que, teniendo cauterizada la conciencia,

**3** prohibirán casarse, y mandarán abstenerse de alimentos que Dios creó para que con acción de gracias participasen de ellos los creyentes y los que han conocido la verdad.

**4** Porque todo lo que Dios creó es bueno, y nada es de desecharse, si se toma con acción de gracias;

**5** porque por la palabra de Dios y por la oración es santificado.

## Un buen ministro de Jesucristo

**6** Si esto enseñas a los hermanos, serás buen ministro de Jesucristo, nutrido con las palabras de la fe y de la buena doctrina que has seguido.

**7** Desecha las fábulas profanas y de viejas. Ejercítate para la piedad;

**8** porque el ejercicio corporal para poco es provechoso, pero la piedad para todo aprovecha, pues tiene promesa de esta vida presente, y de la venidera.

**9** Palabra fiel es esta, y digna de ser recibida por todos.

**10** Que por esto mismo trabajamos y sufrimos oprobios, porque esperamos en el Dios viviente, que es el Salvador de todos los hombres, mayormente de los que creen.

**11** Esto manda y enseña.

**12** Ninguno tenga en poco tu juventud, sino sé ejemplo de los creyentes en palabra, conducta, amor, espíritu, fe y pureza.

**13** Entre tanto que voy, ocúpate en la lectura, la exhortación y la enseñanza.

**14** No descuides el don que hay en ti, que te fue dado mediante profecía con la imposición de las manos del presbiterio.

**15** Ocúpate en estas cosas; permanece en ellas, para que tu aprovechamiento sea manifiesto a todos.

**16** Ten cuidado de ti mismo y de la doctrina; persiste en ello, pues haciendo esto, te salvarás a ti mismo y a los que te oyeren.

## Deberes hacia los demás

**5** **1** No reprendas al anciano, sino exhórtale como a padre; a los más jóvenes, como a hermanos;

---

piadosamente nunca es fácil. Todos sabemos esto. Ya hemos reconocido que no podemos hacerlo solos. Aun con la poderosa ayuda de Dios, cada paso de confesión y sanidad puede ser doloroso. No obstante, Jesucristo ya pagó la deuda por nuestros pecados y fracasos. Él preparó el camino para nuestra recuperación y estará a nuestro lado en cada paso que demos. No importa cuan difícil pueda ser el proceso de recuperación, Jesucristo puede darnos el poder para comenzar de nuevo. Él ya resucitó a una nueva vida; y ahora nos ofrece hacer lo mismo con nosotros.

**4.1-5** Uno de los errores sobre el que Pablo advirtió a Timoteo fue la negación de sí mismo religiosamente motivada. ¿Qué hay de malo en esto? ¿Acaso no fue el desenfreno lo que nos metió en problemas a la mayoría de nosotros en primer lugar? Pablo señaló que los placeres ofrecidos por Dios deben disfrutarse con acción de gracias y no deben rechazarse en nombre de la espiritualidad. Algunos líderes que están en recuperación les han pedido a sus seguidores que abandonen todas las formas de placer para eliminar de sus vidas la tendencia hacia la adicción. Sin embargo, si ya hemos seguido este consejo, sabemos que la abstención total lleva a un hambre más profunda y a una probable recaída. Dios nos ha dado muchos placeres terrenales legítimos. Cuando aprendamos a reemplazar nuestra esclavizante dependencia con actividades sanas, seremos menos tentados a huir de los problemas de la vida refugiándonos en nuestra adicción.

**4.7-10** Pablo instó a Timoteo a no discutir sobre asuntos insignificantes y le dijo que se concentrara en entrenarse para estar espiritualmente en buena forma. En la etapa de recuperación es fácil dejarse llevar por las nuevas ideas y soluciones para nuestros problemas, o las fortalezas y debilidades de unos programas frente a otros. Sólo podemos mantenernos en buena forma espiritual haciendo un inventario moral regular, reconociendo nuestras fallas y buscando reparar el daño que hayamos causado. Podemos progresar en la recuperación sólo si estamos dispuestos a dar los primeros pasos y a entrenar con disciplina.

**4.11-16** Pablo exhorta a Timoteo a compartir, por medio de la palabra y de los hechos, las buenas nuevas de una nueva vida en Cristo. A veces olvidamos que la manera más eficaz de comunicar nuestra historia de liberación es viviéndola. Nada de lo que podamos decir puede testificar con más fuerza del poder de Dios que los cambios que las personas puedan ver en nosotros y en nuestras acciones. Algunas personas siempre cuestionarán la autenticidad de lo que digamos, pero nadie podrá cuestionar la evidencia de una vida transformada. Cuando encomendamos a Dios nuestra vida, podemos experimentar el poder transformador prometido por medio de Jesucristo. Permitirle a Dios que nos cambie es la mejor manera de ayudar a otros a iniciar la etapa de la recuperación.

<sup>2</sup> a las ancianas, como a madres; a las jovencitas, como a hermanas, con toda pureza.

<sup>3</sup> Honra a las viudas que en verdad lo son.

<sup>4</sup> Pero si alguna viuda tiene hijos, o nietos, aprendan éstos primero a ser piadosos para con su propia familia, y a recompensar a sus padres; porque esto es lo bueno y agradable delante de Dios.

<sup>5</sup> Mas la que en verdad es viuda y ha quedado sola, espera en Dios, y es diligente en súplicas y oraciones noche y día.

<sup>6</sup> Pero la que se entrega a los placeres, viviendo está muerta.

<sup>7</sup> Manda también estas cosas, para que sean irreprensibles;

<sup>8</sup> porque si alguno no provee para los suyos, y mayormente para los de su casa, ha negado la fe, y es peor que un incrédulo.

<sup>9</sup> Sea puesta en la lista sólo la viuda no menor de sesenta años, que haya sido esposa de un solo marido,

<sup>10</sup> que tenga testimonio de buenas obras; si ha criado hijos; si ha practicado la hospitalidad; si ha lavado los pies de los santos; si ha socorrido a los afligidos; si ha practicado toda buena obra.

<sup>11</sup> Pero viudas más jóvenes no admitas; porque cuando, impulsadas por sus deseos, se rebelan contra Cristo, quieren casarse,

<sup>12</sup> incurriendo así en condenación, por haber quebrantado su primera fe.

<sup>13</sup> Y también aprenden a ser ociosas, andando de casa en casa; y no solamente ociosas, sino también chismosas y entremetidas, hablando lo que no debieran.

<sup>14</sup> Quiero, pues, que las viudas jóvenes se casen, críen hijos, gobiernen su casa; que no den al adversario ninguna ocasión de maledicencia.

<sup>15</sup> Porque ya algunas se han apartado en pos de Satanás.

<sup>16</sup> Si algún creyente o alguna creyente tiene viudas, que las mantenga, y no sea gravada la iglesia, a fin de que haya lo suficiente para las que en verdad son viudas.

<sup>17</sup> Los ancianos que gobiernan bien, sean tenidos por dignos de doble honor, mayormente los que trabajan en predicar y enseñar.

PASO **12**

### Conversación al paso

LECTURA BÍBLICA: 1 Timoteo 4.14-16

**Luego de experimentar un despertar espiritual como resultado de estos pasos, tratamos de llevar este mensaje a otros y practicar estos principios en todos nuestros asuntos.**

Cuando nos demos cuenta de todo lo que hemos ganado al seguir los Doce Pasos, lo natural será que queramos compartir con otros este mensaje de vida. Si recordamos la época antes de comenzar nuestra recuperación, probablemente nos acordemos de que no respondimos muy bien a las «predicaciones». Sin embargo, también nos damos cuenta de que hay personas en nuestra vida que podrían beneficiarse con nuestro mensaje. Por esto necesitamos comunicar nuestra historia, y hacerlo con delicadeza.

El apóstol Pablo le enseñó a Timoteo que para extender el mensaje del evangelio no sólo tenía que enseñar a otros sino también servir de ejemplo al poner en práctica sus creencias. Pablo dijo: «Ocúpate en estas cosas; permanece en ellas, para que tu aprovechamiento sea manifiesto a todos. Ten cuidado de ti mismo y de la doctrina; persiste en ello, pues haciendo esto, te salvarás a ti mismo y a los que te oyeren» (1 Timoteo 4.15-16). Cuando practicamos los principios de los Doce Pasos, otros nos estarán observando y notarán los cambios. Esto nos dará la oportunidad de contar nuestra historia.

Cada adicto es un alma perdida a la que Dios ama y quiere rescatar. «Hermanos, si alguno de entre vosotros se ha extraviado de la verdad ... el que haga volver al pecador del error de su camino, salvará de muerte un alma, y cubrirá multitud de pecados» (Santiago 5.19-20). ***Vaya a la página 365, Tito 3.***

---

**5.1-2** Pablo le recordó a Timoteo que tratara a todas las personas, jóvenes y ancianos, con respeto. También nos recuerda la importancia de las relaciones personales saludables en la comunidad cristiana. La doctrina sana, la adoración apropiada y el liderazgo piadoso son todas características importantes, pero a menos que tratemos a la gente con amor y respeto, la iglesia nunca será el lugar donde puedan crecer las personas que están en recuperación. La cortesía y el afecto que pedía Pablo convertirán a la comunidad cristiana en el lugar donde pueda producirse sanidad y donde las vidas pueden reconstruirse.

**5.3-10** Pablo dio a entender claramente que la comunidad cristiana debe mostrar especial cuidado por sus viudas. Estas instrucciones de Pablo reflejan la preocupación de Dios por los desprotegidos y rechazados de la sociedad. Esto es alentador para nosotros porque todos sabemos qué es estar desprotegido y ser

**18** Pues la Escritura dice: No pondrás bozal al buey que trilla;*a* y: Digno es el obrero de su salario.*b*

**19** Contra un anciano no admitas acusación sino con dos o tres testigos.*c*

**20** A los que persisten en pecar, repréndelos delante de todos, para que los demás también teman.

**21** Te encarezco delante de Dios y del Señor Jesucristo, y de sus ángeles escogidos, que guardes estas cosas sin prejuicios, no haciendo nada con parcialidad.

**22** No impongas con ligereza las manos a ninguno, ni participes en pecados ajenos. Consérvate puro.

**23** Ya no bebas agua, sino usa de un poco de vino por causa de tu estómago y de tus frecuentes enfermedades.

**24** Los pecados de algunos hombres se hacen patentes antes que ellos vengan a juicio, mas a otros se les descubren después.

**25** Asimismo se hacen manifiestas las buenas obras; y las que son de otra manera, no pueden permanecer ocultas.

**6** **1** Todos los que están bajo el yugo de esclavitud, tengan a sus amos por dignos de todo honor, para que no sea blasfemado el nombre de Dios y la doctrina.

**2** Y los que tienen amos creyentes, no los tengan en menos por ser hermanos, sino sírvanles mejor, por cuanto son creyentes y amados los que se benefician de su buen servicio. Esto enseña y exhorta.

### Piedad y contentamiento

**3** Si alguno enseña otra cosa, y no se conforma a las sanas palabras de nuestro Señor Jesucristo, y a la doctrina que es conforme a la piedad,

**4** está envanecido, nada sabe, y delira acerca de cuestiones y contiendas de palabras, de las cuales nacen envidias, pleitos, blasfemias, malas sospechas,

**5** disputas necias de hombres corruptos de entendimiento y privados de la verdad, que toman la piedad como fuente de ganancia; apártate de los tales.

**6** Pero gran ganancia es la piedad acompañada de contentamiento;

**7** porque nada hemos traído a este mundo, y sin duda nada podremos sacar.

**8** Así que, teniendo sustento y abrigo, estemos contentos con esto.

**9** Porque los que quieren enriquecerse caen en tentación y lazo, y en muchas codicias necias y dañosas, que hunden a los hombres en destrucción y perdición;

**10** porque raíz de todos los males es el amor al dinero, el cual codiciando algunos, se extraviaron de la fe, y fueron traspasados de muchos dolores.

### La buena batalla de la fe

**11** Mas tú, oh hombre de Dios, huye de estas cosas, y sigue la justicia, la piedad, la fe, el amor, la paciencia, la mansedumbre.

**12** Pelea la buena batalla de la fe, echa mano de la vida eterna, a la cual asimismo fuiste llamado, habiendo hecho la buena profesión delante de muchos testigos.

**13** Te mando delante de Dios, que da vida a todas las cosas, y de Jesucristo, que dio testimonio de la buena profesión delante de Poncio Pilato,*a*

**14** que guardes el mandamiento sin mácula ni reprensión, hasta la aparición de nuestro Señor Jesucristo,

**15** la cual a su tiempo mostrará el bienaventurado y solo Soberano, Rey de reyes, y Señor de señores,

**16** el único que tiene inmortalidad, que habita en

---

**5.18** *a* Dt. 25.4. *b* Mt. 10.10; Lc. 10.7. **5.19** *c* Dt. 17.6; 19.15. **6.13** *a* Jn. 18.37.

---

rechazado. Sin embargo, Dios quiere que nos incluyan entre su pueblo; en su iglesia hay un lugar para cada persona. No importa quiénes seamos o qué hayamos hecho, se nos acepta sobre la base de nuestra fe en Jesucristo. Dios nos busca, sin importar cuán rechazados o desprotegidos podamos estar, y nos invita a cada uno de nosotros a formar parte de su familia.

**5.19-20** Pablo exhortó a Timoteo a reprender a otros líderes de la iglesia que estaban viviendo en pecado. Al confrontarlos con sus fracasos, Timoteo los salvaría de las consecuencias que su continua desobediencia traería sobre ellos el día del juicio. Este consejo, de confrontar a los pecadores, es un llamado a una práctica difícil del amor. A veces tenemos que hacer lo mismo con las personas que amamos. Cuando notamos el creciente poder de las conductas adictivas en las personas, podemos decirles algo antes que toquen fondo. Al hacerlo, les daremos la oportunidad de confesar su impotencia y recibir la ayuda transformadora de Dios.

**6.3-5** Pablo alertó a Timoteo sobre aquellos que esparcen falsas doctrinas entre los creyentes. El apóstol quería proteger el mensaje de salvación gratuita ofrecida por Jesucristo, de las mentiras de los charlatanes hambrientos de dinero, que pretendían distorsionar ese mensaje. El consejo de Pablo es valioso para nosotros, que estamos en recuperación. La recuperación por medio de otro poder distinto del poder de Dios a través de Jesucristo, es fallida. Sólo Dios puede liberarnos de nuestros pecados y debilidades. Es muy probable que cualquier persona que pretenda darnos otra solución para nuestros problemas, tenga algo que ganar del programa que esté ofreciendo. Sólo la solución dada por Dios por medio de Jesucristo puede sanar nuestras heridas más profundas; y el poder que nos ofrece es sin costo alguno.

luz inaccesible; a quien ninguno de los hombres ha visto ni puede ver, al cual sea la honra y el imperio sempiterno. Amén.

**17** A los ricos de este siglo manda que no sean altivos, ni pongan la esperanza en las riquezas, las cuales son inciertas, sino en el Dios vivo, que nos da todas las cosas en abundancia para que las disfrutemos.

**18** Que hagan bien, que sean ricos en buenas obras, dadivosos, generosos;

**19** atesorando para sí buen fundamento para lo por venir, que echen mano de la vida eterna.

### Encargo final de Pablo a Timoteo

**20** Oh Timoteo, guarda lo que se te ha encomendado, evitando las profanas pláticas sobre cosas vanas, y los argumentos de la falsamente llamada ciencia,

**21** la cual profesando algunos, se desviaron de la fe. La gracia sea contigo. Amén.

---

**6.17-19** Pablo también alertó a Timoteo sobre la trampa de confiar en el dinero. Algunos de nosotros tal vez ya hayamos experimentado el vacío que produce poner tal confianza en algo tan equivocado. Quizás pensamos que la riqueza podía comprar soluciones para todos nuestros problemas. Sin embargo, ahora sabemos que el dinero no puede liberarnos de las garras de nuestra dependencia. Seamos pobres o ricos, la atracción de nuestra adicción sólo podrá superarse cuando confesemos nuestra impotencia y nos volvamos a Dios para que nos ayude. El único camino hacia una vida exitosa ante los ojos de Dios es buscar la santidad. Al dar pasos de fe confiando en Dios, podemos experimentar su ayuda en el proceso de recuperación y para una vida renovada.

REFLEXIONES SOBRE

PRIMERA
TIMOTEO

❋ *perspectivas* ACERCA DE LA LEY DE DIOS

En **1 Timoteo 1.8-11** Pablo señaló que la ley de Dios tiene el propósito de convencernos de nuestros pecados, y llevarnos a confesar nuestra impotencia y a recibir el perdón divino. No es principalmente un conjunto de reglas para que vivamos según ellas. Es cierto que la recuperación implica reconocer que hay límites saludables para lo que podemos hacer. Pero la recuperación nunca será exitosa guardando la ley del Antiguo Testamento, la cual está más allá de nuestra capacidad para cumplirla (véase Hechos 15.10). Intentar hacerlo nos producirá frustración y sentimiento de culpa, lo que nos desilusionará en vez de animarnos en nuestra recuperación. Necesitamos usar la ley como medio para descubrir lo impotentes que somos. Luego podemos encomendarle a Dios nuestra vida y confiar en que él nos ayudará a dar paso tras paso en la recuperación.

❋ *perspectivas* ACERCA DEL PODER TRANSFORMADOR DE DIOS

En **1 Timoteo 1.12-17** Pablo relató cómo en un momento dado él había hecho todo lo posible para detener el crecimiento de la primera comunidad de cristianos. Pero Dios, en su misericordia, intervino en su vida convirtiéndolo en uno de los líderes más dinámicos de la iglesia primitiva. Cuando relataba su historia, su anterior condición de enemigo hacía que su mensaje fuera mucho más poderoso. Los asombrosos cambios en su vida testificaban del poder transformador de Dios. Algunos de nosotros tal vez sintamos que nunca seremos capaces de impactar las vidas de otros. Quizás sintamos que somos tan terribles que estamos más allá del punto de recuperación. Pero Dios puede cambiarnos sin importar quiénes somos ni qué hayamos hecho. Y cuando contemos nuestra historia de liberación, otros recibirán esperanza al ver lo que el Señor ha hecho en nuestra vida.

# SEGUNDA
# TIMOTEO

Cuando un ser querido está a punto de morir, nos esforzamos por oír cualquier susurro de bendición o de consejo, a sabiendas que será el último. Cuando una persona importante está a las puertas de la muerte, las personas se aglomeran a su alrededor para oír palabras de perdurable sabiduría. En esta carta, Pablo escribe sus últimas palabras de bendición, consejo y consuelo. Son las palabras que Pablo, desde su celda de prisionero, dirige a Timoteo, su hijo en la fe.

Mientras escribía esta carta, Pablo aguardaba, en una prisión romana, su ejecución. Esperaba que el fin llegaría pronto, así que escribió estas palabras de consejo y aliento para su joven protegido en Efeso. Quería asegurarse de que Timoteo tuviera todas las herramientas necesarias para ser un eficaz ministro del evangelio.

Pablo aconsejó a Timoteo que desarrollara su relación con Dios y lo sirviera fielmente. Sabía que Timoteo enfrentaría muchos problemas como líder de iglesia, así que lo animó a perseverar. El apóstol desafió al joven ministro a ser fiel en sus tareas, a usar los dones que Dios le había dado, a aferrarse a la verdad de la palabra de Dios, a enseñar a otros y a estar dispuesto a sufrir por Cristo.

Pablo había cometido errores en el pasado, pero esto no lo descalificaba para ayudar a Timoteo. Tampoco nuestros errores nos descalifican para servir a otros. Dios da a cada uno algo que compartir de sus experiencias en la vida. Pablo tenía mucho que transmitirle a Timoteo. Por medio de nuestra recuperación, Dios nos ha dado importantes perspectivas de las que otros pueden beneficiarse. Compartir con otros esas perspectivas es una parte importante de nuestro propio itinerario hacia la plenitud.

## EN ESENCIA

PROPÓSITO: Alentar a un Timoteo fiel pero desanimado para que continuara haciendo la obra de Dios. AUTOR: El apóstol Pablo. DESTINATARIO: Timoteo, joven ministro del evangelio. FECHA: Algún momento entre el 66 y el 67 d.C., poco antes de la muerte del autor, durante el reinado del emperador Nerón. ESCENARIO: Pablo estaba en prisión cuando escribió esta carta; sólo su amigo Lucas estaba con él. Esta es una carta muy personal que muestra la vulnerabilidad y la soledad de Pablo al enfrentar la muerte. También revela su fuerza interior al continuar animando al joven Timoteo aun en medio de su desesperada situación. VERSÍCULO CLAVE: «Huye también de las pasiones juveniles, y sigue la justicia, la fe, el amor y la paz, con los que de corazón limpio invocan al Señor» (2.22). PERSONAS Y RELACIONES CLAVE: Pablo con Timoteo, Lucas y Marcos.

## TEMAS SOBRE RECUPERACIÓN

*El camino de Dios puede ser difícil:* No nos gusta abandonar nuestras conductas destructivas porque resulta doloroso, y con frecuencia los cambios que exige la recuperación son especialmente penosos. Algunos preferiríamos más bien sufrir en una situación conocida que arriesgarnos a entrar en el desconocido mundo de la recuperación. Nos pasa lo que le ocurrió a Timoteo: nuestro crecimiento implica algo de dolor, pero podemos estar seguros de que los sacrificios que hagamos al final bien valdrán la pena. Saber que habrá momentos difíciles en la recuperación puede ayudarnos a enfrentarlos y a perseverar en el proceso de sanidad.

*La importancia de la fidelidad:* Podemos estar seguros de que habrá oposición mientras tratamos de recuperarnos; pero eso no es del todo malo. La oposición puede darnos indicios de que están ocurriendo cambios importantes en nuestra vida. No todo el mundo quiere que cambiemos, aun cuando esos cambios sean buenos y saludables. Algunas personas pueden tener miedo de perder a un viejo amigo. Otras pueden comenzar a sentirse culpables por su propia dependencia y tratarán de detener nuestro progreso. No nos toca intentar entender por qué la gente quiere interponerse en nuestro camino; nuestra responsabilidad es ser fieles a nuestro programa de recuperación y de crecimiento espiritual. Pablo fue fiel a Dios e invitó a Timoteo a seguir su ejemplo. Dios nos invita a nosotros a hacer lo mismo.

*El poder de la palabra de Dios:* Una de las principales fuentes de fortaleza y guía para los que estamos en recuperación es la palabra de Dios. Pablo desafió a Timoteo a conocer lo que la Palabra dice y significa (2.15). Él describió cómo la palabra de Dios nos ayuda, ya que nos enseña lo que es verdad, hace que nos demos cuenta de lo que está mal en nuestra vida, nos señala el camino correcto y nos ayuda a hacer lo que está bien (3.16). Nuestra oración y nuestro pensamiento deben concentrarse en la palabra de Dios, pues así estaremos capacitados para vivir como Dios quiere que vivamos.

---

### Salutación

**1** ¹ Pablo, apóstol de Jesucristo por la voluntad de Dios, según la promesa de la vida que es en Cristo Jesús,
² a Timoteo,*ᵃ* amado hijo: Gracia, misericordia y paz, de Dios Padre y de Jesucristo nuestro Señor.

### Testificando de Cristo

³ Doy gracias a Dios, al cual sirvo desde mis mayores con limpia conciencia, de que sin cesar me acuerdo de ti en mis oraciones noche y día;

⁴ deseando verte, al acordarme de tus lágrimas, para llenarme de gozo;
⁵ trayendo a la memoria la fe no fingida que hay en ti, la cual habitó primero en tu abuela Loida, y en tu madre*ᵇ* Eunice, y estoy seguro que en ti también.
⁶ Por lo cual te aconsejo que avives el fuego del don de Dios que está en ti por la imposición de mis manos.
⁷ Porque no nos ha dado Dios espíritu de cobardía, sino de poder, de amor y de dominio propio.

---

**1.2** *ᵃ* Hch. 16.1. **1.5** *ᵇ* Hch. 16.1.

---

**1.5** Todos aprendemos de nuestros padres y pasamos las lecciones aprendidas –buenas o malas– a nuestros hijos. Culpamos a nuestros padres por nuestros defectos de carácter y nos lamentamos porque les hemos transmitido los mismos defectos a nuestros hijos. Pero podemos detener el ciclo de pasar hábitos destructivos de una generación a la siguiente entregando nuestra vida a Dios. La madre y la abuela de Timoteo fueron modelos de fe y pasaron su fe a Timoteo. Al obedecer a Dios, estaremos siendo para nuestros hijos modelos de vidas transformadas. Cuando ellos vean el poder de nuestra vibrante fe en Dios, es muy posible que sigan nuestros pasos. Como la madre y la abuela de Timoteo, podremos regocijarnos al formar hijos piadosos.
**1.7-14** Timoteo no tenía todas las cualidades que normalmente se esperaban de un líder. A veces, quizás era temeroso y tímido, pero Pablo dijo que Dios da espíritu «de poder, de amor y de dominio propio». El apóstol le dijo a Timoteo que no permitiera que su debilidad le impidiera servir a los demás. Su éxito no dependía de su habilidad, destreza o valor; se fundamentaba en el poder del Espíritu Santo obrando en él. En la recuperación, no tenemos la fuerza innata, el valor o la autodisciplina que se necesitan para vencer nuestra dependencia. Sin embargo, por medio del poder de Dios podemos tener éxito y rehabilitarnos.
**1.15-18** Pablo estaba en prisión cuando escribió esta carta; la mayoría de sus amigos y seguidores lo había abandonado. Su amigo Onesíforo, sin embargo, se mantuvo a su lado a pesar de que era arriesgado. Onesíforo nos enseña cómo demostrar lealtad y amor a alguien que pasa necesidad. Como en el caso de

**8** Por tanto, no te avergüences de dar testimonio de nuestro Señor, ni de mí, preso suyo, sino participa de las aflicciones por el evangelio según el poder de Dios,

**9** quien nos salvó y llamó con llamamiento santo, no conforme a nuestras obras, sino según el propósito suyo y la gracia que nos fue dada en Cristo Jesús antes de los tiempos de los siglos,

**10** pero que ahora ha sido manifestada por la aparición de nuestro Salvador Jesucristo, el cual quitó la muerte y sacó a luz la vida y la inmortalidad por el evangelio,

**11** del cual yo fui constituido predicador, apóstol y maestro de los gentiles.ᶜ

**12** Por lo cual asimismo padezco esto; pero no me avergüenzo, porque yo sé a quién he creído, y estoy seguro que es poderoso para guardar mi depósito para aquel día.

**13** Retén la forma de las sanas palabras que de mí oíste, en la fe y amor que es en Cristo Jesús.

**14** Guarda el buen depósito por el Espíritu Santo que mora en nosotros.

**15** Ya sabes esto, que me abandonaron todos los que están en Asia, de los cuales son Figelo y Hermógenes.

**16** Tenga el Señor misericordia de la casa de Onesíforo, porque muchas veces me confortó, y no se avergonzó de mis cadenas,

**17** sino que cuando estuvo en Roma, me buscó solícitamente y me halló.

**18** Concédale el Señor que halle misericordia cerca del Señor en aquel día. Y cuánto nos ayudó en Efeso, tú lo sabes mejor.

### Un buen soldado de Jesucristo

**2** **¹** Tú, pues, hijo mío, esfuérzate en la gracia que es en Cristo Jesús.

**2** Lo que has oído de mí ante muchos testigos, esto encarga a hombres fieles que sean idóneos para enseñar también a otros.

**3** Tú, pues, sufre penalidades como buen soldado de Jesucristo.

**4** Ninguno que milita se enreda en los negocios de la vida, a fin de agradar a aquel que lo tomó por soldado.

**5** Y también el que lucha como atleta, no es coronado si no lucha legítimamente.

**1.11** ᶜ 1 Ti. 2.7.

**PASO 10**

### Perseverancia
LECTURA BÍBLICA: 2 Timoteo 2.1-8
**Continuamos haciendo nuestro inventario personal y cuando nos equivocamos, lo admitimos inmediatamente.**

La recuperación es un proceso que dura toda la vida. Habrá momentos cuando nos sentiremos cansados y desearemos tirar la toalla. Experimentaremos dolor, miedo y toda una variedad de otras emociones. En la guerra por lograr la plenitud, ganaremos algunas batallas y perderemos otras. Tal vez nos desanimemos en algunos momentos, pues no estaremos notando ningún progreso, aunque hayamos trabajado con ahínco. Pero si en medio de todo somos perseverantes, podremos conservar el terreno que hayamos ganado.

El apóstol Pablo usó tres ilustraciones para enseñar sobre la perseverancia. Le escribió a Timoteo: «Tú, pues, sufre penalidades como buen soldado de Jesucristo. Ninguno que milita se enreda en los negocios de la vida, a fin de agradar a aquel que lo tomó por soldado. Y también el que lucha como atleta, no es coronado si no lucha legítimamente. El labrador, para participar de los frutos, debe trabajar primero. Considera lo que digo, y el Señor te dé entendimiento en todo» (2 Timoteo 2.3-7).

Como soldados, estamos en una guerra que sólo podemos ganar si peleamos hasta el final. Como atletas, debemos entrenarnos para una nueva forma de vida y para seguir los pasos de la recuperación hasta llegar a la meta. Como labradores, debemos hacer nuestro trabajo en cada estación y luego esperar pacientemente hasta que veamos el crecimiento. Si dejamos de trabajar en nuestro programa antes de llegar a la meta, podemos perder todo aquello por lo que hemos luchado, entrenado y trabajado con tesón. *Vaya a la página 393, Santiago 1.*

---

Pablo, tal vez nuestros amigos nos hayan abandonado porque iniciamos nuestra recuperación. Es posible que así sepamos cómo se sentía Pablo con respecto a su fiel amigo. Quizás nosotros también tengamos a un Onesíforo en nuestra vida. Darnos cuenta de lo indispensable que estas personas son para nuestra recuperación nos alienta a aprovechar cualquier oportunidad de ser fieles amigos para otros. Esto es parte de la comunicación del mensaje de esperanza a otros, para ayudarlos en el proceso hacia su recuperación.

**2.1-2** Pablo no le dijo a Timoteo sencillamente que se esforzara; le dijo que se esforzara en Cristo Jesús. El

**6** El labrador, para participar de los frutos, debe trabajar primero.

**7** Considera lo que digo, y el Señor te dé entendimiento en todo.

**8** Acuérdate de Jesucristo, del linaje de David, resucitado de los muertos conforme a mi evangelio,

**9** en el cual sufro penalidades, hasta prisiones a modo de malhechor; mas la palabra de Dios no está presa.

**10** Por tanto, todo lo soporto por amor de los escogidos, para que ellos también obtengan la salvación que es en Cristo Jesús con gloria eterna.

**11** Palabra fiel es esta:

Si somos muertos con él,
también viviremos con él;

**12** Si sufrimos, también reinaremos con él;
Si le negáremos,
él también nos negará.*a*

**13** Si fuéremos infieles, él permanece fiel;
El no puede negarse a sí mismo.

### Un obrero aprobado

**14** Recuérdales esto, exhortándoles delante del Señor a que no contiendan sobre palabras, lo cual para nada aprovecha, sino que es para perdición de los oyentes.

**15** Procura con diligencia presentarte a Dios aprobado, como obrero que no tiene de qué avergonzarse, que usa bien la palabra de verdad.

**16** Mas evita profanas y vanas palabrerías, porque conducirán más y más a la impiedad.

**17** Y su palabra carcomerá como gangrena; de los cuales son Himeneo y Fileto,

**18** que se desviaron de la verdad, diciendo que la resurrección ya se efectuó, y trastornan la fe de algunos.

**19** Pero el fundamento de Dios está firme, teniendo este sello: Conoce el Señor a los que son suyos; y: Apártese de iniquidad todo aquel que invoca el nombre de Cristo.

**20** Pero en una casa grande, no solamente hay utensilios de oro y de plata, sino también de madera y de barro; y unos son para usos honrosos, y otros para usos viles.

**21** Así que, si alguno se limpia de estas cosas, será instrumento para honra, santificado, útil al Señor, y dispuesto para toda buena obra.

**22** Huye también de las pasiones juveniles, y sigue la justicia, la fe, el amor y la paz, con los que de corazón limpio invocan al Señor.

**23** Pero desecha las cuestiones necias e insensatas, sabiendo que engendran contiendas.

**24** Porque el siervo del Señor no debe ser contencioso, sino amable para con todos, apto para enseñar, sufrido;

**25** que con mansedumbre corrija a los que se oponen, por si quizá Dios les conceda que se arrepientan para conocer la verdad,

**26** y escapen del lazo del diablo, en que están cautivos a voluntad de él.

**2.12** *a* Mt. 10.33; Lc. 12.9.

---

apóstol sabía que Timoteo nunca tendría éxito en su ministerio si dependía de su propia fuerza. Necesitaba el único poder que es suficiente para vivir una vida piadosa: Dios. La verdad de que el Señor nos da el poder para vivir una vida transformada es una buena noticia, ¡y necesitamos comunicarla a otros! De esto es de lo que trata la recuperación. Conforme oímos del poder de Dios, y lo experimentamos, también comunicamos esta verdad a otros. De esta manera otros reciben la ayuda de la gracia de Dios, y nosotros descubrimos el gozo de ayudar a otros y de crecer en nuestra fe.

**2.3-7** La recuperación y el crecimiento espiritual nunca son fáciles. El progreso requiere que sigamos a diario los principios de una fe disciplinada. Como soldados, necesitamos poner a un lado lo que obstaculiza nuestro crecimiento espiritual; es decir, nuestra dependencia, nuestra búsqueda de placer, nuestra actitud negativa. Como atletas, necesitamos seguir las reglas para una vida sana: la voluntad de Dios para nuestra vida. Como labradores, necesitamos trabajar con ahínco; esto es, perseverar en medio de los momentos difíciles. Si seguimos estos ejemplos, Dios obrará en nosotros y nos ayudará a ganar las duras batallas de la vida. Él nos recompensará dándonos entendimiento y una rica cosecha de bendiciones.

**2.15** Pablo le dijo a Timoteo que trabajara rigurosamente para recibir la aprobación divina, estudiando con diligencia las Escrituras para descubrir en ella la voluntad de Dios tanto respecto a sus actitudes como a sus actos. No podemos conocer la voluntad de Dios a menos que sepamos qué dice la Biblia. Como la recuperación depende de que sigamos la voluntad de Dios, necesitamos estudiar su Palabra para descubrir cómo quiere el Señor que vivamos. Esto nos capacitará para seguir sus instrucciones y reconstruir nuestra destrozada vida.

**2.22** El consejo de Pablo a Timoteo también es apropiado para nosotros. Necesitamos huir de lugares y situaciones que nos puedan tentar. Debemos evitar gastar tiempo con gente que nos haga recaer. En lugar de esto, debemos estar con personas que nos animen y apoyen nuestro progreso en nuestra recuperación y crecimiento espiritual. Si no tenemos amigos ni participamos en actividades que fortalezcan nuestra recuperación, necesitamos comenzar a buscarlas e involucrarnos en una comunidad de personas piadosas y que nos alienten.

*SEÑOR, concédeme serenidad para aceptar las cosas que no puedo cambiar, valor para cambiar las que sí puedo y sabiduría para reconocer la diferencia entre ambas. AMÉN*

No podemos cambiar nuestro pasado, pero aun así resulta difícil aceptar esta verdad. Es difícil encarar tanto las cosas que otros nos han hecho como todos los errores que hemos cometido.

En la recuperación, todos luchamos por dejar atrás un pasado difícil y entrar en un futuro más saludable. Nuestra energía puede malgastarse fácilmente tratando de reescribir el pasado; una tarea sin esperanza. En el proceso de recuperación necesitamos evaluar sinceramente nuestra vida, incluyendo todo nuestro pasado, y luego concentrar nuestra energía en reconstruir una nueva vida.

Jesús dijo: «Y conoceréis la verdad, y la verdad os hará libres» (Juan 8.32). El camino a la libertad siempre pasa por el de la verdad, aun la verdad sobre el pasado. El apóstol Pablo escribió una vez al joven Timoteo: «Alejandro el calderero me ha causado muchos males; el Señor le pague conforme a sus hechos» (2 Timoteo 4.14). Pablo afirmó la verdad sobre alguien que lo había lastimado, pero dejó el asunto en las manos de Dios. Nosotros también necesitamos aceptar honestamente las cosas que nos han hecho, para luego deshacernos de ellas dejándolas en las manos del Señor.

En otro lugar Pablo examinó su pasado, repasando honestamente sus logros terrenales, sus errores, sus faltas, su familia, sus ganancias y sus pérdidas. Fue desde esta amplia perspectiva como pudo escribir estas palabras: «No que lo haya alcanzado ya, ni que ya sea perfecto; sino que prosigo, por ver si logro asir aquello para lo cual fui también asido por Cristo Jesús» (Filipenses 3.12). Cuando enfrentamos la verdad sobre nuestro pasado, es cuando finalmente podemos dejarlo ir. Luego podemos comenzar el viaje hacia un futuro más saludable. *Vaya a la página 363, Tito 2.*

## Carácter de los hombres en los postreros días

**3** ¹ También debes saber esto: que en los postreros días vendrán tiempos peligrosos.

² Porque habrá hombres amadores de sí mismos, avaros, vanagloriosos, soberbios, blasfemos, desobedientes a los padres, ingratos, impíos,

³ sin afecto natural, implacables, calumniadores, intemperantes, crueles, aborrecedores de lo bueno,

⁴ traidores, impetuosos, infatuados, amadores de los deleites más que de Dios,

⁵ que tendrán apariencia de piedad, pero negarán la eficacia de ella; a éstos evita.

⁶ Porque de éstos son los que se meten en las casas y llevan cautivas a las mujercillas cargadas de pecados, arrastradas por diversas concupiscencias.

⁷ Estas siempre están aprendiendo, y nunca pueden llegar al conocimiento de la verdad.

⁸ Y de la manera que Janes y Jambres resistieron a Moisés,ª así también éstos resisten a la verdad; hombres corruptos de entendimiento, réprobos en cuanto a la fe.

**3.8** ª Ex. 7.11.

**9** Mas no irán más adelante; porque su insensatez será manifiesta a todos, como también lo fue la de aquéllos.

**10** Pero tú has seguido mi doctrina, conducta, propósito, fe, longanimidad, amor, paciencia,
**11** persecuciones, padecimientos, como los que me sobrevinieron en Antioquía,*b* en Iconio,*c* en Listra;*d* persecuciones que he sufrido, y de todas me ha librado el Señor.
**12** Y también todos los que quieren vivir piadosamente en Cristo Jesús padecerán persecución;
**13** mas los malos hombres y los engañadores irán de mal en peor, engañando y siendo engañados.
**14** Pero persiste tú en lo que has aprendido y te persuadiste, sabiendo de quién has aprendido;
**15** y que desde la niñez has sabido las Sagradas Escrituras, las cuales te pueden hacer sabio para la salvación por la fe que es en Cristo Jesús.
**16** Toda la Escritura es inspirada por Dios, y útil para enseñar, para redargüir, para corregir, para instruir en justicia,
**17** a fin de que el hombre de Dios sea perfecto, enteramente preparado para toda buena obra.

## Predica la palabra

**4** **1** Te encarezco delante de Dios y del Señor Jesucristo, que juzgará a los vivos y a los muertos en su manifestación y en su reino,
**2** que prediques la palabra; que instes a tiempo y fuera de tiempo; redarguye, reprende, exhorta con toda paciencia y doctrina.
**3** Porque vendrá tiempo cuando no sufrirán la sana doctrina, sino que teniendo comezón de oír, se amontonarán maestros conforme a sus propias concupiscencias,
**4** y apartarán de la verdad el oído y se volverán a las fábulas.
**5** Pero tú sé sobrio en todo, soporta las aflicciones, haz obra de evangelista, cumple tu ministerio.
**6** Porque yo ya estoy para ser sacrificado, y el tiempo de mi partida está cercano.
**7** He peleado la buena batalla, he acabado la carrera, he guardado la fe.
**8** Por lo demás, me está guardada la corona de justicia, la cual me dará el Señor, juez justo, en aquel día; y no sólo a mí, sino también a todos los que aman su venida.

**3.11** *b* Hch. 13.14-52. *c* Hch. 14.1-7. *d* Hch. 14.8-20.

**3.1-9** Estos versículos describen a personas que no debemos imitar. Tristemente, por la influencia de nuestra adicción, muchos de nosotros encajamos en esta descripción. Vivimos egoístamente, dándoles poca importancia a las demás personas que viven a nuestro alrededor. Muchos tal vez estemos sufriendo ahora mismo las consecuencias de nuestras acciones, y quizás nos sintamos solos, perdidos y abandonados. Pablo dejó ver claramente que estas actitudes y acciones tienen consecuencias severas, como la mayoría de nosotros ya ha descubierto. Al seguir haciendo inventario de nuestras actitudes y acciones, podemos descubrir nuestros rasgos destructivos de carácter y pedirle a Dios que nos transforme. Con la ayuda que Dios nos ofrece por medio de Jesucristo podemos convertirnos en nuevas personas.
**3.14-17** Pablo le recordó a Timoteo que Dios nos dejó un maravilloso recurso: la Biblia. Es la guía definitiva para ayudarnos a descubrir qué está mal en nuestra vida. Es la única herramienta de medir precisa que está disponible para ayudarnos a hacer un sincero inventario moral. También revela los planes de Dios para que llevemos una vida saludable, y nos muestra cómo relacionarnos apropiada y desinteresadamente con Dios y con otras personas. La palabra de Dios ofrece mucho más que sencillamente buenos consejos. Promete la poderosa ayuda de Dios a todos los que se vuelvan a él con corazón humilde. Nuestra recuperación se beneficiará cuando dediquemos tiempo a entenderla y aplicarla a nuestra vida.
**4.1-5** Pablo le pidió encarecidamente a Timoteo que comunicara a otros las buenas nuevas de Jesucristo. Esto es parte integral de la vida cristiana. También tenemos que hablar de las buenas nuevas de recuperación en Cristo. De hecho, una recuperación sólida y permanente es imposible a menos que el contar nuestra historia se convierta en una parte esencial de nuestra vida. Al hablar de lo que Dios ha hecho por nosotros, podemos ofrecer una nueva vida a otras personas necesitadas y, al mismo tiempo, recibir ánimo para perseverar en nuestra propia recuperación. Al caminar con otros por la senda de la recuperación vamos a entablar relaciones personales sólidas. Esto nos conducirá a una saludable vida comunitaria, necesaria para apoyar nuestra recuperación de forma permanente.
**4.6-8** Pablo le dejó a su joven protegido estas reflexiones para animarlo en su lucha por vivir una vida piadosa. Pablo había batallado con tesón para vivir consagrado a Dios y había sufrido grandemente por la causa del evangelio. Ahora podía esperar la maravillosa recompensa que recibiría en la presencia del Señor. Al dar a Timoteo una perspectiva eterna lo ayudaría a enfrentar los tiempos difíciles con la esperanza de futuras bendiciones. A nosotros se nos ha dado la misma esperanza. No es fácil caminar por la senda de la recuperación ni del crecimiento espiritual. Viviremos momentos dolorosos al reconocer nuestra desesperada necesidad de Dios. Experimentaremos rechazo al tratar de compartir con otros nuestra esperanza. Pero Dios recompensa nuestra fidelidad y perseverancia con eterna paz y gozo.

## Instrucciones personales

**9** Procura venir pronto a verme,

**10** porque Demas*a* me ha desamparado, amando este mundo, y se ha ido a Tesalónica. Crescente fue a Galacia, y Tito*b* a Dalmacia.

**11** Sólo Lucas*c* está conmigo. Toma a Marcos*d* y tráele contigo, porque me es útil para el ministerio.

**12** A Tíquico*e* lo envié a Efeso.

**13** Trae, cuando vengas, el capote que dejé en Troas*f* en casa de Carpo, y los libros, mayormente los pergaminos.

**14** Alejandro*g* el calderero me ha causado muchos males; el Señor le pague conforme a sus hechos.

**15** Guárdate tú también de él, pues en gran manera se ha opuesto a nuestras palabras.

**16** En mi primera defensa ninguno estuvo a mi lado, sino que todos me desampararon; no les sea tomado en cuenta.

**17** Pero el Señor estuvo a mi lado, y me dio fuerzas, para que por mí fuese cumplida la predicación, y que todos los gentiles oyesen. Así fui librado de la boca del león.

**18** Y el Señor me librará de toda obra mala, y me preservará para su reino celestial. A él sea gloria por los siglos de los siglos. Amén.

## Saludos y bendición final

**19** Saluda a Prisca y a Aquila,*h* y a la casa de Onesíforo.*i*

**20** Erasto*j* se quedó en Corinto, y a Trófimo*k* dejé en Mileto enfermo.

**21** Procura venir antes del invierno. Eubulo te saluda, y Pudente, Lino, Claudia y todos los hermanos.

**22** El Señor Jesucristo esté con tu espíritu. La gracia sea con vosotros. Amén.

---

**4.10** *a* Col. 4.14; Flm. 24. *b* 2 Co. 8.23; Gá. 2.3; Tit. 1.4. **4.11** *c* Col. 4.14; Flm. 24. *d* Hch. 12.12, 25; 13.13; 15.37-39; Col. 4.10; Flm. 24. **4.12** *e* Hch. 20.4; Ef. 6.21-22; Col. 4.7-8. **4.13** *f* Hch. 20.6. **4.14** *g* 1 Ti. 1.20. **4.19** *h* Hch. 18.2. *i* 2 Ti. 1.16-17. **4.20** *j* Hch. 19.22; Ro. 16.23. *k* Hch. 20.4; 21.29.

---

**4.11** Marcos había abandonado a Pablo y a Bernabé durante su primer viaje misionero (véase Hechos 13.13), y por eso Pablo no le permitió participar en el segundo viaje. Como consecuencia de este rechazo se produjo la separación de Pablo y Bernabé (Hechos 15.36-41). Aunque Marcos había fallado antes de manera lamentable, es claro en este pasaje que su relación con Pablo se había restablecido completamente. La recuperación de Marcos de un error pasado puede animar a todos los que han fallado y se preguntan si la recuperación es posible. Marcos escribió el Evangelio que lleva su nombre, y su libro ha tocado la vida de millones de personas en los pasados veinte siglos. No importa cuán grandes hayan sido nuestros fracasos en el pasado, Dios puede usarnos de maneras maravillosas si le encomendamos nuestra vida, con todo y fracasos.

**4.16-18** Pablo recordó su soledad durante su primer encarcelamiento en Roma. Se acordó de cómo Dios había permanecido con él aun después que todos sus otros acompañantes lo habían abandonado. Sólo Dios podía fortalecerlo y darle la libertad cuando era un indefenso prisionero. Algunos de nosotros sabemos cómo se siente uno al ser abandonado por los amigos. Bajo la influencia de nuestra adicción, quizás hayamos destruido las relaciones familiares saludables. Y cuando iniciamos nuestra recuperación, los amigos que antes apoyaban nuestra adicción se fueron de inmediato. No tenemos que enfrentar solos los días oscuros de la recuperación; Dios siempre está con nosotros. Conforme crezcamos en nuestra fe, Dios irá proveyendo las relaciones personales saludables que necesitemos para apoyar nuestro progreso.

# ITO

## EL PANORAMA

A. AMENAZAS A LA VERDAD DE LA
   GRACIA DE DIOS (1.1-16)
B. SANAS ENSEÑANZAS SOBRE LA
   GRACIA DE DIOS (2.1—3.11)
   1. Aplicación de la verdad divina a
      las diferentes edades (2.1-10)
   2. La gracia de Dios como
      motivación para una vida
      piadosa (2.11—3.8)
   3. Aplicación de la verdad de Dios
      al problema del legalismo
      (3.9-11)
C. INSTRUCCIONES PERSONALES
   FINALES (3.12-15)

Pablo escribió esta carta a Tito, joven pastor de la isla de Creta. Tito enfrentaba dos problemas principales en su iglesia. Por un lado, algunos sostenían que no había ningún problema con vivir inmoralmente, pues la gracia de Dios era suficiente para obtener el perdón. Por otro, estaban quienes enseñaban que para ser aceptados por Dios había que obedecer sus leyes. Pablo animó a Tito a enfrentarse a ambos grupos por sabotear el misericordioso regalo de perdón que Dios nos da en Cristo.

Pablo solucionó los dos problemas de Tito recordándole la importancia de la gracia de Dios. Cuando descubramos la maravillosa gracia que Dios nos ha impartido, experimentaremos un increíble sentido de gratitud. Esto nos motivará a sentir deleite en obedecer la voluntad de Dios para nuestra vida, y no a vivir en inmoralidad porque nuestro perdón esté garantizado. Dios no es un amo cruel cuyo favor depende de nuestra servil obediencia a sus reglas. Él es más bien un Padre misericordioso que nos ofrece establecer una relación con él, tanto ahora como por toda la eternidad. Podemos vivir una vida piadosa nacida de nuestra gratitud hacia Dios porque él nos ama y nos perdona.

El hecho de que Dios es misericordioso y perdonador es esencial para la recuperación. Ya sabemos que somos impotentes contra el pecado y nuestra dependencia. Todos hemos fallado una y otra vez. No necesitamos tener miedo de confesar nuestros pecados y fracasos a nuestro bondadoso Dios. Él nos perdonará y nos ayudará a comenzar de nuevo. Puesto que nuestro Dios es un Dios de amor, podemos continuar nuestro sincero examen interior sin sentir miedo. Dios nunca nos echará a un lado debido a nuestros fracasos y errores. El Señor nos acepta tal como somos.

## EN ESENCIA

PROPÓSITO: Alentar a Tito a ser fiel aplicando la gracia de Dios a varias circunstancias. AUTOR: El apóstol Pablo.
DESTINATARIO: Tito, pastor de la iglesia en la isla de Creta. FECHA: Entre el primero y el segundo encarcelamiento de Pablo en Roma (63-66 d.C.). TRASFONDO: Tito pastoreaba a los creyentes de la isla de Creta, lugar famoso por su inmoralidad. Además, un grupo de judíos legalistas había incursionado en la iglesia. Por eso, Tito tenía que lidiar tanto con la inmoralidad como con el legalismo. VERSÍCULO CLAVE: «Porque la gracia de Dios se ha manifestado para salvación a todos los hombres, enseñándonos que, renunciando a la impiedad y a los deseos mundanos, vivamos en este siglo sobria, justa y piadosamente» (2.11-12). PERSONAS Y RELACIONES CLAVE: Pablo con Tito.

# TEMAS SOBRE RECUPERACIÓN

*Las bendiciones de la gracia de Dios:* La salvación por medio de Jesucristo es una buena noticia. Esto es especialmente cierto porque Dios nos la ofrece gratuitamente a pesar de no merecerla. Esta buena nueva va más allá de la oferta divina de pagar el precio por nuestros pecados: Dios también quiere transformarnos para que podamos vivir de día en día con la realidad de su poder en nosotros. No tenemos que temer al acercarnos a Dios, sin importar nuestro pasado pecaminoso ni nuestros fracasos. Nuestra relación con Dios no se basa en el cumplimiento exitoso de sus leyes. Se basa más bien en su amorosa provisión para el perdón de nuestros pecados: Jesucristo. Al encomendar nuestra vida a Dios, él nos perdona y nos capacita para vivir de acuerdo con su perfecta voluntad.

*La importancia de rendir cuentas:* Nunca podremos hacer mucho progreso en la recuperación si estamos aislados de los demás. El desarrollo de relaciones personales saludables va de la mano con la entrega de nuestras vidas a Dios. Con sólo nuestro esfuerzo, somos impotentes contra el poder de nuestra dependencia. Con frecuencia el Señor usa a otras personas para darnos la ayuda y el ánimo que necesitamos para perseverar. Pablo instó a Tito a rendir cuentas a otras personas. Al poder apoyarse en otros, fue capaz de mantenerse firme y reflejar el amor y el poder de Dios en su vida. Las relaciones personales que nos hacen rendir cuentas pueden darnos el valor para hacer lo que hizo Tito.

*La recuperación requiere sacrificio:* Cuando iniciamos nuestra recuperación, también comenzamos a entablar nuevas relaciones. Como vemos en esta carta, hay orden para todas nuestras relaciones. El rol de cada uno es importante, y si queremos ser fieles a nuestro propio rol, debemos sacrificarnos por otros. La recuperación, como la salvación, puede comenzar por motivos egoístas. Tendemos a centrarnos en nuestros propios problemas y necesidades. Pero la recuperación saludable va más allá de este egocentrismo, para alcanzar a otros. Cada uno de nosotros tiene algo que compartir. Debemos hacer los sacrificios necesarios para ser útiles a otros que estén necesitados de recuperación.

## Salutación

**1** ¹ Pablo, siervo de Dios y apóstol de Jesucristo, conforme a la fe de los escogidos de Dios y el conocimiento de la verdad que es según la piedad, ² en la esperanza de la vida eterna, la cual Dios, que no miente, prometió desde antes del principio de los siglos, ³ y a su debido tiempo manifestó su palabra por medio de la predicación que me fue encomendada por mandato de Dios nuestro Salvador, ⁴ a Tito,ᵃ verdadero hijo en la común fe: Gracia, misericordia y paz, de Dios Padre y del Señor Jesucristo nuestro Salvador.

**1.4** ᵃ 2 Co. 8.23; Gá. 2.3; 2 Ti. 4.10.

## Requisitos de ancianos y obispos

⁵ Por esta causa te dejé en Creta, para que corrigieses lo deficiente, y establecieses ancianos en cada ciudad, así como yo te mandé; ⁶ el que fuere irreprensible, marido de una sola mujer, y tenga hijos creyentes que no estén acusados de disolución ni de rebeldía. ⁷ Porque es necesario que el obispo sea irreprensible, como administrador de Dios; no soberbio, no iracundo, no dado al vino, no pendenciero, no codicioso de ganancias deshonestas, ⁸ sino hospedador, amante de lo bueno, sobrio, justo, santo, dueño de sí mismo,

**1.4-5** Pablo había establecido iglesias en la isla de Creta y Tito debía continuar el trabajo de Pablo. Debía fortalecer a los creyentes y nombrar líderes. Pablo reconocía que Tito no podía hacer todo solo. Probablemente también había reconocido que tener un solo líder nunca es lo ideal. Es muy probable que las organizaciones que giran alrededor de una persona reflejen los defectos de su líder. Un equipo de liderato provee balance. Si los líderes de la iglesia o del programa de recuperación tratan de controlarlo todo sin compartir las responsabilidades y el poder con otros, debemos preguntarnos si están ahí para ayudar a otros o para ayudarse a ellos mismos. Debemos evitar este tipo de situaciones.
**1.6-9** Entre los rasgos de carácter que deben tener los líderes eclesiásticos no se mencionan ni la posición social ni los recursos financieros ni los logros profesionales. Los líderes de las iglesias deben ser buenos esposos y padres; necesitan tener buena reputación, ser humildes, pacientes, dueños de sí mismos, hospitalarios, sensibles y justos. Nadie puede comprar estas características; nadie puede exigirlas. Sólo las recibimos si encomendamos nuestra vida a Dios y buscamos su voluntad.

*SEÑOR, concédeme serenidad para aceptar las cosas que no puedo cambiar, valor para cambiar las que sí puedo y sabiduría para reconocer la diferencia entre ambas.* AMÉN

**N**o importa lo terrible que haya sido nuestro pasado, podemos hacer cambios en nuestra mente, cuerpo y espíritu, para mejorar nuestra vida.

Algunos de nosotros hemos llegado a la conclusión de que sencillamente no podemos cambiar. Pero si estamos dispuestos a poner nuestra vida en las manos de Dios, siempre habrá esperanzas de cambios positivos y de un brillante futuro. El apóstol Pablo escribió: «Y el mismo Dios de paz os santifique por completo; y todo vuestro ser, espíritu, alma y cuerpo, sea guardado irreprensible para la venida de nuestro Señor Jesucristo. Fiel es el que os llama, el cual también lo hará» (1 Tesalonicenses 5.23-24).

«Porque la gracia de Dios se ha manifestado para salvación a todos los hombres, enseñándonos que, renunciando a la impiedad y a los deseos mundanos, vivamos en este siglo sobria, justa y piadosamente, aguardando la esperanza bienaventurada y la manifestación gloriosa de nuestro gran Dios y Salvador Jesucristo, quien se dio a sí mismo por nosotros para redimirnos de toda iniquidad y purificar para sí un pueblo propio, celoso de buenas obras» (Tito 2.11-14).

¡Dios nos ha prometido un futuro maravilloso! En el presente, si lo invocamos de veras, puede guardarnos constantemente de caer en el pecado. Nuestra disposición de liberarnos de las cosas de nuestro pasado que no podemos cambiar nos permitirá hacer cambios positivos para un futuro saludable. ***Vaya a la página 459, Apocalipsis 21.***

---

**9** retenedor de la palabra fiel tal como ha sido enseñada, para que también pueda exhortar con sana enseñanza y convencer a los que contradicen.*b*
**10** Porque hay aún muchos contumaces, habladores de vanidades y engañadores, mayormente los de la circuncisión,

**11** a los cuales es preciso tapar la boca; que trastornan casas enteras, enseñando por ganancia deshonesta lo que no conviene.
**12** Uno de ellos, su propio profeta, dijo: Los cretenses, siempre mentirosos, malas bestias, glotones ociosos.
**13** Este testimonio es verdadero; por tanto, repréndelos duramente, para que sean sanos en la fe,

**1.6-9** *b* 1 Ti. 3.2-7.

---

Dios puede ayudarnos a que estos rasgos de carácter florezcan en nuestra vida, sin importar las circunstancias. Ya sea que seamos millonarios respetados o adictos sin hogar, Dios puede transformarnos en personas dignas de ser líderes en la iglesia.
**1.10-14** Pablo alentó a Tito a confrontar tanto a los cretenses que abusaban de la gracia de Dios viviendo en pecado como a los judíos legalistas que negaban la gracia de Dios exigiéndoles a los creyentes que hicieran buenas obras para ganarse la salvación. La principal preocupación de Pablo la presentaban los

**14** no atendiendo a fábulas judaicas, ni a mandamientos de hombres que se apartan de la verdad.
**15** Todas las cosas son puras para los puros, mas para los corrompidos e incrédulos nada les es puro; pues hasta su mente y su conciencia están corrompidas.
**16** Profesan conocer a Dios, pero con los hechos lo niegan, siendo abominables y rebeldes, reprobados en cuanto a toda buena obra.

### Enseñanza de la sana doctrina

**2** **1** Pero tú habla lo que está de acuerdo con la sana doctrina.
**2** Que los ancianos sean sobrios, serios, prudentes, sanos en la fe, en el amor, en la paciencia.
**3** Las ancianas asimismo sean reverentes en su porte; no calumniadoras, no esclavas del vino, maestras del bien;
**4** que enseñen a las mujeres jóvenes a amar a sus maridos y a sus hijos,
**5** a ser prudentes, castas, cuidadosas de su casa, buenas, sujetas a sus maridos, para que la palabra de Dios no sea blasfemada.
**6** Exhorta asimismo a los jóvenes a que sean prudentes;
**7** presentándote tú en todo como ejemplo de buenas obras; en la enseñanza mostrando integridad, seriedad,
**8** palabra sana e irreprochable, de modo que el adversario se avergüence, y no tenga nada malo que decir de vosotros.
**9** Exhorta a los siervos a que se sujeten a sus amos, que agraden en todo, que no sean respondones;
**10** no defraudando, sino mostrándose fieles en todo, para que en todo adornen la doctrina de Dios nuestro Salvador.
**11** Porque la gracia de Dios se ha manifestado para salvación a todos los hombres,
**12** enseñándonos que, renunciando a la impiedad y a los deseos mundanos, vivamos en este siglo sobria, justa y piadosamente,

---

legalistas, ya que, con sus reglas y tradiciones (véase Marcos 7.1-8), debilitaban las bases de una vida de gracia. El legalismo hace que la obediencia a reglas y tradiciones sean más importantes que nuestra relación personal y transformadora con Dios. Asume equivocadamente que podemos ser buenos por nuestro propio poder. En la recuperación reconocemos nuestra impotencia. No podemos cambiar sin el poder de Dios, así que necesitamos confiar en él para que nos ayude. Pablo estaba defendiendo dos de los principios básicos de la recuperación: nuestra impotencia y la suficiencia de Dios.

**2.1-5** Pablo llamó a los ancianos y a las ancianas a asumir un papel especial en la comunidad cristiana: ser modelos, enseñando a otros por medio de su estilo de vida. Muchos hemos experimentado la importancia de tener un mentor piadoso que nos aliente. Los grupos de recuperación más eficientes tienen una mezcla saludable de individuos, con personas de apoyo que proveen aliento con sus palabras y con sus acciones. Al crecer espiritualmente y progresar en la recuperación, podemos transformarnos en un saludable ejemplo para otros que necesiten recuperarse. Al ver nuestra vida transformada y oír nuestra historia de liberación por medio de Cristo, ellos se animarán a dar los pasos necesarios para restaurar sus vidas.

**2.6** Pablo le pidió a Tito que animara a los jóvenes de su iglesia a vivir con «prudencia». Los jóvenes a veces no son conscientes de las consecuencias de ciertas actividades. Tienen la tendencia a actuar primero y pensar después. Muchos de nosotros fuimos bastante miopes al involucrarnos en nuestra adicción. Es probable que hayamos comenzado usando alcohol u otras sustancias adictivas de forma inocente para socializar. No sopesamos bien las posibles consecuencias, antes de dar los primeros pasos peligrosos hacia la adicción. Ahora estamos cosechando las dolorosas consecuencias de nuestras insensatas decisiones. Si pensamos antes de actuar y amoldamos nuestras acciones a la voluntad de Dios, construiremos un futuro que tenga sentido.

**2.11-15** Cuando nos demos cuenta de lo mucho que Dios nos ama y del poder que nos da para vivir una vida piadosa, nos sentiremos motivados a entregarle nuestra vida y hacer su voluntad. La respuesta apropiada a la gracia de Dios es una conducta correcta. En la Biblia nunca se considera que la culpa o el miedo sean motivaciones apropiadas para vivir rectamente. Obedecemos al Señor porque él nos ama y desea ayudarnos a tener éxito. Comprender que Dios es un Dios lleno de gracia, que nos acepta y es compasivo, en vez de un dios duro, que condena y castiga, es indispensable para nuestro crecimiento espiritual. No necesitamos temer a Dios a causa de nuestros pecados. Él aún nos ama y nos ayudará a reconstruir nuestra vida cuando le confesemos nuestros fracasos. Esto puede darnos esperanza mientras nos esforzamos en nuestra recuperación.

**3.3** Nosotros también éramos «insensatos y rebeldes» y nos volvimos esclavos de nuestra dependencia; estábamos llenos de resentimiento, envidia y odio. Pero Dios nos libertó por medio de su Hijo, Jesucristo. Nuestra vida quebrantada es el oscuro telón de fondo contra el cual se reflejan las relucientes joyas de la misericordia de Dios y su salvación por gracia. Ninguno de nosotros merece la misericordia y la gracia de Dios. Él nos ama sencillamente porque escoge hacerlo, más a pesar de nosotros que por nosotros merecerlo. Esta verdad nos facilita confesar nuestra impotencia y consagrar nuestra vida a Dios. No importa lo terrible de nuestro pasado, Dios está dispuesto a perdonarnos y transformarnos.

**13** aguardando la esperanza bienaventurada y la manifestación gloriosa de nuestro gran Dios y Salvador Jesucristo,
**14** quien se dio a sí mismo por nosotros para redimirnos de toda iniquidad*a* y purificar para sí un pueblo propio,*b* celoso de buenas obras.
**15** Esto habla, y exhorta y reprende con toda autoridad. Nadie te menosprecie.

## Justificados por gracia

**3** **1** Recuérdales que se sujeten a los gobernantes y autoridades, que obedezcan, que estén dispuestos a toda buena obra.
**2** Que a nadie difamen, que no sean pendencieros, sino amables, mostrando toda mansedumbre para con todos los hombres.
**3** Porque nosotros también éramos en otro tiempo insensatos, rebeldes, extraviados, esclavos de concupiscencias y deleites diversos, viviendo en malicia y envidia, aborrecibles, y aborreciéndonos unos a otros.
**4** Pero cuando se manifestó la bondad de Dios nuestro Salvador, y su amor para con los hombres,
**5** nos salvó, no por obras de justicia que nosotros hubiéramos hecho, sino por su misericordia, por el lavamiento de la regeneración y por la renovación en el Espíritu Santo,
**6** el cual derramó en nosotros abundantemente por Jesucristo nuestro Salvador,
**7** para que justificados por su gracia, viniésemos a ser herederos conforme a la esperanza de la vida eterna.
**8** Palabra fiel es esta, y en estas cosas quiero que insistas con firmeza, para que los que creen en Dios procuren ocuparse en buenas obras. Estas cosas son buenas y útiles a los hombres.
**9** Pero evita las cuestiones necias, y genealogías, y contenciones, y discusiones acerca de la ley; porque son vanas y sin provecho.
**10** Al hombre que cause divisiones, después de una y otra amonestación deséchalo,
**11** sabiendo que el tal se ha pervertido, y peca y está condenado por su propio juicio.

**2.14** *a* Sal. 130.8. *b* Ex. 19.5; Dt. 4.20; 7.6; 14.2; 26.18; 1 P. 2.9.

PASO **12**

### Nunca lo olvidemos

LECTURA BÍBLICA: Tito 3.1-5

**Luego de experimentar un despertar espiritual como resultado de estos pasos, tratamos de llevar este mensaje a otros y practicar estos principios en todos nuestros asuntos.**

Mientras más adelantamos en la recuperación, el recuerdo de lo mala que realmente era nuestra vida puede comenzar a desvanecerse. ¿Recordamos vívidamente lo que una vez fuimos? ¿Podemos recordar humildemente las sombrías emociones que llenaban nuestra alma? ¿Tenemos verdadera compasión y genuina simpatía por aquellos a quienes tratamos de llevar el mensaje?

Cuando transmitamos a otros el mensaje de recuperación, nunca debemos olvidar de dónde vinimos y cómo llegamos allí. Pablo le dijo a Tito: «Porque nosotros también éramos en otro tiempo insensatos, rebeldes, extraviados, esclavos de concupiscencias y deleites diversos ... Pero cuando se manifestó la bondad de Dios nuestro Salvador, y su amor para con los hombres, nos salvó, no por obras de justicia que nosotros hubiéramos hecho, sino por su misericordia, por el lavamiento de la regeneración y por la renovación en el Espíritu Santo» (Tito 3.3-5).

Al compartir con otros nuestro mensaje, nunca olvidemos las siguientes verdades: antes éramos esclavos, de igual forma que otros lo son hoy día. Nuestros corazones estaban llenos de la confusión y las dolorosas emociones que otros todavía pueden sentir. Fuimos salvados por el amor y la bondad de Dios, no porque fuéramos lo suficientemente buenos. También debemos recordar que podemos mantenernos libres porque Dios está con nosotros, sosteniéndonos en cada paso del camino. ***Vaya a la página 409, 1 Pedro 4.***

---

**3.4-8** Nótense los términos que describen la gracia de Dios: «bondad ... amor» (3.4), «misericordia» (3.5) y «gracia» (3.7): Somos justificados por la gracia de Dios y declarados «inocentes» en virtud de pertenecer a Cristo. Este hecho hace que abandonemos nuestro afán por alcanzar logros confiaos en nuestro propio esfuerzo, con lo que nos liberaremos de la necesidad de estar a la altura de los estándares de Dios. Algunos de nosotros hemos pasado toda nuestra vida tratando de cumplir con los requisitos. Llevamos la culpa de no haber cumplido las metas irreales que nos trazaron nuestros padres, maestros o jefes. La ira y el dolor resultantes han ayudado a reforzar nuestra adicción. Pero Dios nos acepta tal como somos. Él no espera que seamos perfectos; él sabe que no podemos hacerlo solos. Cuando nos llama a vivir en santidad, también nos da el poder y la dirección que necesitamos para edificar una nueva vida.

## Instrucciones personales

**12** Cuando envíe a ti a Artemas o a Tíquico,*a* apresúrate a venir a mí en Nicópolis, porque allí he determinado pasar el invierno.
**13** A Zenas intérprete de la ley, y a Apolos,*b* encamínales con solicitud, de modo que nada les falte.
**14** Y aprendan también los nuestros a ocuparse en buenas obras para los casos de necesidad, para que no sean sin fruto.

## Salutaciones y bendición final

**15** Todos los que están conmigo te saludan. Saluda a los que nos aman en la fe.

La gracia sea con todos vosotros. Amén.

**3.12:***a* Hch. 20.4; Ef. 6.21-22; Col. 4.7-8; 2 Ti. 4.12.   **3.13:***b* Hch. 18.24; 1 Co. 16.12.

# FILEMÓN

## EL PANORAMA

A. SALUDOS (1-3)
B. ELOGIOS DE PABLO A FILEMÓN (4-7)
C. PABLO INTERCEDE POR ONÉSIMO (8-21)
D. COMENTARIOS FINALES (22-25)

Había millones de esclavos en el Imperio Romano; Onésimo era uno de ellos. Era propiedad de un bondadoso líder cristiano llamado Filemón. Al parecer, Onésimo le robó a su amo y luego huyó. Pero como sucede con frecuencia, esa solución sólo complicó el problema. De acuerdo con la ley, un esclavo que escapaba podía ser marcado en la frente o aun ejecutado.

Onésimo se escondió en Roma y mientras estaba allí conoció a Pablo. A través de la influencia del apóstol, Onésimo se convirtió en discípulo de Jesucristo. Pablo, quien por aquellos días estaba prisionero, le escribió a su amigo Filemón para hablarle de la conversión de Onésimo. Le suplicó a Filemón que perdonara a Onésimo y le diera la bienvenida a la casa como a un «hermano amado». No sabemos cómo respondió Filemón, pero es muy probable que haya perdonado a Onésimo.

Todos sabemos qué es ser esclavo. Hemos estado esclavizados a una sustancia adictiva, a otras personas, a conductas compulsivas y aun a las heridas del pasado. Cualquier tipo de esclavitud nos despoja de nuestra dignidad y humanidad, convirtiéndonos en una mera herramienta en las manos de nuestro amo. Conocemos la absoluta impotencia que sentimos cuando nos hemos hallado en esa condición.

La carta de Pablo a Filemón nos recuerda que Dios todavía nos ama. El Señor se preocupa por nosotros, igual que se preocupaba por Onésimo, sin importar lo que hayamos hecho en el pasado. Dios puede introducirse en el centro de nuestra vida inmanejable y traer esperanza real para el futuro. Siempre y cuando hagamos nuestra parte –enfrentar nuestra impotencia, entregar nuestra vida a Dios, confesar nuestros pecados y buscar reparar el daño que hayamos causado–, podemos contar con una vida de libertad.

## EN ESENCIA

PROPÓSITO: Convencer a Filemón, dueño de esclavos, para que perdonara a un esclavo en fuga y lo recibiera de nuevo.
AUTOR: El apóstol Pablo. DESTINATARIO: Filemón, un creyente de la iglesia primitiva, y la iglesia que se reunía en su casa.
FECHA: Cerca del 60 d.C., mientras estaba Pablo preso en Roma. ESCENARIO: La tenencia de esclavos era común en el Imperio Romano, aun entre los nuevos creyentes. Pablo no habló directamente contra la esclavitud, pero sí dio un paso radical llamando «hermano amado» al esclavo Onésimo (16). VERSÍCULO CLAVE: «El cual en otro tiempo te fue inútil, pero ahora a ti y a mí nos es útil» (11). PERSONAS Y RELACIONES CLAVE: Pablo con Onésimo y Filemón.

# TEMAS SOBRE RECUPERACIÓN

*Dios se preocupa por los desposeídos:* Onésimo era uno de los rechazados de la sociedad. Como esclavo, no tenía ningún valor excepto lo que fuera capaz de hacer por su amo. Cuando empeoró sus problemas al robar y huir, su valor se redujo aún más: ya no valía nada. Pero para Dios él tenía gran valor; nunca nadie deja de tener valor a los ojos de Dios. Los valores divinos son diferentes de los nuestros: el Señor se preocupa mucho por todos los quebrantados y desposeídos. No importa lo que hayamos hecho en el pasado, Dios nos invita a acercarnos a él, y nos ofrece recuperación y esperanza.

*La necesidad de perdón:* Cualquiera habitante del Imperio Romano habría esperado que Onésimo hubiera sido condenado a muerte por lo que había hecho. Pero desde la perspectiva de Dios, Onésimo fue considerado digno de perdón por su relación con Jesucristo. El fundamento del cambio en la vida de Onésimo fue el perdón que recibió de Dios. Y el fundamento de su continua relación con Filemón sería el perdón que recibiría de su amo. El perdón otorgado por Dios y por otros es lo que hace posible la recuperación. Podemos regocijarnos en que cuando entregamos nuestra vida a Dios, él nos perdona y nos transforma. Y también nos ayuda a reparar el daño que hayamos causado a otras personas, preparando así el camino para nuestro perdón y restauración.

## Salutación

**1** Pablo, prisionero de Jesucristo, y el hermano Timoteo, al amado Filemón, colaborador nuestro, **2** y a la amada hermana Apia, y a Arquipo*ª* nuestro compañero de milicia, y a la iglesia que está en tu casa: **3** Gracia y paz a vosotros, de Dios nuestro Padre y del Señor Jesucristo.

**2** *ª* Col. 4.17.

## El amor y la fe de Filemón

**4** Doy gracias a mi Dios, haciendo siempre memoria de ti en mis oraciones, **5** porque oigo del amor y de la fe que tienes hacia el Señor Jesús, y para con todos los santos; **6** para que la participación de tu fe sea eficaz en el conocimiento de todo el bien que está en vosotros por Cristo Jesús.

**3-9** Antes de tratar el problema del fugitivo Onésimo, Pablo estableció sus líneas de comunicación con Filemón y los otros destinatarios de esta carta. El apóstol mostró aprecio por Filemón y una preocupación genuina por su familia. El ejemplo de Pablo puede ayudarnos en la recuperación. Algunas veces tenemos que confrontar a otros con respecto a su dependencia o tratar con ellos de algún otro problema delicado. Al hacer frente a la confrontación, necesitamos asegurarnos no sólo de valorar a las personas involucradas sino también de dedicar tiempo a establecer con ellos estrechas líneas de comunicación. Si las confrontamos demasiado pronto, pueden sentir que sólo estamos tratando de lastimarlas. Sin embargo, si les probamos antes nuestro amor, serán más receptivas a lo que les digamos.

**10-13** Onésimo se había reconciliado con Dios y había experimentado el perdón divino. Pero el hecho de que Dios lo hubiera perdonado no lo exoneraba de las consecuencias de sus acciones anteriores. Todavía tenía que regresar a la casa de su amo, para reparar el daño causado por sus faltas. La restitución es uno de los aspectos más difíciles de la recuperación. Nuestras acciones tienen consecuencias dolorosas; hieren a otras personas. Aun después de haber sido reconciliados con Dios, necesitamos reparar el daño que hemos causado a otros. Podemos estar seguros de que el Señor estará con nosotros en el proceso. Onésimo regresó a su amo llevando la carta de Pablo. No tenemos información de qué pasó después del regreso de Onésimo, pero es poco probable que esta carta hubiera sobrevivido si Filemón no hubiera aceptado el consejo de perdonar a Onésimo.

**14-17** Tanto Onésimo como Filemón tenían responsabilidades. Onésimo debía hacer lo posible por compensar a Filemón; Filemón era responsable de aceptar las propuestas del arrepentido Onésimo. Los viejos resentimientos tenían que quedar en el pasado, y a Filemón se le proponía perdonar y aceptar a su nuevo hermano en Cristo. Si hemos lastimado a otros, necesitamos dar pasos firmes para reparar el daño. Es igualmente importante, no obstante, que perdonemos a quien busque humildemente reparar el daño que nos haya causado. Guardar rencores hacia otros es destructivo para las personas de las que nos alejamos; además, nos llena de una amargura que obstaculiza nuestro progreso en la recuperación.

**18-21** Con la frase «ponlo a mi cuenta», Pablo estaba pidiéndole a Filemón que le cargara a él la deuda de Onésimo. Filemón debía recibir a Onésimo de nuevo en su hogar como si fuera Pablo quien regresara. Pablo intervino para detener el progreso del resentimiento y el quebrantamiento de esa relación. Esta es una hermosa ilustración de lo que Dios hace por nosotros por medio de Jesucristo. Dios carga todos nuestros pecados a la cuenta de Jesucristo, quien ya pagó el precio al morir en la cruz. Entonces el Señor nos recibe gozosamente en su familia, de la misma manera como habría recibido a su propio Hijo (véase 2 Corintios 5.21).

**7** Pues tenemos gran gozo y consolación en tu amor, porque por ti, oh hermano, han sido confortados los corazones de los santos.

## Pablo intercede por Onésimo

**8** Por lo cual, aunque tengo mucha libertad en Cristo para mandarte lo que conviene,

**9** más bien te ruego por amor, siendo como soy, Pablo ya anciano, y ahora, además, prisionero de Jesucristo;

**10** te ruego por mi hijo Onésimo,[1],[b] a quien engendré en mis prisiones,

**11** el cual en otro tiempo te fue inútil, pero ahora a ti y a mí nos es útil,

**12** el cual vuelvo a enviarte; tú, pues, recíbele como a mí mismo.

**13** Yo quisiera retenerle conmigo, para que en lugar tuyo me sirviese en mis prisiones por el evangelio;

**14** pero nada quise hacer sin tu consentimiento, para que tu favor no fuese como de necesidad, sino voluntario.

**15** Porque quizá para esto se apartó de ti por algún tiempo, para que le recibieses para siempre;

**16** no ya como esclavo, sino como más que esclavo, como hermano amado, mayormente para mí, pero cuánto más para ti, tanto en la carne como en el Señor.

**17** Así que, si me tienes por compañero, recíbele como a mí mismo.

**18** Y si en algo te dañó, o te debe, ponlo a mi cuenta.

**19** Yo Pablo lo escribo de mi mano, yo lo pagaré; por no decirte que aun tú mismo te me debes también.

**20** Sí, hermano, tenga yo algún provecho de ti en el Señor; conforta mi corazón en el Señor.

**21** Te he escrito confiando en tu obediencia, sabiendo que harás aun más de lo que te digo.

**22** Prepárame también alojamiento; porque espero que por vuestras oraciones os seré concedido.

## Salutaciones y bendición final

**23** Te saludan Epafras,[c] mi compañero de prisiones por Cristo Jesús,

**24** Marcos,[d] Aristarco,[e] Demas[f] y Lucas,[g] mis colaboradores.

**25** La gracia de nuestro Señor Jesucristo sea con vuestro espíritu. Amén.

**PASO 9**

### Asuntos inconclusos

LECTURA BÍBLICA: Filemón 13-16

**Reparamos directamente el daño a todas las personas siempre que fue posible, excepto cuando hacerlo implicaba lastimarlos a ellos o a otros.**

Algunas veces necesitamos terminar asuntos inconclusos antes de poder avanzar hacia nuevas oportunidades en la vida. Algunos quizás hayamos dejado rastros de leyes violadas y relaciones rotas, se trata de cosas que necesitamos atender antes de seguir adelante.

Nuestra nueva vida no nos excusa de pasadas obligaciones. Mientras el apóstol Pablo estaba en prisión, llevó a un esclavo fugitivo llamado Onésimo a una nueva vida en Cristo. Y después, Pablo lo envió de regreso a su amo, aun cuando Onésimo enfrentaba una posible muerte por su ofensa. Como su antiguo amo era amigo de Pablo y hermano en la fe, Pablo y Onésimo tenían la esperanza de conseguir el perdón del esclavo fugitivo.

Onésimo fue portador de una carta de Pablo para su amo. La carta incluía esta petición: «Yo quisiera retenerle conmigo [a Onésimo] ... pero nada quise hacer sin tu consentimiento ... Porque quizá para esto se apartó de ti por algún tiempo, para que le recibieses para siempre; no ya como esclavo, sino como más que esclavo, como hermano amado ... Y si en algo te dañó, o te debe, ponlo a mi cuenta» (Filemón 13-16,18).

Antes de poder seguir adelante hacia un nuevo futuro, debemos enfrentar los asuntos inconclusos del pasado. Esto incluye ofrecer devolver lo que debamos, resolver los problemas con la ley y regresar a las personas de las que hayamos huido. No podemos dar por sentado el perdón de nadie, pero sí podemos aspirar a él. En algunos casos tal vez nos sorprendamos al encontrar perdón y libertad de la esclavitud de nuestro pasado. ***Vaya a la página 405, 1 Pedro 2.***

**10** [1] Esto es, *útil* (v. 11) o *provechoso* (v. 20). [b] Col. 4.9. **23** [c] Col. 1.7; 4.12. **24** [d] Hch. 12.12, 25; 13.13; 15.37-39; Col. 4.10. [e] Hch. 19.29; 27.2; Col. 4.10. [f] Col. 4.14; 2 Ti. 4.10. [g] Col. 4.14; 2 Ti. 4.11.

# HEBREOS

## EL PANORAMA

Todos hemos sentido la presión de nuestros viejos hábitos o de nuestro pasado estilo de vida. Hemos experimentado la frustración que crea cuando estamos anhelando algo que nos resulte familiar, aunque sea destructivo. Quizás en algunos momentos el reto de la recuperación parezca demasiado difícil para nosotros. Nuestra vieja vida nos atrae, tentándonos con situaciones familiares de comodidad.

Muchos de los cristianos judíos del primer siglo pensaron en regresar a la antigua fe judía. Algunas de las enseñanzas de Jesús no parecían ajustarse a las enseñanzas de los maestros judíos. ¿Era Jesús realmente el Mesías? ¿Seguirlo a él implicaba tener que dejar sus antiguas y familiares formas de adoración? ¿Sería incorrecto regresar a sus antiguas creencias y tradiciones? ¿Tenía sentido seguir este «nuevo camino» cuando llevaba a una cruel persecución?

El escritor de Hebreos trató de estas dudas de los creyentes judíos mostrándoles cómo la salvación en Jesucristo es claramente superior al camino indicado por la ley judía. En esta carta les dijo a los lectores judíos que perseveraran en su nueva fe, que alentaran a otros y que anhelaran el regreso de Jesús, el Mesías. Se les advierte, además, sobre las consecuencias de rechazar la salvación ofrecida por Dios a través de Cristo y se les recuerdan las bendiciones prometidas a aquellos que confían en él.

Iniciar la recuperación requiere que encomendemos nuestra vida a Dios por medio de Jesucristo y sigamos sus caminos. Seguramente nos sentiremos tentados, de vez en cuando, a regresar a nuestro antiguo estilo de vida. Pero Dios es el único que puede darnos fuerza para nuestra recuperación. Cuando le entregamos nuestra vida, estamos dando el paso de fe necesario para comenzar el proceso de recuperación.

## EN ESENCIA

PROPÓSITO: Demostrar la sabiduría de seguir a Cristo y la insensatez de buscar la salvación en algún otro lugar. AUTOR: El autor es desconocido; pero se han sugerido los nombres de Pablo, Lucas, Bernabé, Apolos, Silas, Felipe, Priscila, y otros, como de posibles autores. DESTINATARIO: Creyentes judíos. FECHA: Probablemente poco antes de la destrucción del templo de Jerusalén en el 70 d.C. ESCENARIO: Hebreos fue escrita para alentar a los creyentes judíos que habían sido severamente perseguidos. Ellos necesitaban recibir confirmación de que Jesús era quien reclamaba ser: el Hijo de Dios y el Mesías prometido. VERSÍCULO CLAVE: «[El Hijo] siendo el resplandor de su gloria, y la imagen misma de su sustancia (1.3). PERSONAS Y RELACIONES CLAVE: Jesucristo junto con muchos hombres y mujeres de fe.

## TEMAS SOBRE RECUPERACIÓN

*La primacía de Jesucristo:* El libro de Hebreos describe a Jesús como Dios. Explica que Jesús es el poder y la autoridad definitivos en el universo, superior a cualquier otro líder en la historia. Él es la plena y total revelación que Dios nos ha dado de sí mismo. Y Jesús es quien puede perdonar nuestros pecados. Cristo es el centro de nuestra esperanza y confianza, y por esa razón él es nuestra única esperanza real para la recuperación.

*Dios libera al impotente:* Como Jesús fue el perfecto sacrificio, él cumplió con todo lo que representaban los sacrificios del Antiguo Testamento: fue el medio por el cual Dios perdona completamente nuestros pecados. Esto significa que cada pecado puede ser perdonado del todo: pasado, presente y futuro. Por medio de Cristo, Dios hizo por nosotros lo que nosotros no podíamos hacer. Jesús destruyó la barrera del pecado entre nosotros y Dios para que así tuviéramos acceso a la presencia misma del Señor. El perfecto sacrificio de Cristo quitó el castigo que acompañaba a nuestros pecados. A través de su muerte expiatoria y su poderosa resurrección, ¡él ha liberado a quienes eran impotentes para salvarse!

*La necesidad de la fe:* La fe es «la certeza de lo que se espera, la convicción de lo que no se ve» (11.1). La recuperación se basa en la fe: nuestra firme confianza de que Dios nos ayudará a hacer eso de que somos incapaces. Al depositar nuestra confianza en Dios, él nos transformará con su poder. Él ha prometido esto a todos los que crean.

*La importancia de la perseverancia:* Una cosa es saber que la recuperación es un proceso que dura toda la vida, y otra es perseverar cuando los obstáculos y los problemas bloqueen nuestro camino. Los primeros lectores del libro de Hebreos experimentaron una terrible persecución a causa de su fe. Pero el escritor les aseguró que serían capaces de soportarla si no se rendían ni volvían atrás. Necesitamos orar por que Dios nos dé fuerzas para resistir, pues la perseverancia es esencial para tener éxito en la recuperación.

---

### Dios ha hablado por su Hijo

**1** **1** Dios, habiendo hablado muchas veces y de muchas maneras en otro tiempo a los padres por los profetas,
**2** en estos postreros días nos ha hablado por el Hijo, a quien constituyó heredero de todo, y por quien asimismo hizo el universo;
**3** el cual, siendo el resplandor de su gloria, y la imagen misma de su sustancia, y quien sustenta todas las cosas con la palabra de su poder, habiendo efectuado la purificación de nuestros pecados por medio de sí mismo, se sentó a la diestra de la Majestad en las alturas,

**4** hecho tanto superior a los ángeles, cuanto heredó más excelente nombre que ellos.

### El Hijo, superior a los ángeles

**5** Porque ¿a cuál de los ángeles dijo Dios jamás:
    Mi Hijo eres tú,
    Yo te he engendrado hoy,[a]
y otra vez:
    Yo seré a él Padre,
    Y él me será a mí hijo?[b]
**6** Y otra vez, cuando introduce al Primogénito en el mundo, dice:
    Adórenle todos los ángeles de Dios.[c]

---

**1.5** [a] Sal. 2.7. [b] 2 S. 7.14; 1 Cr. 17.13. **1.6** [c] Dt. 32.43 (Gr.).

**1.1-2** Jesucristo, el Hijo de Dios, es la más perfecta y definitiva revelación de Dios. No obstante, Dios el Hijo también le dio forma a la creación original. Como «el Alfa y la Omega, principio y fin» (Apocalipsis 1.8), él es el único poder capaz de volver a crear y de realizar la transformación que buscamos en la recuperación. Como heredero de todos los tesoros del cielo y de la tierra, Jesucristo está listo para ayudar a los que se acercan a él con las manos vacías, reconociendo sus necesidades y problemas. Y puede hacerlo.
**1.3** Hay una inmensa diferencia entre el Ser divino e infinito (Dios) y los limitados seres humanos. La única manera como una persona puede llegar a entender algo sobre la gloria y el poder de Dios es conociendo a Jesucristo por medio de la fe. Cristo es al mismo tiempo tanto la increíblemente poderosa expresión de la persona de Dios como aquel que con amor entró en la pecaminosa existencia humana para redimir y renovar a las almas necesitadas. Cuando reconocemos lo impotentes que somos para salvarnos a nosotros mismos, entonces podemos acercarnos al único poder que puede lograr lo que para nosotros es imposible: Dios en Jesucristo.
**1.4-6** Los judíos tenían en gran estima a los ángeles como siervos de Dios, mayormente por su papel en el Antiguo Testamento. Pero a pesar de lo gloriosos que son los ángeles, no hay comparación posible entre los

**7** Ciertamente de los ángeles dice:
> El que hace a sus ángeles espíritus,
> Y a sus ministros llama de fuego.*d*

**8** Mas del Hijo dice:
> Tu trono, oh Dios, por el siglo del siglo;
> Cetro de equidad es el cetro de tu reino.
> **9** Has amado la justicia,
>     y aborrecido la maldad,
> Por lo cual te ungió Dios, el Dios tuyo,
> Con óleo de alegría más que a tus
>     compañeros.*e*

**10** Y:
> Tú, oh Señor, en el principio fundaste
>     la tierra,
> Y los cielos son obra de tus manos.
> **11** Ellos perecerán, mas tú permaneces;
> Y todos ellos se envejecerán como una
>     vestidura,
> **12** Y como un vestido los envolverás,
>     y serán mudados;
> Pero tú eres el mismo,
> Y tus años no acabarán.*f*

**13** Pues, ¿a cuál de los ángeles dijo Dios jamás:
> Siéntate a mi diestra,
> Hasta que ponga a tus enemigos por estrado
>     de tus pies?*g*

**14** ¿No son todos espíritus ministradores, enviados para servicio a favor de los que serán herederos de la salvación?

## Una salvación tan grande

**2** **1** Por tanto, es necesario que con más diligencia atendamos a las cosas que hemos oído, no sea que nos deslicemos.

**2** Porque si la palabra dicha por medio de los ángeles fue firme, y toda transgresión y desobediencia recibió justa retribución,

**3** ¿cómo escaparemos nosotros, si descuidamos una salvación tan grande? La cual, habiendo sido anunciada primeramente por el Señor, nos fue confirmada por los que oyeron,

**4** testificando Dios juntamente con ellos, con señales y prodigios y diversos milagros y repartimientos del Espíritu Santo según su voluntad.

## El autor de la salvación

**5** Porque no sujetó a los ángeles el mundo venidero, acerca del cual estamos hablando;

**6** pero alguien testificó en cierto lugar, diciendo:
> ¿Qué es el hombre, para que
>     te acuerdes de él,
> O el hijo del hombre, para que le visites?
> **7** Le hiciste un poco menor que los ángeles,
> Le coronaste de gloria y de honra,
> Y le pusiste sobre las obras de tus manos;
> **8** Todo lo sujetaste bajo sus pies.*a*

Porque en cuanto le sujetó todas las cosas, nada dejó que no sea sujeto a él; pero todavía no vemos que todas las cosas le sean sujetas.

**9** Pero vemos a aquel que fue hecho un poco menor que los ángeles, a Jesús, coronado de gloria y de honra, a causa del padecimiento de la muerte, para que por la gracia de Dios gustase la muerte por todos.

**10** Porque convenía a aquel por cuya causa son todas las cosas, y por quien todas las cosas subsisten, que habiendo de llevar muchos hijos a la gloria, perfeccionase por aflicciones al autor de la salvación de ellos.

**11** Porque el que santifica y los que son santificados, de uno son todos; por lo cual no se avergüenza de llamarlos hermanos,

**12** diciendo:
> Anunciaré a mis hermanos tu nombre,
> En medio de la congregación te alabaré.*b*

---

**1.7** *d* Sal. 104.4. **1.8-9** *e* Sal. 45.6-7. **1.10-12** *f* Sal. 102.25-27. **1.13** *g* Sal. 110.1. **2.6-8** *a* Sal. 8.4-6. **2.12** *b* Sal. 22.22.

---

ángeles y Jesucristo. Cristo es claramente superior en su persona y sus obras; además él tiene una relación única con el Padre celestial en su calidad de Hijo. Él nos lleva a establecer con Dios esta misma maravillosa relación de Padre-hijo (Hebreos 2.11). Por medio de Jesús tenemos acceso al Padre, quien nos ama y se preocupa por cada una de nuestras necesidades con ternura e infinita sabiduría (véanse Gálatas 4.6; Efesios 2.18). ¡Estas son ciertamente buenas noticias!

**2.1-3** Este es el primero de muchos pasajes «exhortativos» en Hebreos. Con estas palabras el autor trató de alertar a los lectores judíos sobre el sutil peligro de regresar a su antiguo estilo de vida en el judaísmo. También en la recuperación existe siempre el peligro de regresar a las viejas andanzas. Este pasaje deja ver con claridad las consecuencias de nuestras decisiones: habrá un justo castigo si se desaprovecha la oportunidad de recuperación que Cristo ofrece o una maravillosa salvación al confiar en Dios y recibir su especial favor y poder transformador.

**2.5-8** Es muy probable que el escritor de Hebreos haya usado el Salmo 8.4-6 por su referencia al «hijo del hombre». En el Salmo 8 no es obvio que estos versículos sean mesiánicos (o sea, que se refieran a Cristo); parecen referirse al estatus de la humanidad: «poco menor que los ángeles»; pero aun así «todo lo pusiste debajo de sus pies». El escritor de Hebreos añade una nueva perspectiva al aplicar a Cristo estos versículos. Como el hijo del hombre, Cristo fue menor que los ángeles por un tiempo, pero ha sido exaltado a una posición de autoridad sobre todas las cosas. Él fue antes que nosotros y ahora nos da esperanza para nuestro futuro. No importa lo difícil que sean ahora las cosas para nosotros, nuestro destino eterno es gobernar en el cielo con Cristo, si creemos en él.

**13** Y otra vez:
Yo confiaré en él.*c*
Y de nuevo:
He aquí, yo y los hijos que Dios me dio.*d*

**14** Así que, por cuanto los hijos participaron de carne y sangre, él también participó de lo mismo, para destruir por medio de la muerte al que tenía el imperio de la muerte, esto es, al diablo,

**15** y librar a todos los que por el temor de la muerte estaban durante toda la vida sujetos a servidumbre.

**16** Porque ciertamente no socorrió a los ángeles, sino que socorrió a la descendencia de Abraham.

**17** Por lo cual debía ser en todo semejante a sus hermanos, para venir a ser misericordioso y fiel sumo sacerdote en lo que a Dios se refiere, para expiar los pecados del pueblo.

**18** Pues en cuanto él mismo padeció siendo tentado, es poderoso para socorrer a los que son tentados.

### Jesús es superior a Moisés

**3** **1** Por tanto, hermanos santos, participantes del llamamiento celestial, considerad al apóstol y sumo sacerdote de nuestra profesión, Cristo Jesús;

**2** el cual es fiel al que le constituyó, como también lo fue Moisés en toda la casa de Dios.*a*

**3** Porque de tanto mayor gloria que Moisés es estimado digno éste, cuanto tiene mayor honra que la casa el que la hizo.

**4** Porque toda casa es hecha por alguno; pero el que hizo todas las cosas es Dios.

**5** Y Moisés a la verdad fue fiel en toda la casa de Dios, como siervo, para testimonio de lo que se iba a decir;

**6** pero Cristo como hijo sobre su casa, la cual casa somos nosotros, si retenemos firme hasta el fin la confianza y el gloriarnos en la esperanza.

### El reposo del pueblo de Dios

**7** Por lo cual, como dice el Espíritu Santo:
Si oyereis hoy su voz,

**8** No endurezcáis vuestros corazones,
Como en la provocación, en el día
de la tentación en el desierto,

**9** Donde me tentaron vuestros padres;
me probaron,
Y vieron mis obras cuarenta años.

**10** A causa de lo cual me disgusté
contra esa generación,
Y dije: Siempre andan vagando
en su corazón,
Y no han conocido mis caminos.

**11** Por tanto, juré en mi ira:
No entrarán en mi reposo.*b*

**12** Mirad, hermanos, que no haya en ninguno de vosotros corazón malo de incredulidad para apartarse del Dios vivo;

**13** antes exhortaos los unos a los otros cada día, entre tanto que se dice: Hoy; para que ninguno de vosotros se endurezca por el engaño del pecado.

**14** Porque somos hechos participantes de Cristo, con tal que retengamos firme hasta el fin nuestra confianza del principio,

**2.13** *c* Is. 8.17. *d* Is. 8.18. **3.2** *a* Nm. 12.7. **3.7-11** *b* Sal. 95.7-11.

**2.8-14** Los creyentes que están en recuperación ya están en camino a una eternidad con Dios, pasando por difíciles territorios donde ya Cristo estuvo. Fue el gran amor y la gracia de Dios lo que llevó a Jesús a su muerte; y por medio de su muerte, la salvación se hizo disponible para todos. Es también la gracia de Dios la que nos sostiene a través del sufrimiento en la recuperación. Con frecuencia es sólo por medio del fuego purificador del sufrimiento como logramos la estabilidad y la verdadera santidad. Cuando sufrimos, podemos estar seguros de que Jesús está con nosotros, que él sufrió antes que nosotros y que Dios usará nuestro dolor para realizar sus propósitos.

**2.17-18** Cuando estamos deprimidos o cuando luchamos en la recuperación, quizás sintamos que nadie se preocupa por nosotros ni entiende lo que estamos experimentando. Nadie ha hecho tanto por identificarse con nosotros como Jesucristo; aunque él era el Dios sin límites, se sujetó a sí mismo a todas nuestras limitaciones humanas. Vivió en nuestro mundo como un ser humano y sufrió como sufrimos nosotros; por lo tanto, por su experiencia personal él entiende nuestro dolor y sufrimiento. Él ha estado ya donde nosotros estamos, y está ansioso por ayudarnos y dispuesto a hacerlo.

**3.1** El escritor de Hebreos les recordó a sus lectores que ellos eran el pueblo especial de Dios, separados, escogidos para el cielo. En nuestra tarea de recuperación necesitamos recordar periódicamente quiénes somos y hacia dónde nos dirigimos. Antes de comenzar la recuperación, nuestro pasado controlaba nuestro presente. Ahora, en la recuperación, debido a la fe que ejercitamos, podemos afirmar tanto quiénes somos en Cristo como el glorioso destino que nos espera.

**3.2-6** La superioridad de Cristo sobre Moisés se subraya al comparar las posiciones que ambos ocupaban. Cristo era como el constructor de una elegante casa (como Creador), mientras que Moisés era como la casa misma o hasta un siervo en esa casa. Dios puede usar muchos medios para ayudarnos en la recuperación: terapistas, grupos de recuperación, pastores, mentores, libros, reuniones, casetes, diarios, oración. No obstante, Dios controla amorosamente la reconstrucción de nuestra vida. En ese conocimiento podemos encontrar aliento, confianza y gozo.

**15** entre tanto que se dice:

Si oyereis hoy su voz,
No endurezcáis vuestros corazones,
como en la provocación.*c*

**16** ¿Quiénes fueron los que, habiendo oído, le provocaron? ¿No fueron todos los que salieron de Egipto por mano de Moisés?

**17** ¿Y con quiénes estuvo él disgustado cuarenta años? ¿No fue con los que pecaron, cuyos cuerpos cayeron en el desierto?

**18** ¿Y a quiénes juró que no entrarían en su reposo, sino a aquellos que desobedecieron?*d*

**19** Y vemos que no pudieron entrar a causa de incredulidad.

**4** **1** Temamos, pues, no sea que permaneciendo aún la promesa de entrar en su reposo, alguno de vosotros parezca no haberlo alcanzado.

**2** Porque también a nosotros se nos ha anunciado la buena nueva como a ellos; pero no les aprovechó el oír la palabra, por no ir acompañada de fe en los que la oyeron.

**3** Pero los que hemos creído entramos en el reposo, de la manera que dijo:

Por tanto, juré en mi ira,
No entrarán en mi reposo;*a*

aunque las obras suyas estaban acabadas desde la fundación del mundo.

**4** Porque en cierto lugar dijo así del séptimo día: Y reposó Dios de todas sus obras en el séptimo día.*b*

**5** Y otra vez aquí: No entrarán en mi reposo.*c*

**6** Por lo tanto, puesto que falta que algunos entren en él, y aquellos a quienes primero se les anunció la buena nueva no entraron por causa de desobediencia,

**7** otra vez determina un día: Hoy, diciendo después de tanto tiempo, por medio de David, como se dijo:

Si oyereis hoy su voz,
No endurezcáis vuestros corazones.*d*

**8** Porque si Josué les hubiera dado el reposo,*e* no hablaría después de otro día.

**9** Por tanto, queda un reposo para el pueblo de Dios.

**10** Porque el que ha entrado en su reposo, también ha reposado de sus obras, como Dios de las suyas.*f*

**11** Procuremos, pues, entrar en aquel reposo, para que ninguno caiga en semejante ejemplo de desobediencia.

**12** Porque la palabra de Dios es viva y eficaz, y más cortante que toda espada de dos filos; y penetra hasta partir el alma y el espíritu, las coyunturas y los tuétanos, y discierne los pensamientos y las intenciones del corazón.

**3.15** *c* Sal. 95.7-8.   **3.16-18** *d* Nm. 14.1-35.   **4.3** *a* Sal. 95.11.   **4.4** *b* Gn. 2.2.   **4.5** *c* Sal. 95.11.
**4.7** *d* Sal. 95.7-8.   **4.8** *e* Dt. 31.7; Jos. 22.4.   **4.10** *f* Gn. 2.2.

**3.7—4.13** En esta segunda y más extensa «advertencia» (véase nota sobre 2.1-3), se alerta a los lectores a que eviten el error cometido por los israelitas que recibieron la ley en el monte Sinaí. A pesar de todos sus privilegios espirituales y la percepción visual del asombroso poder de Dios, aun así se negaron a ejercitar su fe y entrar en la tierra prometida que por gracia Dios les había ofrecido. Muchos de nosotros cometemos un error similar después de iniciar la recuperación: o no perseveramos o no anclamos nuestra recuperación en Cristo, la única fuente real de sanidad. Toda la Biblia, incluyendo el libro de Hebreos, se orienta a ayudarnos a poner toda nuestra confianza en Dios tal como se ha revelado en Jesucristo.

**4.1-3** Dios siempre está listo, dispuesto a cumplir sus promesas de libertad y reposo. Y puede hacerlas realidad. Sólo una cosa lo detiene: nuestra incredulidad o falta de fe. Dios quiere que recibamos maravillosas bendiciones y seamos liberados de nuestra dependencia, pero esto sólo puede recibirse por fe. De la misma forma que los judíos de los tiempos de Moisés no creyeron lo que Dios les dijo, a veces nosotros permitimos que las dificultades del presente nos hagan dudar de las promesas del Señor. La recuperación es un proceso difícil y a veces doloroso. Cuando la senda nos parezca más difícil, debemos fijar conscientemente nuestra mente en las promesas de Dios. La fe en Cristo, no en nuestros propios esfuerzos, es el único camino hacia la verdadera recuperación.

**4.4-11** Aunque de ninguna manera Dios está inactivo en este momento, en un sentido muy real, él comenzó su «reposo» al terminar la creación (véase Génesis 2.1-3). El escritor entendió que la renovada oferta de descanso hecha por David en el Salmo 95 se refería a que ese reposo especial no estaba asegurado cuando Josué e Israel no entraron en el Tierra prometida. Por consiguiente, la oferta divina de reposo, la que ciertamente incluye las metas de recuperación (paz con Dios, con uno mismo y con otros; las relaciones personales saludables; la habilidad de hacer frente a la vida) sigue estando disponible para aquellos que la busquen con fe y perseverancia.

**4.12-13** Durante los tiempos difíciles nuestra fe tiende a mermar; tal vez aumente el coraje y se endurezca nuestro corazón frente a la verdad sobre nosotros mismos. El antídoto para este problema es la viva palabra de Dios, que tiene el poder para penetrar hasta nuestras actitudes negativas más profundas. Esta es una buena noticia para quienes estamos luchando por superar un estilo de vida disfuncional y tendemos a distorsionar la realidad. Dios sabe todo sobre nosotros, aun las cosas que tratamos de esconder de nosotros mismos. Podemos contar con él, por medio de su Palabra, para exponer los problemas y necesidades que enfrentaremos en la recuperación.

**13** Y no hay cosa creada que no sea manifiesta en su presencia; antes bien todas las cosas están desnudas y abiertas a los ojos de aquel a quien tenemos que dar cuenta.

## Jesús el gran sumo sacerdote

**14** Por tanto, teniendo un gran sumo sacerdote que traspasó los cielos, Jesús el Hijo de Dios, retengamos nuestra profesión.
**15** Porque no tenemos un sumo sacerdote que no pueda compadecerse de nuestras debilidades, sino uno que fue tentado en todo según nuestra semejanza, pero sin pecado.
**16** Acerquémonos, pues, confiadamente al trono de la gracia, para alcanzar misericordia y hallar gracia para el oportuno socorro.

**5** **1** Porque todo sumo sacerdote tomado de entre los hombres es constituido a favor de los hombres en lo que a Dios se refiere, para que presente ofrendas y sacrificios por los pecados;
**2** para que se muestre paciente con los ignorantes y extraviados, puesto que él también está rodeado de debilidad;
**3** y por causa de ella debe ofrecer por los pecados, tanto por sí mismo como también por el pueblo.*a*
**4** Y nadie toma para sí esta honra, sino el que es llamado por Dios, como lo fue Aarón.*b*
**5** Así tampoco Cristo se glorificó a sí mismo haciéndose sumo sacerdote, sino el que le dijo:
    Tú eres mi Hijo,
    Yo te he engendrado hoy.*c*
**6** Como también dice en otro lugar:
    Tú eres sacerdote para siempre,
    Según el orden de Melquisedec.*d*

**7** Y Cristo, en los días de su carne, ofreciendo ruegos y súplicas con gran clamor y lágrimas al que le podía librar de la muerte,*e* fue oído a causa de su temor reverente.
**8** Y aunque era Hijo, por lo que padeció aprendió la obediencia;
**9** y habiendo sido perfeccionado, vino a ser autor de eterna salvación para todos los que le obedecen;
**10** y fue declarado por Dios sumo sacerdote según el orden de Melquisedec.

## Advertencia contra la apostasía

**11** Acerca de esto tenemos mucho que decir, y difícil de explicar, por cuanto os habéis hecho tardos para oír.
**12** Porque debiendo ser ya maestros, después de tanto tiempo, tenéis necesidad de que se os vuelva a enseñar cuáles son los primeros rudimentos de las palabras de Dios; y habéis llegado a ser tales que tenéis necesidad de leche, y no de alimento sólido.
**13** Y todo aquel que participa de la leche es inexperto en la palabra de justicia, porque es niño;*f*
**14** pero el alimento sólido es para los que han alcanzado madurez, para los que por el uso tienen los sentidos ejercitados en el discernimiento del bien y del mal.

**6** **1** Por tanto, dejando ya los rudimentos de la doctrina de Cristo, vamos adelante a la perfección; no echando otra vez el fundamento del arrepentimiento de obras muertas, de la fe en Dios,
**2** de la doctrina de bautismos, de la imposición de manos, de la resurrección de los muertos y del juicio eterno.

**5.3** *a* Lv. 9.7.   **5.4** *b* Ex. 28.1.   **5.5** *c* Sal. 2.7.   **5.6** *d* Sal. 110.4.   **5.7** *e* Mt. 26.36-46; Mr. 14.32-42; Lc. 22.39-46.
**5.12-13** *f* 1 Co. 3.2.

**5.4-10** Como cualquier Sumo sacerdote, Jesucristo tuvo que ser escogido para ejercer una función. Pero Cristo fue un sacerdote diferente de los sacerdotes judíos descendientes de Aarón. Jesús es el definitivo (y eterno) Sumo sacerdote del orden de Melquisedec (véanse 7.1-21; Salmo 110.4). Para prepararse para ese llamado único, Jesús, el perfecto Sumo Sacerdote (véase Hebreos 13.8), tuvo que pasar por un doloroso proceso de crecimiento y aprendizaje (véase Lucas 2.52) que culminó en su muerte en la cruz. Su éxito en ese proceso es fuente de gran esperanza mientras continuamos en la recuperación. Él es quien va delante de nosotros y ha preparado el camino. Él estará con nosotros en cada paso que demos.
**5.11-13** El escritor interrumpió su discusión sobre Melquisedec para advertir al pueblo sobre las dinámicas espirituales subyacentes a su inmadurez en Cristo. El problema no consistía en no tener el tiempo adecuado para crecer y cambiar. Pero el pueblo (y muchos de nosotros hoy día) continuaba exhibiendo una conducta infantil en lugar de crecer y alcanzar la adultez espiritual. A veces pasa mucho tiempo antes de que veamos progreso en la recuperación. Pero este pasaje sugiere que el crecimiento es la norma, aunque con frecuencia sea lento. Si con el paso del tiempo no vemos ningún progreso en nuestra recuperación, debemos descubrir el motivo.
**5.14** El crecimiento espiritual, la consiguiente madurez y el equilibrio sólo pueden lograrse por medio de la diligencia; es decir, actuando según lo que sabemos que es cierto. Si meditamos en la palabra de Dios, haremos las cosas correctas; mientras más hacemos lo correcto, más se convierte esta práctica en nuestra segunda naturaleza. Al igual que un atleta, necesitamos disciplinar nuestro cuerpo, entrenándolo, por medio de la buena toma de decisiones, para hacer lo que debe. Esto conduce a la madurez espiritual y emocional.
**6.4-8** Este pasaje se refiere a los creyentes que se alejan de su salvación o a los incrédulos que se acercan bastante a la salvación pero luego le dan la espalda. En cualquiera de los dos casos, la analogía agrícola

**3** Y esto haremos, si Dios en verdad lo permite.

**4** Porque es imposible que los que una vez fueron iluminados y gustaron del don celestial, y fueron hechos partícipes del Espíritu Santo,

**5** y asimismo gustaron de la buena palabra de Dios y los poderes del siglo venidero,

**6** y recayeron, sean otra vez renovados para arrepentimiento, crucificando de nuevo para sí mismos al Hijo de Dios y exponiéndole a vituperio.

**7** Porque la tierra que bebe la lluvia que muchas veces cae sobre ella, y produce hierba provechosa a aquellos por los cuales es labrada, recibe bendición de Dios;

**8** pero la que produce espinos y abrojos es reprobada, está próxima a ser maldecida,*a* y su fin es el ser quemada.

**9** Pero en cuanto a vosotros, oh amados, estamos persuadidos de cosas mejores, y que pertenecen a la salvación, aunque hablamos así.

**10** Porque Dios no es injusto para olvidar vuestra obra y el trabajo de amor que habéis mostrado hacia su nombre, habiendo servido a los santos y sirviéndoles aún.

**11** Pero deseamos que cada uno de vosotros muestre la misma solicitud hasta el fin, para plena certeza de la esperanza,

**12** a fin de que no os hagáis perezosos, sino imitadores de aquellos que por la fe y la paciencia heredan las promesas.

**13** Porque cuando Dios hizo la promesa a Abraham, no pudiendo jurar por otro mayor, juró por sí mismo,

**14** diciendo: De cierto te bendeciré con abundancia y te multiplicaré grandemente.*b*

**15** Y habiendo esperado con paciencia, alcanzó la promesa.

**16** Porque los hombres ciertamente juran por uno mayor que ellos, y para ellos el fin de toda controversia es el juramento para confirmación.

**17** Por lo cual, queriendo Dios mostrar más abundantemente a los herederos de la promesa la inmutabilidad de su consejo, interpuso juramento;

**18** para que por dos cosas inmutables, en las cuales es imposible que Dios mienta, tengamos un fortísimo consuelo los que hemos acudido para asirnos de la esperanza puesta delante de nosotros.

**19** La cual tenemos como segura y firme ancla del alma, y que penetra hasta dentro del velo,*c*

**20** donde Jesús entró por nosotros como precursor, hecho sumo sacerdote para siempre según el orden de Melquisedec.*d*

## El sacerdocio de Melquisedec

**7** **1** Porque este Melquisedec, rey de Salem, sacerdote del Dios Altísimo, que salió a recibir a Abraham que volvía de la derrota de los reyes, y le bendijo,

**2** a quien asimismo dio Abraham los diezmos de todo;*a* cuyo nombre significa primeramente Rey de justicia, y también Rey de Salem, esto es, Rey de paz;

**3** sin padre, sin madre, sin genealogía; que ni tiene principio de días, ni fin de vida, sino hecho semejante al Hijo de Dios, permanece sacerdote para siempre.

**6.8** *a* Gn. 3.17-18.   **6.14** *b* Gn. 22.16-17.   **6.19** *c* Lv. 16.2.   **6.20** *d* Sal. 110.4.   **7.1-2** *a* Gn. 14.17-20.

---

ilustra la verdad de que si hay una auténtica vida espiritual, esta se hará manifiesta de alguna manera. En la recuperación, busquemos y valoremos cualquier señal de crecimiento, aun cuando sea pequeña: verdes retoños donde antes sólo había un terreno seco y estéril. Si estamos buscando la plenitud por medio de la fe en Cristo, podemos estar seguros de que habrá, a su tiempo, buen fruto.

**6.9-12** Al confrontar a sus lectores con respecto al letargo espiritual en que se habían sumido (véase 5.11-14), las palabras del escritor fueron duras y directas, aunque aun así aquí escoge ser positivo y pensar lo mejor sobre ellos. Por lo que él conocía del pasado de ellos, sabía que habían trabajado con ahínco. Pero también enfrentó la realidad de su inmadurez y los desafió a perseverar con fe paciente en su crecimiento espiritual y en su recuperación. En nuestra propia recuperación a veces necesitamos que nos corrijan y nos desafíen. Este pasaje nos da un ejemplo de cómo confrontar a otras personas cuando es necesario y, al mismo tiempo, ser receptivos cuando nos corrigen personas que nos aman.

**6.13-20** Abraham, el padre de la nación judía, dio ejemplo de fe paciente. Después de desearlo por muchos años, finalmente recibió su hijo prometido, Isaac, el primero de muchos descendientes (véanse Génesis 12.1-3; 22.16-18). La fe perseverante de Abraham (véase 11.8-19) estaba anclada en las promesas divinas, que a su vez se basaban en la naturaleza inmutable de Dios. Al igual que Abraham, podemos confiar en las promesas del Señor y encontrar absoluta seguridad en el Cristo resucitado, quien es nuestro Sumo Sacerdote y quien nos relaciona con el Dios viviente.

**7.1-3** La exposición vuelve a Melquisedec (véase 5.6-10). Tal vez estas ideas fueran demasiado profundas para que los lectores originales las entendieran en su estado de inmadurez espiritual, pero el escritor pensó que era crucial que trataran de entenderlas. Algunos aspectos de la vida de Melquisedec (véase Génesis 14.18-20) tenían un asombroso paralelo con diversos aspectos de la vida de Cristo. Así se acentuaba el hecho de que Cristo estaba verdaderamente calificado para ser sacerdote en el orden de Melquisedec (véase 6.20) y por lo tanto, para ser también nuestra perpetua ancla en la recuperación y la reconciliación.

**4** Considerad, pues, cuán grande era éste, a quien aun Abraham el patriarca dio diezmos del botín.
**5** Ciertamente los que de entre los hijos de Leví reciben el sacerdocio, tienen mandamiento de tomar del pueblo los diezmos según la ley,*b* es decir, de sus hermanos, aunque éstos también hayan salido de los lomos de Abraham.
**6** Pero aquel cuya genealogía no es contada de entre ellos, tomó de Abraham los diezmos, y bendijo al que tenía las promesas.
**7** Y sin discusión alguna, el menor es bendecido por el mayor.
**8** Y aquí ciertamente reciben los diezmos hombres mortales; pero allí, uno de quien se da testimonio de que vive.
**9** Y por decirlo así, en Abraham pagó el diezmo también Leví, que recibe los diezmos;
**10** porque aún estaba en los lomos de su padre cuando Melquisedec le salió al encuentro.

**11** Si, pues, la perfección fuera por el sacerdocio levítico (porque bajo él recibió el pueblo la ley), ¿qué necesidad habría aún de que se levantase otro sacerdote, según el orden de Melquisedec, y que no fuese llamado según el orden de Aarón?
**12** Porque cambiado el sacerdocio, necesario es que haya también cambio de ley;
**13** y aquel de quien se dice esto, es de otra tribu, de la cual nadie sirvió al altar.
**14** Porque manifiesto es que nuestro Señor vino de la tribu de Judá, de la cual nada habló Moisés tocante al sacerdocio.

**15** Y esto es aun más manifiesto, si a semejanza de Melquisedec se levanta un sacerdote distinto,
**16** no constituido conforme a la ley del mandamiento acerca de la descendencia, sino según el poder de una vida indestructible.

**17** Pues se da testimonio de él:
Tú eres sacerdote para siempre,
Según el orden de Melquisedec.*c*
**18** Queda, pues, abrogado el mandamiento anterior a causa de su debilidad e ineficacia
**19** (pues nada perfeccionó la ley), y de la introducción de una mejor esperanza, por la cual nos acercamos a Dios.

**20** Y esto no fue hecho sin juramento;
**21** porque los otros ciertamente sin juramento fueron hechos sacerdotes; pero éste, con el juramento del que le dijo:
Juró el Señor, y no se arrepentirá:
Tú eres sacerdote para siempre,
Según el orden de Melquisedec.*d*
**22** Por tanto, Jesús es hecho fiador de un mejor pacto.

**23** Y los otros sacerdotes llegaron a ser muchos, debido a que por la muerte no podían continuar;
**24** mas éste, por cuanto permanece para siempre, tiene un sacerdocio inmutable;
**25** por lo cual puede también salvar perpetuamente a los que por él se acercan a Dios, viviendo siempre para interceder por ellos.

**26** Porque tal sumo sacerdote nos convenía: santo, inocente, sin mancha, apartado de los pecadores, y hecho más sublime que los cielos;
**27** que no tiene necesidad cada día, como aquellos sumos sacerdotes, de ofrecer primero sacrificios por sus propios pecados, y luego por los del pueblo;*e* porque esto lo hizo una vez para siempre, ofreciéndose a sí mismo.
**28** Porque la ley constituye sumos sacerdotes a débiles hombres; pero la palabra del juramento, posterior a la ley, al Hijo, hecho perfecto para siempre.

---

**7.5** *b* Nm. 18.21.   **7.17** *c* Sal. 110.4.   **7.21** *d* Sal. 110.4.   **7.27** *e* Lv. 9.7.

---

**7.4-10** Abraham reconoció que Melquisedec era más grande que él. Por consecuencia, también era obviamente más grande que cualquiera de los descendientes de Abraham, incluyendo a Leví y a los sacerdotes que descendieron de este. El sacerdocio del que procedía Cristo —el de Melquisedec— es más antiguo (lo que implicaba más estabilidad) que el de Aarón. Una estabilidad como esa puede ser de gran aliento para una persona inmersa en el trajín de su recuperación. Puede ser que nuestra vida parezca hacerse añicos y que las circunstancias cambien constantemente, pero Cristo, nuestro perfecto Sumo sacerdote, nunca cambiará.
**7.11-19** Se necesitaba desesperadamente el nuevo sacerdocio de Cristo, puesto que el sacerdocio levítico y la ley mosaica eran incapaces de producir una verdadera madurez espiritual. Urgían un mejor sacerdocio, una mejor ley y una mejor esperanza para vivir en una relación con Dios cada vez más estrecha. La calificación de Cristo como Sumo sacerdote no se debió a ser descendiente de una tribu, sino a su resurrección a una nueva vida. La ley mosaica no podía justificar a nadie ante Dios.
Sólo Cristo podía hacer eso. En nuestra recuperación, Jesús obrará cambios duraderos en nuestra vida.
**7.20-26** El juramento inmutable de Dios con respecto al sacerdocio de Cristo, expresado proféticamente en el Salmo 110.4, significaba que el sacerdocio de Cristo era eterno y que estaba relacionado con un pacto mejor y definitivo. Este carácter definitivo significa que Cristo velará por nuestra recuperación hasta el final, que siempre estará disponible para ayudarnos y que él es siempre nuestro perfecto modelo de vida piadosa.

## El mediador de un nuevo pacto

**8** **1** Ahora bien, el punto principal de lo que venimos diciendo es que tenemos tal sumo sacerdote, el cual se sentó a la diestra del trono de la Majestad en los cielos,*a*

**2** ministro del santuario, y de aquel verdadero tabernáculo que levantó el Señor, y no el hombre.

**3** Porque todo sumo sacerdote está constituido para presentar ofrendas y sacrificios; por lo cual es necesario que también éste tenga algo que ofrecer.

**4** Así que, si estuviese sobre la tierra, ni siquiera sería sacerdote, habiendo aún sacerdotes que presentan las ofrendas según la ley;

**5** los cuales sirven a lo que es figura y sombra de las cosas celestiales, como se le advirtió a Moisés cuando iba a erigir el tabernáculo, diciéndole: Mira, haz todas las cosas conforme al modelo que se te ha mostrado en el monte.*b*

**6** Pero ahora tanto mejor ministerio es el suyo, cuanto es mediador de un mejor pacto, establecido sobre mejores promesas.

**7** Porque si aquel primero hubiera sido sin defecto, ciertamente no se hubiera procurado lugar para el segundo.

**8** Porque reprendiéndolos dice:
He aquí vienen días, dice el Señor,
En que estableceré con la casa de Israel y la casa de Judá un nuevo pacto;

**9** No como el pacto que hice con sus padres
El día que los tomé de la mano para sacarlos de la tierra de Egipto;
Porque ellos no permanecieron en mi pacto,
Y yo me desentendí de ellos, dice el Señor.

**10** Por lo cual, este es el pacto que haré con la casa de Israel
Después de aquellos días, dice el Señor:
Pondré mis leyes en la mente de ellos,
Y sobre su corazón las escribiré;
Y seré a ellos por Dios,
Y ellos me serán a mí por pueblo;

**11** Y ninguno enseñará a su prójimo,
Ni ninguno a su hermano, diciendo:
Conoce al Señor;
Porque todos me conocerán,
Desde el menor hasta el mayor de ellos.

**12** Porque seré propicio a sus injusticias,
Y nunca más me acordaré de sus pecados y de sus iniquidades.*c*

---

# Autoprotección

## LEA HEBREOS 10.23-34

La recuperación es una batalla que nadie gana solo. Nos ayudamos unos a otros a pensar y a vivir en formas diferentes. Solos, somos vulnerables a la tentación; juntos, formamos entre todos un escudo de protección mutua.

El apóstol Pablo escribió: «Sobre todo, tomad el escudo de la fe, con que podáis apagar todos los dardos de fuego del maligno» (Efesios 6.16). La fe aquí se refiere a confiar en Dios para salvación. En términos generales, también implica la fe para la vida diaria y el estar firmes en nuestras convicciones. Y puede aplicarse a nuestras convicciones sobre la sabiduría de Dios en la Biblia o a nuestra confianza en los Doce Pasos. La fe se compara con los escudos que llevaban los soldados romanos. Estos escudos les cubrían todo el cuerpo. Para avanzar en la batalla, un grupo de soldados se juntaba, haciendo una pared de escudos para su protección mientras avanzaban.

De igual forma se nos dice que permanezcamos unidos. El autor de Hebreos escribió: «No dejando de congregarnos, como algunos tienen por costumbre, sino exhortándonos...» (Hebreos 10.25). Debemos ocupar nuestro lugar en una comunidad que provea la protección mutua que necesitamos para mantenernos firmes en la recuperación.

Necesitamos congregarnos con otras personas que compartan las mismas creencias, útiles en la recuperación. El animarnos unos a otros, nuestra común fe en Dios y en su Palabra, y los principios de los Doce Pasos serán una forma de fortalecernos y protegernos mientras avanzamos en el proceso de recuperación. ***Vaya a la página 383, Hebreos 12.***

---

**8.1** *a* Sal. 110.1.   **8.5** *b* Ex. 25.40.   **8.8-12** *c* Jer. 31.31-34.

---

**8.1-6** Cristo, nuestro Sumo sacerdote, se sienta en el lugar de más alto honor en el cielo: a la diestra de Dios. Este es el verdadero lugar de adoración, construido por Dios, no por manos humanas como el tabernáculo, que era sólo una copia del verdadero lugar de adoración en el cielo. Por medio de la muerte y resurrección de Cristo el sacerdocio limitado y terrenal dio paso al sacerdocio perfecto y celestial. El sacerdocio celestial es mucho más preeminente: se basa en mejores promesas y garantiza los recursos necesarios para la recuperación.

**13** Al decir: Nuevo pacto, ha dado por viejo al primero; y lo que se da por viejo y se envejece, está próximo a desaparecer.

**9** **1** Ahora bien, aun el primer pacto tenía ordenanzas de culto y un santuario terrenal.
**2** Porque el tabernáculo*ᵃ* estaba dispuesto así: en la primera parte, llamada el Lugar Santo, estaban el candelabro,*ᵇ* la mesa y los panes de la proposición.*ᶜ*
**3** Tras el segundo velo estaba la parte del tabernáculo llamada el Lugar Santísimo,*ᵈ*
**4** el cual tenía un incensario de oro*ᵉ* y el arca del pacto cubierta de oro por todas partes,*ᶠ* en la que estaba una urna de oro que contenía el maná,*ᵍ* la vara de Aarón que reverdeció,*ʰ* y las tablas del pacto;*ⁱ*
**5** y sobre ella los querubines de gloria que cubrían el propiciatorio;*ʲ* de las cuales cosas no se puede ahora hablar en detalle.
**6** Y así dispuestas estas cosas, en la primera parte del tabernáculo entran los sacerdotes continuamente para cumplir los oficios del culto;*ᵏ*
**7** pero en la segunda parte, sólo el sumo sacerdote una vez al año, no sin sangre, la cual ofrece por sí mismo y por los pecados de ignorancia del pueblo;*ˡ*
**8** dando el Espíritu Santo a entender con esto que aún no se había manifestado el camino al Lugar Santísimo, entre tanto que la primera parte del tabernáculo estuviese en pie.
**9** Lo cual es símbolo para el tiempo presente, según el cual se presentan ofrendas y sacrificios que no pueden hacer perfecto, en cuanto a la conciencia, al que practica ese culto,
**10** ya que consiste sólo de comidas y bebidas, de diversas abluciones, y ordenanzas acerca de la carne, impuestas hasta el tiempo de reformar las cosas.

**11** Pero estando ya presente Cristo, sumo sacerdote de los bienes venideros, por el más amplio y más perfecto tabernáculo, no hecho de manos, es decir, no de esta creación,
**12** y no por sangre de machos cabríos ni de becerros, sino por su propia sangre, entró una vez para siempre en el Lugar Santísimo, habiendo obtenido eterna redención.
**13** Porque si la sangre de los toros y de los machos cabríos,*ᵐ* y las cenizas de la becerra*ⁿ* rociadas a los inmundos, santifican para la purificación de la carne,
**14** ¿cuánto más la sangre de Cristo, el cual mediante el Espíritu eterno se ofreció a sí mismo sin mancha a Dios, limpiará vuestras conciencias de obras muertas para que sirváis al Dios vivo?
**15** Así que, por eso es mediador de un nuevo pacto,*¹* para que interviniendo muerte para la remisión de las transgresiones que había bajo el primer pacto, los llamados reciban la promesa de la herencia eterna.
**16** Porque donde hay testamento,*²* es necesario que intervenga muerte del testador.

**9.2** *ᵃ* Ex. 26.1-30.  *ᵇ* Ex. 25.31-40.  *ᶜ* Ex. 25.23-30.  **9.3** *ᵈ* Ex. 26.31-33.  **9.4** *ᵉ* Ex. 30.1-6.  *ᶠ* Ex. 25.10-16.
*ᵍ* Ex. 16.33.  *ʰ* Nm. 17.8-10.  *ⁱ* Ex. 25.16; Dt. 10.3-5.  **9.5** *ʲ* Ex. 25.18-22.  **9.6** *ᵏ* Nm. 18.2-6.
**9.7** *ˡ* Lv. 16.2-34.  **9.13** *ᵐ* Lv. 16.15-16.  *ⁿ* Nm. 19.9, 17-19.  **9.15** *¹* La misma palabra griega significa tanto *pacto* como *testamento.*  **9.16** *²* La misma palabra griega significa tanto *pacto* como *testamento.*

**8.7-13** Seis siglos antes de que Cristo muriera en la cruz para ofrecernos una nueva manera de relacionarnos con Dios (véase Lucas 22.20), el profeta Jeremías predijo que se necesitaba un «nuevo pacto», totalmente diferente de la ley del Antiguo Testamento, para salvar el abismo de separación entre Dios y los seres humanos (véase Jeremías 31.31-34). Por lo tanto, en lugar de volverse a las antiguas formas del legalismo judaico, los lectores debían haberse percatado de que el antiguo programa de Dios había caducado desde hacía mucho tiempo. Estaban procurando su recuperación en el lugar equivocado. Sólo hay una forma de experimentar la recuperación y la reconciliación: por medio de la fe en Cristo Jesús.

**8.10-13** El nuevo pacto establecido por Dios por medio de Jesucristo es muy emocionante. Dios iba a escribir sus leyes en el corazón de los seres humanos, dándoles un nuevo deseo de obedecerlo. Tendrían una íntima y especial relación con Dios y un nuevo compañerismo con otros creyentes. Dios perdonaría sus pecados pasados y sus defectos de carácter. En Cristo podemos recibir sanidad espiritual y emocional, y tener toda la ayuda necesaria para una recuperación exitosa.

**9.1-10** En el Antiguo Testamento, las ordenanzas para la adoración eran dramáticas y simbolizaban vigorosamente las dolorosas consecuencias del pecado. Pero el antiguo sistema expiatorio fue eficaz por un corto tiempo y no representaba la solución permanente del problema del pecado. No podía producir un acceso personal e inmediato a Dios o una conciencia limpia. Estas ordenanzas bastaron hasta que la completa y definitiva revelación de Dios llegó en la persona de Jesucristo. Una vez más vemos que Cristo es la única opción viable para los que necesitamos recuperación y transformación espiritual. Sólo a través de él Dios puede llevar a cabo cambios permanentes en nuestra vida.

**9.11-15** No podía establecerse ninguna comparación entre los sacrificios continuos en el templo terrenal en Jerusalén y el sacrificio provisto por Cristo, nuestro Sumo sacerdote y mediador. Cristo logró lo que no pudo lograr el sistema de sacrificios del Antiguo Testamento: de una vez y por todas, él completó la redención. Confiar en la obra que Cristo hizo es la única manera de obtener absoluto perdón, una conciencia limpia y la vida eterna. Ahora, cuando ponemos nuestra fe en Cristo, somos libres y podemos conocer y servir con gozo a Dios.

**17** Porque el testamento con la muerte se confirma; pues no es válido entre tanto que el testador vive.

**18** De donde ni aun el primer pacto fue instituido sin sangre.

**19** Porque habiendo anunciado Moisés todos los mandamientos de la ley a todo el pueblo, tomó la sangre de los becerros y de los machos cabríos, con agua, lana escarlata e hisopo, y roció el mismo libro y también a todo el pueblo,

**20** diciendo: Esta es la sangre del pacto que Dios os ha mandado.*o*

**21** Y además de esto, roció también con la sangre el tabernáculo y todos los vasos del ministerio.*p*

**22** Y casi todo es purificado, según la ley, con sangre; y sin derramamiento de sangre no se hace remisión.*q*

### El sacrificio de Cristo quita el pecado

**23** Fue, pues, necesario que las figuras de las cosas celestiales fuesen purificadas así; pero las cosas celestiales mismas, con mejores sacrificios que estos.

**24** Porque no entró Cristo en el santuario hecho de mano, figura del verdadero, sino en el cielo mismo para presentarse ahora por nosotros ante Dios;

**25** y no para ofrecerse muchas veces, como entra el sumo sacerdote en el Lugar Santísimo cada año con sangre ajena.

**26** De otra manera le hubiera sido necesario padecer muchas veces desde el principio del mundo; pero ahora, en la consumación de los siglos, se presentó una vez para siempre por el sacrificio de sí mismo para quitar de en medio el pecado.

**27** Y de la manera que está establecido para los hombres que mueran una sola vez, y después de esto el juicio,

**28** así también Cristo fue ofrecido una sola vez para llevar los pecados de muchos; y aparecerá por segunda vez, sin relación con el pecado, para salvar a los que le esperan.

**10** **1** Porque la ley, teniendo la sombra de los bienes venideros, no la imagen misma de las cosas, nunca puede, por los mismos sacrificios que se ofrecen continuamente cada año, hacer perfectos a los que se acercan.

**2** De otra manera cesarían de ofrecerse, pues los

**PASO 2**

### Esperanza en fe

LECTURA BÍBLICA: Hebreos 11.1-10

**Llegamos a creer que un Poder superior a nosotros podía devolvernos el sano juicio.**

El Paso Dos es conocido con frecuencia como el «paso de la esperanza». Al creer que un Poder superior a nosotros puede devolvernos la cordura, recordaremos cómo era vivir cuerdamente y tendremos la fe para aspirar a que ese sano juicio regrese.

«¿Qué es la fe?», pregunta la Biblia. «Es, pues, la fe la certeza de lo que se espera, la convicción de lo que no se ve» (Hebreos 11.1). ¿Cómo podemos estar seguros de que algo que queremos va a pasar, especialmente si se han tronchado todas nuestras esperanzas? ¿Cómo podemos arriesgarnos a creer que la vida que anhelamos nos está esperando a la vuelta de la esquina?

La Biblia nos dice que la clave está en la naturaleza del Poder superior al que miramos. Se nos dice que «es necesario que el que se acerca a Dios crea que le hay, y que es galardonador de los que le buscan» (Hebreos 11.6). Si vemos a Dios como alguien que está tratando de ayudarnos, estaremos más deseosos de buscarlo. Si todavía nuestra fe no ha madurado hasta ese nivel, podemos pedir ayuda. Un hombre se acercó a Jesús para pedirle que ayudara a su joven hijo que estaba poseído por un demonio. El hombre le dijo a Jesús: « ... ten misericordia de nosotros, y ayúdanos. Jesús le dijo: Si puedes creer, al que cree todo le es posible. E inmediatamente el padre del muchacho clamó y dijo: Creo; ayuda mi incredulidad» (Marcos 9.22-24). Para empezar, podemos pedirle a Dios que nos ayude a tener más fe. Luego podemos pedirle valor para aspirar a un futuro mejor. ***Vaya al Paso Tres, página 21, Mateo 11.***

---

**9.19-20** *o* Ex. 24.6-8.  **9.21** *p* Lv. 8.15.  **9.22** *q* Lv. 17.11.

---

**9.27-28** La esperanza para el futuro debe basarse en hacer frente a la realidad del pasado y del presente. La muerte (y el juicio subsiguiente) es la realidad final de esta vida; aun Jesucristo, en su humanidad, murió. Pero gracias a su resurrección puede ofrecernos salvación y ahorrarles a los creyentes el temor del juicio. Esta mezcla de realidad y esperanza por medio de la fe puede calmar nuestro temeroso corazón mientras luchamos con los problemas de la recuperación. Podemos enfrentar cualquier pecado, cualquier defecto de carácter, cualquier herida, sabiendo que el sacrificio de Cristo es completamente suficiente para ofrecer purificación y una nueva vida.

que tributan este culto, limpios una vez, no tendrían ya más conciencia de pecado.

**3** Pero en estos sacrificios cada año se hace memoria de los pecados;

**4** porque la sangre de los toros y de los machos cabríos no puede quitar los pecados.

**5** Por lo cual, entrando en el mundo dice:
Sacrificio y ofrenda no quisiste;
Mas me preparaste cuerpo.

**6** Holocaustos y expiaciones por el pecado
no te agradaron.

**7** Entonces dije: He aquí que vengo,
oh Dios, para
hacer tu voluntad,
Como en el rollo del libro
está escrito de mí.*a*

**8** Diciendo primero: Sacrificio y ofrenda y holocaustos y expiaciones por el pecado no quisiste, ni te agradaron (las cuales cosas se ofrecen según la ley),

**9** y diciendo luego: He aquí que vengo, oh Dios, para hacer tu voluntad; quita lo primero, para establecer esto último.

**10** En esa voluntad somos santificados mediante la ofrenda del cuerpo de Jesucristo hecha una vez para siempre.

**11** Y ciertamente todo sacerdote está día tras día ministrando y ofreciendo muchas veces los mismos sacrificios, que nunca pueden quitar los pecados;*b*

**12** pero Cristo, habiendo ofrecido una vez para siempre un solo sacrificio por los pecados, se ha sentado a la diestra de Dios,

**13** de ahí en adelante esperando hasta que sus enemigos sean puestos por estrado de sus pies;*c*

**14** porque con una sola ofrenda hizo perfectos para siempre a los santificados.

**15** Y nos atestigua lo mismo el Espíritu Santo; porque después de haber dicho:

**16** Este es el pacto que haré con ellos
Después de aquellos días, dice el Señor:
Pondré mis leyes en sus corazones,
Y en sus mentes las escribiré,*d*

**17** añade:
Y nunca más me acordaré
de sus pecados y transgresiones.*e*

**18** Pues donde hay remisión de éstos, no hay más ofrenda por el pecado.

**19** Así que, hermanos, teniendo libertad para entrar en el Lugar Santísimo por la sangre de Jesucristo,

**20** por el camino nuevo y vivo que él nos abrió a través del velo, esto es, de su carne,

**21** y teniendo un gran sacerdote sobre la casa de Dios,

**22** acerquémonos con corazón sincero, en plena certidumbre de fe, purificados los corazones*f* de mala conciencia, y lavados los cuerpos con agua pura.*g*

**23** Mantengamos firme, sin fluctuar, la profesión de nuestra esperanza, porque fiel es el que prometió.

**24** Y considerémonos unos a otros para estimularnos al amor y a las buenas obras;

**25** no dejando de congregarnos, como algunos tienen por costumbre, sino exhortándonos; y tanto más, cuanto veis que aquel día se acerca.

## Advertencia al que peca deliberadamente

**26** Porque si pecáremos voluntariamente después de haber recibido el conocimiento de la verdad, ya no queda más sacrificio por los pecados,

**27** sino una horrenda expectación de juicio, y de hervor de fuego que ha de devorar a los adversarios.*h*

---

**10.5-7** *a* Sal. 40.6-8.  **10.11** *b* Ex. 29.38.  **10.12-13** *c* Sal. 110.1.  **10.16** *d* Jer. 31.33.
**10.17** *e* Jer. 31.34.  **10.22** *f* Lv. 8.30.  *g* Lv. 8.6.  **10.27** *h* Is. 26.11.

---

**10.3-10** Al terminar esta sección sobre la superioridad del nuevo pacto (8.1—10.18), el escritor afirma que la ineficaz repetición de los sacrificios del antiguo pacto ahora ha sido reemplazada por la venida de Cristo y por su sacrificio definitivo, según la voluntad de Dios. No procurar la recuperación por medio de la fe en Cristo es rechazar abiertamente la naturaleza superior de la voluntad de Dios para la historia y para la vida de cada ser humano. Si rechazamos la oferta divina de salvación y transformación por medio de Jesucristo, estamos rechazando la única forma disponible de sostenernos en una recuperación permanente.

**10.19-25** Esta sección culminante de Hebreos (10.19—13.25) comienza con un resumen del argumento sobre la superioridad de Cristo y luego pasa a tratar de las actitudes transformadas. Como Cristo es el sacrificio redentor definitivo y gran Sumo sacerdote, podemos disfrutar de todos los privilegios que él nos ha garantizado: acceso personal a Dios a través de Jesús sin un elaborado sistema, total seguridad de nuestra fe y salvación, esperanza para el futuro y aliento de otras personas de fe. Por medio de Cristo y una comunidad de creyentes podemos recibir todo lo necesario para una recuperación exitosa.

**10.24-25** Algunas veces podemos alejarnos de las relaciones personales saludables o caer en situaciones de codependencia o negativas que socavan nuestra recuperación. Estos versículos nos recuerdan que las relaciones con otros creyentes son esenciales para nuestro crecimiento espiritual; las personas piadosas pueden alentarnos y ayudarnos a ser responsables de nuestras acciones. Nadie puede mantenerse solo por mucho tiempo en el proceso de recuperación. Si nos alejamos de las relaciones personales saludables, estamos corriendo directamente hacia una dolorosa recaída.

**28** El que viola la ley de Moisés, por el testimonio de dos o de tres testigos muere irremisiblemente.*i*

**29** ¿Cuánto mayor castigo pensáis que merecerá el que pisoteare al Hijo de Dios, y tuviere por inmunda la sangre del pacto*j* en la cual fue santificado, e hiciere afrenta al Espíritu de gracia?

**30** Pues conocemos al que dijo: Mía es la venganza, yo daré el pago, dice el Señor.*k* Y otra vez: El Señor juzgará a su pueblo.*l*

**31** ¡Horrenda cosa es caer en manos del Dios vivo!

**32** Pero traed a la memoria los días pasados, en los cuales, después de haber sido iluminados, sostuvisteis gran combate de padecimientos;

**33** por una parte, ciertamente, con vituperios y tribulaciones fuisteis hechos espectáculo; y por otra, llegasteis a ser compañeros de los que estaban en una situación semejante.

**34** Porque de los presos también os compadecisteis, y el despojo de vuestros bienes sufristeis con gozo, sabiendo que tenéis en vosotros una mejor y perdurable herencia en los cielos.

**35** No perdáis, pues, vuestra confianza, que tiene grande galardón;

**36** porque os es necesaria la paciencia, para que habiendo hecho la voluntad de Dios, obtengáis la promesa.

**37** Porque aún un poquito,
Y el que ha de venir vendrá, y no tardará.

**38** Mas el justo vivirá por fe;
Y si retrocediere, no agradará a mi alma.*m*

**39** Pero nosotros no somos de los que retroceden para perdición, sino de los que tienen fe para preservación del alma.

## La fe

# 11
**1** Es, pues, la fe la certeza de lo que se espera, la convicción de lo que no se ve.

**2** Porque por ella alcanzaron buen testimonio los antiguos.

**3** Por la fe entendemos haber sido constituido el universo por la palabra de Dios,*a* de modo que lo que se ve fue hecho de lo que no se veía.

**4** Por la fe Abel ofreció a Dios más excelente sacrificio que Caín, por lo cual alcanzó testimonio de que era justo, dando Dios testimonio de sus ofrendas; y muerto, aún habla por ella.*b*

**5** Por la fe Enoc fue traspuesto para no ver muerte, y no fue hallado, porque lo traspuso Dios; y antes

# F*e*

LEA HEBREOS 12.1-4

Nuestra adicción interfiere con nuestra habilidad para ganar en la carrera de la vida. Muchos nos sentimos como un perdedor que acaba de retirarse de la carrera. La fe en Dios puede darnos la motivación necesaria para correr toda la carrera, con una posibilidad real de ganar recompensas de vida.

A Hebreos 11 se lo llama «Galería de los héroes de la fe». Aquí se menciona una larga lista de personas a quienes Dios usó porque tuvieron fe. El siguiente capítulo comienza de esta manera: «Por tanto, nosotros también, teniendo en derredor nuestro tan grande nube de testigos, despojémonos de todo peso y del pecado que nos asedia, y corramos con paciencia la carrera que tenemos por delante» (Hebreos 12.1).

Esta ilustración se refiere a los antiguos Juegos Olímpicos. En tiempos bíblicos, los hombres usaban túnicas holgadas. Antes de una competición, los atletas se quitaban sus túnicas y las ponían a un lado para correr sin estorbos. Si alguien hubiera tratado de correr con su túnica puesta, se habría enredado, y habría perdido tanto la carrera como el premio.

Es la voluntad de Dios que ganemos la carrera de la vida. Necesitamos dejar a un lado la túnica de nuestros pecados recurrentes. Habrá dolor debido al gran esfuerzo, pero se nos dice que mantengamos el paso y resistamos el dolor con paciencia. Y recuerde, otros que han corrido la misma carrera y han terminado bien ¡están dando vítores por nosotros! *Vaya a la página 385, Hebreos 12.*

---

**10.28** *i* Dt. 17.6; 19.15.   **10.29** *j* Ex. 24.8.   **10.30** *k* Dt. 32.35.   *l* Dt. 32.36.
**10.37-38** *m* Hab. 2.3-4.   **11.3** *a* Gn. 1.1.   **11.4** *b* Gn. 4.3-10.

---

**10.26-39** Esta «advertencia» resume el único camino para procurar con determinación la sanidad emocional y espiritual. Primero podemos encontrar liberación arrepintiéndonos de nuestras conductas pecaminosas y recibiendo perdón. Luego podemos dar pasos positivos fortaleciendo nuestras actitudes y patrones de conducta saludables, particularmente nuestra fe en Dios.

**11.5-7** Enoc fue un caso excepcional (al igual que Elías; véase 2 Reyes 2) por el hecho de que no murió

que fuese traspuesto, tuvo testimonio de haber agradado a Dios.c

**6** Pero sin fe es imposible agradar a Dios; porque es necesario que el que se acerca a Dios crea que le hay, y que es galardonador de los que le buscan.

**7** Por la fe Noé, cuando fue advertido por Dios acerca de cosas que aún no se veían, con temor preparó el arca en que su casa se salvase;d y por esa fe condenó al mundo, y fue hecho heredero de la justicia que viene por la fe.

**8** Por la fe Abraham, siendo llamado, obedeció para salir al lugar que había de recibir como herencia; y salió sin saber a dónde iba.e

**9** Por la fe habitó como extranjero en la tierra prometida como en tierra ajena, morando en tiendas con Isaac y Jacob, coherederos de la misma promesa;f

**10** porque esperaba la ciudad que tiene fundamentos, cuyo arquitecto y constructor es Dios.

**11** Por la fe también la misma Sara, siendo estéril, recibió fuerza para concebir; y dio a luz aun fuera del tiempo de la edad,g porque creyó que era fiel quien lo había prometido.

**12** Por lo cual también, de uno, y ése ya casi muerto, salieron como las estrellas del cielo en multitud,h y como la arena innumerable que está a la orilla del mar.i

**13** Conforme a la fe murieron todos éstos sin haber recibido lo prometido, sino mirándolo de lejos, y creyéndolo, y saludándolo, y confesando que eran extranjeros y peregrinos sobre la tierra.j

**14** Porque los que esto dicen, claramente dan a entender que buscan una patria;

**15** pues si hubiesen estado pensando en aquella de donde salieron, ciertamente tenían tiempo de volver.

**16** Pero anhelaban una mejor, esto es, celestial; por lo cual Dios no se avergüenza de llamarse Dios de ellos; porque les ha preparado una ciudad.

**17** Por la fe Abraham, cuando fue probado, ofreció a Isaac; y el que había recibido las promesas ofrecía su unigénito,k

**18** habiéndosele dicho: En Isaac te será llamada descendencia;l

**19** pensando que Dios es poderoso para levantar aun de entre los muertos, de donde, en sentido figurado, también le volvió a recibir.

**20** Por la fe bendijo Isaac a Jacob y a Esaú respecto a cosas venideras.m

**21** Por la fe Jacob, al morir, bendijo a cada uno de los hijos de José, y adoró apoyado sobre el extremo de su bordón.n

**22** Por la fe José, al morir, mencionó la salida de los hijos de Israel, y dio mandamiento acerca de sus huesos.o

**23** Por la fe Moisés, cuando nació, fue escondido por sus padres por tres meses,p porque le vieron niño hermoso, y no temieron el decreto del rey.q

**24** Por la fe Moisés, hecho ya grande, rehusó llamarse hijo de la hija de Faraón,r

**25** escogiendo antes ser maltratado con el pueblo de Dios, que gozar de los deleites temporales del pecado,

**26** teniendo por mayores riquezas el vituperio de Cristo que los tesoros de los egipcios; porque tenía puesta la mirada en el galardón.

**27** Por la fe dejó a Egipto,s no temiendo la ira del rey; porque se sostuvo como viendo al Invisible.

**28** Por la fe celebró la pascua y la aspersión de la sangre, para que el que destruía a los primogénitos no los tocase a ellos.t

**29** Por la fe pasaron el Mar Rojo como por tierra

---

**11.5** c Gn. 5.21-24.   **11.7** d Gn. 6.13-22.   **11.8** e Gn. 12.1-5.   **11.9** f Gn. 35.27.   **11.11** g Gn. 18.11-14; 21.2.
**11.12** h Gn. 15.5.   i Gn. 22.17.   **11.13** j Gn. 23.4.   **11.17** k Gn. 22.1-14.   **11.18** l Gn. 21.12.
**11.20** m Gn. 27.27-29, 39-40.   **11.21** n Gn. 47.31—48.20.   **11.22** o Gn. 50.24-25; Ex. 13.19.
**11.23** p Ex. 2.2.   q Ex. 1.22.   **11.24** r Ex. 2.10-12.   **11.27** s Ex. 2.15.   **11.28** t Ex. 12.21-30.

---

(Hebreos 11.5; véase Génesis 5.21-24). Noé también jugó un papel único en relación con el arca, el diluvio y el nuevo comienzo de la humanidad (véase Génesis 6-9). Estos dos personajes bíblicos del Antiguo Testamento ilustran la absoluta necesidad de tener fe y estar bien ante los ojos de Dios. Al confiar y depender de Dios para cada aspecto del proceso de recuperación, podemos estar seguros de que ésa confianza agrada a Dios y que será recompensada con su poderosa ayuda.

**11.8-19** Abraham fue el padre de la nación judía y vivió constantemente por fe mientras enfrentaba circunstancias que parecían socavar el cumplimiento de las promesas de Dios. Algunas veces, en la recuperación puede parecer que pasa una eternidad antes de ver algún cambio. En esos momentos podemos recordar que los siervos de Dios que más se destacaron por su fe tuvieron que perseverar sin ver resultados tangibles. Podemos confiar en que Dios vendrá en nuestro auxilio, aun cuando las luchas parezcan interminables. Abraham tuvo que esperar casi toda su vida para por lo menos ver parcialmente cumplidas las promesas de Dios.

**11.20-31** El escritor demuestra que muchas personas que vivieron entre la época de Abraham y la entrada de Israel en la tierra prometida exhibieron una fe ejemplar. Dios logra sus propósitos debido a la fe de su pueblo. Conforme le confiamos al Señor cada aspecto de nuestra vida y recuperación, él nos dará la sanidad que sin duda es su voluntad para nosotros. Si confiamos en Dios, ¡nada es imposible!

seca; e intentando los egipcios hacer lo mismo, fueron ahogados.*u*

**30** Por la fe cayeron los muros de Jericó después de rodearlos siete días.*v*

**31** Por la fe Rahab la ramera no pereció juntamente con los desobedientes,*w* habiendo recibido a los espías en paz.*x*

**32** ¿Y qué más digo? Porque el tiempo me faltaría contando de Gedeón,*y* de Barac,*z* de Sansón,*a* de Jefté,*b* de David,*c* así como de Samuel*d* y de los profetas;

**33** que por fe conquistaron reinos, hicieron justicia, alcanzaron promesas, taparon bocas de leones,*e*

**34** apagaron fuegos impetuosos,*f* evitaron filo de espada, sacaron fuerzas de debilidad, se hicieron fuertes en batallas, pusieron en fuga ejércitos extranjeros.

**35** Las mujeres recibieron sus muertos mediante resurrección;*g* mas otros fueron atormentados, no aceptando el rescate, a fin de obtener mejor resurrección.

**36** Otros experimentaron vituperios y azotes, y a más de esto prisiones y cárceles.*h*

**37** Fueron apedreados,*i* aserrados, puestos a prueba, muertos a filo de espada; anduvieron de acá para allá cubiertos de pieles de ovejas y de cabras, pobres, angustiados, maltratados;

**38** de los cuales el mundo no era digno; errando por los desiertos, por los montes, por las cuevas y por las cavernas de la tierra.

**39** Y todos éstos, aunque alcanzaron buen testimonio mediante la fe, no recibieron lo prometido;

**40** proveyendo Dios alguna cosa mejor para nosotros, para que no fuesen ellos perfeccionados aparte de nosotros.

## Puestos los ojos en Jesús

**12** **1** Por tanto, nosotros también, teniendo en derredor nuestro tan grande nube de testigos, despojémonos de todo peso y del pecado que nos asedia, y corramos con paciencia la carrera que tenemos por delante,

## F*e*

### LEA HEBREOS 12.5-11

Algunas etapas de nuestra recuperación pueden ser muy dolorosas. Podemos sentir que nos están castigando por nuestros fracasos. Tal vez asumamos que nos están ocurriendo cosas malas porque somos malos. Y hasta podamos llegar a creer que Dios no nos ama.

Es posible que nos duela la disciplina que Dios nos imponga, pero tal acción muestra su amor por nosotros. La Biblia dice: « ... Hijo mío, no menosprecies la disciplina del Señor... porque el Señor al que ama, disciplina, y azota a todo el que recibe por hijo. Si soportáis la disciplina, Dios os trata como a hijos; porque ¿qué hijo es aquel a quien el padre no disciplina? Y aquellos, ciertamente por pocos días nos disciplinaban como a ellos les parecía, pero éste para lo que nos es provechoso, para que participemos de su santidad. Es verdad que ninguna disciplina al presente parece ser causa de gozo, sino de tristeza; pero después da fruto apacible de justicia a los que en ella han sido ejercitados» (Hebreos 12.5-7, 10-11).

La recuperación es un tiempo de corrección, un tiempo para encarar los problemas y los defectos de carácter, y para cambiar las creencias equivocadas. Habrá épocas cuando tengamos que pagar por nuestro pasado. Dios las usará para redirigir nuestra vida hacia algo mejor. Su corrección no es ni arbitraria ni abusiva, pero aun así es dolorosa. Saber que la disciplina con que Dios nos corrige demuestra su amor por nosotros puede ser reconfortante en medio de nuestro dolor. Nos ayuda a recordar que su amor sólo permitirá lo que más nos beneficie. *Vaya a la página 397, Santiago 3.*

**11.29** *u* Ex. 14.21-31. **11.30** *v* Jos. 6.12-21. **11.31** *w* Jos. 6.22-25. *x* Jos. 2.1-21. **11.32** *y* Jue. 6.11—8.32. *z* Jue. 4.6—5.31. *a* Jue. 13.2—16.31. *b* Jue. 11.1—12.7. *c* 1 S. 16.1—1 R. 2.11. *d* 1 S. 1.1—25.1. **11.33** *e* Dn. 6.1-27. **11.34** *f* Dn. 3.1-30. **11.35** *g* 1 R. 17.17-24; 2 R. 4.25-37. **11.36** *h* 1 R. 22.26-27; 2 Cr. 18.25-26; Jer. 20.2; 37.15; 38.6. **11.37** *i* 2 Cr. 24.21.

---

**11.32-39** El autor continúa la lista de personas del Antiguo Testamento que exhibieron una fe poderosa y recibieron la aprobación de Dios. Está claro que aun en tiempos del Antiguo Testamento la fe no consistía sencillamente en obedecer la ley mosaica; era la confianza sincera en un Dios personal. Los lectores descubrirían que muchas personas antes de ellos también enfrentaron tiempos difíciles y perseveraron por su fe. Cuando sentimos que nuestra fe se tambalea, es bueno recordar a otros que han pasado por la misma experiencia antes que nosotros. Podemos acudir a la Biblia y a otros cristianos que están en el proceso de recuperación para encontrar testimonios de la vida real sobre cómo Dios obra poderosamente por medio de la fe.

**2** puestos los ojos en Jesús, el autor y consumador de la fe, el cual por el gozo puesto delante de él sufrió la cruz, menospreciando el oprobio, y se sentó a la diestra del trono de Dios.

**3** Considerad a aquel que sufrió tal contradicción de pecadores contra sí mismo, para que vuestro ánimo no se canse hasta desmayar.

**4** Porque aún no habéis resistido hasta la sangre, combatiendo contra el pecado;

**5** y habéis ya olvidado la exhortación que como a hijos se os dirige, diciendo:

Hijo mío, no menosprecies
la disciplina del Señor,
Ni desmayes cuando eres reprendido por él;
**6** Porque el Señor al que ama, disciplina,
Y azota a todo el que recibe por hijo.*a*

**7** Si soportáis la disciplina, Dios os trata como a hijos; porque ¿qué hijo es aquel a quien el padre no disciplina?

**8** Pero si se os deja sin disciplina, de la cual todos han sido participantes, entonces sois bastardos, y no hijos.

**9** Por otra parte, tuvimos a nuestros padres terrenales que nos disciplinaban, y los venerábamos. ¿Por qué no obedeceremos mucho mejor al Padre de los espíritus, y viviremos?

**10** Y aquéllos, ciertamente por pocos días nos disciplinaban como a ellos les parecía, pero éste para lo que nos es provechoso, para que participemos de su santidad.

**11** Es verdad que ninguna disciplina al presente parece ser causa de gozo, sino de tristeza; pero después da fruto apacible de justicia a los que en ella han sido ejercitados.

## Los que rechazan la gracia de Dios

**12** Por lo cual, levantad las manos caídas y las rodillas paralizadas;*b*

**13** y haced sendas derechas para vuestros pies,*c* para que lo cojo no se salga del camino, sino que sea sanado.

**14** Seguid la paz con todos, y la santidad, sin la cual nadie verá al Señor.

**15** Mirad bien, no sea que alguno deje de alcanzar la gracia de Dios; que brotando alguna raíz de amargura,*d* os estorbe, y por ella muchos sean contaminados;

**16** no sea que haya algún fornicario, o profano, como Esaú, que por una sola comida vendió su primogenitura.*e*

**17** Porque ya sabéis que aun después, deseando heredar la bendición, fue desechado, y no hubo oportunidad para el arrepentimiento, aunque la procuró con lágrimas.*f*

**18** Porque no os habéis acercado al monte que se podía palpar, y que ardía en fuego, a la oscuridad, a las tinieblas y a la tempestad,

**19** al sonido de la trompeta, y a la voz que hablaba, la cual los que la oyeron rogaron que no se les hablase más,*g*

**20** porque no podían soportar lo que se ordenaba: Si aun una bestia tocare el monte, será apedreada, o pasada con dardo;*h*

**21** y tan terrible era lo que se veía, que Moisés dijo: Estoy espantado y temblando;*i*

**22** sino que os habéis acercado al monte de Sion, a la ciudad del Dios vivo, Jerusalén la celestial, a la compañía de muchos millares de ángeles,

**23** a la congregación de los primogénitos que están

---

**12.5-6** *a* Job 5.17; Pr. 3.11-12.　**12.12** *b* Is. 35.3.　**12.13** *c* Pr. 4.26.　**12.15** *d* Dt. 29.18.
**12.16** *e* Gn. 25.29-34.　**12.17** *f* Gn. 27.30-40.　**12.18-19** *g* Ex. 19.16-22; 20.18-21; Dt. 4.11-12; 5.22-27.
**12.20** *h* Ex. 19.12-13.　**12.21** *i* Dt. 9.19.

---

**12.14-29** Esta es la última de las «advertencias» del libro de Hebreos (véanse 2.1-4; 3.7—4.13; 5.11—6.12; 10.26-39). De hecho, el escritor estaba confrontando a sus lectores porque, al parecer, habían desertado de Cristo y vuelto al judaísmo y a la ley mosaica. Después de exhortar a los lectores a no desperdiciar la gracia de Dios, el escritor examina las serias consecuencias de rechazar la fe en Cristo y la recuperación que él ofrece. ¡Nuestras decisiones tienen consecuencias eternas! Si rechazamos a Cristo, rechazamos tanto el único medio de salvación eterna como la posibilidad de recuperarnos de nuestra destructiva dependencia.

**12.15** Cuando lidiamos con circunstancias difíciles o enfrentamos asuntos dolorosos que tienen que ver con nuestra recuperación, es posible que acumulemos rabia y amargura. Algunas veces no percibimos que nuestra amargura está echando raíces; necesitamos que otros nos lo señalen. Los sentimientos son comprensibles, especialmente si hemos sido víctimas; darnos a nosotros mismos la oportunidad de sentirlos puede ser el primer paso hacia la recuperación. Pero necesitamos perdonar y luego entregar a Dios todas las injusticias y heridas para así experimentar su maravilloso perdón (véase Mateo 18.21-35). Cuando nos aferramos a nuestra amargura, no sólo ponemos barreras a nuestra sanidad, sino que, de paso, también herimos a otras personas.

**12.22-24** Hay una maravillosa recompensa que espera a quienes, por fe en Cristo, se hayan mantenido firmes en el proceso de recuperación. Las referencias al monte Sión, Jerusalén, ángeles, el primogénito, Dios, mediador y sangre tienen el propósito de mostrar que el nuevo pacto y Cristo ofrecen las mismas cosas que los lectores estaban buscando erróneamente al regresar al judaísmo. Una vez más vemos que la total recuperación espiritual está disponible sólo por medio de la fe en Cristo Jesús.

inscritos en los cielos, a Dios el Juez de todos, a los espíritus de los justos hechos perfectos,

**24** a Jesús el Mediador del nuevo pacto, y a la sangre rociada que habla mejor que la de Abel.*j*

**25** Mirad que no desechéis al que habla. Porque si no escaparon aquellos que desecharon al que los amonestaba en la tierra,*k* mucho menos nosotros, si desecháremos al que amonesta desde los cielos.

**26** La voz del cual conmovió entonces la tierra, pero ahora ha prometido, diciendo: Aún una vez, y conmoveré no solamente la tierra, sino también el cielo.*l*

**27** Y esta frase: Aún una vez, indica la remoción de las cosas movibles, como cosas hechas, para que queden las inconmovibles.

**28** Así que, recibiendo nosotros un reino inconmovible, tengamos gratitud, y mediante ella sirvamos a Dios agradándole con temor y reverencia;

**29** porque nuestro Dios es fuego consumidor.*m*

## Deberes cristianos

**13** **1** Permanezca el amor fraternal.

**2** No os olvidéis de la hospitalidad, porque por ella algunos, sin saberlo, hospedaron ángeles.*a*

**3** Acordaos de los presos, como si estuvierais presos juntamente con ellos; y de los maltratados, como que también vosotros mismos estáis en el cuerpo.

**4** Honroso sea en todos el matrimonio, y el lecho sin mancilla; pero a los fornicarios y a los adúlteros los juzgará Dios.

**5** Sean vuestras costumbres sin avaricia, contentos con lo que tenéis ahora; porque él dijo: No te desampararé, ni te dejaré;*b*

**6** de manera que podemos decir confiadamente:
El Señor es mi ayudador; no temeré
Lo que me pueda hacer el hombre.*c*

**7** Acordaos de vuestros pastores, que os hablaron la palabra de Dios; considerad cuál haya sido el resultado de su conducta, e imitad su fe.

**8** Jesucristo es el mismo ayer, y hoy, y por los siglos.

**9** No os dejéis llevar de doctrinas diversas y extrañas; porque buena cosa es afirmar el corazón con la gracia, no con viandas, que nunca aprovecharon a los que se han ocupado de ellas.

**10** Tenemos un altar, del cual no tienen derecho de comer los que sirven al tabernáculo.

**11** Porque los cuerpos de aquellos animales cuya sangre a causa del pecado es introducida en el santuario por el sumo sacerdote, son quemados fuera del campamento.*d*

**12** Por lo cual también Jesús, para santificar al pueblo mediante su propia sangre, padeció fuera de la puerta.

**13** Salgamos, pues, a él, fuera del campamento, llevando su vituperio;

**14** porque no tenemos aquí ciudad permanente, sino que buscamos la por venir.

**15** Así que, ofrezcamos siempre a Dios, por medio de él, sacrificio de alabanza, es decir, fruto de labios que confiesan su nombre.

**16** Y de hacer bien y de la ayuda mutua no os olvidéis; porque de tales sacrificios se agrada Dios.

**17** Obedeced a vuestros pastores, y sujetaos a ellos; porque ellos velan por vuestras almas, como quienes han de dar cuenta; para que lo hagan con alegría, y no quejándose, porque esto no os es provechoso.

**18** Orad por nosotros; pues confiamos en que

---

**12.24** *j* Gn. 4.10.   **12.25** *k* Ex. 20.19.   **12.26** *l* Hag. 2.6.   **12.29** *m* Dt. 4.24.   **13.2** *a* Gn. 18.1-8; 19.1-3. **13.5** *b* Dt. 31.6, 8; Jos. 1.5.   **13.6** *c* Sal. 118.6.   **13.11** *d* Lv. 16.27.

---

**13.1-6** El escritor hace una lista de mandamientos prácticos con miras a ser fieles en el servicio a los demás: extranjeros, prisioneros, los que sufren y nuestro cónyuge. También se nos advierte sobre el amor al dinero. Quizás los lectores estaban teniendo serios problemas en estos aspectos, de la misma manera que muchos creyentes los tienen hoy día. Muchos de los que arrastramos un pasado disfuncional luchamos por determinar qué conductas y actitudes son aceptables; los claros estándares establecidos por Dios pueden guiarnos. Podemos tener la certeza de que la presencia y el poder del Señor están disponibles para ayudarnos a vivir de manera apropiada.

**13.7,17** Muchos de los que estamos en recuperación quizás tengamos problemas al tratar con personas que están en posición de autoridad. Al parecer, los lectores de Hebreos, al regresar al judaísmo, estaban desconociendo a los líderes espirituales. Por eso el escritor los exhortó a imitar la fe y el estilo de vida de sus líderes, a obedecerlos y a no causarles pesar. En nuestro trabajo de recuperación, recordemos la importancia de los líderes en nuestra vida, especialmente la de aquellos que son modelo de santidad y se preocupan por nuestro crecimiento espiritual.

**13.8, 15-16** Aun si nuestros líderes cristianos nos fallan o son abusivos, Jesucristo es totalmente consecuente y digno de confianza. Siempre estará listo a ayudarnos, sin importar la situación. Como Dios y amigo, Cristo merece recibir en el nuevo pacto lo que es equivalente a los sacrificios del antiguo: (1) alabanza por quién él es y por lo que ha hecho; (2) buenas obras y servicio; y (3) solidaridad con otros que pasan necesidad (véase 13.2-3). Todas estas actividades sirven de apoyo a un aspecto esencial en nuestro continuo camino hacia la recuperación: contar a otros lo que Dios ha hecho en nuestra vida y ayudar a otras personas que están en necesidad.

tenemos buena conciencia, deseando conducirnos bien en todo.

**19** Y más os ruego que lo hagáis así, para que yo os sea restituido más pronto.

### Bendición y salutaciones finales

**20** Y el Dios de paz que resucitó de los muertos a nuestro Señor Jesucristo, el gran pastor de las ovejas, por la sangre del pacto eterno,

**21** os haga aptos en toda obra buena para que hagáis su voluntad, haciendo él en vosotros lo que es agradable delante de él por Jesucristo; al cual sea la gloria por los siglos de los siglos. Amén.

**22** Os ruego, hermanos, que soportéis la palabra de exhortación, pues os he escrito brevemente.

**23** Sabed que está en libertad nuestro hermano Timoteo, con el cual, si viniere pronto, iré a veros.

**24** Saludad a todos vuestros pastores, y a todos los santos. Los de Italia os saludan.

**25** La gracia sea con todos vosotros. Amén.

**13.20-25** La carta a los Hebreos concluye con una doble bendición. La primera es una breve oración, pidiendo que el poder de la resurrección de Cristo capacite a los lectores a hacer la voluntad de Dios y a agradarle. A diferencia de algunos padres terrenales, Dios el Padre ayuda de buena gana a sus hijos a tener éxito equipándolos para hacer su voluntad. Esto nos lleva bellamente al punto final de la carta: la gracia. Dios nos proveerá de lo que necesitemos para vencer nuestra dependencia, de acuerdo con su gracia y misericordia.

REFLEXIONES SOBRE HEBREOS

## ✳ *perspectivas* ACERCA DE LA PERSONA DE CRISTO

**Hebreos 1.7-13** cita varios salmos mesiánicos que muestran que aunque los ángeles son espíritus poderosos, el poder y la gloria de Cristo son mucho más grandiosos debido a: el evidente derecho de Cristo de gobernar como Rey mesiánico; su poder sobre la creación y la re-creación final cuando esta ocurra; y su actual estatus de honor junto al Padre. Cristo puede proveer todos los recursos necesarios para nuestra recuperación cuando confiamos nuestra vida a su grandeza y a su amoroso plan para nosotros.

Sería aterrador confesar nuestros fracasos a un Dios perfecto si Jesús no fuera nuestro Sumo Sacerdote. Pero vemos en **Hebreos 4.14—5.3** que Jesús es plenamente hombre y es capaz de lidiar gentilmente con nuestras debilidades porque él entiende nuestros problemas. A diferencia de los sacerdotes meramente humanos, Jesucristo, el supremo Sumo sacerdote, ya ha sido glorificado en el cielo. Él enfrentó las mismas tentaciones que nosotros, pero no pecó, y aun así se convirtió en el sacrificio por los pecados del mundo. Esta combinación de gloria y comprensión nos impulsa a orar confiada y continuamente solicitando la gracia y la misericordia de Dios. Los primeros pasos en la recuperación incluyen admitir nuestra impotencia frente a nuestros problemas, reconociendo que sólo Dios puede restaurarnos y, además, rendir nuestra voluntad y vida a Dios. **Hebreos 4.14-16** nos garantiza que mientras damos cada uno de esos pasos, Dios puede darnos la misericordia y la gracia que necesitamos, y nos las dará.

## ✳ *perspectivas* ACERCA DE LOS ÁNGELES

Aunque Jesús es mucho más preeminente que los ángeles, en **Hebreos 1.14** también se nos dice que los ángeles están involucrados en ayudar al pueblo de Dios. Los ángeles son siervos del Señor que constantemente sirven y protegen a quienes ya han iniciado el proceso de recuperación por medio de la fe en Cristo. También podemos interpretar este versículo como que los «espíritus ministradores» están de alguna manera cuidando a todos los que todavía están por recibir la salvación por fe.

✳ *perspectivas* ACERCA DEL PODER TRANSFORMADOR DE DIOS
En **Hebreos 2.4** el poder de Dios para confirmar el mensaje de salvación a través de «señales y prodigios» es verdaderamente impresionante. Durante el período apostólico (véase 2 Corintios 12.12), que estaba próximo a terminar, los milagros eran más la regla que la excepción en la recién nacida iglesia. Aunque las sanidades milagrosas y las transformaciones inmediatas todavía pueden ocurrir hoy día, lo más probable es que la recuperación sea con frecuencia un proceso largo, aún para los creyentes comprometidos que tengan gran fe. No obstante, las señales y los prodigios que Dios mostró en el pasado nos recuerdan que él todavía está obrando con el mismo poder, aunque quizás de diferente manera. Los «dones del Espíritu Santo» que Dios nos concede quizás tengan que ver mucho más con la perseverancia o con una nueva habilidad para resistir la tentación, pero estas no son menos milagrosos que una sanidad divina inmediata.

✳ *perspectivas* ACERCA DEL RENDIR CUENTAS Y LA RESPONSABILIDAD
La mayor parte de **Hebreos 3.7-13** es una paráfrasis del Salmo 95.7-11. El escritor estaba recordando a su auditorio judío los errores de sus ancestros, trayendo a la memoria cómo habían sido infieles a Dios y cómo habían sufrido las consecuencias. El escritor usó los sucesos pasados para decirles a sus lectores que tendrían que rendir cuentas por su forma de vivir la fe en cualquier contexto en que Dios los pusiera. La mayoría de los programas de recuperación incorporan esta exigencia de rendir cuentas incluyendo cierto tipo de actividades como asistir a reuniones o trabajar con mentores. Estos versículos resaltan la importancia de tales medidas, especialmente la de obedecer al Dios viviente, ante quien somos principalmente responsables.

En **Hebreos 3.14-19** el escritor confirma la necesidad tanto de actuar inmediatamente como de aceptar toda la responsabilidad por nuestras malas acciones. La urgencia de actuar de inmediato se subraya aquí al poner énfasis en el «hoy» del Salmo 95.7. La importancia de asumir la responsabilidad se hace evidente cuando vemos que los israelitas realmente no podían culpar a nadie más sino a sí mismos por su paso por el desierto. Actuar de inmediato y asumir responsabilidad por nuestra vida son aspectos cruciales del proceso de recuperación.

✳ *perspectivas* ACERCA DE LA VERDADERA FE
En **Hebreos 11.1-3, 39-40** vemos que la fe une nuestra dependencia de un Dios fiable que está obrando en el plano espiritual que no vemos y nuestra confianza en la evidencia de las pasadas acciones de Dios en el mundo real. Aquellos que deseen una vida espiritual dinámica deben vivir este tipo de fe (11.2). Asombrosamente, al confiar en Dios y obedecerlo podemos hacer que se añada nuestro nombre a la lista de los «Héroes de la Fe». ¡El día en que pasemos a ser parte de esa lista todavía está en el futuro! Tratar de conseguir la aprobación de otras personas es una lucha constante para algunos de los que estamos en recuperación. Necesitamos recordar que no podemos complacer a todo el mundo. Sólo progresaremos cuando dejemos de tratar de complacer a otros y pongamos nuestra confianza en Dios, haciendo lo que sea su voluntad para nuestra vida.

**Hebreos 12.1-3** nos muestra que muchos «testigos», incluyendo a algunos candidatos con pocas probabilidades, ya han «ganado» la carrera de fe por el pedregoso camino de la recuperación. El autor de Hebreos nos aconseja que nos despojemos de todo peso y del pecado que nos asedia –dependencias de sustancias químicas, sexo inmoral, hábitos de trabajo desbalanceados, incluso falsas actividades religiosas– y enfoquemos en Cristo cada paso que demos, sabiendo que Jesús sufrió por nosotros una muerte vergonzosa y salió victorioso (véase 4.14-15). Tal perseverancia en la fe puede ayudarnos a enfrentar la realidad de la recompensa aplazada y a evitar el desgaste en la recuperación.

✳ *perspectivas* ACERCA DE CASTIGO DIVINO
Se nos recuerda en **Hebreos 12.5-10** que el verdadero castigo es una forma de amorosa corrección, no una odiosa destrucción. Muchos de nosotros hemos sufrido las dolorosas consecuencias de nuestra dependencia. Quizás tengamos coraje y nos preguntemos por qué Dios permite que suframos tan profundamente. Con frecuencia, Dios usa tales consecuencias dolorosas para ponernos en disciplina. Pero Dios no permite que suframos porque quiera vengarse o destruirnos. Él permite que suframos porque nos ama. Algunas veces el castigo severo es la única forma de romper nuestras defensas y hacernos comenzar nuestra recuperación. Al mirar atrás nos damos cuenta de que nuestros días más dolorosos nos llevaron a dar nuestros primeros pasos hacia la recuperación. A causa del dolor nos percatamos de cuán impotentes éramos y nos volvimos a Dios para que nos ayudara. Al permitir nuestro sufrimiento, Dios nos estaba llevando a una relación vital con él.

# SANTIAGO

## EL PANORAMA

A. SABIDURÍA: EL FUNDAMENTO
   PARA LA RECUPERACIÓN (1.1-27)
B. FE: LA ESENCIA DE LA
   RECUPERACIÓN (2.1-26)
C. AUTOCONTROL: PONER LÍMITES
   EN LA RECUPERACIÓN (3.1-18)
D. HUMILDAD: LA ACTITUD DE LA
   RECUPERACIÓN (4.1-17)
E. ENTREGA PERSONAL: LA
   EVIDENCIA DE LA RECUPERACIÓN
   (5.1-20)

Cuando pensamos en la hipocresía tendemos a pensar en aquellos que de manera manifiesta viven vidas inconsecuentes, personas que constantemente asumen actitudes contradictorias. Sin embargo, de una u otra forma todos somos hipócritas en determinados momentos. Esto es verdad tanto en la iglesia como en nuestro grupo de recuperación. Todos hemos dicho que creemos en algo, ¡sólo para negarlo después con nuestras acciones!

Santiago –hermano de Jesús y uno de los líderes de la iglesia de Jerusalén– escribió sin rodeos en contra de la hipocresía. Reconoció que por ser humanos tendemos a oír la palabra de Dios sin ponerla en práctica. Su meta era simple: lograr que sus lectores enfrentaran sus contradicciones y comenzaran a actuar según lo que decían que creían. Es lo mismo que demanda de todos los creyentes.

Santiago desafió a sus lectores a estar llenos de sabiduría, fe, perdón, autocontrol y generosidad hacia otros. Los alentó a no depender de juegos mentales o trucos, sino a hacer simplemente lo que Dios les pidiera hacer. Si su progreso iba a empezar de alguna manera, tendría que ser admitiendo que eran responsables de obedecer a Dios. Sólo entonces podrían conquistar sus contradicciones y seguir adelante con las actividades y actitudes que reflejaban la voluntad de Dios.

Es fácil apoyar en principio un programa de recuperación sin nunca dar los pasos necesarios para progresar. Santiago nos recuerda que no es suficiente sólo decir que creemos en Dios. Necesitamos demostrar nuestra fe y compromiso dando pasos de fe que sean evidentes. Si no damos esos pasos hacia la recuperación, nunca progresaremos en el proceso.

## EN ESENCIA

PROPÓSITO: Mostrarle al pueblo de Dios cómo vivir. AUTOR: Santiago, hermano de Jesús. DESTINATARIO: Es probable que fueran principalmente los creyentes judíos que vivían en comunidades gentiles fuera de Palestina. FECHA: Esta corta misiva se escribió probablemente entre el 44 y el 49 d.C., antes de reunirse el concilio de Jerusalén, en el 50 d.C. ESCENARIO: Santiago escribió a los cristianos perseguidos que una vez habían formado parte de la iglesia de Jerusalén. Quería animarlos a demostrar su fe en la vida diaria. VERSÍCULO CLAVE: «Confesaos vuestras ofensas unos a otros, y orad unos por otros, para que seáis sanados» (5.16). PERSONAS Y RELACIONES CLAVE: Santiago con sus lectores.

## TEMAS SOBRE RECUPERACIÓN

*La importancia de la acción:* Si la fe puede estar viva, también puede estar muerta. La fe muerta es una creencia que no se demuestra en la acción. Afirma ser algo que no es. Entregar nuestra vida a Dios siempre implica acción. Si decimos sencillamente que hemos encomendado nuestra vida a Dios pero no reparamos el daño que hayamos causado a otros ni confesamos nuestros errores, entonces sólo nos estamos engañando a nosotros mismos. La verdadera recuperación implica poner en práctica nuestra profesión de fe y buenas intenciones.

*Sacar fuerzas de las situaciones difíciles:* La fuerza de carácter se adquiere al enfrentar pacientemente los problemas de la vida. Si la mayoría de nosotros trata de evitar los problemas, ¿cómo vamos a fortalecer nuestro carácter? Podemos asumir una actitud positiva ante las pruebas y los problemas si los tomamos como oportunidades para pedirle al Señor sabiduría y paciencia para aprender a depender de él. Cuando recurrimos a Dios en momentos de prueba, él puede enseñarnos las lecciones necesarias para crecer espiritualmente y progresar en la recuperación.

*La verdadera recuperación hace que hablemos con sabiduría:* Una de las cosas que nos resultan más difíciles de controlar es la lengua (1.26). Santiago nos da consejos muy prácticos sobre cómo manejar nuestra lengua. Debemos pedirle sabiduría a Dios, no hablar sin pensar y escuchar más de lo que hablamos. Como nuestras palabras reflejan lo que hay en nuestro corazón, podemos examinarlas para buscar pistas de nuestras fortalezas y debilidades internas. Al hacer nuestro inventario personal y confesar nuestros pecados a Dios, él comenzará a cambiar nuestro ser interior. Sólo entonces veremos que ese cambio interior se refleja en nuestras palabras.

---

### Salutación

**1** ¹ Santiago,ᵃ siervo de Dios y del Señor Jesucristo, a las doce tribus que están en la dispersión: Salud.

### La sabiduría que viene de Dios

² Hermanos míos, tened por sumo gozo cuando os halléis en diversas pruebas,
³ sabiendo que la prueba de vuestra fe produce paciencia.
⁴ Mas tenga la paciencia su obra completa, para que seáis perfectos y cabales, sin que os falte cosa alguna.
⁵ Y si alguno de vosotros tiene falta de sabiduría, pídala a Dios, el cual da a todos abundantemente y sin reproche, y le será dada.
⁶ Pero pida con fe, no dudando nada; porque el que duda es semejante a la onda del mar, que es arrastrada por el viento y echada de una parte a otra.
⁷ No piense, pues, quien tal haga, que recibirá cosa alguna del Señor.
⁸ El hombre de doble ánimo es inconstante en todos sus caminos.
⁹ El hermano que es de humilde condición, gloríese en su exaltación;
¹⁰ pero el que es rico, en su humillación; porque él pasará como la flor de la hierba.

1.1 ᵃ Mt. 13.55; Mr. 6.3; Hch. 15.13; Gá. 1.19.

---

**1.2-4** Las dificultades y las tentaciones son realidades en la vida de todo el mundo, particularmente en la de aquellos que tienen un historial de adicción, de abuso o de cualquier otra disfunción. Podemos sentirnos tentados a regresar a formas destructivas de conducta. Sin embargo, al enfrentar tiempos difíciles, nuestra actitud puede hacer que todo sea diferente. Santiago nos dice que nos alegremos cuando enfrentemos tentaciones y dificultades. Esto es difícilmente una reacción natural ante una situación dolorosa. No obstante, considerar que nuestras pruebas son como bloques de construcción en la obra de Dios en nuestra vida puede ayudarnos a cambiar nuestra actitud negativa hacia los tiempos difíciles. Podemos tener gozo en medio de estas pruebas, porque a través de ellas adquirimos paciencia, un ingrediente esencial para la recuperación exitosa.

**1.5** ¿Cuántas veces nos hemos reprendido a nosotros mismos por tomar decisiones poco sabias? Todos hemos tomado decisiones incorrectas que nos han metido en problemas, y a fin de cuentas han arruinado nuestra relación con Dios y con otras personas. Cuando le pedimos a Dios sabiduría, él está más que dispuesto a dárnosla. Como Dios es la fuente de toda sabiduría, podemos tomar menos decisiones desacertadas si acudimos a él en busca de orientación. En la recuperación se nos dice que mejoremos nuestro contacto directo con Dios para que así podamos conocer mejor su voluntad para nosotros. Esto puede lograrse estudiando la palabra de Dios y orando con regularidad.

**11** Porque cuando sale el sol con calor abrasador, la hierba se seca,*b* su flor se cae, y perece su hermosa apariencia; así también se marchitará el rico en todas sus empresas.

## Soportando las pruebas

**12** Bienaventurado el varón que soporta la tentación; porque cuando haya resistido la prueba, recibirá la corona de vida, que Dios ha prometido a los que le aman. **13** Cuando alguno es tentado, no diga que es tentado de parte de Dios; porque Dios no puede ser tentado por el mal, ni él tienta a nadie; **14** sino que cada uno es tentado, cuando de su propia concupiscencia es atraído y seducido. **15** Entonces la concupiscencia, después que ha concebido, da a luz el pecado; y el pecado, siendo consumado, da a luz la muerte. **16** Amados hermanos míos, no erréis. **17** Toda buena dádiva y todo don perfecto desciende de lo alto, del Padre de las luces, en el cual no hay mudanza, ni sombra de variación. **18** El, de su voluntad, nos hizo nacer por la palabra de verdad, para que seamos primicias de sus criaturas.

## Hacedores de la palabra

**19** Por esto, mis amados hermanos, todo hombre sea pronto para oír, tardo para hablar, tardo para airarse; **20** porque la ira del hombre no obra la justicia de Dios. **21** Por lo cual, desechando toda inmundicia y abundancia de malicia, recibid con mansedumbre la palabra implantada, la cual puede salvar vuestras almas. **22** Pero sed hacedores de la palabra, y no tan solamente oidores, engañándoos a vosotros mismos. **23** Porque si alguno es oidor de la palabra pero no hacedor de ella, éste es semejante al hombre que considera en un espejo su rostro natural. **24** Porque él se considera a sí mismo, y se va, y luego olvida cómo era. **25** Mas el que mira atentamente en la perfecta ley, la de la libertad, y persevera en ella, no siendo oidor olvidadizo, sino hacedor de la obra, éste será bienaventurado en lo que hace. **26** Si alguno se cree religioso entre vosotros, y no

**1.10-11** *b* Is. 40.6-7.

## PASO 10

### Mirémonos al espejo
LECTURA BÍBLICA: Santiago 1.21-25
**Continuamos haciendo nuestro inventario personal y cuando nos equivocamos, lo admitimos inmediatamente.**
¿Cuántas veces nos miramos al espejo cada día? Suponga que nos miramos al espejo y descubrimos que tenemos mostaza alrededor de la boca. ¿Acaso no nos lavamos la cara y nos limpiamos la suciedad? De la misma forma, necesitamos mirarnos habitualmente en nuestro «espejo espiritual»: la Biblia. Luego, si hay algo anormal, podemos dar los pasos apropiados para arreglarlo.

Santiago usa una ilustración similar para indicarnos que Dios debe ser como un espejo espiritual en nuestra vida. Afirmó: «Sed hacedores de la palabra, y no tan solamente oidores, engañándoos a vosotros mismos. Porque si alguno es oidor de la palabra pero no hacedor de ella, éste es semejante al hombre que considera en un espejo su rostro natural. Porque él se considera a sí mismo, y se va, y luego olvida cómo era. Mas el que mira atentamente en la perfecta ley, la de la libertad, y persevera en ella, no siendo oidor olvidadizo, sino hacedor de la obra, éste será bienaventurado en lo que hace» (Santiago 1.22-25).

Esta ilustración muestra que es sensato hacer regularmente un inventario personal. Al examinar nuestra vida, si descubrimos que desde la última vez que lo hicimos se ha producido algún cambio problemático, debemos actuar de forma inmediata. Si no le prestamos rápida atención al problema, puede que pronto lo olvidemos. De la misma manera que sería una necedad pasar todo el día sabiendo que tenemos mostaza en la cara, no es lógico darse cuenta de que tenemos un problema que nos puede provocar una recaída y no corregirlo de inmediato. ***Vaya a la página 421, 1 Juan 1.***

**1.19-20** ¿Quién y qué controla nuestra vida? ¿Es Dios? ¿Son otras personas? ¿Acaso es un estado de dependencia que no podemos dejar, una compulsión o una emoción abrumadora? El asunto del control es vital para nuestro crecimiento espiritual y recuperación. Para algunos de nosotros, el sentir cólera resulta abrumador. Santiago nos aconseja oír antes de hablar, tener dominio propio y ser pacientes, impidiendo así que la ira controle nuestras acciones en cualquier situación. Tal vez sintamos rabia por nuestro pasado o por

refrena su lengua, sino que engaña su corazón, la religión del tal es vana.

**27** La religión pura y sin mácula delante de Dios el Padre es esta: Visitar a los huérfanos y a las viudas en sus tribulaciones, y guardarse sin mancha del mundo.

## Amonestación contra la parcialidad

**2** **1** Hermanos míos, que vuestra fe en nuestro glorioso Señor Jesucristo sea sin acepción de personas.

**2** Porque si en vuestra congregación entra un hombre con anillo de oro y con ropa espléndida, y también entra un pobre con vestido andrajoso,

**3** y miráis con agrado al que trae la ropa espléndida y le decís: Siéntate tú aquí en buen lugar; y decís al pobre: Estate tú allí en pie, o siéntate aquí bajo mi estrado;

**4** ¿no hacéis distinciones entre vosotros mismos, y venís a ser jueces con malos pensamientos?

**5** Hermanos míos amados, oíd: ¿No ha elegido Dios a los pobres de este mundo, para que sean ricos en fe y herederos del reino que ha prometido a los que le aman?

**6** Pero vosotros habéis afrentado al pobre. ¿No os oprimen los ricos, y no son ellos los mismos que os arrastran a los tribunales?

**7** ¿No blasfeman ellos el buen nombre que fue invocado sobre vosotros?

**8** Si en verdad cumplís la ley real, conforme a la Escritura: Amarás a tu prójimo como a ti mismo,*a* bien hacéis;

**9** pero si hacéis acepción de personas, cometéis pecado, y quedáis convictos por la ley como transgresores.

**10** Porque cualquiera que guardare toda la ley, pero ofendiere en un punto, se hace culpable de todos.

**11** Porque el que dijo: No cometerás adulterio,*b* también ha dicho: No matarás.*c* Ahora bien, si no cometes adulterio, pero matas, ya te has hecho transgresor de la ley.

**12** Así hablad, y así haced, como los que habéis de ser juzgados por la ley de la libertad.

**13** Porque juicio sin misericordia se hará con aquel que no hiciere misericordia; y la misericordia triunfa sobre el juicio.

## La fe sin obras es muerta

**14** Hermanos míos, ¿de qué aprovechará si alguno dice que tiene fe, y no tiene obras? ¿Podrá la fe salvarle?

**15** Y si un hermano o una hermana están desnudos, y tienen necesidad del mantenimiento de cada día,

**16** y alguno de vosotros les dice: Id en paz, calentaos y saciaos, pero no les dais las cosas que son necesarias para el cuerpo, ¿de qué aprovecha?

**17** Así también la fe, si no tiene obras, es muerta en sí misma.

**18** Pero alguno dirá: Tú tienes fe, y yo tengo obras. Muéstrame tu fe sin tus obras, y yo te mostraré mi fe por mis obras.

**19** Tú crees que Dios es uno; bien haces. También los demonios creen, y tiemblan.

**20** ¿Mas quieres saber, hombre vano, que la fe sin obras es muerta?

**21** ¿No fue justificado por las obras Abraham nuestro padre, cuando ofreció a su hijo Isaac sobre el altar?*d*

**22** ¿No ves que la fe actuó juntamente con sus obras, y que la fe se perfeccionó por las obras?

---

**2.8** *a* Lv. 19.18.    **2.11** *b* Ex. 20.14; Dt. 5.18.    *c* Ex. 20.13; Dt. 5.17.    **2.21** *d* Gn. 22.1-14.

---

situaciones actuales. Para controlar nuestra ira, necesitamos entregarle nuestra vida a Dios. Aun cuando nos sintamos fuera de control, él nos puede ayudar a mantener la compostura. El Señor puede darnos fuerza y sabiduría para pensar y oír antes de hablar o actuar.

**2.1-9** Como nuestra participación en la recuperación quizás haga que otros nos rechacen, el proceso probablemente resulte doloroso. Las viejas amistades pueden rechazarnos porque estamos tratando de escapar de nuestra esclavitud. A veces, una comunidad cristiana nos da un amplio sector de la sociedad nos rechazan y nos tratan como marginados sin valor, a causa de sus prejuicios. Todos necesitamos ser aceptados. El deseo de Jesús es que la iglesia acepte y ame a todos por igual, sean ricos e influyentes, o pobres y vagabundos. Necesitamos recibir a los marginados que están luchando verdaderamente con sus problemas. Jesús nos pide que tratemos a los demás de la misma manera en que queremos que ellos nos traten (véase Mateo 7.12).

**2.14-26** La fe, piedra angular de la recuperación, necesita ir acompañada de la acción. Algunos de nosotros tal vez descubrimos que fue fácil reconocer que necesitábamos la ayuda de Dios, pero cuando se nos demanda probar con los hechos nuestra fe, nos negamos a hacerlo. Todos hemos asumido compromisos que luego no apoyamos con nuestras acciones. Santiago nos dejó este categórico recordatorio: «Así también la fe, si no tiene obras, es muerta en sí misma» (2.17). Si creemos en los principios de la recuperación pero nos negamos a actuar de acuerdo con ellos, no estamos en recuperación. Si creemos que Dios puede ayudarnos pero nos negamos a obedecer su voluntad, probamos que nuestra fe está muerta. La verdadera fe se expresa en acciones que muestran nuestro compromiso. Si queremos tener éxito en la recuperación, nuestras acciones deben respaldar nuestras palabras.

# SANTIAGO Y JUDAS

Es difícil vivir a la altura de las expectativas establecidas por los hermanos y hermanas mayores. Es igualmente difícil, y a veces más doloroso, olvidar la embarazosa reputación de un hermano mayor. Santiago y Judas tuvieron que lidiar con ambos retos. Su medio hermano mayor, Jesús, era perfecto, pero también embarazoso.

Es probable que María, la madre de ellos, siempre les hubiera dicho a Santiago y a Judas que Jesús era especial. Pero es muy poco probable que ellos tuvieran alguna idea de cuán especial era Jesús. Una cosa es segura: Jesús debió haber sido un «modelo» difícil de seguir. Debió haber sido difícil para Santiago, Judas y el resto de los hermanos sentirse cerca de su maravilloso, pero diferente, hermano mayor. Es posible que la situación haya empeorado cuando murió su padre José. Como hijo mayor, Jesús probablemente tuvo que asumir el rol de papá sustituto.

Cuando comenzó el ministerio público de Jesús, Santiago y Judas asumieron la actitud de quienes miran de lejos a ver qué pasa. Un día, Jesús hacía milagros y lo aclamarían como héroe. Al siguiente, pronunciaba un discurso condenatorio y ofendía a las poderosas autoridades políticas y religiosas. Jesús no sólo reclamaba ser el Mesías prometido, ¡sino Dios mismo! En esto, probablemente Santiago y Judas pensaron que su medio hermano había entrado en aguas demasiado profundas. Al final, Jesús fue sentenciado a muerte.

Santiago y Judas habían perdido a su padre José cuando eran jóvenes. Ahora han perdido a su famoso, aunque incómodo, hermano mayor. ¿Se recuperaría la familia? La resurrección de Jesús dio la resonante respuesta: ¡sí! Después que Jesús se levantó de entre los muertos, venció las dudas de sus hermanos menores, quienes luego llegaron a ser líderes de la iglesia primitiva. Su relación con Jesús se había restaurado. Se recuerda a ambos hermanos por los libros de la Biblia que escribieron.

Todavía hoy día está disponible el poder transformador de la resurrección de Cristo. Cuando leemos sobre el terrible juicio y la dolorosa muerte de Jesús, vemos el amoroso sacrificio de Dios a nuestro favor. Al afirmar su resurrección y experimentar su poder en nuestra vida, descubrimos que el poder que transformó a Santiago y a Judas también puede transformarnos a nosotros.

## FORTALEZAS Y LOGROS:
- Al parecer, Santiago y Judas querían entender y conocer a Jesús.
- Ambos superaron los problemas de relacionales personales que seguramente existían en la familia.
- Ambos llegaron a ser escritores y líderes eficaces.

## DEBILIDADES Y ERRORES:
- Santiago y Judas no entendieron realmente a Jesús sino hasta después de su resurrección.
- Se desilusionaron con los reclamos de Jesús cuando este enfrentó oposición.

## LECCIONES PARA NUESTRA VIDA:
- Descubrir nuestra propia identidad cuando tenemos que seguir a hermanos más talentosos que nosotros puede resultar muy difícil.
- Aun los confundidos y desilusionados pueden recobrar la confianza y la esperanza.
- La recuperación ofrece la esperanza de restaurar las relaciones personales rotas.

## VERSÍCULO CLAVE:
[Jesús dijo:] «Porque todo aquel que hace la voluntad de mi Padre que está en los cielos, ése es mi hermano, y hermana, y madre» (Mateo 12.50).

Se menciona o se alude a Santiago y a Judas en los evangelios y Hechos 1.14. Se menciona a Santiago (Jacobo) en Hechos 15; 21; Gálatas 2; el libro de Santiago y en Judas 1.1. El nombre de Judas se encuentra en Judas 1.1.

---

**23** Y se cumplió la Escritura que dice: Abraham creyó a Dios, y le fue contado por justicia,*e* y fue llamado amigo de Dios.*f*

**24** Vosotros veis, pues, que el hombre es justificado por las obras, y no solamente por la fe.

**25** Asimismo también Rahab la ramera, ¿no fue justificada por obras, cuando recibió a los mensajeros y los envió por otro camino?*g*

**26** Porque como el cuerpo sin espíritu está muerto, así también la fe sin obras está muerta.

## La lengua

**3** **1** Hermanos míos, no os hagáis maestros muchos de vosotros, sabiendo que recibiremos mayor condenación.

**2** Porque todos ofendemos muchas veces. Si alguno

---

**2.23** *e* Gn. 15.6. *f* 2 Cr. 20.7; Is. 41.8. **2.25** *g* Jos. 2.1-21.

no ofende en palabra, éste es varón perfecto, capaz también de refrenar todo el cuerpo.

**3** He aquí nosotros ponemos freno en la boca de los caballos para que nos obedezcan, y dirigimos así todo su cuerpo.

**4** Mirad también las naves; aunque tan grandes, y llevadas de impetuosos vientos, son gobernadas con un muy pequeño timón por donde el que las gobierna quiere.

**5** Así también la lengua es un miembro pequeño, pero se jacta de grandes cosas. He aquí, ¡cuán grande bosque enciende un pequeño fuego!

**6** Y la lengua es un fuego, un mundo de maldad. La lengua está puesta entre nuestros miembros, y contamina todo el cuerpo, e inflama la rueda de la creación, y ella misma es inflamada por el infierno.

**7** Porque toda naturaleza de bestias, y de aves, y de serpientes, y de seres del mar, se doma y ha sido domada por la naturaleza humana;

**8** pero ningún hombre puede domar la lengua, que es un mal que no puede ser refrenado, llena de veneno mortal.

**9** Con ella bendecimos al Dios y Padre, y con ella maldecimos a los hombres, que están hechos a la semejanza de Dios.*a*

**10** De una misma boca proceden bendición y maldición. Hermanos míos, esto no debe ser así.

**11** ¿Acaso alguna fuente echa por una misma abertura agua dulce y amarga?

**12** Hermanos míos, ¿puede acaso la higuera producir aceitunas, o la vid higos? Así también ninguna fuente puede dar agua salada y dulce.

## La sabiduría de lo alto

**13** ¿Quién es sabio y entendido entre vosotros? Muestre por la buena conducta sus obras en sabia mansedumbre.

**14** Pero si tenéis celos amargos y contención en vuestro corazón, no os jactéis, ni mintáis contra la verdad;

**15** porque esta sabiduría no es la que desciende de lo alto, sino terrenal, animal, diabólica.

**16** Porque donde hay celos y contención, allí hay perturbación y toda obra perversa.

**17** Pero la sabiduría que es de lo alto es primeramente pura, después pacífica, amable, benigna, llena de misericordia y de buenos frutos, sin incertidumbre ni hipocresía.

**18** Y el fruto de justicia se siembra en paz para aquellos que hacen la paz.

**3.9** *a* Gn. 1.26.

---

**3.1-2** Santiago era plenamente consciente del poder destructivo de las palabras. Todos somos culpables de ofender a otros ya sea con nuestras palabras o con nuestras acciones. Cuando ofendamos a alguien, debemos pedir perdón y reparar el daño que hayamos causado. Esto es esencial en el proceso de recuperación. Algunas veces, un tranquilo cambio de conducta puede ser la manera más eficaz de reparar el daño. Si tratamos a otros con respeto podremos reconstruir lentamente la confianza que hayamos destruido. Al someternos al plan que Dios ha trazado para que llevemos una vida saludable, podremos aprender a alentar a otros con nuestras palabras y acciones, en vez de ofenderlos.

**3.3-12** La lengua es difícil de controlar, pero lo que hace es extremadamente importante. Como el timón que dirige a un barco o el freno que guía a un caballo, nuestra lengua tiene una función muy importante a la hora de controlar y dar forma a nuestra vida. Nuestras palabras tal vez hayan destruido nuestras relaciones personales y hayan causado mucho dolor. Es posible que nuestra lengua esté fuera de control, esclava de nuestra dependencia destructiva. Si este es el caso, nuestra recuperación debe incluir poner nuestra lengua bajo el control divino. Aun cuando nos sintamos impotentes para controlar nuestras palabras hirientes, Dios puede domar nuestra lengua. A medida que vaya transformando nuestro corazón, nuestras palabras pronto irán reflejando este cambio. Entonces Dios puede usar nuestras palabras para renovar las relaciones personales interrumpidas y alentar a otros que estén en el proceso de recuperación.

**3.13-18** La sabiduría es esencial para la recuperación. Pero debe ser, sin embargo, sabiduría de lo alto, no sabiduría terrenal. La sabiduría terrenal lleva al egoísmo y al orgullo, causando invariablemente confusión y conflictos. La verdadera sabiduría se basa en el conocimiento de Dios. Trae paz y lleva a una vida desinteresada y a una fe que funciona; nunca hace acepción entre grupos de personas sino que trata a todo el mundo con respeto y amor. La sabiduría divina nos permite confesar nuestros fracasos y reconstruir nuestra vida desde las cenizas de la derrota. Nos liberta de nuestra dependencia destructiva; nos ayuda a vivir para otros y a entablar relaciones personales que nos apoyarán en nuestra recuperación.

**4.1-4** Una correcta relación con Dios es esencial en el proceso de recuperación. A la mayoría de nosotros nos gustaría recibir la libertad que el Señor ofrece, pero generalmente cometemos errores que nos frenan: (1) tratamos de ganar nuestra libertad trabajando con ahínco. Se nos olvida pedirle ayuda a Dios y por eso nunca recibimos la vida que Dios quiere darnos; (2) si le pedimos ayuda a Dios, lo hacemos por motivos equivocados. Pedimos sus bendiciones para satisfacer nuestro placer personal, ignorando el hecho de que buscar amistad con el mundo significa convertirnos en enemigos de Dios. El Señor quiere darnos vida abundante para que les hablemos a otros de él. Al acercarnos a Dios y pedir su dirección y ayuda experimentaremos la libertad que él nos ofrece.

## La amistad con el mundo

**4** **1** ¿De dónde vienen las guerras y los pleitos entre vosotros? ¿No es de vuestras pasiones, las cuales combaten en vuestros miembros?
**2** Codiciáis, y no tenéis; matáis y ardéis de envidia, y no podéis alcanzar; combatís y lucháis, pero no tenéis lo que deseáis, porque no pedís.
**3** Pedís, y no recibís, porque pedís mal, para gastar en vuestros deleites.
**4** ¡Oh almas adúlteras! ¿No sabéis que la amistad del mundo es enemistad contra Dios? Cualquiera, pues, que quiera ser amigo del mundo, se constituye enemigo de Dios.
**5** ¿O pensáis que la Escritura dice en vano: El Espíritu que él ha hecho morar en nosotros nos anhela celosamente?
**6** Pero él da mayor gracia. Por esto dice: Dios resiste a los soberbios, y da gracia a los humildes.*a*
**7** Sometéos, pues, a Dios; resistid al diablo, y huirá de vosotros.
**8** Acercaos a Dios, y él se acercará a vosotros. Pecadores, limpiad las manos; y vosotros los de doble ánimo, purificad vuestros corazones.
**9** Afligíos, y lamentad, y llorad. Vuestra risa se convierta en lloro, y vuestro gozo en tristeza.
**10** Humillaos delante del Señor, y él os exaltará.

## Juzgando al hermano

**11** Hermanos, no murmuréis los unos de los otros. El que murmura del hermano y juzga a su hermano, murmura de la ley y juzga a la ley; pero si tú juzgas a la ley, no eres hacedor de la ley, sino juez.
**12** Uno solo es el dador de la ley, que puede salvar y perder; pero tú, ¿quién eres para que juzgues a otro?

## No os gloriéis del día de mañana

**13** ¡Vamos ahora! los que decís: Hoy y mañana iremos a tal ciudad, y estaremos allá un año, y traficaremos, y ganaremos;
**14** cuando no sabéis lo que será mañana.*b* Porque ¿qué es vuestra vida? Ciertamente es neblina que se aparece por un poco de tiempo, y luego se desvanece.

# Sabiduría

## LEA SANTIAGO 3.13-18

Cuando caemos en la trampa de nuestra adicción es casi como si nos transformáramos en dos personas diferentes; es como si tuviéramos un doble y estuviéramos los dos amarrados. La Biblia reconoce esta naturaleza dual en cada uno de nosotros. Una parte anhela el bien y la otra parte es arrastrada por los deseos corruptos y las pasiones salvajes. La Biblia describe un tipo de sabiduría «terrenal» que justifica la conducta destructiva y conduce al desorden, la inestabilidad y la confusión.

Necesitamos percatarnos de la existencia de este tipo de sabiduría, que se caracteriza por los celos y el egoísmo. Santiago escribió: «Porque esta sabiduría no es la que desciende de lo alto, sino terrenal, animal, diabólica. Porque donde hay celos y contención, allí hay perturbación y toda obra perversa» (Santiago 3.15-16).

Esta manera de pensar hace que enfoquemos nuestra vida en lo que otros tienen y son. Nos hace envidiarlos tanto que siempre estamos insatisfechos. Es fácil dejarnos consumir tanto por nuestros propios deseos que nos volvamos desconsiderados con otros, y que hiramos con frecuencia a las personas a las que amamos. Este es el tipo de sabiduría que inspira el diablo y que nos llevará a nuestra destrucción final, ya que Satanás «no viene sino para hurtar y matar y destruir» (Juan 10.10).

Si todavía los celos y el egoísmo dominan nuestros pensamientos, necesitamos pedirle a Dios que reemplace nuestra sabiduría terrenal con la sabiduría de lo alto. Podemos confiar en él para que cambie nuestra mente y nuestra vida. ***Vaya a la página 403, 1 Pedro 1.***

---

**4.6** *a* Pr. 3.34.   **4.13-14** *b* Pr. 27.1.

---

**4.6-10** A la mayoría de nosotros nos cuesta mucho ser modelos de sumisión y humildad, cualidades estas que son esenciales para el proceso de recuperación, pues muestran nuestra dependencia de Dios y la disposición para dejarnos dirigir por él. El orgullo de Satanás –y nuestra adopción de ese orgullo– se oponen al plan de Dios para que llevemos una vida saludable y piadosa. Como muchos sabemos por experiencia, el camino del orgullo y del egoísmo sólo conduce a confusiones y contiendas. El verdadero contentamiento llega sólo cuando sometemos nuestra vida a Dios y a sus propósitos. Al reconocer nuestros fracasos y buscar humildemente hacer la voluntad de Dios, nos acercaremos más a Dios. Al acercarnos más a Dios, se debilitarán los lazos de nuestra dependencia y el Señor nos levantará para reconstruir nuestra vida.

**4.11-12** Muchas comunidades cristianas se vuelven ineficaces debido a la soberbia de su crítica de los

**15** En lugar de lo cual deberíais decir: Si el Señor quiere, viviremos y haremos esto o aquello.
**16** Pero ahora os jactáis en vuestras soberbias. Toda jactancia semejante es mala;
**17** y al que sabe hacer lo bueno, y no lo hace, le es pecado.

## Contra los ricos opresores

**5 1** ¡Vamos ahora, ricos! Llorad y aullad por las miserias que os vendrán.
**2** Vuestras riquezas están podridas, y vuestras ropas están comidas de polilla.
**3** Vuestro oro y plata están enmohecidos; y su moho testificará contra vosotros, y devorará del todo vuestras carnes como fuego. Habéis acumulado tesoros para los días postreros.*a*
**4** He aquí, clama el jornal de los obreros que han cosechado vuestras tierras, el cual por engaño no les ha sido pagado por vosotros; y los clamores de los que habían segado han entrado en los oídos del Señor de los ejércitos.*b*
**5** Habéis vivido en deleites sobre la tierra, y sido disolutos; habéis engordado vuestros corazones como en día de matanza.

**6** Habéis condenado y dado muerte al justo, y él no os hace resistencia.

### Sed pacientes y orad

**7** Por tanto, hermanos, tened paciencia hasta la venida del Señor. Mirad cómo el labrador espera el precioso fruto de la tierra, aguardando con paciencia hasta que reciba la lluvia temprana y la tardía.
**8** Tened también vosotros paciencia, y afirmad vuestros corazones; porque la venida del Señor se acerca.
**9** Hermanos, no os quejéis unos contra otros, para que no seáis condenados; he aquí, el juez está delante de la puerta.
**10** Hermanos míos, tomad como ejemplo de aflicción y de paciencia a los profetas que hablaron en nombre del Señor.
**11** He aquí, tenemos por bienaventurados a los que sufren. Habéis oído de la paciencia de Job,*c* y habéis visto el fin del Señor, que el Señor es muy misericordioso y compasivo.*d*
**12** Pero sobre todo, hermanos míos, no juréis, ni por el cielo, ni por la tierra, ni por ningún otro ju-

**5.2-3** *a* Mt. 6.19.  **5.4** *b* Dt. 24.14-15.  **5.11** *c* Job 1.21-22; 2.10. *d* Sal. 103.8.

demás. Las personas suelen juzgar a quienes no satisfagan las expectativas de sus ideales de perfección. Algunos tal vez hayamos sufrido este tipo de juicio destructivo tan pronto como nuestra adicción se hizo pública. Es posible que hasta hayamos salido de alguna iglesia por esta misma razón. Tristemente, algunos de nosotros también somos culpables de juzgar a otros. Podemos mirar por encima del hombro a personas que progresan a un paso más lento que el nuestro en el proceso de recuperación. Debemos mantener una sana humildad. Nadie es perfecto excepto Dios; sólo él está en posición de juzgar a otros (véase Romanos 14.10-12). Necesitamos prestar atención a nuestras faltas, incluida la tendencia a criticar a otros. Si no lo hacemos, nuestra recuperación estará en riesgo.

**5.1-5** Muchos quizás nos preguntemos por qué tenemos que abandonar nuestra búsqueda de placer. Con frecuencia la gente que vive para la riqueza y el placer parece mucho más feliz que nosotros. Santiago le recordó a su auditorio que un estilo de vida egoísta produce inevitablemente consecuencias dolorosas. Algunos de nosotros ya hemos experimentado el dolor que resulta de los placeres egoístas y el vacío que nos deja. Un estilo de vida egoísta nunca trae paz duradera ni gozo; siempre termina en algún tipo de esclavitud. Cuando aceptamos la voluntad de Dios y seguimos su plan, experimentamos libertad y nos convertimos en bendición para otros.

**5.7-11** Es muy probable que todos nos hayamos hecho esta pregunta: ¿Por qué me están pasando estas cosas tan terribles? Esta pregunta puede volverse más apremiante después de comenzar el proceso de recuperación. Tal vez reconozcamos que Dios usó nuestros sufrimientos para que comenzáramos nuestro programa de recuperación, pero ¿por qué permite que el sufrimiento continúe? La recuperación es un proceso doloroso que dura toda la vida. De la misma forma que nuestra adicción no apareció de un día para otro, la recuperación también tomará su tiempo. Necesitamos aprender a tener paciencia mientras damos pequeños pasos hacia delante, plantando semillas que producirán una cosecha de sanidad y restauración. Dios hará brotar las semillas que hemos plantado, transformando nuestras vidas desde el interior.

**5.13-15** Puesto que Dios tiene el poder para sanarnos espiritual, emocional y físicamente, la oración es una de las herramientas más poderosas que tenemos disponibles en la recuperación. Cuando oramos a Dios, pedimos ese poder y damos prueba de nuestra fe de que él puede ayudarnos. La oración es esencial en el proceso de colocar nuestra destrozada vida en las bondadosas y competentes manos de Dios. Él es más que capaz de ayudarnos y guiarnos para lograr bendiciones y paz. Cuando nuestra vida parezca estar fuera de control y estemos desesperados, podremos comenzar el proceso de sanidad trayendo nuestros problemas ante Dios. Él está oyendo y tiene el poder para reconstruir hasta la vida hecha añicos.

ramento; sino que vuestro sí sea sí, y vuestro no sea no, para que no caigáis en condenación.*e*

**13** ¿Está alguno entre vosotros afligido? Haga oración. ¿Está alguno alegre? Cante alabanzas.

**14** ¿Está alguno enfermo entre vosotros? Llame a los ancianos de la iglesia, y oren por él, ungiéndole con aceite*f* en el nombre del Señor.

**15** Y la oración de fe salvará al enfermo, y el Señor lo levantará; y si hubiere cometido pecados, le serán perdonados.

**16** Confesaos vuestras ofensas unos a otros, y orad unos por otros, para que seáis sanados. La oración eficaz del justo puede mucho.

**17** Elías era hombre sujeto a pasiones semejantes a las nuestras, y oró fervientemente para que no lloviese, y no llovió sobre la tierra por tres años y seis meses.*g*

**18** Y otra vez oró, y el cielo dio lluvia, y la tierra produjo su fruto.*h*

**19** Hermanos, si alguno de entre vosotros se ha extraviado de la verdad, y alguno le hace volver,

**20** sepa que el que haga volver al pecador del error de su camino, salvará de muerte un alma, y cubrirá multitud de pecados.*i*

**5.12** *e* Mt. 5.34-37.   **5.14** *f* Mr. 6.13.
**5.17** *g* 1 R. 17.1; 18.1.   **5.18** *h* 1 R. 18.42-45.
**5.20** *i* Pr. 10.12.

**PASO 3**

## Devoción sin doblez

LECTURA BÍBLICA: Santiago 4.7-10

**Tomamos la decisión de poner nuestra voluntad y nuestra vida en las manos de Dios.**
Quizás ya hayamos decidido seguir al Señor, permitiéndole a él que defina el rumbo total de nuestra vida. Aun así, muchos de nosotros todavía tratamos de esconder de Dios algunas partes de nuestro corazón. Hemos reservado esas zonas para complacer nuestra adicción, para hacer cosas contrarias a la voluntad de Dios. Esto es vivir una doble vida, lo que puede llenarnos de culpa, vergüenza e inestabilidad.

Incluso quienes hemos entregado nuestro corazón a Dios enfrentamos cada día nuevas tentaciones y la necesidad de tomar decisiones. Santiago se estaba dirigiendo a creyentes cuando escribió: «Someteos, pues, a Dios; resistid al diablo, y huirá de vosotros. Acercaos a Dios, y él se acercará a vosotros» (Santiago 4.7-8).

Si elegimos vivir una doble vida, podemos comenzar a dudar si Dios nos escucha del todo. Como Santiago escribió: «El que duda es semejante a la onda del mar, que es arrastrada por el viento y echada de una parte a otra. No piense, pues, quien tal haga, que recibirá cosa alguna del Señor. El hombre de doble ánimo es inconstante en todos sus caminos» (Santiago 1.6-8).

Cuando resistamos al diablo en todo lo que hagamos y nos acerquemos más a Dios, él se acercará a nosotros. Cuando abramos los rincones escondidos de nuestro corazón y comencemos a tomar decisiones a favor de nuestra recuperación, pronto estaremos confiando más y más en que Dios desea ayudarnos.

***Vaya a la página 503, Salmo 61.***

# REFLEXIONES SOBRE SANTIAGO

**✲*perspectivas*** SOBRE LA FE VERDADERA
Vemos en **Santiago 1.6-8** que todas las decisiones verdaderamente sabias están enraizadas en una viva fe en Dios. La fe es «la certeza de lo que se espera, la convicción de lo que no se ve» (Hebreos 11.1). Dios quiere que progresemos en nuestra recuperación. Cuando le pedimos que nos ayude a tomar decisiones sabias, podemos hacerlo sin ningún rastro de duda, con plena certidumbre de que cualquier cosa que estemos pidiendo en fe, nos será dada. Dios nos dará la sabiduría que necesitamos para tomar las decisiones correctas para una recuperación exitosa.

**✲*perspectivas*** SOBRE LA CONFESIÓN SINCERA
Al tratar de hacer un inventario moral sincero, puede que algunos de nosotros no tengamos ningún patrón que nos sirva para valorar nuestras acciones o actitudes. Tal vez nunca hayamos tenido buenos modelos a los que imitar. En **Santiago 1.22-25,** el apóstol dice que la palabra de Dios funciona como un espejo en nuestra vida. Al leerla, se nos pinta un cuadro muy claro de lo qué Dios quiere que seamos. La Biblia nos muestra en qué aspectos no estamos a la altura de los estándares divinos y nos provee una vara de medir para usar en nuestro inventario personal. Pero también Santiago nos advierte que no nos estanquemos después de hacer ese inventario. No debemos mirarnos en la palabra de Dios sólo para después dar la vuelta y olvidar lo que vimos allí. Para progresar verdaderamente en la recuperación necesitamos recurrir a la ayuda de Dios y dar pasos firmes hacia una vida que esté a tono con la palabra de Dios.

Admitir nuestros fracasos, ante el Señor y ante alguna persona digna de confianza, es un paso esencial en el proceso de recuperación. Cuando hablamos con otros acerca de nuestras faltas, les damos la oportunidad de que nos apoyen en oración. Santiago nos recuerda en **Santiago 5.16-20** que la confesión es una parte importante de nuestra vida personal de oración. Dios nos invita a confesarle nuestros pecados y fracasos por medio de la oración. Cuando traemos ante Dios nuestros pecados y defectos de carácter, él comienza en nosotros el proceso de sanidad. La oración no es nunca una pérdida de tiempo y ¡rinde maravillosos resultados! Dios responde poderosamente cuando demostramos nuestra fe al contarle a él nuestros problemas.

# PRIMERA

# PEDRO

## EL PANORAMA

La audiencia de Pedro estaba compuesta de personas que sufrían. Estaban padeciendo persecución de parte de los no creyentes: eran rechazados y, en muchos casos, objeto de manifiesto abuso físico. El precio que tuvieron que pagar por sus creencias incluía desde la ruptura de relaciones hasta el dolor físico y el rechazo.

Pedro escribió para animarlos. La parte maravillosa de su mensaje se encuentra en la perspectiva que les ofreció a sus lectores. En respuesta a sus gritos de angustia, no les dijo: «Debe haber algo mal en ustedes» ni «Oren con más ahínco y sus problemas desaparecerán». Tampoco les prometió a la ligera que el futuro sería más placentero. En vez de eso, les dio esta esperanza: Ellos le pertenecían a Dios y él nunca les fallaría. Estas palabras nos ofrecen la misma esperanza.

Muchos de nosotros coincidiríamos en que el sufrimiento es una de las cosas más difíciles de aceptar en la vida, y mucho más difícil de entender. Aunque desearíamos no tener que sufrir los golpes duros de la vida o estar protegidos contra ellos, el dolor es una realidad. Todos sufrimos y sufrir es parte de la recuperación. Tenemos que aceptar el hecho de que sufriremos de vez en cuando.

Dios nos equipa para vivir en paz en medio de tiempos difíciles. Recibimos la poderosa ayuda divina cuando nos aferramos a Cristo y vivimos según su voluntad. Esto no quiere decir que nuestros problemas desaparecerán porque creemos en Dios. Más bien significa que Dios nos rodeará con su amor cuando los problemas parezcan abrumadores. Para protegernos de la tormenta debemos no sólo confortarnos al saber que Dios está con nosotros sino también perseverar hasta que la tormenta pase. Al hacerlo, Dios usará las pruebas para hacernos crecer.

## EN ESENCIA

PROPÓSITO: Demostrar cómo vivir bien en un mundo hecho pedazos y sin esperanza. AUTOR: el apóstol Pedro. DESTINATARIO: Los judíos cristianos que estaban sufriendo persecución por causa de su fe. FECHA: Cerca del 64 d.C., justo antes de que Nerón persiguiera a los primeros cristianos. ESCENARIO: Esta carta fue escrita cuando Pedro y otros cristianos habían sido torturados y martirizados a causa de su fe. Los creyentes enfrentaban la oposición tanto de las autoridades judías como la de los gobiernos civiles. VERSÍCULO CLAVE: «Como libres, pero no como los que tienen la libertad como pretexto para hacer lo malo, sino como siervos de Dios» (2.16). PERSONAS Y RELACIONES CLAVE: Pedro con Silas y con Juan Marcos.

## TEMAS SOBRE RECUPERACIÓN

*Los caminos de Dios pueden ser dolorosos:* Parte de la razón de que quizás tengamos temor de la recuperación es que sabemos que los cambios que Dios nos pide hacer van a ser dolorosos. Antes también sufríamos en nuestra antigua forma de vida, pero usualmente encontrábamos maneras de escapar del dolor. Cuando comenzamos el proceso de recuperación, también decidimos acometer de frente nuestro dolor. Entregar nuestra vida a Dios, hacer un inventario moral, reparar el daño que hayamos causado y permitir que el Señor quite nuestros defectos son pasos dolorosos. Pero como son parte del plan de Dios, también nos llevarán al gozo y a la plenitud.

*Nada es inútil con Dios:* Mientras luchamos en la recuperación quizás comencemos a sentirnos inútiles, y seamos tentados a tirar la toalla y decir: «¿Vale la pena?» Pero *sentirse* inútil no es lo mismo que *ser* inútil. Nunca somos realmente inútiles, porque con Dios, la ayuda está al alcance de la mano. No estamos sin esperanza, porque Dios es la fuente de toda esperanza. Cuando luchemos contra el desaliento, esta carta nos recordará que entreguemos a Dios nuestra vida y dependamos totalmente de su poder. Dios nunca nos dejará enfrentar nuestras pruebas solos.

*La importancia de las relaciones personales:* Aceptar a Jesucristo como nuestro Salvador nos hace parte de la familia de Dios. Entramos a formar parte de una comunidad que tiene a Jesús como su fundador y líder. Todos en esta comunidad están relacionados; nadie está solo. Toda sanidad, incluida la recuperación, ocurre en el contexto de las relaciones con otros. Pedro nos enseña cómo manejar esas relaciones: con lealtad, amor y humildad, y orando para llegar a ser lo que Dios quiere que seamos.

---

### Salutación

**1** ¹ Pedro, apóstol de Jesucristo, a los expatriados de la dispersión en el Ponto, Galacia, Capadocia, Asia y Bitinia, ² elegidos según la presciencia de Dios Padre en santificación del Espíritu, para obedecer y ser rociados con la sangre de Jesucristo: Gracia y paz os sean multiplicadas.

### Una esperanza viva

³ Bendito el Dios y Padre de nuestro Señor Jesucristo, que según su grande misericordia nos hizo renacer para una esperanza viva, por la resurrección de Jesucristo de los muertos, ⁴ para una herencia incorruptible, incontaminada e inmarcesible, reservada en los cielos para vosotros, ⁵ que sois guardados por el poder de Dios mediante la fe, para alcanzar la salvación que está preparada para ser manifestada en el tiempo postrero. ⁶ En lo cual vosotros os alegráis, aunque ahora por un poco de tiempo, si es necesario, tengáis que ser afligidos en diversas pruebas, ⁷ para que sometida a prueba vuestra fe, mucho más preciosa que el oro, el cual aunque perecedero se prueba con fuego, sea hallada en alabanza, gloria y honra cuando sea manifestado Jesucristo, ⁸ a quien amáis sin haberle visto, en quien creyendo, aunque ahora no lo veáis, os alegráis con gozo inefable y glorioso; ⁹ obteniendo el fin de vuestra fe, que es la salvación de vuestras almas.

¹⁰ Los profetas que profetizaron de la gracia destinada a vosotros, inquirieron y diligentemente indagaron acerca de esta salvación, ¹¹ escudriñando qué persona y qué tiempo indica-

---

**1.7** El refinador someterá el oro al fuego para así separar las impurezas y el material inservible del valioso y preciado oro. Los desperdicios serán removidos hasta que el refinador pueda ver su rostro en el oro líquido. Dios usa las ardientes pruebas y tribulaciones por las que atravesamos para purificar y embellecer nuestra fe para que un día él pueda ver su imagen en nosotros. Esta verdad ofrece gran aliento a quienes tratamos de encontrarle sentido a un pasado marcado por el sufrimiento. Podemos estar seguros de que Dios separará de los desperdicios de nuestras experiencias algo valiosísimo.

**1.8-9** Un paso crítico en el proceso de recuperación consiste en encomendar a Dios nuestra voluntad y nuestra vida. Durante nuestras pruebas más dolorosas, quizás no veamos a Dios a nuestro lado. Sin embargo, Pedro sugiere que, a pesar de lo extraño que parezca en el momento, entregarse a Dios en los momentos difíciles puede ser una experiencia alegre. Si creemos que Dios usará nuestras pruebas para ayudarnos en el proceso de sanidad, aun los momentos difíciles pueden convertirse en momentos de celebración.

ba el Espíritu de Cristo que estaba en ellos, el cual anunciaba de antemano los sufrimientos de Cristo, y las glorias que vendrían tras ellos.

12 A éstos se les reveló que no para sí mismos, sino para nosotros, administraban las cosas que ahora os son anunciadas por los que os han predicado el evangelio por el Espíritu Santo enviado del cielo; cosas en las cuales anhelan mirar los ángeles.

## Llamamiento a una vida santa

13 Por tanto, ceñid los lomos de vuestro entendimiento, sed sobrios, y esperad por completo en la gracia que se os traerá cuando Jesucristo sea manifestado;

14 como hijos obedientes, no os conforméis a los deseos que antes teníais estando en vuestra ignorancia;

15 sino, como aquel que os llamó es santo, sed también vosotros santos en toda vuestra manera de vivir;

16 porque escrito está: Sed santos, porque yo soy santo.ᵃ

17 Y si invocáis por Padre a aquel que sin acepción de personas juzga según la obra de cada uno, conducíos en temor todo el tiempo de vuestra peregrinación;

18 sabiendo que fuisteis rescatados de vuestra vana manera de vivir, la cual recibisteis de vuestros padres, no con cosas corruptibles, como oro o plata,

19 sino con la sangre preciosa de Cristo, como de un cordero sin mancha y sin contaminación,

20 ya destinado desde antes de la fundación del mundo, pero manifestado en los postreros tiempos por amor de vosotros,

21 y mediante el cual creéis en Dios, quien le resucitó de los muertos y le ha dado gloria, para que vuestra fe y esperanza sean en Dios.

22 Habiendo purificado vuestras almas por la obediencia a la verdad, mediante el Espíritu, para el amor fraternal no fingido, amaos unos a otros entrañablemente, de corazón puro;

# Esperanza

### LEA 1 PEDRO 1.3-7

La vida es difícil. Debemos batallar constantemente contra el pecado inherente a nuestra propia naturaleza. Vivimos con las realidades del dolor, la enfermedad y la muerte. Vivimos en un mundo que está en constante decadencia. Aun si entregamos a Dios nuestra vida, ¿qué podemos esperar del futuro?

Pedro nos dice: «Bendito el Dios y Padre de nuestro Señor Jesucristo, que según su grande misericordia nos hizo renacer para una esperanza viva, por la resurrección de Jesucristo de los muertos, para una herencia incorruptible, incontaminada e inmarcesible, reservada en los cielos para vosotros, que sois guardados por el poder de Dios mediante la fe, para alcanzar la salvación que está preparada para ser manifestada en el tiempo postrero. En lo cual vosotros os alegráis, aunque ahora por un poco de tiempo, si es necesario, tengáis que ser afligidos en diversas pruebas» (1 Pedro 1.3-6).

Y Pablo nos ofrece este estímulo: «Y si hijos, también herederos; herederos de Dios y coherederos con Cristo, si es que padecemos juntamente con él, para que juntamente con él seamos glorificados. Pues tengo por cierto que las aflicciones del tiempo presente no son comparables con la gloria venidera que en nosotros ha de manifestarse. Porque el anhelo ardiente de la creación es el aguardar la manifestación de los hijos de Dios» (Romanos 8.17-19). ¡Estas promesas son para nosotros! *Vaya a la página 407, 1 Pedro 3.*

---

1.16 ᵃ Lv. 11.44-45; 19.2.

---

1.10-13 Las buenas nuevas del perdón de Dios en Cristo fluyen de un plan que a Dios le tomó siglos consumar. Ahora que está completo, podemos contar con la continua gracia de Dios mientras seguimos confiando en él hasta que Jesús regrese. No tenemos que preguntarnos si nos engañaron para que creyéramos algo que no es cierto. Siglos de historia y numerosas promesas respaldan la revelación de Dios por medio de Jesucristo. Al encomendarle nuestra vida y voluntad, podemos estar seguros de que su poder es suficiente para hacer que nuestra recuperación sea exitosa.

1.17-20 Es imposible que nosotros ganemos el favor y la aceptación de Dios. Muchas personas malentienden el consejo de Pedro de temer reverentemente a Dios. Piensan que Dios está esperando para sorprendernos en el pecado y así castigarnos, por lo que tenemos que temerle. La verdad es que si percibimos a Dios y nos percibimos a nosotros mismos correctamente, nos percataremos de que Dios sabe que no somos capaces de «dar la talla» por nuestra cuenta. Él acepta nuestras limitaciones, perdona nuestros pecados, busca ayudarnos para que aprendamos de nuestros errores y nos ayuda a avanzar hacia una vida más piadosa.

**23** siendo renacidos, no de simiente corruptible, sino de incorruptible, por la palabra de Dios que vive y permanece para siempre.
**24** Porque:

Toda carne es como hierba,
Y toda la gloria del hombre como flor de la hierba.
La hierba se seca, y la flor se cae;
**25** Mas la palabra del Señor permanece para siempre.*b*

Y esta es la palabra que por el evangelio os ha sido anunciada.

**2** **1** Desechando, pues, toda malicia, todo engaño, hipocresía, envidias, y todas las detracciones,
**2** desead, como niños recién nacidos, la leche espiritual no adulterada, para que por ella crezcáis para salvación,
**3** si es que habéis gustado la benignidad del Señor.*a*

### La piedra viva

**4** Acercándoos a él, piedra viva, desechada ciertamente por los hombres, mas para Dios escogida y preciosa,
**5** vosotros también, como piedras vivas, sed edificados como casa espiritual y sacerdocio santo, para ofrecer sacrificios espirituales aceptables a Dios por medio de Jesucristo.
**6** Por lo cual también contiene la Escritura:

He aquí, pongo en Sion la principal piedra del ángulo, escogida, preciosa;
Y el que creyere en él, no será avergonzado.*b*
**7** Para vosotros, pues, los que creéis, él es precioso; pero para los que no creen,
La piedra que los edificadores desecharon,
Ha venido a ser la cabeza del ángulo;*c*
**8** y:
Piedra de tropiezo, y roca que hace caer,*d*
porque tropiezan en la palabra, siendo desobedientes; a lo cual fueron también destinados.

### El pueblo de Dios

**9** Mas vosotros sois linaje escogido, real sacerdocio, nación santa,*e* pueblo adquirido por Dios,*f* para que anunciéis las virtudes de aquel que os llamó de las tinieblas a su luz admirable;
**10** vosotros que en otro tiempo no erais pueblo, pero que ahora sois pueblo de Dios; que en otro tiempo no habíais alcanzado misericordia, pero ahora habéis alcanzado misericordia.*g*

### Vivid como siervos de Dios

**11** Amados, yo os ruego como a extranjeros y peregrinos, que os abstengáis de los deseos carnales que batallan contra el alma,
**12** manteniendo buena vuestra manera de vivir entre los gentiles; para que en lo que murmuran de vosotros como de malhechores, glorifiquen a

---

**1.24-25** *b* Is. 40.6-9.  **2.3** *a* Sal. 34.8.  **2.6** *b* Is. 28.16.  **2.7** *c* Sal. 118.22.  **2.8** *d* Is. 8.14-15.
**2.9** *e* Ex. 19.5-6.  *f* Dt. 4.20; 7.6; 14.2; 26.18; Tit. 2.14.  **2.10** *g* Os. 2.23.

**2.2-3** Aquí Pedro señala con precisión una idea para ayudarnos a resistir el pecado: podemos vivir una vida piadosa porque hemos probado la misericordia de Dios. En la medida que experimentemos el amor de Dios (que con frecuencia viene a través de nuestras relaciones con otras personas), no querremos pecar, porque nos damos cuenta de que no es bueno para nosotros y contrista al Espíritu de Dios. Esto hace que la tarea de recuperación no se centre en mejorar nuestra conducta exterior (que es más bien el resultado) sino en tratar de agradar a Dios y experimentar más de su misericordia. Podemos acercarnos a él con todas nuestras necesidades y él llenará nuestro corazón con el amor que anhelamos.
**2.9-10** La verdadera identidad cristiana no es ya la de un pecador sino la de un santo. Ya no somos esclavos, sino sacerdotes escogidos del Rey. Hemos sido llamados de la oscuridad de nuestra dependencia para recibir el amor sanador de Dios y así poder compartirlo con otros que sufren.
**2.11** El pecado es seductor porque produce placer. Muchos de nosotros hemos luchado con la tentación de escapar de las dolorosas realidades de la vida volviéndonos a los «placeres» del alcohol, las drogas, la comida, el sexo, el trabajo, el dinero o hasta las actividades religiosas. Sin embargo, en algún momento nos dimos cuenta de que estos placeres, cuando se gozan de forma incorrecta, dañan todo nuestro ser, tanto el cuerpo como el alma. Cuando nos percibimos como «peregrinos» en la Tierra que tienen su verdadero hogar en el cielo, podemos aprender a postergar la recompensa, lo que nos da la sabiduría y nos lleva a la recuperación.
**2.15** El testimonio de una vida transformada es, con mucho, mejor testigo de la gracia de Dios que lo que pueda ser un sermón. Cuando personas lastimadas que todavía no han comenzado su recuperación vean cómo Dios nos ha traído en medio de tantas dificultades a una situación en que podemos crecer más y tener crecimiento y contentamiento, quizás esas personas quieran descubrir qué puede hacer Dios por ellas.
**2.23-24** Jesús no sólo nos muestra cómo lidiar con el sufrimiento, sino que él también sufrió por nosotros. Él recibió el máximo castigo por nuestros pecados, para que nosotros no tengamos que sufrirlo. En lugar de enfrentar un castigo terrible, podemos recibir su misericordia. Él desea libertarnos de la esclavitud y sanarnos de los efectos devastadores de nuestros pecados.

Dios en el día de la visitación, al considerar vuestras buenas obras.

**13** Por causa del Señor someteos a toda institución humana, ya sea al rey, como a superior,

**14** ya a los gobernadores, como por él enviados para castigo de los malhechores y alabanza de los que hacen bien.

**15** Porque esta es la voluntad de Dios: que haciendo bien, hagáis callar la ignorancia de los hombres insensatos;

**16** como libres, pero no como los que tienen la libertad como pretexto para hacer lo malo, sino como siervos de Dios.

**17** Honrad a todos. Amad a los hermanos. Temed a Dios. Honrad al rey.

**18** Criados, estad sujetos con todo respeto a vuestros amos; no solamente a los buenos y afables, sino también a los difíciles de soportar.

**19** Porque esto merece aprobación, si alguno a causa de la conciencia delante de Dios, sufre molestias padeciendo injustamente.

**20** Pues ¿qué gloria es, si pecando sois abofeteados, y lo soportáis? Mas si haciendo lo bueno sufrís, y lo soportáis, esto ciertamente es aprobado delante de Dios.

**21** Pues para esto fuisteis llamados; porque también Cristo padeció por nosotros, dejándonos ejemplo, para que sigáis sus pisadas;

**22** el cual no hizo pecado, ni se halló engaño en su boca;[h]

**23** quien cuando le maldecían, no respondía con maldición; cuando padecía, no amenazaba, sino encomendaba la causa al que juzga justamente;

**24** quien llevó él mismo nuestros pecados en su cuerpo sobre el madero, para que nosotros, estando muertos a los pecados, vivamos a la justicia; y por cuya herida fuisteis sanados.[i]

**25** Porque vosotros erais como ovejas descarriadas,[j] pero ahora habéis vuelto al Pastor y Obispo de vuestras almas.

## Deberes conyugales

**3** **1** Asimismo vosotras, mujeres, estad sujetas a vuestros maridos;[a] para que también los que no creen a la palabra, sean ganados sin palabra por la conducta de sus esposas,

**2** considerando vuestra conducta casta y respetuosa.

**3** Vuestro atavío no sea el externo de peinados ostentosos, de adornos de oro o de vestidos lujosos,[b]

**4** sino el interno, el del corazón, en el incorruptible ornato de un espíritu afable y apacible, que es de grande estima delante de Dios.

**5** Porque así también se ataviaban en otro tiempo

PASO 9

### Corazón de siervo
LECTURA BÍBLICA: 1 Pedro 2.18-25

**Reparamos directamente el daño a todas las personas siempre que fue posible, excepto cuando hacerlo implicaba lastimarlos a ellos o a otros.**

En este aspecto de la recuperación, la mayoría de nosotros ha experimentado algunos importantes cambios de actitud. En cierta etapa de nuestra vida, la adicción nos consumía de tal manera que sólo pensábamos en nosotros, sin ninguna consideración hacia nadie más. El paso que ahora analizamos se enfoca en los intereses y las necesidades de otros.

El apóstol Pablo enseñó: «Nada hagáis por contienda o por vanagloria; antes bien con humildad, estimando cada uno a los demás como superiores a él mismo; no mirando cada uno por lo suyo propio, sino cada cual también por lo de los otros» (Filipenses 2.3-4). Sea que decidamos reparar directamente el daño que hayamos causado o que escojamos no hacerlo debido a la herida que causaría, debemos preocuparnos por proteger a otros del dolor y del sufrimiento.

Puede haber situaciones en las que suframos si intentamos reparar el daño causado. Esto es parte de lo que implica la recuperación, y el dolor posible no debe disuadirnos. El apóstol Pedro escribió: «Mas si haciendo lo bueno sufrís, y lo soportáis; esto ciertamente es aprobado delante de Dios... porque también Cristo padeció por nosotros, dejándonos ejemplo, para que sigáis sus pisadas; el cual no hizo pecado, ni se halló engaño en su boca; quien cuando le maldecían, no respondía con maldición; cuando padecía, no amenazaba, sino encomendaba la causa al que juzga justamente» (1 Pedro 2.20-23).

Dar este paso puede ser muy difícil, pues enfrentaremos las dolorosas consecuencias de nuestras pasadas acciones. Durante este período necesitamos encomendar nuestra vida a Dios, quien siempre juzga justamente. ***Vaya al Paso Diez, página 241, Romanos 5.***

---

**2.22** [h] Is. 53.9.   **2.24** [i] Is. 53.5.   **2.25** [j] Is. 53.6.
**3.1** [a] Ef. 5.22; Col. 3.18.   **3.3** [b] 1 Ti. 2.9.

aquellas santas mujeres que esperaban en Dios, estando sujetas a sus maridos;

**6** como Sara obedecía a Abraham, llamándole señor;[c] de la cual vosotras habéis venido a ser hijas, si hacéis el bien, sin temer ninguna amenaza.

**7** Vosotros, maridos, igualmente, vivid con ellas sabiamente,[d] dando honor a la mujer como a vaso más frágil, y como a coherederas de la gracia de la vida, para que vuestras oraciones no tengan estorbo.

## Una buena conciencia

**8** Finalmente, sed todos de un mismo sentir, compasivos, amándoos fraternalmente, misericordiosos, amigables;

**9** no devolviendo mal por mal, ni maldición por maldición, sino por el contrario, bendiciendo, sabiendo que fuisteis llamados para que heredaseis bendición.

**10** Porque:

    El que quiere amar la vida
    Y ver días buenos,
    Refrene su lengua de mal,
    Y sus labios no hablen engaño;
**11**  Apártese del mal, y haga el bien;
    Busque la paz, y sígala.
**12**  Porque los ojos del Señor
    están sobre los justos,
    Y sus oídos atentos a sus oraciones;
    Pero el rostro del Señor está contra aquellos
    que hacen el mal.[e]

**13** ¿Y quién es aquel que os podrá hacer daño, si vosotros seguís el bien?

**14** Mas también si alguna cosa padecéis por causa de la justicia, bienaventurados sois.[f] Por tanto, no os amedrentéis por temor de ellos, ni os conturbéis,

**15** sino santificad a Dios el Señor en vuestros corazones,[g] y estad siempre preparados para presentar defensa con mansedumbre y reverencia ante todo el que os demande razón de la esperanza que hay en vosotros;

**16** teniendo buena conciencia, para que en lo que murmuran de vosotros como de malhechores, sean avergonzados los que calumnian vuestra buena conducta en Cristo.

**17** Porque mejor es que padezcáis haciendo el bien, si la voluntad de Dios así lo quiere, que haciendo el mal.

**18** Porque también Cristo padeció una sola vez por los pecados, el justo por los injustos, para llevarnos a Dios, siendo a la verdad muerto en la carne, pero vivificado en espíritu;

**19** en el cual también fue y predicó a los espíritus encarcelados,

**20** los que en otro tiempo desobedecieron, cuando una vez esperaba la paciencia de Dios en los días de Noé, mientras se preparaba el arca, en la cual pocas personas, es decir, ocho, fueron salvadas por agua.[h]

**21** El bautismo que corresponde a esto ahora nos salva (no quitando las inmundicias de la carne, sino como la aspiración de una buena conciencia hacia Dios) por la resurrección de Jesucristo,

**22** quien habiendo subido al cielo está a la diestra

---

**3.6** [c] Gn. 18.12.   **3.7** [d] Ef. 5.25; Col. 3.19.   **3.10-12** [e] Sal. 34.12-16.   **3.14** [f] Mt. 5.10.
**3.14-15** [g] Is. 8.12-13.   **3.20** [h] Gn. 6.1—7.24.

---

**3.1-7** El plan de Dios para el matrimonio es que la esposa respete al esposo y que el esposo sea sensible y amoroso hacia su esposa y la honre. El esposo y la esposa deben comunicarse mutuamente las bendiciones de la gracia de Dios y de su verdad orientadora. Esto suena maravilloso, pero, como toda persona casada sabe, puede resultar difícil y doloroso. Requiere ser vulnerable, tratar de resolver conflictos y aceptar que nos confronten con la verdad, aun cuando duela. Parte del plan de Dios para ayudarnos a madurar consiste en que nos esforcemos en medio de tales dificultades.

**3.8-11** La comunidad cristiana debe ser como una familia sana y amorosa. Algunos de nosotros, que venimos de familias conflictivas no sabemos qué significa esto, pero Pedro lo explicó muy bien: tales familias están formadas por personas que comparten sus penas y reciben consuelo; expresan humildemente sus necesidades y reciben tiernos cuidados; se perdonan unas a otras en vez de buscar venganza; oran unas por otras; tienen el cuidado de no decir cosas que lastimen innecesariamente a otras personas; pueden ser sinceras al decir quiénes son; buscan hacerse bien mutuamente; y tratan de vivir en paz resolviendo los conflictos que puedan surgir entre ellas. Estas mismas cualidades son ideales para ayudarnos en el proceso de recuperación.

**3.13-17** Todos sabemos cómo duele que nos lastime alguien a quien estamos tratando de ayudar, o que alguien nos acuse falsamente de hacer algo malo. No es raro, durante la recuperación, que la gente nos malentienda y se resista ante los cambios que estamos tratando de hacer. El reto que enfrentamos en tales situaciones es el de ser pacientes y mantener una tranquila confianza en las promesas de Dios. Si perseveramos en hacer lo que es correcto, Dios nos recompensará.

**4.8** El amor verdadero hacia los demás exige que enfrentemos nuestra propia pecaminosidad y consideremos el bienestar de aquellos a quienes hayamos lastimado en el pasado. En muchos casos esto significa pedir humilde y sinceramente perdón a las personas a las que hayamos ofendido. Algunas veces tendremos que hacer aun más y reparar el daño causado.

de Dios; y a él están sujetos ángeles, autoridades y potestades.

## Buenos administradores de la gracia de Dios

**4** [1] Puesto que Cristo ha padecido por nosotros en la carne, vosotros también armaos del mismo pensamiento; pues quien ha padecido en la carne, terminó con el pecado,

[2] para no vivir el tiempo que resta en la carne, conforme a las concupiscencias de los hombres, sino conforme a la voluntad de Dios.

[3] Baste ya el tiempo pasado para haber hecho lo que agrada a los gentiles, andando en lascivias, concupiscencias, embriagueces, orgías, disipación y abominables idolatrías.

[4] A éstos les parece cosa extraña que vosotros no corráis con ellos en el mismo desenfreno de disolución, y os ultrajan;

[5] pero ellos darán cuenta al que está preparado para juzgar a los vivos y a los muertos.

[6] Porque por esto también ha sido predicado el evangelio a los muertos, para que sean juzgados en carne según los hombres, pero vivan en espíritu según Dios.

[7] Mas el fin de todas las cosas se acerca; sed, pues, sobrios, y velad en oración.

[8] Y ante todo, tened entre vosotros ferviente amor; porque el amor cubrirá multitud de pecados.[a]

[9] Hospedaos los unos a los otros sin murmuraciones.

[10] Cada uno según el don que ha recibido, minístrelo a los otros, como buenos administradores de la multiforme gracia de Dios.

[11] Si alguno habla, hable conforme a las palabras de Dios; si alguno ministra, ministre conforme al poder que Dios da, para que en todo sea Dios glorificado por Jesucristo, a quien pertenecen la gloria y el imperio por los siglos de los siglos. Amén.

## Padeciendo como cristianos

[12] Amados, no os sorprendáis del fuego de prueba que os ha sobrevenido, como si alguna cosa extraña os aconteciese,

## S inceridad

### LEA 1 PEDRO 3.10-17

La mentira puede convertirse en un estilo de vida. Quizás hasta nos hayamos mentido a nosotros mismos, pretendiendo que no tenemos ningún problema con la mentira. Es posible que hayamos aprendido a ocultar nuestros problemas convirtiéndonos en excelentes mentirosos. Pero cuando decidamos encarar la realidad, veremos la infelicidad causada por nuestras mentiras y cómo nos han lastimado a nosotros y a nuestros seres queridos. Sólo cuando dejemos de mentir podrá Dios comenzar a traer bendición y producir cambios en nuestra vida.

Piense en estos versículos: «¿Quién es el hombre que desea vida, que desea muchos días para ver el bien? Guarda tu lengua del mal y tus labios de hablar engaño» (Salmo 34.12-13). «El que quiere amar la vida y ver días buenos, refrene su lengua del mal y sus labios no hablen engaño» (1 Pedro 3.10). «No mintáis los unos a los otros, habiéndoos despojado del viejo hombre con sus hechos, y revestido del nuevo, el cual conforme a la imagen del que lo creó se va renovando hasta el conocimiento pleno» (Colosenses 3.9-10).

La sinceridad produce grandes beneficios. ¿Qué otra virtud está acompañada de tales promesas? Decir la verdad es vital para la recuperación. Como la mentira puede convertirse en nuestra segunda naturaleza, puede resultar difícil cambiar. Guardar nuestros labios y nuestros pensamientos de las mentiras, que pueden lastimarnos a nosotros y a otros, es parte de cualquier recuperación exitosa. Como la mentira puede haber sido el recurso que hayamos empleado toda la vida para poder resistir, debemos aceptar que aprender a decir la verdad siempre puede implicar un arduo esfuerzo. *Vaya a la página 415, 2 Pedro 1.*

---

**4.8** [a] Pr. 10.12.

---

**4.10-11** Lamentablemente, muchos no nos damos cuenta de que Dios nos ha dado habilidades únicas y especiales a cada uno de nosotros. Descubrir cuáles son es parte de la recuperación. Consiste en el proceso de aprender a estimarnos a nosotros mismos, y a recibir el respeto y el ánimo de parte de Dios y de otras personas. Entonces podremos compartir con otros las bendiciones de Dios, apoyándonos en su fortaleza para que nos capacite de tal manera que podamos usar los dones que él nos ha dado.

**4.12-13** Pedro regresó a un tema que es central en su carta: no sólo debemos esperar que lleguen pruebas, sino que también debemos regocijarnos en ellas. A través de las difíciles circunstancias por las que atravesemos recibiremos la oportunidad de compartir los sufrimientos de Cristo, así como compartimos su gloria. Este hecho nos da una gran esperanza a los que estamos en recuperación, ya que afirma que nuestro sufrimiento tiene un propósito. A través de él, Dios nos acercará a sí mismo y nos transformará en la persona que él quiere que seamos.

**13** sino gozaos por cuanto sois participantes de los padecimientos de Cristo, para que también en la revelación de su gloria os gocéis con gran alegría. **14** Si sois vituperados por el nombre de Cristo, sois bienaventurados, porque el glorioso Espíritu de Dios reposa sobre vosotros. Ciertamente, de parte de ellos, él es blasfemado, pero por vosotros es glorificado. **15** Así que, ninguno de vosotros padezca como homicida, o ladrón, o malhechor, o por entremeterse en lo ajeno; **16** pero si alguno padece como cristiano, no se avergüence, sino glorifique a Dios por ello. **17** Porque es tiempo de que el juicio comience por la casa de Dios; y si primero comienza por nosotros, ¿cuál será el fin de aquellos que no obedecen al evangelio de Dios? **18** Y:

Si el justo con dificultad se salva,
¿En dónde aparecerá el impío y el pecador?*b*
**19** De modo que los que padecen según la voluntad de Dios, encomienden sus almas al fiel Creador, y hagan el bien.

## Apacentad la grey de Dios

**5** **1** Ruego a los ancianos que están entre vosotros, yo anciano también con ellos, y testigo de los padecimientos de Cristo, que soy también participante de la gloria que será revelada: **2** Apacentad la grey de Dios*a* que está entre vosotros, cuidando de ella, no por fuerza, sino voluntariamente; no por ganancia deshonesta, sino con ánimo pronto; **3** no como teniendo señorío sobre los que están a vuestro cuidado, sino siendo ejemplos de la grey. **4** Y cuando aparezca el Príncipe de los pastores, vosotros recibiréis la corona incorruptible de gloria. **5** Igualmente, jóvenes, estad sujetos a los ancianos; y todos, sumisos unos a otros, revestíos de humildad; porque:

Dios resiste a los soberbios,
Y da gracia a los humildes.*b*

**6** Humillaos, pues, bajo la poderosa mano de Dios, para que él os exalte cuando fuere tiempo;*c* **7** echando toda vuestra ansiedad sobre él, porque él tiene cuidado de vosotros. **8** Sed sobrios, y velad; porque vuestro adversario el

---

**4.18** *b* Pr. 11.31.   **5.2** *a* Jn. 21.15-17.   **5.5** *b* Pr. 3.34.   **5.6** *c* Mt. 23.12; Lc. 14.11; 18.14.

---

**4.14-16** Necesitamos sabiduría para discernir la diferencia entre el sufrimiento causado por nuestros pecados y el sufrimiento por hacer lo correcto. Si pedimos sabiduría, Dios nos la concederá (véase Santiago 1.5). Cuando sufrimos debido a nuestros pecados, nos sentimos naturalmente avergonzados; es entonces cuando necesitamos el valor divino para cambiar. Cuando nos persigan a causa de nuestra conducta cristiana o por nuestro carácter piadoso, podremos regocijarnos en ese sufrimiento; en este caso, necesitaremos serenidad divina para aceptar las cosas que no podamos cambiar.

**5.1-4** Un líder cristiano necesita poseer varias cualidades: disposición para cuidar de otros, deseo de servir a los demás y habilidad para dirigir con ejemplo y no a la fuerza. Tal vez hayamos crecido rodeados de líderes que no encarnaban ninguno de estos principios, y ahora nosotros estamos en una posición de liderazgo en el trabajo, en la iglesia o en nuestra familia. ¿Cómo evitaremos seguir los modelos negativos que tanto nos influenciaron? Jesús es nuestro mejor ejemplo. Para llegar a ser la persona que Dios quiere que seamos, debemos someternos al liderato de Cristo y permitir que su gracia, su paz y su sabiduría fluyan a través de nosotros.

**5.7** A Dios le importan nuestros problemas. Él cuida de nosotros y continuamente se preocupa por nuestro bienestar. Si en verdad creemos esto, pondremos en sus manos todas nuestras preocupaciones. Sin embargo, a muchos de nosotros se nos hace muy difícil confiar en Dios completamente. Debido a nuestro pasado, podemos tener problemas para creer que alguien pueda preocuparse de esa manera por nosotros. Tal vez descubrimos que si nosotros no nos preocupábamos por nuestros problemas, nadie lo haría. Una manera de profundizar nuestra confianza en Dios es encontrar un amigo que esté más adelantado que nosotros en la recuperación y en su madurez cristiana, con quien podamos aprender a confiar. Al poder hablar de nuestras preocupaciones con personas que realmente se interesan por nosotros, también podemos recordar conscientemente que la preocupación de Dios es como la de nuestro amigo o amiga; sólo que es más amplia y profunda.

**5.8-9** Satanás es, a fin de cuentas, responsable por el mal que nos ocurre (aunque nuestra propia responsabilidad es tomar la decisión acerca de ceder o no ante la tentación que él nos provee). Ya sea que nos tiente a recaer durante la recuperación o nos patee cuando ya estamos en el suelo, Satanás está merodeando y al acecho por ahí cerca. Se nos ordena que tengamos cuidado y nos mantengamos firmes contra Satanás. No estamos solos, otros están sufriendo como nosotros y peleando las mismas batallas. Reunirnos con otros que también están en recuperación nos ayudará a comprender que sí puede alcanzarse la victoria sobre la adicción y que no estamos solos en esta batalla.

**5.10-11** La promesa de Dios para cuando hayamos caído o estemos sufriendo es que él nos restaurará, nos colocará en un lugar bueno y seguro, y usará las dificultades por las que hemos pasado para hacernos más fuertes que nunca. Es esta esperanza la que nos da valor para perseverar en el camino de la recuperación.

diablo, como león rugiente, anda alrededor buscando a quien devorar;

**9** al cual resistid firmes en la fe, sabiendo que los mismos padecimientos se van cumpliendo en vuestros hermanos en todo el mundo.

**10** Mas el Dios de toda gracia, que nos llamó a su gloria eterna en Jesucristo, después que hayáis padecido un poco de tiempo, él mismo os perfeccione, afirme, fortalezca y establezca.

**11** A él sea la gloria y el imperio por los siglos de los siglos. Amén.

## Salutaciones finales

**12** Por conducto de Silvano,*d* a quien tengo por hermano fiel, os he escrito brevemente, amonestándoos, y testificando que ésta es la verdadera gracia de Dios, en la cual estáis.

**13** La iglesia que está en Babilonia, elegida juntamente con vosotros, y Marcos*e* mi hijo, os saludan.

**14** Saludaos unos a otros con ósculo de amor. Paz sea con todos vosotros los que estáis en Jesucristo. Amén.

**5.12** *d* Hch. 15.22, 40.   **5.13** *e* Hch. 12.12, 25; 13.13; 15.37-39; Col. 4.10; Flm. 24.

PASO 12

## El camino angosto

LECTURA BÍBLICA: 1 Pedro 4.1-4

**Luego de experimentar un despertar espiritual como resultado de estos pasos, tratamos de llevar este mensaje a otros y practicar estos principios en todos nuestros asuntos.**

Probablemente iniciamos la recuperación porque ya no podíamos más. Ya habíamos experimentado suficiente dolor, suficientes mentiras y la destrucción resultante de nuestra conducta adictiva. Poco a poco fuimos aprendiendo los principios que marcan el camino hacia la recuperación. Ahora estamos en el lugar del que no estábamos seguros que podríamos alcanzar: el Paso Doce. Ahora tenemos el valor para llevar a otros el mensaje, aun cuando no todo el mundo lo recibirá.

Pedro señaló: «Baste ya el tiempo pasado para haber hecho lo que agrada a los gentiles, andando en lascivias, concupiscencias, embriagueces, orgías, disipación y abominables idolatrías. A éstos les parece cosa extraña que vosotros no corráis con ellos en el mismo desenfreno de disolución, y os ultrajan» (1 Pedro 4.3-4).

Jesús dijo: «Entrad por la puerta estrecha; porque ancha es la puerta, y espacioso el camino que lleva a la perdición, y muchos son los que entran por ella; porque estrecha es la puerta, y angosto el camino que lleva a la vida, y pocos son los que la hallan» (Mateo 7.13-14).

Las muchedumbres no aceptarán nuestro mensaje. Las personas que están en el «camino que lleva a la perdición» no se restringirán a sí mismas con entusiasmo para someterse a los pasos claramente definidos en el camino a la recuperación. Pero para quienes sí oigan, nuestra historia podría ser el punto que marque la diferencia entre la vida y la muerte. *Fin del Plan de lectura devocional de los Doce Pasos.*

REFLEXIONES SOBRE
PRIMERA
**P**EDRO

**✳ *perspectivas* ACERCA DE LA PERSONA DE DIOS**
En el saludo del apóstol a sus amigos, en **1 Pedro 1.1-2**, les recordó cuál era la relación de ellos con el
Dios trino: fueron elegidos por Dios el Padre, lavados por la sangre de Jesucristo y renovados por el Espíritu
Santo, que estaba obrando en sus corazones. A partir de la obra de Dios en nuestra vida, podemos estar
seguros de que él nos bendecirá abundantemente y nos liberará cada vez más de nuestras ansiedades y
temores. Ser liberados de la ansiedad es un proceso que continúa en la medida en que confiamos
en Dios (1.8).
En **1 Pedro 1.3-6** el apóstol alabó a nuestro Padre Dios por el regalo de su bondadosa gracia. Todos los
que reciben este regalo de Dios se convierten en sus hijos, vienen a formar parte de su familia y tienen una
«herencia incorruptible». Todos los que confían en él comparten la esperanza de la vida eterna con Dios.
Esta esperanza nos da la fuerza para perseverar con gozo en la recuperación, a pesar de las difíciles y
dolorosas circunstancias que enfrentamos.
**1 Pedro 2.4-6** nos deja con dos promesas maravillosas sobre las que podemos edificar nuestra vida y
nuestra recuperación: somos dignos de ser aceptados por Dios por medio de Jesús, y Dios nunca nos
defraudará si confiamos en él. Con estas verdades como fundamento, podemos vivir para agradar a Dios.
Al unirnos a otros creyentes en el amor de Cristo, podemos juntos crear un lugar donde otros puedan
sentirse seguros y aceptados.

**✳ *perspectivas* ACERCA DEL PELIGRO DE LA RECAÍDA**
En **1 Pedro 1.14-17** el apóstol advierte a sus lectores sobre la tentación de claudicar en su fe. Pedro sabía
cómo era sentirse que regresaba a los viejos caminos. En una ocasión había proclamado con denuedo que
estaba dispuesto a morir en defensa de Jesús. Unas pocas horas después, negó conocer a Jesús sólo para
salvar su vida (véase Mateo 26.31-35, 69-75). La única manera de evitar el regreso a las conductas
pecaminosas y dañinas es conservar una consciente y sensata percepción de nuestra identidad: somos
hijos de un Dios santo. Como hijos, somos débiles y dependientes, pero el Padre en quien dependemos es
fuerte, amoroso, justo y perfecto.

**✳ *perspectivas* ACERCA DE NUESTRA NUEVA VIDA EN CRISTO**
En **1 Pedro 1.23-25** el apóstol contrasta la nueva vida que tenemos en Cristo con la vida natural que nos
dieron nuestros padres. Aun el legado más valioso de nuestros padres naturales se marchitará y perecerá,
porque de ellos heredamos las disfunciones de la pecaminosa raza humana. Pero la vida que Dios nos da
aumenta en belleza y dura para siempre. La promesa de salvación de Dios nunca fallará.
En **1 Pedro 2.1** el escritor nos dice que evitemos cinco formas de conducta destructiva: aferrarnos al odio
y a la malicia; pretender ser buenos cuando hay pecados sin confesar en nuestro corazón; no ser sinceros
respecto a nuestros sentimientos y a nuestras acciones; sentir celos por otros en lugar de sacar el mejor
partido de nuestra situación; y hablar a espaldas de los demás en vez de hacerlo de frente. Pedro sabía que
hacer estas cosas nos lastimaría y entorpecería el desarrollo de relaciones personales estrechas y afectuosas.
Debemos examinar nuestro corazón y continuar hacia las metas de la recuperación: perdón, sinceridad,
contentamiento y receptividad.
En **1 Pedro 4.1-5** se nos llama a seguir el ejemplo de Cristo, resistiendo los placeres pecaminosos que
resultan de querer vivir a nuestra manera en vez de centrar nuestros esfuerzos en vivir de acuerdo con la
voluntad de Dios. Los pecados que Pedro enumera aquí pueden ejercer un increíble poder sobre nosotros
cuando se convierten en el centro de nuestra vida. Para liberarnos de un estilo de vida adictivo, tenemos

que alejarnos completamente de las prácticas pasadas y a veces hasta de pasadas amistades. Con sólo «decir no» no nos liberaremos. También tenemos que decir sí a Dios y redirigir nuestras energías hacia actividades de recuperación y, a la larga, a la recuperación de otros.

## ✳ *perspectivas* ACERCA DE LA PERSEVERANCIA EN MEDIO DE LAS PRUEBAS

En **1 Pedro 2.21-23** está claro que la perseverancia en medio de las dificultades y el sufrimiento son el camino ordenado por Dios para alcanzar la madurez. Dios no nos pide que soportemos nada que ya él no haya soportado en Cristo. Como nosotros, Jesús sintió la tentación de rendirse ante placeres pecaminosos, de mentir para salir de algunos apuros, de devolver insulto por insulto y de buscar venganza. Como Jesús, podemos responder a la injusticia con una fe que pone todo en las manos de Dios, sabiendo que a fin de cuentas él hará que reine la justicia.

En **1 Pedro 4.19** se nos alienta a seguir haciendo lo correcto, aun si estamos sufriendo. Quizás estemos siendo perseguidos por viejos amigos que quisieran que regresemos a nuestro antiguo estilo de vida. Tal vez algunos familiares tengan miedo de los cambios que estemos haciendo y traten de obstaculizar nuestro progreso. Al enfrentar estas pruebas, podemos no sólo confiar en que Dios nos será fiel sino también recordar que él puede usar incluso nuestras experiencias dolorosas para nuestro beneficio. Dios desea que continuemos en la recuperación. Así que si estamos sufriendo por nuestros esfuerzos en esta empresa, necesitamos seguir haciendo lo que sabemos que es correcto. No importa cuantos obstáculos puedan presentarse en nuestro camino, Dios nunca nos abandonará una vez le hayamos entregado nuestra vida.

# SEGUNDA

# *P*EDRO

## EL PANORAMA

A. UNA PALABRA DE BENDICIÓN (1.1-2)

B. DIOS TIENE TODO LO QUE NECESITAMOS (1.3-21)

C. EL PELIGRO INTERIOR: ¡CUIDADO! (2.1-22)

D. ESPERANZA PARA EL MAÑANA; PROPÓSITO PARA HOY (3.1-18)

La audiencia de Pedro tenía un problema. Falsos maestros estaban introduciéndose en las congregaciones y diseminando ideas equivocadas acerca de Dios. En muchas de aquellas iglesias, las personas, en su mayoría, no tenían acceso a la educación. Por eso eran fácilmente persuadidas por la elocuencia de falsos maestros itinerantes que intencionalmente engañaban al pueblo, usando mentiras y medias verdades para manipular a los creyentes en beneficio del maestro.

El apóstol Pedro envió algunas advertencias a sus lectores: Cuídense de los falsos maestros; recuerden que ellos tendrán que rendir cuentas por sus errores; reconozcan a los falsos maestros por sus obras; y recuerden el precio que ellos pagarán por confundir a la gente. Pedro quería que sus lectores experimentaran el poder transformador de Dios en sus vidas, y eso implicaba que debían evitar cualquier receta hecha por el hombre para sustituir ese poder. ¿Cómo podían los lectores de Pedro seguir a Cristo si creían todo tipo de falsas doctrinas sobre él?

Sin embargo, el reto que les hizo Pedro iba más allá de una mera advertencia. Incluía un plan de acción: «Gracia y paz os sean multiplicadas, en el conocimiento de Dios y de nuestro Señor Jesús. ...todas las cosas que pertenecen a la vida y a la piedad nos han sido dadas por su divino poder» (1.2-3).

¿Por qué nos abaten los dolores, las decepciones y los pecados de la vida? ¿Por qué lastimamos a las personas que más queremos? Tal vez nunca descubramos las respuestas a estas preguntas. Pero la segunda epístola de Pedro nos dice cómo cambiar: llegar a conocer a Dios. El Dios del universo se ha hecho accesible a nosotros en forma personal. Conforme lo conozcamos, él nos ayudará a superar nuestros fracasos y a reemplazarlos por estas virtudes: dominio propio, bondad, amor, perdón, perseverancia, paciencia y paz.

## EN ESENCIA

PROPÓSITO: Ayudar a sus lectores a mantenerse centrados en la gracia y la verdad de Dios. AUTOR: el apóstol Pedro. DESTINATARIO: Todos los creyentes en todas partes. FECHA: Cerca del 66-67 d.C., poco años después de escribir su primera carta. ESCENARIO: Probablemente Pedro escribía desde Roma, dando aliento y orientando a personas a las que no esperaba ver otra vez. Quería que se cuidaran de las falsas doctrinas y que fueran fieles a Dios y unos a otros. VERSÍCULO CLAVE: «Como todas las cosas que pertenecen a la vida y a la piedad nos han sido dadas por su divino poder, mediante el conocimiento de aquel que nos llamó por su gloria y excelencia» (1.3). PERSONAS Y RELACIONES CLAVE: Pedro con Pablo y con la iglesia en general.

## TEMAS SOBRE RECUPERACIÓN

*La verdadera recuperación exige entrega a Dios:* En la recuperación, algunos dicen que tenemos el poder para sanarnos a nosotros mismos. Esta falsa idea se alimenta de nuestros deseos ilusorios. Deseamos tener nosotros el poder para vencer nuestros problemas. Esta idea también presupone que la recuperación es un proceso sencillo. Pero para que la recuperación sea exitosa, debemos entregar todo nuestro ser –nuestro corazón, nuestra mente, nuestro espíritu y nuestra voluntad– a la autoridad de Dios. La recuperación nunca es un proceso indoloro o fácil. Exige un compromiso total y una entrega a Dios sin reservas. Pero si estamos dispuestos a encomendar nuestra vida al Señor, descubriremos el gozo y la paz que él desea para nosotros.

*Dios es nuestra ayuda y esperanza:* Pedro les escribía a personas que estaban enfrentando una severa oposición. El emperador romano Nerón había comenzado una fuerte persecución de cristianos, y muchos enfrentarían la muerte durante ella. Al mismo tiempo, falsas ideas acerca de Dios amenazaban su nueva fe. Pedro les ayudó a enfrentar estos ataques recordándoles que mantuvieran sus ojos fijos en Dios, la única fuente confiable de ayuda y esperanza. Al centrar nuestra atención en Dios, encontraremos una nueva esperanza, sin importar las circunstancias que enfrentemos. Luego, al perseverar durante los momentos difíciles, nuestra conducta demostrará que Dios está obrando poderosamente en nuestra vida.

*La importancia de la perseverancia:* Dios no exige que de repente nos volvamos perfectos. Él sabe que habrá momentos en los que resbalaremos y caeremos. Pero, como Pedro advirtió a sus lectores, debemos tener cuidado de no enredarnos en nuestros pecados al punto de que volvamos a convertirnos en esclavos. Hacerlo sólo añadirá peso a nuestra carga de culpa y hará que el proceso de recuperación sea mucho más difícil. El progreso depende de la perseverancia. Con la ayuda de Dios podemos levantarnos y regresar al camino correcto lo más pronto posible, sin que importen las circunstancias en que nos encontremos. Cuando confesamos nuestros pecados a Dios y aceptamos su perdón, nos acercamos más a él. El Señor nos ama y promete estar con nosotros; nos ayuda a perseverar en los momentos difíciles y experimentar su gozo durante todo el proceso.

### Salutación

**1** ¹ Simón Pedro, siervo y apóstol de Jesucristo, a los que habéis alcanzado, por la justicia de nuestro Dios y Salvador Jesucristo, una fe igualmente preciosa que la nuestra:
² Gracia y paz os sean multiplicadas, en el conocimiento de Dios y de nuestro Señor Jesús.

### Partícipes de la naturaleza divina

³ Como todas las cosas que pertenecen a la vida y a la piedad nos han sido dadas por su divino poder, mediante el conocimiento de aquel que nos llamó por su gloria y excelencia,

⁴ por medio de las cuales nos ha dado preciosas y grandísimas promesas, para que por ellas llegaseis a ser participantes de la naturaleza divina, habiendo huido de la corrupción que hay en el mundo a causa de la concupiscencia;

⁵ vosotros también, poniendo toda diligencia por esto mismo, añadid a vuestra fe virtud; a la virtud, conocimiento;

⁶ al conocimiento, dominio propio; al dominio propio, paciencia; a la paciencia, piedad;

⁷ a la piedad, afecto fraternal; y al afecto fraternal, amor.

⁸ Porque si estas cosas están en vosotros, y abundan,

**1.1-2** Pedro saludó a sus lectores recordándoles el regalo del perdón y la nueva vida que habían recibido por medio de la fe en Jesucristo. Es un regalo porque nadie puede pretender que se merece la salvación. Dios la ofrece por medio de Cristo (véase Efesios 2.8-9). ¡Realmente Dios es bueno! Experimentar la misericordia y la paz de Dios depende de que lo conozcamos. A veces esperamos que llegue la paz antes de tomar decisiones saludables, pero Pedro nos recuerda que la gracia y la paz llegan cuando nos concentramos en conocer a Dios. Podemos dar pasos firmes para mejorar nuestro contacto consciente con Dios a través de la oración y meditando en su Palabra.

**1.3-4** Uno de los resultados más consoladores derivados de la fe es la simple conciencia de que tenemos todo lo que necesitamos para vivir una vida plena y satisfactoria. ¿Cómo experimentamos esta provisión? Participando en la naturaleza de Dios por medio de la fe y creciendo por medio de la práctica de todo lo que él ha dispuesto para nosotros. El pasado es parte de lo que somos, el futuro está seguro en las manos de Dios y el día de hoy está repleto de oportunidades para crecer en nuestra comprensión del amor, el perdón, la verdad y la gracia. De la misma forma como los padres proveen para las necesidades de sus hijos, así Dios suple todo lo que necesitamos, incluyendo la capacidad de superar nuestras circunstancias y tentaciones.

no os dejarán estar ociosos ni sin fruto en cuanto al conocimiento de nuestro Señor Jesucristo.

**9** Pero el que no tiene estas cosas tiene la vista muy corta; es ciego, habiendo olvidado la purificación de sus antiguos pecados.

**10** Por lo cual, hermanos, tanto más procurad hacer firme vuestra vocación y elección; porque haciendo estas cosas, no caeréis jamás.

**11** Porque de esta manera os será otorgada amplia y generosa entrada en el reino eterno de nuestro Señor y Salvador Jesucristo.

**12** Por esto, yo no dejaré de recordaros siempre estas cosas, aunque vosotros las sepáis, y estéis confirmados en la verdad presente.

**13** Pues tengo por justo, en tanto que estoy en este cuerpo, el despertaros con amonestación;

**14** sabiendo que en breve debo abandonar el cuerpo, como nuestro Señor Jesucristo me ha declarado.

**15** También yo procuraré con diligencia que después de mi partida vosotros podáis en todo momento tener memoria de estas cosas.

## Testigos presenciales de la gloria de Cristo

**16** Porque no os hemos dado a conocer el poder y la venida de nuestro Señor Jesucristo siguiendo fábulas artificiosas, sino como habiendo visto con nuestros propios ojos su majestad.

**17** Pues cuando él recibió de Dios Padre honra y gloria, le fue enviada desde la magnífica gloria una voz que decía: Este es mi Hijo amado, en el cual tengo complacencia.

**18** Y nosotros oímos esta voz enviada del cielo, cuando estábamos con él en el monte santo.*a*

**19** Tenemos también la palabra profética más segura, a la cual hacéis bien en estar atentos como a una antorcha que alumbra en lugar oscuro, hasta que el día esclarezca y el lucero de la mañana salga en vuestros corazones;

**20** entendiendo primero esto, que ninguna profecía de la Escritura es de interpretación privada,

**21** porque nunca la profecía fue traída por voluntad humana, sino que los santos hombres de Dios hablaron siendo inspirados por el Espíritu Santo.

## Falsos profetas y falsos maestros

**2** **1** Pero hubo también falsos profetas entre el pueblo, como habrá entre vosotros falsos maestros, que introducirán encubiertamente herejías destructoras, y aun negarán al Señor que los rescató, atrayendo sobre sí mismos destrucción repentina.

# Dominio propio

LEA 2 PEDRO 1.2-9

¡Nos encantaría tener dominio propio! Pero tratar de encontrarlo en nuestro interior puede convertirse en una obsesión tan grande como nuestra propia adicción. Cuanto más tratamos de alcanzarlo, más evasivo parece.

De acuerdo con Pedro, el dominio propio es un paso en medio de una evolución más amplia: «Gracia y paz os sean multiplicadas, en el conocimiento de Dios y de nuestro Señor Jesús. Como todas las cosas que pertenecen a la vida y a la piedad nos han sido dadas por su divino poder, mediante el conocimiento de aquel que nos llamó por su gloria y excelencia, por medio de las cuales nos ha dado preciosas y grandísimas promesas, para que por ellas llegaseis a ser participantes de la naturaleza divina, habiendo huido de la corrupción que hay en el mundo a causa de la concupiscencia; vosotros también, poniendo toda diligencia por esto mismo, añadid a vuestra fe virtud; a la virtud, conocimiento; al conocimiento, dominio propio; al dominio propio, paciencia; a la paciencia, piedad; a la piedad, afecto fraternal; y al afecto fraternal, amor» (2 Pedro 1.2-7).

El dominio propio es algo que se logra según nos acercamos más a Dios. Al dar un paso a la vez, un día a la vez, Dios nos moldeará según su propio carácter, y nos dará dominio propio. ***Vaya a la página 423, 1 Juan 2.***

***Vaya a la página 423, 1 Juan 2.***

**1.17-18** *a* Mt. 17.1-5; Mr. 9.2-7; Lc. 9.28-35.

**2** Y muchos seguirán sus disoluciones, por causa de los cuales el camino de la verdad será blasfemado,

**3** y por avaricia harán mercadería de vosotros con palabras fingidas. Sobre los tales ya de largo tiempo la condenación no se tarda, y su perdición no se duerme.

**4** Porque si Dios no perdonó a los ángeles que pecaron, sino que arrojándolos al infierno los entregó a prisiones de oscuridad, para ser reservados al juicio;

**5** y si no perdonó al mundo antiguo, sino que guardó a Noé, pregonero de justicia, con otras siete personas, trayendo el diluvio sobre el mundo de los impíos;*a*

**6** y si condenó por destrucción a las ciudades de Sodoma y de Gomorra, reduciéndolas a ceniza*b* y poniéndolas de ejemplo a los que habían de vivir impíamente,

**7** y libró al justo Lot, abrumado por la nefanda conducta de los malvados*c*

**8** (porque este justo, que moraba entre ellos, afligía cada día su alma justa, viendo y oyendo los hechos inicuos de ellos),

**9** sabe el Señor librar de tentación a los piadosos, y reservar a los injustos para ser castigados en el día del juicio;

**10** y mayormente a aquellos que, siguiendo la carne, andan en concupiscencia e inmundicia, y desprecian el señorío.

Atrevidos y contumaces, no temen decir mal de las potestades superiores,

**11** mientras que los ángeles, que son mayores en fuerza y en potencia, no pronuncian juicio de maldición contra ellas delante del Señor.

**12** Pero éstos, hablando mal de cosas que no entienden, como animales irracionales, nacidos para presa y destrucción, perecerán en su propia perdición,

**13** recibiendo el galardón de su injusticia, ya que tienen por delicia el gozar de deleites cada día.

Estos son inmundicias y manchas, quienes aun mientras comen con vosotros, se recrean en sus errores.

**14** Tienen los ojos llenos de adulterio, no se sacian de pecar, seducen a las almas inconstantes, tienen el corazón habituado a la codicia, y son hijos de maldición.

**15** Han dejado el camino recto, y se han extraviado siguiendo el camino de Balaam hijo de Beor, el cual amó el premio de la maldad,

**16** y fue reprendido por su iniquidad; pues una muda bestia de carga, hablando con voz de hombre, refrenó la locura del profeta.*d*

**17** Estos son fuentes sin agua, y nubes empujadas por la tormenta; para los cuales la más densa oscuridad está reservada para siempre.

**18** Pues hablando palabras infladas y vanas, seducen con concupiscencias de la carne y disoluciones a los que verdaderamente habían huido de los que viven en error.

**19** Les prometen libertad, y son ellos mismos esclavos de corrupción. Porque el que es vencido por alguno es hecho esclavo del que lo venció.

**20** Ciertamente, si habiéndose ellos escapado de las contaminaciones del mundo, por el conocimiento del Señor y Salvador Jesucristo, enredándose otra vez en ellas son vencidos, su postrer estado viene a ser peor que el primero.

**21** Porque mejor les hubiera sido no haber conocido el camino de la justicia, que después de haberlo conocido, volverse atrás del santo mandamiento que les fue dado.

**22** Pero les ha acontecido lo del verdadero proverbio: El perro vuelve a su vómito,*e* y la puerca lavada a revolcarse en el cieno.

## El día del Señor vendrá

**3** ¹ Amados, esta es la segunda carta que os escribo, y en ambas despierto con exhortación vuestro limpio entendimiento,

**2** para que tengáis memoria de las palabras que an-

**2.5:***a* Gn. 6.1—7.24.  **2.6:***b* Gn. 19.24.  **2.7:***c* Gn. 19.1-16.  **2.15-16:***d* Nm. 22.4-35.
**2.22:***e* Pr. 26.11.

**2.1-12** Aquí se nos recuerdan las consecuencias de rechazar el plan de Dios y alejar a otros de la verdad. Quizás esto describa cómo éramos antes de iniciar en la recuperación. Afortunadamente, Dios nos ha provisto la ayuda que necesitamos para comenzar otra vez y construir nuestra vida de acuerdo con su voluntad. Las consecuencias de la búsqueda egoísta de placer y poder son terribles. Es bueno que se nos recuerde de vez en cuando de qué fuimos liberados: de una «destrucción repentina».

**2.13-22** Una parte importante de la recuperación consiste en establecer los límites apropiados. Abundan las personas que no buscan nuestro bienestar de corazón, aun en la comunidad cristiana. Pedro enfatizó la necesidad de tener discernimiento. Al parecer, la iglesia en tiempos de Pedro estaba plagada de gente que una vez profesaron fe en Cristo pero luego hicieron «añadidos» a la simple verdad del evangelio. Defendían la «libertad», pero esa libertad era realmente una licencia para volverse otra vez esclavos del pecado. Establecer límites saludables de conducta incluye conocer la verdad revelada de Dios y no permitir que ni las falsas doctrinas de otros ni nuestras propias inclinaciones pecaminosas nos hagan descarriarnos.

tes han sido dichas por los santos profetas, y del mandamiento del Señor y Salvador dado por vuestros apóstoles;

3 sabiendo primero esto, que en los postreros días vendrán burladores, andando según sus propias concupiscencias,a

4 y diciendo: ¿Dónde está la promesa de su advenimiento? Porque desde el día en que los padres durmieron, todas las cosas permanecen así como desde el principio de la creación.

5 Estos ignoran voluntariamente, que en el tiempo antiguo fueron hechos por la palabra de Dios los cielos, y también la tierra, que proviene del agua y por el agua subsiste,b

6 por lo cual el mundo de entonces pereció anegado en agua;c

7 pero los cielos y la tierra que existen ahora, están reservados por la misma palabra, guardados para el fuego en el día del juicio y de la perdición de los hombres impíos.

8 Mas, oh amados, no ignoréis esto: que para con el Señor un día es como mil años, y mil años como un día.d

9 El Señor no retarda su promesa, según algunos la tienen por tardanza, sino que es paciente para con nosotros, no queriendo que ninguno perezca, sino que todos procedan al arrepentimiento.

10 Pero el día del Señor vendrá como ladrón en la noche;e en el cual los cielos pasarán con grande estruendo, y los elementos ardiendo serán deshe-chos, y la tierra y las obras que en ella hay serán quemadas.

11 Puesto que todas estas cosas han de ser deshechas, ¡cómo no debéis vosotros andar en santa y piadosa manera de vivir,

12 esperando y apresurándoos para la venida del día de Dios, en el cual los cielos, encendiéndose, serán deshechos, y los elementos, siendo quemados, se fundirán!

13 Pero nosotros esperamos, según sus promesas, cielos nuevos y tierra nueva, en los cuales mora la justicia.f

14 Por lo cual, oh amados, estando en espera de estas cosas, procurad con diligencia ser hallados por él sin mancha e irreprensibles, en paz.

15 Y tened entendido que la paciencia de nuestro Señor es para salvación; como también nuestro amado hermano Pablo, según la sabiduría que le ha sido dada, os ha escrito,

16 casi en todas sus epístolas, hablando en ellas de estas cosas; entre las cuales hay algunas difíciles de entender, las cuales los indoctos e inconstantes tuercen, como también las otras Escrituras, para su propia perdición.

17 Así que vosotros, oh amados, sabiéndolo de antemano, guardaos, no sea que arrastrados por el error de los inicuos, caigáis de vuestra firmeza.

18 Antes bien, creced en la gracia y el conocimiento de nuestro Señor y Salvador Jesucristo. A él sea gloria ahora y hasta el día de la eternidad. Amén.

---

**3.3** a Jud. 18.   **3.5** b Gn. 1.6-8.   **3.6** c Gn. 7.11.   **3.8** d Sal. 90.4.   **3.10** e Mt. 24.43; Lc. 12.39; 1 Ts. 5.2; Ap. 16.15. **3.13** f Is. 65.17; 66.22; Ap. 21.1.

---

**3.3-9** Es difícil esperar en Dios, particularmente cuando parece tardar tanto en llevar a cabo nuestra sanidad. ¿Por qué Dios no regresa por nosotros ahora? ¿Por qué permite más sufrimiento y frustración? La respuesta es sencilla, pero profundamente llena de amor: ¡Dios es paciente! Él quiere que todo el mundo venga a él y descubra el único camino de salvación y vida. Mientras esperamos, podemos confiar en que siempre es para bien.

**3.10-16** Vivimos en un mundo que alienta y recompensa un estilo de vida activo. Somos gente que hace y repara, organiza y controla. Buscamos respaldar nuestro sentido de autoestima con las cosas que hacemos. Sin embargo, cuando Cristo regrese, lo que *somos* será mucho más importante que lo que *hagamos*. Pedro nos recuerda que mientras esperamos ese día, se requiere que seamos el pueblo de Dios. Es bueno tomar tiempo para preguntarnos: ¿Estoy disfrutando el privilegio de ser? En todo lo que hago, ¿acaso he perdido de vista lo que es importante: el tipo de persona que soy y la persona en la que me estoy convirtiendo?

REFLEXIONES SOBRE
SEGUNDA
PEDRO

**✻ *perspectivas*** SOBRE NUESTRO PAPEL EN LA RECUPERACIÓN

Cuando le entregamos a Dios nuestra vida, quizás nos preguntemos si tenemos alguna función que ejercer. En **2 Pedro 1.5-11** se nos recuerda que Dios espera que hagamos nuestra parte en el proceso de recuperación. Mientras tratemos activamente de lograr un cambio en nuestra vida, compartiremos la naturaleza de Dios y recibiremos la capacidad de pensar nuevos pensamientos y formular nuevos patrones de conducta. «Procurad hacer firme vuestra vocación y elección», insta Pedro. «Porque haciendo estas cosas, no caeréis jamás. Porque de esta manera os será otorgada amplia y generosa entrada en el reino eterno de nuestro Señor y Salvador Jesucristo.»

Es fácil recordar los momentos dolorosos de la vida, tanto las decepciones como a la gente que nos ha decepcionado. A veces resulta más difícil recordar las muchas bendiciones que recibimos cada día, al parecer, insignificantes. En **2 Pedro 1.12-18** el apóstol les recordó a sus lectores que podían superar el dolor de sus experiencias pasadas enfocando su atención en Dios: su poder y su regreso, su esplendor y su majestad. Pedro quería grabar en sus mentes la verdad del maravilloso amor de Dios. Debemos abrirnos paso a través de nuestros recuerdos dolorosos (¡no van a desaparecer por su propia cuenta!), pero al hacerlo, también podemos reflexionar sobre la majestad de Dios y su maravilloso amor. Al traer a la memoria las cosas buenas que Dios ha hecho, los recuerdos dolorosos comenzarán a desvanecerse.

**✻ *perspectivas*** SOBRE LA VERDAD DE DIOS

La verdad de Dios es confiable; nuestra perspectiva humana con frecuencia no lo es. En **2 Pedro 1.19-21** el apóstol hizo esta clara distinción. La verdad de Dios no es débil ni cuestionable; no es una teoría en espera de que se pruebe su falsedad. La verdad del Señor es indiscutible y podemos contar con ella. En la recuperación, debemos plantearnos esta importante pregunta: ¿Estamos listos para creer lo que Dios dice? ¿O preferimos la perspectiva de personas falibles, los mensajes grabados en nuestra mente por pasados acontecimientos, las dudas inculcadas por amigos que todavía no están en recuperación? Al tomar a pecho la palabra de Dios, llegaremos a entender la verdad más y más: sobre Dios, sobre nosotros mismos y sobre nuestro futuro en Cristo.

# PRIMERA

# JUAN

Los falsos maestros espirituales eran un problema en la iglesia primitiva. Como aún no existía un Nuevo Testamento al que pudieran referirse los nuevos creyentes, muchas iglesias fueron víctimas de engañadores que enseñaban sus propias ideas y se proclamaban a sí mismos como líderes. Juan escribió esta carta para poner las cosas en orden respecto a algunos temas importantes, sobre todo en lo relacionado con la identidad de Jesucristo.

Como la carta de Juan trataba de los fundamentos de la fe en Cristo, ayudó a los lectores a hacer inventario de su fe. En efecto, los ayudó a contestar esta pregunta: ¿Somos creyentes verdaderos? Juan les dijo que con sólo observar sus acciones podrían saber la respuesta. Amarse los unos a los otros era evidencia de la presencia de Dios en sus vidas. Pero si discutían y peleaban todo el tiempo, o si eran egoístas y no se cuidaban unos a otros estaban revelando que, efectivamente, no conocían a Dios.

Esto no quería decir que tenían que ser perfectos. Juan también sabía que creer incluye la admisión de nuestros pecados y la búsqueda del perdón de Dios. Depender del Señor para ser limpios del pecado y libres de la culpa cuando reconocemos el mal hecho contra otros y buscamos reparar el daño, también es importante para conocer a Dios.

El plan de Dios para nuestra recuperación requiere que reparemos el daño causado, pues esto es esencial para una recuperación exitosa. La carta de Juan nos desafía a tratar a los demás con respeto y dignidad conforme maduramos espiritualmente. Las personas que han sido transformadas por Cristo lo demostrarán por la forma en que traten a otros. De igual manera, progresaremos en nuestra recuperación sólo en la medida en que reparemos el daño que hayamos causado a otros. Se necesitan humildad y el compromiso de vivir en paz con los demás, pero es un precio que bien vale la pena pagar al procurar las bendiciones de Dios.

## EN ESENCIA

PROPÓSITO: Establecer los límites sobre el contenido de la fe y dar seguridad a los creyentes de su salvación. AUTOR: el apóstol Juan. DESTINATARIO: Circuló entre un grupo no identificado de iglesias primitivas. FECHA: Probablemente entre el 85 y el 96 d.C. ESCENARIO: Juan era el único apóstol superviviente cuando escribió esta carta. Vivía en Efeso y supervisaba las iglesias de Asia Menor. VERSÍCULO CLAVE: «Estas cosas os he escrito a vosotros que creéis en el nombre del Hijo de Dios, para que sepáis que tenéis vida eterna» (5.13). PERSONAS Y RELACIONES CLAVE: Juan con los creyentes a quienes escribió.

## TEMAS SOBRE RECUPERACIÓN

*Dios desea nuestra recuperación:* Una de las formas como Dios se preocupa por nosotros es escuchándonos. Cuando Satanás (llamado «acusador» en Apocalipsis 12.10) plante en nuestra mente pensamientos de desesperanza y nos diga que ya hemos ido demasiado lejos para que Dios nos perdone, Juan nos insta a que no perdamos la esperanza. Jesucristo, nuestro abogado, ya pagó el castigo por cada uno de los pecados que hayamos cometidos o pudiéramos cometer. No necesitamos rehuir pedirle a Cristo que defienda nuestro caso; él ya lo ganó.

*Invitación a amar:* Una de las evidencias de que una persona ha sido salvada es su amor por los demás, amor que debe mostrar con acciones y no sólo con palabras. Una parte importante de la recuperación consiste en estar dispuestos a extender el amor de Dios a otros, de la misma forma en que Dios nos ha mostrado su amor a nosotros. Él nos amó cuando estábamos en medio de nuestra locura; no tuvimos que mostrar ningún acto para lograr que nos amara. A través de nosotros él quiere amar a otros que también están en medio de su locura, y quiere usarnos para llevarles su mensaje de amor y perdón. El Señor nos ama tanto como para liberarnos de nuestra esclavitud y usarnos para mostrar su amor hacia otros que necesitan su recuperación.

*La importancia de los límites:* Los falsos maestros a los que Juan corrigió les decían a los creyentes que podían olvidarse de todas las restricciones morales porque lo que hacían «con el cuerpo» no importaba. Los que prestaban oídos a ese mensaje se estaban volviendo indiferentes al pecado y estaban regresando a sus antiguos hábitos pecaminosos. Estaban recayendo en la inmoralidad y pensaban que estaba bien. Juan señaló que hay límites relacionados con lo que creemos y que Jesucristo es el centro. Cualquier cosa que nos aleje de Cristo está fuera de esos límites. Mantenernos centrados en Cristo es la parte más esencial de nuestro crecimiento espiritual y el único medio para lograr una recuperación exitosa.

---

### La palabra de vida

**1** ¹ Lo que era desde el principio,ᵃ lo que hemos oído, lo que hemos visto con nuestros ojos, lo que hemos contemplado, y palparon nuestras manos tocante al Verbo de vida ² (porque la vida fue manifestada, y la hemos visto,ᵇ y testificamos, y os anunciamos la vida eterna, la cual estaba con el Padre, y se nos manifestó);

³ lo que hemos visto y oído, eso os anunciamos, para que también vosotros tengáis comunión con nosotros; y nuestra comunión verdaderamente es con el Padre, y con su Hijo Jesucristo. ⁴ Estas cosas os escribimos, para que vuestro gozo sea cumplido.

### Dios es luz

⁵ Este es el mensaje que hemos oído de él, y os

---

**1.1** ᵃ Jn. 1.1.   **1.2** ᵇ Jn. 1.14.

---

**1.1-4** Juan escribió para dar confianza a quienes dudaban del valor de su fe en Dios. Demostró que la fe en Cristo es intelectual, social y emocionalmente satisfactoria. La recuperación espiritual se logra sólo cuando hay un balance saludable entre los aspectos intelectuales, sociales y emocionales de la vida y cuando todos están centrados en una genuina fe en Dios. Lidiar con nuestros fracasos y reparar el daño causado siempre que sea posible significa hacer frente a todas nuestras imperfecciones, en todas las áreas de nuestra vida.
**1.5-7** Existe un marcado contraste entre la luz de la vida cristiana y la oscuridad de una vida bajo el control del pecado. Si vivimos en pecado mientras afirmamos ser cristianos, estamos mintiendo y nunca pasaremos con éxito por el proceso de recuperación. Es crucial hacer tanto una autoevaluación acertada y honesta como un inventario personal de nuestro estado espiritual. Escoger vivir en la luz —reconociendo continuamente nuestros defectos según la luz los vaya revelando— produce una conciencia limpia y relaciones personales satisfactorias.
**2.3-6** ¿Cómo podemos estar seguros de que le pertenecemos a Cristo? Nuestra seguridad se valida por nuestro deseo continuo de obedecer la voluntad de Dios para nosotros. Aquellos que afirman ser salvos pero desobedecen continuamente a Dios son mentirosos. No podemos progresar en nuestra recuperación a menos que estemos dispuestos a someternos al plan de Dios para una vida piadosa. Esto significa continuar haciendo nuestro inventario personal, reconociendo de inmediato el mal que hayamos hecho a otras personas y confesando a Dios nuestros pecados. Conforme aprendamos a amar a Dios más y más, nuestras acciones lo demostrarán.
**2.7-11** Otra marca distintiva de nuestra fe es el amor hacia los demás. Aborrecer a otros es señal segura de que la recuperación todavía no ha comenzado. La luz y las tinieblas no pueden coexistir en un mismo

anunciamos: Dios es luz, y no hay ningunas tinieblas en él.

6 Si decimos que tenemos comunión con él, y andamos en tinieblas, mentimos, y no practicamos la verdad;

7 pero si andamos en luz, como él está en luz, tenemos comunión unos con otros, y la sangre de Jesucristo su Hijo nos limpia de todo pecado.

8 Si decimos que no tenemos pecado, nos engañamos a nosotros mismos, y la verdad no está en nosotros.

9 Si confesamos nuestros pecados, él es fiel y justo para perdonar nuestros pecados, y limpiarnos de toda maldad.

10 Si decimos que no hemos pecado, le hacemos a él mentiroso, y su palabra no está en nosotros.

## Cristo, nuestro abogado

**2** 1 Hijitos míos, estas cosas os escribo para que no pequéis; y si alguno hubiere pecado, abogado tenemos para con el Padre, a Jesucristo el justo.

2 Y él es la propiciación por nuestros pecados; y no solamente por los nuestros, sino también por los de todo el mundo.

3 Y en esto sabemos que nosotros le conocemos, si guardamos sus mandamientos.

4 El que dice: Yo le conozco, y no guarda sus mandamientos, el tal es mentiroso, y la verdad no está en él;

5 pero el que guarda su palabra, en éste verdaderamente el amor de Dios se ha perfeccionado; por esto sabemos que estamos en él.

6 El que dice que permanece en él, debe andar como él anduvo.

## El nuevo mandamiento

7 Hermanos, no os escribo mandamiento nuevo,*a* sino el mandamiento antiguo que habéis tenido desde el principio; este mandamiento antiguo es la palabra que habéis oído desde el principio.

8 Sin embargo, os escribo un mandamiento nuevo, que es verdadero en él y en vosotros, porque las tinieblas van pasando, y la luz verdadera ya alumbra.

9 El que dice que está en la luz, y aborrece a su hermano, está todavía en tinieblas.

10 El que ama a su hermano, permanece en la luz, y en él no hay tropiezo.

**2.7** *a* Jn. 13.34.

**PASO 10**

## Pecados repetidos

LECTURA BÍBLICA: 1 Juan 1.8-10

**Continuamos haciendo nuestro inventario personal y cuando nos equivocamos, lo admitimos inmediatamente.**

Tal vez nos sintamos avergonzados cuando confesamos ante Dios nuestros pecados. Quizás ya sintamos pena por las veces que hemos tenido que lidiar con los mismos asuntos, problemas que obstinadamente se niegan a desaparecer. Es posible que nos imaginemos a Dios haciendo una larga lista de ofensas repetidas para usarla contra nosotros.

El apóstol Juan escribió: «Si decimos que no tenemos pecado, nos engañamos a nosotros mismos, y la verdad no está en nosotros. Si confesamos nuestros pecados, él es fiel y justo para perdonar nuestros pecados, y limpiarnos de toda maldad. [Y es perfectamente correcto que Dios haga esto por nosotros, porque Cristo murió para limpiar nuestros pecados.] Si decimos que no hemos pecado, le hacemos a él mentiroso, y su palabra no está en nosotros» (1 Juan 1.8-10).

Confesar quiere decir estar de acuerdo con Dios en que lo que él dice que está mal realmente está mal. Esto significa que necesitamos reconocer nuestros errores tan pronto como los cometemos. Juan dice que Dios nos perdonará y nos limpiará de *toda* maldad. Cada vez que confesamos un pecado, el Señor lo limpia. Nuestra vida es como una pizarra en la que se ha borrado todo lo que estaba escrito en ella. Nuestros pecados no quedan grabados en ningún tipo de lista celestial, ¡se fueron para siempre! Aun cuando cometamos los mismos errores una y otra vez, Dios sigue perdonándonos si estamos verdaderamente arrepentidos. Algunos aspectos de nuestra vida necesitan más limpieza que otros. Dios no se enoja cuando regresamos a él reiteradas veces. No es necesario que nos sintamos incómodos. Dios quiere que nos acerquemos a él cada vez que pequemos. ***Vaya al Paso Once, página 147, Juan 3.***

corazón. La ausencia de amor nos mantendrá en la oscuridad y probará ser un serio obstáculo para avanzar en la recuperación. El amor nunca es débil ni entra en componendas; es evidencia de fortaleza emocional. El amor que recibimos de Dios nos provee la fuerza para acercarnos a las personas a las que hayamos lastimado y reparar el daño cuando sea posible.

**11** Pero el que aborrece a su hermano está en tinieblas, y anda en tinieblas, y no sabe a dónde va, porque las tinieblas le han cegado los ojos.

**12** Os escribo a vosotros, hijitos, porque vuestros pecados os han sido perdonados por su nombre. **13** Os escribo a vosotros, padres, porque conocéis al que es desde el principio. Os escribo a vosotros, jóvenes, porque habéis vencido al maligno. Os escribo a vosotros, hijitos, porque habéis conocido al Padre.

**14** Os he escrito a vosotros, padres, porque habéis conocido al que es desde el principio. Os he escrito a vosotros, jóvenes, porque sois fuertes, y la palabra de Dios permanece en vosotros, y habéis vencido al maligno.

**15** No améis al mundo, ni las cosas que están en el mundo. Si alguno ama al mundo, el amor del Padre no está en él.

**16** Porque todo lo que hay en el mundo, los deseos de la carne, los deseos de los ojos, y la vanagloria de la vida, no proviene del Padre, sino del mundo.

**17** Y el mundo pasa, y sus deseos; pero el que hace la voluntad de Dios permanece para siempre.

### El anticristo

**18** Hijitos, ya es el último tiempo; y según vosotros oísteis que el anticristo viene, así ahora han surgido muchos anticristos; por esto conocemos que es el último tiempo.

**19** Salieron de nosotros, pero no eran de nosotros; porque si hubiesen sido de nosotros, habrían permanecido con nosotros; pero salieron para que se manifestase que no todos son de nosotros.

**20** Pero vosotros tenéis la unción del Santo, y conocéis todas las cosas.

**21** No os he escrito como si ignoraseis la verdad, sino porque la conocéis, y porque ninguna mentira procede de la verdad.

**22** ¿Quién es el mentiroso, sino el que niega que Jesús es el Cristo? Este es anticristo, el que niega al Padre y al Hijo.

**23** Todo aquel que niega al Hijo, tampoco tiene al Padre. El que confiesa al Hijo, tiene también al Padre.

**24** Lo que habéis oído desde el principio, permanezca en vosotros. Si lo que habéis oído desde el principio permanece en vosotros, también vosotros permaneceréis en el Hijo y en el Padre.

**25** Y esta es la promesa que él nos hizo, la vida eterna.

**26** Os he escrito esto sobre los que os engañan.

**27** Pero la unción que vosotros recibisteis de él permanece en vosotros, y no tenéis necesidad de que nadie os enseñe; así como la unción misma os enseña todas las cosas, y es verdadera, y no es mentira, según ella os ha enseñado, permaneced en él.

**28** Y ahora, hijitos, permaneced en él, para que cuando se manifieste, tengamos confianza, para que en su venida no nos alejemos de él avergonzados.

**29** Si sabéis que él es justo, sabed también que todo el que hace justicia es nacido de él.

### Hijos de Dios

**3** **1** Mirad cuál amor nos ha dado el Padre, para que seamos llamados hijos de Dios;*a* por esto el mundo no nos conoce, porque no le conoció a él.

**2** Amados, ahora somos hijos de Dios, y aún no se ha manifestado lo que hemos de ser; pero sabemos que cuando él se manifieste, seremos semejantes a él, porque le veremos tal como él es.

**3** Y todo aquel que tiene esta esperanza en él, se purifica a sí mismo, así como él es puro.

**4** Todo aquel que comete pecado, infringe también la ley; pues el pecado es infracción de la ley.

**5** Y sabéis que él apareció para quitar nuestros pecados,*b* y no hay pecado en él.

---

**3.1** *a* Jn. 1.12.   **3.5** *b* Jn. 1.29.

**2.24-27** Creer que Jesús es el Hijo de Dios y depender del Espíritu Santo que mora en nosotros nos protegerá del engaño de las falsas doctrinas. La búsqueda de soluciones nuevas y complejas para eliminar las consecuencias del pecado sólo conduce a nuevos tipos de esclavitud a religiones sectarias, a abuso de drogas o a codependencia. El cristianismo histórico nos brinda la única perspectiva personal y del mundo que conduce a la verdadera libertad de la esclavitud del pecado, porque sólo la fe cristiana afirma que Jesús llevó sobre sí mismo el castigo por nuestros pecados.

**2.28—3.3** Muchos de nosotros luchamos con el sentimiento de vergüenza. Juan nos dice que si vivimos en Cristo, confiando en él para recibir el perdón y caminando con él consistentemente, no tendremos ninguna razón para estar avergonzados cuando Cristo regrese. Podemos estar seguros de que somos amados y aceptados porque Dios mismo nos ha hecho sus hijos. Y en calidad de tales anhelamos estar con él y ser como él. El paso definitivo en la recuperación es que este anhelo sea satisfecho. Mientras tanto, el conocimiento de que Jesús va a regresar otra vez es una poderosa motivación para vivir una vida piadosa y conocer mejor a Dios por medio de la oración y la meditación en su Palabra.

**3.4-9** Cuando hagamos un inventario moral de nuestra vida, enfrentemos la esencia del pecado con sinceridad: es infringir la ley de Dios, es hacer las cosas a nuestra manera en lugar de hacerlas a la manera

**6** Todo aquel que permanece en él, no peca; todo aquel que peca, no le ha visto, ni le ha conocido.

**7** Hijitos, nadie os engañe; el que hace justicia es justo, como él es justo.

**8** El que practica el pecado es del diablo; porque el diablo peca desde el principio. Para esto apareció el Hijo de Dios, para deshacer las obras del diablo.

**9** Todo aquel que es nacido de Dios, no practica el pecado, porque la simiente de Dios permanece en él; y no puede pecar, porque es nacido de Dios.

**10** En esto se manifiestan los hijos de Dios, y los hijos del diablo: todo aquel que no hace justicia, y que no ama a su hermano, no es de Dios.

**11** Porque este es el mensaje que habéis oído desde el principio: Que nos amemos unos a otros.*c*

**12** No como Caín, que era del maligno y mató a su hermano.*d* ¿Y por qué causa le mató? Porque sus obras eran malas, y las de su hermano justas.

**13** Hermanos míos, no os extrañéis si el mundo os aborrece.

**14** Nosotros sabemos que hemos pasado de muerte a vida,*e* en que amamos a los hermanos. El que no ama a su hermano, permanece en muerte.

**15** Todo aquel que aborrece a su hermano es homicida; y sabéis que ningún homicida tiene vida eterna permanente en él.

**16** En esto hemos conocido el amor, en que él puso su vida por nosotros; también nosotros debemos poner nuestras vidas por los hermanos.

**17** Pero el que tiene bienes de este mundo y ve a su hermano tener necesidad, y cierra contra él su corazón, ¿cómo mora el amor de Dios en él?

**18** Hijitos míos, no amemos de palabra ni de lengua, sino de hecho y en verdad.

**19** Y en esto conocemos que somos de la verdad, y aseguraremos nuestros corazones delante de él;

**20** pues si nuestro corazón nos reprende, mayor que nuestro corazón es Dios, y él sabe todas las cosas.

**21** Amados, si nuestro corazón no nos reprende, confianza tenemos en Dios;

**22** y cualquiera cosa que pidiéremos la recibiremos

# Perdón

LEA 1 JUAN 2.1-6

En algunos momentos podemos sentirnos como si fuéramos los peores pecadores en toda la tierra. Parece precisamente que seguimos haciendo las mismas maldades una y otra vez. ¡Nos sentimos culpables! ¿Puede Dios simplemente guiñarnos el ojo y pretender que todo está bien? ¿Cómo puede perdonarnos repetidas veces al cometer las mismas ofensas?

El apóstol Juan dijo: «Hijitos míos, estas cosas os escribo para que no pequéis; y si alguno hubiere pecado, abogado tenemos para con el Padre, a Jesucristo el justo. Y él es la propiciación por nuestros pecados; y no solamente por los nuestros, sino también por los de todo el mundo» (1 Juan 2.1-2).

Para Dios el pecado es algo serio. Como juez justo, no puede simplemente ignorar el pecado y actuar como si no importara. Pero él nos perdona completa y repetidamente. Las palabras que se usan aquí son términos legales. Jesús es nuestro abogado, nuestro abogado defensor en un tribunal de justicia, e intercede por nosotros, los transgresores. Pero él no es sólo nuestro abogado defensor; también es «la propiciación por nuestros pecados». Esto quiere decir que la muerte de Jesús ha sido admitida por el tribunal como pago por todos nuestros pecados. Todos somos culpables. ¡La sentencia es la muerte! Pero Jesús ya cumplió nuestra sentencia. Cuando confesamos a Jesús nuestros pecados, él regresa ante el juez, su Padre, en representación de nosotros, recordándole que nuestra sentencia ya fue cumplida. *Vaya a la página 437, Judas 1.*

---

**3.11** *c* Jn. 13.34.  **3.12** *d* Gn. 4.8.  **3.14** *e* Jn. 5.24.

---

de Dios. Una vez que hayamos entregado nuestra vida a Dios, él nos dará una nueva naturaleza que se sentirá incómoda con el pecado. Todavía pecaremos, pero ya no será un hábito. Como cristianos sabemos que Jesús entregó su vida en la cruz por nuestros pecados, y ahora deseamos agradarle porque tenemos una nueva naturaleza. Mientras antes –cuando vivíamos en nuestros pecados, codependencia o adicción– teníamos una limitada conciencia de nuestra maldad, ahora conocemos mejor nuestra situación. En la recuperación afirmamos continuamente que contamos con el poder de Dios para romper con los viejos patrones.

**3.10-20** Al usar a Caín y a Abel como ejemplos, Juan acentuó la importancia del amor. Tener verdadero amor significa estar dispuestos a hacer sacrificios por las personas a las que amamos. En la recuperación, la mejor manera de expresar nuestro amor a Dios es estar dispuestos a reparar el daño que nuestras malas acciones hayan causado a otros. Nuestro comportamiento con los demás revelará, mucho más que nuestras palabras, lo que hay en nuestro corazón.

de él, porque guardamos sus mandamientos, y hacemos las cosas que son agradables delante de él. **23** Y este es su mandamiento: Que creamos en el nombre de su Hijo Jesucristo, y nos amemos unos a otros como nos lo ha mandado.ᶠ

**24** Y el que guarda sus mandamientos, permanece en Dios, y Dios en él. Y en esto sabemos que él permanece en nosotros, por el Espíritu que nos ha dado.

### El Espíritu de Dios y el espíritu del anticristo

**4** **1** Amados, no creáis a todo espíritu, sino probad los espíritus si son de Dios; porque muchos falsos profetas han salido por el mundo.

**2** En esto conoced el Espíritu de Dios: Todo espíritu que confiesa que Jesucristo ha venido en carne, es de Dios;

**3** y todo espíritu que no confiesa que Jesucristo ha venido en carne, no es de Dios; y este es el espíritu del anticristo, el cual vosotros habéis oído que viene, y que ahora ya está en el mundo.

**4** Hijitos, vosotros sois de Dios, y los habéis vencido; porque mayor es el que está en vosotros, que el que está en el mundo.

**5** Ellos son del mundo; por eso hablan del mundo, y el mundo los oye.

**6** Nosotros somos de Dios; el que conoce a Dios, nos oye; el que no es de Dios, no nos oye. En esto conocemos el espíritu de verdad y el espíritu de error.

### Dios es amor

**7** Amados, amémonos unos a otros; porque el amor es de Dios. Todo aquel que ama, es nacido de Dios, y conoce a Dios.

**8** El que no ama, no ha conocido a Dios; porque Dios es amor.

**9** En esto se mostró el amor de Dios para con nosotros, en que Dios envió a su Hijo unigénito al mundo, para que vivamos por él.

**10** En esto consiste el amor: no en que nosotros hayamos amado a Dios, sino en que él nos amó a nosotros, y envió a su Hijo en propiciación por nuestros pecados.

**11** Amados, si Dios nos ha amado así, debemos también nosotros amarnos unos a otros.

**12** Nadie ha visto jamás a Dios.ᵃ Si nos amamos unos a otros, Dios permanece en nosotros, y su amor se ha perfeccionado en nosotros.

**13** En esto conocemos que permanecemos en él, y él en nosotros, en que nos ha dado de su Espíritu.

**14** Y nosotros hemos visto y testificamos que el Padre ha enviado al Hijo, el Salvador del mundo.

**15** Todo aquel que confiese que Jesús es el Hijo de Dios, Dios permanece en él, y él en Dios.

**16** Y nosotros hemos conocido y creído el amor que Dios tiene para con nosotros. Dios es amor; y el que permanece en amor, permanece en Dios, y Dios en él.

**17** En esto se ha perfeccionado el amor en nosotros, para que tengamos confianza en el día del juicio; pues como él es, así somos nosotros en este mundo.

**18** En el amor no hay temor, sino que el perfecto amor echa fuera el temor; porque el temor lleva en sí castigo. De donde el que teme, no ha sido perfeccionado en el amor.

**19** Nosotros le amamos a él, porque él nos amó primero.

**3.23** ᶠ Jn. 13.34; 15.12, 17.   **4.12** ᵃ Jn. 1.18.

---

**4.1-6** Ningún sistema religioso puede ser verdadero si niega que Jesús es Dios en cuerpo humano. Tener una perspectiva clara de quién es Jesús nos ayudará a desarrollar una apropiada relación con Dios. Por medio de la oración y el estudio de su Palabra podemos conocer cuál es su voluntad y cómo podemos cumplirla en nuestra vida. Aun cuando otras personas no entiendan o no acepten nuestra nueva forma de vivir, en obediencia a Dios, podemos tener la certeza de que aquel que vive en nuestro corazón es más fuerte que nuestro pasado y que nuestras presentes luchas con el pecado.

**4.7-12** La recuperación depende de los dones de Dios, y el más importante de ellos es la provisión de un Salvador. El Padre nos ama tanto como para haber enviado a su Hijo para salvarnos. En la medida en que vamos creciendo para parecernos más a él, también va aumentando nuestra habilidad de amar a otros con un amor dispuesto al sacrificio. Muchos de nosotros sentimos que el proceso de recuperación podría avanzar más rápidamente si pudiéramos ver a Dios. Pero usualmente al Señor sólo puede vérselo a través de sus hijos, cuando se aman los unos a otros. Por esto es tan importante para nosotros que restauremos las relaciones con las personas a las que hayamos lastimado. Esta es también la razón por la que necesitamos la comunión con los creyentes: porque nos hace falta desesperadamente el amor que ellos ofrecen.

**4.16—5.3** Juan habló otra vez de la importancia del amor. El verdadero cristianismo se caracteriza por relaciones basadas en amor, en las que no hay temor. Experimentar tales relaciones, primero con Dios y luego con otros creyentes, es parte esencial de la recuperación. Podemos confiar en el Señor plenamente y sin temor porque el castigo por nuestros pecados ya se consumó (por medio de Cristo). Donde reine el amor, podremos ser sinceros y vulnerables ante otros creyentes, confiando en que nuestra franqueza no se usará para lastimarnos. El cristiano maduro se deleita en ayudar a otros. Esto crea un ambiente en el que se desarrolla un nuevo sentido de responsabilidad hacia nosotros y hacia los demás, a los que podemos rendir cuentas.

**20** Si alguno dice: Yo amo a Dios, y aborrece a su hermano, es mentiroso. Pues el que no ama a su hermano a quien ha visto, ¿cómo puede amar a Dios a quien no ha visto?

**21** Y nosotros tenemos este mandamiento de él: El que ama a Dios, ame también a su hermano.

### La fe que vence al mundo

**5** **1** Todo aquel que cree que Jesús es el Cristo, es nacido de Dios; y todo aquel que ama al que engendró, ama también al que ha sido engendrado por él.

**2** En esto conocemos que amamos a los hijos de Dios, cuando amamos a Dios, y guardamos sus mandamientos.

**3** Pues este es el amor a Dios, que guardemos sus mandamientos;*a* y sus mandamientos no son gravosos.

**4** Porque todo lo que es nacido de Dios vence al mundo; y esta es la victoria que ha vencido al mundo, nuestra fe.

**5** ¿Quién es el que vence al mundo, sino el que cree que Jesús es el Hijo de Dios?

### El testimonio del Espíritu

**6** Este es Jesucristo, que vino mediante agua y sangre; no mediante agua solamente, sino mediante agua y sangre. Y el Espíritu es el que da testimonio; porque el Espíritu es la verdad.

**7** Porque tres son los que dan testimonio en el cielo: el Padre, el Verbo y el Espíritu Santo; y estos tres son uno.

**8** Y tres son los que dan testimonio en la tierra: el Espíritu, el agua y la sangre; y estos tres concuerdan.

**9** Si recibimos el testimonio de los hombres, mayor es el testimonio de Dios; porque este es el testimonio con que Dios ha testificado acerca de su Hijo.

**10** El que cree en el Hijo de Dios, tiene el testimonio en sí mismo; el que no cree a Dios, le ha hecho mentiroso, porque no ha creído en el testimonio que Dios ha dado acerca de su Hijo.

**11** Y este es el testimonio: que Dios nos ha dado vida eterna; y esta vida está en su Hijo.*b*

**12** El que tiene al Hijo, tiene la vida; el que no tiene al Hijo de Dios no tiene la vida.

**5.3** *a* Jn. 14.15.  **5.11** *b* Jn. 3.36.

PASO **7**

### Los ojos del amor

LECTURA BÍBLICA: 1 Juan 5.11-15

**Le pedimos a él humildemente que eliminara nuestras imperfecciones.**

La mayoría de nosotros probablemente no estemos acostumbrados a recibir las cosas que pedimos. ¿Cómo podemos estar seguros de que Dios oirá nuestras oraciones? ¿Cómo sabemos que responderá cuando le pidamos que elimine nuestras imperfecciones?

El apóstol Pablo escribió: «Según nos escogió en él antes de la fundación del mundo, para que fuésemos santos y sin mancha delante de él» (Efesios 1.4). La meta principal de Dios es hacernos santos; esto es, amoldar nuestro carácter al suyo. Al mirar a través de los ojos del amor, él ya nos ve como seremos cuando la obra esté terminada. Entonces va realizando sus metas para nosotros en la arena de nuestra vida diaria. La Biblia nos dice: «Y aquellos, ciertamente por pocos días nos disciplinaban como a ellos les parecía, pero éste para lo que nos es provechoso, para que participemos de su santidad» (Hebreos 12.10). Nuestra santidad –la remoción de nuestras imperfecciones– es la voluntad de Dios para cada uno de nosotros. El apóstol Juan escribió: «Y esta es la confianza que tenemos en él, que si pedimos alguna cosa conforme a su voluntad, él nos oye. Y si sabemos que él nos oye en cualquiera cosa que pidamos, sabemos que tenemos las peticiones que le hayamos hecho» (1 Juan 5.14-15).

La voluntad de Dios es claramente eliminar nuestras imperfecciones pecaminosas. Y él ha prometido darnos todo lo que pidamos que esté a tono con su voluntad. Por lo tanto, podemos tener total confianza en que Dios eliminará nuestras imperfecciones a su debido tiempo. ***Vaya al Paso Ocho, página 33, Mateo 18.***

**5.6-13** ¿Cómo podemos saber, quienes estamos comprometidos con la recuperación, si realmente la estamos alcanzando de una forma que agrada a Dios? La Biblia nos dice que podemos buscar ciertas evidencias: la fe en que Jesús es el Hijo de Dios y el compromiso de serle obedientes son dos fuentes de seguridad. Otra es el testimonio del Espíritu Santo, quien apunta a Cristo en nuestra vida. Dios nos da conciencia de rectitud cuando nos mantenemos en contacto con él por medio de la oración y el estudio de su Palabra, y al obedecer su voluntad revelada.

## El conocimiento de la vida eterna

**13** Estas cosas os he escrito a vosotros que creéis en el nombre del Hijo de Dios, para que sepáis que tenéis vida eterna, y para que creáis en el nombre del Hijo de Dios.
**14** Y esta es la confianza que tenemos en él, que si pedimos alguna cosa conforme a su voluntad, él nos oye.
**15** Y si sabemos que él nos oye en cualquiera cosa que pidamos, sabemos que tenemos las peticiones que le hayamos hecho.
**16** Si alguno viere a su hermano cometer pecado que no sea de muerte, pedirá, y Dios le dará vida; esto es para los que cometen pecado que no sea de muerte. Hay pecado de muerte, por el cual yo no digo que se pida.
**17** Toda injusticia es pecado; pero hay pecado no de muerte.
**18** Sabemos que todo aquel que ha nacido de Dios, no practica el pecado, pues Aquel que fue engendrado por Dios le guarda, y el maligno no le toca.
**19** Sabemos que somos de Dios, y el mundo entero está bajo el maligno.
**20** Pero sabemos que el Hijo de Dios ha venido, y nos ha dado entendimiento para conocer al que es verdadero; y estamos en el verdadero, en su Hijo Jesucristo. Este es el verdadero Dios, y la vida eterna.
**21** Hijitos, guardaos de los ídolos. Amén.

**5.16-19** Otra evidencia de la recuperación espiritual es el discernimiento: la capacidad espiritual para distinguir lo que es bueno de lo que es malo. Este poder de discernimiento se pierde cuando hay relaciones de codependencia. Obtenerlo de nuevo es parte esencial del proceso de recuperación. Hasta que nos veamos a nosotros mismos como Dios nos ve, nuestro inventario moral será deficiente y buscaremos excusas para justificarnos.

**5.20-21** Juan concluye su carta recordándonos quién es el Dios verdadero y advirtiéndonos que nada debe tomar su lugar en nuestro corazón. Nos alerta contra juguetear con ideas falsas sobre Dios. Podemos conocer al verdadero Dios por medio de su Hijo, Jesucristo. La recuperación incluye eliminar cualquier idea equivocada acerca de Dios, cualquier objeto material que los sustituya y cualquier pecado que nos controle. La recuperación significa colocar a Dios en el lugar que se merece como Señor absoluto de nuestra vida. Alguien dijo una vez: «Sólo Jesucristo es capaz de controlar la vida de una persona sin destruirla». En una relación con Dios que ha sido restaurada, la sumisión de nuestra vida y voluntad a su control es el camino de regreso al sano juicio.

REFLEXIONES SOBRE

PRIMERA

JUAN

✽ *perspectivas* SOBRE LA CONFESIÓN Y EL PERDÓN

Cuando hacemos un inventario moral preciso, normalmente el resultado es que tomamos conciencia de nuestro pecado. Se nos asegura en **1 Juan 1.8-10** que si confesamos nuestros pecados, experimentaremos el perdón y la limpieza que Dios ha provisto por medio de la sangre derramada por su Hijo Jesucristo. La lección es sencilla: la confesión debe preceder a la limpieza. La confesión debe ir seguida por la disposición para cambiar y reparar el daño causado siempre que sea posible.

En la mayoría de las situaciones que se dan en la recuperación, ya sea por la necesidad de ser perdonados de nuestro pecado o liberados del trauma del abuso o la codependencia, una autoevaluación sincera hará que admitamos nuestra impotencia. Vemos en **1 Juan 2.1-2** que podemos acercarnos al mayor de los recursos y al abogado de todos: Jesucristo. Puesto a que él llevó todo el peso de la ira de Dios contra el pecado, quienes estamos en recuperación ya no tenemos que vivir con temor a la ira de Dios por nuestras pasadas transgresiones. Ahora, seguros de que Cristo sufrió por nuestros pecados, podemos acercarnos libremente al Padre, con la absoluta confianza de que nos aceptará sin condiciones.

## ✽*perspectivas* SOBRE EL PELIGRO DE LOS VALORES MUNDANOS

En **1 Juan 2.15-17** se nos recuerda que cuanto más nos involucremos en este mundo y sus atractivos, más difícil será establecer metas espirituales para nuestra vida. Si alimentamos nuestros deseos con lo que el mundo ofrece, nos matamos de hambre espiritual a nosotros mismos. La mejor manera de evitar enredarnos con los valores del mundo es «alimentando» nuestros espíritus con la búsqueda de Dios por medio de la oración y la meditación en su Palabra. Entonces descubriremos su voluntad y su ayuda para reorientar nuestra vida.

## ✽*perspectivas* SOBRE LA IMPORTANCIA DE LAS CREENCIAS CORRECTAS

En **1 Juan 2.18-23** aprendemos que un aspecto importante de la recuperación es el compromiso con las creencias correctas. Al depender del Espíritu Santo para conocer la verdad, podemos reconocer el espíritu del anticristo. Para Juan, el asunto doctrinal crítico se relacionaba con la deidad de Jesucristo. Nadie puede profesar genuinamente que cree en Dios si niega a su Hijo. La recuperación espiritual completa no puede producirse a menos que reconozcamos que Jesús es el Hijo de Dios y el poder superior que puede restaurarnos a una vida sana.

Se nos dice en **1 Juan 5.4-5** que si creemos en Jesús y vivimos por fe, estamos equipados para triunfar sobre las influencias negativas de nuestro mundo hostil. Para quienes hemos encomendado nuestra vida a Cristo, la recuperación es no sólo posible sino segura. Ni las conductas adictivas ni las personas abusivas pueden dominar donde Dios ha prometido el poder para vencer.

## ✽*perspectivas* SOBRE LA SEGURIDAD DE LA SALVACIÓN Y LA RECUPERACIÓN

En **1 Juan 4.13-15** se nos dice que la seguridad de la salvación resulta de creer que Jesús es el Hijo de Dios, porque esa capacidad para creer es prueba de que Dios mismo, a través del Espíritu Santo, está morando en nosotros. La confesión de quién es Cristo es tanto la evidencia como la expresión de una fe genuina. Es mucho más que una creencia intelectual; creer que Cristo es el Hijo de Dios y el Salvador del mundo hace que confesemos nuestro pecado y nos comprometamos a vivir para Dios. Hacemos esto al asumir responsabilidad por nuestra vida, y lidiar con nuestros pasados fracasos y relaciones personales rotas.

En **1 Juan 5.14-15** vemos que la oración contestada es otra señal alentadora de verdadera recuperación. Es gratificante saber que Dios ha prometido oírnos y contestarnos cuando oramos de acuerdo con su voluntad. Nuestros más grandes recursos para la recuperación son la palabra de Dios, que es el medio para descubrir la voluntad de Dios, y la oración, que es nuestra forma de hablar con Dios y presentarle nuestras necesidades.

# SEGUNDA

# JUAN

La recuperación es un proceso delicado. Sin la atención y el estímulo de otros, vivimos ante la posibilidad de una recaída. En vista de esto, necesitamos la ayuda de otros que tengan valor y sensibilidad hacia nuestra situación. Una «reprogramación» brusca no nos ayudará, pero tampoco lo harán los amigos que nos halaguen con palabras que son falsamente positivas. Lo que necesitamos es ser diligentes y contar con el apoyo fiel de otros.

Esta es una carta muy personal que trata de los mismos tipos de problemas que se discuten más ampliamente en 1 Juan. El tono es cálido y pastoral. Juan escribió esta carta con un propósito doble: elogiar y animar a «la señora elegida», su destinataria. Ya ella había demostrado su fidelidad a Dios; no necesitaba que la corrigieran. Pero Juan no quería que ella tropezara con los obstáculos que pudieran presentársele y poner en riesgo la continuidad de su servicio a Dios.

Al establecer un balance entre el elogio y el estímulo, Juan muestra que es un consejero sabio y un espléndido ejemplo para todos los que estamos en recuperación. Necesitamos reconocer y afirmar los éxitos pasados de unos y otros. Al mismo tiempo, debemos tener la capacidad de señalar los riesgos del camino cuando los veamos, y compartir nuestra sabiduría ganada con mucho esfuerzo, advirtiendo a los incautos. Señalar a otros obstáculos que encontremos y animarnos mutuamente a ser cuidadosos es algo que debemos hacer. Esta carta acentúa así la vital importancia de llevar a otros el mensaje de recuperación.

## EN ESENCIA

**PROPÓSITO:** Elogiar a la señora elegida y animarla a seguir enseñando a otros sobre Cristo. **AUTOR:** el apóstol Juan.
**DESTINATARIO:** La «señora elegida» y sus hijos. **FECHA:** Probablemente escrita antes de 1 Juan, en algún momento cerca del 90 d.C. **ESCENARIO:** No es seguro que la «señora elegida» fuera una persona; es posible que Juan le estuviera escribiendo a una iglesia local. En caso de que fuera una señora, probablemente se trataba de alguien involucrada en alguna de las iglesias que Juan supervisaba. **VERSÍCULO CLAVE:** «Si alguno viene a vosotros, y no trae esta doctrina, no lo recibáis en casa, ni le digáis: ¡Bienvenido!» (2 Juan 10). **PERSONAS Y RELACIONES CLAVE:** Juan, con la señora elegida y sus hijos.

# TEMAS SOBRE RECUPERACIÓN

*La importancia de los límites:* Juan instó a esta señora especial a tener cuidado con las personas a las que permitía involucrarse en su vida. Como David, quien en el Salmo 101 prometió que en su casa no habitarían personas deshonestas, ella no debía permitir que los falsos maestros entraran en su hogar. De hecho, no debía animarlos de ninguna manera. A veces pensamos que por imparcialidad debemos oír a todo el mundo, pero se corre peligro con esta actitud. Si queremos protegernos en la recuperación y en nuestro crecimiento espiritual, debemos establecer límites cuidadosamente con respecto a quién prestamos atención.

*El reto del amor:* Amarnos unos a otros es el acto más elemental de obediencia a Dios. Es también un ingrediente importante en la recuperación. Mientras nos recuperamos, tendemos a encerrarnos en nosotros mismos o a volvernos egocéntricos. Amar a otros no sólo agradará a Dios, sino que nos hará avanzar hacia la sanidad de nuestras relaciones personales rotas.

## Salutación

**1** El anciano a la señora elegida y a sus hijos, a quienes yo amo en la verdad; y no sólo yo, sino también todos los que han conocido la verdad,
**2** a causa de la verdad que permanece en nosotros, y estará para siempre con nosotros:
**3** Sea con vosotros gracia, misericordia y paz, de Dios Padre y del Señor Jesucristo, Hijo del Padre, en verdad y en amor.

## Permaneced en la doctrina de Cristo

**4** Mucho me regocijé porque he hallado a algunos de tus hijos andando en la verdad, conforme al mandamiento que recibimos del Padre.
**5** Y ahora te ruego, señora, no como escribiéndote un nuevo mandamiento, sino el que hemos tenido desde el principio, que nos amemos unos a otros.[a]
**6** Y este es el amor, que andemos según sus mandamientos. Este es el mandamiento: que andéis en amor, como vosotros habéis oído desde el principio.
**7** Porque muchos engañadores han salido por el mundo, que no confiesan que Jesucristo ha venido en carne. Quien esto hace es el engañador y el anticristo.
**8** Mirad por vosotros mismos, para que no perdáis el fruto de vuestro trabajo, sino que recibáis galardón completo.
**9** Cualquiera que se extravía, y no persevera en la doctrina de Cristo, no tiene a Dios; el que persevera en la doctrina de Cristo, ése sí tiene al Padre y al Hijo.
**10** Si alguno viene a vosotros, y no trae esta doctrina, no lo recibáis en casa, ni le digáis: ¡Bienvenido!
**11** Porque el que le dice: ¡Bienvenido! participa en sus malas obras.

## Espero ir a vosotros

**12** Tengo muchas cosas que escribiros, pero no he querido hacerlo por medio de papel y tinta, pues espero ir a vosotros y hablar cara a cara, para que nuestro gozo sea cumplido.
**13** Los hijos de tu hermana, la elegida, te saludan. Amén.

**5** *a* Jn. 13.34; 15.12,17.

**4-6** Nótese la sabia estrategia que usó Juan aquí: primero elogió a esta mujer y a sus hijos por su fidelidad; luego los exhortó a actuar de acuerdo con el amor cristiano y terminó su exhortación con una explicación. Este es un patrón que indica, en secuencia, los pasos que hay que dar para ayudar a otros: ánimo, exhortación y explicación. Aunque estamos enseñando verdades establecidas por la autoridad de la palabra de Dios, la comunicación de las buenas nuevas debe hacerse de manera que logre llegar a las personas. El elogio inicial motivará y propiciará el entendimiento entre las personas; la exhortación comunicará la verdad o confrontará un problema; y la explicación confirmará la verdad y creará relaciones personales.
**7-9** Establecer los límites claros de lo que debe creerse y practicarse es esencial para el crecimiento espiritual y la recuperación eficaz. Muchos de nosotros hemos sido engañados o arrastrados a relaciones personales enfermizas, a hábitos destructivos o aun a religiones falsas. Es posible que la gente haya tratado de convencernos de que esas cosas podían hacer que nos recuperáramos. Necesitamos mantenernos alertas ante las mentiras sutiles y las verdades distorsionadas que algunas personas usan para engañarnos. La mejor manera de evitar que nos engañen es anclando nuestra fe en la palabra de Dios y buscando su voluntad para nosotros a través de la oración. La fe en Dios por medio de Jesucristo es el único medio viable para la recuperación exitosa.
**10-11** Con la herejía a las puertas, Juan advirtió a los creyentes que no permitieran que quienes sostuvieran doctrinas dudosas se infiltraran en la comunidad cristiana. Él no quería que se descarriaran los nuevos creyentes que habían tenido un buen comienzo en la fe cristiana. Nosotros también necesitamos contar con personas piadosas –gente como Juan– que nos puedan alertar sobre falsas enseñanzas y actividades peligrosas. Si no tenemos conocidos a los que debamos rendirles cuenta, necesitamos cultivarlos. Todos somos susceptibles de que nos engañen y nos extravíen. Entablar relaciones saludables con personas sabias y piadosas es vital para el éxito de cualquier programa de recuperación.

# TERCERA

# JUAN

## EL PANORAMA

Sabemos muy poco sobre Gayo, excepto que era generoso y hospitalario, y tenido en alta estima por el apóstol Juan. Al parecer, Gayo tomó la iniciativa de proveerles hospedaje y alimento gratis a pastores y misioneros itinerantes. En una época cuando la mayoría de los predicadores tenía que viajar de ciudad en ciudad sin medios regulares de sostenimiento, el servicio que ofrecía Gayo era muy necesario. Juan escribió esta carta para elogiarlo y advertirle que se cuidara de un engreído maestro espiritual llamado Diótrefes. Juan procuró que Gayo no se dejara influir por el mal ejemplo de Diótrefes y que, además, advirtiera a otros sobre él.

Aparte de su advertencia sobre Diótrefes, lo que más le interesaba a Juan era animar a su amigo Gayo. Esto nos recuerda que el simple hecho de involucrar a otros en nuestra vida y tener compañerismo con ellos es especialmente agradable a Dios. Una de las razones por las que el Señor nos pone en medio de otras personas es para que las apoyemos y animemos. Al tratar de ayudar a otros, descubriremos que nosotros también somos bendecidos y fortalecidos de manera especial.

La hospitalidad no tiene que ser complicada. Puede significar poner un plato más en la mesa, ofrecer llevar a alguien a algún lugar, dar un abrazo o un apretón de manos o decir una palabra de saludo. Todos en algún momento, necesitamos un poco de apoyo. Ser sinceros y apoyarnos unos a otros al enfrentar nuestras luchas es parte del proceso de recuperación. ¡Cuánto nos fortalece el que nos muestren algo de hospitalidad o que alguien nos invite a ser parte de su vida! La hospitalidad puede ser un acto muy sencillo; sin embargo, es una manera eficaz de mostrar amor, aprecio y apoyo. Cada uno de nosotros tiene algo de esto para compartir con otros.

## EN ESENCIA

PROPÓSITO: Elogiar a Gayo por su hospitalidad y animarlo en su fidelidad. AUTOR: el apóstol Juan. DESTINATARIO: Gayo, un destacado creyente, quizás de Derbe, en Asia Menor. FECHA: Cerca del 90 d.C. ESCENARIO: Como 1 y 2 de Juan, 3 Juan probablemente se escribió desde Efeso y circuló entre las iglesias de Asia Menor. VERSÍCULO CLAVE: «Amado, no imites lo malo, sino lo bueno. El que hace lo bueno es de Dios; pero el que hace lo malo, no ha visto a Dios» (3 Juan 11). PERSONAS Y RELACIONES CLAVE: Juan con Gayo, con Diótrefes y con Demetrio.

## TEMAS SOBRE RECUPERACIÓN

*El orgullo conduce a la recaída:* Diótrefes se negó a humillarse ante otros y decidió que él solo sería el jefe. Su arrogancia lo descalificó para el puesto de liderazgo que tanto deseaba. Uno de los vicios que enfrentamos en la recuperación es el orgullo. Al experimentar el éxito es muy fácil sentirnos como si ya hubiéramos llegado a la meta. Comenzamos a pensar que somos autosuficientes y superiores a los demás. Una palabra para el sabio: El orgullo y la autosuficiencia frecuentemente provocan una recaída.

*La importancia de ayudar a otros:* En contraste con Diótrefes, Gayo y Demetrio recibieron elogios por su fiel servicio a los demás. Habían compartido generosamente con otros, tanto su hospitalidad como su enseñanza de la verdad, y sin quejarse. A su manera, estaban llevando el mensaje del poder transformador de Dios a personas que todavía vivían en esclavitud. Juan no los pasó por alto; al contrario, los elogió por su servicio. Hoy día los recordamos como ejemplos piadosos que cada uno de nosotros debe imitar.

---

### Salutación

**1** El anciano a Gayo,*ᵃ* el amado, a quien amo en la verdad.

**2** Amado, yo deseo que tú seas prosperado en todas las cosas, y que tengas salud, así como prospera tu alma.

**3** Pues mucho me regocijé cuando vinieron los hermanos y dieron testimonio de tu verdad, de cómo andas en la verdad.

**4** No tengo yo mayor gozo que este, el oír que mis hijos andan en la verdad.

### Elogio de la hospitalidad de Gayo

**5** Amado, fielmente te conduces cuando prestas algún servicio a los hermanos, especialmente a los desconocidos,

**6** los cuales han dado ante la iglesia testimonio de tu amor; y harás bien en encaminarlos como es digno de su servicio a Dios, para que continúen su viaje.

**7** Porque ellos salieron por amor del nombre de El, sin aceptar nada de los gentiles.

**8** Nosotros, pues, debemos acoger a tales personas, para que cooperemos con la verdad.

### La oposición de Diótrefes

**9** Yo he escrito a la iglesia; pero Diótrefes, al cual le gusta tener el primer lugar entre ellos, no nos recibe.

**1** *ᵃ* Hch. 19.29; Ro. 16.23; 1 Co. 1.14.

---

**1-4** La recuperación es un proceso que abarca todo nuestro ser. Las dificultades espirituales con frecuencia están íntimamente relacionadas con problemas personales o desórdenes físicos, y resolver estos problemas puede ser clave para restaurar tanto la salud física como la emocional. Y al revés: no prestarles atención a nuestras necesidades espirituales puede agudizar nuestros problemas físicos y emocionales. Al hacer un inventario sincero y audaz de nuestra vida, necesitamos examinar cómo nuestra condición espiritual enfermiza contribuye a nuestros problemas físicos.

**5-8** Juan elogió a Gayo por su hospitalidad hacia los maestros cristianos que periódicamente pasaban por la ciudad. La hospitalidad es un don especial y con frecuencia se pasa por alto. Algunos tal vez sintamos que no somos buenos para hablar a otros de nuestra fe y nos preguntemos si habría alguna otra forma en la que pudiéramos alentarlos en su recuperación. El ejercicio de la hospitalidad es una manera de demostrar a otros lo que Dios ha hecho por nosotros. Al servir calladamente a otros en nuestra casa, les mostramos que nos hemos convertido en nuevas personas. Quizás entonces se pregunten cómo ocurrió, lo que nos presentara una perfecta oportunidad para hablarles de nuestra fe. Abrir nuestro hogar a otros también puede ofrecerles a las personas necesitadas un lugar para relajarse y explorar la verdad sobre ellos mismos.

**9-11** La confrontación es una parte necesaria del proceso de recuperación, pero a muchos de nosotros nos asusta. Aquí Juan trató con un individuo que estaba lastimando a personas de la comunidad cristiana. Por eso les advirtió a Gayo y a sus hermanos creyentes sobre Diótrefes y los instó a no dejarse influir por ese mal ejemplo. Quizás conozcamos personas que estén tratando de obstaculizar nuestra recuperación. Es posible que tengamos que confrontarlas y hacerlo puede ser difícil y doloroso. Necesitamos ser francos con esas personas y alejarnos de ellas si están tratando de que rechacemos la voluntad de Dios para nuestra vida. Dios quiere que progresemos en nuestra recuperación y él nos ayudará a lidiar sabiamente con la gente que se interponga en el camino.

**11-12** Tener un buen modelo al que seguir es una parte importante de la recuperación eficaz. Juan instó a Gayo a que siguiera los buenos ejemplos y evitara a cualquiera que estuviera haciendo lo malo. Esto significa que quizás tengamos que alejarnos por algún tiempo de amistades que nos conducirían de vuelta a nuestra dependencia y cultivar relaciones con personas cuyo estilo de vida piadoso nos aliente en la recuperación. Como Dios desea nuestro éxito en la recuperación, él nos ayudará a entablar relaciones saludables en nuestra vida.

**10** Por esta causa, si yo fuere, recordaré las obras que hace parloteando con palabras malignas contra nosotros; y no contento con estas cosas, no recibe a los hermanos, y a los que quieren recibirlos se lo prohíbe, y los expulsa de la iglesia.

## Buen testimonio acerca de Demetrio

**11** Amado, no imites lo malo, sino lo bueno. El que hace lo bueno es de Dios; pero el que hace lo malo, no ha visto a Dios.
**12** Todos dan testimonio de Demetrio, y aun la verdad misma; y también nosotros damos testimonio, y vosotros sabéis que nuestro testimonio es verdadero.

## Salutaciones finales

**13** Yo tenía muchas cosas que escribirte, pero no quiero escribírtelas con tinta y pluma,
**14** porque espero verte en breve, y hablaremos cara a cara.
**15** La paz sea contigo. Los amigos te saludan. Saluda tú a los amigos, a cada uno en particular.

# SAN

# JUDAS

## EL PANORAMA

A. ADVERTENCIA A LOS CREYENTES (1-16)
B. DESAFÍO A LOS CREYENTES (17-25)

Judas escribió esta carta a los nuevos creyentes que habían dejado atrás su antigua vida para seguir a Cristo. Habían asumido el compromiso espiritual y moral de hacer lo que Dios quería que ellos hicieran. Pero algunos falsos maestros sostenían que los creyentes podían vivir como quisieran porque Dios ya había pagado por sus pecados. En consecuencia, muchos nuevos creyentes se enfrentaban a la tentación de regresar a su antiguo y destructivo estilo de vida.

Judas instó a sus lectores a mantenerse firmes en la verdad y no regresar a su antigua forma de vivir. Les explicó que los falsos maestros estaban equivocados; sí importaba cómo vivieran y sus acciones sí tenían consecuencias. No podían regresar a sus viejos y pecaminosos caminos sin pagar un precio terrible.

Nos rodean las presiones para volver a nuestra adicción, pero quizás no haya un momento en el que sean más difíciles de resistir que cuando provienen de otras personas. Siempre habrá personas que nos harán sentir que debemos renunciar a nuestra recuperación. Algunos quieren que cedamos sólo un poquito. «Sólo tómate un trago», nos dicen. Otros nos desaniman con su desprecio o por no creer que alguna vez podamos cambiar.

Sí da resultados el reconocer la verdad de Dios y mantenerse firme en ella. Nuestra adicción es como un león hambriento que devora todo lo que toca. Dios ha hecho muchísimo por ayudarnos y quiere, aun más que nosotros, que tengamos éxito. Si confiamos en él completamente y obedecemos con fidelidad su voluntad para nuestra vida, experimentaremos la libertad de la esclavitud, que él anhela para nosotros.

## EN ESENCIA

PROPÓSITO: Alertar a los creyentes sobre los peligros de las falsas enseñanzas acerca de Dios. AUTOR: Judas, el hermano de Santiago y hermano de Jesús. DESTINATARIO: Todos los creyentes en todas partes. FECHA: Probablemente entre el 65 y el 70 d.C. ESCENARIO: Desde el principio, la iglesia había estado amenazada por falsos maestros. Judas escribió esta carta para advertir a todos los creyentes que no aceptaran sencillamente cualquier enseñanza acerca de Dios sino que defendieran la que habían recibido de los apóstoles. VERSÍCULO CLAVE: «Pero vosotros, amados, edificándoos sobre vuestra santísima fe, orando en el Espíritu Santo, conservaos en el amor de Dios, esperando la misericordia de nuestro Señor Jesucristo para vida eterna» (20-21). PERSONAS Y RELACIONES CLAVE: Judas con su audiencia.

## TEMAS SOBRE RECUPERACIÓN

*La importancia de la acción:* Esta carta es un llamado a la acción, un llamado a que «contendáis ardientemente por la fe» (v. 3). La recuperación es un proceso activo, no pasivo. Una vez superadas las crisis que nos llevaron a la recuperación, estará siempre presente la tentación de sentarnos cómodamente y relajarnos. Pero arrepentirnos y confesar nuestros pecados, hacer un inventario moral regular, reparar el daño causado a otros y pedirle a Dios que elimine nuestros defectos de carácter son parte del proceso de recuperación. Necesitamos perseverar siempre en este proceso y dar pasos decididos hacia la plenitud.

*Llevar el mensaje a otros:* Puesto que seguir a Jesús no es una actividad solitaria, Judas instó a sus lectores a relacionarse unos con otros. Les dijo que fueran misericordiosos y confrontaran gentilmente a otros, para evitar que fueran víctimas de creencias y actividades destructivas. La recuperación siempre nos involucra con otras personas. No podemos estabilizarnos en la recuperación a menos que una parte integral de nuestra vida consista en llevar el mensaje de esperanza a otros. Descubriremos que al contar nuestra historia de liberación, recibiremos nuevas fuerzas para perseverar en nuestra lucha personal.

### Salutación

**1** Judas,[a] siervo de Jesucristo, y hermano de Jacobo, a los llamados, santificados en Dios Padre, y guardados en Jesucristo:
**2** Misericordia y paz y amor os sean multiplicados.

### Falsas doctrinas y falsos maestros

**3** Amados, por la gran solicitud que tenía de escribiros acerca de nuestra común salvación, me ha sido necesario escribiros exhortándoos que contendáis ardientemente por la fe que ha sido una vez dada a los santos.
**4** Porque algunos hombres han entrado encubiertamente, los que desde antes habían sido destinados para esta condenación, hombres impíos, que convierten en libertinaje la gracia de nuestro Dios,

y niegan a Dios el único soberano, y a nuestro Señor Jesucristo.
**5** Mas quiero recordaros, ya que una vez lo habéis sabido, que el Señor, habiendo salvado al pueblo sacándolo de Egipto,[b] después destruyó a los que no creyeron.[c]
**6** Y a los ángeles que no guardaron su dignidad, sino que abandonaron su propia morada, los ha guardado bajo oscuridad, en prisiones eternas, para el juicio del gran día;
**7** como Sodoma y Gomorra y las ciudades vecinas, las cuales de la misma manera que aquéllos, habiendo fornicado e ido en pos de vicios contra naturaleza, fueron puestas por ejemplo, sufriendo el castigo del fuego eterno.[d]
**8** No obstante, de la misma manera también es-

**1** [a] Mt. 13.55; Mr. 6.3.   **5** [b] Ex. 12.51.   [c] Nm. 14.29-30.   **7** [d] Gn. 19.1-24.

**3-7** Por lo general los problemas no nos atacan de frente; con frecuencia llegan cuando menos los esperamos. A veces estamos completamente ajenos a los peligros que ciertas personas, ideas o actividades representan para nosotros. Judas advirtió a sus lectores sobre gente que trataría de alejarlos de la verdadera fe en Jesucristo sosteniendo que la gracia de Dios los liberaba para hacer lo que quisieran. Nuestra sociedad con frecuencia proclama un mensaje similar: poner límites a la conducta nos confina y nos destruye. Muchos hemos descubierto de primera mano, sin embargo, que esta enseñanza conduce a una dolorosa esclavitud. Debemos tomar muy en serio la advertencia de Judas. Debemos evitar a las personas y las actividades que puedan hacernos volver a la esclavitud. El único camino a la libertad es el plan de Dios para una vida saludable.

**14-16** Judas les recordó a sus lectores que los falsos maestros que se habían metido entre ellos sufrirían las terribles consecuencias de su estilo de vida egoísta y pecaminoso. Quizás nos sintamos tentados a seguir a nuestros viejos amigos de vuelta a los «placeres» de nuestros antiguos hábitos pecaminosos. La advertencia de Judas puede ayudarnos a desechar tales tentaciones. Si participamos en actividades destructivas, primero seremos esclavizados y luego destruidos. Si sembramos semillas de rectitud obedeciendo la voluntad de Dios, recibiremos la ayuda y las bendiciones de Dios. La verdadera libertad puede alcanzarse sólo por medio de una vital relación con Dios.

**17-23** La palabra de Dios es confiable y veraz. Nos advierte sobre personas que pueden tratar de obstaculizar nuestro crecimiento espiritual. Cuando aprendemos a mantenernos a la expectativa respecto a este tipo de personas, podemos prepararnos para resistir y evitar las tentaciones que nos ofrecen. Conforme aprendamos a reconocer nuestras debilidades y a caminar en humildad, dependiendo de la dirección del Espíritu Santo, podremos esquivar los obstáculos que nos harían caer. Cuando animemos a otros que estén en recuperación, la historia que contemos debe ser clara y consistente con nuestro estilo de vida. Podemos compartir el mensaje divino de esperanza mostrando a otros el mismo amor desinteresado que Dios ya nos ha mostrado a nosotros. No podemos vivir de esta manera por nuestras propias fuerzas; sólo podemos hacerlo recibiendo el poder que Dios ofrece a través del Espíritu Santo.

tos soñadores mancillan la carne, rechazan la autoridad y blasfeman de las potestades superiores. **9** Pero cuando el arcángel Miguel[e] contendía con el diablo, disputando con él por el cuerpo de Moisés,[f] no se atrevió a proferir juicio de maldición contra él, sino que dijo: El Señor te reprenda.[g] **10** Pero éstos blasfeman de cuantas cosas no conocen; y en las que por naturaleza conocen, se corrompen como animales irracionales. **11** ¡Ay de ellos! porque han seguido el camino de Caín,[h] y se lanzaron por lucro en el error de Balaam,[i] y perecieron en la contradicción de Coré.[j] **12** Estos son manchas en vuestros ágapes, que comiendo impúdicamente con vosotros se apacientan a sí mismos; nubes sin agua, llevadas de acá para allá por los vientos; árboles otoñales, sin fruto, dos veces muertos y desarraigados; **13** fieras ondas del mar, que espuman su propia vergüenza; estrellas errantes, para las cuales está reservada eternamente la oscuridad de las tinieblas.

**14** De éstos también profetizó Enoc,[k] séptimo desde Adán, diciendo: He aquí, vino el Señor con sus santas decenas de millares, **15** para hacer juicio contra todos, y dejar convictos a todos los impíos de todas sus obras impías que han hecho impíamente, y de todas las cosas duras que los pecadores impíos han hablado contra él. **16** Estos son murmuradores, querellosos, que andan según sus propios deseos, cuya boca habla cosas infladas, adulando a las personas para sacar provecho.

### Amonestaciones y exhortaciones

**17** Pero vosotros, amados, tened memoria de las palabras que antes fueron dichas por los apóstoles de nuestro Señor Jesucristo; **18** los que os decían: En el postrer tiempo habrá burladores, que andarán según sus malvados deseos.[l] **19** Estos son los que causan divisiones; los sensuales, que no tienen al Espíritu. **20** Pero vosotros, amados, edificándoos sobre vuestra santísima fe, orando en el Espíritu Santo, **21** conservaos en el amor de Dios, esperando la misericordia de nuestro Señor Jesucristo para vida eterna. **22** A algunos que dudan, convencedlos. **23** A otros salvad, arrebatándolos del fuego; y de otros tened misericordia con temor, aborreciendo aun la ropa contaminada por su carne.

### Doxología

**24** Y a aquel que es poderoso para guardaros sin caída, y presentaros sin mancha delante de su gloria con gran alegría,

# Rendición de cuentas

LEA JUDAS 20-23

Mientras luchamos con nuestra adicción es muy posible que evitemos hablar sinceramente de nuestros problemas con otras personas. Sin embargo, es importante que recurramos a las amistades que nos ayudarán a enfrentar la verdad. Pablo habló sobre el valor de la sinceridad: «Por lo cual, desechando la mentira, hablad verdad cada uno con su prójimo; porque somos miembros los unos de los otros» (Efesios 4.25). Judas, el hermano de Jesús, les recordó a sus lectores que debían lidiar sincera y directamente con los que estaban obrando mal: «A algunos que dudan, convencedlos… de otros tened misericordia con temor, aborreciendo aun la ropa contaminada por su carne» (Judas 22-23).

Jesús incluso nos dio instrucciones específicas para tratar con personas que han hecho mal pero que insisten en negarlo: «Por tanto, si tu hermano peca contra ti, ve y repréndele estando tú y él solos; si te oyere, has ganado a tu hermano. Mas si no te oyere, toma aún contigo a uno o dos, para que en boca de dos o tres testigos conste toda palabra» (Mateo 18.15-17).

La rendición de cuentas y la sinceridad en nuestras relaciones son esenciales para la recuperación exitosa. Cuando nos hacemos responsables de rendir cuentas a otras personas, la influencia compasiva de amigos piadosos puede ayudarnos a permanecer en el camino correcto. Ellos pueden ofrecernos una perspectiva objetiva, ayudándonos así a aceptar la verdad. Con frecuencia nos aislamos como resultado de la vergüenza o del miedo que sentimos de ser rechazados si nos atrevemos a mostrarnos tal cual somos. Reconocer nuestros errores ante personas que merezcan nuestra confianza ayuda a terminar con el aislamiento. ***Vaya a la página 445, Apocalipsis 3.***

**25** al único y sabio Dios, nuestro Salvador, sea gloria y majestad, imperio y potencia, ahora y por todos los siglos. Amén.

**9** [e] Dn. 10.13, 21; 12.1; Ap. 12.7. [f] Dt. 34.6. [g] Zac. 3.2. **11** [h] Gn. 4.3-8. [i] Nm. 22.1-35. [j] Nm. 16.1-35. **14** [k] Gn. 5.21-24. **18** [l] 2 P. 3.3.

# EL APOCALIPSIS

## EL PANORAMA

De principio a fin el libro de Apocalipsis habla de lucha. En sus capítulos iniciales se encuentran las siete cartas de Juan dictadas por el Cristo resucitado para las siete iglesias. Cada iglesia luchaba su propia batalla, pero algunas tenían problemas más graves que otras. En cada carta Jesús instó a su pueblo a aferrarse a él y hacer lo que ellos sabían que era lo correcto. A los que escucharan los llamó vencedores.

El resto del libro contiene la historia de otra dramática batalla: el plan de Dios para eliminar del mundo el pecado y sus destructivas consecuencias. Juan describe el momento en que Jesús regresará en gloria para conquistar a Satanás y restaurar el mundo quebrantado, vindicando al pueblo de Dios y juzgando al malvado. Todas las personas recibirán su merecido cuando Cristo regrese. Los creyentes recibirán gozo eterno; los incrédulos, la separación eterna de Dios. Al final, el Señor reconstruirá lo que el pecado ha destruido. Él nos presentará un nuevo cielo y una nueva tierra.

El libro de Apocalipsis termina con Jesús como vencedor sobre todo. Todo lo que dijo se hará realidad; se probará que todo lo que él dijo era cierto; todo el que lo siga será vindicado y todo el que lo haya rechazado será juzgado. Dios se saldrá con las suyas. ¡Él no quiere otra cosa que no sea que nos levantemos victoriosos a su lado! Enfrentamos luchas en nuestra recuperación, y Dios lo sabe. Por medio de este libro él nos insta a no darnos por vencidos, a creer en él y a vencer. Mientras renueva nuestro destrozado mundo, hará también que nuestra destrozada vida sea nueva y perfecta.

## EN ESENCIA

PROPÓSITO: Dar esperanza a los creyentes y advertirles que no comprometan su lealtad a Dios. AUTOR: el apóstol Juan. DESTINATARIO: Siete iglesias en Asia Menor. FECHA: Probablemente cerca del 95 d.C., durante la persecución de los cristianos bajo el emperador romano Domiciano. ESCENARIO: Juan, que estaba exiliado en la isla de Patmos, escribió a las siete iglesias para instarles a que se consagraran a Cristo. VERSÍCULO CLAVE: «He aquí, yo estoy a la puerta y llamo; si alguno oye mi voz y abre la puerta, entraré a él, y cenaré con él, y él conmigo» (3.20). LUGARES CLAVE: Patmos, siete ciudades en Asia Menor, Babilonia y la Nueva Jerusalén. PERSONAS CLAVE: Juan, el Cristo resucitado y los miembros de las siete iglesias de Asia Menor.

## TEMAS SOBRE RECUPERACIÓN

*Dios está sobre todo:* Dios es soberano. Él es superior a cualquier otro poder en el universo –incluyendo nuestra dependencia. Nada puede compararse con él. Cuando recordamos el abuso del que quizás fuimos objeto cuando éramos niños o el dolor que hayamos causado a otros, podemos sentirnos incapaces de cambiar las cosas o reparar el daño. Pero Juan escribió este libro para asegurarnos que aunque la maldad parece estar ganando las batallas de hoy día, Dios es todopoderoso y demostrará su poder a favor de su pueblo. A fin de cuentas, todas las cosas serán hechas nuevas en Cristo. Al someter nuestra vida a Cristo, él comenzará de inmediato el proceso de renovación.

*Dios es la fuente de nuestra esperanza:* Es posible que nos sintamos impotentes y listos para renunciar a toda esperanza. Pero el libro de Apocalipsis nos revela la máxima fuente de esperanza: Jesucristo. Él viene otra vez y lidiará con los problemas de nuestro mundo destrozado por el pecado, restaurando todo lo que esté roto y atacando las injusticias que nos rodean. La vida nunca carece de esperanza, independientemente de lo que nos haya ocurrido o de lo que hayamos hecho. Podemos enfocar nuestra vida en el amor, la gracia y el perdón de Dios. Él ha hecho posible nuestra restauración por medio de Cristo, y regresará para completar su obra de renovación universal. Si tenemos nuestra mirada fija en Cristo, podemos afirmar nuestra esperanza a pesar de las difíciles circunstancias que podamos enfrentar.

*El sufrimiento por las consecuencias:* Hay algo en cada uno de nosotros que clama por justicia. Cuando prosperan la maldad y la injusticia, podemos enojarnos y pensar que a fin de cuentas la gente sale impune de sus obras egoístas y perversas. Pero la realidad es que Dios juzgará todas las acciones pecaminosas. Aquellos que lo desafían abiertamente, al final enfrentarán las horribles consecuencias de sus hechos. Quienes se vuelvan a Dios en busca de perdón ya no tendrán que temer el día del juicio venidero. El juicio es algo horrible, pero pensar en el sufrimiento causado por las consecuencias del pecado puede motivarnos a entregarle a Dios nuestra vida y a seguir obedientemente su plan.

*La justicia le pertenece a Dios:* Estar en recuperación no nos libra de nuestro sentido de justicia. Al lidiar con los errores que hemos cometido, quizás consideremos que otros no están lidiando con los suyos y que tenemos razones válidas para albergar resentimiento. Aunque estos sentimientos son naturales, no son de Dios y ponen en riesgo nuestra recuperación. El libro de Apocalipsis establece claramente que la justicia le pertenece a Dios; sólo él tiene el derecho de vengar las maldades de los demás. Más aún, sólo él tiene el poder para cambiar sus vidas. El enojo y la amargura hacen la recuperación más difícil de lo que ya es. Deshacernos de la amargura que sentimos hacia otros es parte de la entrega de nuestra vida y nuestra voluntad a Dios.

---

### La revelación de Jesucristo

**1** **1** La revelación de Jesucristo, que Dios le dio, para manifestar a sus siervos las cosas que deben suceder pronto; y la declaró enviándola por medio de su ángel a su siervo Juan,
**2** que ha dado testimonio de la palabra de Dios, y del testimonio de Jesucristo, y de todas las cosas que ha visto.
**3** Bienaventurado el que lee, y los que oyen las palabras de esta profecía, y guardan las cosas en ella escritas; porque el tiempo está cerca.

### Salutaciones a las siete iglesias

**4** Juan, a las siete iglesias que están en Asia: Gracia y paz a vosotros, del que es y que era y que ha de venir,*a* y de los siete espíritus que están delante de su trono;*b*
**5** y de Jesucristo el testigo fiel, el primogénito de

**1.4** *a* Ex. 3.14. *b* Ap. 4.5.

**1.1-2** El libro de Apocalipsis describe lo que ocurrirá en el futuro. Prevé el tiempo del regreso de Cristo, cuando nuestra nueva vida en Cristo será perfeccionada. También nos narra la difícil batalla que Dios peleará para restaurar a nuestro mundo de las ruinas en que lo dejó el pecado. Muchos de los símbolos de este libro son difíciles de interpretar, pero hay un mensaje que se revela con claridad: no importa cuan mal estén las cosas en este momento, ¡Dios tiene una solución! Jesucristo regresará a crear de nuevo nuestro contaminado y quebrantado mundo. Él nos dará un nuevo cuerpo y un corazón sano. El Señor ya ha comenzado la obra de su sanidad en nosotros por medio de nuestra relación con Cristo; y completará su obra cuando regrese a reinar.

los muertos, y el soberano de los reyes de la tierra.$^c$ Al que nos amó, y nos lavó de nuestros pecados con su sangre,

**6** y nos hizo reyes y sacerdotes para Dios, su Padre;$^d$ a él sea gloria e imperio por los siglos de los siglos. Amén.

**7** He aquí que viene con las nubes,$^e$ y todo ojo le verá, y los que le traspasaron;$^f$ y todos los linajes de la tierra harán lamentación por él.$^g$ Sí, amén.

**8** Yo soy el Alfa y la Omega,$^h$ principio y fin, dice el Señor, el que es y que era y que ha de venir,$^i$ el Todopoderoso.

## Una visión del Hijo del Hombre

**9** Yo Juan, vuestro hermano, y copartícipe vuestro en la tribulación, en el reino y en la paciencia de Jesucristo, estaba en la isla llamada Patmos, por causa de la palabra de Dios y el testimonio de Jesucristo.

**10** Yo estaba en el Espíritu en el día del Señor, y oí detrás de mí una gran voz como de trompeta,

**11** que decía: Yo soy el Alfa y la Omega, el primero y el último. Escribe en un libro lo que ves, y envíalo a las siete iglesias que están en Asia: a Efeso, Esmirna, Pérgamo, Tiatira, Sardis, Filadelfia y Laodicea.

**12** Y me volví para ver la voz que hablaba conmigo; y vuelto, vi siete candeleros de oro,

**13** y en medio de los siete candeleros, a uno semejante al Hijo del Hombre,$^i$ vestido de una ropa que llegaba hasta los pies, y ceñido por el pecho con un cinto de oro.$^k$

**14** Su cabeza y sus cabellos eran blancos como blanca lana, como nieve;$^l$ sus ojos como llama de fuego;

**15** y sus pies semejantes al bronce bruñido,$^m$ refulgente como en un horno; y su voz como estruendo de muchas aguas.$^n$

**16** Tenía en su diestra siete estrellas; de su boca salía una espada aguda de dos filos; y su rostro era como el sol cuando resplandece en su fuerza.

**17** Cuando le vi, caí como muerto a sus pies. Y él puso su diestra sobre mí, diciéndome: No temas; yo soy el primero y el último;$^o$

**18** y el que vivo, y estuve muerto; mas he aquí que vivo por los siglos de los siglos, amén. Y tengo las llaves de la muerte y del Hades.

**19** Escribe las cosas que has visto, y las que son, y las que han de ser después de estas.

**20** El misterio de las siete estrellas que has visto en mi diestra, y de los siete candeleros de oro: las siete estrellas son los ángeles de las siete iglesias, y los siete candeleros que has visto, son las siete iglesias.

## Mensajes a las siete iglesias: El mensaje a Efeso

**2** **1** Escribe al ángel de la iglesia en Efeso: El que tiene las siete estrellas en su diestra, el que anda en medio de los siete candeleros de oro, dice esto:

**2** Yo conozco tus obras, y tu arduo trabajo y paciencia; y que no puedes soportar a los malos, y has probado a los que se dicen ser apóstoles, y no lo son, y los has hallado mentirosos;

---

**1.5** $^c$ Sal. 89.27. **1.6** $^d$ Ex. 19.6; Ap. 5.10. **1.7** $^e$ Dn. 7.13; Mt. 24.30; Mr. 13.26; Lc. 21.27; 1 Ts. 4.17. $^f$ Zac. 12.10; Jn. 19.34, 37. $^g$ Zac. 12.10-14; Mt. 24.30. **1.8** $^h$ Ap. 22.13. $^i$ Ex. 3.14. **1.13** $^j$ Dn. 7.13. $^k$ Dn. 10.5. **1.14** $^l$ Dn. 7.9. **1.14-15** $^m$ Dn. 10.6. **1.15** $^n$ Ez. 1.24. **1.17** $^o$ Is. 44.6; 48.12; Ap. 2.8; 22.13.

---

**1.4-6** La eficaz obra de Jesucristo es el único fundamento válido para la recuperación. Cristo derramó su sangre redentora en la cruz para libertarnos de la esclavitud del pecado, de los abusos del pasado, hábitos destructivos, compulsiones y adicciones. Dios nos amó tanto como para enviar a su Hijo a morir en nuestro lugar. Pero, ¡gloria a Dios, Jesús se levantó de los muertos, conquistando la muerte para siempre! Por medio de él nosotros podemos resucitar a una nueva vida. No importa quiénes seamos ni lo que hayamos hecho, Dios provee soluciones para nuestros problemas. Por medio de Cristo, hemos sido hechos ciudadanos de su reino eterno (véase Filipenses 3.20); por lo tanto podemos anticipar una eternidad de gozo y de estar en la presencia de Dios.

**1.7-8** La futura venida de Jesucristo será desesperadamente dolorosa para aquellos que se niegan a creer en él y seguirlo. Las aterradoras consecuencias de su rechazo serán la condenación eterna (véase 20.11-15). Por otro lado, si buscamos la recuperación por medio de la fe en Cristo, podemos regocijarnos en la nueva vida que traerá su venida. Dios es el «principio y fin» de todas las cosas. Podemos tener esperanza porque el Señor tiene el control de nuestro pasado, presente y futuro.

**1.9-11** Juan sufrió mucho por la causa de Cristo y perseveró en medio de todo. Ni todo lo que sufrió ni el exilio lograron que sintiera resentimiento hacia Dios; a pesar de todo, el apóstol siguió adorando a Dios fielmente. Estaba adorando precisamente cuando recibió las visiones registradas en este libro. Es fácil desalentarse mientras trabajamos en nuestro programa. Puede que algunas personas nos rechacen porque estamos tratando de cambiar o porque tenemos problemas. Sabemos lo que se siente cuando nos miran por encima del hombro. El ejemplo de Juan nos da aliento para perseverar a pesar de las dificultades que enfrentamos. Si nos rendimos ahora, enfrentaremos un desastre seguro en el futuro. Si nos aferramos a la recuperación, Dios nos ayudará a construir una nueva vida.

**2.1-7** Cristo se dirigió primero a la iglesia de Efeso. Era la congregación más grande y probablemente la responsable de haber plantado otras iglesias (véase Hechos 19.1,10). Juan comenzó con una nota positiva al

**3** y has sufrido, y has tenido paciencia, y has trabajado arduamente por amor de mi nombre, y no has desmayado.

**4** Pero tengo contra ti, que has dejado tu primer amor.

**5** Recuerda, por tanto, de dónde has caído, y arrepiéntete, y haz las primeras obras; pues si no, vendré pronto a ti, y quitaré tu candelero de su lugar, si no te hubieres arrepentido.

**6** Pero tienes esto, que aborreces las obras de los nicolaítas, las cuales yo también aborrezco.

**7** El que tiene oído, oiga lo que el Espíritu dice a las iglesias. Al que venciere, le daré a comer del árbol de la vida,*a* el cual está en medio del paraíso de Dios.

### El mensaje a Esmirna

**8** Y escribe al ángel de la iglesia en Esmirna: El primero y el postrero,*b* el que estuvo muerto y vivió, dice esto:

**9** Yo conozco tus obras, y tu tribulación, y tu pobreza (pero tú eres rico), y la blasfemia de los que se dicen ser judíos, y no lo son, sino sinagoga de Satanás.

**10** No temas en nada lo que vas a padecer. He aquí, el diablo echará a algunos de vosotros en la cárcel, para que seáis probados, y tendréis tribulación por diez días. Sé fiel hasta la muerte, y yo te daré la corona de la vida.

**11** El que tiene oído, oiga lo que el Espíritu dice a las iglesias. El que venciere, no sufrirá daño de la segunda muerte.*c*

### El mensaje a Pérgamo

**12** Y escribe al ángel de la iglesia en Pérgamo: El que tiene la espada aguda de dos filos dice esto:

**13** Yo conozco tus obras, y dónde moras, donde está el trono de Satanás; pero retienes mi nombre, y no has negado mi fe, ni aun en los días en que Antipas mi testigo fiel fue muerto entre vosotros, donde mora Satanás.

**14** Pero tengo unas pocas cosas contra ti: que tienes ahí a los que retienen la doctrina de Balaam, que enseñaba a Balac a poner tropiezo ante los hijos de Israel, a comer de cosas sacrificadas a los ídolos, y a cometer fornicación.*d*

**15** Y también tienes a los que retienen la doctrina de los nicolaítas, la que yo aborrezco.

**16** Por tanto, arrepiéntete; pues si no, vendré a ti pronto, y pelearé contra ellos con la espada de mi boca.

**17** El que tiene oído, oiga lo que el Espíritu dice a las iglesias. Al que venciere, daré a comer del maná escondido,*e* y le daré una piedrecita blanca, y en la piedrecita escrito un nombre nuevo, el cual ninguno conoce sino aquel que lo recibe.

### El mensaje a Tiatira

**18** Y escribe al ángel de la iglesia en Tiatira: El Hijo de Dios, el que tiene ojos como llama de fuego, y pies semejantes al bronce bruñido, dice esto:

**19** Yo conozco tus obras, y amor, y fe, y servicio,

**2.7** *a* Gn. 2.9; Ap. 22.2.　**2.8** *b* Is. 44.6; 48.12; Ap. 1.17; 22.13.　**2.11** *c* Ap. 20.14; 21.8.
**2.14** *d* Nm. 25.1-3; 31.16.　**2.17** *e* Ex. 16.14-15.

elogiar a los creyentes efesios por su perseverancia en medio de la prueba. Luego hizo frente a ciertas realidades más dolorosas y desafió a sus lectores a arrepentirse y a reavivar su amor, que había menguado. El amor es el mejor contexto para hacer confrontaciones. Necesitamos comenzar nuestras conversaciones edificando a los demás y demostrándoles que nos preocupamos por ellos. Después de sentar las bases amorosamente, podemos comunicar mejor los mensajes más dolorosos.

**2.8-11** De las otras seis iglesias, la de Esmirna era la que más cerca estaba de Efeso, y pasaba por pruebas similares. Esta pequeña comunidad de fe estaba padeciendo un implacable ataque de Satanás y sus fuerzas espirituales malignas. La visión de Juan recordaba a los creyentes que su perseverancia en medio de tiempos peligrosos sería recompensada con la corona de la vida por su fidelidad. Nosotros también somos llamados a perseverar en medio de los tiempos difíciles. Cuando le confiemos a Dios nuestra vida y lo obedezcamos, él nos irá transformando gradualmente. Y cuando Cristo regrese, recibiremos un nuevo cuerpo y un corazón purificado: ¡una vida completamente nueva!

**2.12-17** La iglesia de Pérgamo había permanecido sumamente leal a Jesucristo en medio de un violento ataque satánico. Pero algunos en la iglesia se habían entregado a una conducta sexual inapropiada. Estos desórdenes en las relacionales personales y espirituales amenazaban con socavar, o por lo menos neutralizar, el testimonio de esta comunidad cristiana. Algunas veces los pequeños errores pueden neutralizar las grandes victorias en la recuperación. Necesitamos ser consistentes en nuestro caminar con Dios, asegurándonos de que todas las áreas de nuestra vida estén puestas bajo su control. No hacer caso incluso del pecado o del vicio más insignificante puede llevarnos a la perdición.

**2.18-29** La iglesia de Tiatira recibió elogios por sus actos de fe, amor y paciencia, y el Señor la animó a perseverar en ellos. Pero un serio cáncer espiritual estaba creciendo en su medio: una supuesta profetisa llamada Jezabel estaba promoviendo un estilo de vida libertino. Dios la castigó duramente para mostrar lo mucho que él deseaba proteger a su pueblo de la influencia maligna de esa mujer. Esto nos da una idea de cuán peligroso es tener relaciones con personas que pueden hacernos descarriar. Necesitamos escoger nuestras amistades cuidadosamente. Las relaciones disfuncionales pueden alejarnos de Dios y destruir rápidamente lo que hayamos ganado en la recuperación.

y tu paciencia, y que tus obras postreras son más que las primeras.

**20** Pero tengo unas pocas cosas contra ti: que toleras que esa mujer Jezabel,[f] que se dice profetisa, enseñe y seduzca a mis siervos a fornicar y a comer cosas sacrificadas a los ídolos.

**21** Y le he dado tiempo para que se arrepienta, pero no quiere arrepentirse de su fornicación.

**22** He aquí, yo la arrojo en cama, y en gran tribulación a los que con ella adulteran, si no se arrepienten de las obras de ella.

**23** Y a sus hijos heriré de muerte, y todas las iglesias sabrán que yo soy el que escudriña la mente y el corazón;[g] y os daré a cada uno según vuestras obras.[h]

**24** Pero a vosotros y a los demás que están en Tiatira, a cuantos no tienen esa doctrina, y no han conocido lo que ellos llaman las profundidades de Satanás, yo os digo: No os impondré otra carga;

**25** pero lo que tenéis, retenedlo hasta que yo venga.

**26** Al que venciere y guardare mis obras hasta el fin, yo le daré autoridad sobre las naciones,

**27** y las regirá con vara de hierro, y serán quebradas como vaso de alfarero;[i] como yo también la he recibido de mi Padre;

**28** y le daré la estrella de la mañana.

**29** El que tiene oído, oiga lo que el Espíritu dice a las iglesias.

## El mensaje a Sardis

**3** **1** Escribe al ángel de la iglesia en Sardis: El que tiene los siete espíritus de Dios, y las siete estrellas, dice esto:

Yo conozco tus obras, que tienes nombre de que vives, y estás muerto.

**2** Sé vigilante, y afirma las otras cosas que están para morir; porque no he hallado tus obras perfectas delante de Dios.

**3** Acuérdate, pues, de lo que has recibido y oído; y guárdalo, y arrepiéntete. Pues si no velas, vendré sobre ti como ladrón, y no sabrás a qué hora vendré sobre ti.[a]

**4** Pero tienes unas pocas personas en Sardis que no han manchado sus vestiduras; y andarán conmigo en vestiduras blancas, porque son dignas.

**5** El que venciere será vestido de vestiduras blancas; y no borraré su nombre del libro de la vida,[b] y confesaré su nombre delante de mi Padre, y delante de sus ángeles.[c]

**6** El que tiene oído, oiga lo que el Espíritu dice a las iglesias.

## El mensaje a Filadelfia

**7** Escribe al ángel de la iglesia en Filadelfia: Esto dice el Santo, el Verdadero, el que tiene la llave de David, el que abre y ninguno cierra, y cierra y ninguno abre:[d]

**8** Yo conozco tus obras; he aquí, he puesto delante de ti una puerta abierta, la cual nadie puede cerrar; porque aunque tienes poca fuerza, has guardado mi palabra, y no has negado mi nombre.

**9** He aquí, yo entrego de la sinagoga de Satanás a los que se dicen ser judíos y no lo son, sino que mienten; he aquí, yo haré que vengan y se postren a tus pies,[e] y reconozcan que yo te he amado.

**10** Por cuanto has guardado la palabra de mi paciencia, yo también te guardaré de la hora de la prueba que ha de venir sobre el mundo entero, para probar a los que moran sobre la tierra.

**11** He aquí, yo vengo pronto; retén lo que tienes, para que ninguno tome tu corona.

**12** Al que venciere, yo lo haré columna en el templo de mi Dios, y nunca más saldrá de allí; y escribiré sobre él el nombre de mi Dios, y el nombre de la ciudad de mi Dios, la nueva Jerusalén, la cual desciende del cielo,[f] de mi Dios, y mi nombre nuevo.

**13** El que tiene oído, oiga lo que el Espíritu dice a las iglesias.

---

**2.20** [f] 1 R. 16.31; 2 R. 9.22, 30. **2.23** [g] Sal. 7.9; Jer. 17.10. [h] Sal. 62.12. **2.26-27** [i] Sal. 2.8-9. **3.3** [a] Mt. 24.43-44; Lc. 12.39-40; Ap. 16.15. **3.5** [b] Ex. 32.32-33; Sal. 69.28; Ap. 20.12. [c] Mt. 10.32; Lc. 12.8. **3.7** [d] Is. 22.22. **3.9** [e] Is. 60.14. **3.12** [f] Ap. 21.2.

---

**3.1-6** Los creyentes de Sardis, en su mayoría, estaban aparentando ser espirituales. Se les advirtió que hicieran cambios inmediatos o sufrirían las dolorosas consecuencias. Por fortuna, algunos creyentes de esa iglesia se mantuvieron firmes en su fe, por lo que serían apropiadamente recompensados. Con la ayuda de Dios es posible mantenerse firmes aun cuando todo el mundo a nuestro alrededor esté desertando. No tenemos que seguir a la mayoría ni ser víctimas del medio ambiente; en vez de ello, podemos seguir al Señor. Al hacerlo, él nos bendecirá y escribirá nuestro nombre en el libro de la vida.

**3.7-13** La iglesia de Filadelfia no era fuerte, pero se había mantenido obediente a Dios y había resistido la opresión satánica. Por eso, Cristo le prometió a esta iglesia que la protegería durante el tiempo de la mayor tribulación que vendría sobre el mundo entero. Animó a los creyentes a perseverar, prometiéndoles que vivirían por siempre con Cristo en su nueva Jerusalén. El cumplimiento de esta promesa se ha retrasado en gran medida, pero eso no la hace menos segura (véase 21.1—22.21). Tendremos esta misma esperanza si le confiamos a Dios nuestra vida por medio de la fe en Jesucristo. Aunque los años de recuperación puedan parecer largos, nuestra esperanza en la liberación eterna que Dios nos dará es igualmente segura.

## El mensaje a Laodicea

**14** Y escribe al ángel de la iglesia en Laodicea: He aquí el Amén, el testigo fiel y verdadero, el principio de la creación de Dios,*g* dice esto:

**15** Yo conozco tus obras, que ni eres frío ni caliente. ¡Ojalá fueses frío o caliente!

**16** Pero por cuanto eres tibio, y no frío ni caliente, te vomitaré de mi boca.

**17** Porque tú dices: Yo soy rico, y me he enriquecido, y de ninguna cosa tengo necesidad; y no sabes que tú eres un desventurado, miserable, pobre, ciego y desnudo.

**18** Por tanto, yo te aconsejo que de mí compres oro refinado en fuego, para que seas rico, y vestiduras blancas para vestirte, y que no se descubra la vergüenza de tu desnudez; y unge tus ojos con colirio, para que veas.

**19** Yo reprendo y castigo a todos los que amo;*h* sé, pues, celoso, y arrepiéntete.

**20** He aquí, yo estoy a la puerta y llamo; si alguno oye mi voz y abre la puerta, entraré a él, y cenaré con él, y él conmigo.

**21** Al que venciere, le daré que se siente conmigo en mi trono, así como yo he vencido, y me he sentado con mi Padre en su trono.

**22** El que tiene oído, oiga lo que el Espíritu dice a las iglesias.

## La adoración celestial

**4** **1** Después de esto miré, y he aquí una puerta abierta en el cielo; y la primera voz que oí, como de trompeta, hablando conmigo, dijo: Sube acá, y yo te mostraré las cosas que sucederán después de estas.

**2** Y al instante yo estaba en el Espíritu; y he aquí, un trono establecido en el cielo, y en el trono, uno sentado.

**3** Y el aspecto del que estaba sentado era semejante a piedra de jaspe y de cornalina; y había alrededor del trono un arco iris, semejante en aspecto a la esmeralda.*a*

**4** Y alrededor del trono había veinticuatro tronos; y vi sentados en los tronos a veinticuatro ancianos, vestidos de ropas blancas, con coronas de oro en sus cabezas.

**5** Y del trono salían relámpagos y truenos*b* y voces; y delante del trono ardían siete lámparas de fuego,*c* las cuales son los siete espíritus de Dios.*d*

**6** Y delante del trono había como un mar de vidrio semejante al cristal;*e* y junto al trono, y alrededor del trono, cuatro seres vivientes llenos de ojos delante y detrás.

**7** El primer ser viviente era semejante a un león; el segundo era semejante a un becerro; el tercero tenía rostro como de hombre; y el cuarto era semejante a un águila volando.*f*

**8** Y los cuatro seres vivientes tenían cada uno seis alas, y alrededor y por dentro estaban llenos de ojos;*g* y no cesaban día y noche de decir: Santo, santo, santo es el Señor Dios Todopoderoso,*h* el que era, el que es, y el que ha de venir.

**9** Y siempre que aquellos seres vivientes dan gloria y honra y acción de gracias al que está sentado en el trono, al que vive por los siglos de los siglos,

**3.14** *g* Pr. 8.22. **3.19** *h* Pr. 3.12. **4.2-3** *a* Ez. 1.26-28; 10.1. **4.5** *b* Ex. 19.16; Ap. 8.5; 11.19; 16.18. *c* Ez. 1.13. *d* Ap. 1.4. **4.6** *e* Ez. 1.22. **4.6-7** *f* Ez. 1.5-10; 10.14. **4.8** *g* Ez. 1.18; 10.12. *h* Is. 6.2-3.

**3.14-21** Los creyentes de Laodicea estaban atrapados en una verdadera actitud de rechazo. Ellos aparentaban que podían sostenerse por sí mismos y que no tenían necesidades, pero Cristo veía su situación de forma muy diferente. Para él, estaban espiritualmente ciegos y en la miseria. Y peor aun, eran espiritualmente indiferentes, tibios. A veces, después de progresar en la recuperación nos volvemos indiferentes hacia nuestro nuevo estilo de vida. Nos olvidamos de lo desesperados que habíamos estado antes de iniciar la recuperación y de que Dios fue el que nos libertó. Comenzamos entonces a anhelar cosas que nos pueden llevar de vuelta a la esclavitud. Podemos evitar esta seria recaída haciendo un inventario moral sincero y regresando al camino correcto.

**4.1-3** El apóstol Juan vio esta espectacular escena del trono celestial de Dios (4.1—5.14) mientras era prisionero en la isla de Patmos. Quizás nosotros también estemos viviendo en esclavitud, sintiéndonos perdidamente atrapados y distantes de cualquier ayuda o liberación. Pero como Juan, podemos acercarnos a Dios aun cuando el mundo a nuestro alrededor se vea oscuro y presagie adversidad. La visión que tuvo Juan del cielo le dio la esperanza que necesitaba para enfrentar los solitarios días de su futuro inmediato. El relato que escribió el apóstol también puede darnos esperanza durante los tiempos difíciles. Aun cuando estemos solos y nos sintamos impotentes, Dios sigue estando con nosotros y podemos acercarnos a él. Las circunstancias en que nos encontremos jamás limitarán la gracia y el poder del Señor.

**4.4-8** Hay dos principios en este pasaje que pueden alentarnos mientras nos ocupamos en nuestra recuperación: (1) el hecho de que veinticuatro ancianos representan al pueblo de Dios muestra que Dios honra grandemente a los creyentes en el cielo; (2) los diversos aspectos de los cuatro seres vivientes implica que Dios quiere que todos seamos especiales y que usemos para su gloria los dones particulares que ha dado a cada uno. Dios nos valora porque él nos ha creado. Cada uno de nosotros tiene dones especiales que debemos usar en su servicio y para su gloria. Estas verdades pueden animarnos mientras lidiamos con los problemas y las presiones del proceso de recuperación.

**10** los veinticuatro ancianos se postran delante del que está sentado en el trono, y adoran al que vive por los siglos de los siglos, y echan sus coronas delante del trono, diciendo:

**11** Señor, digno eres de recibir la gloria y la honra y el poder; porque tú creaste todas las cosas, y por tu voluntad existen y fueron creadas.

## El rollo y el Cordero

**5** **1** Y vi en la mano derecha del que estaba sentado en el trono un libro escrito por dentro y por fuera,<sup>a</sup> sellado con siete sellos.

**2** Y vi a un ángel fuerte que pregonaba a gran voz: ¿Quién es digno de abrir el libro y desatar sus sellos?

**3** Y ninguno, ni en el cielo ni en la tierra ni debajo de la tierra, podía abrir el libro, ni aun mirarlo.

**4** Y lloraba yo mucho, porque no se había hallado a ninguno digno de abrir el libro, ni de leerlo, ni de mirarlo.

**5** Y uno de los ancianos me dijo: No llores. He aquí que el León de la tribu de Judá,<sup>b</sup> la raíz de David,<sup>c</sup> ha vencido para abrir el libro y desatar sus siete sellos.

**6** Y miré, y vi que en medio del trono y de los cuatro seres vivientes, y en medio de los ancianos, estaba en pie un Cordero como inmolado,<sup>d</sup> que tenía siete cuernos, y siete ojos,<sup>e</sup> los cuales son los siete espíritus de Dios enviados por toda la tierra.

**7** Y vino, y tomó el libro de la mano derecha del que estaba sentado en el trono.

**8** Y cuando hubo tomado el libro, los cuatro seres vivientes y los veinticuatro ancianos se postraron delante del Cordero; todos tenían arpas, y copas de oro llenas de incienso, que son las oraciones de los santos;<sup>f</sup>

**9** y cantaban un nuevo cántico, diciendo: Digno eres de tomar el libro y de abrir sus sellos; porque tú fuiste inmolado, y con tu sangre nos has redimido para Dios, de todo linaje y lengua y pueblo y nación;

# Amor

## LEA APOCALIPSIS 3.14-22

Es posible que sintamos como si el amor no funcionara para nosotros. Tal vez nos preguntemos si estamos haciendo algo mal. Quizás tengamos problemas para amar porque estamos desconectados de la fuente del verdadero amor.

El apóstol Juan escribió: «Amados, amémonos unos a otros; porque el amor es de Dios... El que no ama, no ha conocido a Dios; porque Dios es amor» (1 Juan 4.7-8).

Jesús dijo: «Un mandamiento nuevo os doy: Que os améis unos a otros; como yo os he amado, que también os améis unos a otros» (Juan 13.34). Tratar de amar sin primero recibir el amor de Dios es como tratar de echarle agua a algo con una manguera que no está conectada a la llave. Cuando recibimos el incondicional amor de Dios, entonces podemos comenzar a amarnos a nosotros mismos. Luego se nos dice que amemos a otros como nos amamos a nosotros mismos y como Jesús nos ha amado. Hay una reserva inagotable de amor a nuestra disposición; pero si no recibimos el amor de Dios en Cristo, pronto se agotará.

Jesús está esperando que abramos nuestro corazón y recibamos su amor. Él dijo: «He aquí, yo estoy a la puerta y llamo; si alguno oye mi voz y abre la puerta, entraré a él, y cenaré con él, y él conmigo» (Apocalipsis 3.20). El amor está esperando. Lo recibimos cuando nos abrimos al amor que Dios nos ofrece. *Vaya a la página 461, Apocalipsis 22.*

---

**5.1** <sup>a</sup> Ez. 2.9-10.  **5.5** <sup>b</sup> Gn. 49.9-10.  <sup>c</sup> Is. 11.1.  **5.6** <sup>d</sup> Is. 53.7.  <sup>e</sup> Zac. 4.10.  **5.8** <sup>f</sup> Sal. 141.2.

---

**4.8-11** Dios es digno de nuestra continua alabanza. Aun los extraordinarios seres espirituales en el cielo alababan fervientemente al Señor. Conforme convirtamos a Dios en el centro de nuestra vida diaria y le ofrezcamos nuestra gratitud y alabanza, descubriremos una nueva libertad respecto de nuestros problemas y de nuestras dependencias. Nuestras circunstancias dolorosas comenzarán a desvanecerse ante la luz de su glorioso amor y poder. Dios es más grande y más poderoso que cualquier cosa que tengamos que enfrentar. Podemos encomendarle a él nuestra vida, hacer su voluntad y luego alabarle por las maravillas que hará en nosotros.

**5.1-7** Muchos de nosotros conocemos el gran dolor de no ser capaces de vivir a la altura de nuestras metas perfeccionistas. Esperar una perfección absoluta en esta vida es muy poco realista. En el cielo, sin embargo, la perfección será la norma. No obstante, aun allí, no había nadie digno de abrir el libro de la revelación y el juicio. El Cordero –Jesucristo– es el único digno de ello. Él es perfecto, y conquistó el pecado y la muerte por medio de su muerte y resurrección. Por él, podemos vencer nuestros pecados y nuestra dependencia. Cristo abrirá el libro, comenzando así el proceso de recuperación de nuestro destrozado y pecaminoso mundo. Si nos encomendamos a él, el Señor comenzará el mismo proceso de restauración en nuestra vida. Algún día, por la gracia y el poder de Dios, seremos hechos perfectos.

**10** y nos has hecho para nuestro Dios reyes y sacerdotes,*g* y reinaremos sobre la tierra.

**11** Y miré, y oí la voz de muchos ángeles alrededor del trono, y de los seres vivientes, y de los ancianos; y su número era millones de millones,*h*

**12** que decían a gran voz: El Cordero que fue inmolado es digno de tomar el poder, las riquezas, la sabiduría, la fortaleza, la honra, la gloria y la alabanza.

**13** Y a todo lo creado que está en el cielo, y sobre la tierra, y debajo de la tierra, y en el mar, y a todas las cosas que en ellos hay, oí decir: Al que está sentado en el trono, y al Cordero, sea la alabanza, la honra, la gloria y el poder, por los siglos de los siglos.

**14** Los cuatro seres vivientes decían: Amén; y los veinticuatro ancianos se postraron sobre sus rostros y adoraron al que vive por los siglos de los siglos.

## Los sellos

**6** **1** Vi cuando el Cordero abrió uno de los sellos, y oí a uno de los cuatro seres vivientes decir como con voz de trueno: Ven y mira.

**2** Y miré, y he aquí un caballo blanco;*a* y el que lo montaba tenía un arco; y le fue dada una corona, y salió venciendo, y para vencer.

**3** Cuando abrió el segundo sello, oí al segundo ser viviente, que decía: Ven y mira.

**4** Y salió otro caballo, bermejo;*b* y al que lo montaba le fue dado poder de quitar de la tierra la paz, y que se matasen unos a otros; y se le dio una gran espada.

**5** Cuando abrió el tercer sello, oí al tercer ser viviente, que decía: Ven y mira. Y miré, y he aquí un caballo negro;*c* y el que lo montaba tenía una balanza en la mano.

**6** Y oí una voz de en medio de los cuatro seres vivientes, que decía: Dos libras de trigo por un denario, y seis libras de cebada por un denario; pero no dañes el aceite ni el vino.

**7** Cuando abrió el cuarto sello, oí la voz del cuarto ser viviente, que decía: Ven y mira.

**8** Miré, y he aquí un caballo amarillo, y el que lo montaba tenía por nombre Muerte, y el Hades le seguía; y le fue dada potestad sobre la cuarta parte de la tierra, para matar con espada, con hambre, con mortandad, y con las fieras de la tierra.*d*

**9** Cuando abrió el quinto sello, vi bajo el altar las almas de los que habían sido muertos por causa de la palabra de Dios y por el testimonio que tenían.

**10** Y clamaban a gran voz, diciendo: ¿Hasta cuándo, Señor, santo y verdadero, no juzgas y vengas nuestra sangre en los que moran en la tierra?

**11** Y se les dieron vestiduras blancas, y se les dijo que descansasen todavía un poco de tiempo, hasta

---

**5.10** *g* Ex. 19.6; Ap. 1.6.   **5.11** *h* Dn. 7.10.   **6.2** *a* Zac. 1.8; 6.3.   **6.4** *b* Zac. 1.8; 6.2.   **6.5** *c* Zac. 6.2, 6.
**6.8** *d* Jer. 15.3; Ez. 5.12, 17; 14.21.

---

**5.9-10** Al derramar su sangre en la cruz, Jesucristo, el Cordero, hizo posible la salvación para todos. Pero Dios hace mucho más que libertarnos de nuestros pecados y de nuestra dependencia. Él promete hacernos parte de su equipo para restaurar y conservar su mundo. Seremos miembros del reino de sacerdotes de Dios. Tan pronto como encomendemos a Dios nuestra vida y procuremos hacer su voluntad, podremos comenzar nuestras tareas sacerdotales. Esto incluye contar a otros nuestra historia de liberación e invitarlos a depositar su fe en Jesucristo: el único poder disponible para la verdadera recuperación.

**5.11-14** En estos versículos finales de la descripción de Juan del trono celestial, la alabanza al Cordero divino se extiende desde los cielos hasta el resto del mundo creado. No importa cuánta incredulidad y pecado dominen el escenario terrenal hoy día, llegará el tiempo cuando todos honrarán a Dios. Tal alabanza incluirá necesariamente la admisión de culpabilidad, de responsabilidad y del rechazo incrédulo de muchos (véase Filipenses 2.9-11). No tenemos que esperar al regreso de Cristo para reconocer su señorío en nuestra vida. Podemos hacerlo hoy mismo y comenzar a disfrutar de los beneficios inmediatos de una relación íntima con Dios por medio de Jesucristo.

**6.1-8** Jesucristo, el Cordero, comienza a abrir el libro (véase 5.1) e inicia así los acontecimientos conducentes a la victoria de Dios sobre el pecado y la muerte. La guerra, el hambre y la enfermedad se extenderán muchísimo durante el período de los primeros cuatro sellos. Los primeros pasos hacia la restauración cósmica que realizará Dios conducirán a tiempos dolorosos. Millones de personas morirán mientras Dios trata con el pecado que domina nuestro mundo. Con frecuencia el Señor nos lleva por períodos de dolor al padecer nosotros las consecuencias de nuestra conducta, pero lo hace por nuestro bienestar. Aunque permite que suframos por un tiempo, él tiene ya planeada nuestra restauración y recuperación. En ocasiones, las pruebas que son producto de nuestra dependencia resultan ser la única forma en la que Dios puede enseñarnos lo impotentes que somos y lo mucho que lo necesitamos.

**6.9-11** La apertura del quinto sello muestra a los que han muerto en el servicio a Dios, y esperan que Dios vindique sus muertes injustas. El Señor les dice que van a tener que esperar porque todavía se les unirán otros mártires. Muchos de nosotros hemos sufrido abusos en el pasado. Es posible que ese abuso sea la raíz de nuestra dependencia y de nuestros actuales problemas. Quizás deseemos vengarnos de las personas que nos han hecho daño. Tal vez culpemos a otros por nuestra adicción. Como los mártires de Apocalipsis, tenemos que dejar que sea Dios quien haga justicia por el daño que nos han hecho. Cuando nos liberemos

que se completara el número de sus consiervos y sus hermanos, que también habían de ser muertos como ellos.

**12** Miré cuando abrió el sexto sello, y he aquí hubo un gran terremoto;*e* y el sol se puso negro como tela de cilicio, y la luna se volvió toda como sangre;

**13** y las estrellas del cielo cayeron sobre la tierra,*f* como la higuera deja caer sus higos cuando es sacudida por un fuerte viento.

**14** Y el cielo se desvaneció como un pergamino que se enrolla;*g* y todo monte y toda isla se removió de su lugar.*h*

**15** Y los reyes de la tierra, y los grandes, los ricos, los capitanes, los poderosos, y todo siervo y todo libre, se escondieron en las cuevas y entre las peñas de los montes;*i*

**16** y decían a los montes y a las peñas: Caed sobre nosotros, y escondednos*j* del rostro de aquel que está sentado sobre el trono, y de la ira del Cordero;

**17** porque el gran día de su ira ha llegado; ¿y quién podrá sostenerse en pie?*k*

## Los 144 mil sellados

**7** **1** Después de esto vi a cuatro ángeles en pie sobre los cuatro ángulos de la tierra, que detenían los cuatro vientos*a* de la tierra, para que no soplase viento alguno sobre la tierra, ni sobre el mar, ni sobre ningún árbol.

**2** Vi también a otro ángel que subía de donde sale el sol, y tenía el sello del Dios vivo; y clamó a gran voz a los cuatro ángeles, a quienes se les había dado el poder de hacer daño a la tierra y al mar,

**3** diciendo: No hagáis daño a la tierra, ni al mar, ni a los árboles, hasta que hayamos sellado en sus frentes a los siervos de nuestro Dios.*b*

**4** Y oí el número de los sellados: ciento cuarenta y cuatro mil sellados de todas las tribus de los hijos de Israel.

**5** De la tribu de Judá, doce mil sellados. De la tribu de Rubén, doce mil sellados. De la tribu de Gad, doce mil sellados.

**6** De la tribu de Aser, doce mil sellados. De la tribu de Neftalí, doce mil sellados. De la tribu de Manasés, doce mil sellados.

**7** De la tribu de Simeón, doce mil sellados. De la tribu de Leví, doce mil sellados. De la tribu de Isacar, doce mil sellados.

**8** De la tribu de Zabulón, doce mil sellados. De la tribu de José, doce mil sellados. De la tribu de Benjamín, doce mil sellados.

## La multitud vestida de ropas blancas

**9** Después de esto miré, y he aquí una gran multitud, la cual nadie podía contar, de todas naciones y tribus y pueblos y lenguas, que estaban delante del trono y en la presencia del Cordero, vestidos de ropas blancas, y con palmas en las manos;

**10** y clamaban a gran voz, diciendo: La salvación pertenece a nuestro Dios que está sentado en el trono, y al Cordero.

**11** Y todos los ángeles estaban en pie alrededor del trono, y de los ancianos y de los cuatro seres vivientes; y se postraron sobre sus rostros delante del trono, y adoraron a Dios,

**12** diciendo: Amén. La bendición y la gloria y la sabiduría y la acción de gracias y la honra y el poder

---

**6.12** *e* Ap. 11.13; 16.18.   **6.12-13** *f* Is. 13.10; Ez. 32.7; Jl. 2.31; Mt. 24.29; Mr. 13.24-25; Lc. 21.25.   **6.13-14** *g* Is. 34.4.   **6.14** *h* Ap. 16.20.   **6.15** *i* Is. 2.10.   **6.16** *j* Os. 10.8; Lc. 23.30.   **6.17** *k* Jl. 2.11; Mal. 3.2.   **7.1** *a* Zac. 6.5.   **7.3** *b* Ez. 9.4.

---

de nuestra amargura y perdonemos a quienes hayan abusado de nosotros, progresaremos en la recuperación. A fin de cuentas, sólo nosotros somos responsables por nuestra adicción, aunque puedan haber intervenido otros factores.

**6.12-17** La apertura del sexto sello es seguida por un enorme terremoto y un asombroso fenómeno celeste. Aquellos que aún no creen en Dios querrán morir, pensando equivocadamente que así podrán escapar del terrible juicio divino. Lamentablemente, sus corazones estarán tan endurecidos que aunque reconozcan a Dios, no se arrepentirán ni se volverán a él con fe (véase 9.20-21) y serán destruidos. Mantenernos negando nuestra dependencia o compulsión destructiva nos llevará a un final parecido. Si rehusamos reconocer el gobierno de Dios en nuestra vida, inevitablemente vamos en camino a una mayor esclavitud y a la destrucción definitiva. Dios quiere darnos una vida llena de gozo y significado, pero para recibir este regalo necesitamos aceptar su plan para una vida piadosa.

**7.1-3** Con todo lo difícil que serán las cosas durante el período de los sellos, Dios protegerá a aquellos que le pertenecen. Ellos serán «sellados» con la señal divina de propiedad y protección. Quizás este sello sea similar al sello del Espíritu Santo evidente en las vidas de todos los que han creído en Jesucristo (véase Efesios 1.13-14; 4.30). Este sello significa que existe una relación eterna con Dios. Podemos comenzar esa relación eterna con Dios en este preciso momento si aceptamos el perdón y el amor de Dios por medio de Jesucristo y sometemos nuestra vida a su voluntad.

**7.9-14** Esta gran multitud formada por seres humanos de todas las razas y naciones es la cosecha que Cristo visualizó cuando dio a sus discípulos la gran comisión (véase Mateo 28.19). Ellos están

y la fortaleza, sean a nuestro Dios por los siglos de los siglos. Amén.

**13** Entonces uno de los ancianos habló, diciéndome: Estos que están vestidos de ropas blancas, ¿quiénes son, y de dónde han venido?
**14** Yo le dije: Señor, tú lo sabes. Y él me dijo: Estos son los que han salido de la gran tribulación,*c* y han lavado sus ropas, y las han emblanquecido en la sangre del Cordero.
**15** Por esto están delante del trono de Dios, y le sirven día y noche en su templo; y el que está sentado sobre el trono extenderá su tabernáculo sobre ellos.
**16** Ya no tendrán hambre ni sed, y el sol no caerá más sobre ellos, ni calor alguno;*d*
**17** porque el Cordero que está en medio del trono los pastoreará,*e* y los guiará a fuentes de aguas de vida;*f* y Dios enjugará toda lágrima de los ojos de ellos.*g*

## El séptimo sello

**8** **1** Cuando abrió el séptimo sello, se hizo silencio en el cielo como por media hora.
**2** Y vi a los siete ángeles que estaban en pie ante Dios; y se les dieron siete trompetas.
**3** Otro ángel vino entonces y se paró ante el altar,*a* con un incensario de oro; y se le dio mucho incienso para añadirlo a las oraciones de todos los santos, sobre el altar de oro que estaba delante del trono.
**4** Y de la mano del ángel subió a la presencia de Dios el humo del incienso con las oraciones de los santos.
**5** Y el ángel tomó el incensario, y lo llenó del fuego del altar,*b* y lo arrojó a la tierra;*c* y hubo truenos, y voces, y relámpagos, y un terremoto.*d*

## Las trompetas

**6** Y los siete ángeles que tenían las siete trompetas se dispusieron a tocarlas.
**7** El primer ángel tocó la trompeta, y hubo granizo y fuego*e* mezclados con sangre, que fueron lanzados sobre la tierra; y la tercera parte de los árboles se quemó, y se quemó toda la hierba verde.
**8** El segundo ángel tocó la trompeta, y como una gran montaña ardiendo en fuego fue precipitada en el mar; y la tercera parte del mar se convirtió en sangre.
**9** Y murió la tercera parte de los seres vivientes que estaban en el mar, y la tercera parte de las naves fue destruida.
**10** El tercer ángel tocó la trompeta, y cayó del cielo una gran estrella,*f* ardiendo como una antorcha, y cayó sobre la tercera parte de los ríos, y sobre las fuentes de las aguas.
**11** Y el nombre de la estrella es Ajenjo. Y la tercera parte de las aguas se convirtió en ajenjo; y muchos hombres murieron a causa de esas aguas, porque se hicieron amargas.
**12** El cuarto ángel tocó la trompeta, y fue herida la tercera parte del sol, y la tercera parte de la luna,

---

**7.14** *c* Dn. 12.1; Mt. 24.21; Mr. 13.19.   **7.16** *d* Is. 49.10.   **7.17** *e* Sal. 23.1; Ez. 34.23.   *f* Sal. 23.2; Is. 49.10.
*g* Is. 25.8.   **8.3** *a* Ex. 30.1.   **8.5** *b* Lv. 16.12.   *c* Ez. 10.2.   *d* Ap. 11.19; 16.18.   **8.7** *e* Ex. 9.23-25.
**8.10** *f* Is. 14.12.

---

verdaderamente agradecidos y muestran una gran devoción a Dios, apreciando en gran medida la salvación y la recuperación que él ha prometido. Las vestiduras blancas que llevan puestas no sólo hablan de la pureza en sus estilos de vida, sino también de su redención por medio de la sangre de Cristo. Al comenzar la recuperación, confesar nuestros pecados y fracasos, aceptar el perdón divino a través de Jesucristo y obedecer a Dios, podemos unirnos a esta alegre multitud de personas que han recibido salvación por la maravillosa gracia del Señor.

**7.15-17** Este majestuoso pasaje describe la relación celestial entre Cristo y su pueblo. Este le servirá constantemente y él siempre lo protegerá. Cristo, el Cordero –quien también es el Pastor– satisfará todas sus necesidades. En una relación tan estrecha y segura, se enjugarán todas las lágrimas de dolorosa opresión, pérdidas y malentendidos. ¡Qué maravillosa esperanza ofrecen estos versículos! Al confiar en Jesucristo, podemos tener la esperanza de un futuro lleno de gozo y paz.

**8.1-2** La apertura del séptimo sello del libro trae un corto período de silencio en los cielos, lo que ofrece la oportunidad de prepararse para el tiempo tan increíblemente difícil que se avecina. En la recuperación, a veces también tenemos estas experiencias de «calma antes de la tormenta». Las cosas están bien por el momento, pero sentimos que se acercan momentos difíciles. Podemos usar estas oportunidades de prepararnos para lo que viene continuando nuestro sincero inventario personal y entregando nuestra vida –con todo y problemas– a Dios. Si él está con nosotros, ninguna prueba futura será demasiado grande para que pueda ser vencida.

**8.6-13** Al sonar de las primeras cuatro trompetas, las personas de nuestro mundo pecaminoso y caótico sufrirán las terribles consecuencias de sus pecados y de los pecados de sus antepasados. Habrá un día de ajuste de cuentas para todos los que hayan rechazado a Dios. Muchos de nosotros hemos experimentado esos días en nuestra vida. Nuestras actitudes y acciones nos conducen a períodos de gran sufrimiento. Sin embargo, cuando nos despojemos de nuestra actitud de rechazo y confesemos nuestros pecados, Jesucristo nos liberará de nuestra poderosa dependencia y nos ayudará a escapar de estos terribles juicios.

y la tercera parte de las estrellas, para que se oscureciese la tercera parte de ellos,*g* y no hubiese luz en la tercera parte del día, y asimismo de la noche.

**13** Y miré, y oí a un ángel volar por en medio del cielo, diciendo a gran voz: ¡Ay, ay, ay, de los que moran en la tierra, a causa de los otros toques de trompeta que están para sonar los tres ángeles!

**9** **1** El quinto ángel tocó la trompeta, y vi una estrella que cayó del cielo a la tierra; y se le dio la llave del pozo del abismo.

**2** Y abrió el pozo del abismo, y subió humo del pozo como humo de un gran horno; y se oscureció el sol y el aire por el humo del pozo.

**3** Y del humo salieron langostas sobre la tierra;*a* y se les dio poder, como tienen poder los escorpiones de la tierra.

**4** Y se les mandó que no dañasen a la hierba de la tierra, ni a cosa verde alguna, ni a ningún árbol, sino solamente a los hombres que no tuviesen el sello de Dios en sus frentes.*b*

**5** Y les fue dado, no que los matasen, sino que los atormentasen cinco meses; y su tormento era como tormento de escorpión cuando hiere al hombre.

**6** Y en aquellos días los hombres buscarán la muerte, pero no la hallarán; y ansiarán morir, pero la muerte huirá de ellos.*c*

**7** El aspecto de las langostas era semejante a caballos preparados para la guerra;*d* en las cabezas tenían como coronas de oro; sus caras eran como caras humanas;

**8** tenían cabello como cabello de mujer; sus dientes eran como de leones;*e*

**9** tenían corazas como corazas de hierro; el ruido de sus alas era como el estruendo de muchos carros*f* de caballos corriendo a la batalla;

**10** tenían colas como de escorpiones, y también aguijones; y en sus colas tenían poder para dañar a los hombres durante cinco meses.

**11** Y tienen por rey sobre ellos al ángel del abismo, cuyo nombre en hebreo es Abadón, y en griego, Apolión.*1*

**12** El primer ay pasó; he aquí, vienen aún dos ayes después de esto.

**13** El sexto ángel tocó la trompeta, y oí una voz de entre los cuatro cuernos del altar de oro*g* que estaba delante de Dios,

**14** diciendo al sexto ángel que tenía la trompeta: Desata a los cuatro ángeles que están atados junto al gran río Eufrates.

**15** Y fueron desatados los cuatro ángeles que estaban preparados para la hora, día, mes y año, a fin de matar a la tercera parte de los hombres.

**16** Y el número de los ejércitos de los jinetes era doscientos millones. Yo oí su número.

**17** Así vi en visión los caballos y a sus jinetes, los cuales tenían corazas de fuego, de zafiro y de azufre. Y las cabezas de los caballos eran como cabezas de leones; y de su boca salían fuego, humo y azufre.

**18** Por estas tres plagas fue muerta la tercera parte de los hombres; por el fuego, el humo y el azufre que salían de su boca.

**19** Pues el poder de los caballos estaba en su boca y en sus colas; porque sus colas, semejantes a serpientes, tenían cabezas, y con ellas dañaban.

**20** Y los otros hombres que no fueron muertos con estas plagas, ni aun así se arrepintieron de las obras de sus manos, ni dejaron de adorar a los demonios, y a las imágenes de oro, de plata, de bronce, de piedra y de madera, las cuales no pueden ver, ni oír, ni andar;*h*

**21** y no se arrepintieron de sus homicidios, ni de sus hechicerías, ni de su fornicación, ni de sus hurtos.

## El ángel con el librito

**10** **1** Vi descender del cielo a otro ángel fuerte, envuelto en una nube, con el arco iris so-

---

**8.12** *g* Is. 13.10; Ez. 32.7; Jl. 2.10.  **9.3** *a* Ex. 10.12-15.  **9.4** *b* Ez. 9.4.  **9.6** *c* Job 3.21.  **9.7** *d* Jl. 2.4.
**9.8** *e* Jl. 1.6.  **9.9** *f* Jl. 2.5.  **9.11** *1* O, *destructor*.  **9.13** *g* Ex. 30.1-3.  **9.20** *h* Sal. 115.4-7; 135.15-17; Dn. 5.4.

---

**9.1-4** Cuando suene la quinta trompeta se desatará una plaga de langostas. A diferencia de las langostas regulares, estas atacarán a la gente, no las plantas. Dios no permitirá que estas criaturas lastimen a todo el mundo; sólo a quienes no estén protegidos por el sello divino. Al procurar la recuperación con la ayuda de Dios, podemos tener la seguridad de que Dios es capaz de protegernos y está dispuesto a hacerlo. Tal vez permite que pasemos por tiempos difíciles para ayudarnos a crecer. Si continuamos confiando en él y obedeciéndole, él no permitirá que nos destruya el pecado con sus terribles consecuencias.

**9.13-21** Cuando suene la sexta trompeta, un ejército dirigido por fuerzas demoníacas destruirá a una tercera parte de la población restante del mundo (véase 6.8). En ese momento, seguramente las circunstancias van a parecer completamente desesperanzadoras para la mayoría de los habitantes de la Tierra. Tienen dos alternativas: se humillan y comienzan su recuperación por fe, o se hunden en un rechazo deprimente. Lamentablemente, sólo unos pocos aceptarán la oferta de perdón que Dios les hace aun en esta etapa tan avanzada. Hoy día tenemos que tomar una decisión similar al enfrentar las destructivas y dolorosas consecuencias de nuestros pecados. Podemos rendirnos y caer en un estado más grave de esclavitud, o podemos reconocer lo impotentes que somos y recibir el regalo divino de liberación y recuperación. ¡La decisión es nuestra!

**10.1-4** Mientras el poderoso ángel de los cielos proclama el contenido del librito, Juan da por sentado que

bre su cabeza; y su rostro era como el sol, y sus pies como columnas de fuego.

**2** Tenía en su mano un librito abierto; y puso su pie derecho sobre el mar, y el izquierdo sobre la tierra;

**3** y clamó a gran voz, como ruge un león; y cuando hubo clamado, siete truenos emitieron sus voces.

**4** Cuando los siete truenos hubieron emitido sus voces, yo iba a escribir; pero oí una voz del cielo que me decía: Sella las cosas que los siete truenos han dicho, y no las escribas.

**5** Y el ángel que vi en pie sobre el mar y sobre la tierra, levantó su mano al cielo,

**6** y juró por el que vive por los siglos de los siglos, que creó el cielo y las cosas que están en él, y la tierra y las cosas que están en ella, y el mar y las cosas que están en él, que el tiempo no sería más,

**7** sino que en los días de la voz del séptimo ángel, cuando él comience a tocar la trompeta, el misterio de Dios se consumará, como él lo anunció a sus siervos los profetas.*ª*

**8** La voz que oí del cielo habló otra vez conmigo, y dijo: Ve y toma el librito que está abierto en la mano del ángel que está en pie sobre el mar y sobre la tierra.

**9** Y fui al ángel, diciéndole que me diese el librito. Y él me dijo: Toma, y cómelo; y te amargará el vientre, pero en tu boca será dulce como la miel.

**10** Entonces tomé el librito de la mano del ángel, y lo comí; y era dulce en mi boca como la miel, pero cuando lo hube comido, amargó mi vientre.*b*

**11** Y él me dijo: Es necesario que profetices otra vez sobre muchos pueblos, naciones, lenguas y reyes.

## Los dos testigos

**11** **1** Entonces me fue dada una caña semejante a una vara de medir, y se me dijo: Levántate, y mide el templo de Dios,*ª* y el altar, y a los que adoran en él.

**2** Pero el patio que está fuera del templo déjalo aparte, y no lo midas, porque ha sido entregado a los gentiles; y ellos hollarán la ciudad santa*b* cuarenta y dos meses.

**3** Y daré a mis dos testigos que profeticen por mil doscientos sesenta días, vestidos de cilicio.

**4** Estos testigos son los dos olivos, y los dos candeleros que están en pie delante del Dios de la tierra.*c*

**5** Si alguno quiere dañarlos, sale fuego de la boca de ellos, y devora a sus enemigos; y si alguno quiere hacerles daño, debe morir él de la misma manera.

**6** Estos tienen poder para cerrar el cielo, a fin de que no llueva en los días de su profecía;*d* y tienen poder sobre las aguas para convertirlas en sangre,*e* y para herir la tierra con toda plaga, cuantas veces quieran.

**7** Cuando hayan acabado su testimonio, la bestia que sube del abismo*f* hará guerra contra ellos, y los vencerá*g* y los matará.

**8** Y sus cadáveres estarán en la plaza de la grande ciudad que en sentido espiritual se llama Sodoma*h* y Egipto, donde también nuestro Señor fue crucificado.

**9** Y los de los pueblos, tribus, lenguas y naciones verán sus cadáveres por tres días y medio, y no permitirán que sean sepultados.

**10** Y los moradores de la tierra se regocijarán sobre

---

**10.5-7** *ª* Dn. 12.7.   **10.8-10** *b* Ez. 2.8—3.3.   **11.1** *ª* Ez. 40.3.   **11.2** *b* Lc. 21.24.   **11.4** *c* Zac. 4.3, 11-14.
**11.6** *d* 1 R. 17.1.   *e* Ex. 7.17-19.   **11.7** *f* Dn. 7.3; Ap. 13.5-7; 17.8.   *g* Dn. 7.21.   **11.8** *h* Is. 1.9-10.

---

debe registrarlo. Pero Dios le dice que no debe hacerlo. Este episodio nos recuerda que junto con la sinceridad, también necesitamos discreción, dirigida por Dios. Se nos dice en la recuperación que debemos reparar el daño causado a quienes hayamos lastimado, excepto cuando hacerlo pueda lastimarlos más a ellos o a otros. A veces necesitamos controlarnos o ser discretos, pues contar toda nuestra historia o tratar de hacer reparación de algún mal puede dañar a otra persona. Dios puede ayudarnos a usar la discreción, pero el principio que debe guiarnos es el amor. Necesitamos hacer lo que sea mejor para otros y no sólo lo que sea mejor para nosotros.

**10.8-10** Juan recibe instrucciones de comerse el librito, como también fue el caso del profeta Ezequiel (véase Ezequiel 2.8; 3.1-3 en el Antiguo Testamento). El librito sería dulce en su boca pero amargo en su estómago. La palabra de Dios a veces puede obrar de esta forma. Contiene un dulce mensaje de liberación para todos los que se arrepienten, pero también nos llama a asumir responsabilidad por nuestras acciones pecaminosas. Si acatamos los sabios límites que Dios ha establecido para nosotros, su Palabra está llena de promesas de gozo y paz. Si, por el contrario, escogemos rechazar el plan divino, su Palabra estará llena de predicciones de condenación eterna.

**11.1-13** Estos dos testigos sirven como profetas de Dios. Durante sus 1.260 días de ministerio, recibirán el poder y la protección de Dios. Después morirán a manos de la bestia que sube del abismo. A los dos testigos los tratarán de forma aun más despreciable de como trataron a Cristo, a quien por lo menos sepultaron decentemente (véase Mateo 27.57-61). Tres días y medio después, Dios los resucitará de los muertos, probando así que ni siquiera la muerte puede frustrar sus planes. Ningún obstáculo es tan grande como para hacer que Dios abandone su plan para el mundo y para su pueblo. Podemos estar seguros de

ellos y se alegrarán, y se enviarán regalos unos a otros; porque estos dos profetas habían atormentado a los moradores de la tierra.

**11** Pero después de tres días y medio entró en ellos el espíritu de vida enviado por Dios, y se levantaron sobre sus pies,[i] y cayó gran temor sobre los que los vieron.

**12** Y oyeron una gran voz del cielo, que les decía: Subid acá. Y subieron al cielo en una nube;[j] y sus enemigos los vieron.

**13** En aquella hora hubo un gran terremoto,[k] y la décima parte de la ciudad se derrumbó, y por el terremoto murieron en número de siete mil hombres; y los demás se aterrorizaron, y dieron gloria al Dios del cielo.

**14** El segundo ay pasó; he aquí, el tercer ay viene pronto.

### La séptima trompeta

**15** El séptimo ángel tocó la trompeta, y hubo grandes voces en el cielo, que decían: Los reinos del mundo han venido a ser de nuestro Señor y de su Cristo; y él reinará por los siglos de los siglos.[l]

**16** Y los veinticuatro ancianos que estaban sentados delante de Dios en sus tronos, se postraron sobre sus rostros, y adoraron a Dios,

**17** diciendo: Te damos gracias, Señor Dios Todopoderoso, el que eres y que eras y que has de venir, porque has tomado tu gran poder, y has reinado.

**18** Y se airaron las naciones, y tu ira ha venido, y el tiempo de juzgar a los muertos, y de dar el galardón a tus siervos los profetas, a los santos, y a los que temen tu nombre, a los pequeños y a los grandes,[m] y de destruir a los que destruyen la tierra.

**19** Y el templo de Dios fue abierto en el cielo, y el arca de su pacto se veía en el templo. Y hubo relámpagos, voces, truenos, un terremoto[n] y grande granizo.[o]

### La mujer y el dragón

**12** **1** Apareció en el cielo una gran señal: una mujer vestida del sol, con la luna debajo de sus pies, y sobre su cabeza una corona de doce estrellas.[a]

**2** Y estando encinta, clamaba con dolores de parto, en la angustia del alumbramiento.[b]

**3** También apareció otra señal en el cielo: he aquí un gran dragón escarlata, que tenía siete cabezas y diez cuernos,[c] y en sus cabezas siete diademas;

**4** y su cola arrastraba la tercera parte de las estrellas del cielo, y las arrojó sobre la tierra.[d] Y el dragón se paró frente a la mujer que estaba para dar a luz, a fin de devorar a su hijo tan pronto como naciese.

**5** Y ella dio a luz un hijo varón,[e] que regirá con vara de hierro a todas las naciones;[f] y su hijo fue arrebatado para Dios y para su trono.

**6** Y la mujer huyó al desierto, donde tiene lugar preparado por Dios, para que allí la sustenten por mil doscientos sesenta días.

**7** Después hubo una gran batalla en el cielo: Miguel[g] y sus ángeles luchaban contra el dragón; y luchaban el dragón y sus ángeles;

**8** pero no prevalecieron, ni se halló ya lugar para ellos en el cielo.

**9** Y fue lanzado fuera el gran dragón, la serpiente antigua,[h] que se llama diablo y Satanás, el cual engaña al mundo entero; fue arrojado a la tierra,[i] y sus ángeles fueron arrojados con él.

**10** Entonces oí una gran voz en el cielo, que decía: Ahora ha venido la salvación, el poder, y el reino de nuestro Dios, y la autoridad de su Cristo; porque ha sido lanzado fuera el acusador de nuestros

---

**11.11** [i] Ez. 37.10.   **11.12** [j] 2 R. 2.11.   **11.13** [k] Ap. 6.12; 16.18.   **11.15** [l] Dn. 7.14, 27.   **11.18** [m] Sal. 115.13.
**11.19** [n] Ap. 8.5; 16.18.   [o] Ap. 16.21.   **12.1** [a] Gn. 37.9.   **12.2** [b] Mi. 4.10.   **12.3** [c] Dn. 7.7.   **12.4** [d] Dn. 8.10.
**12.5** [e] Is. 66.7.   [f] Sal. 2.9.   **12.7** [g] Dn. 10.13, 21; 12.1; Jud. 9.   **12.9** [h] Gn. 3.1.   [i] Lc. 10.18.

---

que Dios quiere que experimentemos una recuperación eficaz. Así que si confiamos en él y seguimos su plan, ningún obstáculo es tan grande que no podamos superarlo.

**11.15-18** El sonido de la séptima trompeta va junto con la proclamación del control de Dios sobre su reino. Mucha gente de entre las naciones de la tierra ha estado enojada con Dios sin razón justificada, pero ahora se desatará la ira de Dios. Quienes se hayan entregado a Dios serán recompensados, mientras que los que le hayan dado la espalda serán juzgados. El mismo principio se nos aplica a nosotros. Si rechazamos a Dios y su plan para nosotros, tendremos que enfrentar su terrible ira. Si entregamos al Señor nuestra vida, él amorosamente nos sanará.

**12.1-14** El nacimiento de Cristo y la oposición que le presentó Satanás se describen aquí gráficamente. Jesús el Mesías nació en este mundo para llevar a cabo el plan divino de restauración de la humanidad. Satanás había plantado el pecado en la buena creación de Dios cuando tentó a Adán y Eva. Como Jesús había nacido para revertir los efectos de ese pecado, Satanás hizo todo lo que pudo para destruir al bebé Salvador. A Dios gracias, Satanás falló y el futuro gobernante del mundo completó su misión terrenal. Por mucho que Satanás trate de frustrar el plan para la recuperación del mundo, no lo logrará. Nuestra recuperación personal es una parte importante del plan de Dios para la recuperación del universo. Si encomendamos nuestra vida al Señor y lo obedecemos, él ciertamente completará la obra de recuperación en nuestra vida.

hermanos,*j* el que los acusaba delante de nuestro Dios día y noche.

**11** Y ellos le han vencido por medio de la sangre del Cordero y de la palabra del testimonio de ellos, y menospreciaron sus vidas hasta la muerte.

**12** Por lo cual alegraos, cielos, y los que moráis en ellos. ¡Ay de los moradores de la tierra y del mar! porque el diablo ha descendido a vosotros con gran ira, sabiendo que tiene poco tiempo.

**13** Y cuando vio el dragón que había sido arrojado a la tierra, persiguió a la mujer que había dado a luz al hijo varón.

**14** Y se le dieron a la mujer las dos alas de la gran águila, para que volase de delante de la serpiente al desierto, a su lugar, donde es sustentada por un tiempo, y tiempos, y la mitad de un tiempo.*k*

**15** Y la serpiente arrojó de su boca, tras la mujer, agua como un río, para que fuese arrastrada por el río.

**16** Pero la tierra ayudó a la mujer, pues la tierra abrió su boca y tragó el río que el dragón había echado de su boca.

**17** Entonces el dragón se llenó de ira contra la mujer; y se fue a hacer guerra contra el resto de la descendencia de ella, los que guardan los mandamientos de Dios y tienen el testimonio de Jesucristo.

## Las dos bestias

**13** **1** Me paré sobre la arena del mar, y vi subir del mar una bestia*a* que tenía siete cabezas y diez cuernos; y en sus cuernos diez diademas; y sobre sus cabezas, un nombre blasfemo.*b*

**2** Y la bestia que vi era semejante a un leopardo, y sus pies como de oso, y su boca como boca de león.*c* Y el dragón le dio su poder y su trono, y grande autoridad.

**3** Vi una de sus cabezas como herida de muerte, pero su herida mortal fue sanada; y se maravilló toda la tierra en pos de la bestia,

**4** y adoraron al dragón que había dado autoridad a la bestia, y adoraron a la bestia, diciendo: ¿Quién como la bestia, y quién podrá luchar contra ella?

**5** También se le dio boca que hablaba grandes cosas y blasfemias; y se le dio autoridad para actuar cuarenta y dos meses.

**6** Y abrió su boca en blasfemias contra Dios,*d* para blasfemar de su nombre, de su tabernáculo, y de los que moran en el cielo.

**7** Y se le permitió hacer guerra contra los santos, y vencerlos.*e* También se le dio autoridad sobre toda tribu, pueblo, lengua y nación.

**8** Y la adoraron todos los moradores de la tierra cuyos nombres no estaban escritos en el libro de la vida*f* del Cordero que fue inmolado desde el principio del mundo.

**9** Si alguno tiene oído, oiga.

**10** Si alguno lleva en cautividad, va en cautividad;*g* si alguno mata a espada, a espada debe ser muerto. Aquí está la paciencia y la fe de los santos.

**11** Después vi otra bestia que subía de la tierra; y tenía dos cuernos semejantes a los de un cordero, pero hablaba como dragón.

**12** Y ejerce toda la autoridad de la primera bestia en presencia de ella, y hace que la tierra y los moradores de ella adoren a la primera bestia, cuya herida mortal fue sanada.

**13** También hace grandes señales, de tal manera que aun hace descender fuego del cielo a la tierra delante de los hombres.

**14** Y engaña a los moradores de la tierra con las señales que se le ha permitido hacer en presencia de la bestia, mandando a los moradores de la tierra

---

**12.10** *j* Job 1.9-11; Zac. 3.1.   **12.14** *k* Dn. 7.25; 12.7.   **13.1** *a* Dn. 7.3.   *b* Ap. 17.3, 7-12.
**13.2** *c* Dn. 7.4-6.   **13.5-6** *d* Dn. 7.8, 25; 11.36.   **13.7** *e* Dn. 7.21.   **13.8** *f* Sal. 69.28.   **13.10** *g* Jer. 15.2.

---

**13.1-10** Estos son algunos de los principales representantes de Satanás. Por un tiempo, Dios les permitirá reinar libremente en el mundo mientras luchan contra todos los que confían en Cristo. Desde el momento en que Jesucristo caminó en esta tierra, Satanás ha tratado de alejar a las personas del poder liberador que Dios ofrece. Estas criaturas son una expresión intensificada del espíritu del anticristo que ya está activo en nuestro mundo. Enfrentaremos oposición mientras buscamos recuperación de la adicción y de su poder. Satanás no quiere que tengamos éxito en la recuperación; él sólo quiere destruirnos. A pesar de la influencia que Satanás ejerce sobre nuestro mundo, no puede alejarnos del amoroso cuidado de Dios. Cuando confiamos en Dios para que nos ayude y lo obedecemos, nuestra recuperación está asegurada. Satanás y sus secuaces serán impotentes.

**13.11-18** Otra criatura que representa a Satanás se levanta de la tierra. Parece un cordero, pues se trata del intento de Satanás de imitar el aspecto de Cristo, el Cordero (véase 5.6). Los milagros de esta criatura son copia de las maravillosas obras llevadas a cabo por los dos testigos de Dios (véase 11.5-6). Satanás está intentando engañar a la gente para que piense que este cordero representa al verdadero Dios. Está tratando de vender una falsificación para alejar a las personas del verdadero libertador: Jesucristo. Satanás usa en la actualidad esta misma estrategia. Muchos planes de recuperación ofrecen liberación, pero sólo Dios puede libertar verdaderamente. Si buscamos ayuda de cualquier otra fuente, entonces Satanás ha tenido éxito en alejarnos del único Poder que puede salvarnos. Necesitamos estar en guardia contra las falsas soluciones que Satanás pone frente a nosotros.

que le hagan imagen a la bestia que tiene la herida de espada, y vivió.

**15** Y se le permitió infundir aliento a la imagen de la bestia, para que la imagen hablase e hiciese matar a todo el que no la adorase.

**16** Y hacía que a todos, pequeños y grandes, ricos y pobres, libres y esclavos, se les pusiese una marca en la mano derecha, o en la frente;

**17** y que ninguno pudiese comprar ni vender, sino el que tuviese la marca o el nombre de la bestia, o el número de su nombre.

**18** Aquí hay sabiduría. El que tiene entendimiento, cuente el número de la bestia, pues es número de hombre. Y su número es seiscientos sesenta y seis.

## El cántico de los 144 mil

**14** **1** Después miré, y he aquí el Cordero estaba en pie sobre el monte de Sion, y con él ciento cuarenta y cuatro mil, que tenían el nombre de él y el de su Padre escrito en la frente.*a*

**2** Y oí una voz del cielo como estruendo de muchas aguas, y como sonido de un gran trueno; y la voz que oí era como de arpistas que tocaban sus arpas.

**3** Y cantaban un cántico nuevo delante del trono, y delante de los cuatro seres vivientes, y de los ancianos; y nadie podía aprender el cántico sino aquellos ciento cuarenta y cuatro mil que fueron redimidos de entre los de la tierra.

**4** Estos son los que no se contaminaron con mujeres, pues son vírgenes. Estos son los que siguen al Cordero por dondequiera que va. Estos fueron redimidos de entre los hombres como primicias para Dios y para el Cordero;

**5** y en sus bocas no fue hallada mentira,*b* pues son sin mancha delante del trono de Dios.

## El mensaje de los tres ángeles

**6** Vi volar por en medio del cielo a otro ángel, que tenía el evangelio eterno para predicarlo a los moradores de la tierra, a toda nación, tribu, lengua y pueblo,

**7** diciendo a gran voz: Temed a Dios, y dadle gloria, porque la hora de su juicio ha llegado; y adorad a aquel que hizo el cielo y la tierra, el mar y las fuentes de las aguas.

**8** Otro ángel le siguió, diciendo: Ha caído, ha caído Babilonia,*c* la gran ciudad, porque ha hecho beber a todas las naciones del vino del furor de su fornicación.

**9** Y el tercer ángel los siguió, diciendo a gran voz: Si alguno adora a la bestia y a su imagen, y recibe la marca en su frente o en su mano,

**10** él también beberá del vino de la ira de Dios, que ha sido vaciado puro en el cáliz de su ira;*d* y será atormentado con fuego y azufre*e* delante de los santos ángeles y del Cordero;

**11** y el humo de su tormento sube por los siglos de los siglos.*f* Y no tienen reposo de día ni de noche los que adoran a la bestia y a su imagen, ni nadie que reciba la marca de su nombre.

**12** Aquí está la paciencia de los santos, los que guardan los mandamientos de Dios y la fe de Jesús.

**13** Oí una voz que desde el cielo me decía: Escribe: Bienaventurados de aquí en adelante los muertos que mueren en el Señor. Sí, dice el Espíritu, descansarán de sus trabajos, porque sus obras con ellos siguen.

## La tierra es segada

**14** Miré, y he aquí una nube blanca; y sobre la nube uno sentado semejante al Hijo del Hombre,*g* que tenía en la cabeza una corona de oro, y en la mano una hoz aguda.

**15** Y del templo salió otro ángel, clamando a gran voz al que estaba sentado sobre la nube: Mete tu hoz, y siega; porque la hora de segar ha llegado, pues la mies de la tierra está madura.*h*

**16** Y el que estaba sentado sobre la nube metió su hoz en la tierra, y la tierra fue segada.

**17** Salió otro ángel del templo que está en el cielo, teniendo también una hoz aguda.

**18** Y salió del altar otro ángel, que tenía poder sobre el fuego, y llamó a gran voz al que tenía la hoz aguda, diciendo: Mete tu hoz aguda, y vendimia los racimos de la tierra, porque sus uvas están maduras.

**19** Y el ángel arrojó su hoz en la tierra, y vendimió la viña de la tierra, y echó las uvas en el gran lagar de la ira de Dios.

**20** Y fue pisado el lagar*i* fuera de la ciudad, y del lagar salió sangre hasta los frenos de los caballos, por mil seiscientos estadios.

## Los ángeles con las siete postreras plagas

**15** **1** Vi en el cielo otra señal, grande y admirable: siete ángeles que tenían las siete

**14.1** *a* Ez. 9.4; Ap. 7.3.   **14.5** *b* Sof. 3.13.   **14.8** *c* Is. 21.9; Ap. 18.2.   **14.10** *d* Is. 51.17.   *e* Gn. 19.24.
**14.11** *f* Is. 34.10.   **14.14** *g* Dn. 7.13.   **14.15** *h* Jl. 3.13.   **14.20** *i* Is. 63.3; Ap. 19.15.

**14.1-20** En estos versículos vemos algunas de las bendiciones de las que disfrutan los que han confiado en Cristo; después vemos las terribles consecuencias de rechazarlo. La libertad que nos ofrece el Señor por medio de Jesucristo es una buena noticia. Somos llamados a regocijarnos en el reino eterno de Dios, alabándole por su grandeza. Si nos negamos a reconocer el señorío de Dios y hacemos las cosas a nuestra manera, vamos camino a la destrucción total. Pero si perseveramos en nuestra fe en Jesucristo, el Señor nos recompensará con el eterno descanso.

plagas postreras; porque en ellas se consumaba la ira de Dios.

**2** Vi también como un mar de vidrio mezclado con fuego; y a los que habían alcanzado la victoria sobre la bestia y su imagen, y su marca y el número de su nombre, en pie sobre el mar de vidrio, con las arpas de Dios.

**3** Y cantan el cántico de Moisés[a] siervo de Dios, y el cántico del Cordero, diciendo: Grandes y maravillosas son tus obras, Señor Dios Todopoderoso; justos y verdaderos son tus caminos, Rey de los santos.

**4** ¿Quién no te temerá, oh Señor, y glorificará tu nombre?[b] pues sólo tú eres santo; por lo cual todas las naciones vendrán y te adorarán,[c] porque tus juicios se han manifestado.

**5** Después de estas cosas miré, y he aquí fue abierto en el cielo el templo del tabernáculo del testimonio;[d]

**6** y del templo salieron los siete ángeles que tenían las siete plagas, vestidos de lino limpio y resplandeciente, y ceñidos alrededor del pecho con cintos de oro.

**7** Y uno de los cuatro seres vivientes dio a los siete ángeles siete copas de oro, llenas de la ira de Dios, que vive por los siglos de los siglos.

**8** Y el templo se llenó de humo[e] por la gloria de Dios, y por su poder; y nadie podía entrar en el templo hasta que se hubiesen cumplido las siete plagas de los siete ángeles.

## Las copas de ira

**16** **1** Oí una gran voz que decía desde el templo a los siete ángeles: Id y derramad sobre la tierra las siete copas de la ira de Dios.

**2** Fue el primero, y derramó su copa sobre la tierra, y vino una úlcera maligna y pestilente[a] sobre los hombres que tenían la marca de la bestia, y que adoraban su imagen.

**3** El segundo ángel derramó su copa sobre el mar, y éste se convirtió en sangre como de muerto; y murió todo ser vivo que había en el mar.

**4** El tercer ángel derramó su copa sobre los ríos, y sobre las fuentes de las aguas, y se convirtieron en sangre.[b]

**5** Y oí al ángel de las aguas, que decía: Justo eres tú, oh Señor, el que eres y que eras, el Santo, porque has juzgado estas cosas.

**6** Por cuanto derramaron la sangre de los santos y de los profetas, también tú les has dado a beber sangre; pues lo merecen.

**7** También oí a otro, que desde el altar decía: Ciertamente, Señor Dios Todopoderoso, tus juicios son verdaderos y justos.

**8** El cuarto ángel derramó su copa sobre el sol, al cual fue dado quemar a los hombres con fuego.

**9** Y los hombres se quemaron con el gran calor, y blasfemaron el nombre de Dios, que tiene poder sobre estas plagas, y no se arrepintieron para darle gloria.

**10** El quinto ángel derramó su copa sobre el trono de la bestia; y su reino se cubrió de tinieblas,[c] y mordían de dolor sus lenguas,

**11** y blasfemaron contra el Dios del cielo por sus dolores y por sus úlceras, y no se arrepintieron de sus obras.

**12** El sexto ángel derramó su copa sobre el gran río Eufrates; y el agua de éste se secó, para que estuviese preparado el camino a los reyes del oriente.[d]

**13** Y vi salir de la boca del dragón, y de la boca de la bestia, y de la boca del falso profeta, tres espíritus inmundos a manera de ranas;

**14** pues son espíritus de demonios, que hacen señales, y van a los reyes de la tierra en todo el mundo, para reunirlos a la batalla de aquel gran día del Dios Todopoderoso.

**15** He aquí, yo vengo como ladrón.[e] Bienaventurado el que vela, y guarda sus ropas, para que no ande desnudo, y vean su vergüenza.

**16** Y los reunió en el lugar que en hebreo se llama Armagedón.[f]

**17** El séptimo ángel derramó su copa por el aire; y salió una gran voz del templo del cielo, del trono, diciendo: Hecho está.

**18** Entonces hubo relámpagos y voces y truenos, y un gran temblor de tierra, un terremoto[g] tan grande, cual no lo hubo jamás desde que los hombres han estado sobre la tierra.

**19** Y la gran ciudad fue dividida en tres partes, y las ciudades de las naciones cayeron; y la gran Babilo-

---

**15.3** [a] Ex. 15.1.   **15.4** [b] Jer. 10.7.   [c] Sal. 86.9.   **15.5** [d] Ex. 40.34.   **15.8** [e] 1 R. 8.10-11; 2 Cr. 5.13-14; Is. 6.4.
**16.2** [a] Ex. 9.10.   **16.4** [b] Ex. 7.17-21.   **16.10** [c] Ex. 10.21.   **16.12** [d] Is. 11.15-16.   **16.15** [e] Mt. 24.43-44;
Lc. 12.39-40; Ap. 3.3.   **16.16** [f] 2 R. 23.29; 2 Cr. 35.22.   **16.18** [g] Ap. 8.5; 11.13, 19.

---

**15.1—16.21** En estos capítulos se describen a los siete ángeles con las copas de la ira de Dios. La ira de Dios se desatará contra el mundo incrédulo (véanse 6.17; 11.18) cuando los ángeles derramen sus copas sobre la tierra. El día de ajuste de cuentas sin duda llegará, aun cuando los que no aceptan su propia situación vivan como si las cosas fueran a continuar para siempre tal y como están. No podemos vivir para siempre sometidos a la esclavitud del pecado o de cualquier poderosa adicción. Llegará el día cuando tendremos que enfrentar la verdad sobre nuestra vida. Tenemos ahora la posibilidad de someter nuestra vida a Dios y a su buen plan antes de que sea demasiado tarde.

nia vino en memoria delante de Dios, para darle el cáliz del vino del ardor de su ira.*h*

**20** Y toda isla huyó, y los montes no fueron hallados.*i*

**21** Y cayó del cielo sobre los hombres un enorme granizo*j* como del peso de un talento; y los hombres blasfemaron contra Dios por la plaga del granizo; porque su plaga fue sobremanera grande.

## Condenación de la gran ramera

**17** **1** Vino entonces uno de los siete ángeles que tenían las siete copas, y habló conmigo diciéndome: Ven acá, y te mostraré la sentencia contra la gran ramera, la que está sentada sobre muchas aguas;*a*

**2** con la cual han fornicado los reyes de la tierra, y los moradores de la tierra se han embriagado con el vino de su fornicación.*b*

**3** Y me llevó en el Espíritu al desierto; y vi a una mujer sentada sobre una bestia escarlata llena de nombres de blasfemia, que tenía siete cabezas y diez cuernos.*c*

**4** Y la mujer estaba vestida de púrpura y escarlata, y adornada de oro, de piedras preciosas y de perlas, y tenía en la mano un cáliz de oro*d* lleno de abominaciones y de la inmundicia de su fornicación;

**5** y en su frente un nombre escrito, un misterio: BABILONIA LA GRANDE, LA MADRE DE LAS RAMERAS Y DE LAS ABOMINACIONES DE LA TIERRA.

**6** Vi a la mujer ebria de la sangre de los santos, y de la sangre de los mártires de Jesús; y cuando la vi, quedé asombrado con gran asombro.

**7** Y el ángel me dijo: ¿Por qué te asombras? Yo te diré el misterio de la mujer, y de la bestia que la trae, la cual tiene las siete cabezas y los diez cuernos.

**8** La bestia que has visto, era, y no es; y está para subir del abismo*e* e ir a perdición; y los moradores de la tierra, aquellos cuyos nombres no están escritos desde la fundación del mundo en el libro de la vida,*f* se asombrarán viendo la bestia que era y no es, y será.

**9** Esto, para la mente que tenga sabiduría: Las siete cabezas son siete montes, sobre los cuales se sienta la mujer,

**10** y son siete reyes. Cinco de ellos han caído; uno es, y el otro aún no ha venido; y cuando venga, es necesario que dure breve tiempo.

**11** La bestia que era, y no es, es también el octavo; y es de entre los siete, y va a la perdición.

**12** Y los diez cuernos que has visto, son diez reyes,*g* que aún no han recibido reino; pero por una hora recibirán autoridad como reyes juntamente con la bestia.

**13** Estos tienen un mismo propósito, y entregarán su poder y su autoridad a la bestia.

**14** Pelearán contra el Cordero, y el Cordero los vencerá, porque él es Señor de señores y Rey de reyes; y los que están con él son llamados y elegidos y fieles.

**15** Me dijo también: Las aguas que has visto donde la ramera se sienta, son pueblos, muchedumbres, naciones y lenguas.

**16** Y los diez cuernos que viste en la bestia, éstos aborrecerán a la ramera, y la dejarán desolada y desnuda; y devorarán sus carnes, y la quemarán con fuego;

**17** porque Dios ha puesto en sus corazones el ejecutar lo que él quiso: ponerse de acuerdo, y dar su reino a la bestia, hasta que se cumplan las palabras de Dios.

**18** Y la mujer que has visto es la gran ciudad que reina sobre los reyes de la tierra.

## La caída de Babilonia

**18** **1** Después de esto vi a otro ángel descender del cielo con gran poder; y la tierra fué alumbrada con su gloria.

**2** Y clamó con voz potente, diciendo: Ha caído, ha caído la gran Babilonia,*a* y se ha hecho habitación de demonios y guarida de todo espíritu inmundo, y albergue de toda ave inmunda y aborrecible.*b*

**3** Porque todas las naciones han bebido del vino del furor de su fornicación;*c* y los reyes de la tierra han fornicado con ella, y los mercaderes de la tierra se han enriquecido de la potencia de sus deleites.

**4** Y oí otra voz del cielo, que decía: Salid de ella, pueblo mío,*d* para que no seáis partícipes de sus pecados, ni recibáis parte de sus plagas;

---

**16.19** *h* Is. 51.17.   **16.20** *i* Ap. 6.14.   **16.21** *j* Ex. 9.23; Ap. 11.19.   **17.1** *a* Jer. 51.13.   **17.2** *b* Jer. 51.7.
**17.3** *c* Ap. 13.1.   **17.4** *d* Jer. 51.7.   **17.8** *e* Dn. 7.3; Ap. 11.7.   *f* Sal. 69.28.   **17.12** *g* Dn. 7.24.
**18.2** *a* Is. 21.9.   *b* Is. 13.21; Jer. 50.39.   **18.3** *c* Jer. 51.7.   **18.4** *d* Is. 48.20; Jer. 50.8.

---

**17.1—19.5** De la misma manera como los capítulos anteriores presentan la ira de Dios sobre los que se niegan a creer en Cristo, estos capítulos profetizan la conquista de Dios sobre los secuaces de Satanás. Aun el poder de Satanás será derrocado por Dios cuando llegue el tiempo adecuado. Se les pedirá cuenta a los representantes del diablo por el sufrimiento de que han hecho objeto al pueblo de Dios. Al final, siempre saldrán victoriosos los aliados de Dios. Para estar en el lado ganador necesitamos reconocer nuestra necesidad del Señor y confiar en él para que nos libere del poder del pecado. De esta forma no nos lamentaremos cuando los poderes malignos de este mundo sean destruidos; más bien nos regocijaremos.

**5** porque sus pecados han llegado hasta el cielo,*e* y Dios se ha acordado de sus maldades.
**6** Dadle a ella como ella os ha dado,*f* y pagadle doble según sus obras; en el cáliz en que ella preparó bebida, preparadle a ella el doble.
**7** Cuanto ella se ha glorificado y ha vivido en deleites, tanto dadle de tormento y llanto; porque dice en su corazón: Yo estoy sentada como reina, y no soy viuda, y no veré llanto;
**8** por lo cual en un solo día vendrán sus plagas;*g* muerte, llanto y hambre, y será quemada con fuego; porque poderoso es Dios el Señor, que la juzga.
**9** Y los reyes de la tierra que han fornicado con ella, y con ella han vivido en deleites, llorarán y harán lamentación sobre ella, cuando vean el humo de su incendio,
**10** parándose lejos por el temor de su tormento, diciendo: ¡Ay, ay, de la gran ciudad de Babilonia, la ciudad fuerte; porque en una hora vino tu juicio!*h*
**11** Y los mercaderes de la tierra lloran y hacen lamentación sobre ella, porque ninguno compra más sus mercaderías;
**12** mercadería de oro, de plata, de piedras preciosas, de perlas, de lino fino, de púrpura, de seda, de escarlata, de toda madera olorosa, de todo objeto de marfil, de todo objeto de madera preciosa, de cobre, de hierro y de mármol;
**13** y canela, especias aromáticas, incienso, mirra, olíbano, vino, aceite, flor de harina, trigo, bestias, ovejas, caballos y carros, y esclavos, almas de hombres.
**14** Los frutos codiciados por tu alma se apartaron de ti, y todas las cosas exquisitas y espléndidas te han faltado, y nunca más las hallarás.
**15** Los mercaderes de estas cosas, que se han enriquecido a costa de ella, se pararán lejos por el temor de su tormento, llorando y lamentando,
**16** y diciendo: ¡Ay, ay, de la gran ciudad, que estaba vestida de lino fino, de púrpura y de escarlata, y estaba adornada de oro, de piedras preciosas y de perlas!
**17** Porque en una hora han sido consumidas tantas riquezas. Y todo piloto, y todos los que viajan en naves, y marineros, y todos los que trabajan en el mar, se pararon lejos;
**18** y viendo el humo de su incendio, dieron voces, diciendo: ¿Qué ciudad era semejante a esta gran ciudad?
**19** Y echaron polvo sobre sus cabezas, y dieron voces, llorando y lamentando, diciendo: ¡Ay, ay de la gran ciudad, en la cual todos los que tenían naves en el mar se habían enriquecido de sus riquezas; pues en una hora ha sido desolada!*i*
**20** Alégrate sobre ella, cielo,*j* y vosotros, santos, apóstoles y profetas; porque Dios os ha hecho justicia en ella.
**21** Y un ángel poderoso tomó una piedra, como una gran piedra de molino, y la arrojó en el mar, diciendo: Con el mismo ímpetu será derribada Babilonia,*k* la gran ciudad, y nunca más será hallada.*l*
**22** Y voz de arpistas, de músicos, de flautistas y de trompeteros no se oirá más en ti;*m* y ningún artífice de oficio alguno se hallará más en ti, ni ruido de molino se oirá más en ti.
**23** Luz de lámpara no alumbrará más en ti, ni voz de esposo y de esposa se oirá más en ti;*n* porque tus mercaderes eran los grandes de la tierra; pues por tus hechicerías fueron engañadas todas las naciones.
**24** Y en ella se halló la sangre de los profetas y de los santos, y de todos los que han sido muertos en la tierra.*o*

## Alabanzas en el cielo

**19** **1** Después de esto oí una gran voz de gran multitud en el cielo, que decía: ¡Aleluya! Salvación y honra y gloria y poder son del Señor Dios nuestro;
**2** porque sus juicios son verdaderos y justos; pues ha juzgado a la gran ramera que ha corrompido a la tierra con su fornicación, y ha vengado la sangre de sus siervos de la mano de ella.*a*
**3** Otra vez dijeron: ¡Aleluya! Y el humo de ella sube por los siglos de los siglos.*b*
**4** Y los veinticuatro ancianos y los cuatro seres vivientes se postraron en tierra y adoraron a Dios, que estaba sentado en el trono, y decían: ¡Amén! ¡Aleluya!
**5** Y salió del trono una voz que decía: Alabad a nuestro Dios todos sus siervos, y los que le teméis, así pequeños como grandes.*c*

---

**18.5** *e* Jer. 51.9.   **18.6** *f* Sal. 137.8; Jer. 50.29.   **18.7-8** *g* Is. 47.8-9.   **18.9-10** *h* Ez. 26.16-18.
**18.11-19** *i* Ez. 27.25-36.   **18.20** *j* Jer. 51.48.   **18.21** *k* Jer. 51.63-64.   *l* Ez. 26.21.   **18.22** *m* Ez. 26.13.
**18.22-23** *n* Jer. 25.10.   **18.24** *o* Jer. 51.49.   **19.2** *a* Dt. 32.43.   **19.3** *b* Is. 34.10.   **19.5** *c* Sal. 115.13.

---

**19.6 — 20.10** Aquí vislumbramos a Cristo, el Rey conquistador. Jesús regresará para libertar a todos los que han creído en él. Aunque enormes ejércitos humanos dirigidos por Satanás y sus representantes se reunirán para oponer resistencia, no habrá verdadera oposición. Jesucristo cabalgará hacia una asombrosa victoria. Al triunfar Cristo sobre Satanás y sus ejércitos, vindicará nuestras batallas personales contra el pecado y la adicción. ¡Qué día más glorioso será ese! Todos nuestros esfuerzos por vencer nuestra adicción serán sustentados por la batalla final de Cristo sobre el pecado y la maldad. ¡Satanás y sus ayudantes serán atados para siempre!

**6** Y oí como la voz de una gran multitud, como el estruendo de muchas aguas,*d* y como la voz de grandes truenos, que decía: ¡Aleluya, porque el Señor nuestro Dios Todopoderoso reina!

**7** Gocémonos y alegrémonos y démosle gloria; porque han llegado las bodas del Cordero, y su esposa se ha preparado.

**8** Y a ella se le ha concedido que se vista de lino fino, limpio y resplandeciente; porque el lino fino es las acciones justas de los santos.

### La cena de las bodas del Cordero

**9** Y el ángel me dijo: Escribe: Bienaventurados los que son llamados a la cena de las bodas*e* del Cordero. Y me dijo: Estas son palabras verdaderas de Dios.

**10** Yo me postré a sus pies para adorarle. Y él me dijo: Mira, no lo hagas; yo soy consiervo tuyo, y de tus hermanos que retienen el testimonio de Jesús. Adora a Dios; porque el testimonio de Jesús es el espíritu de la profecía.

### El jinete del caballo blanco

**11** Entonces vi el cielo abierto;*f* y he aquí un caballo blanco, y el que lo montaba se llamaba Fiel y Verdadero, y con justicia juzga y pelea.

**12** Sus ojos eran como llama de fuego,*g* y había en su cabeza muchas diademas; y tenía un nombre escrito que ninguno conocía sino él mismo.

**13** Estaba vestido de una ropa teñida en sangre; y su nombre es: EL VERBO DE DIOS.

**14** Y los ejércitos celestiales, vestidos de lino finísimo, blanco y limpio, le seguían en caballos blancos.

**15** De su boca sale una espada aguda, para herir con ella a las naciones, y él las regirá con vara de hierro;*h* y él pisa el lagar del vino del furor y de la ira del Dios Todopoderoso.*i*

**16** Y en su vestidura y en su muslo tiene escrito este nombre: REY DE REYES Y SEÑOR DE SEÑORES.

**17** Y vi a un ángel que estaba en pie en el sol, y clamó a gran voz, diciendo a todas las aves que vuelan en medio del cielo: Venid, y congregaos a la gran cena de Dios,

**18** para que comáis carnes de reyes y de capitanes, y carnes de fuertes, carnes de caballos y de sus jinetes, y carnes de todos, libres y esclavos, pequeños y grandes.*j*

**19** Y vi a la bestia, a los reyes de la tierra y a sus ejércitos, reunidos para guerrear contra el que montaba el caballo, y contra su ejército.

**20** Y la bestia fue apresada, y con ella el falso profeta que había hecho delante de ella las señales con las cuales había engañado a los que recibieron la marca de la bestia, y habían adorado su imagen.*k*

PASO 4

### Misericordia de Dios

LECTURA BÍBLICA: Apocalipsis 20.11-15

**Sin miedo, hicimos un profundo y audaz inventario moral de nosotros mismos.**

Es posible que no deseemos hacer un inventario moral de nuestra vida; es normal que queramos evitar un examen personal. Pero en el fondo probablemente sintamos que llegará un día cuando tendremos que hacer frente a la verdad sobre nosotros y sobre nuestra vida.

La Biblia nos dice que viene el día cuando se hará un inventario de cada vida. Nadie podrá esconderse. En la visión de Juan, él vio «un gran trono blanco y al que estaba sentado en él, de delante del cual huyeron la tierra y el cielo, y ningún lugar se encontró para ellos. Y vi a los muertos, grandes y pequeños, de pie ante Dios; y los libros fueron abiertos, y otro libro fue abierto, el cual es el libro de la vida; y fueron juzgados los muertos por las cosas que estaban escritas en los libros, según sus obras... Y el que no se halló inscrito en el libro de la vida fue lanzado al lago de fuego» (Apocalipsis 20.11-12, 15).

Es mejor hacer ahora nuestro inventario moral terrenal para así estar listos para el que viene. Toda persona cuyo nombre aparezca en el libro de la vida será salva, incluyendo a todas aquellas cuyos pecados hayan sido expiados por la muerte de Jesús. Los que rechacen la oferta divina de misericordia quedarán para ser juzgados según sus obras anotadas «en los libros». ¡Nadie pasará esa prueba! Quizás ahora sea un buen momento para asegurarnos de que nuestro nombre esté en el libro correcto. Saber que nuestros pecados están cubiertos por el perdón de Dios puede ayudarnos a examinar nuestra vida sin temor y sinceramente.

***Vaya al Paso Cinco, página 155, Juan 8.***

**19.6** *d* Ez. 1.24.　**19.9** *e* Mt. 22.2-3.　**19.11** *f* Ez. 1.1.　**19.12** *g* Dn. 10.6.　**19.15** *h* Sal. 2.9.
*i* Is. 63.3; Jl. 3.13; Ap. 14.20.　**19.17-18** *j* Ez. 39.17-20.　**19.20** *k* Ap. 13.1-18.

Estos dos fueron lanzados vivos dentro de un lago de fuego que arde con azufre.

**21** Y los demás fueron muertos con la espada que salía de la boca del que montaba el caballo, y todas las aves se saciaron de las carnes de ellos.

## Los mil años

**20** **1** Vi a un ángel que descendía del cielo, con la llave del abismo, y una gran cadena en la mano.

**2** Y prendió al dragón, la serpiente antigua,ᵃ que es el diablo y Satanás, y lo ató por mil años;

**3** y lo arrojó al abismo, y lo encerró, y puso su sello sobre él, para que no engañase más a las naciones, hasta que fuesen cumplidos mil años; y después de esto debe ser desatado por un poco de tiempo.

**4** Y vi tronos, y se sentaron sobre ellos los que recibieron facultad de juzgar;ᵇ y vi las almas de los decapitados por causa del testimonio de Jesús y por la palabra de Dios, los que no habían adorado a la bestia ni a su imagen, y que no recibieron la marca en sus frentes ni en sus manos; y vivieron y reinaron con Cristo mil años.

**5** Pero los otros muertos no volvieron a vivir hasta que se cumplieron mil años. Esta es la primera resurrección.

**6** Bienaventurado y santo el que tiene parte en la primera resurrección; la segunda muerte no tiene potestad sobre éstos, sino que serán sacerdotes de Dios y de Cristo, y reinarán con él mil años.

**7** Cuando los mil años se cumplan, Satanás será suelto de su prisión,

**8** y saldrá a engañar a las naciones que están en los cuatro ángulos de la tierra, a Gog y a Magog,ᶜ a fin de reunirlos para la batalla; el número de los cuales es como la arena del mar.

**9** Y subieron sobre la anchura de la tierra, y rodearon el campamento de los santos y la ciudad amada; y de Dios descendió fuego del cielo, y los consumió.

**10** Y el diablo que los engañaba fue lanzado en el lago de fuego y azufre, donde estaban la bestia y el falso profeta; y serán atormentados día y noche por los siglos de los siglos.

## El juicio ante el gran trono blanco

**11** Y vi un gran trono blanco y al que estaba sentado en él, de delante del cual huyeron la tierra y el cielo, y ningún lugar se encontró para ellos.

**12** Y vi a los muertos, grandes y pequeños, de pie ante Dios; y los libros fueron abiertos, y otro libro fue abierto, el cual es el libro de la vida; y fueron juzgados los muertos por las cosas que estaban escritas en los libros, según sus obras.ᵈ

**13** Y el mar entregó los muertos que había en él; y la muerte y el Hades entregaron los muertos que había en ellos; y fueron juzgados cada uno según sus obras.

**14** Y la muerte y el Hades fueron lanzados al lago de fuego. Esta es la muerte segunda.

**15** Y el que no se halló inscrito en el libro de la vida fue lanzado al lago de fuego.

---

**20.2** ᵃ Gn. 3.1.   **20.4** ᵇ Dn. 7.9, 22.   **20.8** ᶜ Ez. 38.1-16.   **20.11-12** ᵈ Dn. 7.9-10.

---

**20.11-15** En el culminante «juicio ante el gran trono blanco», aquellos que rechacen a Dios enfrentarán consecuencias eternas. Sin embargo, a los creyentes en Cristo se les mostrará una maravillosa gracia. La mayoría de nosotros espera que el juicio se base en determinar si somos o no culpables. No obstante, en este juicio todo el mundo es culpable. Las personas que hayan creído en Cristo recibirán perdón. Los que hayan escogido hacer las cosas a su modo van camino al lugar de eterno tormento. No importa quiénes seamos ni lo terrible que hayan sido nuestros pasados, nuestros nombres pueden estar escritos en libro de la vida. No podemos ganarnos un lugar en ese libro; sólo podemos recibirlo como un regalo. Al confesar nuestros fracasos, confiarle nuestra vida a Dios en Jesucristo y construir una nueva vida de acuerdo con la voluntad de Dios, nos convertiremos en miembros de la familia de Dios.

**21.1-7** ¡Cuánta esperanza nos da esta escena! Desde el primer pecado en el huerto del Edén, Dios ha estado luchando por restaurar esta tierra según su perfección original. Hasta envió a su Hijo a sufrir y morir para vencer el poder del pecado y la muerte, y comenzar así el proceso de sanidad de aquellos que lo aman. Es la voluntad de Dios hacer nuevas las cosas viejas; ¡él hará un cielo nuevo y una tierra nueva para su pueblo! Al hacer su voluntad en nuestra vida nos convertimos en parte del plan restaurador de Dios. Él libertará nuestra alma de su esclavitud al pecado. Podemos recibir al Señor en nuestra vida hoy mismo y comenzar de inmediato este proceso de restauración.

**21.7-8** Al final de estas maravillosas promesas de restauración, se nos recuerda que algunos se lamentarán cuando Cristo regrese. Los que hayan rechazado a Dios debido a su forma de vivir egoísta e impía serán lanzados al lago de fuego. Si continuamos siendo esclavos de nuestra dependencia, vamos camino a ese terrible final. Rechazar la oferta de sanidad que Dios nos ofrece llevará a una eternidad de sufrimiento: la segunda muerte. Pero podemos escoger impedir el que nos sigan controlando los impíos y las sustancias destructivas, y poner nuestra vida en las manos de Dios. Sólo él tiene el poder para libertarnos de las ataduras del pecado y la adicción. Si confiamos en él, el Señor puede restaurar nuestra vida y hacernos parte de su plan para restaurar el mundo que él creó.

*SEÑOR, concédeme serenidad para aceptar las cosas que no puedo cambiar, valor para cambiar las que sí puedo y sabiduría para reconocer la diferencia entre ambas. AMÉN*

**M**ientras pensamos en hacer cambios en nuestra vida, quizás descubramos que estamos prestándoles demasiada atención a los defectos de nuestro carácter.

Eliminar nuestros defectos puede parecer una tarea abrumadora, a pesar del hecho de que Dios nos ha prometido hacerla. Si pudiéramos echar un vistazo a la vida más allá de la recuperación, quizá nuestra esperanza se reavivaría. El apóstol Pablo escribió: «Estando persuadido de esto, que el que comenzó en vosotros la buena obra, la perfeccionará hasta el día de Jesucristo» (Filipenses 1.6).

El apóstol Juan escribió: «Y oí una gran voz del cielo que decía: He aquí el tabernáculo de Dios con los hombres, y él morará con ellos; y ellos serán su pueblo, y Dios mismo estará con ellos como su Dios. Enjugará Dios toda lágrima de los ojos de ellos; y ya no habrá muerte, ni habrá más llanto, ni clamor, ni dolor; porque las primeras cosas pasaron. Y el que estaba sentado en el trono dijo: He aquí, yo hago nuevas todas las cosas. Y me dijo: Escribe; porque estas palabras son fieles y verdaderas. Y me dijo: Hecho está. Yo soy el Alfa y la Omega, el principio y el fin. Al que tuviere sed, yo le daré gratuitamente de la fuente del agua de la vida» (Apocalipsis 21.3-6).

Hay esperanza para todos nosotros, no importa cuán terrible haya sido nuestro pasado o cuan terribles sean los problemas que enfrentamos hoy día. Algún día todos nuestros defectos desaparecerán; todas las cosas serán hechas nuevas; la sed de nuestra alma será saciada con el agua de la vida. *Vaya a la página 539, Salmo 111.*

## Cielo nuevo y tierra nueva

**21** ¹ Vi un cielo nuevo y una tierra nueva;*a* porque el primer cielo y la primera tierra pasaron, y el mar ya no existía más.

² Y yo Juan vi la santa ciudad,*b* la nueva Jerusalén, descender del cielo, de Dios,*c* dispuesta como una esposa ataviada para su marido.*d*

³ Y oí una gran voz del cielo que decía: He aquí el tabernáculo de Dios con los hombres, y él morará con ellos; y ellos serán su pueblo,*e* y Dios mismo estará con ellos como su Dios.

⁴ Enjugará Dios toda lágrima de los ojos de ellos; y ya no habrá muerte,*f* ni habrá más llanto, ni clamor, ni dolor;*g* porque las primeras cosas pasaron.

⁵ Y el que estaba sentado en el trono dijo: He aquí, yo hago nuevas todas las cosas. Y me dijo: Escribe; porque estas palabras son fieles y verdaderas.

⁶ Y me dijo: Hecho está. Yo soy el Alfa y la Omega, el principio y el fin. Al que tuviere sed, yo le daré gratuitamente*h* de la fuente del agua de la vida.

⁷ El que venciere heredará todas las cosas, y yo seré su Dios, y él será mi hijo.*i*

⁸ Pero los cobardes e incrédulos, los abominables y homicidas, los fornicarios y hechiceros, los idólatras y todos los mentirosos tendrán su parte en el lago que arde con fuego y azufre, que es la muerte segunda.

## La nueva Jerusalén

⁹ Vino entonces a mí uno de los siete ángeles que tenían las siete copas llenas de las siete plagas postreras, y habló conmigo, diciendo: Ven acá, yo te mostraré la desposada, la esposa del Cordero.

¹⁰ Y me llevó en el Espíritu a un monte grande y

21.1 *a* Is. 65.17; 66.22; 2 P. 3.13. **21.2** *b* Is. 52.1. *c* Ap. 3.12. *d* Is. 61.10. **21.3** *e* Ez. 37.27.
21.4 *f* Is. 25.8. *g* Is. 65.19. **21.6** *h* Is. 55.1. **21.7** *i* 2 S. 7.14; 1 Cr. 17.13.

alto, y me mostró la gran ciudad santa de Jerusalén,*j* que descendía del cielo, de Dios,
**11** teniendo la gloria de Dios. Y su fulgor era semejante al de una piedra preciosísima, como piedra de jaspe, diáfana como el cristal.
**12** Tenía un muro grande y alto con doce puertas; y en las puertas, doce ángeles, y nombres inscritos, que son los de las doce tribus de los hijos de Israel;
**13** al oriente tres puertas; al norte tres puertas; al sur tres puertas; al occidente tres puertas.*k*
**14** Y el muro de la ciudad tenía doce cimientos, y sobre ellos los doce nombres de los doce apóstoles del Cordero.

**15** El que hablaba conmigo tenía una caña de medir, de oro, para medir la ciudad, sus puertas y su muro.*l*
**16** La ciudad se halla establecida en cuadro, y su longitud es igual a su anchura; y él midió la ciudad con la caña, doce mil estadios; la longitud, la altura y la anchura de ella son iguales.
**17** Y midió su muro, ciento cuarenta y cuatro codos, de medida de hombre, la cual es de ángel.
**18** El material de su muro era de jaspe; pero la ciudad era de oro puro, semejante al vidrio limpio.
**19** y los cimientos del muro de la ciudad estaban adornados con toda piedra preciosa. El primer cimiento era jaspe; el segundo, zafiro; el tercero, ágata; el cuarto, esmeralda;
**20** el quinto, ónice; el sexto, cornalina; el séptimo, crisólito; el octavo, berilo; el noveno, topacio; el décimo, crisopraso; el undécimo, jacinto; el duodécimo, amatista.

**21** Las doce puertas eran doce perlas;*m* cada una de las puertas era una perla. Y la calle de la ciudad era de oro puro, transparente como vidrio.
**22** Y no vi en ella templo; porque el Señor Dios Todopoderoso es el templo de ella, y el Cordero.
**23** La ciudad no tiene necesidad de sol ni de luna que brillen en ella; porque la gloria de Dios la ilumina,*n* y el Cordero es su lumbrera.
**24** Y las naciones que hubieren sido salvas andarán a la luz de ella; y los reyes de la tierra traerán su gloria y honor a ella.
**25** Sus puertas nunca serán cerradas de día, pues allí no habrá noche.
**26** Y llevarán la gloria y la honra de las naciones a ella.*o*
**27** No entrará en ella ninguna cosa inmunda,*p* o que hace abominación y mentira, sino solamente los que están inscritos en el libro de la vida del Cordero.

**22** **1** Después me mostró un río limpio de agua de vida,*a* resplandeciente como cristal, que salía del trono de Dios y del Cordero.
**2** En medio de la calle de la ciudad, y a uno y otro lado del río, estaba el árbol de la vida,*b* que produce doce frutos, dando cada mes su fruto; y las hojas del árbol eran para la sanidad de las naciones.
**3** Y no habrá más maldición;*c* y el trono de Dios y del Cordero estará en ella, y sus siervos le servirán,
**4** y verán su rostro, y su nombre estará en sus frentes.
**5** No habrá allí más noche; y no tienen necesidad de luz de lámpara, ni de luz del sol, porque Dios el Señor los iluminará;*d* y reinarán por los siglos de los siglos.*e*

---

**21.10** *j* Ez. 40.2.   **21.12-13** *k* Ez. 48.30-34.   **21.15** *l* Ez. 40.3.   **21.18-21** *m* Is. 54.11-12.   **21.23** *n* Is. 60.19.
**21.25-26** *o* Is. 60.11.   **21.27** *p* Is. 52.1.   **22.1** *a* Ez. 47.1; Zac.14.8.   **22.2** *b* Gn. 2.9.   **22.3** *c* Zac. 14.11.
**22.5** *d* Is. 60.19.   *e* Dn. 7.18.

---

**21.10-27** La nueva Jerusalén se describe como la radiante novia del Cordero (véase 21.2). La ciudad eterna tiene doce puertas, que representan a las doce tribus de Israel (véase 7.4-8), y doce cimientos, que representan a los doce apóstoles de Cristo. De esta manera, la ciudad –la novia– representa al pueblo de Dios. Nosotros, como comunidad de fe, somos miembros de la iglesia –la novia de Cristo. ¡Qué maravillosa representación de la gracia! No importa cuántos errores hayamos cometido en el pasado, Dios nos perdona por medio de Cristo, y se nos concede tener una estrecha relación con Dios. Podemos comenzar hoy mismo esta relación de sanidad entregándole nuestra vida a Dios.

**22.1-5** El libro de Apocalipsis llega a su clímax aquí, presentando la eternidad como un nuevo y mejor huerto del Edén. Dios recreará su destrozada creación. Habrá acceso fácil e inmediato al poder sanador de Dios, y la norma será que nos relacionemos de cara a cara con Dios. La presencia del Señor alumbrará todo, haciendo imposible la crueldad y el engaño en este nuevo mundo. Lo que sólo puede ser un sueño en nuestro mundo actual lleno de pecado, será entonces una realidad eterna. ¡Qué maravillosa fuente de esperanza es esto para nosotros! No importa cuán mala pueda ser nuestra vida ahora, hay esperanza para el futuro. Si aceptamos la maravillosa oferta de salvación que Dios nos ofrece por medio de Jesucristo, algún día seremos parte de ese mundo bendecido.

**22.20-21** No es saludable albergar sueños irreales sobre un futuro que nunca llegará. Pero sí es muy saludable para nosotros anclar nuestra nueva vida y nuestra recuperación en la certeza de la venida de Cristo. Al confiarle a Cristo nuestro futuro, podemos lidiar mejor con nuestro pasado y vivir un presente más productivo. Como Juan, podemos orar para que Cristo vuelva pronto, porque estamos seguros de que él vendrá. Esto no sólo nos dará esperanza para perseverar durante los momentos difíciles, sino que también hará más profunda nuestra relación con él. Al confiar en el Señor y aferrarnos a la esperanza de verle cara a cara, nos acercaremos más y más a él. Entonces, la aceptación incondicional por parte de Cristo, y su ilimitado poder, nos sustentarán continuamente en la recuperación.

## La venida de Cristo está cerca

**6** Y me dijo: Estas palabras son fieles y verdaderas. Y el Señor, el Dios de los espíritus de los profetas, ha enviado su ángel, para mostrar a sus siervos las cosas que deben suceder pronto.

**7** ¡He aquí, vengo pronto! Bienaventurado el que guarda las palabras de la profecía de este libro.

**8** Yo Juan soy el que oyó y vio estas cosas. Y después que las hube oído y visto, me postré para adorar a los pies del ángel que me mostraba estas cosas.

**9** Pero él me dijo: Mira, no lo hagas; porque yo soy consiervo tuyo, de tus hermanos los profetas, y de los que guardan las palabras de este libro. Adora a Dios.

**10** Y me dijo: No selles las palabras de la profecía de este libro, porque el tiempo está cerca.

**11** El que es injusto, sea injusto todavía; y el que es inmundo, sea inmundo todavía; y el que es justo, practique la justicia todavía; y el que es santo, santifíquese todavía.*f*

**12** He aquí yo vengo pronto, y mi galardón conmigo,*g* para recompensar a cada uno según sea su obra.*h*

**13** Yo soy el Alfa y la Omega,*i* el principio y el fin, el primero y el último.*j*

**14** Bienaventurados los que lavan sus ropas, para tener derecho al árbol de la vida,*k* y para entrar por las puertas en la ciudad.

**15** Mas los perros estarán fuera, y los hechiceros, los fornicarios, los homicidas, los idólatras, y todo aquel que ama y hace mentira.

**16** Yo Jesús he enviado mi ángel para daros testimonio de estas cosas en las iglesias. Yo soy la raíz y el linaje de David,*l* la estrella resplandeciente de la mañana.

**17** Y el Espíritu y la Esposa dicen: Ven. Y el que oye, diga: Ven. Y el que tiene sed, venga; y el que quiera, tome del agua de la vida gratuitamente.*m*

**18** Yo testifico a todo aquel que oye las palabras de la profecía de este libro: Si alguno añadiere a estas cosas, Dios traerá sobre él las plagas que están escritas en este libro.

**19** Y si alguno quitare de las palabras del libro de esta profecía,*n* Dios quitará su parte del libro de la vida, y de la santa ciudad y de las cosas que están escritas en este libro.

**20** El que da testimonio de estas cosas dice: Ciertamente vengo en breve. Amén; sí, ven, Señor Jesús.

**21** La gracia de nuestro Señor Jesucristo sea con todos vosotros. Amén.

# Perdón

### LEA APOCALIPSIS 22.1-5

Todos experimentamos quebrantamientos en nuestra vida, en nuestra relación con Dios y en nuestras relaciones con otras personas. El quebrantamiento tiende a agobiarnos y fácilmente puede hacer que caigamos de nuevo en nuestra adicción. La recuperación no estará completa hasta que sean sanados todos los aspectos quebrantados de nuestra vida.

El plan final de Dios para nosotros y nuestro mundo incluye nuestra completa sanidad. En Apocalipsis, el apóstol Juan tuvo una visión de un nuevo cielo y una nueva tierra donde se llevará a cabo esta sanidad definitiva: «Después [el ángel] me mostró un río limpio de agua de vida, resplandeciente como cristal, que salía del trono de Dios y del Cordero. ... y a uno y otro lado del río, estaba el árbol de la vida, que produce doce frutos, dando cada mes su fruto; y las hojas del árbol eran para la sanidad de las naciones» (Apocalipsis 22.1-2).

Aunque sabemos que Dios sanará todas las cosas cuando regrese a reinar, aun así necesitamos esforzarnos por obtener la sanidad de nuestro quebrantamiento presente. Jesús enseñó: «Por tanto, si traes tu ofrenda al altar, y allí te acuerdas de que tu hermano tiene algo contra ti, deja allí tu ofrenda delante del altar, y anda, reconcíliate primero con tu hermano, y entonces ven y presenta tu ofrenda» (Mateo 5.23-24).

Dar y recibir perdón son aspectos esenciales de nuestra sanidad actual. Esto requiere que hagamos las paces con Dios, con nosotros mismos y con las personas de quienes nos hayamos distanciado. Una vez que pasemos por el proceso de reparar el daño que hubiéramos causado, debemos mantener nuestra mente y corazón abiertos a cualquiera que hayamos pasado por alto. Con frecuencia Dios nos hará recordar amistades que necesitan atención. Cuando la recordemos, debemos detener todo, buscar a las personas a las que hayamos ofendido y tratar de reparar el daño. ***Vaya a la página 471, Salmo 8.***

---

**22.11** *f* Dn. 12.10.   **22.12** *g* Is. 40.10; 62.11.   *h* Sal. 28.4.   **22.13** *i* Ap. 1.8.   *j* Is. 44.6; 48.12; Ap. 1.17; 2.8.
**22.14** *k* Gn. 2.9; 3.22.   **22.16** *l* Is. 11.1.   **22.17** *m* Is. 55.1.   **22.18-19** *n* Dt. 4.2; 12.32.

# SALMOS

*Y*

# PROVERBIOS

# $S$ALMOS

Es imposible resumir adecuadamente la riqueza que contiene el libro de los Salmos. Era el himnario de Israel y recoge himnos de alabanza a Dios por hechos de salvación personal y nacional. Contiene, además, los lamentos del pueblo de Dios en situaciones difíciles. Era el libro de oración de Israel. Los salmistas buscaron a Dios en momentos de frustración personal y en tiempos de sufrimiento nacional. En medio de sus dificultades, encontraron alivio al elevar a Dios sus sinceros lamentos y alabanzas.

Los salmos son también para nosotros. Cada uno está repleto de sincera emoción. A través de ellos podemos expresar nuestra angustia y adoración, nuestro sufrimiento y nuestras confesiones, nuestras esperanzas y nuestros temores. Por medio de algunos podemos cuestionar abiertamente las acciones de Dios o su aparente falta de acción. Por medio de otros podemos expresar nuestro dolor, nuestra angustia y nuestro desaliento. Y aun a través de otros podemos alabar a Dios por liberarnos de la opresión y del pecado. Cada salmo es una expresión del corazón. No son un conjunto de respuestas impecablemente empaquetadas y atadas con un lindo lazo. Se trata de documentos vivos que forman una colección de diarios espirituales de personas que buscaron sinceramente la ayuda misericordiosa de Dios.

Descubriremos que los salmos pueden leerse de muy diferentes maneras, dependiendo de los problemas que enfrentemos. Pueden servir como elementos disuasivos para mantenernos alejados de los problemas, como guías que nos orientan en medio de los problemas, como recordatorios de aquel que realmente nos liberta o como faros de esperanza para animarnos en las confusas o dolorosas situaciones de la vida. A través de los salmos compartimos las esperanzas y los fracasos de toda la raza humana. Sin embargo, al leerlos, también somos conducidos a la misma presencia de nuestro amoroso y misericordioso Dios.

## EN ESENCIA

PROPÓSITO: Demostrar que Dios es santo, amoroso y que está íntimamente involucrado en todos los aspectos de nuestra experiencia humana. AUTOR: David escribió setenta y tres salmos; Asaf escribió doce; los hijos de Coré escribieron nueve; Salomón escribió dos; Hemán (uno de los hijos de Coré) escribió uno; y cincuenta y uno son anónimos. DESTINATARIO: El pueblo de Israel. FECHA: Los salmos fueron escritos entre 1440 y 586 a.C. ESCENARIO: Aunque en términos generales los salmos no tenían el propósito de registrar la historia, muchos de ellos se inspiraron en acontecimientos históricos. VERSÍCULO CLAVE: «Todo lo que respira alabe a JAH. Aleluya» (150.6). PERSONAS CLAVE: David, Asaf, Salomón, Hemán, los hijos de Coré, Etán, Moisés, y el pueblo de Israel.

## TEMAS SOBRE RECUPERACIÓN

*La verdad produce sanidad:* Sobre todas las cosas, los salmistas fueron sinceros con respecto a sus experiencias y sentimientos. Una y otra vez testificaron de la fidelidad de Dios al oír y responder a sus palabras de confesión sincera o de alabanza. Es muy fácil tratar de evadir la verdad, aun al orar a Dios. Pero eso siempre es un camino sin salida. Sólo la verdad puede hacer que tengamos el tipo de relación con Dios que resultará en una verdadera sanidad. Cuando enfrentemos la verdad sobre nuestros pecados y fracasos, y reconozcamos que somos impotentes en cuanto a ellos, Dios se encontrará con nosotros donde estamos y nos guiará por el camino de la recuperación y la sanidad.

*Dudas y quejas válidas:* Muchos de nosotros actuamos como si la duda fuera un pecado imperdonable. Hacemos todo lo posible por ocultarla de Dios. El Señor conoce todas nuestras dudas. Los salmistas fueron sinceros con respecto a sus dudas y las presentaron directamente ante Dios. Fueron también sinceros en sus quejas. Hay lugar para quejarse ante Dios; esto nos ayuda a manifestar nuestros sentimientos y dudas tal cual son. Pero tal como descubrieron los salmistas, nos daremos cuenta de que nuestras quejas son la antesala de una afirmación de fe. Si escondemos nuestras dudas acerca de Dios, es seguro que nos alejaremos de él. Pero si se las expresamos con toda sinceridad, aun quejándonos de sus aparentes fracasos en nuestra vida, descubriremos que nuestra fe será renovada. Como ocurrió con los salmistas, a nuestras quejas seguirán palabras de alabanza.

*El poder de Dios para liberar:* Podemos estar seguros de que Dios es todopoderoso y siempre decide actuar en el mejor momento posible. Dios es soberano sobre toda situación. Los salmistas testificaron repetidamente que el Señor es capaz de vencer la desesperanza y el dolor, y que siempre está en control de todo. Ellos no alcanzaron fácilmente este tipo de fe. Lucharon con esa verdad, cuestionando con frecuencia la presencia de Dios en sus vidas, justo como lo hacemos nosotros. Pero al final, sus cuestionamientos siempre fueron reemplazados por alabanzas que afirmaban el hecho de la poderosa presencia de Dios.

*La necesidad de perdón:* Muchos de los salmos son intensas oraciones en las que se pide perdón a Dios. Los salmistas descubrieron que podían abrir sus corazones y ser sinceros con Dios en relación con sus fracasos, emociones y debilidades, porque Dios había prometido perdonarlos. Al experimentar el perdón de Dios, nos alejamos de nuestras dependencias y sentimientos de soledad y culpa, y nos acercamos a una estrecha y amorosa relación con Dios. El antídoto divino contra nuestros fracasos pasados –sin importar cuán terribles hayan sido nuestros pecados– es siempre el perdón.

---

## LIBRO I
### El justo y los pecadores

**1**

1 Bienaventurado el varón que no anduvo
  en consejo de malos,
 Ni estuvo en camino de pecadores,
 Ni en silla de escarnecedores se ha sentado;
2 Sino que en la ley de Jehová está
   su delicia,
 Y en su ley medita de día y de noche.
3 Será como árbol plantado junto a corrientes
   de aguas,*a*
 Que da su fruto en su tiempo,

 Y su hoja no cae;
 Y todo lo que hace, prosperará.
4 No así los malos,
  Que son como el tamo que arrebata
   el viento.
5 Por tanto, no se levantarán los malos
   en el juicio,
 Ni los pecadores en la congregación
   de los justos.
6 Porque Jehová conoce el camino
   de los justos,
 Mas la senda de los malos perecerá.

**1. 3** *a* Jer. 17.8.

> **1.1-6** Poner en las manos de Dios nuestra voluntad significa alejarnos del tipo de personas que nos hacen caer en tentación. No hay mejor fuente de sabiduría y dirección que la palabra de Dios. Cuando no estudiamos ni aplicamos la palabra de Dios tendemos a ir a la deriva por la vida. Cualquier novedad o nueva filosofía nos zarandea de un lado a otro. La única manera de evitar el juicio de Dios es reconocer nuestros pecados y estar dispuestos a cambiar nuestros hábitos pecaminosos. El Señor quiere ayudarnos a vivir una vida piadosa. Pero si nos negamos a esforzarnos por eliminar los defectos de carácter que retrasan el proceso de nuestra recuperación, ciertamente sufriremos las consecuencias.

## El reino del ungido de Jehová

**2** **1** ¿Por qué se amotinan las gentes,
Y los pueblos piensan cosas vanas?

**2** Se levantarán los reyes de la tierra,
Y príncipes consultarán unidos
Contra Jehová y contra su ungido,*a* diciendo:

**3** Rompamos sus ligaduras,
Y echemos de nosotros sus cuerdas.

**4** El que mora en los cielos se reirá;
El Señor se burlará de ellos.

**5** Luego hablará a ellos en su furor,
Y los turbará con su ira.

**6** Pero yo he puesto mi rey
Sobre Sion, mi santo monte.

**7** Yo publicaré el decreto;
Jehová me ha dicho: Mi hijo eres tú;
Yo te engendré hoy.*b*

**8** Pídeme, y te daré por herencia las naciones,
Y como posesión tuya los confines de la tierra.

**9** Los quebrantarás con vara de hierro;*c*
Como vasija de alfarero los desmenuzarás.

**10** Ahora, pues, oh reyes, sed prudentes;
Admitid amonestación, jueces de la tierra.

**11** Servid a Jehová con temor,
Y alegraos con temblor.

**12** Honrad al Hijo, para que no se enoje,
y perezcáis en el camino;
Pues se inflama de pronto su ira.
Bienaventurados todos los que
en él confían.

## Oración matutina de confianza en Dios

Salmo de David, cuando huía de delante
de Absalón su hijo.*a*

**3** **1** ¡Oh Jehová, cuánto se han multiplicado
mis adversarios!
Muchos son los que se levantan contra mí.

**2** Muchos son los que dicen de mí:
No hay para él salvación en Dios. *Selah*

**3** Mas tú, Jehová, eres escudo alrededor
de mí;
Mi gloria, y el que levanta mi cabeza.

**4** Con mi voz clamé a Jehová,
Y él me respondió desde
su monte santo. *Selah*

**5** Yo me acosté y dormí,
Y desperté, porque Jehová
me sustentaba.

**6** No temeré a diez millares de gente,
Que pusieren sitio contra mí.

**7** Levántate, Jehová; sálvame, Dios mío;
Porque tú heriste a todos mis enemigos
en la mejilla;
Los dientes de los perversos
quebrantaste.

**8** La salvación es de Jehová;
Sobre tu pueblo sea tu bendición. *Selah*

## Oración vespertina de confianza en Dios

Al músico principal; sobre Neginot.
Salmo de David.

**4** **1** Respóndeme cuando clamo,
oh Dios de mi justicia.
Cuando estaba en angustia, tú me hiciste
ensanchar;
Ten misericordia de mí, y oye mi oración.

**2** Hijos de los hombres, ¿hasta cuándo
volveréis mi honra en infamia,
Amaréis la vanidad, y buscaréis
la mentira? *Selah*

**3** Sabed, pues, que Jehová ha escogido al
piadoso para sí;
Jehová oirá cuando yo a él clamare.

---

**2.1-2** *a* Hch. 4.25-26.   **2.7** *b* Hch. 13.33; He. 1.5; 5.5.   **2.9** *c* Ap. 2.26-27; 12.5; 19.15.   **3 tít.** *a* 2 S. 15.13 —17.22.

---

**2.1-6** Si Dios tiene el control del mundo, ¿por qué tratamos continuamente de hacer las cosas a nuestra manera? Oponernos al plan de Dios es inútil e insensato. Muchos se alejan de Dios porque piensan que no hacerlo implica convertirse en su esclavo. Pero si rechazamos el gobierno de Dios en nuestra vida, invariablemente nos convertiremos en esclavos de alguna otra persona o de algo. El hombre insensato que rechaza la autoridad de Dios se encierra en una prisión de pecado y destrucción. La única forma de estar a tono con el plan de Dios y recibir su ayuda es aceptando su amoroso gobierno en nuestra vida.

**3.1-4** Aun David, hombre justo, reconoció que tenía problemas que se habían vuelto inmanejables. Cuando fallamos, a veces hasta nuestros amigos comienzan a pensar que estamos fuera del alcance de la ayuda de Dios. David, sin embargo, sabía que no era así. Acudió a Dios en busca de ayuda y aliento. Clamar a Dios para aumentar nuestro conocimiento de él es uno de los pasos más importantes en el proceso de recuperación.

**3.5-8** Dios alentó tanto a David que este pudo dormir aun en medio de sus problemas. Más aún, sus preocupaciones y ansiedades desaparecieron cuando centró sus pensamientos completamente en Dios. David podía ver la vida como si todos sus problemas hubieran desaparecido. Al depositar sus problemas en las manos de Dios, David dio el paso más importante para solucionarlos. La verdadera liberación y la felicidad llegan cuando reconocemos que Dios es nuestro ayudador y la fuente de nuestra fortaleza.

**4** Temblad, y no pequéis;*ª*
Meditad en vuestro corazón estando en
vuestra cama, y callad.                    *Selah*
**5** Ofreced sacrificios de justicia,
Y confiad en Jehová.
**6** Muchos son los que dicen: ¿Quién nos
mostrará el bien?
Alza sobre nosotros, oh Jehová,
la luz de tu rostro.
**7** Tú diste alegría a mi corazón
Mayor que la de ellos cuando abundaba
su grano y su mosto.
**8** En paz me acostaré, y asimismo dormiré;
Porque solo tú, Jehová, me haces
vivir confiado.

## Plegaria pidiendo protección

Al músico principal; sobre Nehilot.
Salmo de David.

**5** **1** Escucha, oh Jehová, mis palabras;
Considera mi gemir.
**2** Está atento a la voz de mi clamor,
Rey mío y Dios mío,
Porque a ti oraré.
**3** Oh Jehová, de mañana oirás mi voz;
De mañana me presentaré delante de ti,
y esperaré.
**4** Porque tú no eres un Dios que se complace
en la maldad;
El malo no habitará junto a ti.
**5** Los insensatos no estarán delante
de tus ojos;
Aborreces a todos los que hacen iniquidad.
**6** Destruirás a los que hablan mentira;

Al hombre sanguinario y engañador
abominará Jehová.
**7** Mas yo por la abundancia de tu misericordia
entraré en tu casa;
Adoraré hacia tu santo templo en tu temor.
**8** Guíame, Jehová, en tu justicia,
a causa de mis enemigos;
Endereza delante de mí tu camino.
**9** Porque en la boca de ellos no hay
sinceridad;
Sus entrañas son maldad,
Sepulcro abierto es su garganta,
Con su lengua hablan lisonjas.*ª*
**10** Castígalos, oh Dios;
Caigan por sus mismos consejos;
Por la multitud de sus transgresiones
échalos fuera,
Porque se rebelaron contra ti.
**11** Pero alégrense todos los que en ti confían;
Den voces de júbilo para siempre,
porque tú los defiendes;
En ti se regocijen los que aman
tu nombre.
**12** Porque tú, oh Jehová, bendecirás
al justo;
Como con un escudo lo rodearás
de tu favor.

## Oración pidiendo misericordia en tiempo de prueba

Al músico principal; en Neginot, sobre Seminit.
Salmo de David.

**6** **1** Jehová, no me reprendas en tu enojo,
Ni me castigues con tu ira.*ª*

**4.4** *ª* Ef. 4.26.   **5.9** *ª* Ro. 3.13.   **6.1** *ª* Sal. 38.1.

---

**4.4-5** Entregar a Dios nuestra voluntad no es una experiencia que sólo ocurre una vez; es, más bien la decisión que estamos tomando continuamente de mantener nuestra mente fija en hacer la voluntad de Dios. Hoy día no sacrificamos animales en un altar para agradar al Señor, pero podemos ofrecer nuestra vida como un sacrificio vivo. Para lograr esto, primero debemos buscar y luego seguir el plan de Dios para llevar una vida santa y saludable.

**4.6-8** Muchas personas a nuestro alrededor no pueden ver que Dios está obrando en nuestra vida; sólo ven nuestros fracasos pasados. Pero al buscar nosotros a Dios y, con su ayuda ser transformados, nuestro éxito en la recuperación permitirá que otros vean el poder de Dios. El verdadero gozo viene del Señor; y es un gozo mayor que toda la felicidad que el mundo pueda ofrecer. Nada nos dará más noches de sueño tranquilo que el saber que Dios está con nosotros y nos ayuda a progresar en la recuperación.

**5.1-7** Es probable que hayamos probado casi todo para escapar de nuestra esclavitud a los hábitos destructivos. David comprendió cuán insensato era buscar ayuda en cualquier cosa o cualquier persona aparte de Dios. Una a una, David trajo sus necesidades ante el Señor cada día. Comprendió que Dios no aceptaría las oraciones de alguien que confiaba en sí mismo y seguía en su pecado. Cuando confiemos en Dios para conseguir ayuda y así caminar obedeciéndolo cada día, su protección nos rodeará dondequiera que vayamos y en todo lo que hagamos.

**5.8-12** David imploró la dirección divina pues sabía que el plan de Dios para él era la única manera de evitar las trampas destructivas que enfrentaba. Nuestros viejos amigos, como los enemigos de David, nos dirán la gran mentira: que un pecado más no nos hará daño. Sus palabras suenan bien, pero sus vidas prueban que son esclavos del pecado y que van camino a la destrucción. En medio de estas asechanzas del mundo, siempre podemos encontrar protección confiando en Dios.

2 Ten misericordia de mí, oh Jehová,
porque estoy enfermo;
Sáname, oh Jehová, porque mis huesos
se estremecen.

3 Mi alma también está muy turbada;
Y tú, Jehová, ¿hasta cuándo?

4 Vuélvete, oh Jehová, libra mi alma;
Sálvame por tu misericordia.

5 Porque en la muerte no hay memoria de ti;
En el Seol, ¿quién te alabará?

6 Me he consumido a fuerza de gemir;
Todas las noches inundo de llanto mi lecho,
Riego mi cama con mis lágrimas.

7 Mis ojos están gastados de sufrir;
Se han envejecido a causa de todos
mis angustiadores.

8 Apartaos de mí, todos los hacedores de
iniquidad;*b*
Porque Jehová ha oído la voz de mi lloro.

9 Jehová ha oído mi ruego;
Ha recibido Jehová mi oración.

10 Se avergonzarán y se turbarán mucho todos
mis enemigos;
Se volverán y serán avergonzados de repente.

## Plegaria pidiendo vindicación

Sigaión de David, que cantó a Jehová acerca
de las palabras de Cus hijo de Benjamín.

**7** 1 Jehová Dios mío, en ti he confiado;
Sálvame de todos los que me persiguen,
y líbrame,

2 No sea que desgarren mi alma cual león,
Y me destrocen sin que haya quien me libre.

3 Jehová Dios mío, si yo he hecho esto,
Si hay en mis manos iniquidad;

4 Si he dado mal pago al que estaba en paz
conmigo
(Antes he libertado al que sin causa era mi
enemigo),

5 Persiga el enemigo mi alma, y alcáncela;

Huelle en tierra mi vida,
Y mi honra ponga en el polvo.          *Selah*

6 Levántate, oh Jehová, en tu ira;
Alzate en contra de la furia de mis
angustiadores,
Y despierta en favor mío el juicio que
mandaste.

7 Te rodeará congregación de pueblos,
Y sobre ella vuélvete a sentar en alto.

8 Jehová juzgará a los pueblos;
Júzgame, oh Jehová, conforme a mi justicia,
Y conforme a mi integridad.

9 Fenezca ahora la maldad de los inicuos,
mas establece tú al justo;
Porque el Dios justo prueba la mente
y el corazón.*a*

10 Mi escudo está en Dios,
Que salva a los rectos de corazón.

11 Dios es juez justo,
Y Dios está airado contra el impío
todos los días.

12 Si no se arrepiente, él afilará su espada;
Armado tiene ya su arco, y lo ha preparado.

13 Asimismo ha preparado armas de muerte,
Y ha labrado saetas ardientes.

14 He aquí, el impío concibió maldad,
Se preñó de iniquidad,
Y dio a luz engaño.

15 Pozo ha cavado, y lo ha ahondado;
Y en el hoyo que hizo caerá.

16 Su iniquidad volverá sobre su cabeza,
Y su agravio caerá sobre su propia coronilla.

17 Alabaré a Jehová conforme a su justicia,
Y cantaré al nombre de Jehová el Altísimo.

## La gloria de Dios y la honra del hombre

Al músico principal; sobre Gitit. Salmo de David.

**8** 1 ¡Oh Jehová, Señor nuestro,
Cuán glorioso es tu nombre en toda la tierra!
Has puesto tu gloria sobre los cielos;

---

**6.8** *b* Mt. 7.23; Lc. 13.27.   **7.9** *a* Ap. 2.23.

---

**6.1-5** Aunque quizás queramos obtener alivio instantáneo de la angustia que nos produce la tentación, por lo general no llega de inmediato. Sin embargo, cuando nos demos cuenta de que somos impotentes frente a nuestra dependencia y frente a nuestra compulsión, ya hemos dado el primer paso hacia la recuperación. Una vez que hayamos reconocido que Dios tiene el poder para ayudarnos, ya habremos dado el segundo paso. No obstante, conocer estos importantes pasos nunca es suficiente para ayudarnos a evitar la destrucción. También necesitamos actuar basándonos en ellos.

**6.6-10** Aunque es posible que estemos sufriendo muchísimo, podemos confiar en que Dios contesta nuestras oraciones. Dios siempre oirá nuestras peticiones y nos rescatará. Debemos ser tan audaces como lo es David aquí, al proclamar la victoria al final de su oración. La oración no debe ser una táctica para usar como último recurso; debe ser el fundamento para nuestras batallas por la recuperación.

**7.11-16** Dios es paciente, pero hay un límite respecto a cuánto tiempo más tolerará a quienes continúen rebelándose contra él. Cuando escogemos vivir oponiéndonos al plan de Dios, pronto descubriremos que nuestros problemas empeoran. Los planes que hacemos para alcanzar el éxito personal a expensas de otros, a la larga nos destruirán. Sólo nos convertiremos en víctimas de nuestras propias artimañas (véase 9.15).

**2** De la boca de los niños y de los que
maman,*a* fundaste la fortaleza,
A causa de tus enemigos,
Para hacer callar al enemigo y al vengativo.

**3** Cuando veo tus cielos, obra de tus dedos,
La luna y las estrellas que tú formaste,

**4** Digo: ¿Qué es el hombre, para que tengas
de él memoria,
Y el hijo del hombre, para que lo visites?*b*

**5** Le has hecho poco menor que los ángeles,
Y lo coronaste de gloria y de honra.

**6** Le hiciste señorear sobre las obras
de tus manos;
Todo lo pusiste debajo de sus pies:*c*

**7** Ovejas y bueyes, todo ello,
Y asimismo las bestias del campo,

**8** Las aves de los cielos y los peces del mar;
Todo cuanto pasa por los senderos del mar.

**9** ¡Oh Jehová, Señor nuestro,
Cuán grande es tu nombre en toda la tierra!

## Acción de gracias por la justicia de Dios

Al músico principal; sobre Mut-labén.
Salmo de David.

**9** **1** Te alabaré, oh Jehová, con todo
mi corazón;
Contaré todas tus maravillas.

**2** Me alegraré y me regocijaré en ti;
Cantaré a tu nombre, oh Altísimo.

**3** Mis enemigos volvieron atrás;
Cayeron y perecieron delante de ti.

**4** Porque has mantenido mi derecho y mi causa;
Te has sentado en el trono juzgando
con justicia.

**5** Reprendiste a las naciones, destruiste al malo,
Borraste el nombre de ellos eternamente
y para siempre.

**6** Los enemigos han perecido; han quedado
desolados para siempre;
Y las ciudades que derribaste,
Su memoria pereció con ellas.

**7** Pero Jehová permanecerá para siempre;
Ha dispuesto su trono para juicio.

**8** El juzgará al mundo con justicia,
Y a los pueblos con rectitud.

**9** Jehová será refugio del pobre,
Refugio para el tiempo de angustia.

**10** En ti confiarán los que conocen tu nombre,
Por cuanto tú, oh Jehová, no desamparaste
a los que te buscaron.

**11** Cantad a Jehová, que habita en Sion;
Publicad entre los pueblos sus obras.

**12** Porque el que demanda la sangre se acordó
de ellos;
No se olvidó del clamor de los afligidos.

**13** Ten misericordia de mí, Jehová;
Mira mi aflicción que padezco a causa de los
que me aborrecen,
Tú que me levantas de las puertas
de la muerte,

**14** Para que cuente yo todas tus alabanzas
En las puertas de la hija de Sion,
Y me goce en tu salvación.

**15** Se hundieron las naciones en el hoyo
que hicieron;
En la red que escondieron fue tomado su pie.

**16** Jehová se ha hecho conocer en el juicio
que ejecutó;
En la obra de sus manos fue enlazado
el malo.                    *Higaion. Selah*

**17** Los malos serán trasladados al Seol,
Todas las gentes que se olvidan de Dios.

**18** Porque no para siempre será olvidado
el menesteroso,

---

**8.2** *a* Mt. 21.16.   **8.4** *b* Job 7.17-18; Sal. 144.3; He. 2.6-8.   **8.6** *c* 1 Co. 15.27; Ef. 1.22; He. 2.8.

---

**8.3-9** Muchos de nuestros problemas tienen su raíz en nuestra pobre autoestima. Quizás nunca nos prestaron atención cuando éramos niños. O tal vez fuimos víctimas de abuso por parte de personas que tenían autoridad sobre nosotros. Sea cual sea la raíz de nuestros problemas, ahora probablemente seamos demasiado sensibles a los ataques de otros. Aquí vemos que Dios nos creó para que seamos personas excelentes, poseedoras de gran honra y autoridad. Nunca debemos menospreciarnos. Nuestra autoestima debe basarse en lo que Dios piensa de nosotros; no en lo que otros puedan decir.

**9.1-6** Al experimentar la ayuda de Dios y comenzar a ver los cambios que se producen en nuestra vida, tenemos la responsabilidad de llevar a otros el mensaje de liberación de modo que sus vidas también puedan cambiar. Conforme le permitimos a Dios que nos ayude a superar los defectos de nuestro carácter, otros verán lo que él ha hecho por nosotros y quizá también reciban esperanza. Nuestras dolorosas luchas con nuestras adicciones y compulsiones, y nuestras victorias gracias a la ayuda de Dios, pueden ser una fuente de estímulo y guía para aquellos cuyas vidas van camino a la destrucción.

**9.15-20** Quienes les ponen trampas a otros, a fin de cuentas quedarán atrapados. Dios asegura que a la larga esas personas no tienen éxito. Los que se dan cuenta de que necesitan la ayuda de Dios y se vuelven a él, la recibirán; aquellos que tratan solos de resolver sus problemas, al final fracasarán. Si pensamos que tenemos el control de nuestro destino y del destino de otros, nos aguarda una terrible sorpresa. Un día el Señor entrará en escena y mostrará quién tiene realmente el control. Como ese es Dios, el único plan inteligente es seguir su plan divino.

Ni la esperanza de los pobres perecerá
perpetuamente.
**19** Levántate, oh Jehová; no se fortalezca
el hombre;
Sean juzgadas las naciones delante de ti.
**20** Pon, oh Jehová, temor en ellos;
Conozcan las naciones que no son sino
hombres.                                    *Selah*

## Plegaria pidiendo la destrucción de los malvados

**10** **1** ¿Por qué estás lejos, oh Jehová,
Y te escondes en el tiempo
de la tribulación?
**2** Con arrogancia el malo persigue al pobre;
Será atrapado en los artificios que ha ideado.
**3** Porque el malo se jacta del deseo de su alma,
Bendice al codicioso, y desprecia a Jehová.
**4** El malo, por la altivez de su rostro,
no busca a Dios;
No hay Dios en ninguno de sus
pensamientos.
**5** Sus caminos son torcidos en todo tiempo;
Tus juicios los tiene muy lejos de su vista;
A todos sus adversarios desprecia.
**6** Dice en su corazón: No seré movido jamás;
Nunca me alcanzará el infortunio.
**7** Llena está su boca de maldición,
y de engaños y fraude;*a*
Debajo de su lengua hay vejación y maldad.
**8** Se sienta en acecho cerca de las aldeas;
En escondrijos mata al inocente.
Sus ojos están acechando al desvalido;
**9** Acecha en oculto, como el león
desde su cueva;
Acecha para arrebatar al pobre;
Arrebata al pobre trayéndolo a su red.
**10** Se encoge, se agacha,
Y caen en sus fuertes garras muchos
desdichados.
**11** Dice en su corazón: Dios ha olvidado;
Ha encubierto su rostro; nunca lo verá.
**12** Levántate, oh Jehová Dios, alza tu mano;
No te olvides de los pobres.
**13** ¿Por qué desprecia el malo a Dios?
En su corazón ha dicho:
Tú no lo inquirirás.

# Percepción de uno mismo

LEA EL SALMO 8.1-9

Desarrollamos nuestro sentido de percepción personal al percatarnos de cómo nos ven las personas que son importantes en nuestra vida. Si crecimos en una familia disfuncional, la distorsionada imagen que se formaron de nosotros probablemente deformó nuestra habilidad de vernos tal como verdaderamente somos a los ojos de Dios. Entender cómo Dios nos ve y que nos ha valorado puede ayudarnos a superar la percepción negativa de nosotros mismos que hayamos desarrollado.

El rey David se maravilló al pensar en lo mucho que Dios lo valoraba. Dijo: «¿Qué es el hombre, para que tengas de él memoria, y el hijo del hombre, para que lo visites? Le has hecho poco menor que los ángeles, y lo coronaste de gloria y de honra. Le hiciste señorear sobre las obras de tus manos; todo lo pusiste debajo de sus pies» (Salmo 8.4-6). «¡Cuán preciosos me son, oh Dios, tus pensamientos! ¡Cuán grande es la suma de ellos! Si los enumero, se multiplican más que la arena; despierto, y aún estoy contigo» (Salmo 139.17-18). Dios demostró lo mucho que valemos para él al enviar a Jesús para entregar su vida por nosotros.

El Señor quiere que nos demos cuenta de cuán valiosos somos para él y que nos veamos a nosotros mismos a la luz de su amor. Piense en esto: Si Dios nos consideró dignos de que él renunciara a su don más preciado (su único Hijo), ¿qué nos dice esto sobre el valor que tenemos para él? ***Vaya a la página 485, Salmo 32.***

**10.7** *a* Ro. 3.14.

**10.1-11** A veces, cuando la tentación es muy fuerte, parece que Dios está lejos. La verdad es que él nunca se aparta de nosotros. En ocasiones la tentación se vuelve más fuerte cuando nuestros amigos impíos parecen tener la habilidad de hacer cosas sin que los atrapen como a nosotros. Tendemos a seguir su juego y siempre terminamos en problemas. Necesitamos darnos cuenta de que aunque nuestros amigos parecen estar bien y mantener el control por el momento, van en camino a serios problemas; sencillamente todavía no se han dado cuenta. Necesitamos asegurarnos de que el aparente éxito de los demás no nos desvíe del plan divino para que llevemos una vida saludable.

**14** Tú lo has visto; porque miras el trabajo
y la vejación, para dar la recompensa
con tu mano;
A ti se acoge el desvalido;
Tú eres el amparo del huérfano.
**15** Quebranta tú el brazo del inicuo,
Y persigue la maldad del malo hasta
que no halles ninguna.
**16** Jehová es Rey eternamente y para siempre;
De su tierra han perecido las naciones.
**17** El deseo de los humildes oíste, oh Jehová;
Tú dispones su corazón,
y haces atento tu oído,
**18** Para juzgar al huérfano y al oprimido,
A fin de que no vuelva más a hacer
violencia el hombre de la tierra.

## El refugio del justo

Al músico principal. Salmo de David.

**11** **1** En Jehová he confiado;
¿Cómo decís a mi alma,
Que escape al monte cual ave?
**2** Porque he aquí, los malos
tienden el arco,
Disponen sus saetas sobre la cuerda,
Para asaetear en oculto
a los rectos de corazón.
**3** Si fueren destruidos los fundamentos,
¿Qué ha de hacer el justo?
**4** Jehová está en su santo templo;
Jehová tiene en el cielo su trono;
Sus ojos ven, sus párpados examinan
a los hijos de los hombres.
**5** Jehová prueba al justo;
Pero al malo y al que ama la violencia,
su alma los aborrece.
**6** Sobre los malos hará llover calamidades;
Fuego, azufre y viento abrasador
será la porción del cáliz de ellos.
**7** Porque Jehová es justo, y ama la justicia;
El hombre recto mirará su rostro.

## Oración pidiendo ayuda contra los malos

Al músico principal; sobre Seminit.
Salmo de David.

**12** **1** Salva, oh Jehová, porque se acabaron
los piadosos;
Porque han desaparecido los fieles de entre
los hijos de los hombres.
**2** Habla mentira cada uno con su prójimo;
Hablan con labios lisonjeros, y con doblez
de corazón.
**3** Jehová destruirá todos los labios lisonjeros,
Y la lengua que habla jactanciosamente;
**4** A los que han dicho: Por nuestra lengua
prevaleceremos;
Nuestros labios son nuestros; ¿quién
es señor de nosotros?
**5** Por la opresión de los pobres,
por el gemido de los menesterosos,
Ahora me levantaré, dice Jehová;
Pondré en salvo al que por ello suspira.
**6** Las palabras de Jehová son palabras limpias,
Como plata refinada en horno de tierra,
Purificada siete veces.
**7** Tú, Jehová, los guardarás;
De esta generación los preservarás
para siempre.
**8** Cercando andan los malos,
Cuando la vileza es exaltada
entre los hijos de los hombres.

## Plegaria pidiendo ayuda en la aflicción

Al músico principal. Salmo de David.

**13** **1** ¿Hasta cuándo, Jehová? ¿Me olvidarás
para siempre?
¿Hasta cuándo esconderás
tu rostro de mí?
**2** ¿Hasta cuándo pondré consejos
en mi alma,
Con tristezas en mi corazón cada día?
¿Hasta cuándo será enaltecido
mi enemigo sobre mí?

---

**10.13-18** Aun cuando parezca que Dios no ve las malas obras de otros, podemos estar seguros de que un día él los llamará a juicio. El Señor juzgará severamente a quienes hagan caer a otros en pecado (véase Lucas 17.1-3). A veces Dios trabaja tras bastidores y en silencio, ayudando a quienes reconocen su impotencia para vencer a sus enemigos y superar los problemas que enfrentan. Cuando nos humillamos y ponemos nuestra confianza en Dios, podemos tener esperanza de que un día el Señor nos dará la recuperación total.
**11.1-3** Sólo en Dios podemos encontrar seguridad contra la tentación; acudir a cualquier otro lugar por ayuda –a programas y recursos meramente humanos– nunca producirá beneficios a largo plazo. Si buscamos ayuda sólo en esos recursos humanos, la gente y las situaciones que nos ponen en peligro harán que caigamos cuando seamos más vulnerables. Dios siempre está con nosotros. Si ponemos en él nuestra confianza, nunca nos faltarán los medios para vencer la tentación.
**12.5-8** No tenemos necesidad de preocuparnos por el daño que puedan causarnos los mentirosos. Dios ha prometido protegernos de aquellos que traten de destruirnos. La gente comete un grave error si no entiende que Dios no es como nosotros: sus palabras son puras. Él nunca engaña ni deja de cumplir sus promesas. Dios ha ofrecido protegernos de los malvados si sólo se lo pedimos. Si realmente queremos evitar las situaciones tentadoras, Dios nos ofrece su protección.

**3** Mira, respóndeme, oh Jehová Dios mío;
  Alumbra mis ojos, para que no duerma
    de muerte;
**4** Para que no diga mi enemigo: Lo vencí.
  Mis enemigos se alegrarían, si yo resbalara.
**5** Mas yo en tu misericordia he confiado;
  Mi corazón se alegrará en tu salvación.
**6** Cantaré a Jehová,
  Porque me ha hecho bien.

## Necedad y corrupción del hombre
Al músico principal. Salmo de David.

**14** **1** Dice el necio en su corazón:
      No hay Dios.
  Se han corrompido, hacen obras
    abominables;
  No hay quien haga el bien.
**2** Jehová miró desde los cielos sobre los hijos
    de los hombres,
  Para ver si había algún entendido,
  Que buscara a Dios.
**3** Todos se desviaron, a una se han corrompido;
  No hay quien haga lo bueno, no hay ni
    siquiera uno.*a*
**4** ¿No tienen discernimiento todos
    los que hacen iniquidad,
  Que devoran a mi pueblo
    como si comiesen pan,
  Y a Jehová no invocan?
**5** Ellos temblaron de espanto;
  Porque Dios está con la generación
    de los justos.
**6** Del consejo del pobre se han burlado,
  Pero Jehová es su esperanza.
**7** ¡Oh, que de Sion saliera la salvación
    de Israel!

Cuando Jehová hiciere volver
  a los cautivos de su pueblo,
Se gozará Jacob, y se alegrará Israel.

## Los que habitarán en el monte santo de Dios
Salmo de David.

**15** **1** Jehová, ¿quién habitará
      en tu tabernáculo?
  ¿Quién morará en tu monte santo?
**2** El que anda en integridad y hace justicia,
  Y habla verdad en su corazón.
**3** El que no calumnia con su lengua,
  Ni hace mal a su prójimo,
  Ni admite reproche alguno contra su vecino.
**4** Aquel a cuyos ojos el vil es menospreciado,
  Pero honra a los que temen a Jehová.
  El que aun jurando en daño suyo,
    no por eso cambia;
**5** Quien su dinero no dio a usura,
  Ni contra el inocente admitió cohecho.
  El que hace estas cosas, no resbalará jamás.

## Una herencia escogida
Mictam de David.

**16** **1** Guárdame, oh Dios, porque en ti he
      confiado.
**2** Oh alma mía, dijiste a Jehová:
  Tú eres mi Señor;
  No hay para mí bien fuera de ti.
**3** Para los santos que están en la tierra,
  Y para los íntegros, es toda mi
    complacencia.
**4** Se multiplicarán los dolores de aquellos
    que sirven diligentes a otro dios.
  No ofreceré yo sus libaciones de sangre,
  Ni en mis labios tomaré sus nombres.

---

**14.1-3** *a* Ro. 3.10-12. ·

---

**13.1-6** Con frecuencia, el proceso de recuperación es largo, con interminables trechos de aridez espiritual. En algunos casos podemos estar convencidos de que Dios se ha olvidado de nosotros completamente. Tal vez nos sintamos abrumados por nuestros problemas y desconcertados porque Dios no ha hecho nada por ayudarnos. David comenzó este salmo con sentimientos similares. Luego nos mostró una manera útil de hacerle frente a la tentación de rendirnos ante el desaliento. Podemos dejar centrar nuestra vida en nuestros problemas y empezar a concentrarnos en Dios. Cuando volvamos a él nuestros pensamientos, reconoceremos que él ya está obrando en nosotros para completar el proceso de recuperación y llenarnos de gozo.

**14.1-3** Negarnos a creer en Dios es el primer paso hacia el fracaso en la recuperación. A menos que aceptemos que existe un Dios que se preocupa por nosotros, no tendremos esperanza. El salmista nos dio un buen término para describir a la gente que se niega a creer en Dios: *necio.* El mundo está lleno de necios con mentes llenas de maldad, pero no tenemos que ser como ellos. Al decidir entregar a Dios nuestra voluntad, demostramos que no somos ese tipo de personas.

**15.1-3** Si queremos experimentar la recuperación, debemos estar decididos a ser sinceros e íntegros y a llevar un estilo de vida apropiado. Debemos dejar de mentirnos a nosotros mismos y a otros, y de hacer cosas que lastimen a otras personas. Todos estos elementos son esenciales en cualquier inventario personal eficaz si aspiramos a que nuestras relaciones personales gocen de paz.

**16.1-6** Sólo de Dios viene la fuerza y la seguridad. Él es el único que puede hacer que vivamos correctamente. Con frecuencia podemos recibir fuerzas de quienes están intentando hacer la voluntad de

**5** Jehová es la porción de mi herencia
y de mi copa;
Tú sustentas mi suerte.

**6** Las cuerdas me cayeron en lugares
deleitosos,
Y es hermosa la heredad que me ha tocado.

**7** Bendeciré a Jehová que me aconseja;
Aun en las noches me enseña mi
conciencia.

**8** A Jehová he puesto siempre delante de mí;
Porque está a mi diestra, no seré conmovido.

**9** Se alegró por tanto mi corazón,
y se gozó mi alma;
Mi carne también reposará confiadamente;

**10** Porque no dejarás mi alma en el Seol,*a*
Ni permitirás que tu santo vea corrupción.*b*

**11** Me mostrarás la senda de la vida;
En tu presencia hay plenitud de gozo;
Delicias a tu diestra para siempre.*c*

## Plegaria pidiendo protección contra los opresores

Oración de David.

**17** **1** Oye, oh Jehová, una causa justa;
está atento a mi clamor.
Escucha mi oración hecha de labios sin
engaño.

**2** De tu presencia proceda mi vindicación;
Vean tus ojos la rectitud.

**3** Tú has probado mi corazón, me has visitado
de noche;
Me has puesto a prueba, y nada inicuo
hallaste;
He resuelto que mi boca no haga transgresión.

**4** En cuanto a las obras humanas, por la
palabra de tus labios
Yo me he guardado de las sendas de los
violentos.

**5** Sustenta mis pasos en tus caminos,
Para que mis pies no resbalen.

**6** Yo te he invocado, por cuanto tú me oirás,
oh Dios;
Inclina a mí tu oído, escucha mi palabra.

**7** Muestra tus maravillosas misericordias, tú que
salvas a los que se refugian a tu diestra,
De los que se levantan contra ellos.

**8** Guárdame como a la niña de tus ojos;
Escóndeme bajo la sombra de tus alas,

**9** De la vista de los malos que me oprimen,
De mis enemigos que buscan mi vida.

**10** Envueltos están con su grosura;
Con su boca hablan arrogantemente.

**11** Han cercado ahora nuestros pasos;
Tienen puestos sus ojos para echarnos
por tierra.

**12** Son como león que desea hacer presa,
Y como leoncillo que está en su escondite.

**13** Levántate, oh Jehová;
Sal a su encuentro, póstrales;
Libra mi alma de los malos con tu espada,

**14** De los hombres con tu mano, oh Jehová,
De los hombres mundanos, cuya porción la
tienen en esta vida,
Y cuyo vientre está lleno de tu tesoro.
Sacian a sus hijos,
Y aun sobra para sus pequeñuelos.

**15** En cuanto a mí, veré tu rostro en justicia;
Estaré satisfecho cuando despierte
a tu semejanza.

## Acción de gracias por la victoria

Al músico principal. Salmo de David, siervo de
Jehová, el cual dirigió a Jehová las palabras de
este cántico el día que le libró Jehová de mano
de todos sus enemigos, y de mano de Saúl.
Entonces dijo:

**18** **1** Te amo, oh Jehová, fortaleza mía.
**2** Jehová, roca mía y castillo mío,
y mi libertador;
Dios mío, fortaleza mía, en él confiaré;

---

**16.10** *a* 1 Co. 15.4. *b* Hch. 13.35. **16.8-11** *c* Hch. 2.25-28.

---

Dios. Mientras nos recuperamos, podemos ofrecer a otros esa fortaleza. Si consideramos a Dios la fuente de nuestro gozo y de nuestra fortaleza, él nunca nos decepcionará. Las personas y otros recursos nos fallarán, pero Dios nunca lo hará.

**16.7-11** Al procurar mejorar nuestra relación con Dios por medio de la oración y la meditación, encontraremos en su Palabra no sólo la paz que llenará nuestra mente y nuestro corazón, sino también un buen consejo que nos guardará de caer en pecado. Saber que Dios está con nosotros y que nunca nos abandonará debería ser una fuente permanente de gozo y paz. Reconocer que Dios está con nosotros –aquí y ahora– y que él promete estar con nosotros por toda la eternidad es un principio importante de la recuperación.

**17.1-5** Hacer un cuidadoso inventario personal de nuestra vida es absolutamente necesario para una completa recuperación. Si nos negamos a examinar nuestra vida, encontraremos muchos obstáculos en el camino hacia nuestra recuperación. Conforme aprendamos a vivir como debemos hacerlo, podremos estar seguros de que Dios responderá a nuestros pedidos de ayuda. Debemos mantenernos firmes en nuestra decisión de no involucrarnos con personas que nos puedan inducir a hacer las mismas cosas malas que ya nos abrumaron en el pasado.

Mi escudo, y la fuerza de mi salvación,
  mi alto refugio.
**3** Invocaré a Jehová, quien es digno
  de ser alabado,
Y seré salvo de mis enemigos.
**4** Me rodearon ligaduras de muerte,
Y torrentes de perversidad me atemorizaron.
**5** Ligaduras del Seol me rodearon,
Me tendieron lazos de muerte.
**6** En mi angustia invoqué a Jehová,
Y clamé a mi Dios.
El oyó mi voz desde su templo,
Y mi clamor llegó delante de él,
  a sus oídos.
**7** La tierra fue conmovida y tembló;
Se conmovieron los cimientos de los montes,
Y se estremecieron, porque se indignó él.
**8** Humo subió de su nariz,
Y de su boca fuego consumidor;
Carbones fueron por él encendidos.
**9** Inclinó los cielos, y descendió;
Y había densas tinieblas debajo de sus pies.
**10** Cabalgó sobre un querubín, y voló;
Voló sobre las alas del viento.
**11** Puso tinieblas por su escondedero, por
  cortina suya alrededor de sí;
Oscuridad de aguas, nubes de los cielos.
**12** Por el resplandor de su presencia,
  sus nubes pasaron;
Granizo y carbones ardientes.
**13** Tronó en los cielos Jehová,
Y el Altísimo dio su voz;
Granizo y carbones de fuego.
**14** Envió sus saetas, y los dispersó;
Lanzó relámpagos, y los destruyó.
**15** Entonces aparecieron los abismos
  de las aguas,
Y quedaron al descubierto los cimientos
  del mundo,
A tu represión, oh Jehová,
Por el soplo del aliento de tu nariz.
**16** Envió desde lo alto; me tomó,
Me sacó de las muchas aguas.

**17** Me libró de mi poderoso enemigo,
Y de los que me aborrecían; pues eran más
  fuertes que yo.
**18** Me asaltaron en el día de mi quebranto,
Mas Jehová fue mi apoyo.
**19** Me sacó a lugar espacioso;
Me libró, porque se agradó de mí.
**20** Jehová me ha premiado conforme
  a mi justicia;
Conforme a la limpieza de mis manos me
  ha recompensado.
**21** Porque yo he guardado los caminos
  de Jehová,
Y no me aparté impíamente de mi Dios.
**22** Pues todos sus juicios estuvieron
  delante de mí,
Y no me he apartado de sus estatutos.
**23** Fui recto para con él, y me he guardado
  de mi maldad,
**24** Por lo cual me ha recompensado Jehová
  conforme a mi justicia;
Conforme a la limpieza de mis manos
  delante de su vista.
**25** Con el misericordioso te mostrarás
  misericordioso,
Y recto para con el hombre íntegro.
**26** Limpio te mostrarás para con el limpio,
Y severo serás para con el perverso.
**27** Porque tú salvarás al pueblo afligido,
Y humillarás los ojos altivos.
**28** Tú encenderás mi lámpara;
Jehová mi Dios alumbrará mis tinieblas.
**29** Contigo desbarataré ejércitos,
Y con mi Dios asaltaré muros.
**30** En cuanto a Dios, perfecto es su camino,
Y acrisolada la palabra de Jehová;
Escudo es a todos los que en él esperan.
**31** Porque ¿quién es Dios sino sólo Jehová?
¿Y qué roca hay fuera de nuestro Dios?
**32** Dios es el que me ciñe de poder,
Y quien hace perfecto mi camino;
**33** Quien hace mis pies como de ciervas,[a]
Y me hace estar firme sobre mis alturas;

**18.33** [a] Hab. 3.19.

---

**18.6-15** El salmista usó en este pasaje un lenguaje muy gráfico para mostrarnos que Dios toma en serio ayudar a quienes acuden a él en busca de ayuda. El salmista sabía que sería liberado; no porque él mismo fuera fuerte ni porque mereciera la ayuda divina, sino porque Dios lo amaba y era lo suficientemente poderoso para evocar todas las fuerzas de la naturaleza para ayudarlo. Si Dios está de nuestro lado, ningún enemigo es demasiado poderoso. Siempre podremos alcanzar la victoria si dependemos de la mano libertadora del Señor.
**18.16-19** Cuando el salmista se percató de su impotencia y encomendó su vida a Dios, el Señor vino en su ayuda. Muchos hemos sabido que esto es verdad como principio teológico, pero ahora estamos comenzando a experimentarlo en nuestra vida. También se nos hace una clara advertencia en estos versículos. Nuestros enemigos o las tentaciones siempre nos atacan cuando somos más vulnerables. Un cuidadoso inventario moral nos ayudará a reconocer cuáles son nuestras debilidades y cuándo es probable que llegue la tentación. Por eso necesitamos evaluar las situaciones que encontremos y decidir cuáles debemos evitar.

34 Quien adiestra mis manos para la batalla,
Para entesar con mis brazos el arco de bronce.

35 Me diste asimismo el escudo de tu salvación;
Tu diestra me sustentó,
Y tu benignidad me ha engrandecido.

36 Ensanchaste mis pasos debajo de mí,
Y mis pies no han resbalado.

37 Perseguí a mis enemigos, y los alcancé,
Y no volví hasta acabarlos.

38 Los herí de modo que no se levantasen;
Cayeron debajo de mis pies.

39 Pues me ceñiste de fuerzas para la pelea;
Has humillado a mis enemigos debajo de mí.

40 Has hecho que mis enemigos
me vuelvan las espaldas,
Para que yo destruya a los que me aborrecen.

41 Clamaron, y no hubo quien salvase;
Aun a Jehová, pero no los oyó.

42 Y los molí como polvo delante del viento;
Los eché fuera como lodo de las calles.

43 Me has librado de las contiendas del pueblo;
Me has hecho cabeza de las naciones;
Pueblo que yo no conocía me sirvió.

44 Al oír de mí me obedecieron;
Los hijos de extraños se sometieron a mí.

45 Los extraños se debilitaron
Y salieron temblando de sus encierros.

46 Viva Jehová, y bendita sea mi roca,
Y enaltecido sea el Dios de mi salvación;

47 El Dios que venga mis agravios,
Y somete pueblos debajo de mí;

48 El que me libra de mis enemigos,
Y aun me eleva sobre los que se levantan
contra mí;
Me libraste de varón violento.

49 Por tanto yo te confesaré entre las naciones,
oh Jehová,
Y cantaré a tu nombre.*b*

50 Grandes triunfos da a su rey,
Y hace misericordia a su ungido,
A David y a su descendencia, para siempre.

## Las obras y la palabra de Dios

Al músico principal. Salmo de David.

**19** 1 Los cielos cuentan la gloria de Dios,
Y el firmamento anuncia la obra
de sus manos.

2 Un día emite palabra a otro día,
Y una noche a otra noche declara sabiduría.

3 No hay lenguaje, ni palabras,
Ni es oída su voz.

4 Por toda la tierra salió su voz,
Y hasta el extremo del mundo sus palabras.*a*
En ellos puso tabernáculo para el sol;

5 Y éste, como esposo que sale de su tálamo,
Se alegra cual gigante para correr el camino.

6 De un extremo de los cielos es su salida,
Y su curso hasta el término de ellos;
Y nada hay que se esconda de su calor.

7 La ley de Jehová es perfecta,
que convierte el alma;
El testimonio de Jehová es fiel, que hace
sabio al sencillo.

8 Los mandamientos de Jehová son rectos,
que alegran el corazón;
El precepto de Jehová es puro,
que alumbra los ojos.

9 El temor de Jehová es limpio, que
permanece para siempre;
Los juicios de Jehová son verdad, todos justos.

**18.49** *b* Ro. 15.9.   **19.4** *a* Ro. 10.18.

---

**18.37-42** No podemos pelear solos las batallas que libramos con nuestra dependencia. Aunque en algunos momentos sintamos que nuestros esfuerzos están derrotando a las cosas que nos incapacitan y nos destruyen, pronto nos daremos cuenta de que Dios es quien nos da la fuerza para pelear esas batallas. Cuando incluyamos a Dios en nuestras batallas, comenzaremos a lograr victorias en campos donde antes habíamos sido derrotados. Sólo Dios puede garantizarnos una victoria permanente.

**18.43-50** Los éxitos que Dios nos da pueden servir de gran aliento para otros. En la recuperación se nos llama a hablarles a otros de nuestras victorias. Al hacerlo, también estaremos llevando el mensaje de salvación y amor a quienes nos escuchen. Esto puede ser todo lo que necesiten para que reciban el valor para seguir adelante. Verán el poder transformador de Dios en nuestra vida y comenzarán a aspirar a que Dios haga lo mismo con ellos. Por ser Dios quién es y por lo que hace por nosotros, debemos constantemente darle las gracias y alabarlo por la forma en que nos ayuda.

**19.1-6** Nadie puede alegar con buenas razones que nunca ha oído de Dios (véase Romanos 1.20). Su poder es evidente en todo nuestro mundo físico. Aun el sol, aunque mudo en los cielos, declara cada día lo que Dios ha hecho. Todos los seres humanos se benefician del sol y, ya sea que les guste o no, no pueden esconderse del mensaje que proclama al mundo entero. Dios no es un invento de nuestra imaginación. Él está con nosotros justo en este momento y desea ayudarnos a lo largo del proceso de recuperación.

**19.7-11** Sujetarnos a las leyes de Dios hará que nuestra vida sea plena. Aplicar a nuestra vida la verdad divina reaviva nuestro ser interior y nos da —aun al más pequeñito de nosotros— perspectivas lúcidas sobre cómo debemos vivir. Su Palabra no es una carga que impide que disfrutemos de las cosas buenas de la vida (véase Mateo 11.29-30). En lugar de esto, nos transforma y cambia nuestro desaliento en gozo.

**10** Deseables son más que el oro,
y más que mucho oro afinado;
Y dulces más que miel, y que la que destila
del panal.

**11** Tu siervo es además amonestado con ellos;
En guardarlos hay grande galardón.

**12** ¿Quién podrá entender sus propios errores?
Líbrame de los que me son ocultos.

**13** Preserva también a tu siervo de las soberbias;
Que no se enseñoreen de mí;
Entonces seré íntegro, y estaré limpio de
gran rebelión.

**14** Sean gratos los dichos de mi boca y la
meditación de mi corazón delante de ti,
Oh Jehová, roca mía, y redentor mío.

## Oración pidiendo la victoria

Al músico principal. Salmo de David.

**20** **1** Jehová te oiga en el día de conflicto;
El nombre del Dios de Jacob te defienda.

**2** Te envíe ayuda desde el santuario,
Y desde Sion te sostenga.

**3** Haga memoria de todas tus ofrendas,
Y acepte tu holocausto.                    *Selah*

**4** Te dé conforme al deseo de tu corazón,
Y cumpla todo tu consejo.

**5** Nosotros nos alegraremos en tu salvación,
Y alzaremos pendón en el nombre de
nuestro Dios;
Conceda Jehová todas tus peticiones.

**6** Ahora conozco que Jehová salva a su ungido;
Lo oirá desde sus santos cielos
Con la potencia salvadora de su diestra.

**7** Estos confían en carros, y aquéllos
en caballos;
Mas nosotros del nombre de Jehová nuestro
Dios tendremos memoria.

**8** Ellos flaquean y caen,
Mas nosotros nos levantamos,
y estamos en pie.

**9** Salva, Jehová;
Que el Rey nos oiga en el día que lo
invoquemos.

## Alabanza por haber sido librado del enemigo

Al músico principal. Salmo de David.

**21** **1** El rey se alegra en tu poder, oh Jehová;
Y en tu salvación, ¡cómo se goza!

**2** Le has concedido el deseo de su corazón,
Y no le negaste la petición de sus labios.
*Selah*

**3** Porque le has salido al encuentro con
bendiciones de bien;
Corona de oro fino has puesto sobre su cabeza.

**4** Vida te demandó, y se la diste;
Largura de días eternamente y para siempre.

**5** Grande es su gloria en tu salvación;
Honra y majestad has puesto sobre él.

**6** Porque lo has bendecido para siempre;
Lo llenaste de alegría con tu presencia.

**7** Por cuanto el rey confía en Jehová,
Y en la misericordia del Altísimo,
no será conmovido.

**8** Alcanzará tu mano a todos tus enemigos;
Tu diestra alcanzará a los que te aborrecen.

**9** Los pondrás como horno de fuego en el
tiempo de tu ira;
Jehová los deshará en su ira,
Y fuego los consumirá.

**10** Su fruto destruirás de la tierra,
Y su descendencia de entre los hijos de los
hombres.

**11** Porque intentaron el mal contra ti;
Fraguaron maquinaciones, mas no prevalecerán.

**12** Pues tú los pondrás en fuga;
En tus cuerdas dispondrás saetas contra
sus rostros.

**13** Engrandécete, oh Jehová, en tu poder;
Cantaremos y alabaremos tu poderío.

---

**20.1-3** El salmista dependía en todo momento de la presencia de Dios para que lo protegiera, especialmente cuando sus problemas eran más graves. La Biblia está llena de historias de personas a las que Dios ayudó en momentos de dificultad: Abraham, José, Moisés, Josué, David, Pedro, Pablo. Si Dios ayudó a todas estas personas cuando lo necesitaron, él también puede protegernos a nosotros. Puesto que sabemos que necesitamos su ayuda, debemos mantenernos firmes en nuestra decisión de entregar nuestra vida y voluntad al cuidado de Dios.

**20.4-9** Dios es más que capaz de concedernos nuestros más grandes anhelos, incluso recuperarnos de las consecuencias de nuestros errores pasados (véase Efesios 3.20). A diferencia de los que confían en sus propias fuerzas para superar sus problemas, nosotros podemos confiar en nuestro Dios. Como resultado, tenemos esperanza en el futuro, porque Dios nos ayudará cuando se lo pidamos.

**21.1-6** Al evaluar nuestra vida con detenimiento, nos damos cuenta de que nuestra fortaleza viene de Dios cuando lo buscamos en oración y meditación. Él quiere darnos a cada uno de nosotros una vida que tenga significado y valores eternos. Conforme experimentemos esto, comenzaremos a entender que el verdadero gozo es consecuencia natural de estar en la presencia de Dios. Esto nos motivará a pasar tiempo con Dios por medio de la oración y la meditación. Necesitamos acercarnos a él, no sólo por lo que él puede hacer por nosotros sino por ser él quien es.

## Un grito de angustia y un canto de alabanza

Al músico principal; sobre Ajelet-sahar.
Salmo de David.

**22** ¹ Dios mío, Dios mío, ¿por qué
me has desamparado?*ª*

¿Por qué estás tan lejos de mi salvación,
y de las palabras de mi clamor?

² Dios mío, clamo de día, y no respondes;
Y de noche, y no hay para mí reposo.

³ Pero tú eres santo,
Tú que habitas entre las alabanzas de Israel.

⁴ En ti esperaron nuestros padres;
Esperaron, y tú los libraste.

⁵ Clamaron a ti, y fueron librados;
Confiaron en ti, y no fueron avergonzados.

⁶ Mas yo soy gusano, y no hombre;
Oprobio de los hombres, y despreciado
del pueblo.

⁷ Todos los que me ven me escarnecen;
Estiran la boca, menean la cabeza,*b*
diciendo:

⁸ Se encomendó a Jehová; líbrele él;
Sálvele, puesto que en él se complacía.*c*

⁹ Pero tú eres el que me sacó del vientre;
El que me hizo estar confiado desde que
estaba a los pechos de mi madre.

¹⁰ Sobre ti fui echado desde antes de nacer;
Desde el vientre de mi madre,
tú eres mi Dios.

¹¹ No te alejes de mí, porque la angustia
está cerca;
Porque no hay quien ayude.

¹² Me han rodeado muchos toros;
Fuertes toros de Basán me han cercado.

¹³ Abrieron sobre mí su boca
Como león rapaz y rugiente.

¹⁴ He sido derramado como aguas,
Y todos mis huesos se descoyuntaron;
Mi corazón fue como cera,
Derritiéndose en medio de mis entrañas.

¹⁵ Como un tiesto se secó mi vigor,
Y mi lengua se pegó a mi paladar,
Y me has puesto en el polvo de la muerte.

¹⁶ Porque perros me han rodeado;
Me ha cercado cuadrilla de malignos;
Horadaron mis manos y mis pies.

¹⁷ Contar puedo todos mis huesos;
Entre tanto, ellos me miran y me observan.

¹⁸ Repartieron entre sí mis vestidos,
Y sobre mi ropa echaron suertes.*d*

¹⁹ Mas tú, Jehová, no te alejes;
Fortaleza mía, apresúrate a socorrerme.

²⁰ Libra de la espada mi alma,
Del poder del perro mi vida.

²¹ Sálvame de la boca del león,
Y líbrame de los cuernos de los búfalos.

²² Anunciaré tu nombre a mis hermanos;
En medio de la congregación te alabaré.*e*

²³ Los que teméis a Jehová, alabadle;
Glorificadle, descendencia toda de Jacob,
Y temedle vosotros, descendencia
toda de Israel.

²⁴ Porque no menospreció ni abominó la
aflicción del afligido,
Ni de él escondió su rostro;
Sino que cuando clamó a él, le oyó.

²⁵ De ti será mi alabanza
en la gran congregación;
Mis votos pagaré delante de los que le temen.

²⁶ Comerán los humildes, y serán saciados;
Alabarán a Jehová los que le buscan;
Vivirá vuestro corazón para siempre.

---

**22.1** *ª* Mt. 27.46; Mr. 15.34.  **22.7** *b* Mt. 27.39; Mr. 15.29; Lc. 23.35.  **22.8** *c* Mt. 27.43.  **22.18** *d* Mt. 27.35;
Mr. 15.24; Lc. 23.34; Jn. 19.24.  **22.22** *e* He. 2.12.

---

**22.1-5** Todos hemos experimentado sentimientos de abandono. Jesucristo, mientras colgaba en la cruz, repitió las palabras del primer versículo, con lo que expresaba que aun él experimentó el abandono de Dios el Padre (véase Mateo 27.46; Marcos 15.34). Cuando nos sentimos lejos de Dios, podemos estar tentados a cuestionar su existencia o a dudar de que pueda rescatarnos. En tiempos como esos, debemos confiar en los hechos y no en los sentimientos. Debemos recordar quién es Dios y lo que ha hecho por nosotros en el pasado.

**22.6-11** Cuando las cosas no vayan bien, quizás experimentemos una pobre autoestima, y nos sintamos como «gusanos». Pero Dios se preocupa por nosotros y nos ayudará. Es posible que otros se burlen y duden de que Dios realmente pueda salvarnos, pero no debemos tomar en cuenta a estas personas, porque sabemos que el Señor está ahí para rescatarnos. Él nos ha ayudado antes, desde nuestro nacimiento, y no cabe duda de que lo seguirá haciendo a lo largo de todas las crisis en nuestra vida.

**22.12-21** Para muchos de nosotros estos versículos describen los resultados de nuestra adicción. Muchas personas nos atormentan al burlarse de nuestros problemas. El dolor físico que aquí se describe nos recuerda los efectos de las drogas o el alcohol, o los síntomas al querer terminar con el vicio. Cuando buscamos la recuperación, contamos con la ayuda de un Dios que entiende nuestro dolor. Jesucristo experimentó condiciones similares durante su vida terrenal; tuvo incluso que hacer frente a la muerte. A Jesús lo acorralaron, lo crucificaron, lo miraron con desprecio y lo despojaron de su dignidad. Él sabe cómo nos sentimos y nos acompaña en cada paso del proceso de recuperación.

27 Se acordarán, y se volverán a Jehová
    todos los confines de la tierra,
Y todas las familias de las naciones
    adorarán delante de ti.
28 Porque de Jehová es el reino,
Y él regirá las naciones.
29 Comerán y adorarán todos los poderosos
    de la tierra;
Se postrarán delante de él todos los que
    descienden al polvo,
Aun el que no puede conservar la vida
    a su propia alma.
30 La posteridad le servirá;
Esto será contado de Jehová hasta la
    postrera generación.
31 Vendrán, y anunciarán su justicia;
A pueblo no nacido aún, anunciarán
    que él hizo esto.

## Jehová es mi pastor

Salmo de David.

**23** 1 Jehová es mi pastor; nada me faltará.
2 En lugares de delicados pastos
    me hará descansar;
Junto a aguas de reposo me pastoreará.*a*
3 Confortará mi alma;
Me guiará por sendas de justicia por amor
    de su nombre.
4 Aunque ande en valle de sombra
    de muerte,
No temeré mal alguno, porque tú estarás
    conmigo;
Tu vara y tu cayado me infundirán
    aliento.
5 Aderezas mesa delante de mí en presencia
    de mis angustiadores;
Unges mi cabeza con aceite; mi copa
    está rebosando.
6 Ciertamente el bien y la misericordia
    me seguirán todos los días
    de mi vida,
Y en la casa de Jehová moraré
    por largos días.

## El rey de gloria

Salmo de David.

**24** 1 De Jehová es la tierra y su plenitud;*a*
El mundo, y los que en él habitan.
2 Porque él la fundó sobre los mares,
Y la afirmó sobre los ríos.
3 ¿Quién subirá al monte de Jehová?
¿Y quién estará en su lugar santo?
4 El limpio de manos y puro de corazón;*b*
El que no ha elevado su alma
    a cosas vanas,
Ni jurado con engaño.
5 El recibirá bendición de Jehová,
Y justicia del Dios de salvación.
6 Tal es la generación de los que le buscan,
De los que buscan tu rostro,
    oh Dios de Jacob.                    *Selah*

7 Alzad, oh puertas, vuestras cabezas,
Y alzaos vosotras, puertas eternas,
Y entrará el Rey de gloria.
8 ¿Quién es este Rey de gloria?
Jehová el fuerte y valiente,
Jehová el poderoso en batalla.
9 Alzad, oh puertas, vuestras cabezas,
Y alzaos vosotras, puertas eternas,
Y entrará el Rey de gloria.
10 ¿Quién es este Rey de gloria?
Jehová de los ejércitos,
El es el Rey de la gloria.            *Selah*

## David implora dirección, perdón y protección

Salmo de David.

**25** 1 A ti, oh Jehová, levantaré mi alma.
2 Dios mío, en ti confío;
No sea yo avergonzado,
No se alegren de mí mis enemigos.
3 Ciertamente ninguno de cuantos esperan
    en ti será confundido;
Serán avergonzados los que se rebelan
    sin causa.
4 Muéstrame, oh Jehová, tus caminos;
Enséñame tus sendas.

**23.2** *a* Ap. 7.17.   **24.1** *a* 1 Co. 10.26.   **24.4** *b* Mt. 5.8.

**23.1-6** Dios es nuestro pastor y él sabe mucho mejor que nosotros qué es lo que necesitamos. Dios quiere que tengamos lo que es mejor para nosotros. Mientras él sea nuestro pastor, nos dirigirá a lugares seguros. Él sabe cómo alejarnos de lugares donde podamos ser inducidos a caer. Aun cuando caigamos, él podrá liberarnos de nuestro fracaso, dolor y sufrimiento. Dios nos ayudará a evitar los lugares donde hayamos tropezado en el pasado y nos guiará por la senda de la recuperación.
**24.1-2** Quizás algunos de nosotros sintamos que no hay un poder lo suficientemente grande para libertarnos de las terribles circunstancias en las que hayamos caído. En estos versículos, sin embargo, vemos a un Dios que tiene suficiente poder para crear y controlar todo el universo. Sabemos, por su Palabra, que Dios desea apoyarnos para que nos recuperemos del pecado y sus terribles consecuencias. El Señor es más que capaz de ayudarnos a superar nuestra dependencia y conducirnos a la libertad. Debemos presentarle a él nuestros fracasos y pedirle que nos ayude a lidiar con nuestros defectos de carácter.

⁵ Encamíname en tu verdad, y enséñame,
Porque tú eres el Dios de mi salvación;
En ti he esperado todo el día.
⁶ Acuérdate, oh Jehová, de tus piedades
y de tus misericordias,
Que son perpetuas.
⁷ De los pecados de mi juventud, y de mis
rebeliones, no te acuerdes;
Conforme a tu misericordia acuérdate de mí,
Por tu bondad, oh Jehová.
⁸ Bueno y recto es Jehová;
Por tanto, él enseñará a los pecadores
el camino.
⁹ Encaminará a los humildes por el juicio,
Y enseñará a los mansos su carrera.
¹⁰ Todas las sendas de Jehová son misericordia
y verdad,
Para los que guardan su pacto y sus
testimonios.
¹¹ Por amor de tu nombre, oh Jehová,
Perdonarás también mi pecado,
que es grande.
¹² ¿Quién es el hombre que teme a Jehová?
El le enseñará el camino que ha de escoger.
¹³ Gozará él de bienestar,
Y su descendencia heredará la tierra.
¹⁴ La comunión íntima de Jehová es con los
que le temen,
Y a ellos hará conocer su pacto.
¹⁵ Mis ojos están siempre hacia Jehová,
Porque él sacará mis pies de la red.
¹⁶ Mírame, y ten misericordia de mí,
Porque estoy solo y afligido.
¹⁷ Las angustias de mi corazón se han
aumentado;
Sácame de mis congojas.
¹⁸ Mira mi aflicción y mi trabajo,
Y perdona todos mis pecados.

¹⁹ Mira mis enemigos, cómo se han
multiplicado,
Y con odio violento me aborrecen.
²⁰ Guarda mi alma, y líbrame;
No sea yo avergonzado, porque en ti confié.
²¹ Integridad y rectitud me guarden,
Porque en ti he esperado.
²² Redime, oh Dios, a Israel
De todas sus angustias.

## Declaración de integridad
Salmo de David.

**26** ¹ Júzgame, oh Jehová, porque yo
en mi integridad he andado;
He confiado asimismo en Jehová sin
titubear.
² Escudríñame, oh Jehová, y pruébame;
Examina mis íntimos pensamientos
y mi corazón.
³ Porque tu misericordia está delante
de mis ojos,
Y ando en tu verdad.
⁴ No me he sentado con hombres hipócritas,
Ni entré con los que andan simuladamente.
⁵ Aborrecí la reunión de los malignos,
Y con los impíos nunca me senté.
⁶ Lavaré en inocencia mis manos,
Y así andaré alrededor de tu altar,
oh Jehová,
⁷ Para exclamar con voz de acción
de gracias,
Y para contar todas tus maravillas.
⁸ Jehová, la habitación de tu casa he amado,
Y el lugar de la morada de tu gloria.
⁹ No arrebates con los pecadores mi alma,
Ni mi vida con hombres sanguinarios,
¹⁰ En cuyas manos está el mal,
Y su diestra está llena de sobornos.

---

**25.1-7** Cuando ponemos nuestra fe en Dios, podemos confiar en sus cuidados y en su ayuda para vencer todo lo que hay en nuestra vida que podría destruirnos. Necesitamos pedirle que nos muestre cómo vivir de acuerdo con su verdad. Por su gran amor y misericordia, él perdonará nuestros pecados pasados cuando le pidamos que lo haga. Y aunque el perdón de nuestros pecados es importante, también lo es que nosotros perdonemos a quienes nos hayan hecho daño. Conforme perdonemos a otros, podremos liberarnos de nuestra rabia y centrar nuestra atención en nuestra recuperación.

**25.8-10** Necesitamos dejar que Dios nos cambie; sin embargo no podemos esperar que transforme nuestra vida si todavía mantenemos una actitud orgullosa y no estamos dispuestos a reconocer que separados de él estamos desamparados. El primer paso en la recuperación consiste en reconocer humildemente que somos impotentes frente a nuestra dependencia. Sólo después que hagamos esto podremos experimentar la obra de sanidad divina en nuestra vida.

**26.1-7** Aunque tropecemos, debemos seguir tratando de vivir una vida sincera y franca, haciendo todo lo posible por descubrir y cumplir la voluntad de Dios para nosotros. No tenemos que temer al juicio de Dios, puesto que él nos ama, a pesar de todos nuestros defectos. Mientras buscamos la voluntad de Dios para nosotros, también necesitamos huir de las personas que puedan hacernos regresar a nuestro estilo de vida destructivo. Nada bueno puede resultar de tratar de relacionarnos con aquellos que antes nos hicieron caer. También debemos evitar las situaciones y actividades que puedan tentarnos o llevarnos a una eventual caída.

11 Mas yo andaré en mi integridad;
Redímeme, y ten misericordia de mí.
12 Mi pie ha estado en rectitud;
En las congregaciones bendeciré a Jehová.

## Jehová es mi luz y mi salvación
Salmo de David.

**27** 1 Jehová es mi luz y mi salvación;
¿de quién temeré?
Jehová es la fortaleza de mi vida; ¿de quién
he de atemorizarme?
2 Cuando se juntaron contra mí los malignos,
mis angustiadores y mis enemigos,
Para comer mis carnes, ellos tropezaron
y cayeron.
3 Aunque un ejército acampe contra mí,
No temerá mi corazón;
Aunque contra mí se levante guerra,
Yo estaré confiado.
4 Una cosa he demandado a Jehová, ésta
buscaré;
Que esté yo en la casa de Jehová todos los
días de mi vida,
Para contemplar la hermosura de Jehová,
y para inquirir en su templo.
5 Porque él me esconderá en su tabernáculo
en el día del mal;
Me ocultará en lo reservado de su morada;
Sobre una roca me pondrá en alto.
6 Luego levantará mi cabeza sobre mis
enemigos que me rodean,
Y yo sacrificaré en su tabernáculo sacrificios
de júbilo;
Cantaré y entonaré alabanzas a Jehová.
7 Oye, oh Jehová, mi voz con que a ti clamo;
Ten misericordia de mí, y respóndeme.
8 Mi corazón ha dicho de ti:
Buscad mi rostro.
Tu rostro buscaré, oh Jehová;
9 No escondas tu rostro de mí.
No apartes con ira a tu siervo;
Mi ayuda has sido.
No me dejes ni me desampares,
Dios de mi salvación.
10 Aunque mi padre y mi madre me dejaran,
Con todo, Jehová me recogerá.
11 Enséñame, oh Jehová, tu camino,
Y guíame por senda de rectitud
A causa de mis enemigos.
12 No me entregues a la voluntad de mis
enemigos;

PASO 11

### Sed de Dios
LECTURA BÍBLICA: Salmo 27.1-6
**Tratamos, por medio de la oración y la meditación, de mejorar nuestra comunión consciente con Dios, pidiendo solamente conocer su voluntad para nosotros y el poder para llevarla a cabo.**
La mayoría de nosotros nos acercamos inicialmente a Dios por la ayuda que él puede darnos; es a saber, su poder para libertarnos del poder de nuestra dependencia. Quizás nos sorprenda darnos cuenta de que, con el paso del tiempo, nos volvemos a Dios por el deseo de estar cerca de él. Al descubrir lo maravilloso que él es y lo mucho que nos ama, nos acercamos a él por el gozo que experimentamos en su presencia.

El rey David nos permite echar un vistazo a su relación con Dios, al decir: «Una cosa he demandado a Jehová, ésta buscaré; que esté yo en la casa de Jehová todos los días de mi vida, para contemplar la hermosura de Jehová, y para inquirir en su templo. Porque él me esconderá en su tabernáculo en el día del mal; me ocultará en lo reservado de su morada; sobre una roca me pondrá en alto. Luego levantará mi cabeza sobre mis enemigos que me rodean, y yo sacrificaré en su tabernáculo sacrificios de júbilo; cantaré y entonaré alabanzas a Jehová» (Salmo 27.4-6).

David encontró gran gozo al mejorar su relación con Dios. El Señor siempre está ahí, pero no siempre nos percatamos de su presencia. Nuestra relación con Dios usualmente comienza cuando suple nuestras desesperadas necesidades. Pero cuando comenzamos a concentrarnos en conocer a Dios como un fin en sí mismo, descubriremos que él nos dará lo que siempre hemos deseado: el gozo de estar cerca de nuestro amoroso Creador. Entonces nos daremos cuenta de que podemos confiarle toda nuestra vida. **Vaya a la página 505, Salmo 65.**

---

**27.11-14** Puesto que las tentaciones nos presionan por todos lados, necesitamos aprender cómo quiere Dios que actuemos en medio de esas presiones. Él quiere convertirse en el agente estabilizador en nuestra vida. Lejos de él no tenemos poder contra las cosas que en el pasado nos esclavizaron. Debemos tomar la decisión, cada día, de seguir a Dios, esperando confiada y pacientemente que él nos proteja y nos dirija.

Porque se han levantado contra mí testigos
falsos, y los que respiran crueldad.
13 Hubiera yo desmayado, si no creyese que
veré la bondad de Jehová
En la tierra de los vivientes.
14 Aguarda a Jehová;
Esfuérzate, y aliéntese tu corazón;
Sí, espera a Jehová.

## Plegaria pidiendo ayuda, y alabanza por la respuesta

Salmo de David.

**28** 1 A ti clamaré, oh Jehová.
Roca mía, no te desentiendas de mí,
Para que no sea yo, dejándome tú,
Semejante a los que descienden al sepulcro.
2 Oye la voz de mis ruegos cuando clamo a ti,
Cuando alzo mis manos hacia
tu santo templo.
3 No me arrebates juntamente
con los malos,
Y con los que hacen iniquidad,
Los cuales hablan paz con sus prójimos,
Pero la maldad está en su corazón.
4 Dales conforme a su obra,*a* y conforme a la
perversidad de sus hechos;
Dales su merecido conforme a la obra
de sus manos.
5 Por cuanto no atendieron a los hechos
de Jehová,
Ni a la obra de sus manos,
El los derribará, y no los edificará.
6 Bendito sea Jehová,
Que oyó la voz de mis ruegos.
7 Jehová es mi fortaleza y mi escudo;
En él confió mi corazón, y fui ayudado,
Por lo que se gozó mi corazón,
Y con mi cántico le alabaré.
8 Jehová es la fortaleza de su pueblo,
Y el refugio salvador de su ungido.

9 Salva a tu pueblo, y bendice a tu heredad;
Y pastoréales y susténtales para siempre.

## Poder y gloria de Jehová

Salmo de David.

**29** 1 Tributad a Jehová, oh hijos
de los poderosos,
Dad a Jehová la gloria y el poder.
2 Dad a Jehová la gloria debida
a su nombre;
Adorad a Jehová en la hermosura
de la santidad.*a*
3 Voz de Jehová sobre las aguas;
Truena el Dios de gloria,
Jehová sobre las muchas aguas.
4 Voz de Jehová con potencia;
Voz de Jehová con gloria.
5 Voz de Jehová que quebranta los cedros;
Quebrantó Jehová los cedros del Líbano.
6 Los hizo saltar como becerros;
Al Líbano y al Sirión como hijos de búfalos.
7 Voz de Jehová que derrama llamas de fuego;
8 Voz de Jehová que hace temblar el desierto;
Hace temblar Jehová el desierto de Cades.
9 Voz de Jehová que desgaja las encinas,
Y desnuda los bosques;
En su templo todo proclama su gloria.
10 Jehová preside en el diluvio,
Y se sienta Jehová como rey para siempre.
11 Jehová dará poder a su pueblo;
Jehová bendecirá a su pueblo con paz.

## Acción de gracias por haber sido librado de la muerte

Salmo cantado en la dedicación de la Casa.
Salmo de David.

**30** 1 Te glorificaré, oh Jehová,
porque me has exaltado,
Y no permitiste que mis enemigos
se alegraran de mí.

**28.4** *a* Ap. 22.12.   **29.1-2** *a* Sal. 96.7-9.

**28.1-5** La decisión de encomendar a Dios nuestra vida para que la cuide es un paso importante en la recuperación. No encontraremos las respuestas a los problemas de la vida en ningún otro lugar. La mejor manera de evitar el juicio que caerá sobre quienes provoquen la caída de otros es mantenernos lejos de ellos. Si no nos alejamos de las personas y de las situaciones que causaron nuestros pasados fracasos, es casi seguro que quedaremos atrapados en los mismos viejos errores y dependencias.
**28.6-9** Dios espera que hagamos nuestra parte en la recuperación, pero sabemos que sólo él puede capacitarnos para resistir las presiones que parecen arrastrarnos de vuelta a nuestras viejas andanzas. Saber que Dios es nuestra fortaleza y que nos dará la victoria sobre nuestros malos hábitos debe llenar nuestro corazón de gran gozo y aliento. Aun cuando sintamos que no tenemos fuerzas y que no podemos continuar, Dios nos está esperando para que corramos a sus brazos abiertos y poderosos.
**29.1-9** En este salmo se nos recuerda el gran poder de Dios sobre el mundo natural. Aunque su majestad es más grande de lo que las palabras puedan describir, él nos conoce y nos ama a cada uno de nosotros. Descubrir lo impotentes que somos ante los problemas que enfrentamos debe hacernos reconocer nuestra necesidad de entregarle nuestra vida a él, al Todopoderoso. Él es el único capaz de ayudarnos, y está deseoso de hacerlo.

² Jehová Dios mío,
A ti clamé, y me sanaste.
³ Oh Jehová, hiciste subir mi alma del Seol;
Me diste vida, para que no descendiese a la
sepultura.
⁴ Cantad a Jehová, vosotros sus santos,
Y celebrad la memoria de su santidad.
⁵ Porque un momento será su ira,
Pero su favor dura toda la vida.
Por la noche durará el lloro,
Y a la mañana vendrá la alegría.
⁶ En mi prosperidad dije yo:
No seré jamás conmovido,
⁷ Porque tú, Jehová, con tu favor me
afirmaste como monte fuerte.
Escondiste tu rostro, fui turbado.
⁸ A ti, oh Jehová, clamaré,
Y al Señor suplicaré.
⁹ ¿Qué provecho hay en mi muerte cuando
descienda a la sepultura?
¿Te alabará el polvo? ¿Anunciará tu verdad?
¹⁰ Oye, oh Jehová, y ten misericordia de mí;
Jehová, sé tú mi ayudador.
¹¹ Has cambiado mi lamento en baile;
Desataste mi cilicio, y me ceñiste de alegría.
¹² Por tanto, a ti cantaré, gloria mía,
y no estaré callado.
Jehová Dios mío, te alabaré para siempre.

## Declaración de confianza

Al músico principal. Salmo de David.

**31** ¹ En ti, oh Jehová, he confiado;
no sea yo confundido jamás;
Líbrame en tu justicia.
² Inclina a mí tu oído, líbrame pronto;
Sé tú mi roca fuerte, y fortaleza para salvarme.
³ Porque tú eres mi roca y mi castillo;
Por tu nombre me guiarás y me
encaminarás.

⁴ Sácame de la red que han escondido para mí,
Pues tú eres mi refugio.
⁵ En tu mano encomiendo mi espíritu;ᵃ
Tú me has redimido, oh Jehová,
Dios de verdad.
⁶ Aborrezco a los que esperan
en vanidades ilusorias;
Mas yo en Jehová he esperado.
⁷ Me gozaré y alegraré en tu misericordia,
Porque has visto mi aflicción;
Has conocido mi alma en las angustias.
⁸ No me entregaste en mano del enemigo;
Pusiste mis pies en lugar espacioso.
⁹ Ten misericordia de mí, oh Jehová, porque
estoy en angustia;
Se han consumido de tristeza mis ojos,
mi alma también y mi cuerpo.
¹⁰ Porque mi vida se va gastando de dolor,
y mis años de suspirar;
Se agotan mis fuerzas a causa de mi
iniquidad, y mis huesos se han
consumido.
¹¹ De todos mis enemigos soy objeto
de oprobio,
Y de mis vecinos mucho más, y el horror
de mis conocidos;
Los que me ven fuera huyen de mí.
¹² He sido olvidado de su corazón
como un muerto;
He venido a ser como un vaso quebrado.
¹³ Porque oigo la calumnia de muchos;
El miedo me asalta por todas partes,
Mientras consultan juntos contra mí
E idean quitarme la vida.
¹⁴ Mas yo en ti confío, oh Jehová;
Digo: Tú eres mi Dios.
¹⁵ En tu mano están mis tiempos;
Líbrame de la mano de mis enemigos
y de mis perseguidores.

**31.5** ᵃ Lc. 23.46.

---

**30.1-5** ¡Qué gran gozo y gratitud sentimos cuando Dios nos levanta y no permite que nuestros problemas nos derroten o destruyan! Una de las lecciones más difíciles de aprender durante la recuperación es cómo postergar la gratificación. Debemos pasar por algunas noches largas y oscuras luchando contra la tentación antes de experimentar el gozo de la victoria. Pero el Señor no permitirá que el enemigo triunfe sobre nosotros. Cuando finalmente venzamos, la alegría del éxito será tanto más dulce.

**30.6-9** A veces es posible pasar por el mayor peligro cuando todo va bien en nuestra vida. Tendemos a volvernos muy confiados; pensamos que nada puede pasarnos. Pero el orgullo y la arrogancia usualmente preceden a una caída. Algunas veces Dios permite que sigamos nuestro propio camino y suframos las consecuencias para que así aprendamos que nosotros solos no podemos lograr nada. Tendremos éxito en la recuperación sólo cuando aprendamos a depender completamente de Dios y sigamos su plan de recuperación.

**31.9-13** Estos versículos reflejan las graves consecuencias que el pecado produce en nuestra vida. Cuando caemos en sus trampas, todo comienza a hacerse pedazos. Los amigos y vecinos nos rehúyen, temerosos de acercarse a nosotros. El salmista entendía cómo podíamos sentirnos al caer en la trampa del pecado y del fracaso continuo. Pero también sabía que Dios es misericordioso y que está listo para ayudarnos cuando se lo pidamos. Dios está dispuesto a perdonarnos y capacitarnos, con sólo acudir a él en busca de ayuda.

16 Haz resplandecer tu rostro sobre
tu siervo;
Sálvame por tu misericordia.
17 No sea yo avergonzado, oh Jehová,
ya que te he invocado;
Sean avergonzados los impíos, estén mudos
en el Seol.
18 Enmudezcan los labios mentirosos,
Que hablan contra el justo cosas duras
Con soberbia y menosprecio.
19 ¡Cuán grande es tu bondad, que has
guardado para los que te temen,
Que has mostrado a los que esperan en ti,
delante de los hijos de los hombres!
20 En lo secreto de tu presencia
los esconderás de la conspiración
del hombre;
Los pondrás en un tabernáculo a cubierto
de contención de lenguas.
21 Bendito sea Jehová,
Porque ha hecho maravillosa su
misericordia para conmigo en ciudad
fortificada.
22 Decía yo en mi premura: Cortado
soy de delante de tus ojos;
Pero tú oíste la voz de mis ruegos
cuando a ti clamaba.
23 Amad a Jehová, todos vosotros
sus santos;
A los fieles guarda Jehová,
Y paga abundantemente al que procede
con soberbia.
24 Esforzaos todos vosotros los que esperáis
en Jehová,
Y tome aliento vuestro corazón.

## La dicha del perdón

Salmo de David. Masquil.

**32** 1 Bienaventurado aquel cuya transgresión
ha sido perdonada, y cubierto su pecado.
2 Bienaventurado el hombre a quien Jehová
no culpa de iniquidad,*a*
Y en cuyo espíritu no hay engaño.
3 Mientras callé, se envejecieron mis huesos
En mi gemir todo el día.
4 Porque de día y de noche se agravó
sobre mí tu mano;
Se volvió mi verdor en sequedades
de verano.                    *Selah*

5 Mi pecado te declaré, y no encubrí
mi iniquidad.
Dije: Confesaré mis transgresiones a Jehová;
Y tú perdonaste la maldad de mi
pecado.*b*                    *Selah*

6 Por esto orará a ti todo santo en el tiempo
en que puedas ser hallado;
Ciertamente en la inundación de muchas
aguas no llegarán éstas a él.
7 Tú eres mi refugio; me guardarás
de la angustia;
Con cánticos de liberación
me rodearás.                    *Selah*

8 Te haré entender, y te enseñaré
el camino en que debes andar;
Sobre ti fijaré mis ojos.
9 No seáis como el caballo, o como el mulo,
sin entendimiento,
Que han de ser sujetados con cabestro
y con freno,
Porque si no, no se acercan a ti.

**32.1-2** *a* Ro. 4.7-8.   **32.5** *b* 2 S. 12.13.

---

**31.19-22** Los viejos amigos pueden hacernos caer con sus «lenguas contenciosas», a veces sin querer hacerlo. Dios puede protegernos de ser lastimados si le permitimos tomar el control de nuestra vida. En nuestra angustia, podemos asumir equivocadamente que estamos solos; sin embargo, Dios siempre está ahí, respondiendo a nuestro pedido de ayuda. Ninguna situación es demasiado difícil para Dios. Si dependemos de él, el Señor nos alejará de nuestra vieja vida de pecado y nos acercará a la recuperación, escondiéndonos «en lo secreto de [su] presencia».

**32.1-4** Cuando tomemos en serio nuestros pecados pasados, reconociendo cada uno de ellos y tratando de reparar el daño que hayamos causado, probablemente descubriremos que la mayoría de las personas estarán dispuestas a perdonarnos. Reparar el daño causado por nuestros pasados errores y reconciliarnos con nuestras amistades es una parte importante del proceso de recuperación. Vemos en este salmo que la reconciliación con Dios comienza cuando le confesamos nuestros pecados. El Señor nos perdonará, ¡podemos contar con esto! Cuando tratamos de esconder nuestros pecados de Dios, nuestra vida se vuelve caótica y miserable. Comienzan a hacérsele nudos a nuestro ser interior y una vez más empezamos a perder el control. ¿Por qué luchar? Confesar nuestros pecados a Dios es el primer paso para tener un corazón alegre.

**32.5-9** Al igual que David, necesitamos confesar nuestros pecados ante Dios y responsabilizarnos ante las personas a las que hayamos lastimado. Al hacer esto, damos un buen ejemplo a quienes también estén teniendo dificultades para confesar sus pecados a Dios. Además, liberamos nuestro corazón de la destructiva atadura de la culpa y podemos reestablecer las relaciones personales saludables que todos necesitamos para una total recuperación. El Señor quiere darnos una vida productiva y plena, pero debemos responder voluntariamente a sus mandamientos.

10 Muchos dolores habrá para el impío;
   Mas al que espera en Jehová, le rodea la
      misericordia.
11 Alegraos en Jehová y gozaos, justos;
   Y cantad con júbilo todos vosotros los rectos
      de corazón.

## Alabanzas al Creador y Preservador

**33** 1 Alegraos, oh justos, en Jehová;
      En los íntegros es hermosa la alabanza.
   2 Aclamad a Jehová con arpa;
      Cantadle con salterio y decacordio.
   3 Cantadle cántico nuevo;
      Hacedlo bien, tañendo con júbilo.
   4 Porque recta es la palabra de Jehová,
      Y toda su obra es hecha con fidelidad.
   5 El ama justicia y juicio;
      De la misericordia de Jehová está llena
         la tierra.
   6 Por la palabra de Jehová fueron hechos
         los cielos,
      Y todo el ejército de ellos por el aliento
         de su boca.
   7 El junta como montón las aguas del mar;
      El pone en depósitos los abismos.
   8 Tema a Jehová toda la tierra;
      Teman delante de él todos los habitantes
         del mundo.
   9 Porque él dijo, y fue hecho;
      El mandó, y existió.
   10 Jehová hace nulo el consejo de las naciones,
      Y frustra las maquinaciones de los pueblos.
   11 El consejo de Jehová permanecerá
         para siempre;
      Los pensamientos de su corazón
         por todas las generaciones.
   12 Bienaventurada la nación cuyo Dios
         es Jehová,
      El pueblo que él escogió como heredad para sí.
   13 Desde los cielos miró Jehová;
      Vio a todos los hijos de los hombres;
   14 Desde el lugar de su morada miró
      Sobre todos los moradores de la tierra.
   15 El formó el corazón de todos ellos;
      Atento está a todas sus obras.
   16 El rey no se salva por la multitud
         del ejército,
      Ni escapa el valiente por la mucha fuerza.
   17 Vano para salvarse es el caballo;
      La grandeza de su fuerza a nadie podrá librar.

## Sinceridad

**LEA EL SALMO 32.1-11**

Vivir una mentira es lamentable. Quizás conozcamos por experiencia personal la pesada carga de tratar de esconder una vida secreta. Si estamos evitando a Dios o alejándonos de la gente porque tememos que nos descubran, estamos viviendo en una agonía innecesaria.

Moisés entendió el precio que hay que pagar por vivir una mentira. Él oró: «Porque con tu furor somos consumidos, y con tu ira somos turbados. Pusiste nuestras maldades delante de ti, nuestros yerros a la luz de tu rostro. Porque todos nuestros días declinan a causa de tu ira; acabamos nuestros años como un pensamiento» (Salmo 90.7-9). David nos mostró el otro lado de esa realidad: «Bienaventurado aquel cuya transgresión ha sido perdonada, y cubierto su pecado. Bienaventurado el hombre a quien Jehová no culpa de iniquidad, y en cuyo espíritu no hay engaño. Mientras callé, se envejecieron mis huesos en mi gemir todo el día. Porque de día y de noche se agravó sobre mí tu mano; se volvió mi verdor en sequedades de verano. Mi pecado te declaré, y no encubrí mi iniquidad. Dije: Confesaré mis transgresiones a Jehová; y tú perdonaste la maldad de mi pecado. Por esto orará a ti todo santo en el tiempo en que puedas ser hallado; ciertamente en la inundación de muchas aguas no llegarán éstas a él» (Salmo 32.1-6).

¿Por qué debemos vivir con el peso de la falta de sinceridad cuando hay alivio disponible para nosotros? De todas maneras, ya Dios conoce nuestros pecados secretos. ¿Por qué continuar sufriendo una agonía innecesaria cuando podemos ser libres? *Vaya a la página 493, Salmo 42.*

---

**33.1-11** Un Dios tan poderoso es digno de nuestra confianza y de nuestra alabanza. El Dios que ordenó al mundo que existiera es capaz de volver a crearnos, y está lleno de un tierno amor por nosotros. Él puede liberarnos de los defectos que han producido tanta destrucción no sólo en nosotros mismos sino también en las personas a las que amamos. Todo lo que pide es que le entreguemos nuestra vida para que así él pueda hacer estos cambios en nosotros.

**18** He aquí el ojo de Jehová sobre
  los que le temen,
  Sobre los que esperan en su misericordia,
**19** Para librar sus almas de la muerte,
  Y para darles vida en tiempo de hambre.
**20** Nuestra alma espera a Jehová;
  Nuestra ayuda y nuestro escudo es él.
**21** Por tanto, en él se alegrará nuestro corazón,
  Porque en su santo nombre hemos confiado.
**22** Sea tu misericordia, oh Jehová, sobre
  nosotros,
  Según esperamos en ti.

## La protección divina

Salmo de David, cuando mudó su semblante
delante de Abimelec,*a* y él lo echó, y se fue.

**34** **1** Bendeciré a Jehová en todo tiempo;
  Su alabanza estará de continuo
  en mi boca.
**2** En Jehová se gloriará mi alma;
  Lo oirán los mansos, y se alegrarán.
**3** Engrandeced a Jehová conmigo,
  Y exaltemos a una su nombre.
**4** Busqué a Jehová, y él me oyó,
  Y me libró de todos mis temores.
**5** Los que miraron a él fueron alumbrados,
  Y sus rostros no fueron avergonzados.
**6** Este pobre clamó, y le oyó Jehová,
  Y lo libró de todas sus angustias.
**7** El ángel de Jehová acampa alrededor
  de los que le temen,
  Y los defiende.
**8** Gustad, y ved que es bueno Jehová;*b*
  Dichoso el hombre que confía en él.
**9** Temed a Jehová, vosotros sus santos,
  Pues nada falta a los que le temen.
**10** Los leoncillos necesitan, y tienen hambre;
  Pero los que buscan a Jehová no tendrán
  falta de ningún bien.
**11** Venid, hijos, oídme;
  El temor de Jehová os enseñaré.
**12** ¿Quién es el hombre que desea vida,
  Que desea muchos días para ver el bien?
**13** Guarda tu lengua del mal,
  Y tus labios de hablar engaño.

**14** Apártate del mal, y haz el bien;
  Busca la paz, y síguela.
**15** Los ojos de Jehová están sobre los justos,
  Y atentos sus oídos al clamor de ellos.
**16** La ira de Jehová contra los que
  hacen mal,*c*
  Para cortar de la tierra la memoria de ellos.
**17** Claman los justos, y Jehová oye,
  Y los libra de todas sus angustias.
**18** Cercano está Jehová a los quebrantados
  de corazón;
  Y salva a los contritos de espíritu.
**19** Muchas son las aflicciones del justo,
  Pero de todas ellas le librará Jehová.
**20** El guarda todos sus huesos;
  Ni uno de ellos será quebrantado.*d*
**21** Matará al malo la maldad,
  Y los que aborrecen al justo serán
  condenados.
**22** Jehová redime el alma de sus siervos,
  Y no serán condenados cuantos en él
  confían.

## Plegaria pidiendo ser librado de los enemigos

Salmo de David.

**35** **1** Disputa, oh Jehová, con los que
  contra mí contienden;
  Pelea contra los que me combaten.
**2** Echa mano al escudo y al pavés,
  Y levántate en mi ayuda.
**3** Saca la lanza, cierra contra mis
  perseguidores;
  Di a mi alma: Yo soy tu salvación.
**4** Sean avergonzados y confundidos
  los que buscan mi vida;
  Sean vueltos atrás y avergonzados los que
  mi mal intentan.
**5** Sean como el tamo delante del viento,
  Y el ángel de Jehová los acose.
**6** Sea su camino tenebroso y resbaladizo,
  Y el ángel de Jehová los persiga.
**7** Porque sin causa escondieron para mí
  su red en un hoyo;
  Sin causa cavaron hoyo para mi alma.

---

**34 tít.** *a* 1 S. 21.13-15.  **34.8** *b* 1 P. 2.3.  **34.12-16** *c* 1 P. 3.10-12.  **34.20** *d* Ex. 12.46; Nm. 9.12; Jn. 19.36.

**34.1-7** Cuando experimentemos la liberación por el poder de Dios, debería ser natural alabarlo y contarles a otros las buenas noticias. Si nos preocupamos por las personas que sufren como nosotros sufrimos en el pasado, seríamos egoístas si nos les dijéramos cómo Dios nos ha liberado. Hacer alarde de nuestro Dios y de cómo nos ha ayudado es una forma saludable de alardear. Este tipo de jactancia piadosa no sólo animará a otros que estén en el proceso de recuperación, sino que también fortalecerá nuestra fe en Dios.
**34.8-14** Si hemos pasado la vida confiando en nuestro buen juicio, quizás se nos haga difícil entregarnos a Dios y a su plan para nosotros. Pero el Señor ha prometido suplir todas nuestras necesidades cuando confiemos en él y lo honremos. Él tiene el poder y la sabiduría que necesitamos para alcanzar la victoria en nuestras luchas con la tentación y el pecado.

**8** Véngale el quebrantamiento sin que lo sepa,
Y la red que él escondió lo prenda;
Con quebrantamiento caiga en ella.

**9** Entonces mi alma se alegrará en Jehová;
Se regocijará en su salvación.

**10** Todos mis huesos dirán: Jehová,
¿quién como tú,
Que libras al afligido del más fuerte que él,
Y al pobre y menesteroso del que le despoja?

**11** Se levantan testigos malvados;
De lo que no sé me preguntan;

**12** Me devuelven mal por bien,
Para afligir a mi alma.

**13** Pero yo, cuando ellos enfermaron,
me vestí de cilicio;
Afligí con ayuno mi alma,
Y mi oración se volvía a mi seno.

**14** Como por mi compañero, como
por mi hermano andaba;
Como el que trae luto por madre, enlutado
me humillaba.

**15** Pero ellos se alegraron en mi adversidad,
y se juntaron;
Se juntaron contra mí gentes despreciables,
y yo no lo entendía;
Me despedazaban sin descanso;

**16** Como lisonjeros, escarnecedores y truhanes,
Crujieron contra mí sus dientes.

**17** Señor, ¿hasta cuándo verás esto?
Rescata mi alma de sus destrucciones,
mi vida de los leones.

**18** Te confesaré en grande congregación;
Te alabaré entre numeroso pueblo.

**19** No se alegren de mí los que sin causa
son mis enemigos,
Ni los que me aborrecen sin causa*a*
guiñen el ojo.

**20** Porque no hablan paz;
Y contra los mansos de la tierra piensan
palabras engañosas.

**21** Ensancharon contra mí su boca;
Dijeron: ¡Ea, ea, nuestros ojos lo han visto!

**22** Tú lo has visto, oh Jehová; no calles;
Señor, no te alejes de mí.

**23** Muévete y despierta para hacerme justicia,
Dios mío y Señor mío, para defender
mi causa.

**24** Júzgame conforme a tu justicia,
Jehová Dios mío,
Y no se alegren de mí.

**25** No digan en su corazón: ¡Ea, alma nuestra!
No digan: ¡Le hemos devorado!

**26** Sean avergonzados y confundidos a una los
que de mi mal se alegran;
Vístanse de vergüenza y de confusión los
que se engrandecen contra mí.

**27** Canten y alégrense los que están a favor
de mi justa causa,
Y digan siempre: Sea exaltado Jehová,
Que ama la paz de su siervo.

**28** Y mi lengua hablará de tu justicia
Y de tu alabanza todo el día.

## La misericordia de Dios

Al músico principal. Salmo de David,
siervo de Jehová.

**36** **1** La iniquidad del impío me dice
al corazón:
No hay temor de Dios delante de sus ojos.*a*

**2** Se lisonjea, por tanto, en sus propios ojos,
De que su iniquidad no será hallada
y aborrecida.

**3** Las palabras de su boca son iniquidad
y fraude;
Ha dejado de ser cuerdo y de hacer el bien.

**4** Medita maldad sobre su cama;
Está en camino no bueno,
El mal no aborrece.

**5** Jehová, hasta los cielos llega tu misericordia,
Y tu fidelidad alcanza hasta las nubes.

**6** Tu justicia es como los montes de Dios,
Tus juicios, abismo grande.
Oh Jehová, al hombre y al animal
conservas.

---

**35.19** *a* Sal. 69.4; Jn. 15.25.   **36.1** *a* Ro. 3.18.

---

**35.17-28** En este salmo David expresó sentimientos de desesperación; sintió que Dios se había olvidado de él. A veces nosotros sentimos lo mismo. Entonces, cuando llegue la ayuda, debemos, como David, hablarles de la misericordia de Dios a quienes se sientan igualmente desesperados, para así alentarlos. El mundo entero parece conspirar contra nosotros cuando estamos peleando por mantenernos libres de nuestra dependencia y compulsiones. Necesitamos seguir clamando a Dios por su sabiduría y poder para que nos ayude a continuar haciendo lo que es correcto. Cuando los que se han mantenido a nuestro lado vean nuestro progreso, se regocijarán con nosotros al contarles de la misericordia del Señor.

**36.1-4** Los pecados y los reiterados fracasos han hecho mella en nuestra vida. Algunas veces no somos totalmente conscientes de cuán deshonestos hemos sido ni de cuánto daño nuestro pecado ha causado en nosotros y en otras personas. Por esto es tan importante examinar cuidadosamente nuestra vida al hacer un inventario moral, para que así Dios pueda comenzar a ayudarnos a cambiar las cosas que necesitan ser cambiadas.

**7** ¡Cuán preciosa, oh Dios, es tu misericordia!
Por eso los hijos de los hombres se amparan
bajo la sombra de tus alas.
**8** Serán completamente saciados de la grosura
de tu casa,
Y tú los abrevarás del torrente
de tus delicias.
**9** Porque contigo está el manantial de la vida;
En tu luz veremos la luz.
**10** Extiende tu misericordia
a los que te conocen,
Y tu justicia a los rectos de corazón.
**11** No venga pie de soberbia contra mí,
Y mano de impíos no me mueva.
**12** Allí cayeron los hacedores de iniquidad;
Fueron derribados, y no podrán levantarse.

## El camino de los malos

Salmo de David.

**37** **1** No te impacientes a causa
de los malignos,
Ni tengas envidia de los que hacen
iniquidad.
**2** Porque como hierba serán pronto cortados,
Y como la hierba verde se secarán.
**3** Confía en Jehová, y haz el bien;
Y habitarás en la tierra, y te apacentarás
de la verdad.
**4** Deléitate asimismo en Jehová,
Y él te concederá las peticiones de tu
corazón.
**5** Encomienda a Jehová tu camino,
Y confía en él; y él hará.
**6** Exhibirá tu justicia como la luz,
Y tu derecho como el mediodía.
**7** Guarda silencio ante Jehová,
y espera en él.
No te alteres con motivo del que prospera
en su camino,
Por el hombre que hace maldades.
**8** Deja la ira, y desecha el enojo;
No te excites en manera alguna
a hacer lo malo.
**9** Porque los malignos serán destruidos,
Pero los que esperan en Jehová,
ellos heredarán la tierra.
**10** Pues de aquí a poco no existirá el malo;
Observarás su lugar, y no estará allí.

**11** Pero los mansos heredarán la tierra,*a*
Y se recrearán con abundancia de paz.
**12** Maquina el impío contra el justo,
Y cruje contra él sus dientes;
**13** El Señor se reirá de él;
Porque ve que viene su día.
**14** Los impíos desenvainan espada
y entesan su arco,
Para derribar al pobre y al menesteroso,
Para matar a los de recto proceder.
**15** Su espada entrará en su mismo corazón,
Y su arco será quebrado.
**16** Mejor es lo poco del justo,
Que las riquezas de muchos pecadores.
**17** Porque los brazos de los impíos
serán quebrados;
Mas el que sostiene a los justos es Jehová.
**18** Conoce Jehová los días de los perfectos,
Y la heredad de ellos será para siempre.
**19** No serán avergonzados en el mal tiempo,
Y en los días de hambre serán saciados.
**20** Mas los impíos perecerán,
Y los enemigos de Jehová como la grasa
de los carneros
Serán consumidos; se disiparán
como el humo.
**21** El impío toma prestado, y no paga;
Mas el justo tiene misericordia, y da.
**22** Porque los benditos de él heredarán la tierra;
Y los malditos de él serán destruidos.
**23** Por Jehová son ordenados los pasos
del hombre,
Y él aprueba su camino.
**24** Cuando el hombre cayere, no quedará
postrado,
Porque Jehová sostiene su mano.
**25** Joven fui, y he envejecido,
Y no he visto justo desamparado,
Ni su descendencia que mendigue pan.
**26** En todo tiempo tiene misericordia, y presta;
Y su descendencia es para bendición.
**27** Apártate del mal, y haz el bien,
Y vivirás para siempre.
**28** Porque Jehová ama la rectitud,
Y no desampara a sus santos.
Para siempre serán guardados;
Mas la descendencia de los impíos
será destruida.

**37.11** *a* Mt. 5.5.

**37.1-7** No debemos impacientarnos ni envidiar a los que parecen salirse con las suyas haciendo lo incorrecto. Su época de gloria pronto terminará y, como la hierba, pronto «se secarán». Necesitamos hacer cosas que tengan valor duradero, sirviendo fielmente a Dios y ayudando a la gente que nos rodea. La fórmula divina para nuestro éxito es que desarrollemos una relación personal con él y decidamos servirle en todo lo que hagamos. Luego, en el tiempo perfecto de Dios, experimentaremos el verdadero gozo prometido por él y la libertad de la culpa que otros amontonaron sobre nosotros.

**29** Los justos heredarán la tierra,
Y vivirán para siempre sobre ella.
**30** La boca del justo habla sabiduría,
Y su lengua habla justicia.
**31** La ley de su Dios está en su corazón;
Por tanto, sus pies no resbalarán.
**32** Acecha el impío al justo,
Y procura matarlo.
**33** Jehová no lo dejará en sus manos,
Ni lo condenará cuando le juzgaren.
**34** Espera en Jehová, y guarda su camino,
Y él te exaltará para heredar la tierra;
Cuando sean destruidos los pecadores,
lo verás.
**35** Vi yo al impío sumamente enaltecido,
Y que se extendía como laurel verde.
**36** Pero él pasó, y he aquí ya no estaba;
Lo busqué, y no fue hallado.
**37** Considera al íntegro, y mira al justo;
Porque hay un final dichoso para el hombre
de paz.
**38** Mas los transgresores serán todos a una
destruidos;
La posteridad de los impíos será
extinguida.
**39** Pero la salvación de los justos
es de Jehová,
Y él es su fortaleza en el tiempo de la
angustia.
**40** Jehová los ayudará y los librará;
Los libertará de los impíos, y los salvará,
Por cuanto en él esperaron.

## Oración de un penitente
Salmo de David, para recordar.

# 38
**1** Jehová, no me reprendas en tu furor,
Ni me castigues en tu ira.

**2** Porque tus saetas cayeron sobre mí,
Y sobre mí ha descendido tu mano.
**3** Nada hay sano en mi carne,
a causa de tu ira;
Ni hay paz en mis huesos,
a causa de mi pecado.
**4** Porque mis iniquidades se han agravado
sobre mi cabeza;
Como carga pesada se han agravado
sobre mí.
**5** Hieden y supuran mis llagas,
A causa de mi locura.
**6** Estoy encorvado, estoy humillado
en gran manera,
Ando enlutado todo el día.
**7** Porque mis lomos están llenos de ardor,
Y nada hay sano en mi carne.
**8** Estoy debilitado y molido en gran manera;
Gimo a causa de la conmoción de mi corazón.
**9** Señor, delante de ti están todos mis deseos,
Y mi suspiro no te es oculto.
**10** Mi corazón está acongojado,
me ha dejado mi vigor,
Y aun la luz de mis ojos me falta ya.
**11** Mis amigos y mis compañeros se mantienen
lejos de mi plaga,
Y mis cercanos se han alejado.
**12** Los que buscan mi vida arman lazos,
Y los que procuran mi mal hablan
iniquidades,
Y meditan fraudes todo el día.
**13** Mas yo, como si fuera sordo, no oigo;
Y soy como mudo que no abre la boca.
**14** Soy, pues, como un hombre que no oye,
Y en cuya boca no hay represiones.
**15** Porque en ti, oh Jehová, he esperado;
Tú responderás, Jehová Dios mío.

---

**37.27-31** El plan divino para una vida piadosa es la única manera de llevar una vida saludable. Si realmente deseamos obedecer a Dios, debemos «[apartarnos] del mal» y saturar nuestra mente con la verdad de su Palabra. La verdad de Dios debe ser el fundamento de nuestra vida. La Biblia nos ayuda a conocer la diferencia entre el bien y el mal, y a tomar decisiones sabias. Vivir de acuerdo con el plan de Dios hará que tengamos relaciones personales saludables y nos liberará de las dependencias que nos atan.

**38.1-8** El juicio de Dios contra nuestros hábitos pecaminosos puede parecer muy duro, pero hasta su disciplina más rigurosa tiene el propósito de hacernos bien. El pecado acarrea consecuencias y el Señor permite que experimentemos los dolorosos resultados de nuestros pecados para animarnos a que nos volvamos a él. Nuestro sufrimiento sólo empeorará a menos que nos alejemos de nuestros pecados y entreguemos nuestra vida a Dios. Sólo él puede ayudarnos a vencer nuestros hábitos pecaminosos y a reestablecer nuestras relaciones con los demás. Sería más sabio aprender de nuestro sufrimiento en vez de dejarnos destruir por él.

**38.11-22** Al caer más profundamente en nuestras adicciones, nuestros seres queridos y amigos pueden alejarse de nosotros, lo que haría que la gente que alienta nuestras dependencias y problemas tenga más poder en nuestra vida. Entonces podemos descubrir que la amistad de esas personas nos mete más y más profundamente en una trampa mortal. Si aspiramos a recuperarnos, necesitamos huir de las personas que quieren que nuestros hábitos pecaminosos nos mantengan atrapados. Si todo el mundo nos ha abandonado, puede resultarnos difícil lograr esto. Debemos comenzar por acudir a Dios en busca de ayuda, y buscar luego compañeros piadosos. Mantenernos cerca de Dios exige que confesemos nuestros pecados y hagamos lo que es correcto. Esto debe llevarnos entonces a tener amistades sanas junto a nosotros.

**16** Dije: No se alegren de mí;
   Cuando mi pie resbale, no se engrandezcan
      sobre mí.
**17** Pero yo estoy a punto de caer,
   Y mi dolor está delante de mí continuamente.
**18** Por tanto, confesaré mi maldad,
   Y me contristaré por mi pecado.
**19** Porque mis enemigos están vivos y fuertes,
   Y se han aumentado los que me aborrecen
      sin causa.
**20** Los que pagan mal por bien
   Me son contrarios, por seguir yo lo bueno.
**21** No me desampares, oh Jehová;
   Dios mío, no te alejes de mí.
**22** Apresúrate a ayudarme,
   Oh Señor, mi salvación.

## El carácter transitorio de la vida

Al músico principal; a Jedutún. Salmo de David.

**39** **1** Yo dije: Atenderé a mis caminos,
   Para no pecar con mi lengua;
   Guardaré mi boca con freno,
   En tanto que el impío esté delante de mí.
**2** Enmudecí con silencio, me callé aun
      respecto de lo bueno;
   Y se agravó mi dolor.
**3** Se enardeció mi corazón dentro de mí;
   En mi meditación se encendió fuego,
   Y así proferí con mi lengua:
**4** Hazme saber, Jehová, mi fin,
   Y cuánta sea la medida de mis días;
   Sepa yo cuán frágil soy.
**5** He aquí, diste a mis días término corto,
   Y mi edad es como nada delante de ti;
   Ciertamente es completa vanidad
      todo hombre que vive.          *Selah*
**6** Ciertamente como una sombra
      es el hombre;

Ciertamente en vano se afana;
   Amontona riquezas, y no sabe quién
      las recogerá.
**7** Y ahora, Señor, ¿qué esperaré?
   Mi esperanza está en ti.
**8** Líbrame de todas mis transgresiones;
   No me pongas por escarnio del insensato.
**9** Enmudecí, no abrí mi boca,
   Porque tú lo hiciste.
**10** Quita de sobre mí tu plaga;
   Estoy consumido bajo los golpes
      de tu mano.
**11** Con castigos por el pecado corriges
      al hombre,
   Y deshaces como polilla lo más estimado
      de él;
   Ciertamente vanidad es todo hombre.
                                        *Selah*
**12** Oye mi oración, oh Jehová,
   y escucha mi clamor.
   No calles ante mis lágrimas;
   Porque forastero soy para ti,
   Y advenedizo, como todos mis padres.
**13** Déjame, y tomaré fuerzas,
   Antes que vaya y perezca.

## Alabanza por la liberación divina

Al músico principal. Salmo de David.

**40** **1** Pacientemente esperé a Jehová,
   Y se inclinó a mí, y oyó mi clamor.
**2** Y me hizo sacar del pozo de la
      desesperación, del lodo cenagoso;
   Puso mis pies sobre peña, y enderezó
      mis pasos.
**3** Puso luego en mi boca cántico nuevo,
   alabanza a nuestro Dios.
   Verán esto muchos, y temerán,
   Y confiarán en Jehová.

---

**39.1-7** Es posible que nos sintamos frustrados y estallemos de rabia exactamente como hizo David en este salmo. No debemos tener miedo de actuar así. Si nos sentimos asustados, solos o abandonados debemos expresar nuestros sentimientos de confusión y rabia. Al hacerlo, estamos reconociendo nuestra impotencia. Este es el primer paso para volvernos a Dios, quien nos permite obtener una perspectiva correcta de la vida. Dios nunca se siente amenazado por nuestras emociones violentas. Nuestra apatía y orgullo es lo que más le molesta.

**39.8-13** Cuando recibimos el castigo de Dios, no tiene sentido que tratemos de escapar de él. Suplicar misericordia es la única cosa sabia que podemos hacer. Cuando Dios nos amonesta por nuestros pecados, descubrimos muy pronto que todo lo que valoramos –familia y amigos, aun nuestra vida– está a fin de cuentas bajo su divino control. En lugar de tratar de justificar nuestros pecados, necesitamos confesarlos. Dios está listo y dispuesto para perdonar a todo aquel que vaya a él con corazón humilde. Al confesar nuestros pecados y fracasos a Dios estamos dando un paso importante en el proceso de la recuperación.

**40.1-5** Siempre vale la pena esperar el tiempo de Dios. Si buscamos su ayuda, él nos rescatará de la destrucción y de la desesperanza, y de todo lo que nos mantiene oprimidos. El Señor también traerá estabilidad a nuestra vida para que podamos seguir adelante con confianza y gozo. Si queremos experimentar lo mejor que Dios tiene reservado para nuestra vida (que excede ampliamente cualquier cosa que podamos imaginar), necesitamos poner nuestra confianza sólo en él y evitar enredarnos con personas que puedan alejarnos de Dios y de su plan para nosotros.

**4** Bienaventurado el hombre que puso
en Jehová su confianza,
Y no mira a los soberbios, ni a los que
se desvían tras la mentira.
**5** Has aumentado, oh Jehová Dios mío,
tus maravillas;
Y tus pensamientos para con nosotros,
No es posible contarlos ante ti.
Si yo anunciare y hablare de ellos,
No pueden ser enumerados.
**6** Sacrificio y ofrenda no te agrada;
Has abierto mis oídos;
Holocausto y expiación no has demandado.
**7** Entonces dije: He aquí, vengo;
En el rollo del libro está escrito de mí;
**8** El hacer tu voluntad, Dios mío,
me ha agradado,
Y tu ley está en medio de mi corazón.*ᵃ*
**9** He anunciado justicia en grande
congregación;
He aquí, no refrené mis labios,
Jehová, tú lo sabes.
**10** No encubrí tu justicia dentro de mi corazón;
He publicado tu fidelidad y tu salvación;
No oculté tu misericordia y tu verdad
en grande asamblea.
**11** Jehová, no retengas de mí tus misericordias;
Tu misericordia y tu verdad me guarden
siempre.
**12** Porque me han rodeado males sin número;
Me han alcanzado mis maldades,
y no puedo levantar la vista.
Se han aumentado más que los cabellos
de mi cabeza, y mi corazón me falla.
**13** Quieras, oh Jehová, librarme;
Jehová, apresúrate a socorrerme.

**14** Sean avergonzados y confundidos a una
Los que buscan mi vida para destruirla.
Vuelvan atrás y avergüéncense
Los que mi mal desean;
**15** Sean asolados en pago de su afrenta
Los que me dicen: ¡Ea, ea!
**16** Gócense y alégrense en ti todos
los que te buscan,
Y digan siempre los que aman tu salvación:
Jehová sea enaltecido.
**17** Aunque afligido yo y necesitado,
Jehová pensará en mí.
Mi ayuda y mi libertador eres tú;
Dios mío, no te tardes.

## Oración pidiendo salud

Al músico principal. Salmo de David.

**41** **1** Bienaventurado el que piensa
en el pobre;
En el día malo lo librará Jehová.
**2** Jehová lo guardará, y le dará vida;
Será bienaventurado en la tierra,
Y no lo entregarás a la voluntad de sus
enemigos.
**3** Jehová lo sustentará sobre el lecho del dolor;
Mullirás toda su cama en su enfermedad.
**4** Yo dije: Jehová, ten misericordia de mí;
Sana mi alma, porque contra ti he pecado.
**5** Mis enemigos dicen mal de mí, preguntando:
¿Cuándo morirá, y perecerá su nombre?
**6** Y si vienen a verme, hablan mentira;
Su corazón recoge para sí iniquidad,
Y al salir fuera la divulgan.
**7** Reunidos murmuran contra mí todos los
que me aborrecen;
Contra mí piensan mal, diciendo de mí:

**40.6-8** *ᵃ* He. 10.5-7.

---

**40.11-17** La recuperación es una de esas cosas que suceden muy raramente «de una vez por todas». Evidentemente, el salmista experimentó liberación de su depresión (40.1); pero luego, unos pocos versículos más adelante, expresó su frustración por sus muchos problemas (40.12). Cada vez que se sentía atrapado, le pedía ayuda al Señor. Esta es una importante lección para quienes luchamos en el camino hacia la completa recuperación. Dios responderá todas las veces que le pidamos ayuda. Nosotros, sin embargo, nunca debemos usar esto como excusa para seguir pecando una y otra vez. Necesitamos hacer todo lo posible por huir de las personas o de las situaciones de las que sabemos que pueden meternos en problemas.

**41.1-3** Mientras nos esforzamos en el proceso de recuperación es fácil centrar nuestro interés en nuestras necesidades y sentimientos y no ver las necesidades de los demás. La recuperación demanda que extendamos la mano para ayudar a otros que también sufren necesidades. En virtud de lo que hemos sufrido, estamos particularmente dotados para ayudar a quienes procuran liberarse de su dependencia. Al ayudar a otros, experimentaremos la ayuda de Dios cuando nos sintamos emocionalmente decaídos o físicamente enfermos, o cuando enfrentemos situaciones al parecer irremediables.

**41.4-9** Muchas personas nos desean éxito cuando procuramos recuperarnos. Otras, sin embargo, parecen estar rondándonos, tratando de predecir constantemente nuestro próximo fracaso. Sentiremos la presión de este tipo de personas cuando nuestra relación con Dios sea débil. En esos momentos vulnerables, nuestros enemigos parecen estar trabajando con ahínco para tratar de arruinar nuestra vida con engaños, mentiras y palabras desalentadoras. Debemos mantener nuestra vida centrada en Dios; él nunca nos fallará.

**8** Cosa pestilencial se ha apoderado de él;
Y el que cayó en cama no volverá
a levantarse.

**9** Aun el hombre de mi paz, en quien
yo confiaba, el que de mi pan comía,
Alzó contra mí el calcañar.*a*

**10** Mas tú, Jehová, ten misericordia de mí,
y hazme levantar,
Y les daré el pago.

**11** En esto conoceré que te he agradado,
Que mi enemigo no se huelgue de mí.

**12** En cuanto a mí, en mi integridad me has
sustentado,
Y me has hecho estar delante
de ti para siempre.

**13** Bendito sea Jehová, el Dios de Israel,
Por los siglos de los siglos.*b*
Amén y Amén.

## LIBRO II
### Mi alma tiene sed de Dios

Al músico principal. Masquil de los hijos
de Coré.

**42** **1** Como el ciervo brama por las corrientes
de las aguas,
Así clama por ti, oh Dios, el alma mía.

**2** Mi alma tiene sed de Dios, del Dios vivo;
¿Cuándo vendré, y me presentaré
delante de Dios?

**3** Fueron mis lágrimas mi pan de día
y de noche,
Mientras me dicen todos los días: ¿Dónde
está tu Dios?

**4** Me acuerdo de estas cosas, y derramo
mi alma dentro de mí;
De cómo yo fui con la multitud,
y la conduje hasta la casa de Dios,
Entre voces de alegría y de alabanza
del pueblo en fiesta.

**5** ¿Por qué te abates, oh alma mía,
Y te turbas dentro de mí?

Espera en Dios; porque aún he de alabarle,
Salvación mía y Dios mío.

**6** Dios mío, mi alma está abatida en mí;
Me acordaré, por tanto, de ti desde
la tierra del Jordán,
Y de los hermonitas, desde el monte
de Mizar.

**7** Un abismo llama a otro a la voz
de tus cascadas;
Todas tus ondas y tus olas han pasado
sobre mí.

**8** Pero de día mandará Jehová su misericordia,
Y de noche su cántico estará conmigo,
Y mi oración al Dios de mi vida.

**9** Diré a Dios: Roca mía, ¿por qué te has
olvidado de mí?
¿Por qué andaré yo enlutado por la opresión
del enemigo?

**10** Como quien hiere mis huesos, mis
enemigos me afrentan,
Diciéndome cada día: ¿Dónde está tu Dios?

**11** ¿Por qué te abates, oh alma mía,
Y por qué te turbas dentro de mí?
Espera en Dios; porque aún he de alabarle,
Salvación mía y Dios mío.

### Plegaria pidiendo vindicación y liberación

**43** **1** Júzgame, oh Dios, y defiende mi causa;
Líbrame de gente impía, y del hombre
engañoso e inicuo.

**2** Pues que tú eres el Dios de mi fortaleza,
¿por qué me has desechado?
¿Por qué andaré enlutado por la opresión
del enemigo?

**3** Envía tu luz y tu verdad; éstas me guiarán;
Me conducirán a tu santo monte,
Y a tus moradas.

**4** Entraré al altar de Dios,
Al Dios de mi alegría y de mi gozo;
Y te alabaré con arpa, oh Dios,
Dios mío.

---

**41.9** *a* Mt. 26.24; Mr. 14.21; Lc. 22.22; Jn. 13.18; 17.12. **41.13** *b* Sal. 106.48.

---

**42.1-3** Probablemente desarrollamos muchos apetitos destructivos durante nuestros días de rebelión contra Dios. La solución de este problema consiste en hacer que Dios sea el único objeto de nuestros deseos. El salmista pinta un hermoso cuadro de la persona que anhela estar cerca del Señor. El lenguaje que usa podría describir fácilmente las ansias que sentimos por nuestra adicción. Necesitamos reconocer que sólo Dios puede satisfacer nuestras más profundas necesidades y que nuestra adicción nunca nos dará una verdadera satisfacción. Quizás la adicción adormezca temporalmente el dolor, pero al final nos destruirá. Si nos volvemos a Dios, él nos ayudará a cambiar nuestros deseos. Podemos aprender a convertir a Dios en el objeto de los más profundos anhelos de nuestro corazón.

**43.1-5** Mientras nos esforzamos en el proceso de recuperación, la gente impía puede que nos traten injustamente. En esos momentos debemos mirar al Señor, nuestra única fuente confiable de fortaleza y aliento. Al entregarle nuestra vida a él y buscar su sabiduría y fortaleza, encontraremos la ayuda que necesitemos. Debemos aprender, tal como hizo el salmista, a encontrar fortaleza al leer la palabra de Dios y al permitirle que restaure nuestro gozo. Conforme nuestra relación con Dios se hace más fuerte, descubriremos las maneras para reconciliar nuestras relaciones rotas.

5 ¿Por qué te abates, oh alma mía,
    Y por qué te turbas dentro de mí?
    Espera en Dios; porque aún he de alabarle,
    Salvación mía y Dios mío.

## Liberaciones pasadas y pruebas presentes

Al músico principal. Masquil
de los hijos de Coré.

**44** ¹ Oh Dios, con nuestros oídos hemos
        oído, nuestros padres nos han contado,
    La obra que hiciste en sus días,
        en los tiempos antiguos.
² Tú con tu mano echaste las naciones,
    y los plantaste a ellos;
Afligiste a los pueblos, y los arrojaste.
³ Porque no se apoderaron de la tierra
    por su espada,
Ni su brazo los libró;
Sino tu diestra, y tu brazo, y la luz
    de tu rostro,
Porque te complaciste en ellos.
⁴ Tú, oh Dios, eres mi rey;
Manda salvación a Jacob.
⁵ Por medio de ti sacudiremos a nuestros
    enemigos;
En tu nombre hollaremos a nuestros
    adversarios.
⁶ Porque no confiaré en mi arco,
Ni mi espada me salvará;
⁷ Pues tú nos has guardado de nuestros
    enemigos,
Y has avergonzado a los que nos aborrecían.
⁸ En Dios nos gloriaremos todo el tiempo,
Y para siempre alabaremos
    tu nombre.                           *Selah*

⁹ Pero nos has desechado, y nos has hecho
    avergonzar;
Y no sales con nuestros ejércitos.
¹⁰ Nos hiciste retroceder delante del enemigo,
Y nos saquean para sí los que nos aborrecen.
¹¹ Nos entregas como ovejas al matadero,
Y nos has esparcido entre las naciones.
¹² Has vendido a tu pueblo de balde;
No exigiste ningún precio.
¹³ Nos pones por afrenta de nuestros vecinos,
Por escarnio y por burla de los que nos
    rodean.
¹⁴ Nos pusiste por proverbio
    entre las naciones;
Todos al vernos menean la cabeza.

# Esperanza

LEA EL SALMO 42.1-11

Durante los tiempos malos, quizás añoremos los «buenos viejos tiempos». Tal vez luchemos con emociones conflictivas, oscilando entre los extremos de la depresión y la esperanza.

El salmista reflejó estas emociones cuando se dijo a sí mismo: «Me acuerdo de estas cosas, y derramo mi alma dentro de mí; de cómo yo fui con la multitud, y la conduje hasta la casa de Dios, entre voces de alegría y de alabanza del pueblo en fiesta. ¿Por qué te abates, oh alma mía, y te turbas dentro de mí? Espera en Dios ... me acordaré ... Un abismo llama a otro a la voz de tus cascadas; todas tus ondas y tus olas han pasado sobre mí. Pero de día mandará Jehová su misericordia, y de noche su cántico estará conmigo, y mi oración al Dios de mi vida. ¿Por qué te abates, oh alma mía, y por qué te turbas dentro de mí? Espera en Dios; porque aún he de alabarle, Salvación mía y Dios mío» (Salmo 42.4-8,11).

Nótese cómo el salmista mejoró su relación consciente con Dios. Se habló a sí mismo, ordenándose: «Espera en Dios». Luego repitió: «porque aún he de alabarle», a pesar de que no sentía deseos de hacerlo en el momento. En los momentos difíciles cantó canciones, pensó en el persistente amor de Dios y oró. Nosotros también podemos hacer lo mismo. ***Vaya a la página 529, Salmo 103.***

---

**44.1-7** Siempre hay lecciones valiosas que aprender de nuestros precursores espirituales. Aquellos que han llegado más lejos en la lucha de la vida y por la recuperación pueden enseñarnos cómo Dios los ayudó y los liberó. Las victorias que Dios les ha dado a otros deben alentarnos, pero debemos poner en práctica los principios que nos enseñan. Si no actuamos según lo que vayamos aprendiendo, nunca experimentaremos las victorias de las que ellos nos cuentan.

**15** Cada día mi vergüenza está delante de mí,
Y la confusión de mi rostro me cubre,

**16** Por la voz del que me vitupera y deshonra,
Por razón del enemigo y del vengativo.

**17** Todo esto nos ha venido, y no nos hemos
olvidado de ti,
Y no hemos faltado a tu pacto.

**18** No se ha vuelto atrás nuestro corazón,
Ni se han apartado de tus caminos
nuestros pasos,

**19** Para que nos quebrantases en el lugar de
chacales,
Y nos cubrieses con sombra de muerte.

**20** Si nos hubiésemos olvidado del nombre de
nuestro Dios,
O alzado nuestras manos a dios ajeno,

**21** ¿No demandaría Dios esto?
Porque él conoce los secretos del corazón.

**22** Pero por causa de ti nos matan cada día;
Somos contados como ovejas para el
matadero.*a*

**23** Despierta; ¿por qué duermes, Señor?
Despierta, no te alejes para siempre.

**24** ¿Por qué escondes tu rostro,
Y te olvidas de nuestra aflicción, y de la
opresión nuestra?

**25** Porque nuestra alma está agobiada
hasta el polvo,
Y nuestro cuerpo está postrado hasta
la tierra.

**26** Levántate para ayudarnos,
Y redímenos por causa
de tu misericordia.

## Cántico de las bodas del rey

Al músico principal; sobre Lirios. Masquil de los
hijos de Coré. Canción de amores.

**45** **1** Rebosa mi corazón palabra buena;
Dirijo al rey mi canto;
Mi lengua es pluma de escribiente
muy ligero.

**2** Eres el más hermoso de los hijos de los
hombres;
La gracia se derramó en tus labios;
Por tanto, Dios te ha bendecido para
siempre.

**3** Ciñe tu espada sobre el muslo, oh valiente,
Con tu gloria y con tu majestad.

**4** En tu gloria sé prosperado;

Cabalga sobre palabra de verdad,
de humildad y de justicia,
Y tu diestra te enseñará cosas terribles.

**5** Tus saetas agudas,
Con que caerán pueblos debajo de ti,
Penetrarán en el corazón de los enemigos
del rey.

**6** Tu trono, oh Dios, es eterno y para siempre;
Cetro de justicia es el cetro de tu reino.

**7** Has amado la justicia y aborrecido
la maldad;
Por tanto, te ungió Dios, el Dios tuyo,
Con óleo de alegría más que a tus
compañeros.*a*

**8** Mirra, áloe y casia exhalan todos tus vestidos;
Desde palacios de marfil te recrean.

**9** Hijas de reyes están entre tus ilustres;
Está la reina a tu diestra con oro de Ofir.

**10** Oye, hija, y mira, e inclina tu oído;
Olvida tu pueblo, y la casa de tu padre;

**11** Y deseará el rey tu hermosura;
E inclínate a él, porque él es tu señor.

**12** Y las hijas de Tiro vendrán con presentes;
Implorarán tu favor los ricos del pueblo.

**13** Toda gloriosa es la hija del rey
en su morada;
De brocado de oro es su vestido.

**14** Con vestidos bordados será llevada al rey;
Vírgenes irán en pos de ella,
Compañeras suyas serán traídas a ti.

**15** Serán traídas con alegría y gozo;
Entrarán en el palacio del rey.

**16** En lugar de tus padres serán tus hijos,
A quienes harás príncipes en toda la tierra.

**17** Haré perpetua la memoria de tu nombre
en todas las generaciones,
Por lo cual te alabarán los pueblos
eternamente y para siempre.

## Dios es nuestro amparo y fortaleza

Al músico principal; de los hijos de Coré. Salmo
sobre Alamot.

**46** **1** Dios es nuestro amparo y fortaleza,
Nuestro pronto auxilio en las
tribulaciones.

**2** Por tanto, no temeremos, aunque la tierra
sea removida,
Y se traspasen los montes al corazón
del mar;

**44.22** *a* Ro. 8.36.  **45.6-7** *a* He. 1.8-9.

---

**46.1-6** Dios es más que capaz de protegernos sin importar cuán fuerte pueda ser la atracción de la
tentación. Si tratamos de resistirla por nuestra propia fuerza, tendremos una buena razón para temer. Pero si
Dios está con nosotros, no tenemos motivos para tener miedo. El río de la misericordia y de la fortaleza de
Dios fluye precisamente para nosotros cuando estamos débiles y sedientos. Ningún poder podrá alejarnos
de su círculo de protección una vez nos hayamos refugiado en él.

**3** Aunque bramen y se turben sus aguas,
Y tiemblen los montes a causa
de su braveza. *Selah*

**4** Del río sus corrientes alegran la ciudad
de Dios,
El santuario de las moradas del Altísimo.
**5** Dios está en medio de ella; no será
conmovida.
Dios la ayudará al clarear la mañana.
**6** Bramaron las naciones, titubearon
los reinos;
Dio él su voz, se derritió la tierra.
**7** Jehová de los ejércitos está con nosotros;
Nuestro refugio es el Dios de Jacob. *Selah*

**8** Venid, ved las obras de Jehová,
Que ha puesto asolamientos en la tierra.
**9** Que hace cesar las guerras hasta los fines
de la tierra.
Que quiebra el arco, corta la lanza,
Y quema los carros en el fuego.
**10** Estad quietos, y conoced que yo soy Dios;
Seré exaltado entre las naciones; enaltecido
seré en la tierra.
**11** Jehová de los ejércitos está con nosotros;
Nuestro refugio es el Dios de Jacob. *Selah*

## Dios, el Rey de toda la tierra
Al músico principal. Salmo de los hijos de Coré.

**47** **1** Pueblos todos, batid las manos;
Aclamad a Dios con voz de júbilo.
**2** Porque Jehová el Altísimo es temible;
Rey grande sobre toda la tierra.
**3** El someterá a los pueblos debajo
de nosotros,
Y a las naciones debajo de nuestros pies.
**4** El nos elegirá nuestras heredades;
La hermosura de Jacob, al cual amó. *Selah*

**5** Subió Dios con júbilo,
Jehová con sonido de trompeta.
**6** Cantad a Dios, cantad;
Cantad a nuestro Rey, cantad;
**7** Porque Dios es el Rey de toda la tierra;
Cantad con inteligencia.

**48.2** *a* Mt. 5.35.

**8** Reinó Dios sobre las naciones;
Se sentó Dios sobre su santo trono.
**9** Los príncipes de los pueblos se reunieron
Como pueblo del Dios de Abraham;
**10** Porque de Dios son los escudos de la tierra;
El es muy exaltado.

## Hermosura y gloria de Sion
Cántico. Salmo de los hijos de Coré.

**48** **1** Grande es Jehová, y digno
de ser en gran manera alabado
En la ciudad de nuestro Dios,
en su monte santo.
**2** Hermosa provincia, el gozo de toda la tierra,
Es el monte de Sion, a los lados del norte,
La ciudad del gran Rey.*a*
**3** En sus palacios Dios es conocido
por refugio.
**4** Porque he aquí los reyes de la tierra
se reunieron;
Pasaron todos.
**5** Y viéndola ellos así, se maravillaron,
Se turbaron, se apresuraron a huir.
**6** Les tomó allí temblor;
Dolor como de mujer que da a luz.
**7** Con viento solano
Quiebras tú las naves de Tarsis.
**8** Como lo oímos, así lo hemos visto
En la ciudad de Jehová de los ejércitos,
en la ciudad de nuestro Dios;
La afirmará Dios para siempre. *Selah*

**9** Nos acordamos de tu misericordia, oh Dios,
En medio de tu templo.
**10** Conforme a tu nombre, oh Dios,
Así es tu loor hasta los fines de la tierra;
De justicia está llena tu diestra.
**11** Se alegrará el monte de Sion;
Se gozarán las hijas de Judá
Por tus juicios.
**12** Andad alrededor de Sion, y rodeadla;
Contad sus torres.
**13** Considerad atentamente su antemuro,
Mirad sus palacios;
Para que lo contéis a la generación venidera.

**46.7-11** Dios, el comandante de los ejércitos celestiales, está aquí con nosotros. Si ponemos nuestra vida en sus manos, podemos descansar, confiados en que él nos protegerá. El Señor conoce nuestras debilidades y puede fortalecernos en los aspectos necesarios, ayudándonos a vencer los ataques que enfrentemos cada día. Quizás nuestros enemigos sean fuertes, pero Dios es mucho más poderoso que cualquier cosa que pueda atacarnos.
**47.1-9** A quienes estén luchando, debemos hablarles de nuestras victorias, sean estas grandes o pequeñas. Fue una de las metas del salmista para alentar a otros, recordándoles lo bueno y poderoso que es el Señor e invitándolos a unirse a él en alabanza a nuestro maravilloso Dios.
**48.9-14** Debemos adorar a Dios y reflexionar en cómo él nos ha dado la victoria sobre los problemas que una vez nos mantuvieron esclavizados y derrotados. Una parte importante del proceso de recuperación

14 Porque este Dios es Dios nuestro
    eternamente y para siempre;
    El nos guiará aun más allá de la muerte.

## La insensatez de confiar en las riquezas

Al músico principal. Salmo de los hijos de Coré.

**49** 1 Oíd esto, pueblos todos;
    Escuchad, habitantes todos del mundo,
2 Así los plebeyos como los nobles,
    El rico y el pobre juntamente.
3 Mi boca hablará sabiduría,
    Y el pensamiento de mi corazón inteligencia.
4 Inclinaré al proverbio mi oído;
    Declararé con el arpa mi enigma.
5 ¿Por qué he de temer en los días de
    adversidad,
    Cuando la iniquidad de mis opresores me
    rodeare?
6 Los que confían en sus bienes,
    Y de la muchedumbre de sus riquezas
    se jactan,
7 Ninguno de ellos podrá en manera alguna
    redimir al hermano,
    Ni dar a Dios su rescate
8 (Porque la redención de su vida
    es de gran precio,
    Y no se logrará jamás),
9 Para que viva en adelante para siempre,
    Y nunca vea corrupción.
10 Pues verá que aun los sabios mueren;
    Que perecen del mismo modo que el
    insensato y el necio,
    Y dejan a otros sus riquezas.
11 Su íntimo pensamiento es que sus casas
    serán eternas,
    Y sus habitaciones para generación
    y generación;
    Dan sus nombres a sus tierras.
12 Mas el hombre no permanecerá en honra;
    Es semejante a las bestias que perecen.

13 Este su camino es locura;
    Con todo, sus descendientes se complacen
    en el dicho de ellos.            *Selah*
14 Como a rebaños que son conducidos al Seol,
    La muerte los pastoreará,
    Y los rectos se enseñorearán de ellos
    por la mañana;
    Se consumirá su buen parecer, y el Seol será
    su morada.
15 Pero Dios redimirá mi vida del poder
    del Seol,
    Porque él me tomará consigo.      *Selah*

16 No temas cuando se enriquece alguno,
    Cuando aumenta la gloria de su casa;
17 Porque cuando muera no llevará nada,
    Ni descenderá tras él su gloria.
18 Aunque mientras viva, llame dichosa
    a su alma,
    Y sea loado cuando prospere,
19 Entrará en la generación de sus padres,
    Y nunca más verá la luz.
20 El hombre que está en honra y no entiende,
    Semejante es a las bestias que perecen.

## Dios juzgará al mundo

Salmo de Asaf.

**50** 1 El Dios de dioses, Jehová, ha hablado,
    y convocado la tierra,
    Desde el nacimiento del sol hasta
    donde se pone.
2 De Sion, perfección de hermosura,
    Dios ha resplandecido.
3 Vendrá nuestro Dios, y no callará;
    Fuego consumirá delante de él,
    Y tempestad poderosa le rodeará.
4 Convocará a los cielos de arriba,
    Y a la tierra, para juzgar a su pueblo.
5 Juntadme mis santos,
    Los que hicieron conmigo pacto
    con sacrificio.

---

implica buscar a Dios por medio de la oración y la meditación, pues estas acciones nos ayudan a desarrollar nuestra confianza en él. Se nos pide que meditemos en el inagotable amor de Dios por nosotros. Él será nuestra guía y fortaleza al enfrentar las luchas de la recuperación.

**49.5-13** Necesitamos tomar en consideración nuestras adicciones y compulsiones, recordando cómo en el pasado hicieron que perdiéramos el control. No obstante, no necesitamos tenerles miedo, porque Dios no permitirá nuestra destrucción mientras confiemos en él y sigamos su plan para llevar una vida piadosa. La única forma en la que podemos pagarle a Dios por su liberación es mostrando gratitud y comunicando a otros las buenas noticias. Aunque pueda parecer que algunos prosperan y escapan de las consecuencias de sus malas acciones en esta vida, al final dejarán atrás toda su riqueza y tendrán que enfrentar el juicio en la vida venidera (véase 37.12-17). Esto debe ser una advertencia para que no malgastemos el tiempo envidiando a otros (37.1).

**50.1-6** Estos versículos describen, con unas impactantes imágenes de tempestad y fuego, el juicio divino contra los impíos. En efecto, el juicio llegará para aquellos que se nieguen a reconocer la autoridad del Señor. Dios es bueno, pero tiene que lidiar con aquellos que han lastimado a otros, pues si no, no sería un Dios justo. Como él es justo, necesitamos hacer un cuidadoso inventario de nuestra vida, y tratar, de la mejor manera posible, de reparar todos los errores que hayamos cometido.

6 Y los cielos declararán su justicia,
Porque Dios es el juez. *Selah*

7 Oye, pueblo mío, y hablaré;
Escucha, Israel, y testificaré contra ti:
Yo soy Dios, el Dios tuyo.
8 No te reprenderé por tus sacrificios,
Ni por tus holocaustos, que están
continuamente delante de mí.
9 No tomaré de tu casa becerros,
Ni machos cabríos de tus apriscos.
10 Porque mía es toda bestia del bosque,
Y los millares de animales en los collados.
11 Conozco a todas las aves de los montes,
Y todo lo que se mueve en los campos
me pertenece.
12 Si yo tuviese hambre, no te lo diría a ti;
Porque mío es el mundo y su plenitud.
13 ¿He de comer yo carne de toros,
O de beber sangre de machos cabríos?
14 Sacrifica a Dios alabanza,
Y paga tus votos al Altísimo;
15 E invócame en el día de la angustia;
Te libraré, y tú me honrarás.
16 Pero al malo dijo Dios:
¿Qué tienes tú que hablar de mis leyes,
Y que tomar mi pacto en tu boca?
17 Pues tú aborreces la corrección,
Y echas a tu espalda mis palabras.
18 Si veías al ladrón, tú corrías con él,
Y con los adúlteros era tu parte.
19 Tu boca metías en mal,
Y tu lengua componía engaño.
20 Tomabas asiento, y hablabas
contra tu hermano;
Contra el hijo de tu madre
ponías infamia.
21 Estas cosas hiciste, y yo he callado;
Pensabas que de cierto sería yo como tú;
Pero te reprenderé, y las pondré
delante de tus ojos.

22 Entended ahora esto, los que os olvidáis
de Dios,
No sea que os despedace, y no haya
quien os libre.
23 El que sacrifica alabanza me honrará;
Y al que ordenare su camino,
Le mostraré la salvación de Dios.

## Arrepentimiento, y plegaria pidiendo purificación

Al músico principal. Salmo de David, cuando
después que se llegó a Betsabé, vino a él Natán
el profeta.*a*

**51** 1 Ten piedad de mí, oh Dios,
conforme a tu misericordia;
Conforme a la multitud de tus piedades
borra mis rebeliones.
2 Lávame más y más de mi maldad,
Y límpiame de mi pecado.
3 Porque yo reconozco mis rebeliones,
Y mi pecado está siempre delante de mí.
4 Contra ti, contra ti solo he pecado,
Y he hecho lo malo delante de tus ojos;
Para que seas reconocido justo
en tu palabra,
Y tenido por puro en tu juicio.*b*
5 He aquí, en maldad he sido formado,
Y en pecado me concibió mi madre.
6 He aquí, tú amas la verdad en lo íntimo,
Y en lo secreto me has hecho comprender
sabiduría.
7 Purifícame con hisopo, y seré limpio;
Lávame, y seré más blanco que la nieve.
8 Hazme oír gozo y alegría,
Y se recrearán los huesos que has abatido.
9 Esconde tu rostro de mis pecados,
Y borra todas mis maldades.
10 Crea en mí, oh Dios, un corazón limpio,
Y renueva un espíritu recto dentro de mí.
11 No me eches de delante de ti,
Y no quites de mí tu santo Espíritu.

**51 tít.** *a* 2 S. 12.1-15.   **51.4** *b* Ro. 3.4.

---

**50.16-23** La gente que engaña, calumnia, miente y anima a otros a seguir estilos de vida inmorales no podrán ignorar por mucho tiempo la palabra de Dios. El Señor ve lo que ocurre y el hecho de que permanezca callado no quiere decir que no le importe. Un día él presentará su caso contra ellos y empezará el juicio. La manera de evitar un final como este es adorando a Dios con acción de gracias y obedeciendo lo que dice su Palabra.

**51.5-9** Si no reconocemos y confesamos nuestros pecados, estos continuarán poniendo sobre nosotros el peso de una culpa destructiva y nos robarán el gozo. Necesitamos aprender a confesar y a abandonar de inmediato nuestros pecados. Después también necesitaremos buscar la sabiduría de Dios sobre cómo reparar el daño que hayamos causado a otros. No podremos progresar en la recuperación ni ayudar a otros hasta que busquemos el perdón por nuestros pasados fracasos. Algunas personas tal vez no nos perdonen fácilmente, pero podemos estar seguros de que Dios sí lo hará.

**51.10-13** David ya había visto lo que le ocurrió al rey Saúl cuando Dios apartó su Espíritu de él; fue el principio de su amarga caída (1 Samuel 15—19). David escribió este salmo de arrepentimiento después de cometer adulterio con Betsabé y planificar la muerte de su esposo (2 Samuel 11—12). A simple vista, los pecados de David eran mucho más serios que los de Saúl. ¿Por qué Dios perdonó a David y le ofreció su

**12** Vuélveme el gozo de tu salvación,
Y espíritu noble me sustente.
**13** Entonces enseñaré a los transgresores
tus caminos,
Y los pecadores se convertirán a ti.
**14** Líbrame de homicidios, oh Dios,
Dios de mi salvación;
Cantará mi lengua tu justicia.
**15** Señor, abre mis labios,
Y publicará mi boca tu alabanza.
**16** Porque no quieres sacrificio, que yo lo daría;
No quieres holocausto.
**17** Los sacrificios de Dios son el espíritu
quebrantado;
Al corazón contrito y humillado
no despreciarás tú, oh Dios.
**18** Haz bien con tu benevolencia a Sion;
Edifica los muros de Jerusalén.
**19** Entonces te agradarán los sacrificios de justicia,
El holocausto u ofrenda del todo quemada;
Entonces ofrecerán becerros sobre tu altar.

### Futilidad de la jactancia del malo

Al músico principal. Masquil de David,
cuando vino Doeg edomita y dio cuenta a Saúl
diciéndole: David ha venido a casa de Ahimelec.*a*

**52** **1** ¿Por qué te jactas de maldad,
oh poderoso?
La misericordia de Dios es continua.
**2** Agravios maquina tu lengua;
Como navaja afilada hace engaño.
**3** Amaste el mal más que el bien,
La mentira más que la verdad. *Selah*
**4** Has amado toda suerte de palabras
perniciosas,
Engañosa lengua.
**5** Por tanto, Dios te destruirá para siempre;
Te asolará y te arrancará de tu morada,

Y te desarraigará de la tierra
de los vivientes. *Selah*
**6** Verán los justos, y temerán;
Se reirán de él, diciendo:
**7** He aquí el hombre que no puso a Dios por
su fortaleza,
Sino que confió en la multitud de sus riquezas,
Y se mantuvo en su maldad.
**8** Pero yo estoy como olivo verde
en la casa de Dios;
En la misericordia de Dios confío
eternamente y para siempre.
**9** Te alabaré para siempre, porque lo has
hecho así;
Y esperaré en tu nombre, porque es bueno,
delante de tus santos.

### Insensatez y maldad de los hombres

Al músico principal; sobre Mahalat.
Masquil de David.

**53** **1** Dice el necio en su corazón:
No hay Dios.
Se han corrompido, e hicieron abominable
maldad;
No hay quien haga bien.
**2** Dios desde los cielos miró sobre los hijos
de los hombres,
Para ver si había algún entendido
Que buscara a Dios.
**3** Cada uno se había vuelto atrás;
todos se habían corrompido;
No hay quien haga lo bueno,
no hay ni aun uno.*a*
**4** ¿No tienen conocimiento todos
los que hacen iniquidad,
Que devoran a mi pueblo
como si comiesen pan,
Y a Dios no invocan?

**52 tít.** *a* 1 S. 22.9-10. **53.1-3** *a* Ro. 3.10-12.

---

restauración? David fue humilde y estaba quebrantado por su pecado. Lo reconoció y le pidió ayuda y perdón a Dios. Saúl nunca estuvo dispuesto a reconocer sus pecados; continuó con su actitud de rechazo. Si tratamos de esconder o negar nuestros pecados, estamos en un gran peligro de juicio. Pero si somos sensibles ante nuestras propias transgresiones y humildemente buscamos el perdón de Dios, hay esperanza para nosotros, sin importar lo grande que hayan sido nuestros pecados pasados. El Señor removerá cualquier rastro de culpa y nos dará gozo.
**52.5-9** Quizás en el pasado hayamos valorado a las personas por los sentimientos y el placer que experimentábamos cuando estábamos con ellas. Vivíamos para la diversión y el placer del momento. Con el tiempo, sin embargo, se hizo evidente que un estilo de vida como ese siempre produce a dolorosas consecuencias a largo plazo. Vemos en este salmo que Dios puede arrancarnos de las situaciones peligrosas en las que nos hayamos metido y está dispuesto a hacerlo. Una sólida vida de oración puede ayudarnos a mantener la perspectiva correcta sobre el mundo, y nos da paciencia y esperanza mientras miramos al futuro.
**53.1-6** Creer en Dios es esencial en el proceso de recuperación. Ignorar el plan divino para llevar una vida saludable sólo trae problemas y sufrimiento. Nos hemos vuelto prisioneros de nuestros deseos, incapaces de escapar sin la ayuda de Dios. Ver el daño que la rebeldía nos ha causado debe hacer que pasemos más tiempo en oración. Nuestra impotencia debe servirnos como constante recordatorio de nuestra necesidad de la poderosa presencia de Dios en nuestra vida.

5 Allí se sobresaltaron de pavor donde
no había miedo,
Porque Dios ha esparcido los huesos
del que puso asedio contra ti;
Los avergonzaste, porque Dios los desechó.
6 ¡Oh, si saliera de Sion la salvación de Israel!
Cuando Dios hiciere volver de la cautividad
a su pueblo,
Se gozará Jacob, y se alegrará Israel.

## Plegaria pidiendo protección contra los enemigos

Al músico principal; en Neginot. Masquil
de David, cuando vinieron los zifeos
y dijeron a Saúl: ¿No está David
escondido en nuestra tierra?[a]

**54** 1 Oh Dios, sálvame por tu nombre,
Y con tu poder defiéndeme.

2 Oh Dios, oye mi oración;
Escucha las razones de mi boca.

3 Porque extraños se han levantado contra mí,
Y hombres violentos buscan mi vida;
No han puesto a Dios delante de sí.      *Selah*

4 He aquí, Dios es el que me ayuda;
El Señor está con los que sostienen mi vida.

5 El devolverá el mal a mis enemigos;
Córtalos por tu verdad.

6 Voluntariamente sacrificaré a ti;
Alabaré tu nombre, oh Jehová,
porque es bueno.

7 Porque él me ha librado de toda angustia,
Y mis ojos han visto la ruina de mis
enemigos.

## Plegaria pidiendo la destrucción de enemigos traicioneros

Al músico principal; en Neginot. Masquil de
David.

**55** 1 Escucha, oh Dios, mi oración,
Y no te escondas de mi súplica.

2 Está atento, y respóndeme;
Clamo en mi oración, y me conmuevo,

3 A causa de la voz del enemigo,
Por la opresión del impío,
Porque sobre mí echaron iniquidad,
Y con furor me persiguen.

4 Mi corazón está dolorido dentro de mí,
Y terrores de muerte sobre mí han caído.

PASO 6

### Curación del quebrantamiento
LECTURA BÍBLICA: Salmo 51.16-19
**Estuvimos completamente listos para que Dios eliminara todos estos defectos de carácter.**

Si hemos practicado con sinceridad los pasos anteriores, probablemente hayamos encontrado suficiente dolor dentro de nosotros como para que se nos rompa el corazón. Encarar el hecho de que el quebrantamiento es parte de la condición humana puede ser devastador. Pero si hemos llegado hasta este punto, esto posiblemente sea una señal de que estamos listos para que Dios nos cambie.

Cuando era joven, el rey David no estaba listo para que Dios cambiara su carácter porque no reconocía que tenía defectos. David oraba: «No arrebates con los pecadores mi alma, ni mi vida con hombres sanguinarios, en cuyas manos está el mal ... Mas yo andaré en mi integridad; redímeme, y ten misericordia de mí» (Salmo 26.9-11). Se acercó a Dios basándose en sus propios méritos.

No fue sino posteriormente, al ser confrontado con sus pecados de adulterio y asesinato, cuando fue capaz de decir: «He aquí, en maldad he sido formado, y en pecado me concibió mi madre» (Salmo 51.5). También dijo: «Porque no quieres sacrificio, que yo lo daría ... Los sacrificios de Dios son el espíritu quebrantado; al corazón contrito y humillado no despreciarás tú, oh Dios» (Salmo 51.16-17).

Jesús enseñó: «Bienaventurados los que lloran, porque ellos recibirán consolación» (Mateo 5.4). Dios no está buscando evidencia de cuan buenos somos o de con cuanto ahínco tratamos de ser buenos. Él sólo quiere que nos lamentemos por nuestros pecados y confesemos nuestro quebrantamiento. Entonces, él no pasará por alto nuestras necesidades, sino que nos perdonará, nos consolará y nos limpiará. ***Vaya al Paso Siete, página 113, Lucas 11.***

54 tít. *a* 1 S. 23.19; 26.1.

---

**54.1-7** Es casi seguro que enfrentaremos la oposición de personas que no entienden de qué se trata la recuperación o que se sienten amenazadas por ella. Las palabras de este salmo deben ser nuestra oración por liberación en momentos como esos. Dios es nuestro rescatador y ayudador, y hará que nuestros enemigos caigan en sus propias trampas. La adoración y la gratitud deben ser nuestras respuestas cuando Dios nos libere de los que se oponen a nuestra recuperación.

**5** Temor y temblor vinieron sobre mí,
Y terror me ha cubierto.
**6** Y dije: ¡Quién me diese alas como
de paloma!
Volaría yo, y descansaría.
**7** Ciertamente huiría lejos;
Moraría en el desierto. *Selah*
**8** Me apresuraría a escapar
Del viento borrascoso, de la tempestad.
**9** Destrúyelos, oh Señor; confunde la lengua
de ellos;
Porque he visto violencia y rencilla
en la ciudad.
**10** Día y noche la rodean sobre sus muros,
E iniquidad y trabajo hay en medio de ella.
**11** Maldad hay en medio de ella,
Y el fraude y el engaño no se apartan
de sus plazas.
**12** Porque no me afrentó un enemigo,
Lo cual habría soportado;
Ni se alzó contra mí el que me aborrecía,
Porque me hubiera ocultado de él;
**13** Sino tú, hombre, al parecer íntimo mío,
Mi guía, y mi familiar;
**14** Que juntos comunicábamos dulcemente
los secretos,
Y andábamos en amistad en la casa
de Dios.
**15** Que la muerte les sorprenda;
Desciendan vivos al Seol,
Porque hay maldades en sus moradas,
en medio de ellos.
**16** En cuanto a mí, a Dios clamaré;
Y Jehová me salvará.
**17** Tarde y mañana y a mediodía oraré
y clamaré,
Y él oirá mi voz.
**18** El redimirá en paz mi alma de la guerra
contra mí,
Aunque contra mí haya muchos.
**19** Dios oirá, y los quebrantará luego,
El que permanece desde la antigüedad;
Por cuanto no cambian,
Ni temen a Dios. *Selah*

**20** Extendió el inicuo sus manos contra
los que estaban en paz con él;
Violó su pacto.
**21** Los dichos de su boca son más blandos
que mantequilla,
Pero guerra hay en su corazón;
Suaviza sus palabras más que el aceite,
Mas ellas son espadas desnudas.
**22** Echa sobre Jehová tu carga,
y él te sustentará;
No dejará para siempre caído al justo.
**23** Mas tú, oh Dios, harás descender aquéllos
al pozo de perdición.
Los hombres sanguinarios y engañadores
no llegarán a la mitad de sus días;
Pero yo en ti confiaré.

### Oración de confianza

Al músico principal; sobre La paloma
silenciosa en paraje muy distante. Mictam
de David, cuando los filisteos le prendieron
en Gat.*a*

**56** **1** Ten misericordia de mí, oh Dios,
porque me devoraría el hombre;
Me oprime combatiéndome cada día.
**2** Todo el día mis enemigos me pisotean;
Porque muchos son los que pelean
contra mí con soberbia.
**3** En el día que temo,
Yo en ti confío.
**4** En Dios alabaré su palabra;
En Dios he confiado; no temeré;
¿Qué puede hacerme el hombre?
**5** Todos los días ellos pervierten mi causa;
Contra mí son todos sus pensamientos
para mal.
**6** Se reúnen, se esconden,
Miran atentamente mis pasos,
Como quienes acechan a mi alma.
**7** Pésalos según su iniquidad, oh Dios,
Y derriba en tu furor a los pueblos.
**8** Mis huidas tú has contado;
Pon mis lágrimas en tu redoma;
¿No están ellas en tu libro?

---

**56 tít.** *a* 1 S. 21.13-15.

---

**55.16-19** Durante la recuperación es extremadamente importante nuestra relación con Dios. En algunos momentos, él puede ser el único amigo que tengamos. David estaba confiado en que el Señor lo rescataría y lo libraría de sus problemas. Además, el salmista dependía de Dios para que lo mantuviera a salvo de sus oponentes. Con Dios como nuestro amigo y ayudador, hay esperanzas de recuperación sin importar las circunstancias que tengamos que enfrentar.
**55.20-22** La angustia de David hizo que reflexionara en el dolor que había sufrido por causa de la traición de un viejo amigo. Es posible que los viejos amigos digan todas las palabras adecuadas, pero en el fondo, probablemente quieran que continuemos practicando con ellos nuestros hábitos destructivos. La solución para David, y para nosotros, consiste en entregar nuestras cargas a Dios. Él puede fortalecernos, animarnos y guardarnos de no caer.

⁹ Serán luego vueltos atrás mis enemigos,
    el día en que yo clamare;
  Esto sé, que Dios está por mí.
¹⁰ En Dios alabaré su palabra;
  En Jehová su palabra alabaré.
¹¹ En Dios he confiado; no temeré;
  ¿Qué puede hacerme el hombre?
¹² Sobre mí, oh Dios, están tus votos;
  Te tributaré alabanzas.
¹³ Porque has librado mi alma de la muerte,
  Y mis pies de caída,
  Para que ande delante de Dios
  En la luz de los que viven.

## Plegaria pidiendo ser librado de los perseguidores

Al músico principal; sobre No destruyas.
Mictam de David, cuando huyó de delante
de Saúl a la cueva.ᵃ

**57** ¹ Ten misericordia de mí, oh Dios,
    ten misericordia de mí;
  Porque en ti ha confiado mi alma,
  Y en la sombra de tus alas me ampararé
  Hasta que pasen los quebrantos.
² Clamaré al Dios Altísimo,
  Al Dios que me favorece.
³ El enviará desde los cielos, y me salvará
  De la infamia del que me acosa;        *Selah*
  Dios enviará su misericordia y su verdad.
⁴ Mi vida está entre leones;
  Estoy echado entre hijos de hombres
    que vomitan llamas;
  Sus dientes son lanzas y saetas,
  Y su lengua espada aguda.
⁵ Exaltado seas sobre los cielos, oh Dios;
  Sobre toda la tierra sea tu gloria.
⁶ Red han armado a mis pasos;

Se ha abatido mi alma;
Hoyo han cavado delante de mí;
En medio de él han caído
  ellos mismos.        *Selah*

⁷ Pronto está mi corazón, oh Dios,
  mi corazón está dispuesto;
  Cantaré, y trovaré salmos.
⁸ Despierta, alma mía; despierta,
    salterio y arpa;
  Me levantaré de mañana.
⁹ Te alabaré entre los pueblos, oh Señor;
  Cantaré de ti entre las naciones.
¹⁰ Porque grande es hasta los cielos tu
    misericordia,
  Y hasta las nubes tu verdad.
¹¹ Exaltado seas sobre los cielos, oh Dios;
  Sobre toda la tierra sea tu gloria.

## Plegaria pidiendo el castigo de los malos

Al músico principal; sobre No destruyas.
Mictam de David.

**58** ¹ Oh congregación, ¿pronunciáis
    en verdad justicia?
  ¿Juzgáis rectamente, hijos
    de los hombres?
² Antes en el corazón maquináis iniquidades;
  Hacéis pesar la violencia de vuestras manos
    en la tierra.
³ Se apartaron los impíos desde la matriz;
  Se descarriaron hablando mentira desde
    que nacieron.
⁴ Veneno tienen como veneno de serpiente;
  Son como el áspid sordo que cierra su oído,
⁵ Que no oye la voz de los que encantan,
  Por más hábil que el encantador sea.
⁶ Oh Dios, quiebra sus dientes en sus bocas;

---

**57 tít.** ᵃ 1 S. 22.1; 24.3.

---

**56.8-13** Si mantenemos nuestros pensamientos enfocados en Dios y confiamos en él, descubriremos, al igual que el salmista, que el Señor está de nuestro lado. Aun cuando nuestras luchas sean muy difíciles, el Señor conoce bien nuestro dolor, y él hará su parte. Nosotros, no obstante, debemos cumplir nuestra responsabilidad de ser obedientes a la voluntad revelada de Dios. Su plan es siempre mejor para nosotros a largo plazo.

**57.1-3** Cuando entendamos la misericordia y el incondicional amor de Dios, nos sentiremos confiados para acercarnos a él en momentos difíciles, a sabiendas de que él nos rodeará con su protección hasta que la tormenta haya pasado. Dios es fiel y siempre estará ahí para ayudarnos. Para progresar en la recuperación es esencial que entendamos esta verdad y actuemos basados en ella.

**57.7-11** Aquí el salmista nos muestra un principio importante para la recuperación: después de recibir la ayuda de Dios debemos ser agradecidos y contar a otros lo que Dios ha hecho a nuestro favor. En efecto, esta debe ser la respuesta natural de nuestros corazones agradecidos. Esto no sólo alentará a otros que estén en el proceso de recuperación sino que también nos ayudará en nuestro propio peregrinaje.

**58.1-5** El mundo es injusto. No podemos esperar que todo obre a nuestro favor ni debemos permitir que nuestro enojo ante las obvias injusticias haga que pongamos en entredichos nuestras convicciones. Independientemente de cómo actúen los demás, Dios siempre espera que reparemos el daño causado por los errores que hayamos cometido. Él es el único que a fin de cuentas está en posición de juzgar si las cosas son justas o injustas.

Quiebra, oh Jehová, las muelas
de los leoncillos.
7 Sean disipados como aguas que corren;
Cuando disparen sus saetas, sean hechas
pedazos.
8 Pasen ellos como el caracol que se deslíe;
Como el que nace muerto, no vean el sol.
9 Antes que vuestras ollas sientan la llama de
los espinos,
Así vivos, así airados, los arrebatará él con
tempestad.
10 Se alegrará el justo cuando viere la
venganza;
Sus pies lavará en la sangre del impío.
11 Entonces dirá el hombre: Ciertamente hay
galardón para el justo;
Ciertamente hay Dios que juzga en la tierra.

## Oración pidiendo ser librado
## de los enemigos

Al músico principal; sobre No destruyas.
Mictam de David, cuando envió Saúl,
y vigilaron la casa para matarlo.*a*

**59** 1 Líbrame de mis enemigos, oh Dios mío;
Ponme a salvo de los que se levantan
contra mí.
2 Líbrame de los que cometen iniquidad,
Y sálvame de hombres sanguinarios.
3 Porque he aquí están acechando mi vida;
Se han juntado contra mí poderosos.
No por falta mía, ni pecado mío, oh Jehová;
4 Sin delito mío corren y se aperciben.
Despierta para venir a mi encuentro, y mira.
5 Y tú, Jehová Dios de los ejércitos,
Dios de Israel,
Despierta para castigar a todas las naciones;
No tengas misericordia de todos los que se
rebelan con iniquidad.          *Selah*

6 Volverán a la tarde, ladrarán como perros,
Y rodearán la ciudad.
7 He aquí proferirán con su boca;
Espadas hay en sus labios,
Porque dicen: ¿Quién oye?
8 Mas tú, Jehová, te reirás de ellos;
Te burlarás de todas las naciones.

9 A causa del poder del enemigo esperaré en ti,
Porque Dios es mi defensa.
10 El Dios de mi misericordia irá delante de mí;
Dios hará que vea en mis enemigos mi deseo.
11 No los mates, para que mi pueblo no olvide;
Dispérsalos con tu poder, y abátelos,
Oh Jehová, escudo nuestro.
12 Por el pecado de su boca, por la palabra
de sus labios,
Sean ellos presos en su soberbia,
Y por la maldición y mentira que profieren.
13 Acábalos con furor, acábalos,
para que no sean;
Y sépase que Dios gobierna en Jacob
Hasta los fines de la tierra.          *Selah*
14 Vuelvan, pues, a la tarde, y ladren
como perros,
Y rodeen la ciudad.
15 Anden ellos errantes para hallar qué comer;
Y si no se sacian, pasen la noche
quejándose.
16 Pero yo cantaré de tu poder,
Y alabaré de mañana tu misericordia;
Porque has sido mi amparo
Y refugio en el día de mi angustia.
17 Fortaleza mía, a ti cantaré;
Porque eres, oh Dios, mi refugio,
el Dios de mi misericordia.

## Plegaria pidiendo ayuda contra el enemigo

Al músico principal; sobre Lirios. Testimonio.
Mictam de David, para enseñar, cuando tuvo
guerra contra Aram-Naharaim y contra Aram
de Soba, y volvió Joab, y destrozó a doce mil
de Edom en el valle de la Sal.*a*

**60** 1 Oh Dios, tú nos has desechado,
nos quebrantaste;
Te has airado; ¡vuélvete a nosotros!
2 Hiciste temblar la tierra, la has hendido;
Sana sus roturas, porque titubea.
3 Has hecho ver a tu pueblo cosas duras;
Nos hiciste beber vino de aturdimiento.
4 Has dado a los que te temen bandera
Que alcen por causa de la verdad.          *Selah*
5 Para que se libren tus amados,
Salva con tu diestra, y óyeme.

59 tít. *a* 1 S. 19.11.   60 tít. *a* 2 S. 8.13; 1 Cr. 18.12.

**59.1-4** Es posible que nuestros enemigos no sean personas –pueden ser el alcohol u otras sustancias adictivas, el abuso, la pornografía o una familia disfuncional. Sean cuales sean nuestros enemigos, debemos reconocer que son capaces de destruirnos. Lo más sabio que podemos hacer es clamar a Dios pidiéndole ayuda. Él es el único capaz de ayudarnos y protegernos; él es nuestro «refugio en el día de mi angustia» (59.16).
**60.1-4** Cuando Dios nos muestra su ira a causa de nuestros pecados, nos sentimos rechazados y abrumados. Es en momentos como esos cuando necesitamos arrepentirnos y renovar nuestra comunión con él. Las consecuencias de nuestros pecados y errores con frecuencia también afectan a otros, por lo que debemos ser sensibles a esto y hacer todo lo posible por reparar el daño causado. El castigo nunca es fácil

<sup>6</sup> Dios ha dicho en su santuario:
Yo me alegraré;
Repartiré a Siquem, y mediré el valle
de Sucot.

<sup>7</sup> Mío es Galaad, y mío es Manasés;
Y Efraín es la fortaleza de mi cabeza;
Judá es mi legislador.

<sup>8</sup> Moab, vasija para lavarme;
Sobre Edom echaré mi calzado;
Me regocijaré sobre Filistea.

<sup>9</sup> ¿Quién me llevará a la ciudad fortificada?
¿Quién me llevará hasta Edom?

<sup>10</sup> ¿No serás tú, oh Dios, que nos habías
desechado,
Y no salías, oh Dios, con nuestros
ejércitos?

<sup>11</sup> Danos socorro contra el enemigo,
Porque vana es la ayuda de los hombres.

<sup>12</sup> En Dios haremos proezas,
Y él hollará a nuestros enemigos.

## Confianza en la protección de Dios

Al músico principal; sobre Neginot.
Salmo de David.

# 61

<sup>1</sup> Oye, oh Dios, mi clamor;
A mi oración atiende.

<sup>2</sup> Desde el cabo de la tierra clamaré a ti,
cuando mi corazón desmayare.
Llévame a la roca que es más alta
que yo,

<sup>3</sup> Porque tú has sido mi refugio,
Y torre fuerte delante del enemigo.

<sup>4</sup> Yo habitaré en tu tabernáculo
para siempre;
Estaré seguro bajo la cubierta
de tus alas.                    *Selah*

<sup>5</sup> Porque tú, oh Dios, has oído mis votos;
Me has dado la heredad de los
que temen tu nombre.

<sup>6</sup> Días sobre días añadirás al rey;
Sus años serán como generación
y generación.

<sup>7</sup> Estará para siempre delante de Dios;
Prepara misericordia y verdad para que lo
conserven.

<sup>8</sup> Así cantaré tu nombre para siempre,
Pagando mis votos cada día.

PASO 3

### *Renunciar a mantener el control*
LECTURA BÍBLICA: Salmo 61.1-8
**Tomamos la decisión de poner nuestra
voluntad y nuestra vida en las manos de Dios.**
El pensamiento de poner en otras manos nuestra
voluntad y nuestra vida puede ser atractivo.
Cuando nos entregamos a nuestras dependencias y
compulsiones, ¿no estamos cediendo el control a
otro poder? ¿Acaso no estábamos renunciando a
nuestra responsabilidad personal por nuestra propia
vida? Cuando nos sentimos abrumados y queremos
desaparecer, nuestra adicción puede ayudarnos a
sentirnos fuertes, seguros, atractivos, poderosos y
felices. Así, en cierto sentido, nos sentimos
cómodos con el pensamiento de entregar a otro
nuestra voluntad y nuestra vida.

Podemos tomar las decisiones necesarias para
cambiar nuestro centro de atención y entregar
nuestra vida a Dios, en vez de regresar a los
escondites del pasado. El apóstol Pablo se refirió a
este contraste cuando dijo: «No os embriaguéis con
vino, en lo cual hay disolución; antes bien sed
llenos del Espíritu» (Efesios 5.18).

Cuando nos sentimos abrumados y necesitamos
algún tipo de escape, tenemos un nuevo lugar
adonde ir. El rey David declaró: «Jehová será refugio
del pobre, refugio para el tiempo de angustia. En ti
confiarán los que conocen tu nombre, por cuanto
tú, oh Jehová, no desamparaste a los que te
buscaron» (Salmo 9.9-10).

David también escribió: «Desde el cabo de la
tierra clamaré a ti, cuando mi corazón desmayare.
Llévame a la roca que es más alta que yo, porque
tú has sido mi refugio, y torre fuerte delante del
enemigo» (Salmo 61.2-3). ***Vaya al Paso Cuatro,
página 15, Mateo 7.***

---

de asimilar, pero cuando lo sufrimos, Dios nos provee la dirección que necesitamos para recuperar su favor y
protección. El Señor nos ha revelado en su Palabra su plan para nuestra recuperación espiritual.
**61.1-8** Dondequiera que estemos y en cualquier circunstancia que nos encontremos, podemos acudir a
Dios para que nos auxilie. Él oirá nuestra oración y nos protegerá con su divina presencia. Él es nuestra
seguridad y nuestro refugio. Podemos pedirle ayuda confiadamente, porque ya nos ha probado que es el
libertador de aquellos que lo aman y que están bajo ataque del enemigo. Él es nuestro amoroso protector,
quien nos bendice y da significado a nuestra vida cuando cumplimos nuestros votos de vivir todos los días
para él.

## Dios, el único refugio

Al músico principal; a Jedutún.
Salmo de David.

**62** **1** En Dios solamente está acallada
mi alma;
De él viene mi salvación.

**2** El solamente es mi roca y mi salvación;
Es mi refugio, no resbalaré mucho.

**3** ¿Hasta cuándo maquinaréis contra
un hombre,
Tratando todos vosotros de aplastarle
Como pared desplomada y como cerca
derribada?

**4** Solamente consultan para arrojarle
de su grandeza.
Aman la mentira;
Con su boca bendicen, pero maldicen
en su corazón. *Selah*

**5** Alma mía, en Dios solamente reposa,
Porque de él es mi esperanza.

**6** El solamente es mi roca y mi salvación.
Es mi refugio, no resbalaré.

**7** En Dios está mi salvación y mi gloria;
En Dios está mi roca fuerte, y mi refugio.

**8** Esperad en él en todo tiempo, oh pueblos;
Derramad delante de él vuestro corazón;
Dios es nuestro refugio. *Selah*

**9** Por cierto, vanidad son los hijos de los
hombres, mentira los hijos de varón;
Pesándolos a todos igualmente en la balanza,
Serán menos que nada.

**10** No confiéis en la violencia,
Ni en la rapiña; no os envanezcáis;
Si se aumentan las riquezas,
no pongáis el corazón en ellas.

**11** Una vez habló Dios;
Dos veces he oído esto:
Que de Dios es el poder,

**12** Y tuya, oh Señor, es la misericordia;
Porque tú pagas a cada uno conforme
a su obra.*a*

## Dios, satisfacción del alma

Salmo de David, cuando estaba
en el desierto de Judá.*a*

**63** **1** Dios, Dios mío eres tú;
De madrugada te buscaré;
Mi alma tiene sed de ti, mi carne te anhela,
En tierra seca y árida donde no hay aguas,

**2** Para ver tu poder y tu gloria,
Así como te he mirado en el santuario.

**3** Porque mejor es tu misericordia que la vida;
Mis labios te alabarán.

**4** Así te bendeciré en mi vida;
En tu nombre alzaré mis manos.

**5** Como de meollo y de grosura será saciada
mi alma,
Y con labios de júbilo te alabará mi boca,

**6** Cuando me acuerde de ti en mi lecho,
Cuando medite en ti en las vigilias
de la noche.

**7** Porque has sido mi socorro,
Y así en la sombra de tus alas me regocijaré.

**8** Está mi alma apegada a ti;
Tu diestra me ha sostenido.

**9** Pero los que para destrucción buscaron
mi alma
Caerán en los sitios bajos de la tierra.

**10** Los destruirán a filo de espada;
Serán porción de los chacales.

**11** Pero el rey se alegrará en Dios;
Será alabado cualquiera que jura por él;
Porque la boca de los que hablan mentira
será cerrada.

## Plegaria pidiendo protección contra enemigos ocultos

Al músico principal. Salmo de David.

**64** **1** Escucha, oh Dios, la voz de mi queja;
Guarda mi vida del temor del enemigo.

**2** Escóndeme del consejo secreto de los
malignos,
De la conspiración de los que
hacen iniquidad,

---

**62.12** *a* Job 34.11; Jer. 17.10; Mt. 16.27; Ro. 2.6; Ap. 2.23.  **63 tít.** *a* 2 S. 15. 23, 28.

---

**62.1-8** Cuando enfrentemos problemas que no podamos solucionar solos, lo mejor que podemos hacer es esperar tranquilamente que Dios nos defienda. Nunca podremos escapar por completo de nuestros problemas y tentaciones, pero el Señor está con nosotros en todo momento. Él es más que capaz de vencer a nuestros adversarios más poderosos; todo lo que tenemos que hacer es pedírselo. Podemos confiar en él no sólo para ser liberados en tiempos de prueba, sino también para recibir fortaleza cuando todo vaya bien y hayamos bajado la guardia. Al reconocer estas verdades, debemos alentar a otros a depositar su confianza en Dios. Conforme extendamos nuestras manos para ayudar a otros, también nosotros seremos fortalecidos al hablarles de las buenas nuevas de la salvación que Dios nos ofrece.

**63.1-5** Mientras más difícil sea nuestra vida y más severas sean las tentaciones que enfrentemos, más importante se vuelve Dios para nosotros. Cuando nos sintamos más débiles, el poder de Dios resultará de la mayor importancia en nuestra vida. Comenzamos entonces a descubrir lo valioso que realmente es para nosotros su cuidado misericordioso. Él es digno de toda nuestra alabanza, pues sólo él puede satisfacer nuestros más profundos anhelos.

3 Que afilan como espada su lengua;
  Lanzan cual saeta suya, palabra amarga,
4 Para asaetear a escondidas al íntegro;
  De repente lo asaetean, y no temen.
5 Obstinados en su inicuo designio,
  Tratan de esconder los lazos,
  Y dicen: ¿Quién los ha de ver?
6 Inquieren iniquidades, hacen una
    investigación exacta;
  Y el íntimo pensamiento de cada uno de
    ellos, así como su corazón, es profundo.
7 Mas Dios los herirá con saeta;
  De repente serán sus plagas.
8 Sus propias lenguas los harán caer;
  Se espantarán todos los que los vean.
9 Entonces temerán todos los hombres,
  Y anunciarán la obra de Dios,
  Y entenderán sus hechos.
10 Se alegrará el justo en Jehová,
    y confiará en él;
   Y se gloriarán todos los rectos de corazón.

### La generosidad de Dios en la naturaleza
Al músico principal. Salmo.
Cántico de David.

**65** 1 Tuya es la alabanza en Sion, oh Dios,
     Y a ti se pagarán los votos.
2 Tú oyes la oración;
  A ti vendrá toda carne.
3 Las iniquidades prevalecen contra mí;
  Mas nuestras rebeliones tú las perdonarás.
4 Bienaventurado el que tú escogieres
    y atrajeres a ti,
  Para que habite en tus atrios;
  Seremos saciados del bien de tu casa,
  De tu santo templo.
5 Con tremendas cosas nos responderás
    tú en justicia,
  Oh Dios de nuestra salvación,
  Esperanza de todos los términos de la tierra,
  Y de los más remotos confines del mar.
6 Tú, el que afirma los montes con su poder,
  Ceñido de valentía;
7 El que sosiega el estruendo de los mares,
    el estruendo de sus ondas,
  Y el alboroto de las naciones.

PASO **11**

### Gozo en la presencia de Dios
LECTURA BÍBLICA: Salmo 65.1-4
**Tratamos, por medio de la oración y la meditación, de mejorar nuestra comunión consciente con Dios, pidiendo solamente conocer su voluntad para nosotros y el poder para llevarla a cabo.**
La mayoría de nosotros necesita desear algo antes de buscarlo de todo corazón. Hasta que nos damos cuenta de lo mucho que Dios nos ama y se preocupa por nosotros probablemente no tengamos el deseo de orar. Hasta que creamos sinceramente que él nos ha perdonado por completo, sentiremos vergüenza de mirarle de frente. Si nos aferramos a nuestros conceptos equivocados de Dios, este paso resultará ser una gran carga en vez de producirnos gozo.

La vida del rey David debería darnos esperanza. Después de enfrentar cara a cara su pecaminosidad, fue capaz de cantar: «Tuya es la alabanza en Sion, oh Dios, y a ti se pagarán los votos. Tú oyes la oración; a ti vendrá toda carne. Las iniquidades prevalecen contra mí; mas nuestras rebeliones tú las perdonarás. Bienaventurado el que tú escogieres y atrajeres a ti, para que habite en tus atrios; seremos saciados del bien de tu casa, de tu santo templo» (Salmo 65.1-4). Dios quiere que seamos como los que vivían y servían en su templo, y que vayamos libremente a su presencia. Él quiere que sepamos que somos bienvenidos y valorados ante él. (Véase también Mateo 10.29-31).

El Señor está siempre con nosotros y puede ser en este mismo momento fuente de gozo y felicidad. Podemos anhelar cada día pasar tiempo con él y vivir en su presencia. ***Vaya a la página 531, Salmo 105.***

---

**64.7-10** Dios sabe exactamente dónde están nuestros enemigos, y por lo tanto puede ayudarnos a frustrar sus ataques. Una parte del proceso de recuperación consiste en encomendar nuestra vida y voluntad al cuidado de Dios. Él no puede ayudarnos si no cooperamos. A medida que le permitamos a Dios que obre en nuestro favor, otros se maravillarán ante lo que él ha hecho por nosotros. Conforme les contemos a otros de las buenas nuevas de las maravillosas obras de Dios, nuestras victorias también les darán esperanza y los inducirán a celebrar esas maravillas.

**65.5-13** Dios es más que capaz de responder a nuestra necesidad de liberación, pues él es el Dios que hizo las majestuosas montañas de este mundo. Si él puede cuidar la tierra y proveer el agua que necesita para producir cosechas abundantes, podemos estar seguros de que también puede cuidar de nosotros.

8 Por tanto, los habitantes de los fines de la
   tierra temen de tus maravillas.
   Tú haces alegrar las salidas de la mañana
   y de la tarde.
9 Visitas la tierra, y la riegas;
   En gran manera la enriqueces;
   Con el río de Dios, lleno de aguas,
   Preparas el grano de ellos, cuando
   así la dispones.
10 Haces que se empapen sus surcos,
   Haces descender sus canales;
   La ablandas con lluvias,
   Bendices sus renuevos.
11 Tú coronas el año con tus bienes,
   Y tus nubes destilan grosura.
12 Destilan sobre los pastizales del desierto,
   Y los collados se ciñen de alegría.
13 Se visten de manadas los llanos,
   Y los valles se cubren de grano;
   Dan voces de júbilo, y aun cantan.

## Alabanza por los hechos poderosos de Dios

Al músico principal. Cántico. Salmo.

# 66

1 Aclamad a Dios con alegría,
   toda la tierra.
2 Cantad la gloria de su nombre;
   Poned gloria en su alabanza.
3 Decid a Dios: ¡Cuán asombrosas
   son tus obras!
   Por la grandeza de tu poder se someterán
   a ti tus enemigos.
4 Toda la tierra te adorará,
   Y cantará a ti;
   Cantarán a tu nombre.                    *Selah*

5 Venid, y ved las obras de Dios,
   Temible en hechos sobre los hijos
   de los hombres.
6 Volvió el mar en seco;*a*
   Por el río pasaron a pie;*b*
   Allí en él nos alegramos.
7 El señorea con su poder para siempre;
   Sus ojos atalayan sobre las naciones;
   Los rebeldes no serán enaltecidos.      *Selah*

8 Bendecid, pueblos, a nuestro Dios,
   Y haced oír la voz de su alabanza.
9 El es quien preservó la vida a nuestra alma,
   Y no permitió que nuestros pies resbalasen.
10 Porque tú nos probaste, oh Dios;
   Nos ensayaste como se afina la plata.
11 Nos metiste en la red;
   Pusiste sobre nuestros lomos pesada carga.
12 Hiciste cabalgar hombres sobre nuestra
   cabeza;
   Pasamos por el fuego y por el agua,
   Y nos sacaste a abundancia.
13 Entraré en tu casa con holocaustos;
   Te pagaré mis votos,
14 Que pronunciaron mis labios
   Y habló mi boca, cuando estaba angustiado.
15 Holocaustos de animales engordados
   te ofreceré,
   Con sahumerio de carneros;
   Te ofreceré en sacrificio bueyes
   y machos cabríos.                        *Selah*

16 Venid, oíd todos los que teméis a Dios,
   Y contaré lo que ha hecho a mi alma.
17 A él clamé con mi boca,
   Y fue exaltado con mi lengua.
18 Si en mi corazón hubiese yo mirado
   a la iniquidad,
   El Señor no me habría escuchado.
19 Mas ciertamente me escuchó Dios;
   Atendió a la voz de mi súplica.
20 Bendito sea Dios,
   Que no echó de sí mi oración, ni de mí su
   misericordia.

## Exhortación a las naciones, para que alaben a Dios

Al músico principal; en Neginot. Salmo. Cántico.

# 67

1 Dios tenga misericordia de nosotros,
   y nos bendiga;
   Haga resplandecer su rostro sobre
   nosotros;                                *Selah*
2 Para que sea conocido en la tierra tu camino,
   En todas las naciones tu salvación.

**66.6** *a* Ex. 14.21. *b* Jos. 3.14-17.

**66.1-7** Cuando Dios muestra su poder y su cuidado por nosotros, necesitamos contar a otros lo que ha hecho. No estamos solos en medio de nuestros problemas. Algunos de nuestros amigos que también luchan por su recuperación se enfrentan a los mismos problemas que nosotros enfrentamos. Vernos alabar a Dios por la liberación que nos ha concedido puede convertirse en una fuente de esperanza e inspiración para ellos a medida que buscan la victoria sobre sus dependencias.

**67.1-7** Tenemos el llamado de llevar a otros las buenas nuevas de la poderosa liberación que Dios ofrece y de su plan de salvación para todos. Esto no debe tomarse como una tarea que hay que eludir. Debe ser una expresión natural de gozo por haber sido liberados de unas fuerzas que eran demasiado poderosas como para manejarlas nosotros solos. Sin la ayuda de Dios, nunca habíamos podido resistir las tentadoras llamadas de nuestra adicción. Pero con su ayuda, podemos vivir con gozo y libertad. ¡Celebremos y propaguemos la noticia de esta poderosa liberación que Dios ha realizado!

³ Te alaben los pueblos, oh Dios;
   Todos los pueblos te alaben.
⁴ Alégrense y gócense las naciones,
   Porque juzgarás los pueblos con equidad,
   Y pastorearás las naciones en la tierra.   *Selah*
⁵ Te alaben los pueblos, oh Dios;
   Todos los pueblos te alaben.
⁶ La tierra dará su fruto;
   Nos bendecirá Dios, el Dios nuestro.
⁷ Bendíganos Dios,
   Y témanlo todos los términos de la tierra.

## El Dios del Sinaí y del santuario

Al músico principal. Salmo de David. Cántico.

**68** ¹ Levántese Dios, sean esparcidos
         sus enemigos,
   Y huyan de su presencia los que le
      aborrecen.
² Como es lanzado el humo, los lanzarás;
   Como se derrite la cera delante del fuego,
   Así perecerán los impíos delante de Dios.
³ Mas los justos se alegrarán; se gozarán
      delante de Dios,
   Y saltarán de alegría.
⁴ Cantad a Dios, cantad salmos a su nombre;
   Exaltad al que cabalga sobre los cielos.
   JAH es su nombre; alegraos delante de él.
⁵ Padre de huérfanos y defensor de viudas
   Es Dios en su santa morada.
⁶ Dios hace habitar en familia a los
      desamparados;
   Saca a los cautivos a prosperidad;
   Mas los rebeldes habitan en tierra seca.
⁷ Oh Dios, cuando tú saliste delante de tu
      pueblo,
   Cuando anduviste por el desierto,   *Selah*
⁸ La tierra tembló;
   También destilaron los cielos ante la
      presencia de Dios;
   Aquel Sinaí tembló delante de Dios,ᵃ
      del Dios de Israel.
⁹ Abundante lluvia esparciste, oh Dios;
   A tu heredad exhausta tú la reanimaste.
¹⁰ Los que son de tu grey han morado en ella;
   Por tu bondad, oh Dios, has provisto
      al pobre.

¹¹ El Señor daba palabra;
   Había grande multitud de las que llevaban
      buenas nuevas.
¹² Huyeron, huyeron reyes de ejércitos,
   Y las que se quedaban en casa repartían los
      despojos.
¹³ Bien que fuisteis echados entre los tiestos,
   Seréis como alas de paloma cubiertas de plata,
   Y sus plumas con amarillez de oro.
¹⁴ Cuando esparció el Omnipotente
      los reyes allí,
   Fue como si hubiese nevado en el monte
      Salmón.
¹⁵ Monte de Dios es el monte de Basán;
   Monte alto el de Basán.
¹⁶ ¿Por qué observáis, oh montes altos,
   Al monte que deseó Dios para su morada?
   Ciertamente Jehová habitará
      en él para siempre.
¹⁷ Los carros de Dios se cuentan por veintenas
      de millares de millares;
   El Señor viene del Sinaí a su santuario.
¹⁸ Subiste a lo alto, cautivaste la cautividad,
   Tomaste dones para los hombres,ᵇ
   Y también para los rebeldes, para que habite
      entre ellos JAH Dios.
¹⁹ Bendito el Señor; cada día nos colma
      de beneficios
   El Dios de nuestra salvación.   *Selah*
²⁰ Dios, nuestro Dios ha de salvarnos,
   Y de Jehová el Señor es el librar
      de la muerte.
²¹ Ciertamente Dios herirá la cabeza de sus
      enemigos,
   La testa cabelluda del que camina en sus
      pecados.
²² El Señor dijo: De Basán te haré volver;
   Te haré volver de las profundidades del mar;
²³ Porque tu pie se enrojecerá de sangre de tus
      enemigos,
   Y de ella la lengua de tus perros.
²⁴ Vieron tus caminos, oh Dios;
   Los caminos de mi Dios, de mi Rey,
      en el santuario.
²⁵ Los cantores iban delante, los músicos detrás;
   En medio las doncellas con panderos.

---

**68.8** ᵃ Ex. 19.18.   **68.18** ᵇ Ef. 4.8.

---

**68.1-6** No hay seguridad para quienes actúan como rebeldes en contra de Dios. Cuando la vida nos golpee con fuerza, Dios quiere que sepamos que podemos encontrar una familia amorosa en medio de su pueblo. Él es como un padre para nosotros, un libertador amoroso que quiere librarnos de las trampas en las que hayamos caído.

**68.24-31** Cuando Dios nos ayuda a recuperar el control sobre nuestros enemigos internos, la alabanza debe fluir con naturalidad de nuestros labios. Los mejores regalos que podemos darle a Dios son nuestra vida y nuestra alabanza. Al expresarle a Dios nuestra gratitud por libertarnos de nuestras dependencias y problemas, otros se animarán a reconocer su necesidad de él y clamarán pidiendo ayuda.

**26** Bendecid a Dios en las congregaciones;
   Al Señor, vosotros de la estirpe de Israel.
**27** Allí estaba el joven Benjamín, señoreador
      de ellos,
   Los príncipes de Judá en su congregación,
   Los príncipes de Zabulón, los príncipes
      de Neftalí.
**28** Tu Dios ha ordenado tu fuerza;
   Confirma, oh Dios, lo que has hecho
      para nosotros.
**29** Por razón de tu templo en Jerusalén
   Los reyes te ofrecerán dones.
**30** Reprime la reunión de gentes armadas,
   La multitud de toros con los becerros
      de los pueblos,
   Hasta que todos se sometan con sus piezas
      de plata;
   Esparce a los pueblos que se complacen
      en la guerra.
**31** Vendrán príncipes de Egipto;
   Etiopía se apresurará a extender sus manos
      hacia Dios.
**32** Reinos de la tierra, cantad a Dios,
   Cantad al Señor;                          *Selah*
**33** Al que cabalga sobre los cielos de los cielos,
   que son desde la antigüedad;
   He aquí dará su voz, poderosa voz.
**34** Atribuid poder a Dios;
   Sobre Israel es su magnificencia,
   Y su poder está en los cielos.
**35** Temible eres, oh Dios, desde tus santuarios;
   El Dios de Israel, él da fuerza y vigor
      a su pueblo.
   Bendito sea Dios.

## Un grito de angustia

Al músico principal; sobre Lirios. Salmo de David.

**69** **1** Sálvame, oh Dios,
   Porque las aguas han entrado hasta
      el alma.

**2** Estoy hundido en cieno profundo,
   donde no puedo hacer pie;
   He venido a abismos de aguas, y la corriente
   me ha anegado.
**3** Cansado estoy de llamar; mi garganta
   se ha enronquecido;
   Han desfallecido mis ojos esperando
   a mi Dios.
**4** Se han aumentado más que los cabellos de mi
   cabeza los que me aborrecen sin causa;*a*
   Se han hecho poderosos mis enemigos, los
   que me destruyen sin tener por qué.
   ¿Y he de pagar lo que no robé?
**5** Dios, tú conoces mi insensatez,
   Y mis pecados no te son ocultos.
**6** No sean avergonzados por causa mía los que
      en ti confían, oh Señor Jehová
      de los ejércitos;
   No sean confundidos por mí los que te
      buscan, oh Dios de Israel.
**7** Porque por amor de ti he sufrido afrenta;
   Confusión ha cubierto mi rostro.
**8** Extraño he sido para mis hermanos,
   Y desconocido para los hijos de mi madre.
**9** Porque me consumió el celo de tu casa;*b*
   Y los denuestos de los que te vituperaban
      cayeron sobre mí.*c*
**10** Lloré afligiendo con ayuno mi alma,
   Y esto me ha sido por afrenta.
**11** Puse además cilicio por mi vestido,
   Y vine a serles por proverbio.
**12** Hablaban contra mí los que se sentaban
      a la puerta,
   Y me zaherían en sus canciones
      los bebedores.
**13** Pero yo a ti oraba, oh Jehová, al tiempo
      de tu buena voluntad;
   Oh Dios, por la abundancia
      de tu misericordia,
   Por la verdad de tu salvación, escúchame.

**69.4** *a* Sal. 35.19; Jn. 15.25.   **69.9** *b* Jn. 2.17.   *c* Ro. 15.3.

---

**69.1-4,13** Como escribió en este salmo, David sentía como si sus problemas lo estuvieran ahogando. Parecía que todo el mundo lo estaba atacando y no había nadie cerca que saliera a defenderlo. Con frecuencia sentimos la misma desesperación mientras estamos inmersos en el proceso de recuperación. En tiempos como esos, debemos hacer lo mismo que David: clamar a Dios por ayuda, someternos a su voluntad y confiar nuestra vida a su cuidado.

**69.5-8** David sabía lo importante que era reconocer sus pecados y confesarlos a Dios. Este es un paso esencial hacia nuestra recuperación. Debemos asumir la responsabilidad por lo que hayamos hecho en el pasado. Luego, como David, debemos pedirle a Dios que nos perdone y nos restaure.

**69.9-12** El visible arrepentimiento y el deseo de David por cambiar su vida lo hizo objeto de intensas burlas. Se convirtió en el hazmerreír de los enemigos de Dios. Aun los borrachos del pueblo lo ridiculizaron. Al confesar nuestros fracasos y entregar nuestra vida a Dios, podemos experimentar un desprecio similar. Quizás merezcamos algo del escarnio que recibimos; puede tomarle algo de tiempo a la gente creer que los cambios en nuestra vida son auténticos. Cuando lleguen estas pruebas, debemos recordar que Dios está más interesado en reconstruir nuestro carácter que lo que pueda estar en restaurar nuestra reputación.

**14** Sácame del lodo, y no sea yo sumergido;
   Sea yo libertado de los que me aborrecen,
   y de lo profundo de las aguas.
**15** No me anegue la corriente de las aguas,
   Ni me trague el abismo,
   Ni el pozo cierre sobre mí su boca.
**16** Respóndeme, Jehová, porque benigna
   es tu misericordia;
   Mírame conforme a la multitud de tus
   piedades.
**17** No escondas de tu siervo tu rostro,
   Porque estoy angustiado; apresúrate, óyeme.
**18** Acércate a mi alma, redímela;
   Líbrame a causa de mis enemigos.
**19** Tú sabes mi afrenta, mi confusión
   y mi oprobio;
   Delante de ti están todos mis adversarios.
**20** El escarnio ha quebrantado mi corazón,
   y estoy acongojado.
   Esperé quien se compadeciese de mí,
   y no lo hubo;
   Y consoladores, y ninguno hallé.
**21** Me pusieron además hiel por comida,
   Y en mi sed me dieron a beber vinagre.*d*
**22** Sea su convite delante de ellos por lazo,
   Y lo que es para bien, por tropiezo.
**23** Sean oscurecidos sus ojos para que no vean,
   Y haz temblar continuamente sus lomos.*e*
**24** Derrama sobre ellos tu ira,
   Y el furor de tu enojo los alcance.
**25** Sea su palacio asolado;
   En sus tiendas no haya morador.*f*
**26** Porque persiguieron al que tú heriste,
   Y cuentan del dolor de los que tú llagaste.
**27** Pon maldad sobre su maldad,
   Y no entren en tu justicia.
**28** Sean raídos del libro de los vivientes,*g*
   Y no sean escritos entre los justos.
**29** Mas a mí, afligido y miserable,
   Tu salvación, oh Dios, me ponga en alto.
**30** Alabaré yo el nombre de Dios con cántico,
   Lo exaltaré con alabanza.
**31** Y agradará a Jehová más que sacrificio de buey,
   O becerro que tiene cuernos y pezuñas;

**32** Lo verán los oprimidos, y se gozarán.
   Buscad a Dios, y vivirá vuestro corazón,
**33** Porque Jehová oye a los menesterosos,
   Y no menosprecia a sus prisioneros.
**34** Alábenle los cielos y la tierra,
   Los mares, y todo lo que se mueve en ellos.
**35** Porque Dios salvará a Sion, y reedificará las
   ciudades de Judá;
   Y habitarán allí, y la poseerán.
**36** La descendencia de sus siervos la heredará,
   Y los que aman su nombre habitarán
   en ella.

## Súplica por la liberación

Al músico principal. Salmo de David,
para conmemorar.

**70** **1** Oh Dios, acude a librarme;
   Apresúrate, oh Dios, a socorrerme.
**2** Sean avergonzados y confundidos
   Los que buscan mi vida;
   Sean vueltos atrás y avergonzados
   Los que mi mal desean.
**3** Sean vueltos atrás, en pago
   de su afrenta hecha,
   Los que dicen: ¡Ah! ¡Ah!
**4** Gócense y alégrense en ti todos los
   que te buscan,
   Y digan siempre los que aman
   tu salvación:
   Engrandecido sea Dios.
**5** Yo estoy afligido y menesteroso;
   Apresúrate a mí, oh Dios.
   Ayuda mía y mi libertador eres tú;
   Oh Jehová, no te detengas.

## Oración de un anciano

**71** **1** En ti, oh Jehová, me he refugiado;
   No sea yo avergonzado jamás.
**2** Socórreme y líbrame en tu justicia;
   Inclina tu oído y sálvame.
**3** Sé para mí una roca de refugio, adonde
   recurra yo continuamente.
   Tú has dado mandamiento para salvarme,
   Porque tú eres mi roca y mi fortaleza.

---

**69.21** *d* Mt. 27.48; Mr. 15.36; Jn. 19.28-29.   **69.22-23** *e* Ro. 11.9-10.   **69.25** *f* Hch. 1.20.   **69.28** *g* Ap. 3.5; 13.8; 17.8.

---

**70.1-5** Esta oración de David es corta y va al grano. Clamó a Dios por su ayuda cuando se encontró en una emergencia. Es posible orar en cualquier momento, pero es especialmente apropiado cuando enfrentamos un dilema o una tentación repentina. Para muchos de nosotros la oración es la última solución en la que pensamos en momentos de dificultades. Buscamos primero otras soluciones humanas antes de acudir a Dios para que nos ayude. Sería muy sensato orar siempre a Dios por todo (véase Filipenses 4.6).
**71.1-8** El salmista describió a Dios con frecuencia como su roca de refugio o fortaleza; un lugar seguro en tiempos de dificultades y pruebas. El salmista elevó una sincera oración de alabanza por la protección que Dios le había dado desde su nacimiento. Su vida fue un ejemplo para muchos. Una manera como podemos mostrar a otros la realidad del poder de Dios es alabándole y agradeciéndole su liberación. Aprendamos de la alabanza de David y enseñemos esa misma lección a la gente que nos rodea.

4 Dios mío, líbrame de la mano del impío,
De la mano del perverso y violento.
5 Porque tú, oh Señor Jehová,
eres mi esperanza,
Seguridad mía desde mi juventud.
6 En ti he sido sustentado desde el vientre;
De las entrañas de mi madre tú fuiste
el que me sacó;
De ti será siempre mi alabanza.
7 Como prodigio he sido a muchos,
Y tú mi refugio fuerte.
8 Sea llena mi boca de tu alabanza,
De tu gloria todo el día.
9 No me deseches en el tiempo de la vejez;
Cuando mi fuerza se acabare,
no me desampares.
10 Porque mis enemigos hablan de mí,
Y los que acechan mi alma consultaron
juntamente,
11 Diciendo: Dios lo ha desamparado;
Perseguidle y tomadle, porque no hay
quien le libre.
12 Oh Dios, no te alejes de mí;
Dios mío, acude pronto en mi socorro.
13 Sean avergonzados, perezcan los adversarios
de mi alma;
Sean cubiertos de vergüenza y de confusión
los que mi mal buscan.
14 Mas yo esperaré siempre,
Y te alabaré más y más.
15 Mi boca publicará tu justicia
Y tus hechos de salvación todo el día,
Aunque no sé su número.
16 Vendré a los hechos poderosos
de Jehová el Señor;
Haré memoria de tu justicia, de la tuya sola.
17 Oh Dios, me enseñaste desde
mi juventud,
Y hasta ahora he manifestado
tus maravillas.
18 Aun en la vejez y las canas, oh Dios,
no me desampares,
Hasta que anuncie tu poder a la posteridad,
Y tu potencia a todos los que han de venir,
19 Y tu justicia, oh Dios, hasta lo excelso.
Tú has hecho grandes cosas;
Oh Dios, ¿quién como tú?
20 Tú, que me has hecho ver muchas
angustias y males,
Volverás a darme vida,

Y de nuevo me levantarás de los abismos
de la tierra.
21 Aumentarás mi grandeza,
Y volverás a consolarme.
22 Asimismo yo te alabaré con instrumento
de salterio,
Oh Dios mío; tu verdad cantaré a ti en el arpa,
Oh Santo de Israel.
23 Mis labios se alegrarán cuando cante a ti,
Y mi alma, la cual redimiste.
24 Mi lengua hablará también de tu justicia
todo el día;
Por cuanto han sido avergonzados, porque
han sido confundidos los que mi
mal procuraban.

## El reino de un rey justo
Para Salomón.

**72** 1 Oh Dios, da tus juicios al rey,
Y tu justicia al hijo del rey.
2 El juzgará a tu pueblo con justicia,
Y a tus afligidos con juicio.
3 Los montes llevarán paz al pueblo,
Y los collados justicia.
4 Juzgará a los afligidos del pueblo,
Salvará a los hijos del menesteroso,
Y aplastará al opresor.
5 Te temerán mientras duren el sol
Y la luna, de generación en generación.
6 Descenderá como la lluvia
sobre la hierba cortada;
Como el rocío que destila sobre la tierra.
7 Florecerá en sus días justicia,
Y muchedumbre de paz, hasta
que no haya luna.
8 Dominará de mar a mar,
Y desde el río hasta los confines de la tierra.*a*
9 Ante él se postrarán los moradores
del desierto,
Y sus enemigos lamerán el polvo.
10 Los reyes de Tarsis y de las costas traerán
presentes;
Los reyes de Sabá y de Seba ofrecerán dones.
11 Todos los reyes se postrarán delante de él;
Todas las naciones le servirán.
12 Porque él librará al menesteroso que clamare,
Y al afligido que no tuviere quien le socorra.
13 Tendrá misericordia del pobre y del
menesteroso,
Y salvará la vida de los pobres.

**72.8** *a* Zac. 9.10.

**71.9-12** Todos enfrentamos momentos difíciles, especialmente mientras nos sometemos al proceso de recuperación. Al luchar con nuestra dependencia, a menudo nuestras fuerzas se agotan y llegan a su nivel más bajo posible. Cuando nos sintamos impotentes, debemos buscar el cuidado de Dios. Él tiene el poder que necesitamos para vencer aun los problemas más devastadores.

**14** De engaño y de violencia redimirá sus almas,
Y la sangre de ellos será preciosa ante sus ojos.

**15** Vivirá, y se le dará del oro de Sabá,
Y se orará por él continuamente;
Todo el día se le bendecirá.

**16** Será echado un puñado de grano en la
tierra, en las cumbres de los montes;
Su fruto hará ruido como el Líbano,
Y los de la ciudad florecerán como la hierba
de la tierra.

**17** Será su nombre para siempre,
Se perpetuará su nombre mientras
dure el sol.
Benditas serán en él todas las naciones;
Lo llamarán bienaventurado.

**18** Bendito Jehová Dios, el Dios de Israel,
El único que hace maravillas.

**19** Bendito su nombre glorioso para siempre,
Y toda la tierra sea llena de su gloria.
Amén y Amén.

**20** Aquí terminan las oraciones de David, hijo de
Isaí.

## LIBRO III
### El destino de los malos
Salmo de Asaf.

# 73
**1** Ciertamente es bueno Dios
para con Israel,
Para con los limpios de corazón.

**2** En cuanto a mí, casi se deslizaron mis pies;
Por poco resbalaron mis pasos.

**3** Porque tuve envidia de los arrogantes,
Viendo la prosperidad de los impíos.

**4** Porque no tienen congojas por su muerte,
Pues su vigor está entero.

**5** No pasan trabajos como los otros mortales,
Ni son azotados como los demás hombres.

**6** Por tanto, la soberbia los corona;
Se cubren de vestido de violencia.

**7** Los ojos se les saltan de gordura;
Logran con creces los antojos del corazón.

**8** Se mofan y hablan con maldad de hacer
violencia;
Hablan con altanería.

**9** Ponen su boca contra el cielo,
Y su lengua pasea la tierra.

**10** Por eso Dios hará volver a su pueblo aquí,
Y aguas en abundancia serán extraídas
para ellos.

**11** Y dicen: ¿Cómo sabe Dios?
¿Y hay conocimiento en el Altísimo?

**12** He aquí estos impíos,
Sin ser turbados del mundo, alcanzaron
riquezas.

**13** Verdaderamente en vano he limpiado
mi corazón,
Y lavado mis manos en inocencia;

**14** Pues he sido azotado todo el día,
Y castigado todas las mañanas.

**15** Si dijera yo: Hablaré como ellos,
He aquí, a la generación de tus hijos
engañaría.

**16** Cuando pensé para saber esto,
Fue duro trabajo para mí,

**17** Hasta que entrando en el santuario
de Dios,
Comprendí el fin de ellos.

**18** Ciertamente los has puesto en deslizaderos;
En asolamientos los harás caer.

**19** ¡Cómo han sido asolados de repente!
Perecieron, se consumieron de terrores.

**20** Como sueño del que despierta,
Así, Señor, cuando despertares,
menospreciarás su apariencia.

**21** Se llenó de amargura mi alma,
Y en mi corazón sentía punzadas.

**22** Tan torpe era yo, que no entendía;
Era como una bestia delante de ti.

**23** Con todo, yo siempre estuve contigo;
Me tomaste de la mano derecha.

**24** Me has guiado según tu consejo,
Y después me recibirás en gloria.

---

**72.12-14** Dios actúa en beneficio de aquellos que no tienen poder para liberarse de sus problemas. Ayuda a quienes están oprimidos y no tienen a nadie que los defienda. Él siente un gran amor y compasión por los débiles y necesitados. Al enfrentar nuestra adicción, sabemos lo que significa sentirse impotente. Solos, somos incapaces de vencer las tentaciones de nuestra dependencia. Pero con la ayuda de Dios, siempre tenemos esperanza. Su poder puede ayudarnos a superar cualquier problema que encontremos y él quiere vernos superar los momentos difíciles para alcanzar una nueva vida de libertad y gozo.

**73.13-20** El salmista había empezado a cuestionarse si valía la pena seguir el plan de Dios. Le parecía que los impíos eran felices y prósperos. No parecía tener sentido. Pero luego el salmista entró en razón al pensar en el destino de los malos. La justicia de Dios a fin de cuentas se cumplirá. Todos sabemos que nuestra adicción parece funcionar por un tiempo, pero luego se vuelve destructiva. El plan de Dios es el único proceso de recuperación que nos conduce a la plenitud y a una vida eterna con él. Es de sabios seguir su plan sin importar lo difícil que pueda parecernos al presente.

**73.21-24** El salmista había comenzado a pensar que Dios era injusto y le estaba dando trabajo creer que era amoroso y bueno. En estos versículos, sin embargo, se dio cuenta de lo necio que había sido. Dios estaba esperando para restablecer su relación con el dudoso salmista. Necesitamos la ayuda de Dios si

**25** ¿A quién tengo yo en los cielos sino a ti?
Y fuera de ti nada deseo en la tierra.

**26** Mi carne y mi corazón desfallecen;
Mas la roca de mi corazón y mi porción
es Dios para siempre.

**27** Porque he aquí, los que se alejan
de ti perecerán;
Tú destruirás a todo aquel que de ti se aparta.

**28** Pero en cuanto a mí, el acercarme a Dios es
el bien;
He puesto en Jehová el Señor mi esperanza,
Para contar todas tus obras.

## Apelación a Dios en contra del enemigo

*Masquil de Asaf.*

**74** **1** ¿Por qué, oh Dios, nos has desechado
para siempre?
¿Por qué se ha encendido tu furor contra
las ovejas de tu prado?

**2** Acuérdate de tu congregación, la que
adquiriste desde tiempos antiguos,
La que redimiste para hacerla la tribu
de tu herencia;
Este monte de Sion, donde has habitado.

**3** Dirige tus pasos a los asolamientos eternos,
A todo el mal que el enemigo ha hecho en
el santuario.

**4** Tus enemigos vociferan en medio
de tus asambleas;
Han puesto sus divisas por señales.

**5** Se parecen a los que levantan
El hacha en medio de tupido bosque.

**6** Y ahora con hachas y martillos
Han quebrado todas sus entalladuras.

**7** Han puesto a fuego tu santuario,
Han profanado el tabernáculo de tu
nombre, echándolo a tierra.

**8** Dijeron en su corazón: Destruyámoslos
de una vez;
Han quemado todas las sinagogas de Dios
en la tierra.

**9** No vemos ya nuestras señales;
No hay más profeta,
Ni entre nosotros hay quien sepa hasta
cuándo.

**10** ¿Hasta cuándo, oh Dios, nos afrentará
el angustiador?
¿Ha de blasfemar el enemigo perpetuamente
tu nombre?

**11** ¿Por qué retraes tu mano?
¿Por qué escondes tu diestra en tu seno?

**12** Pero Dios es mi rey desde tiempo antiguo;
El que obra salvación en medio de la tierra.

**13** Dividiste el mar con tu poder;*a*
Quebrantaste cabezas de monstruos
en las aguas.

**14** Magullaste las cabezas del leviatán,*b*
Y lo diste por comida a los moradores
del desierto.

**15** Abriste la fuente y el río;
Secaste ríos impetuosos.

**16** Tuyo es el día, tuya también es la noche;
Tú estableciste la luna y el sol.

**17** Tú fijaste todos los términos de la tierra;
El verano y el invierno tú los formaste.

**18** Acuérdate de esto: que el enemigo ha
afrentado a Jehová,
Y pueblo insensato ha blasfemado
tu nombre.

**19** No entregues a las fieras el alma de tu tórtola,
Y no olvides para siempre la congregación
de tus afligidos.

**20** Mira al pacto,
Porque los lugares tenebrosos de la tierra
están llenos de habitaciones de violencia.

**21** No vuelva avergonzado el abatido;
El afligido y el menesteroso alabarán
tu nombre.

**22** Levántate, oh Dios, aboga tu causa;
Acuérdate de cómo el insensato te injuria
cada día.

**23** No olvides las voces de tus enemigos;
El alboroto de los que se levantan
contra ti sube continuamente.

## Dios abate al malo y exalta al justo

*Al músico principal; sobre No destruyas.*
*Salmo de Asaf. Cántico.*

**75** **1** Gracias te damos, oh Dios,
gracias te damos,

---

**74.13** *a* Ex. 14.21.   **74.14** *b* Job 41.1; Sal. 104.26; Is. 27.1.

---

queremos tener éxito en nuestra recuperación. Pero si no podemos creer que él es bueno, difícilmente podremos encomendarle nuestra vida. Como el salmista, necesitamos reconocer que Dios sí nos ama y que su plan es para nuestro beneficio. Si confiamos en Dios y tratamos de hacer su voluntad, él seguirá guiándonos con sus sabios consejos.

**74.12-23** El Señor ha probado una y otra vez que es un Dios capaz de libertarnos. Él ha mostrado su poder al ejercer su dominio sobre nuestros enemigos, sobre animales feroces y sobre la naturaleza misma. Por consiguiente, podemos acudir a él y estar seguros de que puede vencer todos los problemas que enfrentemos. Él será fiel a su Palabra y cuidará de nosotros aun cuando caminemos por los más oscuros valles de esta vida.

Pues cercano está tu nombre;
Los hombres cuentan tus maravillas.
2 Al tiempo que señalaré
Yo juzgaré rectamente.
3 Se arruinaban la tierra y sus moradores;
Yo sostengo sus columnas. *Selah*
4 Dije a los insensatos: No os infatuéis;
Y a los impíos: No os enorgullezcáis;
5 No hagáis alarde de vuestro poder;
No habléis con cerviz erguida.
6 Porque ni de oriente ni de occidente,
Ni del desierto viene el enaltecimiento.
7 Mas Dios es el juez;
A éste humilla, y a aquél enaltece.
8 Porque el cáliz está en la mano de Jehová,
y el vino está fermentado,
Lleno de mistura; y él derrama del mismo;
Hasta el fondo lo apurarán, y lo beberán
todos los impíos de la tierra.
9 Pero yo siempre anunciaré
Y cantaré alabanzas al Dios de Jacob.
10 Quebrantaré todo el poderío de los pecadores,
Pero el poder del justo será exaltado.

## El Dios de la victoria y del juicio

Al músico principal; sobre Neginot. Salmo de
Asaf. Cántico.

**76** 1 Dios es conocido en Judá;
En Israel es grande su nombre.
2 En Salem está su tabernáculo,
Y su habitación en Sion.
3 Allí quebró las saetas del arco,
El escudo, la espada y las armas
de guerra. *Selah*

4 Glorioso eres tú, poderoso más
que los montes de caza.
5 Los fuertes de corazón fueron despojados,
durmieron su sueño;
No hizo uso de sus manos ninguno
de los varones fuertes.
6 A tu reprensión, oh Dios de Jacob,
El carro y el caballo fueron entorpecidos.
7 Tú, temible eres tú;
¿Y quién podrá estar en pie delante
de ti cuando se encienda tu ira?
8 Desde los cielos hiciste oír juicio;
La tierra tuvo temor y quedó suspensa
9 Cuando te levantaste, oh Dios, para juzgar,
Para salvar a todos los mansos
de la tierra. *Selah*

10 Ciertamente la ira del hombre te alabará;
Tú reprimirás el resto de las iras.
11 Prometed, y pagad a Jehová vuestro Dios;
Todos los que están alrededor de él, traigan
ofrendas al Temible.
12 Cortará él el espíritu de los príncipes;
Temible es a los reyes de la tierra.

## Meditación sobre los hechos poderosos de Dios

Al músico principal; para Jedutún.
Salmo de Asaf.

**77** 1 Con mi voz clamé a Dios,
A Dios clamé, y él me escuchará.
2 Al Señor busqué en el día de mi angustia;
Alzaba a él mis manos de noche,
sin descanso;
Mi alma rehusaba consuelo.

---

**75.1-5** Una vez que entreguemos a Dios nuestra vida y nuestra voluntad, comenzaremos a ver la manifestación de su cuidado por nosotros. Pero el orgullo es un enemigo poderoso. Evita que acudamos a Dios o a otros en busca de ayuda, y perpetúa nuestra tendencia al rechazo. Dios muestra la ira de su juicio contra los orgullosos y presumidos, que se consideran a sí mismos autosuficientes. No fuimos creados para ser personas solitarias y vivir a nuestra manera. Dios nos creó para que nos ajustemos a su plan para el universo creado. El plan trazado por Dios para una vida recta y saludable nos fue dado para nuestro beneficio y gozo.

**75.6-10** Nuestro deseo de ser mejores que los demás es otro gran enemigo de nuestra alma. El salmista entendió que es Dios quien enaltece a una persona y humilla a otra. Debemos dejar en las manos de Dios todo lo que tiene que ver con promociones y reconocimientos. Su afirmación de que castigará a los malvados tiene el propósito, primeramente, de hacer que se aparten de los malos caminos, y también de asegurar a los que sufren por causa de los malos que Dios no se ha olvidado de ellos.

**76.11-12** Al pensar en las personas a las que hayamos hecho daño y al hacer planes de la reconciliación, necesitamos también llevar a cabo esos planes. Con frecuencia hacemos promesas que luego no cumplimos. Si anhelamos la reconciliación con nuestros conocidos, necesitamos cumplir lo prometido. El mismo principio se aplica cuando se trata de Dios. Si le hacemos una promesa, negarnos a cumplirla sólo nos producirá un dolor mayor y nos alejará de él. Dios espera que cumplamos nuestros votos. Todas las relaciones personales se basan en la confianza. A menos que aprendamos a ser merecedores de la confianza de otros, nuestras relaciones serán inestables y nuestros esfuerzos en el proceso de recuperación estarán condenados al fracaso.

**77.1-4** Al escribir estos versículos el salmista estaba tan afligido que ni siquiera podía orar. Lo mismo nos ocurre a nosotros. Cuando nos sintamos desalentados, necesitaremos ser más persistentes en nuestras

**3** Me acordaba de Dios, y me conmovía;
Me quejaba, y desmayaba mi espíritu.   *Selah*

**4** No me dejabas pegar los ojos;
Estaba yo quebrantado, y no hablaba.

**5** Consideraba los días desde el principio,
Los años de los siglos.

**6** Me acordaba de mis cánticos de noche;
Meditaba en mi corazón,
Y mi espíritu inquiría:

**7** ¿Desechará el Señor para siempre,
Y no volverá más a sernos propicio?

**8** ¿Ha cesado para siempre su misericordia?
¿Se ha acabado perpetuamente su promesa?

**9** ¿Ha olvidado Dios el tener misericordia?
¿Ha encerrado con ira sus piedades?   *Selah*

**10** Dije: Enfermedad mía es esta;
Traeré, pues, a la memoria los años de la
diestra del Altísimo.

**11** Me acordaré de las obras de JAH;
Sí, haré yo memoria de tus maravillas
antiguas.

**12** Meditaré en todas tus obras,
Y hablaré de tus hechos.

**13** Oh Dios, santo es tu camino;
¿Qué dios es grande como nuestro Dios?

**14** Tú eres el Dios que hace maravillas;
Hiciste notorio en los pueblos tu poder.

**15** Con tu brazo redimiste a tu pueblo,
A los hijos de Jacob y de José.   *Selah*

**16** Te vieron las aguas, oh Dios;
Las aguas te vieron, y temieron;
Los abismos también se estremecieron.

**17** Las nubes echaron inundaciones de aguas;
Tronaron los cielos,
Y discurrieron tus rayos.

**18** La voz de tu trueno estaba
en el torbellino;
Tus relámpagos alumbraron el mundo;
Se estremeció y tembló la tierra.

**19** En el mar fue tu camino,
Y tus sendas en las muchas aguas;
Y tus pisadas no fueron conocidas.

**20** Condujiste a tu pueblo como ovejas
Por mano de Moisés y de Aarón.

## Fidelidad de Dios hacia su pueblo infiel

Masquil de Asaf.

**78** **1** Escucha, pueblo mío, mi ley;
Inclinad vuestro oído a las palabras
de mi boca.

**2** Abriré mi boca en proverbios;
Hablaré cosas escondidas desde tiempos
antiguos,*a*

**3** Las cuales hemos oído y entendido;
Que nuestros padres nos las contaron.

**4** No las encubriremos a sus hijos,
Contando a la generación venidera las
alabanzas de Jehová,
Y su potencia, y las maravillas que hizo.

**5** El estableció testimonio en Jacob,
Y puso ley en Israel,
La cual mandó a nuestros padres
Que la notificasen a sus hijos;

**6** Para que lo sepa la generación venidera,
y los hijos que nacerán;
Y los que se levantarán lo cuenten
a sus hijos,

**7** A fin de que pongan en Dios su confianza,
Y no se olviden de las obras de Dios;
Que guarden sus mandamientos,

**8** Y no sean como sus padres,
Generación contumaz y rebelde;
Generación que no dispuso su corazón,
Ni fue fiel para con Dios su espíritu.

**9** Los hijos de Efraín, arqueros armados,
Volvieron las espaldas en el día de la batalla.

**10** No guardaron el pacto de Dios,
Ni quisieron andar en su ley;

**11** Sino que se olvidaron de sus obras,
Y de sus maravillas que les había mostrado.

**12** Delante de sus padres hizo maravillas
En la tierra de Egipto,*b* en el campo de Zoán.

**13** Dividió el mar y los hizo pasar;
Detuvo las aguas como en un montón.*c*

**14** Les guió de día con nube,
Y toda la noche con resplandor de fuego.*d*

**15** Hendió las peñas en el desierto,
Y les dio a beber como de grandes abismos,

**16** Pues sacó de la peña corrientes,
E hizo descender aguas como ríos.*e*

**78.2** *a* Mt. 13.35.   **78.12** *b* Ex. 7.8—12.32.   **78.13** *c* Ex. 14.21-22.   **78.14** *d* Ex. 13.21-22.
**78.15-16** *e* Ex. 17.1-7; Nm. 20.2-13.

oraciones. Dios es el único que realmente puede ayudarnos. Cuando nuestra vida esté fuera de control, Dios
nos ayudará a aminorar el paso y a armar de nuevo el rompecabezas.
**78.9-12** El pueblo de Dios, aunque estaba bien equipado para vencer a sus enemigos en la Tierra
prometida, fracasó en el cumplimiento de las órdenes dadas por Dios. Cuando debieron haber seguido
hacia delante con audacia, huyeron del conflicto como cobardes. No cabe duda de que este fracaso fue
el resultado de haber olvidado los portentosos hechos de Dios en el pasado a favor de su pueblo.
Cuando dejamos de creer en el poder de Dios, ya sea por incredulidad u orgullo, estamos condenados
a fracasar.

**17** Pero aún volvieron a pecar contra él,
Rebelándose contra el Altísimo en el desierto;
**18** Pues tentaron a Dios en su corazón,
Pidiendo comida a su gusto.
**19** Y hablaron contra Dios,
Diciendo: ¿Podrá poner mesa en el desierto?
**20** He aquí ha herido la peña, y brotaron aguas,
Y torrentes inundaron la tierra;
¿Podrá dar también pan?
¿Dispondrá carne para su pueblo?
**21** Por tanto, oyó Jehová, y se indignó;
Se encendió el fuego contra Jacob,
Y el furor subió también contra Israel,
**22** Por cuanto no habían creído a Dios,
Ni habían confiado en su salvación.
**23** Sin embargo, mandó a las nubes de arriba,
Y abrió las puertas de los cielos,
**24** E hizo llover sobre ellos maná
para que comiesen,
Y les dio trigo de los cielos.*f*
**25** Pan de nobles comió el hombre;
Les envió comida hasta saciarles.
**26** Movió el solano en el cielo,
Y trajo con su poder el viento sur,
**27** E hizo llover sobre ellos carne como polvo,
Como arena del mar, aves que vuelan.
**28** Las hizo caer en medio del campamento,
Alrededor de sus tiendas.
**29** Comieron, y se saciaron;
Les cumplió, pues, su deseo.
**30** No habían quitado de sí su anhelo,
Aún estaba la comida en su boca,
**31** Cuando vino sobre ellos el furor de Dios,
E hizo morir a los más robustos de ellos,
Y derribó a los escogidos de Israel.*g*
**32** Con todo esto, pecaron aún,
Y no dieron crédito a sus maravillas.
**33** Por tanto, consumió sus días en vanidad,
Y sus años en tribulación.
**34** Si los hacía morir, entonces
buscaban a Dios;
Entonces se volvían solícitos en busca suya,

**35** Y se acordaban de que Dios
era su refugio,
Y el Dios Altísimo su redentor.
**36** Pero le lisonjeaban con su boca,
Y con su lengua le mentían;
**37** Pues sus corazones no eran rectos con él,*h*
Ni estuvieron firmes en su pacto.
**38** Pero él, misericordioso, perdonaba la
maldad, y no los destruía;
Y apartó muchas veces su ira,
Y no despertó todo su enojo.
**39** Se acordó de que eran carne,
Soplo que va y no vuelve.
**40** ¡Cuántas veces se rebelaron contra
él en el desierto,
Lo enojaron en el yermo!
**41** Y volvían, y tentaban a Dios,
Y provocaban al Santo de Israel.
**42** No se acordaron de su mano,
Del día que los redimió de la angustia;
**43** Cuando puso en Egipto sus señales,
Y sus maravillas en el campo de Zoán;
**44** Y volvió sus ríos en sangre,
Y sus corrientes, para que no bebiesen.*i*
**45** Envió entre ellos enjambres de moscas*j*
que los devoraban,
Y ranas*k* que los destruían.
**46** Dio también a la oruga sus frutos,
Y sus labores a la langosta.*l*
**47** Sus viñas destruyó con granizo,
Y sus higuerales con escarcha;
**48** Entregó al pedrisco sus bestias,
Y sus ganados a los rayos.*m*
**49** Envió sobre ellos el ardor de su ira;
Enojo, indignación y angustia,
Un ejército de ángeles destructores.
**50** Dispuso camino a su furor;
No eximió la vida de ellos de la muerte,
Sino que entregó su vida a la mortandad.
**51** Hizo morir a todo primogénito en Egipto,*n*
Las primicias de su fuerza en las tiendas
de Cam.

---

**78.24** *f* Jn. 6.31.   **78.18-31** *g* Ex. 16.2-15; Nm. 11.4-23, 31-35.   **78.37** *h* Hch. 8.21.   **78.44** *i* Ex. 7.17-21.
**78.45** *j* Ex. 8.20-24.   *k* Ex. 8.1-6.   **78.46** *l* Ex. 10.12-15.   **78.47-48** *m* Ex. 9.22-25.   **78.51** *n* Ex. 12.29.

---

**78.17-33** La ira de Dios contra su pueblo rebelde aumentó porque ellos se quejaban continuamente y se negaban a confiar en él para ser liberados durante su experiencia en el desierto. Debemos orar para que no nos ocurra lo mismo a nosotros. A pesar de nuestra incredulidad, aun así Dios es misericordioso y nos concede beneficios que no merecemos (véanse Éxodo 16.4-5; Números 11.31). El pueblo tenía todo lo que podía desear, pero como incluso así se rebeló contra él, Dios envió una plaga que lo aterrorizó y mató a muchos en la flor de sus vidas (véase Números 11.32-33). La rebelión también hará que nuestra vida termine en fracaso.
**78.34-39** Dios sabe que somos humanos, con todas las imperfecciones y debilidades de los seres mortales. Él tiene compasión de nosotros, perdona nuestros pecados y con frecuencia no ejecuta su juicio como hizo con su pueblo en el desierto. Su bondad debe animarnos e impulsarnos a estar más dispuestos a entregarle nuestra vida.

52 Hizo salir a su pueblo como ovejas,
Y los llevó por el desierto como un rebaño.[o]
53 Los guió con seguridad, de modo que no
tuvieran temor;
Y el mar cubrió a sus enemigos.[p]
54 Los trajo después a las fronteras
de su tierra santa,[q]
A este monte que ganó su mano derecha.
55 Echó las naciones de delante de ellos;[r]
Con cuerdas repartió sus tierras en heredad,
E hizo habitar en sus moradas a las tribus
de Israel.
56 Pero ellos tentaron y enojaron
al Dios Altísimo,[s]
Y no guardaron sus testimonios;
57 Sino que se volvieron y se rebelaron como
sus padres;
Se volvieron como arco engañoso.
58 Le enojaron con sus lugares altos,
Y le provocaron a celo con sus imágenes
de talla.
59 Lo oyó Dios y se enojó,
Y en gran manera aborreció a Israel.
60 Dejó, por tanto, el tabernáculo de Silo,
La tienda en que habitó entre los hombres,[t]
61 Y entregó a cautiverio su poderío,
Y su gloria en mano del enemigo.[u]
62 Entregó también su pueblo a la espada,
Y se irritó contra su heredad.
63 El fuego devoró a sus jóvenes,
Y sus vírgenes no fueron loadas en cantos
nupciales.
64 Sus sacerdotes cayeron a espada,
Y sus viudas no hicieron lamentación.
65 Entonces despertó el Señor como quien
duerme,
Como un valiente que grita excitado
del vino,
66 E hirió a sus enemigos por detrás;
Les dio perpetua afrenta.
67 Desechó la tienda de José,
Y no escogió la tribu de Efraín,
68 Sino que escogió la tribu de Judá,
El monte de Sion, al cual amó.
69 Edificó su santuario a manera de eminencia,
Como la tierra que cimentó para siempre.
70 Eligió a David su siervo,
Y lo tomó de las majadas de las ovejas;
71 De tras las paridas lo trajo,
Para que apacentase a Jacob su pueblo,
Y a Israel su heredad.[v]
72 Y los apacentó conforme a la integridad
de su corazón,
Los pastoreó con la pericia de sus manos.

### Lamento por la destrucción de Jerusalén

Salmo de Asaf.

**79** 1 Oh Dios, vinieron las naciones
a tu heredad;
Han profanado tu santo templo;
Redujeron a Jerusalén a escombros.[a]
2 Dieron los cuerpos de tus siervos por
comida a las aves de los cielos,
La carne de tus santos a las bestias
de la tierra.
3 Derramaron su sangre como agua
en los alrededores de Jerusalén,
Y no hubo quien los enterrase.
4 Somos afrentados de nuestros vecinos,
Escarnecidos y burlados de los que están en
nuestros alrededores.
5 ¿Hasta cuándo, oh Jehová? ¿Estarás airado
para siempre?
¿Arderá como fuego tu celo?
6 Derrama tu ira sobre las naciones
que no te conocen,
Y sobre los reinos que no invocan tu nombre.
7 Porque han consumido a Jacob,
Y su morada han asolado.
8 No recuerdes contra nosotros las
iniquidades de nuestros antepasados;
Vengan pronto tus misericordias
a encontrarnos,
Porque estamos muy abatidos.

**78.52** [o] Ex. 13.17-22. **78.53** [p] Ex. 14.26-28. **78.54** [q] Ex. 15.17; Jos. 3.14-17. **78.55** [r] Jos. 11.16-23. **78.56** [s] Jue. 2.11-15. **78.60** [t] Jos. 18.1; Jer. 7.12-14; 26.6. **78.61** [u] 1 S. 4.4-22. **78.70-71** [v] 1 S. 16.11-12; 2 S. 7.8; 1 Cr. 17.7. **79.1** [a] 2 R. 25.8-10; 2 Cr. 36.17-19; Jer. 52.12-14.

**78.59-64** El pecado tiene consecuencias devastadoras. Dios nos ama, pero nuestra persistente desobediencia a veces hace que él se aleje de nosotros y permita que nuestros enemigos nos derroten. Si somos sabios, entenderemos qué ha pasado, confesaremos nuestros pecados y fracasos, y volveremos a poner nuestra vida al cuidado y bajo el control de Dios.

**79.5-13** Al enfrentar momentos difíciles, necesitamos estar conscientes de la posibilidad de que Dios está permitiendo que pasemos por dificultades para que nos alejemos del pecado. Si esto es así, necesitamos suplicar su misericordia y perdón para que podamos ser restaurados a la plenitud. Dios nos liberta de las fuerzas que controlan nuestra vida, no meramente para darnos libertad, sino también para su honra y para que otros reconozcan su grandeza. Es nuestra responsabilidad esparcir las buenas nuevas de la liberación que Dios ofrece.

⁹ Ayúdanos, oh Dios de nuestra salvación,
   por la gloria de tu nombre;
Y líbranos, y perdona nuestros pecados
   por amor de tu nombre.
¹⁰ Porque dirán las gentes: ¿Dónde está su Dios?
   Sea notoria en las gentes,
   delante de nuestros ojos,
   La venganza de la sangre de tus siervos
   que fue derramada.
¹¹ Llegue delante de ti el gemido de los presos;
   Conforme a la grandeza de tu brazo preserva
   a los sentenciados a muerte,
¹² Y devuelve a nuestros vecinos en su seno
   siete tantos
   De su infamia, con que te han deshonrado,
   oh Jehová.
¹³ Y nosotros, pueblo tuyo, y ovejas
   de tu prado,
   Te alabaremos para siempre;
   De generación en generación cantaremos
   tus alabanzas.

## Súplica por la restauración

Al músico principal; sobre Lirios. Testimonio.
Salmo de Asaf.

**80** ¹ Oh Pastor de Israel, escucha;
   Tú que pastoreas como a ovejas a José,
   Que estás entre querubines,ᵃ resplandece.
² Despierta tu poder delante de Efraín,
   de Benjamín y de Manasés,
   Y ven a salvarnos.
³ Oh Dios, restáuranos;
   Haz resplandecer tu rostro,
   y seremos salvos.
⁴ Jehová, Dios de los ejércitos,
   ¿Hasta cuándo mostrarás tu indignación
   contra la oración de tu pueblo?
⁵ Les diste a comer pan de lágrimas,
   Y a beber lágrimas en gran abundancia.
⁶ Nos pusiste por escarnio a nuestros vecinos,
   Y nuestros enemigos se burlan entre sí.

⁷ Oh Dios de los ejércitos, restáuranos;
   Haz resplandecer tu rostro, y seremos salvos.
⁸ Hiciste venir una vid de Egipto;
   Echaste las naciones, y la plantaste.
⁹ Limpiaste sitio delante de ella,
   E hiciste arraigar sus raíces, y llenó la tierra.
¹⁰ Los montes fueron cubiertos de su sombra,
   Y con sus sarmientos los cedros de Dios.
¹¹ Extendió sus vástagos hasta el mar,
   Y hasta el río sus renuevos.
¹² ¿Por qué aportillaste sus vallados,
   Y la vendimian todos los que pasan
   por el camino?
¹³ La destroza el puerco montés,
   Y la bestia del campo la devora.
¹⁴ Oh Dios de los ejércitos, vuelve ahora;
   Mira desde el cielo, y considera,
   y visita esta viña,
¹⁵ La planta que plantó tu diestra,
   Y el renuevo que para ti afirmaste.
¹⁶ Quemada a fuego está, asolada;
   Perezcan por la reprensión de tu rostro.
¹⁷ Sea tu mano sobre el varón de tu diestra,
   Sobre el hijo de hombre que para ti afirmaste.
¹⁸ Así no nos apartaremos de ti;
   Vida nos darás, e invocaremos tu nombre.
¹⁹ ¡Oh Jehová, Dios de los ejércitos, restáuranos!
   Haz resplandecer tu rostro, y seremos salvos.

## Bondad de Dios y perversidad de Israel

Al músico principal; sobre Gitit. Salmo de Asaf.

**81** ¹ Cantad con gozo a Dios,
   fortaleza nuestra;
   Al Dios de Jacob aclamad con júbilo.
² Entonad canción, y tañed el pandero,
   El arpa deliciosa y el salterio.
³ Tocad la trompeta en la nueva luna,
   En el día señalado, en el día de nuestra
   fiesta solemne.ᵃ
⁴ Porque estatuto es de Israel,
   Ordenanza del Dios de Jacob.

---

**80.1** ᵃ Ex. 25.22.   **81.3** ᵃ Nm. 10.10.

---

**80.9-13** Dios hace obras maravillosas por nosotros. Nos liberta de la esclavitud, quita barreras de nuestra vida y nos consolida con firmeza, haciendo todo lo posible para que crezcamos y prosperemos espiritualmente. Cuando comenzamos a actuar como si no necesitáramos de Dios, él puede ponernos en nuestro lugar y permitir que nuestros enemigos –internos o externos– se aprovechen de nosotros. La recuperación es un proceso que dura toda la vida. Nuestra relación con Dios también debe durar toda la vida. Necesitamos reconocer que sin la ayuda de Dios estamos en peligro de caer, aun cuando parezca que todo nos va bien. Nuestro progreso en la recuperación y nuestra relación con Dios necesitan nuestra constante atención.

**80.14-19** Cuando estemos por los suelos, debemos suplicar por la misericordia de Dios y su obra restauradora en nuestra vida. Aunque es posible que no sintamos abrumados por nuestro sufrimiento, debemos recordar que Dios puede poner fin a todo lo que nos haya causado tanto dolor. Y mientras nos fortalece y nos restaura a plenitud, él quiere que llevemos a otros las buenas nuevas de liberación. Al compartir este mensaje, otros comenzarán a poner su esperanza en el poder de Dios y nosotros seremos fortalecidos también por la esperanza que llevamos a otros.

**5** Lo constituyó como testimonio en José
Cuando salió por la tierra de Egipto.
Oí lenguaje que no entendía;
**6** Aparté su hombro de debajo de la carga;
Sus manos fueron descargadas de los cestos.
**7** En la calamidad clamaste, y yo te libré;
Te respondí en lo secreto del trueno;
Te probé junto a las aguas de Meriba.*b*    *Selah*
**8** Oye, pueblo mío, y te amonestaré.
Israel, si me oyeres,
**9** No habrá en ti dios ajeno,
Ni te inclinarás a dios extraño.*c*
**10** Yo soy Jehová tu Dios,
Que te hice subir de la tierra de Egipto;
Abre tu boca, y yo la llenaré.
**11** Pero mi pueblo no oyó mi voz,
E Israel no me quiso a mí.
**12** Los dejé, por tanto, a la dureza de su corazón;
Caminaron en sus propios consejos.
**13** ¡Oh, si me hubiera oído mi pueblo,
Si en mis caminos hubiera andado Israel!
**14** En un momento habría yo derribado
a sus enemigos,
Y vuelto mi mano contra sus adversarios.
**15** Los que aborrecen a Jehová se le habrían
sometido,
Y el tiempo de ellos sería para siempre.
**16** Les sustentaría Dios con lo mejor del trigo,
Y con miel de la peña les saciaría.

### Amonestación contra los juicios injustos
Salmo de Asaf.

**82** **1** Dios está en la reunión de los dioses;
En medio de los dioses juzga.
**2** ¿Hasta cuándo juzgaréis injustamente,
Y aceptaréis las personas de los impíos? *Selah*
**3** Defended al débil y al huérfano;
Haced justicia al afligido y al menesteroso.
**4** Librad al afligido y al necesitado;
Libradlo de mano de los impíos.

**5** No saben, no entienden,
Andan en tinieblas;
Tiemblan todos los cimientos de la tierra.
**6** Yo dije: Vosotros sois dioses,*a*
Y todos vosotros hijos del Altísimo;
**7** Pero como hombres moriréis,
Y como cualquiera de los príncipes caeréis.
**8** Levántate, oh Dios, juzga la tierra;
Porque tú heredarás todas las naciones.

### Plegaria pidiendo la destrucción de los enemigos de Israel
Cántico. Salmo de Asaf.

**83** **1** Oh Dios, no guardes silencio;
No calles, oh Dios, ni te estés quieto.
**2** Porque he aquí que rugen tus enemigos,
Y los que te aborrecen alzan cabeza.
**3** Contra tu pueblo han consultado astuta
y secretamente,
Y han entrado en consejo contra tus
protegidos.
**4** Han dicho: Venid, y destruyámoslos
para que no sean nación,
Y no haya más memoria del nombre
de Israel.
**5** Porque se confabulan de corazón a una,
Contra ti han hecho alianza
**6** Las tiendas de los edomitas
y de los ismaelitas,
Moab y los agarenos;
**7** Gebal, Amón y Amalec,
Los filisteos y los habitantes de Tiro.
**8** También el asirio se ha juntado con ellos;
Sirven de brazo a los hijos de Lot.    *Selah*

**9** Hazles como a Madián,*a*
Como a Sísara, como a Jabín en el arroyo
de Cisón;*b*
**10** Que perecieron en Endor,
Fueron hechos como estiércol para la tierra.

---

**81.7** *b* Ex. 17.7; Nm. 20.13.    **81.9** *c* Ex. 20.2-3; Dt. 5.6-7.    **82.6** *a* Jn. 10.34.    **83.9** *a* Jue. 7.1-23.    *b* Jue. 4.6-22.

---

**81.6-10** Con gran poder, Dios quita las cargas de su pueblo y lo libera cuando clama a él. Dios nos advierte una y otra vez que no permitamos que ninguna cosa o persona tome su lugar en nuestra vida. Confiar en otra fuente de poder que no sea Dios es una insensatez. Él es mucho más poderoso que cualquier otro medio posible de liberación. Sólo él puede satisfacer nuestras necesidades más profundas. Todo lo que tenemos que hacer es acercarnos a él para que nos ayude.

**82.1-4** Dios juzga a su pueblo y hace particularmente responsables a lo que han tratado injustamente al desamparado y al necesitado. Muchos tendrán que rendir cuentas por acciones que hayan realizado y que han hecho que otros tropiecen y se vuelvan adictos a cosas que ejercen una influencia dañina y controladora. Si hemos inducido a otros para que vayan por el mal camino, una manera de reparar el daño causado puede ser ayudarlos a enfrentar sus problemas y hablarles de las buenas nuevas de liberación.

**83.1-8** El encontrar problemas en nuestra vida debe motivarnos a pedirle ayuda a Dios. Todas las fuerzas del mal parecen conspirar contra nosotros al enfrentar una tentación. Dios no quiere que fracasemos; él está ahí para ayudarnos. Pero necesitamos ser conscientes de las cosas que nos debilitan y nos hacen caer. Al evitarlas, descubriremos que es más fácil lidiar con la tentación. El plan de Dios para una vida saludable está diseñado para esto mismo: alejarnos de la tentación.

**11** Pon a sus capitanes como a Oreb y a Zeeb;<sup>c</sup>
   Como a Zeba y a Zalmuna<sup>d</sup> a todos sus
   príncipes,
**12** Que han dicho: Heredemos para nosotros
   Las moradas de Dios.
**13** Dios mío, ponlos como torbellinos,
   Como hojarascas delante del viento,
**14** Como fuego que quema el monte,
   Como llama que abrasa el bosque.
**15** Persíguelos así con tu tempestad,
   Y atérralos con tu torbellino.
**16** Llena sus rostros de vergüenza,
   Y busquen tu nombre, oh Jehová.
**17** Sean afrentados y turbados para siempre;
   Sean deshonrados, y perezcan.
**18** Y conozcan que tu nombre es Jehová;
   Tú solo Altísimo sobre toda la tierra.

### Anhelo por la casa de Dios

Al músico principal; sobre Gitit.
Salmo para los hijos de Coré.

**84** **1** ¡Cuán amables son tus moradas,
   oh Jehová de los ejércitos!
**2** Anhela mi alma y aun ardientemente desea
   los atrios de Jehová;
   Mi corazón y mi carne cantan al Dios vivo.
**3** Aun el gorrión halla casa,
   Y la golondrina nido para sí, donde ponga
   sus polluelos,
   Cerca de tus altares, oh Jehová de los
   ejércitos,
   Rey mío, y Dios mío.
**4** Bienaventurados los que habitan en tu casa;
   Perpetuamente te alabarán.          *Selah*

**5** Bienaventurado el hombre que tiene en ti
   sus fuerzas,
   En cuyo corazón están tus caminos.

**6** Atravesando el valle de lágrimas
   lo cambian en fuente,
   Cuando la lluvia llena los estanques.
**7** Irán de poder en poder;
   Verán a Dios en Sion.
**8** Jehová Dios de los ejércitos, oye mi oración;
   Escucha, oh Dios de Jacob.          *Selah*
**9** Mira, oh Dios, escudo nuestro,
   Y pon los ojos en el rostro de tu ungido.
**10** Porque mejor es un día en tus atrios
   que mil fuera de ellos.
   Escogería antes estar a la puerta de la casa
   de mi Dios,
   Que habitar en las moradas de maldad.
**11** Porque sol y escudo es Jehová Dios;
   Gracia y gloria dará Jehová.
   No quitará el bien a los que andan
   en integridad.
**12** Jehová de los ejércitos,
   Dichoso el hombre que en ti confía.

### Súplica por la misericordia de Dios sobre Israel

Al músico principal. Salmo para los hijos
de Coré.

**85** **1** Fuiste propicio a tu tierra, oh Jehová;
   Volviste la cautividad de Jacob.
**2** Perdonaste la iniquidad de tu pueblo;
   Todos los pecados de ellos cubriste.     *Selah*
**3** Reprimiste todo tu enojo;
   Te apartaste del ardor de tu ira.
**4** Restáuranos, oh Dios de nuestra salvación,
   Y haz cesar tu ira de sobre nosotros.
**5** ¿Estarás enojado contra nosotros para siempre?
   ¿Extenderás tu ira de generación en
   generación?
**6** ¿No volverás a darnos vida,
   Para que tu pueblo se regocije en ti?

**83.11** <sup>c</sup> Jue. 7.25. <sup>d</sup> Jue. 8.12.

---

**83.13-18** Nada puede contra Dios. Él creó cuanto existe y sólo él es soberano sobre todo el mundo. Cuando estamos tratando de vivir para él, nuestros enemigos son sus enemigos, y podemos confiar en que él lidiará con ellos en favor nuestro.

**84.1-4** La belleza se encuentra dondequiera que habite nuestro todopoderoso Dios. Aunque Dios reina con gran poder, él también cuida de las cosas del mundo que aparentemente son insignificantes, aun de gorriones y golondrinas. La verdadera bendición y el verdadero gozo llegan cuando decidimos vivir en su presencia. A medida que encomendamos a Dios nuestra vida y hacemos lo mejor posible por cumplir su voluntad, descubriremos las bendiciones de vivir en la presencia de nuestro justo y amoroso Dios.

**84.8-12** Un solo día en la presencia del Señor es mucho mejor que mil vidas lejos de él. La seguridad, la paz y el amor que Dios ofrece son mejores que cualquier cosa que podamos recibir de otras personas. Cuando descubramos que los placeres iniciales de nuestra adicción han desaparecido y que lo que prometía de nuestra dependencia no se ha hecho realidad, podemos volvernos a Dios y él llenará nuestra alma con verdadera felicidad.

**85.1-3** Ya es lo suficientemente difícil lidiar con los pecados que nos han atrapado para que lo empeoremos tratando de vivir con una mala conciencia. Llega un gran alivio a nuestra vida cuando Dios nos ayuda a retomar el control y nos damos cuenta de que él ha perdonado nuestros pecados. Todo lo que tenemos que hacer es confesar al Señor nuestros pecados y aceptar el perdón que él ofrece.

7 Muéstranos, oh Jehová, tu misericordia,
Y danos tu salvación.

8 Escucharé lo que hablará Jehová Dios;
Porque hablará paz a su pueblo
y a sus santos,
Para que no se vuelvan a la locura.

9 Ciertamente cercana está su salvación ?a los
que le temen,
Para que habite la gloria en nuestra tierra.

10 La misericordia y la verdad se encontraron;
La justicia y la paz se besaron.

11 La verdad brotará de la tierra,
Y la justicia mirará desde los cielos.

12 Jehová dará también el bien,
Y nuestra tierra dará su fruto.

13 La justicia irá delante de él,
Y sus pasos nos pondrá por camino.

## Oración pidiendo la continuada misericordia de Dios

Oración de David.

**86** 1 Inclina, oh Jehová, tu oído, y escúchame,
Porque estoy afligido y menesteroso.

2 Guarda mi alma, porque soy piadoso;
Salva tú, oh Dios mío, a tu siervo
que en ti confía.

3 Ten misericordia de mí, oh Jehová;
Porque a ti clamo todo el día.

4 Alegra el alma de tu siervo,
Porque a ti, oh Señor, levanto mi alma.

5 Porque tú, Señor, eres bueno y perdonador,
Y grande en misericordia para con todos los
que te invocan.

6 Escucha, oh Jehová, mi oración,
Y está atento a la voz de mis ruegos.

7 En el día de mi angustia te llamaré,
Porque tú me respondes.

8 Oh Señor, ninguno hay como tú entre
los dioses,
Ni obras que igualen tus obras.

9 Todas las naciones que hiciste vendrán
y adorarán delante de ti, Señor,
Y glorificarán tu nombre.*a*

10 Porque tú eres grande, y hacedor
de maravillas;
Sólo tú eres Dios.

11 Enséñame, oh Jehová, tu camino; caminaré
yo en tu verdad;
Afirma mi corazón para que tema tu nombre.

12 Te alabaré, oh Jehová Dios mío,
con todo mi corazón,
Y glorificaré tu nombre para siempre.

13 Porque tu misericordia es grande
para conmigo,
Y has librado mi alma de las profundidades
del Seol.

14 Oh Dios, los soberbios se levantaron
contra mí,
Y conspiración de violentos ha buscado
mi vida,
Y no te pusieron delante de sí.

15 Mas tú, Señor, Dios misericordioso
y clemente,
Lento para la ira, y grande en misericordia
y verdad,

16 Mírame, y ten misericordia de mí;
Da tu poder a tu siervo,
Y guarda al hijo de tu sierva.

17 Haz conmigo señal para bien,
Y véanla los que me aborrecen, y sean
avergonzados;
Porque tú, Jehová, me ayudaste y me
consolaste.

## El privilegio de morar en Sion

A los hijos de Coré. Salmo. Cántico.

**87** 1 Su cimiento está en el monte santo.
2 Ama Jehová las puertas de Sion
Más que todas las moradas de Jacob.

3 Cosas gloriosas se han dicho de ti,
Ciudad de Dios.                    *Selah*

4 Yo me acordaré de Rahab y de Babilonia
entre los que me conocen;
He aquí Filistea y Tiro, con Etiopía;
Este nació allá.

86.9 *a* Ap. 15.4.

---

**86.1-5** Aunque quizás estemos tratando de servir a Dios y confiar en él, puede que todavía estemos atados por adicciones y problemas de los que necesitamos liberarnos. A veces las respuestas no llegan de inmediato, y aunque oremos constantemente, no parece que pase nada. Es posible que nos impacientemos y comencemos a preguntarnos si algún día Dios hará algo. Al final, Dios responderá con perdón y misericordia a todos los que hayan clamado a él. A veces, sin embargo, tenemos que esperar un poco antes de ver cambios en nuestra vida.

**86.11-17** La única forma de conocer la voluntad de Dios es buscándola por medio de la oración y el estudio de su Palabra. Mientras más sepamos de Dios, más conscientes estaremos de qué espera de nosotros. A medida que conozcamos mejor a Dios, iremos descubriendo que él nos da no sólo dirección sino también la fortaleza y el aliento que necesitamos para ir por la senda que él ha trazado para nosotros.

**87.1-7** Gracias a la bondad de Dios, todos podemos ser ciudadanos de Jerusalén, la ciudad por la que el Señor siente una preocupación y un amor especiales. En el Antiguo Testamento, se conocía a Jerusalén

5 Y de Sion se dirá: Este y aquél han
nacido en ella,
Y el Altísimo mismo la establecerá.
6 Jehová contará al inscribir a los pueblos:
Este nació allí. *Selah*

7 Y cantores y tañedores en ella dirán:
Todas mis fuentes están en ti.

## Súplica por la liberación de la muerte
Cántico. Salmo para los hijos de Coré.
Al músico principal, para cantar sobre Mahalat.
Masquil de Hemán ezraíta.

**88** 1 Oh Jehová, Dios de mi salvación,
Día y noche clamo delante de ti.
2 Llegue mi oración a tu presencia;
Inclina tu oído a mi clamor.
3 Porque mi alma está hastiada de males,
Y mi vida cercana al Seol.
4 Soy contado entre los que descienden
al sepulcro;
Soy como hombre sin fuerza,
5 Abandonado entre los muertos,
Como los pasados a espada que yacen
en el sepulcro,
De quienes no te acuerdas ya,
Y que fueron arrebatados de tu mano.
6 Me has puesto en el hoyo profundo,
En tinieblas, en lugares profundos.
7 Sobre mí reposa tu ira,
Y me has afligido con todas tus ondas. *Selah*
8 Has alejado de mí mis conocidos;
Me has puesto por abominación a ellos;
Encerrado estoy, y no puedo salir.
9 Mis ojos enfermaron a causa
de mi aflicción;
Te he llamado, oh Jehová, cada día;
He extendido a ti mis manos.
10 ¿Manifestarás tus maravillas a los muertos?
¿Se levantarán los muertos para
alabarte? *Selah*

11 ¿Será contada en el sepulcro tu misericordia,
O tu verdad en el Abadón?
12 ¿Serán reconocidas en las tinieblas
tus maravillas,
Y tu justicia en la tierra del olvido?
13 Mas yo a ti he clamado, oh Jehová,
Y de mañana mi oración se presentará
delante de ti.
14 ¿Por qué, oh Jehová, desechas mi alma?
¿Por qué escondes de mí tu rostro?
15 Yo estoy afligido y menesteroso;
Desde la juventud he llevado tus terrores,
he estado medroso.
16 Sobre mí han pasado tus iras,
Y me oprimen tus terrores.
17 Me han rodeado como aguas continuamente;
A una me han cercado.
18 Has alejado de mí al amigo y al
compañero,
Y a mis conocidos has puesto
en tinieblas.

## Pacto de Dios con David
Masquil de Etán ezraíta.*a*

**89** 1 Las misericordias de Jehová
cantaré perpetuamente;
De generación en generación haré notoria
tu fidelidad con mi boca.
2 Porque dije: Para siempre será edificada
misericordia;
En los cielos mismos afirmarás tu verdad.
3 Hice pacto con mi escogido;
Juré a David mi siervo, diciendo:
4 Para siempre confirmaré tu descendencia,
Y edificaré tu trono por todas las
generaciones.*b* *Selah*

5 Celebrarán los cielos tus maravillas,
oh Jehová,
Tu verdad también en la congregación
de los santos.

---

**89 tít.** *a* 1 R. 4.31.   **89.4** *b* 2 S. 7.12-16; 1 Cr. 17.11-14; Sal. 132.11; Hch. 2.30.

---

como la morada de Dios en la tierra y la sede de su reinado. Desde la venida de Jesucristo, Dios viene a
morar en nuestro corazón. Él nos ama y anhela dirigir nuestras decisiones y acciones por medio de su
Espíritu Santo. Es un privilegio ser llamados amados de Dios y ser considerados ciudadanos de su reino. Esto
significa que el Señor se preocupa por nosotros y quiere que disfrutemos de vivir en su presencia.
**88.1-5** Todos los que hemos luchado contra una adicción sabemos lo que significa sentirse desesperados y
abrumados por los problemas. Es alentador saber que Dios escucha nuestros lamentos. Somos privilegiados
de tener la Biblia, que nos habla de Dios y de su poder para ayudarnos cuando lo llamamos. No hay
ninguna situación irremediable para aquellos que claman a Dios. Cuando nos sintamos impotentes y
abandonados, necesitamos mirar a Dios y esperar la liberación que él proveerá.
**88.6-12** En estos versículos el salmista sintió el gran peso de la ira de Dios. Es importante recordar que
Dios nos permite tropezar y caer para darnos oportunidades de aprender personalmente acerca de las
consecuencias del pecado. Pero también debemos recordar que Dios no provoca nuestra caída. Cuando
pecamos debemos esperar las consecuencias naturales de nuestras acciones. Si estamos sufriendo a causa de
nuestros pecados y fracasos, debemos usar esa oportunidad para aprender del pasado y acercarnos a Dios.

6 Porque ¿quién en los cielos se igualará
  a Jehová?
  ¿Quién será semejante a Jehová entre
  los hijos de los potentados?

7 Dios temible en la gran congregación
  de los santos,
  Y formidable sobre todos cuantos
  están alrededor de él.

8 Oh Jehová, Dios de los ejércitos,
  ¿Quién como tú? Poderoso eres, Jehová,
  Y tu fidelidad te rodea.

9 Tú tienes dominio sobre la braveza del mar;
  Cuando se levantan sus ondas,
  tú las sosiegas.

10 Tú quebrantaste a Rahab como a herido
   de muerte;
   Con tu brazo poderoso esparciste
   a tus enemigos.

11 Tuyos son los cielos, tuya también la tierra;
   El mundo y su plenitud, tú lo fundaste.

12 El norte y el sur, tú los creaste;
   El Tabor y el Hermón cantarán
   en tu nombre.

13 Tuyo es el brazo potente;
   Fuerte es tu mano, exaltada tu diestra.

14 Justicia y juicio son el cimiento de tu trono;
   Misericordia y verdad van delante
   de tu rostro.

15 Bienaventurado el pueblo que sabe aclamarte;
   Andará, oh Jehová, a la luz de tu rostro.

16 En tu nombre se alegrará todo el día,
   Y en tu justicia será enaltecido.

17 Porque tú eres la gloria de su potencia,
   Y por tu buena voluntad acrecentarás
   nuestro poder.

18 Porque Jehová es nuestro escudo,
   Y nuestro rey es el Santo de Israel.

19 Entonces hablaste en visión a tu santo,
   Y dijiste: He puesto el socorro sobre
   uno que es poderoso;
   He exaltado a un escogido de mi pueblo.

20 Hallé a David[c] mi siervo;
   Lo ungí con mi santa unción.[d]

21 Mi mano estará siempre con él,
   Mi brazo también lo fortalecerá.

22 No lo sorprenderá el enemigo,
   Ni hijo de iniquidad lo quebrantará;

23 Sino que quebrantaré delante de él
   a sus enemigos,
   Y heriré a los que le aborrecen.

24 Mi verdad y mi misericordia estarán con él,
   Y en mi nombre será exaltado su poder.

25 Asimismo pondré su mano sobre el mar,
   Y sobre los ríos su diestra.

26 El me clamará: Mi padre eres tú,
   Mi Dios, y la roca de mi salvación.

27 Yo también le pondré por primogénito,
   El más excelso de los reyes de la tierra.[e]

28 Para siempre le conservaré mi misericordia,
   Y mi pacto será firme con él.

29 Pondré su descendencia para siempre,
   Y su trono como los días de los cielos.

30 Si dejaren sus hijos mi ley,
   Y no anduvieren en mis juicios,

31 Si profanaren mis estatutos,
   Y no guardaren mis mandamientos,

32 Entonces castigaré con vara su rebelión,
   Y con azotes sus iniquidades.

33 Mas no quitaré de él mi misericordia,
   Ni falsearé mi verdad.

34 No olvidaré mi pacto,
   Ni mudaré lo que ha salido de mis labios.

35 Una vez he jurado por mi santidad,
   Y no mentiré a David.

36 Su descendencia será para siempre,
   Y su trono como el sol delante de mí.

37 Como la luna será firme para siempre,
   Y como un testigo fiel en el cielo.    *Selah*

38 Mas tú desechaste y menospreciaste
   a tu ungido,
   Y te has airado con él.

39 Rompiste el pacto de tu siervo;
   Has profanado su corona hasta la tierra.

40 Aportillaste todos sus vallados;
   Has destruido sus fortalezas.

---

**89.20** [c] 1 S. 13.14; Hch. 13.22. [d] 1 S. 16.12. **89.27** [e] Ap. 1.5.

---

**89.11-18** Dios creó y sostiene todo lo que existe. El Señor es extremadamente poderoso y muestra rectitud, verdad, justicia y amor incondicional. Cuando nos sintamos impotentes, lo único que tendrá sentido será acercarnos a Dios. Él tiene el poder que necesitamos para vencer nuestras dependencias. Al mantenernos cerca de él y hacer su voluntad, experimentaremos liberación, con lo que descubriremos la verdadera libertad.

**89.38-45** Aunque hay momentos en los que parece que Dios abandona a su pueblo y actúa con ira contra él, Dios está haciendo exactamente lo que prometió hacer. Él dijo que nos bendeciría si obedecemos y nos castigaría si desobedecemos. A veces nos cuesta entender por qué Dios permite que algunas personas estén, al parecer, en absoluto control de sus vidas, mientras nosotros estamos totalmente fuera de control. En el fondo, sabemos la respuesta: a menos que Dios esté en control de la vida de una persona, a la postre, nada bueno resultará de esa vida.

**41** Lo saquean todos los que pasan
por el camino;
Es oprobio a sus vecinos.
**42** Has exaltado la diestra de sus enemigos;
Has alegrado a todos sus adversarios.
**43** Embotaste asimismo el filo de su espada,
Y no lo levantaste en la batalla.
**44** Hiciste cesar su gloria,
Y echaste su trono por tierra.
**45** Has acortado los días de su juventud;
Le has cubierto de afrenta.          *Selah*

**46** ¿Hasta cuándo, oh Jehová? ¿Te esconderás
para siempre?
¿Arderá tu ira como el fuego?
**47** Recuerda cuán breve es mi tiempo;
¿Por qué habrás creado en vano a todo hijo
de hombre?
**48** ¿Qué hombre vivirá y no verá muerte?
¿Librará su vida del poder del Seol?     *Selah*

**49** Señor, ¿dónde están tus antiguas
misericordias,
Que juraste a David por tu verdad?
**50** Señor, acuérdate del oprobio
de tus siervos;
Oprobio de muchos pueblos, que llevo
en mi seno.
**51** Porque tus enemigos, oh Jehová, han
deshonrado,
Porque tus enemigos han deshonrado
los pasos de tu ungido.
**52** Bendito sea Jehová para siempre.
Amén, y Amén.

## LIBRO IV
### La eternidad de Dios y la transitoriedad del hombre
Oración de Moisés, varón de Dios.

**90** **1** Señor, tú nos has sido refugio
De generación en generación.
**2** Antes que naciesen los montes
Y formases la tierra y el mundo,
Desde el siglo y hasta el siglo,
tú eres Dios.

**3** Vuelves al hombre hasta ser quebrantado,
Y dices: Convertíos, hijos de los hombres.
**4** Porque mil años delante de tus ojos
Son como el día de ayer, que pasó,*a*
Y como una de las vigilias de la noche.
**5** Los arrebatas como con torrente de aguas;
son como sueño,
Como la hierba que crece en la mañana.
**6** En la mañana florece y crece;
A la tarde es cortada, y se seca.
**7** Porque con tu furor somos consumidos,
Y con tu ira somos turbados.
**8** Pusiste nuestras maldades delante de ti,
Nuestros yerros a la luz de tu rostro.
**9** Porque todos nuestros días declinan
a causa de tu ira;
Acabamos nuestros años como
un pensamiento.
**10** Los días de nuestra edad son setenta años;
Y si en los más robustos son ochenta años,
Con todo, su fortaleza es molestia
y trabajo,
Porque pronto pasan, y volamos.
**11** ¿Quién conoce el poder de tu ira,
Y tu indignación según que debes
ser temido?
**12** Enséñanos de tal modo a contar
nuestros días,
Que traigamos al corazón sabiduría.
**13** Vuélvete, oh Jehová; ¿hasta cuándo?
Y aplácate para con tus siervos.
**14** De mañana sácianos de tu misericordia,
Y cantaremos y nos alegraremos todos
nuestros días.
**15** Alégranos conforme a los días
que nos afligiste,
Y los años en que vimos el mal.
**16** Aparezca en tus siervos tu obra,
Y tu gloria sobre sus hijos.
**17** Sea la luz de Jehová nuestro Dios
sobre nosotros,
Y la obra de nuestras manos confirma
sobre nosotros;
Sí, la obra de nuestras manos confirma.

**90.4** *a* 2 P. 3.8.

**90.10-12** Al recordar que la vida es corta y que con frecuencia está llena de aflicción, deberíamos preguntarle a Dios cómo quiere él que pasemos nuestros días. Y después debemos concentrarnos en hacer que nuestra vida tenga sentido. Ya hemos malgastado bastante tiempo creándonos nuestros problemas. Ahora debemos concentrarnos en crecer en sabiduría y en hacer cambios positivos en nuestra vida para así alcanzar logros para Dios.
**90.13-17** Conseguir la plenitud y la salud es cosa que depende de nuestra cooperación con Dios. Sólo él puede darnos el poder para llegar a ser lo que deberíamos ser. Pero Dios no forzará los cambios en nosotros; tenemos que desear cambiar. Debemos comenzar por medio de la oración y el estudio de la Biblia. Podemos pedirle a Dios que nos dé predisposición para cambiar y nos conceda la fuerza para llevarla a la práctica.

## Morando bajo la sombra del Omnipotente

**91** ¹ El que habita al abrigo del Altísimo
.Morará bajo la sombra del
Omnipotente.

² Diré yo a Jehová: Esperanza mía,
y castillo mío;
Mi Dios, en quien confiaré.

³ El te librará del lazo del cazador,
De la peste destructora.

⁴ Con sus plumas te cubrirá,
Y debajo de sus alas estarás seguro;
Escudo y adarga es su verdad.

⁵ No temerás el terror nocturno,
Ni saeta que vuele de día,

⁶ Ni pestilencia que ande en oscuridad,
Ni mortandad que en medio
del día destruya.

⁷ Caerán a tu lado mil,
Y diez mil a tu diestra;
Mas a ti no llegará.

⁸ Ciertamente con tus ojos mirarás
Y verás la recompensa de los impíos.

⁹ Porque has puesto a Jehová,
. que es mi esperanza,
Al Altísimo por tu habitación,

¹⁰ No te sobrevendrá mal,
Ni plaga tocará tu morada.

¹¹ Pues a sus ángeles mandará acerca de ti,*a*
Que te guarden en todos tus caminos.

¹² En las manos te llevarán,
Para que tu pie no tropiece en piedra.*b*

¹³ Sobre el león y el áspid pisarás;
Hollarás al cachorro del león y al dragón.*c*

¹⁴ Por cuanto en mí ha puesto su amor,
yo también lo libraré;
Le pondré en alto, por cuanto ha conocido
mi nombre.

¹⁵ Me invocará, y yo le responderé;
Con él estaré yo en la angustia;
Lo libraré y le glorificaré.

¹⁶ Lo saciaré de larga vida,
Y le mostraré mi salvación.

## Alabanza por la bondad de Dios

Salmo. Cántico para el día de reposo.

**92** ¹ Bueno es alabarte, oh Jehová,
Y cantar salmos a tu nombre, oh Altísimo;

² Anunciar por la mañana tu misericordia,
Y tu fidelidad cada noche,

³ En el decacordio y en el salterio,
En tono suave con el arpa.

⁴ Por cuanto me has alegrado, oh Jehová,
con tus obras;
En las obras de tus manos me gozo.

⁵ ¡Cuán grandes son tus obras, oh Jehová!
Muy profundos son tus pensamientos.

⁶ El hombre necio no sabe,
Y el insensato no entiende esto.

⁷ Cuando brotan los impíos como la hierba,
Y florecen todos los que hacen iniquidad,
Es para ser destruidos eternamente.

⁸ Mas tú, Jehová, para siempre eres Altísimo.

⁹ Porque he aquí tus enemigos, oh Jehová,
Porque he aquí, perecerán tus enemigos;
Serán esparcidos todos los que hacen maldad.

¹⁰ Pero tú aumentarás mis fuerzas como
las del búfalo;
Seré ungido con aceite fresco.

¹¹ Y mirarán mis ojos sobre mis enemigos;
Oirán mis oídos de los que se levantaron
contra mí, de los malignos.

¹² El justo florecerá como la palmera;
Crecerá como cedro en el Líbano.

¹³ Plantados en la casa de Jehová,
En los atrios de nuestro Dios florecerán.

¹⁴ Aun en la vejez fructificarán;
Estarán vigorosos y verdes,

¹⁵ Para anunciar que Jehová mi fortaleza
es recto,
Y que en él no hay injusticia.

**91.11** *a* Mt. 4.6; Lc. 4.10.  **91.12** *b* Mt. 4.6; Lc. 4.11.  **91.13** *c* Lc. 10.19.

---

**91.1-4** Cuando descubrimos que somos impotentes para luchar solos contra nuestra adicción, nos volvemos tan débiles como niños pequeños. Nos sentimos incapaces de protegernos, atrapados en un torbellino que nosotros mismos hemos creado. Acudimos a Dios nuestro rescatador porque no hay ningún otro a quien podamos ir. Cuán reconfortante es saber que cuando clamamos, Dios nos rescatará y nos protegerá como la gallina protege a sus polluelos. Nuestro poderoso defensor nunca nos fallará si nos acercamos a él buscando refugio y seguridad.

**91.10-16** Escaparemos del peligro porque Dios nos protege porque somos sus escogidos. A veces su protección llega por medio de ángeles, a quienes se les ha dado la responsabilidad de cuidarnos y mantenernos seguros. En otras ocasiones el Señor puede usar otros medios más naturales. Al implorarle ayuda, él estará con nosotros en nuestros problemas y nos rescatará. Al fin de todo, él nos llevará a su eterna presencia para siempre.

**92.1-4** Alabar a Dios por todo lo que ha hecho por nosotros, y proclamar su incondicional amor y fidelidad son aspectos necesarios de la recuperación. Él nos da gozo duradero. Al experimentar su fidelidad en nuestra vida, nuestra respuesta natural debe ser alabarle y darle gracias. Nuestra alabanza será una manera de hablarles a otros del poder de Dios para libertarnos de la esclavitud de la adicción.

## La majestad de Jehová

**93** ¹ Jehová reina; se vistió de magnificencia;
Jehová se vistió, se ciñó de poder.
Afirmó también el mundo, y no se moverá.
² Firme es tu trono desde entonces;
Tú eres eternamente.
³ Alzaron los ríos, oh Jehová,
Los ríos alzaron su sonido;
Alzaron los ríos sus ondas.
⁴ Jehová en las alturas es más poderoso
Que el estruendo de las muchas aguas,
Más que las recias ondas del mar.
⁵ Tus testimonios son muy firmes;
La santidad conviene a tu casa,
Oh Jehová, por los siglos y para siempre.

## Oración clamando por venganza

**94** ¹ Jehová, Dios de las venganzas,
Dios de las venganzas, muéstrate.
² Engrandécete, oh Juez de la tierra;
Da el pago a los soberbios.
³ ¿Hasta cuándo los impíos,
Hasta cuándo, oh Jehová, se gozarán
los impíos?
⁴ ¿Hasta cuándo pronunciarán, hablarán
cosas duras,
Y se vanagloriarán todos los que hacen
iniquidad?
⁵ A tu pueblo, oh Jehová, quebrantan,
Y a tu heredad afligen.
⁶ A la viuda y al extranjero matan,
Y a los huérfanos quitan la vida.
⁷ Y dijeron: No verá JAH,
Ni entenderá el Dios de Jacob.
⁸ Entended, necios del pueblo;
Y vosotros, fatuos, ¿cuándo seréis sabios?
⁹ El que hizo el oído, ¿no oirá?
El que formó el ojo, ¿no verá?
¹⁰ El que castiga a las naciones,
¿no reprenderá?
¿No sabrá el que enseña al hombre
la ciencia?

¹¹ Jehová conoce los pensamientos
de los hombres,
Que son vanidad.*a*
¹² Bienaventurado el hombre a quien tú,
JAH, corriges,
Y en tu ley lo instruyes,
¹³ Para hacerle descansar en los días
de aflicción,
En tanto que para el impío se cava el hoyo.
¹⁴ Porque no abandonará Jehová a su pueblo,
Ni desamparará su heredad,
¹⁵ Sino que el juicio será vuelto a la justicia,
Y en pos de ella irán todos los rectos
de corazón.
¹⁶ ¿Quién se levantará por mí contra
los malignos?
¿Quién estará por mí contra los que hacen
iniquidad?
¹⁷ Si no me ayudara Jehová,
Pronto moraría mi alma en el silencio.
¹⁸ Cuando yo decía: Mi pie resbala,
Tu misericordia, oh Jehová, me sustentaba.
¹⁹ En la multitud de mis pensamientos
dentro de mí,
Tus consolaciones alegraban mi alma.
²⁰ ¿Se juntará contigo el trono de iniquidades
Que hace agravio bajo forma de ley?
²¹ Se juntan contra la vida del justo,
Y condenan la sangre inocente.
²² Mas Jehová me ha sido por refugio,
Y mi Dios por roca de mi confianza.
²³ Y él hará volver sobre ellos su iniquidad,
Y los destruirá en su propia maldad;
Los destruirá Jehová nuestro Dios.

## Cántico de alabanza y de adoración

**95** ¹ Venid, aclamemos alegremente
a Jehová;
Cantemos con júbilo a la roca de nuestra
salvación.
² Lleguemos ante su presencia con alabanza;
Aclamémosle con cánticos.

94.11 *a* 1 Co. 3.20.

---

**93.1-5** El Señor es más poderoso que los imponentes océanos. Indudablemente, un Dios así es capaz de ayudarnos a ejercer control sobre nuestro propio mundo, es decir, sobre nuestra vida. Él siempre cumple sus promesas. Puesto que ha dicho que nos ayudará si acudimos a él, podemos contar con eso.
**94.8-10** La voz del tentador dice: «Nadie sabrá si tenemos un momento más de placer ni a nadie le importará». Aquí se nos recuerda que Dios no es ciego ni sordo. Tampoco lo son las personas que nos conocen bien. «Sólo una vez más» implica una desastrosa caída. Recordar que Dios sabe lo que estamos haciendo y que se preocupa por nosotros, debe alentarnos para resistir las tentaciones que enfrentemos.
**94.16-23** En última instancia, sólo podemos contar con Dios para que nos defienda de nuestros enemigos. Él es nuestro refugio y la roca de nuestra confianza. Cuando tropecemos con la tentación, él estará allí para evitar que caigamos. Como él es nuestro defensor, no permitirá que el pecado nos destruya irremediablemente. Saber que Dios está tan íntimamente involucrado en nuestra vida debe alentarnos a vivir para él.
**95.1-7** Todos sabemos lo aterrador que es perder el control de nuestra vida. Por esta misma razón tal vez dudemos acerca de encomendarnos a Dios. ¿Se puede confiar en él? Dios quiere que recordemos que

3 Porque Jehová es Dios grande,
Y Rey grande sobre todos los dioses.
4 Porque en su mano están las profundidades
de la tierra,
Y las alturas de los montes son suyas.
5 Suyo también el mar, pues él lo hizo;
Y sus manos formaron la tierra seca.
6 Venid, adoremos y postrémonos;
Arrodillémonos delante de Jehová nuestro
Hacedor.
7 Porque él es nuestro Dios;
Nosotros el pueblo de su prado, y ovejas
de su mano.
Si oyereis hoy su voz,
8 No endurezcáis vuestro corazón,*a* como
en Meriba,
Como en el día de Masah en el desierto,
9 Donde me tentaron vuestros padres,
Me probaron,*b* y vieron mis obras.
10 Cuarenta años estuve disgustado
con la nación,
Y dije: Pueblo es que divaga de corazón,
Y no han conocido mis caminos.
11 Por tanto, juré en mi furor
Que no entrarían en mi reposo.*c,d*

## Cántico de alabanza

# 96
1 Cantad a Jehová cántico nuevo;
Cantad a Jehová, toda la tierra.
2 Cantad a Jehová, bendecid su nombre;
Anunciad de día en día su salvación.
3 Proclamad entre las naciones su gloria,
En todos los pueblos sus maravillas.
4 Porque grande es Jehová, y digno de
suprema alabanza;
Temible sobre todos los dioses.
5 Porque todos los dioses de los pueblos
son ídolos;
Pero Jehová hizo los cielos.
6 Alabanza y magnificencia delante de él;
Poder y gloria en su santuario.
7 Tributad a Jehová, oh familias
de los pueblos,
Dad a Jehová la gloria y el poder.

8 Dad a Jehová la honra debida a su nombre;
Traed ofrendas, y venid a sus atrios.
9 Adorad a Jehová en la hermosura
de la santidad;*a*
Temed delante de él, toda la tierra.
10 Decid entre las naciones: Jehová reina.
También afirmó el mundo,
no será conmovido;
Juzgará a los pueblos en justicia.
11 Alégrense los cielos, y gócese la tierra;
Brame el mar y su plenitud.
12 Regocíjese el campo, y todo lo que
en él está;
Entonces todos los árboles del bosque
rebosarán de contento,
13 Delante de Jehová que vino;
Porque vino a juzgar la tierra.
Juzgará al mundo con justicia,
Y a los pueblos con su verdad.

## El dominio y el poder de Jehová

# 97
1 Jehová reina; regocíjese la tierra,
Alégrense las muchas costas.
2 Nubes y oscuridad alrededor de él;
Justicia y juicio son el cimiento de su trono.
3 Fuego irá delante de él,
Y abrasará a sus enemigos alrededor.
4 Sus relámpagos alumbraron el mundo;
La tierra vio y se estremeció.
5 Los montes se derritieron como cera
delante de Jehová,
Delante del Señor de toda la tierra.
6 Los cielos anunciaron su justicia,
Y todos los pueblos vieron su gloria.
7 Avergüéncense todos los que sirven a las
imágenes de talla,
Los que se glorían en los ídolos.
Póstrense a él todos los dioses.
8 Oyó Sion, y se alegró;
Y las hijas de Judá,
Oh Jehová, se gozaron por tus juicios.
9 Porque tú, Jehová, eres excelso sobre
toda la tierra;
Eres muy exaltado sobre todos los dioses.

---

**95.7-8** *a* He. 3.15; 4.7. **95.8-9** *b* Ex. 17.1-7; Nm. 20.2-13. **95.11** *c* Nm. 14.26-35; Dt. 1.34-36; He. 4.3, 5.
**95.7-11** *d* He. 3.7-11. **96.7-9** *a* Sal. 29.1-2.

---

cuando rendimos a él nuestra vida, él se preocupa por nosotros como un pastor se preocupa por sus ovejas.
Si el pastor vigilante está cerca, la oveja no tiene por qué temer.
**96.1-9** Nuestro estilo de vida muestra qué es lo que creemos acerca de Dios. Si seguimos prisioneros del
pecado, estamos demostrando o bien que no somos conscientes del poder de Dios para salvarnos o que
somos indiferentes ante Dios y la ayuda que nos ofrece. Si buscamos su ayuda para escapar de la esclavitud
del pecado y hablamos a otros de las alegres noticias de la recuperación, mostramos nuestra gratitud a Dios
y revelamos la belleza de una vida transformada. El mundo está lleno de «remedios» para nuestros
problemas. Muchos son útiles, pero ninguno puede ofrecernos el poder que necesitamos para un cambio
real. Sólo Dios es lo suficientemente poderoso para ofrecer ese tipo de ayuda.

**10** Los que amáis a Jehová, aborreced el mal;
El guarda las almas de sus santos;
De mano de los impíos los libra.
**11** Luz está sembrada para el justo,
Y alegría para los rectos de corazón.
**12** Alegraos, justos, en Jehová,
Y alabad la memoria de su santidad.

## Alabanza por la justicia de Dios
Salmo.

**98** **1** Cantad a Jehová cántico nuevo,
Porque ha hecho maravillas;
Su diestra lo ha salvado, y su santo brazo.
**2** Jehová ha hecho notoria su salvación;
A vista de las naciones ha descubierto
su justicia.
**3** Se ha acordado de su misericordia y de su
verdad para con la casa de Israel;
Todos los términos de la tierra han visto
la salvación de nuestro Dios.
**4** Cantad alegres a Jehová, toda la tierra;
Levantad la voz, y aplaudid,
y cantad salmos.
**5** Cantad salmos a Jehová con arpa;
Con arpa y voz de cántico.
**6** Aclamad con trompetas y sonidos de bocina,
Delante del rey Jehová.
**7** Brame el mar y su plenitud,
El mundo y los que en él habitan;
**8** Los ríos batan las manos,
Los montes todos hagan regocijo
**9** Delante de Jehová, porque vino a juzgar
la tierra.
Juzgará al mundo con justicia,
Y a los pueblos con rectitud.

## Fidelidad de Jehová para con Israel

**99** **1** Jehová reina; temblarán los pueblos.
El está sentado sobre los querubines,*a*
se conmoverá la tierra.

**2** Jehová en Sion es grande,
Y exaltado sobre todos los pueblos.
**3** Alaben tu nombre grande y temible;
El es santo.
**4** Y la gloria del rey ama el juicio;
Tú confirmas la rectitud;
Tú has hecho en Jacob juicio y justicia.
**5** Exaltad a Jehová nuestro Dios,
Y postraos ante el estrado de sus pies;
El es santo.
**6** Moisés y Aarón entre sus sacerdotes,
Y Samuel entre los que invocaron
su nombre;
Invocaban a Jehová, y él les respondía.
**7** En columna de nube hablaba con ellos;*b*
Guardaban sus testimonios, y el estatuto
que les había dado.
**8** Jehová Dios nuestro, tú les respondías;
Les fuiste un Dios perdonador,
Y retribuidor de sus obras.
**9** Exaltad a Jehová nuestro Dios,
Y postraos ante su santo monte,
Porque Jehová nuestro Dios es santo.

## Exhortación a la gratitud
Salmo de alabanza.

**100** **1** Cantad alegres a Dios, habitantes
de toda la tierra.
**2** Servid a Jehová con alegría;
Venid ante su presencia con regocijo.
**3** Reconoced que Jehová es Dios;
El nos hizo, y no nosotros a nosotros mismos;
Pueblo suyo somos, y ovejas de su prado.
**4** Entrad por sus puertas con acción
de gracias,
Por sus atrios con alabanza;
Alabadle, bendecid su nombre.
**5** Porque Jehová es bueno; para siempre
es su misericordia,*a*
Y su verdad por todas las generaciones.

---

**99.1** *a* Ex. 25.22.   **99.7** *b* Ex. 33.9.   **100.5** *a* 1 Cr. 16.34; 2 Cr. 5.13; 7.3; Esd. 3.11; Sal. 106.1; 107.1;118.1; 136.1; Jer. 33.11.

---

**97.10-12** Dios desea ayudarnos y quiere que aborrezcamos el pecado tal como él lo hace. El Señor ayuda a quienes quieren agradarlo y aborrecen el mal. Dios ha establecido un estrecho nexo entre la felicidad y la santidad. Si queremos tener verdadero gozo, necesitamos entregar nuestra vida al Señor y comprometernos con su plan para una vida gozosa y santa.

**98.1-3** Dios reveló su poder a todo el mundo al rescatar al pueblo de Israel. Hoy día muestra su poder al liberarnos de nuestra adicción y de problemas irresolubles. Podemos ganar batallas imposibles, tal como lo hicieron los israelitas, porque Dios es poderoso y actúa en nuestra vida. Después de haber obtenido la victoria, podemos contar a otros nuestra historia de cómo Dios nos liberó. Esto les dará la esperanza y la sabiduría que necesitan para experimentar la ayuda de Dios en sus propias vidas.

**99.1-9** Aunque Dios es un Dios de amor, también es santo y justo. Su amor hace que nos muestre misericordia, pero su santidad significa que no podemos agradarle si seguimos en pecado. No podemos abusar de la naturaleza amorosa y perdonadora de Dios porque él también ama la justicia. Seguir en el pecado producirá en terribles consecuencias. El haber experimentado el poder liberador de Dios debe motivarnos a vivir para él con todas nuestras fuerzas.

**100.1-5** Siempre tenemos razones para regocijarnos: vivimos en la presencia de Dios, bajo sus continuos

## Promesa de vivir rectamente
Salmo de David.

# 101
**1** Misericordia y juicio cantaré;
A ti cantaré yo, oh Jehová.

**2** Entenderé el camino de la perfección
Cuando vengas a mí.
En la integridad de mi corazón andaré
en medio de mi casa.

**3** No pondré delante de mis ojos
cosa injusta.
Aborrezco la obra de los que se desvían;
Ninguno de ellos se acercará a mí.

**4** Corazón perverso se apartará de mí;
No conoceré al malvado.

**5** Al que solapadamente infama a su prójimo,
yo lo destruiré;
No sufriré al de ojos altaneros
y de corazón vanidoso.

**6** Mis ojos pondré en los fieles de la tierra,
para que estén conmigo;
El que ande en el camino de la perfección,
éste me servirá.

**7** No habitará dentro de mi casa el que hace
fraude;
El que habla mentiras no se afirmará delante
de mis ojos.

**8** De mañana destruiré a todos los impíos
de la tierra,
Para exterminar de la ciudad de Jehová
a todos los que hagan iniquidad.

## Oración de un afligido
Oración del que sufre, cuando está angustiado,
y delante de Jehová derrama su lamento.

# 102
**1** Jehová, escucha mi oración,
Y llegue a ti mi clamor.

**2** No escondas de mí tu rostro en el día
de mi angustia;
Inclina a mí tu oído;
Apresúrate a responderme el día
que te invocare.

**3** Porque mis días se han consumido
como humo,
Y mis huesos cual tizón están quemados.

**4** Mi corazón está herido, y seco como
la hierba,
Por lo cual me olvido de comer mi pan.

**5** Por la voz de mi gemido
Mis huesos se han pegado a mi carne.

**6** Soy semejante al pelícano del desierto;
Soy como el búho de las soledades;

**7** Velo, y soy
Como el pájaro solitario sobre el tejado.

**8** Cada día me afrentan mis enemigos;
Los que contra mí se enfurecen,
se han conjurado contra mí.

**9** Por lo cual yo como ceniza a manera
de pan,
Y mi bebida mezclo con lágrimas,

**10** A causa de tu enojo y de tu ira;
Pues me alzaste, y me has arrojado.

**11** Mis días son como sombra que se va,
Y me he secado como la hierba.

**12** Mas tú, Jehová, permanecerás para siempre,
Y tu memoria de generación en generación.

**13** Te levantarás y tendrás misericordia de Sion,
Porque es tiempo de tener misericordia
de ella, porque el plazo ha llegado.

**14** Porque tus siervos aman sus piedras,
Y del polvo de ella tienen compasión.

**15** Entonces las naciones temerán el nombre
de Jehová,
Y todos los reyes de la tierra tu gloria;

**16** Por cuanto Jehová habrá edificado a Sion,
Y en su gloria será visto;

**17** Habrá considerado la oración
de los desvalidos,
Y no habrá desechado el ruego de ellos.

**18** Se escribirá esto para la generación venidera;
Y el pueblo que está por nacer alabará a JAH.

**19** Porque miró desde lo alto de su santuario;
Jehová miró desde los cielos a la tierra,

---

cuidados, y cada día sentimos su amor. Cada vez que nos acerquemos a su presencia, nuestro corazón debe estar lleno de gratitud y alabanza. Dios nunca deja de mostrarnos su amor. Él siempre cumple su promesa de ayudarnos cuando lo llamemos.

**101.1-5** Mantenernos libres del pecado que solía atraparnos depende de que permanezcamos cerca de Dios y nos alejemos de toda maldad. Es vital que no desperdiciemos nuestro tiempo en un programa de recuperación que trate de debilitar nuestra fe en Dios. Debemos aprender a discernir con respecto a las actividades en las que nos involucremos. Como el salmista, no debemos tolerar a nadie en nuestra vida que no valore las cosas de Dios y nos difame por nuestra fe en Cristo.

**102.1-7** Cuando estemos angustiados y abatidos por los golpes de la vida, podemos acudir presurosos a Dios con nuestras peticiones urgentes. A veces podemos perder el apetito y sentir un dolor como si un carbón encendido nos quemara los huesos. Nuestra energía –la esencia misma de nuestra vida– se marchita como la hierba bajo el ardiente sol. Cuando no haya otra solución, Dios todavía será capaz de liberarnos. Necesitamos reconocer nuestra impotencia frente a la situación y confiar en Dios para que nos ayude en medio del dolor.

**102.17-22** Dios contesta a las personas oprimidas y angustiadas. Quizás a veces sintamos que Dios está demasiado ocupado o demasiado distante, pero él siempre está profundamente interesado en nosotros y no

**20** Para oír el gemido de los presos,
Para soltar a los sentenciados a muerte;

**21** Para que publique en Sion el nombre
de Jehová,
Y su alabanza en Jerusalén,

**22** Cuando los pueblos y los reinos
se congreguen
En uno para servir a Jehová.

**23** El debilitó mi fuerza en el camino;
Acortó mis días.

**24** Dije: Dios mío, no me cortes en la mitad
de mis días;
Por generación de generaciones
son tus años.

**25** Desde el principio tú fundaste la tierra,
Y los cielos son obra de tus manos.

**26** Ellos perecerán, mas tú permanecerás;
Y todos ellos como una vestidura
se envejecerán;
Como un vestido los mudarás,
y serán mudados;

**27** Pero tú eres el mismo,
Y tus años no se acabarán.*a*

**28** Los hijos de tus siervos habitarán
seguros,
Y su descendencia será establecida
delante de ti.

## Alabanza por las bendiciones de Dios
Salmo de David.

**103** **1** Bendice, alma mía, a Jehová,
Y bendiga todo mi ser su
santo nombre.

**2** Bendice, alma mía, a Jehová,
Y no olvides ninguno de sus beneficios.

**3** El es quien perdona todas tus iniquidades,
El que sana todas tus dolencias;

**4** El que rescata del hoyo tu vida,
El que te corona de favores y misericordias;

**5** El que sacia de bien tu boca
De modo que te rejuvenezcas
como el águila.

**6** Jehová es el que hace justicia
Y derecho a todos los que padecen
violencia.

**7** Sus caminos notificó a Moisés,
Y a los hijos de Israel sus obras.

**8** Misericordioso y clemente es Jehová;*a*
Lento para la ira, y grande
en misericordia.

---

# Perdón

LEA EL SALMO 103.1-22

Quizás se nos haga difícil creer en el perdón de Dios. Podríamos pensar: *Después de todo lo malo que he hecho, no creo que nadie pueda perdonarme completamente.* Tal vez sentimos que hemos hecho cosas tan horribles o herido tan profundamente a algunas personas que no hay manera posible de que nuestros pecados puedan ser borrados del todo. Aun cuando podamos recibir perdón, ¿quién podría *olvidar* todo lo que hayamos hecho?

Cuando pensamos en las personas que conocemos –la gente a la que hayamos lastimado– quizás estos temores estén justificados. Pero cuando se trata del perdón que Dios nos ofrece, necesitamos recordar que sus caminos son más altos que nuestros caminos. El salmista escribió: «[Dios] No ha hecho con nosotros conforme a nuestras iniquidades, ni nos ha pagado conforme a nuestros pecados. Porque como la altura de los cielos sobre la tierra, engrandeció su misericordia sobre los que le temen. Cuanto está lejos el oriente del occidente, hizo alejar de nosotros nuestras rebeliones» (Salmo 103.10-12). Dios ha dicho: «Venid luego ... y estemos a cuenta: si vuestros pecados fueren como la grana, como la nieve serán emblanquecidos; si fueren rojos como el carmesí, vendrán a ser como blanca lana» (Isaías 1.18). «Yo, yo soy el que borro tus rebeliones por amor de mí mismo, y no me acordaré de tus pecados» (Isaías 43.25).

Parte de la recuperación consiste en aceptar que Dios nos perdona completamente. Cuando nos acercamos a él por medio de la sangre expiatoria de Jesucristo, su perdón es total. Quizás nosotros llevemos cuenta de nuestros fracasos, añadiendo cada uno a la larga lista que hemos escrito contra nosotros mismos. Pero Dios no lleva listas de nuestros pecados pasados; ante sus ojos estamos limpios. *Vaya a la página 579, Proverbios 15.*

---

**102.25-27** *a* He. 1.10-12.   **103.8** *a* Stg. 5.11.

---

rechazará nuestras peticiones. Él quiere que tengamos una relación gozosa y significativa con él –¡para eso nos creó! Cuando admitamos nuestra impotencia y nos acerquemos a Dios, él se allegará a nosotros de una u otra forma. Entonces nuestra única respuesta natural a él será una jubilosa alabanza; también vamos a querer decirle a todo el mundo lo que Dios ha hecho por nosotros.

**9** No contenderá para siempre,
Ni para siempre guardará el enojo.
**10** No ha hecho con nosotros conforme a
nuestras iniquidades,
Ni nos ha pagado conforme
a nuestros pecados.
**11** Porque como la altura de los cielos
sobre la tierra,
Engrandeció su misericordia sobre los
que le temen.
**12** Cuanto está lejos el oriente del occidente,
Hizo alejar de nosotros nuestras rebeliones.
**13** Como el padre se compadece de los hijos,
Se compadece Jehová de los que le temen.
**14** Porque él conoce nuestra condición;
Se acuerda de que somos polvo.
**15** El hombre, como la hierba son sus días;
Florece como la flor del campo,
**16** Que pasó el viento por ella, y pereció,
Y su lugar no la conocerá más.
**17** Mas la misericordia de Jehová es desde la
eternidad y hasta la eternidad sobre
los que le temen,
Y su justicia sobre los hijos de los hijos;
**18** Sobre los que guardan su pacto,
Y los que se acuerdan de sus mandamientos
para ponerlos por obra.
**19** Jehová estableció en los cielos su trono,
Y su reino domina sobre todos.
**20** Bendecid a Jehová, vosotros sus ángeles,
Poderosos en fortaleza, que ejecutáis
su palabra,
Obedeciendo a la voz de su precepto.
**21** Bendecid a Jehová, vosotros todos
sus ejércitos,
Ministros suyos, que hacéis su voluntad.
**22** Bendecid a Jehová, vosotras todas
sus obras,
En todos los lugares de su señorío.
Bendice, alma mía, a Jehová.

## Dios cuida de su creación

# 104 **1** Bendice, alma mía, a Jehová.
Jehová Dios mío, mucho
te has engrandecido;
Te has vestido de gloria y de magnificencia.

**2** El que se cubre de luz como de vestidura,
Que extiende los cielos como una cortina,
**3** Que establece sus aposentos entre las aguas,
El que pone las nubes por su carroza,
El que anda sobre las alas del viento;
**4** El que hace a los vientos sus mensajeros,
Y a las flamas de fuego sus ministros.[a]
**5** El fundó la tierra sobre sus cimientos;
No será jamás removida.
**6** Con el abismo, como con vestido,
la cubriste;
Sobre los montes estaban las aguas.
**7** A tu reprensión huyeron;
Al sonido de tu trueno se apresuraron;
**8** Subieron los montes, descendieron
los valles,
Al lugar que tú les fundaste.
**9** Les pusiste término, el cual no traspasarán,
Ni volverán a cubrir la tierra.
**10** Tú eres el que envía las fuentes
por los arroyos;
Van entre los montes;
**11** Dan de beber a todas las bestias del campo;
Mitigan su sed los asnos monteses.
**12** A sus orillas habitan las aves de los cielos;
Cantan entre las ramas.
**13** El riega los montes desde sus aposentos;
Del fruto de sus obras se sacia la tierra.
**14** El hace producir el heno para las bestias,
Y la hierba para el servicio del hombre,
Sacando el pan de la tierra,
**15** Y el vino que alegra el corazón
del hombre,
El aceite que hace brillar el rostro,
Y el pan que sustenta la vida del hombre.
**16** Se llenan de savia los árboles de Jehová,
Los cedros del Líbano que él plantó.
**17** Allí anidan las aves;
En las hayas hace su casa la cigüeña.
**18** Los montes altos para las cabras monteses;
Las peñas, madrigueras para los conejos.
**19** Hizo la luna para los tiempos;
El sol conoce su ocaso.
**20** Pones las tinieblas, y es la noche;
En ella corretean todas las bestias
de la selva.

104.4 *a* He. 1.7.

**103.13-18** Como un padre amoroso que cuida de sus hijos, Dios siente compasión por todos los que se acercan a él. Él es consciente de nuestras necesidades y nos trata amorosamente porque entiende nuestras debilidades y la naturaleza transitoria de nuestra vida. El amor de Dios por aquellos que le temen nunca cesa. Si le servimos ahora obedientemente, podemos estar seguros de que su amor afectará no sólo nuestra propia vida sino también las vidas de nuestros hijos y nietos.

**104.1-26** Dios nos creó, al igual que creó este mundo y todas sus criaturas. Él creó el mundo para que este funcione de acuerdo con su plan. Dios también nos creó para que vivamos en plenitud cuando hacemos las cosas como él quiere. Así viviremos llenos de gozo y salud. Si seguimos nuestra propia senda, sufriremos

PASO

21 Los leoncillos rugen tras la presa,
   Y para buscar de Dios su comida.

22 Sale el sol, se recogen,
   Y se echan en sus cuevas.

23 Sale el hombre a su labor,
   Y a su labranza hasta la tarde.

24 ¡Cuán innumerables son tus obras,
      oh Jehová!
   Hiciste todas ellas con sabiduría;
   La tierra está llena de tus beneficios.

25 He allí el grande y anchuroso mar,
   En donde se mueven seres innumerables,
   Seres pequeños y grandes.

26 Allí andan las naves;
   Allí este leviatán*b* que hiciste para que
      jugase en él.

27 Todos ellos esperan en ti,
   Para que les des su comida a su tiempo.

28 Les das, recogen;
   Abres tu mano, se sacian de bien.

29 Escondes tu rostro, se turban;
   Les quitas el hálito, dejan de ser,
   Y vuelven al polvo.

30 Envías tu Espíritu, son creados,
   Y renuevas la faz de la tierra.

31 Sea la gloria de Jehová para siempre;
   Alégrese Jehová en sus obras.

32 El mira a la tierra, y ella tiembla;
   Toca los montes, y humean.

33 A Jehová cantaré en mi vida;
   A mi Dios cantaré salmos mientras viva.

34 Dulce será mi meditación en él;
   Yo me regocijaré en Jehová.

35 Sean consumidos de la tierra los pecadores,
   Y los impíos dejen de ser.
   Bendice, alma mía, a Jehová.
   Aleluya.

## Maravillas de Jehová a favor de Israel

# 105

1 Alabad a Jehová, invocad su nombre;
   Dad a conocer sus obras en los pueblos.

2 Cantadle, cantadle salmos;
   Hablad de todas sus maravillas.

3 Gloriaos en su santo nombre;
   Alégrese el corazón de los que buscan
      a Jehová.

4 Buscad a Jehová y su poder;
   Buscad siempre su rostro.

### Encontrar a Dios

LECTURA BÍBLICA: Salmo 105.1-9

**Tratamos, por medio de la oración y la meditación, de mejorar nuestra comunión consciente con Dios, pidiendo solamente conocer su voluntad para nosotros y el poder para llevarla a cabo.**

Mientras nos esforzamos en los Doce Pasos, pasamos mucho tiempo mirando hacia atrás. Con frecuencia pensamos en los errores cometidos en el pasado. Mientras continuemos en el proceso de recuperación, necesitaremos fortaleza para andar por el camino que Dios quiere que sigamos. Parte de esta fortaleza vendrá al visualizar la constante presencia de Dios con nosotros.

El salmista escribió: «Alabad a Jehová, invocad su nombre; dad a conocer sus obras en los pueblos. Acordaos de las maravillas que él ha hecho, de sus prodigios y de los juicios de su boca ... Él es Jehová nuestro Dios; en toda la tierra están sus juicios. Se acordó para siempre de su pacto; de la palabra que mandó para mil generaciones» (Salmo 105.1,5-8).

De ahora en adelante, cuando miremos hacia atrás, debemos concentrarnos en ver «las maravillas que él ha hecho» y en acordarnos «de sus prodigios y de los juicios de su boca». Podemos mirar a nuestro alrededor para ver su bondad «en toda la tierra» y esperar con ansiedad el cumplimiento de sus promesas. En oración, debemos agradecerle a Dios por lo que ha hecho, buscarlo para conseguir la fortaleza que necesitamos hoy y pedirle que cumpla sus promesas para el día de mañana. En meditación, necesitamos recordar nuestras victorias, reflexionar sobre la presencia de Dios con nosotros hoy, y pensar en su fidelidad y en la esperanza que él nos da para el mañana. ***Vaya a la página 543, Salmo 119.***

---

**104.26** *b* Job 41.1; Sal. 74.14; Is. 27.1.

---

dolorosas consecuencias. Si buscamos vivir de acuerdo con el plan divino revelado en la Biblia, descubriremos la forma de estar en paz y en armonía con Dios, con otras personas y con el mundo que nos rodea.

**104.27-35** Dios controla el destino de todos los seres vivientes; cada criatura viviente depende de él para subsistir. Necesitamos reconocer que si nos alejamos de la presencia de Dios, de su control y cuidado, estaremos sin esperanza, de la misma manera que el mundo natural estaría sin esperanza si Dios se alejara de él.

**5** Acordaos de las maravillas .
   que él ha hecho,
   De sus prodigios y de los juicios
   de su boca,
**6** Oh vosotros, descendencia de Abraham
   su siervo,
   Hijos de Jacob, sus escogidos.
**7** El es Jehová nuestro Dios;
   En toda la tierra están sus juicios.
**8** Se acordó para siempre de su pacto;
   De la palabra que mandó para mil
   generaciones,
**9** La cual concertó con Abraham,*a*
   Y de su juramento a Isaac.*b*
**10** La estableció a Jacob por decreto,
   A Israel por pacto sempiterno,
**11** Diciendo: A ti te daré la tierra de Canaán
   Como porción de vuestra heredad.*c*
**12** Cuando ellos eran pocos en número,
   Y forasteros en ella,
**13** Y andaban de nación en nación,
   De un reino a otro pueblo,
**14** No consintió que nadie los agraviase,
   Y por causa de ellos castigó a los reyes.
**15** No toquéis, dijo, a mis ungidos,
   Ni hagáis mal a mis profetas.*d*
**16** Trajo hambre sobre la tierra,
   Y quebrantó todo sustento de pan.*e*
**17** Envió un varón delante de ellos;
   A José, que fue vendido por siervo.*f*
**18** Afligieron sus pies con grillos;
   En cárcel fue puesta su persona.
**19** Hasta la hora que se cumplió su palabra,
   El dicho de Jehová le probó.*g*
**20** Envió el rey, y le soltó;
   El señor de los pueblos, y le dejó ir libre.*h*
**21** Lo puso por señor de su casa,
   Y por gobernador de todas sus
   posesiones,*i*

**22** Para que reprimiera a sus grandes
   como él quisiese,
   Y a sus ancianos enseñara sabiduría.
**23** Después entró Israel en Egipto,*j*
   Y Jacob moró en la tierra de Cam.*k*
**24** Y multiplicó su pueblo en gran manera,
   Y lo hizo más fuerte que sus enemigos.
**25** Cambió el corazón de ellos para que
   aborreciesen a su pueblo,
   Para que contra sus siervos pensasen mal.*l*
**26** Envió a su siervo Moisés,
   Y a Aarón, al cual escogió.*m*
**27** Puso en ellos las palabras de sus señales,
   Y sus prodigios en la tierra de Cam.
**28** Envió tinieblas que lo oscurecieron todo;*n*
   No fueron rebeldes a su palabra.
**29** Volvió sus aguas en sangre,
   Y mató sus peces.*o*
**30** Su tierra produjo ranas
   Hasta en las cámaras de sus reyes.*p*
**31** Habló, y vinieron enjambres de moscas,*q*
   Y piojos*r* en todos sus términos.
**32** Les dio granizo por lluvia,
   Y llamas de fuego en su tierra.
**33** Destrozó sus viñas y sus higueras,
   Y quebró los árboles de su territorio.*s*
**34** Habló, y vinieron langostas,
   Y pulgón sin número;
**35** Y comieron toda la hierba de su país,
   Y devoraron el fruto de su tierra.*t*
**36** Hirió de muerte a todos los primogénitos
   en su tierra,
   Las primicias de toda su fuerza.*u*
**37** Los sacó con plata y oro;
   Y no hubo en sus tribus enfermo.
**38** Egipto se alegró de que salieran,
   Porque su terror había caído sobre ellos.*v*
**39** Extendió una nube por cubierta,
   Y fuego para alumbrar la noche.*w*

**105.9** *a* Gn. 12.7; 17.8. *b* Gn. 26.3. **105.10-11** *c* Gn. 28.13. **105.14-15** *d* Gn. 20.3-7.
**105.16** *e* Gn. 41.53-57. **105.17** *f* Gn. 37.28; 45.5 **105.18-19** *g* Gn. 39.20 — 40.23.
**105.20** *h* Gn. 41.14. **105.21** *i* Gn. 41.39-41. **105.23** *j* Gn. 46.6. *k* Gn. 47.11.
**105.24-25** *l* Ex. 1.7-14. **105.26** *m* Ex. 3.1—4.17. **105.28** *n* Ex. 10.21-23. **105.29** *o* Ex. 7.17-21.
**105.30** *p* Ex. 8.1-6. **105.31** *q* Ex. 8.20-24. *r* Ex. 8.16-17. **105.32-33** *s* Ex. 9.22-25.
**105.34-35** *t* Ex. 10.12-15. **105.36** *u* Ex. 12.29. **105.37-38** *v* Ex. 12.33-36. **105.39** *w* Ex. 13.21-22.

**105.5-15** Dios siempre cumple su palabra. Él cumple todas sus promesas. Dios le prometió a Abraham y a Jacob que sus descendientes heredarían la tierra de Canaán. Generaciones después de la muerte de Jacob, los israelitas entraron a Canaán. Algunas veces puede tomar tiempo para que se cumplan las promesas de Dios. Con frecuencia nos impacientamos cuando estamos en el proceso de recuperación debido a nuestro lento progreso. Quizás en ocasiones lleguemos a pensar que nada de eso tiene remedio y nos sintamos tentados a darnos por vencidos. Necesitamos darnos cuenta de que por el hecho de que la recuperación requiera tiempo, eso no significa que Dios no esté actuando en nuestro favor. También debemos recordar que los beneficios de nuestros esfuerzos en la recuperación no sólo afectarán nuestra vida sino la vida de nuestros descendientes. Aceptemos las promesas que Dios nos ha dado para nuestra recuperación en el futuro.
**105.39-45** Dios es capaz de cuidar a su pueblo. Él contesta nuestras oraciones –aun nuestras quejas– y satisface todas las necesidades que nadie más podría satisfacer. Su propósito fundamental es que seamos

**40** Pidieron, e hizo venir codornices;
Y los sació de pan del cielo.*x*

**41** Abrió la peña, y fluyeron aguas;
Corrieron por los sequedales como un río.*y*

**42** Porque se acordó de su santa palabra
Dada a Abraham su siervo.

**43** Sacó a su pueblo con gozo;
Con júbilo a sus escogidos.

**44** Les dio las tierras de las naciones,*z*
Y las labores de los pueblos heredaron;

**45** Para que guardasen sus estatutos,
Y cumpliesen sus leyes.
Aleluya.

## La rebeldía de Israel

**106** ¹ Aleluya.
Alabad a Jehová, porque él es bueno;
Porque para siempre es su misericordia.*a*

**2** ¿Quién expresará las poderosas
obras de Jehová?
¿Quién contará sus alabanzas?

**3** Dichosos los que guardan juicio,
Los que hacen justicia en todo tiempo.

**4** Acuérdate de mí, oh Jehová, según tu
benevolencia para con tu pueblo;
Visítame con tu salvación,

**5** Para que yo vea el bien de tus escogidos,
Para que me goce en la alegría de tu nación,
Y me gloríe con tu heredad.

**6** Pecamos nosotros, como nuestros padres;
Hicimos iniquidad, hicimos impiedad.

**7** Nuestros padres en Egipto no entendieron
tus maravillas;
No se acordaron de la muchedumbre
de tus misericordias,

Sino que se rebelaron junto al mar,
el Mar Rojo.*b*

**8** Pero él los salvó por amor de su nombre,
Para hacer notorio su poder.

**9** Reprendió al Mar Rojo y lo secó,*c*
Y les hizo ir por el abismo
como por un desierto.

**10** Los salvó de mano del enemigo,
Y los rescató de mano del adversario.

**11** Cubrieron las aguas a sus enemigos;
No quedó ni uno de ellos.

**12** Entonces creyeron a sus palabras
Y cantaron su alabanza.*d*

**13** Bien pronto olvidaron sus obras;
No esperaron su consejo.

**14** Se entregaron a un deseo desordenado
en el desierto;
Y tentaron a Dios en la soledad.

**15** Y él les dio lo que pidieron;
Mas envió mortandad sobre ellos.*e*

**16** Tuvieron envidia de Moisés en el
campamento,
Y contra Aarón, el santo de Jehová.

**17** Entonces se abrió la tierra y tragó a Datán,
Y cubrió la compañía de Abiram.

**18** Y se encendió fuego en su junta;
La llama quemó a los impíos.*f*

**19** Hicieron becerro en Horeb,
Se postraron ante una imagen de fundición.*g*

**20** Así cambiaron su gloria
Por la imagen de un buey que come hierba.

**21** Olvidaron al Dios de su salvación,
Que había hecho grandezas en Egipto,

**22** Maravillas en la tierra de Cam,
Cosas formidables sobre el Mar Rojo.

---

**105.40** *x* Ex. 16.2-15. **105.41** *y* Ex. 17.1-7; Nm. 20.2-13. **105.44** *z* Jos. 11.16-23. **106.1** *a* 1 Cr. 16.34; 2 Cr. 5.13; 7.3; Esd. 3.11; Sal. 100.5; 107.1; 118.1; 136.1; Jer. 33.11. **106.7** *b* Ex. 14.10-12. **106.9-12** *c* Ex. 14.21-31. **106.12** *d* Ex. 15.1-21. **106.14-15** *e* Nm. 11.4-34. **106.16-18** *f* Nm. 16.1-35. **106.19-23** *g* Ex. 32.1-14.

---

fieles y obedientes a sus leyes. Y mientras nos ayuda a ser fieles y obedientes a su plan, nos llenará de gozo. Estos versículos son de especial consuelo para quienes estamos en recuperación. Al confesar a Dios nuestras faltas, podemos estar seguros de que él nos está oyendo; al procurar vivir de acuerdo con su voluntad, él nos llenará de gozo y satisfacción; al confiar nuestra vida a Dios, podemos estar seguros de que estamos en buenas manos.

**106.6-12** El salmista reflexionó sobre los fracasos de la generación que en ese momento vivía en Israel y los errores de las pasadas generaciones. Tenemos que hacer lo mismo respecto de nuestra recuperación. Nuestros fracasos con frecuencia están estrechamente relacionados con los errores de nuestros padres y abuelos. Necesitamos mirar hacia atrás y perdonar a los que nos han lastimado. Luego debemos evaluar sinceramente nuestros errores, asumiendo la responsabilidad por ellos y buscando el perdón de aquellos a quienes hayamos lastimado. Así como Dios reveló su bondad al rescatar a los israelitas de sus enemigos, él nos perdonará y nos apoyará en el proceso de recuperación.

**106.13-15** Todos nos desanimamos cuando fracasamos. Como el pueblo de Israel, a veces también somos olvidadizos. Aprendemos una lección un día sólo para olvidarla al siguiente. Después de fracasar repetidamente, necesitamos recordar que Dios nos ha ayudado en el pasado y, puesto que tiene poder, está dispuesto a continuar ayudándonos, si estamos sinceramente arrepentidos y de veras deseamos cambiar. Debemos tener cuidado, sin embargo, de no agotar la paciencia de Dios. Si pecamos intencionalmente, sufriremos las consecuencias.

23 Y trató de destruirlos,
De no haberse interpuesto Moisés su
escogido delante de él,
A fin de apartar su indignación para
que no los destruyese.
24 Pero aborrecieron la tierra deseable;
No creyeron a su palabra,
25 Antes murmuraron en sus tiendas,
Y no oyeron la voz de Jehová.
26 Por tanto, alzó su mano contra ellos
Para abatirlos en el desierto,*h*
27 Y humillar su pueblo entre las naciones,
Y esparcirlos por las tierras.*i*
28 Se unieron asimismo a Baal-peor,
Y comieron los sacrificios de los muertos.
29 Provocaron la ira de Dios con sus obras,
Y se desarrolló la mortandad entre ellos.
30 Entonces se levantó Finees e hizo juicio,
Y se detuvo la plaga;
31 Y le fue contado por justicia
De generación en generación para siempre.*j*
32 También le irritaron en las aguas de Meriba;
Y le fue mal a Moisés por causa de ellos.
33 Porque hicieron rebelar a su espíritu,
Y habló precipitadamente con sus labios.*k*
34 No destruyeron a los pueblos
Que Jehová les dijo;
35 Antes se mezclaron con las naciones,
Y aprendieron sus obras,
36 Y sirvieron a sus ídolos,
Los cuales fueron causa de su ruina.*l*
37 Sacrificaron sus hijos y sus hijas a los
demonios,*m*
38 Y derramaron la sangre inocente, la sangre
de sus hijos y de sus hijas,
Que ofrecieron en sacrificio a los ídolos
de Canaán,
Y la tierra fue contaminada con sangre.*n*
39 Se contaminaron así con sus obras,
Y se prostituyeron con sus hechos.
40 Se encendió, por tanto, el furor de Jehová
sobre su pueblo,
Y abominó su heredad;
41 Los entregó en poder de las naciones,
Y se enseñorearon de ellos los que les
aborrecían.
42 Sus enemigos los oprimieron,
Y fueron quebrantados debajo de su mano.

43 Muchas veces los libró;
Mas ellos se rebelaron contra su consejo,
Y fueron humillados por su maldad.
44 Con todo, él miraba cuando estaban
en angustia,
Y oía su clamor;
45 Y se acordaba de su pacto con ellos,
Y se arrepentía conforme a la muchedumbre
de sus misericordias.
46 Hizo asimismo que tuviesen de ellos
misericordia todos los que los
tenían cautivos.*o*
47 Sálvanos, Jehová Dios nuestro,
Y recógenos de entre las naciones,
Para que alabemos tu santo nombre,
Para que nos gloriemos en tus alabanzas.
48 Bendito Jehová Dios de Israel,
Desde la eternidad y hasta la eternidad;
Y diga todo el pueblo, Amén.
Aleluya.*p*

## LIBRO V
## Dios libra de la aflicción

# 107

1 Alabad a Jehová, porque
él es bueno;
Porque para siempre es su misericordia.*a*
2 Díganlo los redimidos de Jehová,
Los que ha redimido del poder del enemigo,
3 Y los ha congregado de las tierras,
Del oriente y del occidente,
Del norte y del sur.
4 Anduvieron perdidos por el desierto,
por la soledad sin camino,
Sin hallar ciudad en donde vivir.
5 Hambrientos y sedientos,
Su alma desfallecía en ellos.
6 Entonces clamaron a Jehová en su angustia,
Y los libró de sus aflicciones.
7 Los dirigió por camino derecho,
Para que viniesen a ciudad habitable.
8 Alaben la misericordia de Jehová,
Y sus maravillas para con los hijos de los
hombres.
9 Porque sacia al alma menesterosa,
Y llena de bien al alma hambrienta.
10 Algunos moraban en tinieblas y sombra
de muerte,
Aprisionados en aflicción y en hierros,

106.24-26 *h* Nm. 14.1-35.   **106.27** *i* Lv. 26.33.   **106.28-31** *j* Nm. 25.1-13.   **106.32-33** *k* Nm. 20.2-13.
**106.34-36** *l* Jue. 2.1-3; 3.5-6.   **106.37** *m* 2 R. 17.17.   **106.38** *n* Nm. 35.33.   **106.40-46** *o* Jue. 2.14-18.
**106.47-48** *p* 1 Cr. 16.35-36.   **107.1** *a* 1 Cr. 16.34; 2 Cr. 5.13; 7.3; Esd. 3.11; Sal. 100.5; 106.1;118.1; 136.1; Jer. 33.11.

**106.40-46** Dios aborrece el pecado. Si continuamos viviendo en pecado, no debemos esperar que él se
agrade de nosotros. A veces el juicio de Dios llega rápidamente y puede venir en formas inesperadas.
Nuestros pecados a fin de cuentas nos destruirán. Sin embargo, Dios no nos abandona para siempre. Su
meta sigue siendo libertarnos de la esclavitud de nuestros pecados.

11 Por cuanto fueron rebeldes a las palabras
  de Jehová,
  Y aborrecieron el consejo del Altísimo.
12 Por eso quebrantó con el trabajo sus
  corazones;
  Cayeron, y no hubo quien los ayudase.
13 Luego que clamaron a Jehová
  en su angustia,
  Los libró de sus aflicciones;
14 Los sacó de las tinieblas y de la sombra
  de muerte,
  Y rompió sus prisiones.
15 Alaben la misericordia de Jehová,
  Y sus maravillas para con los hijos
  de los hombres.
16 Porque quebrantó las puertas de bronce,
  Y desmenuzó los cerrojos de hierro.
17 Fueron afligidos los insensatos, a causa
  del camino de su rebelión
  Y a causa de sus maldades;
18 Su alma abominó todo alimento,
  Y llegaron hasta las puertas de la muerte.
19 Pero clamaron a Jehová en su angustia,
  Y los libró de sus aflicciones.
20 Envió su palabra, y los sanó,
  Y los libró de su ruina.
21 Alaben la misericordia de Jehová,
  Y sus maravillas para con los hijos
  de los hombres;
22 Ofrezcan sacrificios de alabanza,
  Y publiquen sus obras con júbilo.
23 Los que descienden al mar en naves,
  Y hacen negocio en las muchas aguas,
24 Ellos han visto las obras de Jehová,
  Y sus maravillas en las profundidades.
25 Porque habló, e hizo levantar un viento
  tempestuoso,
  Que encrespa sus ondas.
26 Suben a los cielos, descienden a los abismos;
  Sus almas se derriten con el mal.
27 Tiemblan y titubean como ebrios,
  Y toda su ciencia es inútil.
28 Entonces claman a Jehová en su angustia,
  Y los libra de sus aflicciones.

29 Cambia la tempestad en sosiego,
  Y se apaciguan sus ondas.
30 Luego se alegran, porque se apaciguaron;
  Y así los guía al puerto que deseaban.
31 Alaben la misericordia de Jehová,
  Y sus maravillas para con los hijos de los
  hombres.
32 Exáltenlo en la congregación del pueblo,
  Y en la reunión de ancianos lo alaben.
33 El convierte los ríos en desierto,
  Y los manantiales de las aguas
  en sequedales;
34 La tierra fructífera en estéril,
  Por la maldad de los que la habitan.
35 Vuelve el desierto en estanques de aguas,
  Y la tierra seca en manantiales.
36 Allí establece a los hambrientos,
  Y fundan ciudad en donde vivir.
37 Siembran campos, y plantan viñas,
  Y rinden abundante fruto.
38 Los bendice, y se multiplican en gran manera;
  Y no disminuye su ganado.
39 Luego son menoscabados y abatidos
  A causa de tiranía, de males y congojas.
40 El esparce menosprecio sobre los príncipes,
  Y les hace andar perdidos, vagabundos
  y sin camino.
41 Levanta de la miseria al pobre,
  Y hace multiplicar las familias
  como rebaños de ovejas.
42 Véanlo los rectos, y alégrense,
  Y todos los malos cierren su boca.
43 ¿Quién es sabio y guardará estas cosas,
  Y entenderá las misericordias de Jehová?

**Petición de ayuda contra el enemigo**
Cántico. Salmo de David.

# 108 ¹ Mi corazón está dispuesto, oh Dios;
  Cantaré y entonaré salmos;
    esta es mi gloria.
² Despiértate, salterio y arpa;
  Despertaré al alba.
³ Te alabaré, oh Jehová, entre los pueblos;
  A ti cantaré salmos entre las naciones.

---

**107.10-20** Cuando rechazamos a Dios y su plan, vivimos en oscuridad espiritual; somos como prisioneros encadenados. Dios castiga la maldad con fuertes penalidades. Estas incluyen el propio castigo divino y las consecuencias naturales de la desobediencia. El anuncio de castigo que hace el salmista, sin embargo, no debe desesperanzarnos; sus comentarios se cierran con en una nota alegre. Si entramos en razón y le pedimos a Dios que nos libere, él nos ayudará a escapar de la esclavitud y nos sanará.

**107.23-32** A veces podemos sentirnos como un pequeño barco que surca mares tormentosos y está a punto de naufragar. Los malos recuerdos y la sensación de fracaso hacen que nuestro mundo parezca oscuro y sin esperanza. Mientras más tiempo ruja la tempestad, más miedo tendremos y menor será la esperanza de rescate. Pero cuando clamemos a Dios en medio de nuestro problema, él transformará nuestra vida zarandeada por las tormentas en un mar en calma y tranquilo, y restaurará nuestro gozo. Debemos acudir a él por ayuda, seguir su plan para una vida saludable y esperar pacientemente su liberación.

**108.1-5** La mañana es un tiempo maravilloso para alabar a Dios. Ahora que estamos en recuperación,

4 Porque más grande que los cielos
   es tu misericordia,
   Y hasta los cielos tu verdad.
5 Exaltado seas sobre los cielos, oh Dios,
   Y sobre toda la tierra sea enaltecida tu gloria.
6 Para que sean librados tus amados,
   Salva con tu diestra y respóndeme.
7 Dios ha dicho en su santuario:
   Yo me alegraré;
   Repartiré a Siquem, y mediré
   el valle de Sucot.
8 Mío es Galaad, mío es Manasés,
   Y Efraín es la fortaleza de mi cabeza;
   Judá es mi legislador.
9 Moab, la vasija para lavarme;
   Sobre Edom echaré mi calzado;
   Me regocijaré sobre Filistea.
10 ¿Quién me guiará a la ciudad fortificada?
   ¿Quién me guiará hasta Edom?
11 ¿No serás tú, oh Dios, que nos habías
   desechado,
   Y no salías, oh Dios, con nuestros
   ejércitos?
12 Danos socorro contra el adversario,
   Porque vana es la ayuda del hombre.
13 En Dios haremos proezas,
   Y él hollará a nuestros enemigos.

## Clamor de venganza

Al músico principal. Salmo de David.

**109** 1 Oh Dios de mi alabanza, no calles;
   2 Porque boca de impío y boca
   de engañador se han abierto contra mí;
   Han hablado de mí con lengua mentirosa;
3 Con palabras de odio me han rodeado,
   Y pelearon contra mí sin causa.
4 En pago de mi amor me han sido
   adversarios;
   Mas yo oraba.
5 Me devuelven mal por bien,
   Y odio por amor.

6 Pon sobre él al impío,
   Y Satanás esté a su diestra.
7 Cuando fuere juzgado, salga culpable;
   Y su oración sea para pecado.
8 Sean sus días pocos;
   Tome otro su oficio.*a*
9 Sean sus hijos huérfanos,
   Y su mujer viuda.
10 Anden sus hijos vagabundos, y mendiguen;
   Y procuren su pan lejos de sus desolados
   hogares.
11 Que el acreedor se apodere
   de todo lo que tiene,
   Y extraños saqueen su trabajo.
12 No tenga quien le haga misericordia,
   Ni haya quien tenga compasión
   de sus huérfanos.
13 Su posteridad sea destruida;
   En la segunda generación sea borrado
   su nombre.
14 Venga en memoria ante Jehová la maldad
   de sus padres,
   Y el pecado de su madre no sea borrado.
15 Estén siempre delante de Jehová,
   Y él corte de la tierra su memoria,
16 Por cuanto no se acordó de hacer
   misericordia,
   Y persiguió al hombre afligido
   y menesteroso,
   Al quebrantado de corazón,
   para darle muerte.
17 Amó la maldición, y ésta le sobrevino;
   Y no quiso la bendición, y ella se alejó de él.
18 Se vistió de maldición como de su vestido,
   Y entró como agua en sus entrañas,
   Y como aceite en sus huesos.
19 Séale como vestido con que se cubra,
   Y en lugar de cinto con que se ciña siempre.
20 Sea este el pago de parte de Jehová
   a los que me calumnian,
   Y a los que hablan mal contra mi alma.

**109.8** *a* Hch. 1.20.

---

nuestras noches pueden parecer largas, pero cada día libre de adicción debe llenar nuestro corazón de gozo. Debemos dejar que nuestra alegría se manifieste como mensaje de esperanza a otros que también están necesitados. Nuestro testimonio de la fidelidad de Dios puede llevar a otros al gozo que estamos empezando a experimentar en el proceso de recuperación.

**108.6-13** No hay ningún otro recurso para una verdadera recuperación sino la fortaleza que nos ofrece nuestro Dios misericordioso. Es inútil confiar en cualquier otra cosa para obtener la victoria, puesto que sólo Dios puede darnos el poder para vencer nuestras dependencias y compulsiones. A fin de cuentas, él es quien conquista a nuestros enemigos y nos ayuda a hacer «proezas». Debemos admitir nuestra impotencia y encomendar nuestra vida a su cuidado y protección.

**109.1-5** Todos sabemos cómo se siente uno cuando otros lo condenan, a veces injustificadamente. En ocasiones nos atacan los recuerdos dolorosos del abuso que quizás sufrimos. Es en ese momento cuando necesitamos acercarnos a Dios para que nos consuele. Él llenará nuestro corazón con su amor y nos ayudará a perdonar a quienes han difamado. Podemos depender de él y hacer nuestro mejor esfuerzo para amar a quienes nos hayan lastimado.

21 Y tú, Jehová, Señor mío, favoréceme
 por amor de tu nombre;
 Líbrame, porque tu misericordia es buena.
22 Porque yo estoy afligido y necesitado,
 Y mi corazón está herido dentro de mí.
23 Me voy como la sombra cuando declina;
 Soy sacudido como langosta.
24 Mis rodillas están debilitadas
 a causa del ayuno,
 Y mi carne desfallece por falta de gordura.
25 Yo he sido para ellos objeto de oprobio;
 Me miraban, y burlándose meneaban
 su cabeza.b
26 Ayúdame, Jehová Dios mío;
 Sálvame conforme a tu misericordia.
27 Y entiendan que esta es tu mano;
 Que tú, Jehová, has hecho esto.
28 Maldigan ellos, pero bendice tú;
 Levántense, mas sean avergonzados,
 y regocíjese tu siervo.
29 Sean vestidos de ignominia
 los que me calumnian;
 Sean cubiertos de confusión como
 con manto.
30 Yo alabaré a Jehová en gran manera
 con mi boca,
 Y en medio de muchos le alabaré.
31 Porque él se pondrá a la diestra del pobre,
 Para librar su alma de los que le juzgan.

## Jehová da dominio al rey

Salmo de David.

# 110

1 Jehová dijo a mi Señor:
 Siéntate a mi diestra,
 Hasta que ponga a tus enemigos por estrado
 de tus pies.a
2 Jehová enviará desde Sion la vara de tu poder;
 Domina en medio de tus enemigos.
3 Tu pueblo se te ofrecerá voluntariamente
 en el día de tu poder,
 En la hermosura de la santidad.

Desde el seno de la aurora
Tienes tú el rocío de tu juventud.
4 Juró Jehová, y no se arrepentirá:
 Tú eres sacerdote para siempre
 Según el orden de Melquisedec.b
5 El Señor está a tu diestra;
 Quebrantará a los reyes en el día de su ira.
6 Juzgará entre las naciones,
 Las llenará de cadáveres;
 Quebrantará las cabezas en muchas tierras.
7 Del arroyo beberá en el camino,
 Por lo cual levantará la cabeza.

## Dios cuida de su pueblo

Aleluya.

# 111

1 Alabaré a Jehová con todo
 el corazón
 En la compañía y congregación
 de los rectos.
2 Grandes son las obras de Jehová,
 Buscadas de todos los que las quieren.
3 Gloria y hermosura es su obra,
 Y su justicia permanece para siempre.
4 Ha hecho memorables sus maravillas;
 Clemente y misericordioso es Jehová.
5 Ha dado alimento a los que le temen;
 Para siempre se acordará de su pacto.
6 El poder de sus obras manifestó a su pueblo,
 Dándole la heredad de las naciones.
7 Las obras de sus manos son verdad y juicio;
 Fieles son todos sus mandamientos,
8 Afirmados eternamente y para siempre,
 Hechos en verdad y en rectitud.
9 Redención ha enviado a su pueblo;
 Para siempre ha ordenado su pacto;
 Santo y temible es su nombre.
10 El principio de la sabiduría es el temor
 de Jehová;a
 Buen entendimiento tienen todos
 los que practican sus mandamientos;
 Su loor permanece para siempre.

---

**109.25** b Mt. 27.39; Mr. 15.29. **110.1** a Mt. 22.44; Mr. 12.36; Lc. 20.42-43; Hch. 2.34-35; 1 Co. 15.25; Ef. 1.20-22; Col. 3.1; He. 1.13; 8.1; 10.12-13. **110.4** b He. 5.6; 6.20; 7.17, 21. **111.10** a Job 28.28; Pr. 1.7; 9.10.

---

**109.21-31** Encomendar nuestra vida a Dios exige gran humildad. Uno de los aspectos más difíciles de la recuperación, como hijos de Dios, es reconocer cuán incapaces somos de vencer solos nuestras poderosas dependencias. Todos hemos descubierto lo que pasa cuando tratamos de hacer las cosas a nuestra manera: nos convertimos en esclavos de nuestros deseos y apetitos. Depender de Dios y de su plan es el único camino a la verdadera libertad. No obstante, necesitamos recordar que aunque Dios nos ha llamado a ser como niños en espíritu, no quiere que nuestra conducta sea infantil.
**111.9-10** Dios rescató a su pueblo, los israelitas, primero haciendo un pacto con ellos y luego liberándolos una y otra vez de sus enemigos. Dios también nos ha rescatado del castigo de nuestros pecados pagando un alto precio: ¡su Hijo! Dios hizo este sumo sacrificio para que nosotros, aun sin merecerlo, podamos vivir vidas piadosas y llenas de gozo. Esto debe alentarnos mientras tratamos de recuperarnos. ¡Dios quiere que esto ocurra aun más que nosotros! Por eso podemos encomendar confiadamente nuestra vida en sus manos. Dios probó lo mucho que desea nuestra recuperación al entregar a su único Hijo para que sufriera por nosotros.

## Prosperidad del que teme a Jehová

Aleluya.

**112** ¹ Bienaventurado el hombre
que teme a Jehová,
Y en sus mandamientos se deleita
en gran manera.

² Su descendencia será poderosa en la tierra;
La generación de los rectos será bendita.

³ Bienes y riquezas hay en su casa,
Y su justicia permanece para siempre.

⁴ Resplandeció en las tinieblas luz a los rectos;
Es clemente, misericordioso y justo.

⁵ El hombre de bien tiene misericordia,
y presta;
Gobierna sus asuntos con juicio,

⁶ Por lo cual no resbalará jamás;
En memoria eterna será el justo.

⁷ No tendrá temor de malas noticias;
Su corazón está firme, confiado en Jehová.

⁸ Asegurado está su corazón; no temerá,
Hasta que vea en sus enemigos su deseo.

⁹ Reparte, da a los pobres;
Su justicia permanece para siempre;ᵃ
Su poder será exaltado en gloria.

¹⁰ Lo verá el impío y se irritará;
Crujirá los dientes, y se consumirá.
El deseo de los impíos perecerá.

## Dios levanta al pobre

Aleluya.

**113** ¹ Alabad, siervos de Jehová,
Alabad el nombre de Jehová.

² Sea el nombre de Jehová bendito
Desde ahora y para siempre.

³ Desde el nacimiento del sol hasta
donde se pone,
Sea alabado el nombre de Jehová.

⁴ Excelso sobre todas las naciones es Jehová,
Sobre los cielos su gloria.

⁵ ¿Quién como Jehová nuestro Dios,
Que se sienta en las alturas,

⁶ Que se humilla a mirar
En el cielo y en la tierra?

⁷ El levanta del polvo al pobre,
Y al menesteroso alza del muladar,

⁸ Para hacerlos sentar con los príncipes,
Con los príncipes de su pueblo.

⁹ El hace habitar en familia a la estéril,
Que se goza en ser madre de hijos.
Aleluya.

## Las maravillas del Exodo

**114** ¹ Cuando salió Israel de Egipto,ᵃ
La casa de Jacob del pueblo extranjero,

² Judá vino a ser su santuario,
E Israel su señorío.

³ El mar lo vio, y huyó;ᵇ
El Jordán se volvió atrás.ᶜ

⁴ Los montes saltaron como carneros,
Los collados como corderitos.

⁵ ¿Qué tuviste, oh mar, que huiste?
¿Y tú, oh Jordán, que te volviste atrás?

⁶ Oh montes, ¿por qué saltasteis como carneros,
Y vosotros, collados, como corderitos?

⁷ A la presencia de Jehová tiembla la tierra,
A la presencia del Dios de Jacob,

⁸ El cual cambió la peña en estanque de aguas,ᵈ
Y en fuente de aguas la roca.

## Dios y los ídolos

**115** ¹ No a nosotros, oh Jehová,
no a nosotros,
Sino a tu nombre da gloria,
Por tu misericordia, por tu verdad.

---

**112.9** ᵃ 2 Co. 9.9.  **114.1** ᵃ Ex. 12.51.  **114.3** ᵇ Ex. 14.21. ᶜ Jos. 3.16.  **114.8** ᵈ Ex. 17.1-7; Nm. 20.2-13.

---

**112.5-10** Nuestra mejor oportunidad de tener éxito y superar nuestros vicios, nuestros malos pensamientos y las heridas que hayamos sufrido es mantener los ojos fijos en Dios. Hacer cambios positivos en nuestra vida no hará feliz a todo el mundo. Algunos de nuestros viejos enemigos –y los viejos amigos que solían llevarnos por mal camino– se preguntarán por qué ya no nos relacionamos con ellos como antes. Algunos de ellos pueden incluso llegar a criticarnos o pensar que somos esnobs. Como resultado, al principio podemos encontrar que el proceso de recuperación es solitario. En momentos como estos, debemos contar con Dios, quien siempre está con nosotros. Con su ayuda encontraremos nuevas amistades que nos fortalecerán, y aprenderemos a reconciliarnos con viejos amigos, de modo que puedan apoyarnos en el proceso de recuperación.

**113.5-9** Sólo Dios puede hacer que recuperemos el sano juicio y una forma de vivir correcta. Sólo él puede llenarnos de entusiasmo. Quizás no nos sentemos «con los príncipes», pero podemos reincorporarnos a la sociedad con dignidad cuando le permitimos a Dios ayudarnos a retomar el control de nuestra vida.

**114.1-6** Los milagros que Dios puede realizar en favor de aquellos que buscan refugio en él no tiene límites. Para dar aliento a sus lectores, el salmista hizo una lista de algunas de las obras de liberación divina en la historia de Israel. Al enfrentar dificultades, podemos recordar los actos de liberación en tiempos bíblicos y en nuestra vida. Esto nos dará la esperanza que necesitamos para perseverar durante nuestra recuperación; nos ayudará a encomendar nuestra vida en las manos de Dios sin ningún recelo. Dios es realmente maravilloso, digno de nuestro respeto, obediencia y alabanza.

**115.1-8** Dios es el único recurso real para nuestra recuperación. Probablemente hayamos probado muchos

*SEÑOR, concédeme serenidad para aceptar las cosas que no puedo cambiar, valor para cambiar las que sí puedo y sabiduría para reconocer la diferencia entre ambas. AMÉN*

«El principio de la sabiduría es el temor de Jehová», escribió el salmista, «buen entendimiento tienen todos los que practican sus mandamientos» (Salmo 111.10). Dios nos ha dado en su Palabra instrucciones claras para nuestra vida. Cuando mostremos reverencia a Dios y estemos dispuestos a aceptar sus instrucciones como fundamento de todas nuestras decisiones, entonces habremos establecido un buen punto de partida.

Jesús dijo: «Cualquiera, pues, que me oye estas palabras, y las hace, le compararé a un hombre prudente, que edificó su casa sobre la roca. Descendió lluvia, y vinieron ríos, y soplaron vientos, y golpearon contra aquella casa; y no cayó, porque estaba fundada sobre la roca» (Mateo 7.24-25). Escuchar lo que dice la Biblia es el siguiente paso para comportarnos sabiamente. Llenar nuestra mente de las instrucciones divinas nos ayudará a obedecerlas. Esto también nos ayudará a alejarnos de las cosas que Dios prohíbe. El libro de Job nos dice: «He aquí que el temor del Señor es la sabiduría, y el apartarse del mal, la inteligencia» (Job 28.28).

¡Entregar a Dios nuestra vida es una decisión sabia! Caminar en sabiduría es un proceso que alcanzaremos paulatinamente, tal como sucede con la mayoría de los aspectos de la recuperación,. Estos tres elementos son el fundamento: reverenciar a Dios, prestar atención a sus instrucciones y seguirlas. *Vaya a la página 553, Salmo 139.*

L as tormentas de la vida pueden ser devastadoras cuando nos falta sabiduría. Cuando nos damos cuenta de que nuestra vida está hecha añicos, tal vez nos percatamos de que hemos actuado neciamente y queremos cambiar, pero no sabemos por dónde empezar.

---

2 ¿Por qué han de decir las gentes: ¿Dónde está ahora su Dios?

3 Nuestro Dios está en los cielos; Todo lo que quiso ha hecho.

4 Los ídolos de ellos son plata y oro, Obra de manos de hombres.

5 Tienen boca, mas no hablan; Tienen ojos, mas no ven;

6 Orejas tienen, mas no oyen; Tienen narices, mas no huelen;

7 Manos tienen, mas no palpan; Tienen pies, mas no andan; No hablan con su garganta.

8 Semejantes a ellos son los que los hacen, Y cualquiera que confía en ellos.*a*

**115.4-8** *a* Sal. 135.15-18; Ap. 9.20.

planes de recuperación, pero si Dios no es parte central de nuestro programa, no experimentaremos una recuperación duradera. Algunos de nosotros andamos buscando ayuda en cada nueva moda que aparece. Si no le pedimos ayuda a Dios, todos los medios de recuperación que usemos serán inútiles; son sólo planes hechos por hombres, tan inoperantes como ídolos. La recuperación nunca es fácil. Si oímos de un plan que es fácil y rápido, alguien posiblemente sólo anda detrás de nuestro dinero. Sólo Dios sabe lo que necesitamos. Él tiene el poder para sacarnos de nuestras dolorosas circunstancias y darnos una vida con propósito y gozo. Su plan es nuestro único camino hacia una vida saludable.

9 Oh Israel, confía en Jehová;
El es tu ayuda y tu escudo.
10 Casa de Aarón, confiad en Jehová;
El es vuestra ayuda y vuestro escudo.
11 Los que teméis a Jehová, confiad en Jehová;
El es vuestra ayuda y vuestro escudo.
12 Jehová se acordó de nosotros; nos bendecirá;
Bendecirá a la casa de Israel;
Bendecirá a la casa de Aarón.
13 Bendecirá a los que temen a Jehová,
A pequeños y a grandes.*b*
14 Aumentará Jehová bendición
sobre vosotros;
Sobre vosotros y sobre vuestros hijos.
15 Benditos vosotros de Jehová,
Que hizo los cielos y la tierra.
16 Los cielos son los cielos de Jehová;
Y ha dado la tierra a los hijos
de los hombres.
17 No alabarán los muertos a JAH,
Ni cuantos descienden al silencio;
18 Pero nosotros bendeciremos a JAH
Desde ahora y para siempre.
Aleluya.

## Acción de gracias por haber sido librado de la muerte

# 116

1 Amo a Jehová, pues ha oído
Mi voz y mis súplicas;
2 Porque ha inclinado a mí su oído;
Por tanto, le invocaré en todos mis días.
3 Me rodearon ligaduras de muerte,
Me encontraron las angustias del Seol;
Angustia y dolor había yo hallado.
4 Entonces invoqué el nombre de Jehová,
diciendo:
Oh Jehová, libra ahora mi alma.
5 Clemente es Jehová, y justo;
Sí, misericordioso es nuestro Dios.
6 Jehová guarda a los sencillos;
Estaba yo postrado, y me salvó.
7 Vuelve, oh alma mía, a tu reposo,
Porque Jehová te ha hecho bien.
8 Pues tú has librado mi alma de la muerte,

Mis ojos de lágrimas,
Y mis pies de resbalar.
9 Andaré delante de Jehová
En la tierra de los vivientes.
10 Creí; por tanto hablé,*a*
Estando afligido en gran manera.
11 Y dije en mi apresuramiento:
Todo hombre es mentiroso.
12 ¿Qué pagaré a Jehová
Por todos sus beneficios para conmigo?
13 Tomaré la copa de la salvación,
E invocaré el nombre de Jehová.
14 Ahora pagaré mis votos a Jehová
Delante de todo su pueblo.
15 Estimada es a los ojos de Jehová
La muerte de sus santos.
16 Oh Jehová, ciertamente yo soy tu siervo,
Siervo tuyo soy, hijo de tu sierva;
Tú has roto mis prisiones.
17 Te ofreceré sacrificio de alabanza,
E invocaré el nombre de Jehová.
18 A Jehová pagaré ahora mis votos
Delante de todo su pueblo,
19 En los atrios de la casa de Jehová,
En medio de ti, oh Jerusalén.
Aleluya.

## Alabanza por la misericordia de Jehová

# 117

1 Alabad a Jehová, naciones todas;
Pueblos todos, alabadle.*a*
2 Porque ha engrandecido sobre nosotros
su misericordia,
Y la fidelidad de Jehová es para siempre.
Aleluya.

## Acción de gracias por la salvación recibida de Jehová

# 118

1 Alabad a Jehová, porque
él es bueno;
Porque para siempre es su misericordia.*a*
2 Diga ahora Israel,
Que para siempre es su misericordia.
3 Diga ahora la casa de Aarón,
Que para siempre es su misericordia.

**115.13** *b* Ap. 11.18; 19.5. **116.10** *a* 2 Co. 4.13. **117.1** *a* Ro. 15.11. **118.1** *a* 1 Cr. 16.34; 2 Cr. 5.13; 7.3; Esd. 3.11; Sal. 100.5; 106.1; 107.1; 136.1; Jer. 33.11.

**116.1-9** ¡Qué maravilloso es el hecho de que Dios escucha y contesta las oraciones de quienes se acercan a él en medio de la angustia! Cuando estábamos en las garras de nuestra dependencia y adicción, quizás no reconocíamos que estábamos en peligro de perder nuestra reputación, nuestros amigos y aun nuestra vida. Pero entonces clamamos al Señor, y él nos salvó. El habernos dado cuenta de este hecho debería resultar en alabanza a Dios.

**116.10-19** Nunca seremos capaces de pagarle a Dios por lo que ha hecho por nosotros. Pero al menos podemos mostrar nuestra gratitud cumpliendo las promesas que le hicimos cuando le pedimos que nos ayudara. Dios nos considera sus hijos amados, y debemos agradecérselo cumpliendo nuestras promesas a él. Esto puede incluir asegurarnos de que todo el mundo sepa que es Dios quien merece el crédito por nuestra liberación.

**4** Digan ahora los que temen a Jehová,
Que para siempre es su misericordia.

**5** Desde la angustia invoqué a JAH,
Y me respondió JAH, poniéndome en lugar espacioso.

**6** Jehová está conmigo; no temeré
Lo que me pueda hacer el hombre.*b*

**7** Jehová está conmigo entre los que me ayudan;
Por tanto, yo veré mi deseo en los que me aborrecen.

**8** Mejor es confiar en Jehová
Que confiar en el hombre.

**9** Mejor es confiar en Jehová
Que confiar en príncipes.

**10** Todas las naciones me rodearon;
Mas en el nombre de Jehová yo las destruiré.

**11** Me rodearon y me asediaron;
Mas en el nombre de Jehová yo las destruiré.

**12** Me rodearon como abejas; se enardecieron como fuego de espinos;
Mas en el nombre de Jehová yo las destruiré.

**13** Me empujaste con violencia para que cayese,
Pero me ayudó Jehová.

**14** Mi fortaleza y mi cántico es JAH,
Y él me ha sido por salvación.*c*

**15** Voz de júbilo y de salvación hay en las tiendas de los justos;
La diestra de Jehová hace proezas.

**16** La diestra de Jehová es sublime;
La diestra de Jehová hace valentías.

**17** No moriré, sino que viviré,
Y contaré las obras de JAH.

**18** Me castigó gravemente JAH,
Mas no me entregó a la muerte.

**19** Abridme las puertas de la justicia;
Entraré por ellas, alabaré a JAH.

**20** Esta es puerta de Jehová;
Por ella entrarán los justos.

**21** Te alabaré porque me has oído,
Y me fuiste por salvación.

**22** La piedra que desecharon los edificadores
Ha venido a ser cabeza del ángulo.*d*

**23** De parte de Jehová es esto,
Y es cosa maravillosa a nuestros ojos.*e*

**24** Este es el día que hizo Jehová;
Nos gozaremos y alegraremos en él.

**25** Oh Jehová, sálvanos*f* ahora, te ruego;
Te ruego, oh Jehová, que nos hagas prosperar ahora.

**26** Bendito el que viene en el nombre de Jehová;*g*
Desde la casa de Jehová os bendecimos.

**27** Jehová es Dios, y nos ha dado luz;
Atad víctimas con cuerdas a los cuernos del altar.

**28** Mi Dios eres tú, y te alabaré;
Dios mío, te exaltaré.

**29** Alabad a Jehová, porque él es bueno;
Porque para siempre es su misericordia.

## Excelencias de la ley de Dios
Alef

# 119 **1** Bienaventurados los perfectos de camino,
Los que andan en la ley de Jehová.

**2** Bienaventurados los que guardan sus testimonios,
Y con todo el corazón le buscan;

**3** Pues no hacen iniquidad
Los que andan en sus caminos.

**4** Tú encargaste
Que sean muy guardados tus mandamientos.

**5** ¡Ojalá fuesen ordenados mis caminos
Para guardar tus estatutos!

**6** Entonces no sería yo avergonzado,
Cuando atendiese a todos tus mandamientos.

**7** Te alabaré con rectitud de corazón
Cuando aprendiere tus justos juicios.

**8** Tus estatutos guardaré;
No me dejes enteramente.

Bet

**9** ¿Con qué limpiará el joven su camino?
Con guardar tu palabra.

**118.6** *b* He. 13.6. **118.14** *c* Ex. 15.2; Is. 12.2. **118.22** *d* Lc. 20.17; Hch. 4.11; 1 P. 2.7. **118.22-23** *e* Mt. 21.42; Mr. 12.10-11. **118.25** *f* Mt. 21.9; Mr. 11.9; Jn. 12.13. **118.26** *g* Mt. 21.9; 23.39; Mr. 11.10; Lc. 13.35; 19.38; Jn. 12.13.

---

**118.22-25** Los caminos de Dios no son siempre nuestros caminos. Lo que la gente puede desechar como inservible, Dios lo usa para hacer obras impresionantes. Esto también puede ser cierto respecto de nosotros. Quizás sintamos que nuestra vida está más allá de toda posibilidad de restauración o que Dios nunca nos usaría para hacer nada importante. Con frecuencia Dios usa a las personas más improbables para obrar sus más grandes milagros, probándole así al mundo que él está actuando. Como chatarra transformada en obra de arte, por el poder de Dios podemos ser transformados para impactar a otros superando aun nuestros sueños más alocados. Para que eso sea realidad, debemos entregar nuestra vida a Dios.

**119.9-16** Obedecer la palabra de Dios produce plenitud; parece lógico que hagamos todo lo que esté en nuestras manos para obedecerla. Esto es parte importante de buscar la voluntad de Dios para nosotros. En la Biblia, Dios dejó instrucciones claras de cómo él espera que vivamos. También ha prometido que nos

**10** Con todo mi corazón te he buscado;
No me dejes desviarme de tus mandamientos.
**11** En mi corazón he guardado tus dichos,
Para no pecar contra ti.
**12** Bendito tú, oh Jehová;
Enséñame tus estatutos.
**13** Con mis labios he contado
Todos los juicios de tu boca.
**14** Me he gozado en el camino
de tus testimonios
Más que de toda riqueza.
**15** En tus mandamientos meditaré;
Consideraré tus caminos.
**16** Me regocijaré en tus estatutos;
No me olvidaré de tus palabras.

Guímel

**17** Haz bien a tu siervo; que viva,
Y guarde tu palabra.
**18** Abre mis ojos, y miraré
Las maravillas de tu ley.
**19** Forastero soy yo en la tierra;
No encubras de mí tus mandamientos.
**20** Quebrantada está mi alma de desear
Tus juicios en todo tiempo.
**21** Reprendiste a los soberbios, los malditos,
Que se desvían de tus mandamientos.
**22** Aparta de mí el oprobio y el menosprecio,
Porque tus testimonios he guardado.
**23** Príncipes también se sentaron y hablaron
contra mí;
Mas tu siervo meditaba en tus estatutos,
**24** Pues tus testimonios son mis delicias
Y mis consejeros.

Dálet

**25** Abatida hasta el polvo está mi alma;
Vivifícame según tu palabra.
**26** Te he manifestado mis caminos,
y me has respondido;
Enséñame tus estatutos.
**27** Hazme entender el camino
de tus mandamientos,
Para que medite en tus maravillas.
**28** Se deshace mi alma de ansiedad;
Susténtame según tu palabra.
**29** Aparta de mí el camino de la mentira,
Y en tu misericordia concédeme tu ley.
**30** Escogí el camino de la verdad;
He puesto tus juicios delante de mí.

**31** Me he apegado a tus testimonios;
Oh Jehová, no me avergüences.
**32** Por el camino de tus mandamientos correré,
Cuando ensanches mi corazón.

He

**33** Enséñame, oh Jehová, el camino
de tus estatutos,
Y lo guardaré hasta el fin.
**34** Dame entendimiento, y guardaré tu ley,
Y la cumpliré de todo corazón.
**35** Guíame por la senda de tus mandamientos,
Porque en ella tengo mi voluntad.
**36** Inclina mi corazón a tus testimonios,
Y no a la avaricia.
**37** Aparta mis ojos, que no vean la vanidad;
Avívame en tu camino.
**38** Confirma tu palabra a tu siervo,
Que te teme.
**39** Quita de mí el oprobio que he temido,
Porque buenos son tus juicios.
**40** He aquí yo he anhelado tus mandamientos;
Vivifícame en tu justicia.

Vau

**41** Venga a mí tu misericordia, oh Jehová;
Tu salvación, conforme a tu dicho.
**42** Y daré por respuesta a mi avergonzador,
Que en tu palabra he confiado.
**43** No quites de mi boca en ningún
tiempo la palabra de verdad,
Porque en tus juicios espero.
**44** Guardaré tu ley siempre,
Para siempre y eternamente.
**45** Y andaré en libertad,
Porque busqué tus mandamientos.
**46** Hablaré de tus testimonios delante de los reyes,
Y no me avergonzaré;
**47** Y me regocijaré en tus mandamientos,
Los cuales he amado.
**48** Alzaré asimismo mis manos a tus
mandamientos que amé,
Y meditaré en tus estatutos.

Zain

**49** Acuérdate de la palabra dada a tu siervo,
En la cual me has hecho esperar.
**50** Ella es mi consuelo en mi aflicción,
Porque tu dicho me ha vivificado.
**51** Los soberbios se burlaron mucho de mí,
Mas no me he apartado de tu ley.

ayudará a hacer su voluntad si tan sólo se lo pedimos. Estudiar y aplicar la palabra de Dios debe convertirse en una experiencia de gozo que hará que la verdad divina se arraigue firmemente en nuestra mente y en nuestro corazón.

**119.17-24** Con la dirección de Dios, podemos aprender de su Palabra verdades que nos llevarán sin percances por los inexplorados territorios de la vida. Como Dios reprende a los que no siguen su enseñanza, necesitamos pedirle perdón por los momentos en que no hemos cumplido sus mandamientos. No debemos permitir que nuestros problemas nos impidan estudiar la palabra de Dios. Sin la sabiduría y guía del Señor, nos faltará la perspectiva que necesitamos para experimentar una recuperación exitosa.

**52** Me acordé, oh Jehová, de tus juicios
antiguos,
Y me consolé.
**53** Horror se apoderó de mí a causa de los inicuos
Que dejan tu ley.
**54** Cánticos fueron para mí tus estatutos
En la casa en donde fui extranjero.
**55** Me acordé en la noche de tu nombre,
oh Jehová,
Y guardé tu ley.
**56** Estas bendiciones tuve
Porque guardé tus mandamientos.

Chet

**57** Mi porción es Jehová;
He dicho que guardaré tus palabras.
**58** Tu presencia supliqué de todo corazón;
Ten misericordia de mí según tu palabra.
**59** Consideré mis caminos,
Y volví mis pies a tus testimonios.
**60** Me apresuré y no me retardé
En guardar tus mandamientos.
**61** Compañías de impíos me han rodeado,
Mas no me he olvidado de tu ley.
**62** A medianoche me levanto para alabarte
Por tus justos juicios.
**63** Compañero soy yo de todos los que
te temen
Y guardan tus mandamientos.
**64** De tu misericordia, oh Jehová,
está llena la tierra;
Enséñame tus estatutos.

Tet

**65** Bien has hecho con tu siervo,
Oh Jehová, conforme a tu palabra.
**66** Enséñame buen sentido y sabiduría,
Porque tus mandamientos he creído.
**67** Antes que fuera yo humillado, descarriado
andaba;
Mas ahora guardo tu palabra.
**68** Bueno eres tú, y bienhechor;
Enséñame tus estatutos.
**69** Contra mí forjaron mentira los soberbios,
Mas yo guardaré de todo corazón tus
mandamientos.
**70** Se engrosó el corazón de ellos como sebo,
Mas yo en tu ley me he regocijado.
**71** Bueno me es haber sido humillado,
Para que aprenda tus estatutos.

**PASO 11**

### Secretos poderosos

LECTURA BÍBLICA: Salmo 119.1-11

**Tratamos, por medio de la oración y la meditación, de mejorar nuestra comunión consciente con Dios, pidiendo solamente conocer su voluntad para nosotros y el poder para llevarla a cabo.**
Los secretos que escondemos tienen un inmenso poder en nuestra vida. ¿Cuántas conductas adictivas o compulsivas las hemos mantenido ocultas o escondidas? Cuando por fin nos decidimos y confesamos a otra persona la naturaleza exacta de nuestra adicción, posiblemente nos haya sorprendido descubrir que la adicción había perdido su poder al quedar expuesta. El poder de los secretos y de las conductas escondidas puede obrar a nuestro favor o en contra nuestra.

El salmista escribió esta oración a Dios: «En mi corazón he guardado tus dichos, para no pecar contra ti» (Salmo 119.11). Si «guardamos» la palabra de Dios en nuestro corazón memorizándola y meditando en ella, encontraremos un nuevo poder para mantener limpios nuestra mente y corazón.

El poder de los secretos también obrará a nuestro favor en nuestra vida de oración. Jesús nos enseñó: «cuando ores, entra en tu aposento, y cerrada la puerta, ora a tu Padre que está en secreto; y tu Padre que ve en lo secreto te recompensará en público» (Mateo 6.6). En la medida en que pasemos tiempo a solas con Dios en oración y meditación, iremos descubriendo ese poder obrando en nuestro beneficio. *Vaya al Paso Doce, página 83, Marcos 16.*

---

**119.57-64** Cuando estamos en recuperación tenemos que buscar la voluntad de Dios para nuestra vida. La Biblia debe ser el primer lugar donde busquemos. Sin embargo, no debemos meramente escuchar su Palabra y estudiar sus principios. También necesitamos actuar apropiadamente una vez que conozcamos la voluntad divina (véase Santiago 1.22-25). Si llegamos a conocer la voluntad de Dios pero no actuamos basándonos en ella, estaremos igual que al principio. La recuperación exige que actuemos ¡ahora!
**119.71-72** Debemos estar agradecidos cuando Dios nos castigue por nuestros pecados. A pesar de lo doloroso que pueda ser, el castigo nos hace regresar a la verdad y esto vale más que todas las riquezas de

**72** Mejor me es la ley de tu boca
Que millares de oro y plata.

Yod

**73** Tus manos me hicieron y me formaron;
Hazme entender, y aprenderé tus
mandamientos.

**74** Los que te temen me verán, y se alegrarán,
Porque en tu palabra he esperado.

**75** Conozco, oh Jehová, que tus juicios
son justos,
Y que conforme a tu fidelidad
me afligiste.

**76** Sea ahora tu misericordia para consolarme,
Conforme a lo que has dicho a tu siervo.

**77** Vengan a mí tus misericordias,
para que viva,
Porque tu ley es mi delicia.

**78** Sean avergonzados los soberbios,
porque sin causa me han calumniado;
Pero yo meditaré en tus mandamientos.

**79** Vuélvanse a mí los que te temen
Y conocen tus testimonios.

**80** Sea mi corazón íntegro en tus estatutos,
Para que no sea yo avergonzado.

Caf

**81** Desfallece mi alma por tu salvación,
Mas espero en tu palabra.

**82** Desfallecieron mis ojos por tu palabra,
Diciendo: ¿Cuándo me consolarás?

**83** Porque estoy como el odre al humo;
Pero no he olvidado tus estatutos.

**84** ¿Cuántos son los días de tu siervo?
¿Cuándo harás juicio contra los que me
persiguen?

**85** Los soberbios me han cavado hoyos;
Mas no proceden según tu ley.

**86** Todos tus mandamientos son verdad;
Sin causa me persiguen; ayúdame.

**87** Casi me han echado por tierra,
Pero no he dejado tus mandamientos.

**88** Vivifícame conforme a tu misericordia,
Y guardaré los testimonios de tu boca.

Lámed

**89** Para siempre, oh Jehová,
Permanece tu palabra en los cielos.

**90** De generación en generación
es tu fidelidad;
Tú afirmaste la tierra, y subsiste.

**91** Por tu ordenación subsisten todas las cosas
hasta hoy,
Pues todas ellas te sirven.

**92** Si tu ley no hubiese sido mi delicia,
Ya en mi aflicción hubiera perecido.

**93** Nunca jamás me olvidaré de tus
mandamientos,
Porque con ellos me has vivificado.

**94** Tuyo soy yo, sálvame,
Porque he buscado tus mandamientos.

**95** Los impíos me han aguardado para
destruirme;
Mas yo consideraré tus testimonios.

**96** A toda perfección he visto fin;
Amplio sobremanera es tu mandamiento.

Mem

**97** ¡Oh, cuánto amo yo tu ley!
Todo el día es ella mi meditación.

**98** Me has hecho más sabio que mis enemigos
con tus mandamientos,
Porque siempre están conmigo.

**99** Más que todos mis enseñadores he entendido,
Porque tus testimonios son mi meditación.

**100** Más que los viejos he entendido,
Porque he guardado tus mandamientos;

**101** De todo mal camino contuve mis pies,
Para guardar tu palabra.

**102** No me aparté de tus juicios,
Porque tú me enseñaste.

**103** ¡Cuán dulces son a mi paladar tus palabras!
Más que la miel a mi boca.

**104** De tus mandamientos he adquirido
inteligencia;
Por tanto, he aborrecido todo camino
de mentira.

Nun

**105** Lámpara es a mis pies tu palabra,
Y lumbrera a mi camino.

**106** Juré y ratifiqué
Que guardaré tus justos juicios.

**107** Afligido estoy en gran manera;
Vivifícame, oh Jehová, conforme
a tu palabra.

**108** Te ruego, oh Jehová, que te sean agradables
los sacrificios voluntarios de mi boca,
Y me enseñes tus juicios.

**109** Mi vida está de continuo en peligro,
Mas no me he olvidado de tu ley.

---

este mundo. Dios sólo quiere lo mejor para nosotros. Debemos ser sabios para aprender cuando Dios nos somete a disciplina, en lugar de luchar contra ella. Se nos impone para nuestro mejoramiento, no para nuestra destrucción.

**119.73-77** Al obedecer los mandamientos revelados por Dios, la gente comenzará a ver los cambios operados en nuestra vida y alabarán a Dios. Toda la obra del Señor –incluso el castigo– surge de su bondad y fidelidad. Dios quiere que vivamos gozosos. Necesitamos buscar su voluntad y hacer lo mejor posible, con su ayuda, para cumplirla. A medida que el Señor nos vaya transformando nos iremos convirtiendo en un testimonio vivo del poder de Dios para transformar también otras vidas quebrantadas.

110 Me pusieron lazo los impíos,
Pero yo no me desvié de tus mandamientos.
111 Por heredad he tomado tus testimonios
para siempre,
Porque son el gozo de mi corazón.
112 Mi corazón incliné a cumplir tus estatutos
De continuo, hasta el fin.

Sámec
113 Aborrezco a los hombres hipócritas;
Mas amo tu ley.
114 Mi escondedero y mi escudo eres tú;
En tu palabra he esperado.
115 Apartaos de mí, malignos,
Pues yo guardaré los mandamientos
de mi Dios.
116 Susténtame conforme a tu palabra,
y viviré;
Y no quede yo avergonzado
de mi esperanza.
117 Sosténme, y seré salvo,
Y me regocijaré siempre en tus estatutos.
118 Hollaste a todos los que se desvían
de tus estatutos,
Porque su astucia es falsedad.
119 Como escorias hiciste consumir a todos los
impíos de la tierra;
Por tanto, yo he amado tus testimonios.
120 Mi carne se ha estremecido por temor de ti,
Y de tus juicios tengo miedo.

Ayin
121 Juicio y justicia he hecho;
No me abandones a mis opresores.
122 Afianza a tu siervo para bien;
No permitas que los soberbios
me opriman.
123 Mis ojos desfallecieron por tu salvación,
Y por la palabra de tu justicia.
124 Haz con tu siervo según tu misericordia,
Y enséñame tus estatutos.
125 Tu siervo soy yo, dame entendimiento
Para conocer tus testimonios.
126 Tiempo es de actuar, oh Jehová,
Porque han invalidado tu ley.
127 Por eso he amado tus mandamientos
Más que el oro, y más que oro muy puro.
128 Por eso estimé rectos todos tus
mandamientos sobre todas las cosas,
Y aborrecí todo camino de mentira.

Pe
129 Maravillosos son tus testimonios;
Por tanto, los ha guardado mi alma.
130 La exposición de tus palabras alumbra;
Hace entender a los simples.
131 Mi boca abrí y suspiré,
Porque deseaba tus mandamientos.
132 Mírame, y ten misericordia de mí,
Como acostumbras con los que aman
tu nombre.
133 Ordena mis pasos con tu palabra,
Y ninguna iniquidad se enseñoree de mí.
134 Líbrame de la violencia de los hombres,
Y guardaré tus mandamientos.
135 Haz que tu rostro resplandezca
sobre tu siervo,
Y enséñame tus estatutos.
136 Ríos de agua descendieron de mis ojos,
Porque no guardaban tu ley.

Tsade
137 Justo eres tú, oh Jehová,
Y rectos tus juicios.
138 Tus testimonios, que has recomendado,
Son rectos y muy fieles.
139 Mi celo me ha consumido,
Porque mis enemigos se olvidaron
de tus palabras.
140 Sumamente pura es tu palabra,
Y la ama tu siervo.
141 Pequeño soy yo, y desechado,
Mas no me he olvidado de tus
mandamientos.
142 Tu justicia es justicia eterna,
Y tu ley la verdad.
143 Aflicción y angustia se han apoderado
de mí,
Mas tus mandamientos fueron
mi delicia.
144 Justicia eterna son tus testimonios;
Dame entendimiento, y viviré.

Cof
145 Clamé con todo mi corazón;
respóndeme, Jehová,
Y guardaré tus estatutos.
146 A ti clamé; sálvame,
Y guardaré tus testimonios.
147 Me anticipé al alba, y clamé;
Esperé en tu palabra.

---

**119.124-128** Nunca seremos rescatados ni gozaremos de orientación segura para nuestra vida hasta que acudamos a Dios por ayuda. Seguir el plan de Dios para nuestra recuperación no será fácil, pero podemos contar con su ayuda. Como el salmista, debemos pedirle al Señor que nos enseñe sus principios. Cuando estemos bajo presión, quizás nos sintamos tentados a abandonar los principios divinos. Sin embargo, antes de regresar a nuestras viejas y destructivas conductas, deberíamos volvernos a Dios para que nos ayude a hacer lo correcto. Dios quiere que nos recuperemos. Él está dispuesto a darnos no sólo un plan sino también el estímulo que necesitamos para llevarlo a cabo.

148 Se anticiparon mis ojos a las vigilias
    de la noche,
    Para meditar en tus mandatos.
149 Oye mi voz conforme a tu misericordia;
    Oh Jehová, vivifícame conforme a tu juicio.
150 Se acercaron a la maldad los que
    me persiguen;
    Se alejaron de tu ley.
151 Cercano estás tú, oh Jehová,
    Y todos tus mandamientos son verdad.
152 Hace ya mucho que he entendido
    tus testimonios,
    Que para siempre los has establecido.

Resh
153 Mira mi aflicción, y líbrame,
    Porque de tu ley no me he olvidado.
154 Defiende mi causa, y redímeme;
    Vivifícame con tu palabra.
155 Lejos está de los impíos la salvación,
    Porque no buscan tus estatutos.
156 Muchas son tus misericordias, oh Jehová;
    Vivifícame conforme a tus juicios.
157 Muchos son mis perseguidores
    y mis enemigos,
    Mas de tus testimonios no me he apartado.
158 Veía a los prevaricadores, y me disgustaba,
    Porque no guardaban tus palabras.
159 Mira, oh Jehová, que amo tus
    mandamientos;
    Vivifícame conforme a tu misericordia.
160 La suma de tu palabra es verdad,
    Y eterno es todo juicio de tu justicia.

Sin
161 Príncipes me han perseguido sin causa,
    Pero mi corazón tuvo temor de tus palabras.
162 Me regocijo en tu palabra
    Como el que halla muchos despojos.
163 La mentira aborrezco y abomino;
    Tu ley amo.
164 Siete veces al día te alabo
    A causa de tus justos juicios.
165 Mucha paz tienen los que aman tu ley,
    Y no hay para ellos tropiezo.
166 Tu salvación he esperado, oh Jehová,
    Y tus mandamientos he puesto por obra.
167 Mi alma ha guardado tus testimonios,
    Y los he amado en gran manera.
168 He guardado tus mandamientos
    y tus testimonios,
    Porque todos mis caminos están delante de ti.

Tau
169 Llegue mi clamor delante de ti, oh Jehová;
    Dame entendimiento conforme
    a tu palabra.
170 Llegue mi oración delante de ti;
    Líbrame conforme a tu dicho.
171 Mis labios rebosarán alabanza
    Cuando me enseñes tus estatutos.
172 Hablará mi lengua tus dichos,
    Porque todos tus mandamientos
    son justicia.
173 Esté tu mano pronta para socorrerme,
    Porque tus mandamientos he escogido.
174 He deseado tu salvación, oh Jehová,
    Y tu ley es mi delicia.
175 Viva mi alma y te alabe,
    Y tus juicios me ayuden.
176 Yo anduve errante como oveja extraviada;
    busca a tu siervo,
    Porque no me he olvidado
    de tus mandamientos.

## Plegaria ante el peligro de la lengua engañosa
Cántico gradual.

**120** 1 A Jehová clamé estando
    en angustia,
    Y él me respondió.
2 Libra mi alma, oh Jehová,
    del labio mentiroso,
    Y de la lengua fraudulenta.
3 ¿Qué te dará, o qué te aprovechará,
    Oh lengua engañosa?
4 Agudas saetas de valiente,
    Con brasas de enebro.
5 ¡Ay de mí, que moro en Mesec,
    Y habito entre las tiendas de Cedar!
6 Mucho tiempo ha morado mi alma
    Con los que aborrecen la paz.
7 Yo soy pacífico;
    Mas ellos, así que hablo, me hacen guerra.

## Jehová es tu guardador
Cántico gradual.

**121** 1 Alzaré mis ojos a los montes;
    ¿De dónde vendrá mi socorro?
2 Mi socorro viene de Jehová,
    Que hizo los cielos y la tierra.
3 No dará tu pie al resbaladero,
    Ni se dormirá el que te guarda.

---

**119.153-160** Al confiar nuestra vida a Dios, él nos restaura a plenitud. Podemos estar seguros de que nos defenderá y nos protegerá de los que nos persiguen. Podemos contar con él para animarnos cuando el proceso de recuperación se vuelva difícil y doloroso. Al buscar la voluntad de Dios en su Palabra, descubriremos una maravillosa verdad: él es capaz de restaurarnos y darnos una vida plena. ¡Y está dispuesto a hacerlo!

⁴ He aquí, no se adormecerá ni dormirá
El que guarda a Israel.
⁵ Jehová es tu guardador;
Jehová es tu sombra a tu mano derecha.
⁶ El sol no te fatigará de día,
Ni la luna de noche.
⁷ Jehová te guardará de todo mal;
El guardará tu alma.
⁸ Jehová guardará tu salida y tu entrada
Desde ahora y para siempre.

## Oración por la paz de Jerusalén
Cántico gradual; de David.

**122** ¹ Yo me alegré con los que me decían:
A la casa de Jehová iremos.
² Nuestros pies estuvieron
Dentro de tus puertas, oh Jerusalén.
³ Jerusalén, que se ha edificado
Como una ciudad que está bien unida entre sí.
⁴ Y allá subieron las tribus, las tribus de JAH,
Conforme al testimonio dado a Israel,
Para alabar el nombre de Jehová.
⁵ Porque allá están las sillas del juicio,
Los tronos de la casa de David.
⁶ Pedid por la paz de Jerusalén;
Sean prosperados los que te aman.
⁷ Sea la paz dentro de tus muros,
Y el descanso dentro de tus palacios.
⁸ Por amor de mis hermanos
y mis compañeros
Diré yo: La paz sea contigo.
⁹ Por amor a la casa de Jehová nuestro Dios
Buscaré tu bien.

## Plegaria pidiendo misericordia
Cántico gradual.

**123** ¹ A ti alcé mis ojos,
A ti que habitas en los cielos.
² He aquí, como los ojos de los siervos miran
a la mano de sus señores,
Y como los ojos de la sierva a la mano
de su señora,
Así nuestros ojos miran a Jehová nuestro Dios,
Hasta que tenga misericordia de nosotros.
³ Ten misericordia de nosotros, oh Jehová,
ten misericordia de nosotros,
Porque estamos muy hastiados
de menosprecio.

⁴ Hastiada está nuestra alma
Del escarnio de los que están en holgura,
Y del menosprecio de los soberbios.

## Alabanza por haber sido librado de los enemigos
Cántico gradual; de David.

**124** ¹ A no haber estado Jehová
por nosotros,
Diga ahora Israel;
² A no haber estado Jehová por nosotros,
Cuando se levantaron contra nosotros
los hombres,
³ Vivos nos habrían tragado entonces,
Cuando se encendió su furor contra
nosotros.
⁴ Entonces nos habrían inundado
las aguas;
Sobre nuestra alma hubiera pasado
el torrente;
⁵ Hubieran entonces pasado sobre nuestra
alma las aguas impetuosas.
⁶ Bendito sea Jehová,
Que no nos dio por presa a los dientes
de ellos.
⁷ Nuestra alma escapó cual ave del lazo
de los cazadores;
Se rompió el lazo, y escapamos nosotros.
⁸ Nuestro socorro está en el nombre de
Jehová,
Que hizo el cielo y la tierra.

## Dios protege a su pueblo
Cántico gradual.

**125** ¹ Los que confían en Jehová
son como el monte de Sion,
Que no se mueve, sino que permanece
para siempre.
² Como Jerusalén tiene montes alrededor
de ella,
Así Jehová está alrededor de su pueblo
Desde ahora y para siempre.
³ Porque no reposará la vara de la impiedad
sobre la heredad de los justos;
No sea que extiendan los justos sus manos
a la iniquidad.
⁴ Haz bien, oh Jehová, a los buenos,
Y a los que son rectos en su corazón.

---

**121.1-8** Sólo Dios puede darnos la victoria sobre nuestra dependencia. Él nos cuida de día y de noche, colocándonos bajo sus alas protectoras. Él nos guarda de los peligros que amenazan con destruir nuestra vida y nos guarda del mal.
**124.1-8** Sin Dios, no hay esperanza de liberación. Si él no nos ayuda a pelear nuestras batallas, seremos arrollados por el poder de nuestra adicción. Debemos responder a la misericordiosa liberación que Dios ha realizado alabándolo por lo que ha hecho por nosotros. Este es el primer paso para comunicar a otros las buenas nuevas del amor y del poder de Dios.

5 Mas a los que se apartan tras
 sus perversidades,
Jehová los llevará con los que hacen
 iniquidad;
Paz sea sobre Israel.

## Oración por la restauración
Cántico gradual.

**126** 1 Cuando Jehová hiciere volver
 la cautividad de Sion,
Seremos como los que sueñan.
2 Entonces nuestra boca se llenará
 de risa,
Y nuestra lengua de alabanza;
Entonces dirán entre las naciones:
Grandes cosas ha hecho Jehová
 con éstos.
3 Grandes cosas ha hecho Jehová
 con nosotros;
Estaremos alegres.
4 Haz volver nuestra cautividad,
 oh Jehová,
Como los arroyos del Neguev.
5 Los que sembraron con lágrimas,
 con regocijo segarán.
6 Irá andando y llorando el que lleva
 la preciosa semilla;
Mas volverá a venir con regocijo,
 trayendo sus gavillas.

## La prosperidad viene de Jehová
Cántico gradual; para Salomón.

**127** 1 Si Jehová no edificare la casa,
 En vano trabajan los que
 la edifican;
Si Jehová no guardare la ciudad,
En vano vela la guardia.
2 Por demás es que os levantéis de
 madrugada, y vayáis tarde a reposar,
Y que comáis pan de dolores;
Pues que a su amado dará Dios
 el sueño.

3 He aquí, herencia de Jehová
 son los hijos;
Cosa de estima el fruto del vientre.
4 Como saetas en mano del valiente,
 Así son los hijos habidos en la
 juventud.
5 Bienaventurado el hombre que llenó
 su aljaba de ellos;
No será avergonzado
Cuando hablare con los enemigos
 en la puerta.

## La bienaventuranza del que teme a Jehová
Cántico gradual.

**128** 1 Bienaventurado todo aquel
 que teme a Jehová,
Que anda en sus caminos.
2 Cuando comieres el trabajo
 de tus manos,
Bienaventurado serás, y te irá bien.
3 Tu mujer será como vid que lleva fruto
 a los lados de tu casa;
Tus hijos como plantas de olivo alrededor
 de tu mesa.
4 He aquí que así será bendecido el hombre
 Que teme a Jehová.
5 Bendígate Jehová desde Sion,
 Y veas el bien de Jerusalén todos los días
 de tu vida,
6 Y veas a los hijos de tus hijos.
Paz sea sobre Israel.

## Plegaria pidiendo la destrucción de los enemigos de Sion
Cántico gradual.

**129** 1 Mucho me han angustiado
 desde mi juventud,
Puede decir ahora Israel;
2 Mucho me han angustiado desde
 mi juventud;
Mas no prevalecieron contra mí.

---

**126.1-6** Este salmo se escribió cuando los exiliados judíos regresaron de la cautividad. Dios hizo posible que su pueblo se recuperara de sus muchos pecados al dirigirlos en un período de doloroso exilio. Durante este exilio, ellos confesaron sus pecados y regresaron a Dios. Entonces, Dios les permitió regresar a su tierra natal. Esta puede ser también nuestra historia. A medida que experimentemos que Dios nos está restaurando, nuestras lágrimas se transformarán en gozo y podremos cantar nuestras canciones de alabanza. El cambio nunca se produce de la noche a la mañana, pero Dios promete completar la transformación de nuestra vida cuando llegue el momento indicado.

**127.1** Mientras tratamos de reconstruir nuestra vida, debemos asegurarnos de que Dios esté involucrado en el proceso de construcción. Sin él, no tenemos esperanza de éxito. Las fuerzas que nos desgarran son demasiado poderosas para que podamos hacerles frente sin ayuda. No obstante, Dios puede protegernos mientras se lleva a cabo el proceso de reconstrucción y nos dirigirá en cada paso del camino. Los programas de recuperación que no mantienen a Dios como el centro de nuestras vidas sólo nos producirán desengaño y sufrimientos más profundos. A menos que el Señor nos apoye en el proceso de recuperación, todos nuestros esfuerzos serán inútiles.

**3** Sobre mis espaldas araron los aradores;
Hicieron largos surcos.
**4** Jehová es justo;
Cortó las coyundas de los impíos.
**5** Serán avergonzados y vueltos atrás
Todos los que aborrecen a Sion.
**6** Serán como la hierba de los tejados,
Que se seca antes que crezca;
**7** De la cual no llenó el segador su mano,
Ni sus brazos el que hace gavillas.
**8** Ni dijeron los que pasaban:
Bendición de Jehová sea sobre vosotros;
Os bendecimos en el nombre de Jehová.

## Esperanza en que Jehová dará redención

Cántico gradual.

**130** **1** De lo profundo, oh Jehová,
a ti clamo.
**2** Señor, oye mi voz;
Estén atentos tus oídos
A la voz de mi súplica.
**3** JAH, si mirares a los pecados,
¿Quién, oh Señor, podrá mantenerse?
**4** Pero en ti hay perdón,
Para que seas reverenciado.
**5** Esperé yo a Jehová, esperó mi alma;
En su palabra he esperado.
**6** Mi alma espera a Jehová
Más que los centinelas a la mañana,
Más que los vigilantes a la mañana.
**7** Espere Israel a Jehová,
Porque en Jehová hay misericordia,
Y abundante redención con él;
**8** Y él redimirá a Israel
De todos sus pecados.*a*

## Confiando en Dios como un niño

Cántico gradual; de David.

**131** **1** Jehová, no se ha envanecido mi
corazón, ni mis ojos se enaltecieron;
Ni anduve en grandezas,
Ni en cosas demasiado sublimes para mí.
**2** En verdad que me he comportado y he
acallado mi alma
Como un niño destetado de su madre;
Como un niño destetado está mi alma.
**3** Espera, oh Israel, en Jehová,
Desde ahora y para siempre.

## Plegaria por bendición sobre el santuario

Cántico gradual.

**132** **1** Acuérdate, oh Jehová, de David,
Y de toda su aflicción;
**2** De cómo juró a Jehová,
Y prometió al Fuerte de Jacob:
**3** No entraré en la morada de mi casa,
Ni subiré sobre el lecho de mi estrado;
**4** No daré sueño a mis ojos,
Ni a mis párpados adormecimiento,
**5** Hasta que halle lugar para Jehová,
Morada para el Fuerte de Jacob.
**6** He aquí en Efrata lo oímos;
Lo hallamos en los campos del bosque.
**7** Entraremos en su tabernáculo;
Nos postraremos ante el estrado de sus pies.
**8** Levántate, oh Jehová, al lugar de tu reposo,
Tú y el arca de tu poder.
**9** Tus sacerdotes se vistan de justicia,
Y se regocijen tus santos.
**10** Por amor de David tu siervo
No vuelvas de tu ungido el rostro.*a*
**11** En verdad juró Jehová a David,
Y no se retractará de ello:
De tu descendencia pondré sobre tu trono.*b*
**12** Si tus hijos guardaren mi pacto,
Y mi testimonio que yo les enseñaré,
Sus hijos también se sentarán sobre tu trono
para siempre.
**13** Porque Jehová ha elegido a Sion;
La quiso por habitación para sí.
**14** Este es para siempre el lugar de mi reposo;
Aquí habitaré, porque la he querido.
**15** Bendeciré abundantemente su provisión;
A sus pobres saciaré de pan.
**16** Asimismo vestiré de salvación a sus
sacerdotes,
Y sus santos darán voces de júbilo.
**17** Allí haré retoñar el poder de David;
He dispuesto lámpara a mi ungido.*c*
**18** A sus enemigos vestiré de confusión,
Mas sobre él florecerá su corona.

## La bienaventuranza del amor fraternal

Cántico gradual; de David.

**133** **1** ¡Mirad cuán bueno y cuán
delicioso es
Habitar los hermanos juntos en armonía!

**130.8** *a* Mt. 1.21; Tit. 2.14.   **132.8-10** *a* 2 Cr. 6.41-42.   **132.11** *b* 2 S. 7.12-16; 1 Cr. 17.11-14; Sal. 89.3-4; Hch. 2.30.
**132.17** *c* 1 R. 11.36.

**130.1-8** Cuando clamamos a Dios queremos respuestas rápidas. Debemos agradecer que Dios no responda de acuerdo con lo que merecemos. Si lo hiciera, no recibiríamos sino condenación. El Señor nos perdona todo tipo de pecado para que así podamos adorarlo con corazones agradecidos. Él desea que nos liberemos de las fuerzas de pecado que nos asedian; y él nos libertará cuando clamemos a él.

**2** Es como el buen óleo sobre la cabeza,
El cual desciende sobre la barba,
La barba de Aarón,
Y baja hasta el borde de sus vestiduras;
**3** Como el rocío de Hermón,
Que desciende sobre los montes de Sion;
Porque allí envía Jehová bendición,
Y vida eterna.

## Exhortación a los guardas del templo

Cántico gradual.

**134** **1** Mirad, bendecid a Jehová,
Vosotros todos los siervos de Jehová,
Los que en la casa de Jehová estáis
por las noches.
**2** Alzad vuestras manos al santuario,
Y bendecid a Jehová.
**3** Desde Sion te bendiga Jehová,
El cual ha hecho los cielos y la tierra.

## La grandeza del Señor y la vanidad de los ídolos

Aleluya.

**135** **1** Alabad el nombre de Jehová;
Alabadle, siervos de Jehová;
**2** Los que estáis en la casa de Jehová,
En los atrios de la casa de nuestro Dios.
**3** Alabad a JAH, porque él es bueno;
Cantad salmos a su nombre, porque
él es benigno.
**4** Porque JAH ha escogido a Jacob para sí,
A Israel por posesión suya.
**5** Porque yo sé que Jehová es grande,
Y el Señor nuestro, mayor que todos los dioses.
**6** Todo lo que Jehová quiere, lo hace,
En los cielos y en la tierra, en los mares
y en todos los abismos.
**7** Hace subir las nubes de los extremos
de la tierra;
Hace los relámpagos para la lluvia;
Saca de sus depósitos los vientos.
**8** El es quien hizo morir a los primogénitos
de Egipto,
Desde el hombre hasta la bestia.

**9** Envió señales y prodigios en medio de ti,
oh Egipto,
Contra Faraón, y contra todos sus siervos.
**10** Destruyó a muchas naciones,
Y mató a reyes poderosos;
**11** A Sehón rey amorreo,
A Og rey de Basán,
Y a todos los reyes de Canaán.
**12** Y dio la tierra de ellos en heredad,
En heredad a Israel su pueblo.
**13** Oh Jehová, eterno es tu nombre;
Tu memoria, oh Jehová, de generación
en generación.
**14** Porque Jehová juzgará a su pueblo,
Y se compadecerá de sus siervos.
**15** Los ídolos de las naciones son plata y oro,
Obra de manos de hombres.
**16** Tienen boca, y no hablan;
Tienen ojos, y no ven;
**17** Tienen orejas, y no oyen;
Tampoco hay aliento en sus bocas.
**18** Semejantes a ellos son los que los hacen,
Y todos los que en ellos confían.*a*
**19** Casa de Israel, bendecid a Jehová;
Casa de Aarón, bendecid a Jehová;
**20** Casa de Leví, bendecid a Jehová;
Los que teméis a Jehová, bendecid a Jehová.
**21** Desde Sion sea bendecido Jehová,
Quien mora en Jerusalén.
Aleluya.

## Alabanza por la misericordia eterna de Jehová

**136** **1** Alabad a Jehová, porque
él es bueno,
Porque para siempre es su misericordia.*a*
**2** Alabad al Dios de los dioses,
Porque para siempre es su misericordia.
**3** Alabad al Señor de los señores,
Porque para siempre es su misericordia.
**4** Al único que hace grandes maravillas,
Porque para siempre es su misericordia.
**5** Al que hizo los cielos*b* con entendimiento,
Porque para siempre es su misericordia.

**135.15-18** *a* Sal. 115.4-8; Ap. 9.20. **136.1** *a* 1 Cr. 16.34; 2 Cr. 5.13; 7.3; Esd. 3.11;
Sal. 100.5; 106.1;107.1; 118.1; Jer. 33.11. **136.5** *b* Gn. 1.1.

**133.1-3** Reconciliarnos con nuestras amistades es una parte importante del proceso de recuperación. Necesitamos contar con personas que nos infundan aliento para superar nuestro dolor y resistir las tentaciones que tengamos que enfrentar. No hay nada que se compare con el compañerismo y la amistad entre los seres humanos, y Dios quiere bendecirnos por medio de otras personas. Los amigos que más nos ayudarán en la recuperación serán los que estén tratando de vivir vidas piadosas.
**135.1-13** Saber que Dios nos ha escogido como suyos debe darnos la confianza para recurrir a él cuando estamos en problemas. A lo largo de todo el Antiguo Testamento vemos claramente que Dios actúa para salvar a su pueblo. Puesto que Dios es todopoderoso y «todo lo que quiere, lo hace», puede ayudarnos cuando recurrimos a él. En su grandeza, no hay ningún problema que sea tan complicado que no pueda resolverlo.

**6** Al que extendió la tierra sobre las aguas,<sup>c</sup>
  Porque para siempre es su misericordia.
**7** Al que hizo las grandes lumbreras,<sup>d</sup>
  Porque para siempre es su misericordia.
**8** El sol para que señorease en el día,
  Porque para siempre es su misericordia.
**9** La luna y las estrellas para que señoreasen
    en la noche,
  Porque para siempre es su misericordia.
**10** Al que hirió a Egipto en sus
    primogénitos,<sup>e</sup>
  Porque para siempre es su misericordia.
**11** Al que sacó a Israel de en medio de ellos,<sup>f</sup>
  Porque para siempre es su misericordia.
**12** Con mano fuerte, y brazo extendido,
  Porque para siempre es su misericordia.
**13** Al que dividió el Mar Rojo en partes,<sup>g</sup>
  Porque para siempre es su misericordia;
**14** E hizo pasar a Israel por en medio de él,
  Porque para siempre es su misericordia;
**15** Y arrojó a Faraón y a su ejército
    en el Mar Rojo,
  Porque para siempre es su misericordia.
**16** Al que pastoreó a su pueblo
    por el desierto,
  Porque para siempre es su misericordia.
**17** Al que hirió a grandes reyes,
  Porque para siempre es su misericordia;
**18** Y mató a reyes poderosos,
  Porque para siempre es su misericordia;
**19** A Sehón rey amorreo,<sup>h</sup>
  Porque para siempre es su misericordia;
**20** Y a Og rey de Basán,<sup>i</sup>
  Porque para siempre es su misericordia;
**21** Y dio la tierra de ellos en heredad,
  Porque para siempre es su misericordia;
**22** En heredad a Israel su siervo,
  Porque para siempre es su misericordia.
**23** El es el que en nuestro abatimiento
    se acordó de nosotros,
  Porque para siempre es su misericordia;
**24** Y nos rescató de nuestros enemigos,
  Porque para siempre es su misericordia.
**25** El que da alimento a todo ser viviente,
  Porque para siempre es su misericordia.
**26** Alabad al Dios de los cielos,
  Porque para siempre es su misericordia.

## Lamento de los cautivos en Babilonia

**137** **1** Junto a los ríos de Babilonia,
    Allí nos sentábamos, y aun llorábamos,
    Acordándonos de Sion.
**2** Sobre los sauces en medio de ella
    Colgamos nuestras arpas.
**3** Y los que nos habían llevado cautivos nos
      pedían que cantásemos,
    Y los que nos habían desolado nos pedían
      alegría, diciendo:
    Cantadnos algunos de los cánticos de Sion.
**4** ¿Cómo cantaremos cántico de Jehová
    En tierra de extraños?
**5** Si me olvidare de ti, oh Jerusalén,
    Pierda mi diestra su destreza.
**6** Mi lengua se pegue a mi paladar,
    Si de ti no me acordare;
    Si no enalteciere a Jerusalén
    Como preferente asunto de mi alegría.
**7** Oh Jehová, recuerda contra los hijos de
      Edom el día de Jerusalén,
    Cuando decían: Arrasadla, arrasadla
    Hasta los cimientos.
**8** Hija de Babilonia la desolada,
    Bienaventurado el que te diere el pago
    De lo que tú nos hiciste.<sup>a</sup>
**9** Dichoso el que tomare y estrellare tus niños
    Contra la peña.

## Acción de gracias por el favor de Jehová

Salmo de David.

**138** **1** Te alabaré con todo mi corazón;
    Delante de los dioses te cantaré salmos.
**2** Me postraré hacia tu santo templo,
    Y alabaré tu nombre por tu misericordia
      y tu fidelidad;
    Porque has engrandecido tu nombre,
      y tu palabra sobre todas las cosas.
**3** El día que clamé, me respondiste;
    Me fortaleciste con vigor en mi alma.
**4** Te alabarán, oh Jehová, todos los reyes
      de la tierra,
    Porque han oído los dichos de tu boca.
**5** Y cantarán de los caminos de Jehová,
    Porque la gloria de Jehová es grande.
**6** Porque Jehová es excelso, y atiende al humilde,
    Mas al altivo mira de lejos.

---

**136.6** <sup>c</sup> Gn. 1.2.  **136.7-9** <sup>d</sup> Gn. 1.16.  **136.10** <sup>e</sup> Ex. 12.29.  **136.11** <sup>f</sup> Ex. 12.51.
**136.13-15** <sup>g</sup> Ex. 14.21-29.  **136.19** <sup>h</sup> Nm. 21.21-30.  **136.20** <sup>i</sup> Nm. 21.31-35.  **137.8** <sup>a</sup> Ap. 18.6.

---

**136.16-26** Luchar contra una poderosa adicción puede compararse con caminar por un desierto. Pero si encomendamos nuestra vida a Dios, él puede conducirnos a la victoria, de la misma forma como dirigió a los israelitas por el desierto. Dios nunca nos abandona cuando somos humillados por nuestros enemigos, ya sean externos o internos. Mejor aun, él nos libera de sus garras «porque para siempre es su misericordia».
**138.6-8** Dios responde favorablemente ante la humildad pero se mantiene a distancia del orgulloso, del que piensa que no lo necesita. Cuando nos mantengamos humildes y busquemos su rostro, él renovará

7 Si anduviere yo en medio de la angustia,
  tú me vivificarás;
Contra la ira de mis enemigos extenderás
  tu mano,
Y me salvará tu diestra.
8 Jehová cumplirá su propósito en mí;
  Tu misericordia, oh Jehová, es para siempre;
  No desampares la obra de tus manos.

## Omnipresencia y omnisciencia de Dios
Al músico principal. Salmo de David.

**139** 1 Oh Jehová, tú me has examinado
  y conocido.
2 Tú has conocido mi sentarme
  y mi levantarme;
Has entendido desde lejos mis pensamientos.
3 Has escudriñado mi andar y mi reposo,
  Y todos mis caminos te son conocidos.
4 Pues aún no está la palabra en mi lengua,
  Y he aquí, oh Jehová, tú la sabes toda.
5 Detrás y delante me rodeaste,
  Y sobre mí pusiste tu mano.
6 Tal conocimiento es demasiado
  maravilloso para mí;
  Alto es, no lo puedo comprender.
7 ¿A dónde me iré de tu Espíritu?
  ¿Y a dónde huiré de tu presencia?
8 Si subiere a los cielos, allí estás tú;
  Y si en el Seol hiciere mi estrado,
  he aquí, allí tú estás.
9 Si tomare las alas del alba
  Y habitare en el extremo del mar,
10 Aun allí me guiará tu mano,
  Y me asirá tu diestra.
11 Si dijere: Ciertamente las tinieblas
  me encubrirán;
Aun la noche resplandecerá
  alrededor de mí.
12 Aun las tinieblas no encubren de ti,
  Y la noche resplandece como el día;
  Lo mismo te son las tinieblas que la luz.
13 Porque tú formaste mis entrañas;
  Tú me hiciste en el vientre de mi madre.

14 Te alabaré; porque formidables,
  maravillosas son tus obras;
Estoy maravillado,
Y mi alma lo sabe muy bien.
15 No fue encubierto de ti mi cuerpo,
  Bien que en oculto fui formado,
  Y entretejido en lo más profundo
  de la tierra.
16 Mi embrión vieron tus ojos,
  Y en tu libro estaban escritas todas
  aquellas cosas
Que fueron luego formadas,
Sin faltar una de ellas.
17 ¡Cuán preciosos me son, oh Dios,
  tus pensamientos!
  ¡Cuán grande es la suma de ellos!
18 Si los enumero, se multiplican más
  que la arena;
Despierto, y aún estoy contigo.
19 De cierto, oh Dios, harás morir al impío;
  Apartaos, pues, de mí, hombres
  sanguinarios.
20 Porque blasfemias dicen ellos contra ti;
  Tus enemigos toman en vano tu nombre.
21 ¿No odio, oh Jehová, a los que
  te aborrecen,
  Y me enardezco contra tus enemigos?
22 Los aborrezco por completo;
  Los tengo por enemigos.
23 Examíname, oh Dios, y conoce mi corazón;
  Pruébame y conoce mis pensamientos;
24 Y ve si hay en mí camino de perversidad,
  Y guíame en el camino eterno.

## Súplica de protección contra los perseguidores
Al músico principal. Salmo de David.

**140** 1 Líbrame, oh Jehová,
  del hombre malo;
Guárdame de hombres violentos,
2 Los cuales maquinan males
  en el corazón,
Cada día urden contiendas.

---

nuestras fuerzas y nos dará poder sobre nuestros enemigos. Qué maravilloso es saber que el Señor está realizando sus planes en nuestra vida y que nunca nos fallará.

**139.6-12** Dios está en todo lugar. Nunca podemos escapar de su presencia. Saber esto debería guardarnos de caer en el pecado y alentarnos a seguir los caminos de Dios, sabiendo que él está ahí para ayudarnos. Él no está limitado ni por el espacio ni por el tiempo. El Señor está con nosotros de día y de noche para fortalecernos y apoyarnos.

**139.13-18** El poder de nuestra dependencia se enraíza con frecuencia en una pobre autoestima. Estos versículos revelan un hecho emocionante: todos nosotros somos criaturas asombrosas: «formidables [y] maravillosas son tus obras». Más todavía, ¡Dios está pensando en nosotros constantemente! Somos tan valiosos para él que ha registrado cada día de nuestra vida en un libro. Quizás nos hayan dicho, de una u otra forma, que no éramos buenos. Comenzamos a creer ese mensaje y hemos caído en la trampa de métodos destructivos para lidiar con el dolor. Cuando nos veamos como Dios nos ve, desaparecerá buena parte del dolor que nos induce a nuestra dependencia.

**SEÑOR, concédeme serenidad para aceptar las cosas que no puedo cambiar, valor para cambiar las que sí puedo y sabiduría para reconocer la diferencia entre ambas. AMÉN**

Muchos de nosotros nos hemos pasado la vida pretendiendo ser alguien que no somos. Nuestras conductas adictivas o compulsivas quizás sean solamente un intento desesperado por escapar de nosotros mismos. Tal vez nos cueste trabajo aceptar nuestra personalidad, nuestra apariencia, nuestras limitaciones o hasta nuestros talentos.

Quizás estemos perdiendo tiempo y energías tratando de ser lo que otras personas quieren que seamos, porque sentimos que lo que somos no es suficiente. Quizás hagamos todo lo posible por distanciarnos de nuestro ser interior porque estamos profundamente avergonzados de quiénes somos. El desprecio de nosotros mismos es un defecto de carácter que necesitamos eliminar. Engendra la envidia; es decir, el deseo de estar en la situación de otra persona o de tener lo que ella tiene. El salmista escribió: «Te alabaré; porque formidables, maravillosas son tus obras; estoy maravillado, y mi alma lo sabe muy bien» (Salmo 139.14). Decir que somos «obra» de Dios significa que somos una creación única y hermosa; obra de poesía divina. La belleza y el valor están grabados en cada fibra de nuestro ser por el poder de nuestro Creador.

Un paso importante en el proceso de recuperación es permitirle a Dios que elimine el desprecio que sentimos por nosotros mismos y que nos ayude a valorarnos por lo que somos. Fuimos creados milagrosamente y somos apreciados por Dios como un tesoro. Esto ha sido cierto desde el momento en que estábamos en el vientre de nuestra madre, ¡mucho antes de poder *hacer* algo para merecerlo! Cuando comencemos a ver que somos únicos y especiales –aceptados por Dios mismo– nuestro progreso hacia la recuperación deberá ser más rápido y duradero. ***Vaya a la página 567, Proverbios 2.***

---

³ Aguzaron su lengua como la serpiente;
Veneno de áspid hay debajo
de sus labios.*a*                                      *Selah*

⁴ Guárdame, oh Jehová,
de manos del impío;

Líbrame de hombres injuriosos,
Que han pensado trastornar mis pasos.
⁵ Me han escondido lazo y cuerdas
los soberbios;
Han tendido red junto a la senda;
Me han puesto lazos.                                  *Selah*

**140.3** *a* Ro. 3.13.

---

**140.1-5** Necesitamos la protección de Dios contra aquellos que pueden destruirnos. Hay personas a las que les gusta causar problemas, y pueden atraparnos y tentarnos para que regresemos a la venenosa dependencia que nos llevó primeramente a caer. Más que nunca, necesitamos que Dios nos libre de caer en sus trampas ocultas. Nunca estamos fuera de la zona de peligro, y quizás nunca escapemos totalmente de la peligrosa atracción de nuestra adicción. Debemos tomar la firme decisión de mantenernos cerca de Dios, él único que puede guardarnos seguros.

**6** He dicho a Jehová: Dios mío eres tú;
Escucha, oh Jehová, la voz de mis ruegos.
**7** Jehová Señor, potente salvador mío,
Tú pusiste a cubierto mi cabeza en el día
de batalla.
**8** No concedas, oh Jehová, al impío sus
deseos;
No saques adelante su pensamiento,
para que no se ensoberbezca.          *Selah*

**9** En cuanto a los que por todas partes
me rodean,
La maldad de sus propios labios cubrirá
su cabeza.
**10** Caerán sobre ellos brasas;
Serán echados en el fuego,
En abismos profundos de donde no salgan.
**11** El hombre deslenguado no será firme
en la tierra;
El mal cazará al hombre injusto
para derribarle.
**12** Yo sé que Jehová tomará a su cargo la causa
del afligido,
Y el derecho de los necesitados.
**13** Ciertamente los justos alabarán tu nombre;
Los rectos morarán en tu presencia.

## Oración a fin de ser guardado del mal
Salmo de David.

# 141
**1** Jehová, a ti he clamado;
apresúrate a mí;
Escucha mi voz cuando te invocare.
**2** Suba mi oración delante de ti como
el incienso,*a*
El don de mis manos como la ofrenda
de la tarde.
**3** Pon guarda a mi boca, oh Jehová;
Guarda la puerta de mis labios.
**4** No dejes que se incline mi corazón
a cosa mala,
A hacer obras impías
Con los que hacen iniquidad;
Y no coma yo de sus deleites.

**5** Que el justo me castigue, será un favor,
Y que me reprenda será un excelente
bálsamo
Que no me herirá la cabeza;
Pero mi oración será continuamente contra
las maldades de aquéllos.
**6** Serán despeñados sus jueces,
Y oirán mis palabras, que son verdaderas.
**7** Como quien hiende y rompe la tierra,
Son esparcidos nuestros huesos a la boca
del Seol.
**8** Por tanto, a ti, oh Jehová, Señor,
miran mis ojos;
En ti he confiado; no desampares mi alma.
**9** Guárdame de los lazos que me han tendido,
Y de las trampas de los que hacen iniquidad.
**10** Caigan los impíos a una en sus redes,
Mientras yo pasaré adelante.

## Petición de ayuda en medio de la prueba
Masquil de David. Oración que hizo cuando
estaba en la cueva.*a*

# 142
**1** Con mi voz clamaré a Jehová;
Con mi voz pediré a Jehová
misericordia.
**2** Delante de él expondré mi queja;
Delante de él manifestaré mi angustia.
**3** Cuando mi espíritu se angustiaba dentro
de mí, tú conociste mi senda.
En el camino en que andaba,
me escondieron lazo.
**4** Mira a mi diestra y observa, pues no hay
quien me quiera conocer;
No tengo refugio, ni hay quien cuide
de mi vida.
**5** Clamé a ti, oh Jehová;
Dije: Tú eres mi esperanza,
Y mi porción en la tierra de los vivientes.
**6** Escucha mi clamor, porque estoy
muy afligido.
Líbrame de los que me persiguen, porque
son más fuertes que yo.

---

**141.2** *a* Ap. 5.8.    **142 tít.** *a* 1 S. 22.1; 24.3.

---

**141.1-10** Cuando el ardiente deseo de nuestra adicción nos sobrecoja, necesitaremos la ayuda de Dios
para apagar el fuego. El Señor puede eliminar nuestro deseo de cosas malas y destructivas. Cuando la
tentación sea tan fuerte que no podamos resistirla, Dios nos ayudará a encontrar una salida (véase
1 Corintios 10.13). No debemos dudar en llamar a un amigo cristiano para pedir su oración y apoyo
cuando nos sintamos débiles. Durante tiempos de estrés, necesitaremos dejar que Dios sea nuestro
defensor, para que nos mantenga a salvo de las trampas de los malvados.
**142.1-7** El sufrimiento debe empujarnos hacia Dios, no a la desesperación. Debemos expresarle a Dios
francamente nuestros sentimientos sobre las pruebas que experimentamos. A muchos viejos amigos
realmente no les interesará lo que nos pase, pero a Dios sí le importa. Cuando nuestras dependencias
comiencen a consumir lo mejor de nosotros, lo que debemos hacer es entregarle nuestra vida a Dios. Él es
nuestro refugio. Sólo él puede ayudarnos a escapar de la esclavitud de nuestros pecados y rodearnos de
gente piadosa que nos anime y fortalezca.

**7** Saca mi alma de la cárcel, para que alabe
  tu nombre;
 Me rodearán los justos,
 Porque tú me serás propicio.

## Súplica de liberación y dirección
Salmo de David.

**143** **1** Oh Jehová, oye mi oración,
     escucha mis ruegos;
 Respóndeme por tu verdad, por tu justicia.
**2** Y no entres en juicio con tu siervo;
 Porque no se justificará delante de ti ningún
  ser humano.*a*
**3** Porque ha perseguido el enemigo mi alma;
 Ha postrado en tierra mi vida;
 Me ha hecho habitar en tinieblas como
  los ya muertos.
**4** Y mi espíritu se angustió dentro de mí;
 Está desolado mi corazón.
**5** Me acordé de los días antiguos;
 Meditaba en todas tus obras;
 Reflexionaba en las obras de tus manos.
**6** Extendí mis manos a ti,
 Mi alma a ti como la tierra sedienta.      *Selah*

**7** Respóndeme pronto, oh Jehová,
   porque desmaya mi espíritu;
 No escondas de mí tu rostro,
 No venga yo a ser semejante a los que
   descienden a la sepultura.
**8** Hazme oír por la mañana tu misericordia,
 Porque en ti he confiado;
 Hazme saber el camino por donde ande,
 Porque a ti he elevado mi alma.
**9** Líbrame de mis enemigos, oh Jehová;
 En ti me refugio.
**10** Enséñame a hacer tu voluntad,
   porque tú eres mi Dios;
 Tu buen espíritu me guíe a tierra de rectitud.
**11** Por tu nombre, oh Jehová, me vivificarás;
 Por tu justicia sacarás mi alma de angustia.
**12** Y por tu misericordia disiparás
   a mis enemigos,

 Y destruirás a todos los adversarios
  de mi alma,
 Porque yo soy tu siervo.

## Oración pidiendo socorro y prosperidad
Salmo de David.

**144** **1** Bendito sea Jehová, mi roca,
     Quien adiestra mis manos
     para la batalla,
 Y mis dedos para la guerra;
**2** Misericordia mía y mi castillo,
 Fortaleza mía y mi libertador,
 Escudo mío, en quien he confiado;
 El que sujeta a mi pueblo debajo de mí.
**3** Oh Jehová, ¿qué es el hombre,
   para que en él pienses,
 O el hijo de hombre, para que lo estimes?*a*
**4** El hombre es semejante a la vanidad;
 Sus días son como la sombra que pasa.
**5** Oh Jehová, inclina tus cielos y desciende;
 Toca los montes, y humeen.
**6** Despide relámpagos y disípalos,
 Envía tus saetas y túrbalos.
**7** Envía tu mano desde lo alto;
 Redímeme, y sácame de las muchas aguas,
 De la mano de los hombres extraños,
**8** Cuya boca habla vanidad,
 Y cuya diestra es diestra de mentira.
**9** Oh Dios, a ti cantaré cántico nuevo;
 Con salterio, con decacordio cantaré a ti.
**10** Tú, el que da victoria a los reyes,
 El que rescata de maligna espada a David
   su siervo.
**11** Rescátame, y líbrame de la mano
   de los hombres extraños,
 Cuya boca habla vanidad,
 Y cuya diestra es diestra de mentira.
**12** Sean nuestros hijos como plantas crecidas
   en su juventud,
 Nuestras hijas como esquinas labradas
   como las de un palacio;
**13** Nuestros graneros llenos, provistos
   de toda suerte de grano;

---

**143.2** *a* Ro. 3.20; Gá. 2.16.  **144.3** *a* Job 7.17-18; Sal. 8.4.

---

**143.5-12** Con frecuencia nuestra adicción hace difícil que pensemos en otra cosa que no sea el presente. Quizás hayamos perdido toda esperanza, y nuestra depresión se esté haciendo más profunda. Es muy importante en la recuperación que recordemos los momentos pasados en los que Dios nos ayudó a vencer nuestra adicción. Al pasar tiempo en oración, su misericordioso Espíritu nos ayudará a continuar adelante y nos mostrará cómo debemos vivir.

**144.3-8** Un misterio que nunca entenderemos en esta vida es por qué Dios se habría de preocupar por nosotros. Un misterio aun mayor es cómo él pudo amarnos estando nosotros abrumados por nuestras adicciones y compulsiones destructivas. ¿Por qué Dios es tan bueno con nosotros? ¿Por qué nos rescata continuamente? Es propio de la naturaleza de Dios hacer esto; él es un Dios amoroso, lleno de gracia y misericordia. Él quiere lo mejor para su creación. Necesitamos actuar de acuerdo con las promesas de Dios para nosotros y regocijarnos en su ilimitada bondad.

Nuestros ganados, que se multipliquen
a millares y decenas de millares
en nuestros campos;

14 Nuestros bueyes estén fuertes para
el trabajo;
No tengamos asalto, ni que hacer salida,
Ni grito de alarma en nuestras plazas.

15 Bienaventurado el pueblo que tiene esto;
Bienaventurado el pueblo cuyo Dios
es Jehová.

## Alabanza por la bondad y el poder de Dios

Salmo de alabanza; de David.

**145** 1 Te exaltaré, mi Dios, mi Rey,
Y bendeciré tu nombre eternamente
y para siempre.

2 Cada día te bendeciré,
Y alabaré tu nombre eternamente
y para siempre.

3 Grande es Jehová, y digno de suprema
alabanza;
Y su grandeza es inescrutable.

4 Generación a generación celebrará
tus obras,
Y anunciará tus poderosos hechos.

5 En la hermosura de la gloria de tu
magnificencia,
Y en tus hechos maravillosos meditaré.

6 Del poder de tus hechos estupendos
hablarán los hombres,
Y yo publicaré tu grandeza.

7 Proclamarán la memoria de tu inmensa
bondad,
Y cantarán tu justicia.

8 Clemente y misericordioso es Jehová,
Lento para la ira, y grande en misericordia.

9 Bueno es Jehová para con todos,
Y sus misericordias sobre todas sus obras.

10 Te alaben, oh Jehová, todas tus obras,
Y tus santos te bendigan.

11 La gloria de tu reino digan,
Y hablen de tu poder,

12 Para hacer saber a los hijos de los hombres
sus poderosos hechos,
Y la gloria de la magnificencia de su reino.

13 Tu reino es reino de todos los siglos,
Y tu señorío en todas las generaciones.

14 Sostiene Jehová a todos los que caen,
Y levanta a todos los oprimidos.

15 Los ojos de todos esperan en ti,
Y tú les das su comida a su tiempo.

16 Abres tu mano,
Y colmas de bendición a todo ser viviente.

17 Justo es Jehová en todos sus caminos,
Y misericordioso en todas sus obras.

18 Cercano está Jehová a todos los
que le invocan,
A todos los que le invocan de veras.

19 Cumplirá el deseo de los que le temen;
Oirá asimismo el clamor de ellos,
y los salvará.

20 Jehová guarda a todos los que le aman,
Mas destruirá a todos los impíos.

21 La alabanza de Jehová proclamará
mi boca;
Y todos bendigan su santo nombre
eternamente y para siempre.

## Alabanza por la justicia de Dios

Aleluya.

**146** 1 Alaba, oh alma mía, a Jehová.
2 Alabaré a Jehová en mi vida;
Cantaré salmos a mi Dios mientras viva.

3 No confiéis en los príncipes,
Ni en hijo de hombre, porque no hay
en él salvación.

4 Pues sale su aliento, y vuelve a la tierra;
En ese mismo día perecen sus
pensamientos.

5 Bienaventurado aquel cuyo ayudador
es el Dios de Jacob,
Cuya esperanza está en Jehová su Dios,

6 El cual hizo los cielos y la tierra,
El mar, y todo lo que en ellos hay;
Que guarda verdad para siempre,

---

**145.1-7** La alabanza es una arma eficaz contra las tentaciones de nuestra dependencia. Mantener nuestra mente enfocada en Dios y alabarlo son armas útiles contra nuestra adicción. Alabar a Dios por lo que ha hecho en nuestra vida puede llevar gozo y aliento a otros.

**145.8-13** Dios derrama sobre nosotros sus bendiciones y con frecuencia retiene el juicio que merecemos. Aunque él aborrece nuestro pecado, no reacciona con ira. En lugar de esto, nos muestra gran compasión. Algún día toda la creación reconocerá lo que Dios ha hecho y lo alabará. Nosotros somos parte de la muchedumbre que será muestra de su gran poder, especialmente del poder que produjo liberación en nuestra vida.

**146.5-9** Dios creó todas las cosas y se preocupa por todos los seres de su creación, aun por los más humildes. Él hace justicia al oprimido, alimenta al hambriento y liberta a los prisioneros. Sólo él puede volvernos a nuestro sano juicio cuando el pecado haya hecho que perdamos el control de nuestra vida. Quizás pensemos que nadie se preocupa por nosotros, pero podemos estar seguros de que Dios sí lo hace. Él cuida hasta de quienes no tienen a nadie más que se preocupe por ellos.

**7** Que hace justicia a los agraviados,
Que da pan a los hambrientos.
Jehová liberta a los cautivos;

**8** Jehová abre los ojos a los ciegos;
Jehová levanta a los caídos;
Jehová ama a los justos.

**9** Jehová guarda a los extranjeros;
Al huérfano y a la viuda sostiene,
Y el camino de los impíos trastorna.

**10** Reinará Jehová para siempre;
Tu Dios, oh Sion, de generación
en generación.
Aleluya.

### Alabanza por el favor de Dios hacia Jerusalén

**147** **1** Alabad a JAH,
Porque es bueno cantar salmos
a nuestro Dios;
Porque suave y hermosa es la alabanza.

**2** Jehová edifica a Jerusalén;
A los desterrados de Israel recogerá.

**3** El sana a los quebrantados de corazón,
Y venda sus heridas.

**4** El cuenta el número de las estrellas;
A todas ellas llama por sus nombres.

**5** Grande es el Señor nuestro,
y de mucho poder;
Y su entendimiento es infinito.

**6** Jehová exalta a los humildes,
Y humilla a los impíos hasta la tierra.

**7** Cantad a Jehová con alabanza,
Cantad con arpa a nuestro Dios.

**8** El es quien cubre de nubes los cielos,
El que prepara la lluvia para la tierra,
El que hace a los montes
producir hierba.

**9** El da a la bestia su mantenimiento,
Y a los hijos de los cuervos que claman.

**10** No se deleita en la fuerza del caballo,
Ni se complace en la agilidad del hombre.

**11** Se complace Jehová en los que le temen,
Y en los que esperan en su misericordia.

**12** Alaba a Jehová, Jerusalén;
Alaba a tu Dios, oh Sion.

**13** Porque fortificó los cerrojos de tus puertas;
Bendijo a tus hijos dentro de ti.

**14** El da en tu territorio la paz;
Te hará saciar con lo mejor del trigo.

**15** El envía su palabra a la tierra;
Velozmente corre su palabra.

**16** Da la nieve como lana,
Y derrama la escarcha como ceniza.

**17** Echa su hielo como pedazos;
Ante su frío, ¿quién resistirá?

**18** Enviará su palabra, y los derretirá;
Soplará su viento, y fluirán las aguas.

**19** Ha manifestado sus palabras a Jacob,
Sus estatutos y sus juicios a Israel.

**20** No ha hecho así con ninguna otra
de las naciones;
Y en cuanto a sus juicios, no los conocieron.
Aleluya.

### Exhortación a la creación, para que alabe a Jehová

Aleluya.

**148** **1** Alabad a Jehová desde los cielos;
Alabadle en las alturas.

**2** Alabadle, vosotros todos sus ángeles;
Alabadle, vosotros todos sus ejércitos.

**3** Alabadle, sol y luna;
Alabadle, vosotras todas, lucientes estrellas.

**4** Alabadle, cielos de los cielos,
Y las aguas que están sobre los cielos.

**5** Alaben el nombre de Jehová;
Porque él mandó, y fueron creados.

**6** Los hizo ser eternamente y para siempre;
Les puso ley que no será quebrantada.

**7** Alabad a Jehová desde la tierra,
Los monstruos marinos y todos los abismos;

**8** El fuego y el granizo, la nieve y el vapor,
El viento de tempestad que ejecuta
su palabra;

**9** Los montes y todos los collados,
El árbol de fruto y todos los cedros;

**10** La bestia y todo animal,
Reptiles y volátiles;

**11** Los reyes de la tierra y todos los pueblos,
Los príncipes y todos los jueces de la tierra;

---

**147.2-11** Dios nos puede conceder una vida plena. Necesitamos volvernos a él en vez de consumirnos en nuestra culpa. Siempre hay esperanza cuando honramos a Dios en nuestra vida, porque no hay nada más grande que el poder de Dios. Él puede sanarnos y proveer para todas nuestras necesidades, y nunca se siente abrumado por la dependencia a la que nosotros llamamos nuestro enemigo.

**147.12-20** Dios es nuestro defensor y pacificador; él es quien satisface todas nuestras necesidades. Como él es el creador y sostenedor de toda la naturaleza, no debemos dudar de su habilidad para cuidar de nosotros una vez que le hayamos entregado a él nuestra vida. Él es digno de nuestra confianza.

**148.1-14** Dios merece nuestra alabanza por todo el bien que recibimos día a día. El menor de estos beneficios no es la ayuda que nos da para que nuestra vida reciba sanidad y vuelva a la cordura. Hubo un tiempo en el que nos sentíamos descontrolados; ahora Dios nos está fortaleciendo. Eso debería darnos una razón más que suficiente para unirnos al resto del universo en un coro de alabanza sin fin.

12 Los jóvenes y también las doncellas,
   Los ancianos y los niños.
13 Alaben el nombre de Jehová,
   Porque sólo su nombre es enaltecido.
   Su gloria es sobre tierra y cielos.
14 El ha exaltado el poderío de su pueblo;
   Alábenle todos sus santos, los hijos de Israel,
   El pueblo a él cercano.
   Aleluya.

7 Para ejecutar venganza entre
   las naciones,
   Y castigo entre los pueblos;
8 Para aprisionar a sus reyes con grillos,
   Y a sus nobles con cadenas de hierro;
9 Para ejecutar en ellos el juicio
   decretado;
   Gloria será esto para todos sus santos.
   Aleluya.

## Exhortación a Israel, para que alabe a Jehová

Aleluya.

**149** 1 Cantad a Jehová cántico nuevo;
   Su alabanza sea en la
   congregación de los santos.
2 Alégrese Israel en su Hacedor;
   Los hijos de Sion se gocen en su Rey.
3 Alaben su nombre con danza;
   Con pandero y arpa a él canten.
4 Porque Jehová tiene contentamiento
   en su pueblo;
   Hermoseará a los humildes con la salvación.
5 Regocíjense los santos por su gloria,
   Y canten aun sobre sus camas.
6 Exalten a Dios con sus gargantas,
   Y espadas de dos filos en sus manos,

## Exhortación a alabar a Dios con instrumentos de música

Aleluya.

**150** 1 Alabad a Dios en su santuario;
   Alabadle en la magnificencia
   de su firmamento.
2 Alabadle por sus proezas;
   Alabadle conforme a la muchedumbre
   de su grandeza.
3 Alabadle a son de bocina;
   Alabadle con salterio y arpa.
4 Alabadle con pandero y danza;
   Alabadle con cuerdas y flautas.
5 Alabadle con címbalos resonantes;
   Alabadle con címbalos de júbilo.
6 Todo lo que respira alabe a JAH.
   Aleluya.

**149.1-9** No debería ser difícil entregarle nuestra vida a Dios. Él es el que nos da salvación y ayuda al humilde y al necesitado, o sea, a personas que son como nosotros. Saber que él cuida de nosotros debe hacer que nos regocijemos y cantemos alabanzas. Dios siempre quiere lo mejor para nosotros. Todo lo que tenemos que hacer es entregarle nuestra vida.

**150.1-6** Una de las mejores manera de alabar a Dios es con nuestra vida, lo que incluye someternos a su voluntad y compartir las buenas nuevas con otros. Todos nosotros somos receptores de su amoroso perdón y de la restauración que él ha realizado. Toda criatura viviente —cada uno de nosotros— tiene abundantes razones para alabar a nuestro maravilloso y misericordioso Dios. «Todo lo que respira alabe a JAH. Aleluya.»

# REFLEXIONES SOBRE SALMOS

**✻ *perspectivas*** SOBRE LA PROTECCIÓN DE DIOS

En el **Salmo 4.1-3** David se regocija por la poderosa protección de Dios. En tiempos de angustia nuestro misericordioso Dios es el perfecto refugio para el descanso. Su oído está atento y escucha nuestro pedido de ayuda. Dios quiere que pongamos en él nuestra confianza. Lo ofendemos cuando confiamos en nuestros propios recursos o en cualquier otra cosa para liberarnos de nuestros problemas. Cuando le entregamos a Dios nuestra vida y nuestra voluntad, nos convertimos en sus escogidos, a quienes él promete oír cuando lo llamamos.

En el **Salmo 7.3-11** David buscó a Dios para que lo defendiera de los juicios difamatorios de sus enemigos. Aquellos que nos atacan o tratan de socavar nuestro proceso de recuperación usando mentiras, no sólo son nuestros enemigos, sino que también son enemigos de Dios. Podemos contar con que el Señor lidiará con esos enemigos nuestros y de él, si estamos haciendo lo posible por evitar la tentación. Debemos detestar las cosas que Dios detesta. No necesitamos defender nuestras decisiones cuando estamos escogiendo el camino correcto; Dios ha prometido ser nuestro defensor.

En el **Salmo 18.30-36** David alabó a Dios por su habilidad para proteger a los que buscan su ayuda. Dios nos protegerá si estamos dispuestos a reconocer nuestras debilidades y depender de él. El Señor nos capacitará para hacer lo correcto en situaciones difíciles y nos dará la habilidad para caminar sin caer, aun cuando el camino sea resbaloso. Dios también equipa a su pueblo para la guerra espiritual, capacitándonos para usar el escudo de salvación y otras armas poderosas. Si sólo le pedimos que nos ayude, Dios nos protegerá de las tentaciones que puedan llevarnos a la derrota.

En el **Salmo 27.1-6** David alaba al Señor por haber provisto protección y esperanza. No tenemos nada que temer en esta vida si ponemos toda nuestra confianza en Dios como nuestro guía, libertador y protector. Con Dios de nuestro lado, no hay necesidad de que nos dejemos llevar por las personas que antes nos hacían descarriar. Si mantenemos un constante contacto con Dios, podemos estar seguros de que cuando lleguen los problemas, él nos cuidará, hará que nuestro camino sea seguro y nos acercará aún más a él.

En el **Salmo 31.1-5** las palabras de David muestran su dependencia de Dios en momentos de peligro y ansiedad. Dios es nuestra fortaleza, nuestra roca fuerte, aquel a quien podemos acudir cuando nos sentimos abrumados por las tentaciones y los peligros. Puesto que sabemos que él siempre hará lo correcto, podemos estar confiados al poner bajo su cuidado nuestra vida y nuestra voluntad.

En el **Salmo 56.1-7** David confió en Dios para que cuidara de él en un momento de gran peligro. Cuando circunstancias tentadoras y peligrosas nos aterren, necesitamos encomendar a Dios nuestra vida y nuestra voluntad. Necesitamos confiar en él y en sus promesas. Él puede fortalecernos para que no volvamos a caer. Algunas veces es obvio cuál es el enemigo que enfrentamos. En otros momentos los ataques son sutiles, por lo que necesitamos tener mucho cuidado.

## �֎ *perspectivas* SOBRE LA LIBERACIÓN QUE DIOS OFRECE

Probablemente David escribió el **Salmo 9.7-14** poco después de una gran victoria sobre los filisteos. David alabó a Dios por haberlo liberado de tan poderosos enemigos. Dios es misericordioso; él siempre está listo para ayudar a los que están bajo la opresión de sus enemigos. En el tiempo perfecto de Dios, quienes estén oprimidos encontrarán aliento y consuelo si depositan en él su confianza. Puesto que Dios nunca abandona a los que confían en él, debemos alabarlo y contarles a otros que él nos ha rescatado. Al recordar su fidelidad hacia nosotros en momentos de desaliento, estaremos en capacidad de llevar a otros este mensaje de aliento.

Después de lamentarse por las acciones opresivas de los que hacen iniquidad, David, en el **Salmo 14.4-7**, expresó su confianza en que Dios podía liberarlo de las garras de esos opresores. Puede ser que otras personas hayan causado muchos de nuestros problemas. Alguien pudo haberse aprovechado de nosotros sin tomar en consideración nuestros sentimientos. Si es así, podemos encontrar consuelo en dos hechos. Primero, Dios juzgará a quienes nos han lastimado; no tenemos que aferrarnos a nuestra rabia ni a nuestro rencor. Segundo, Dios está con nosotros; él está ahí para acompañarnos de principio a fin en el proceso de la recuperación. En su momento perfecto él nos rescatará.

David escribió el **Salmo 18.1-5** poco después de que Dios lo salvó de sus enemigos. Dios es más que capaz de librarnos de nuestros problemas. Él es la fuente de nuestra fortaleza, nuestra roca y aquel de quien debemos depender al tratar de liberarnos de nuestra esclavitud. El salmista descubrió que su decisión de clamar a Dios pidiendo ayuda fue una sabia decisión. Nosotros también podemos experimentar la liberación divina. Debemos comenzar por confesar nuestra impotencia, que es el primer paso hacia la recuperación. Luego podemos fijar nuestros ojos en Dios para que nos dé la ayuda que necesitamos para vencer nuestra dependencia.

En el **Salmo 31.14-18** el salmista expresó su confianza en que Dios y nadie más podía liberarlo de sus problemas. David también se dio cuenta de que sin la ayuda de Dios sería humillado. El Señor es el único que puede resolver nuestros problemas. Él está dispuesto a ayudarnos a sobreponernos tanto a las personas como a las situaciones que una vez nos hicieron caer. Necesitamos asegurarnos de que él es el centro de nuestra vida mientras continuamos en el proceso de recuperación.

En el **Salmo 42.4-11** el salmista expresó con toda sinceridad sus sentimientos de depresión. Sentía que

Dios lo había abandonado. Luego declaró su fe en Dios y puso otra vez su esperanza en él. Luchó con sus emociones —entre la desesperación y la fe— y siempre fue sincero con respecto a sus sentimientos. En el proceso de recuperación, tal vez pasemos por momentos de profunda depresión. Pero Dios quiere que recordemos que aun cuando un diluvio de problemas se desate sobre nosotros, debemos seguir confiando en él. Debemos sentirnos libres para expresarle a Dios nuestros sentimientos. Al presentarle nuestras quejas, él nos envolverá con las olas de su persistente amor.

En el **Salmo 57.4-6** David testificó de la fiel ayuda y del amor de Dios en tiempos de problemas. Nunca resulta fácil manejar nuestras dependencias y compulsiones. De hecho, sin la ayuda de Dios, es totalmente imposible. Pero Dios es mucho más poderoso que la combinación de todos nuestros enemigos externos e internos. Él gobierna los cielos y la tierra, y es capaz de frustrar los planes de nuestros enemigos y está dispuesto a hacerlo.

David escribió el **Salmo 60.6-12** durante tiempos de guerra y afirmó que su ayuda vino de Dios y de nadie más. Podemos acercarnos a Dios en busca de liberación, porque él ha prometido ayudarnos. El Señor nos recuerda que todavía le pertenecemos, sin importar cuán grandes sean nuestros fracasos pasados. Él todavía ofrece una vida digna a cualquiera que esté dispuesto a hacer lo mejor posible por seguir el plan divino. Él todavía puede darnos la victoria si le permitimos que nos ayude a pelear nuestras batallas contra la tentación.

Del **Salmo 76.1-12** aprendemos que Dios es capaz de vencer aun la más poderosa oposición que podamos enfrentar. Él puede incluso usar, para llevar a cabo su plan de bien, las cosas malas que nos sucedan. El poder de Dios es mucho mayor que lo que podamos imaginar. Él puede resolver aun nuestros problemas más difíciles. Todo lo que tenemos que hacer es entregarle a él lo que nos esclaviza, y confiar nuestra vida a su cuidado. Cuando él pelea por nosotros, ninguno de nuestros enemigos —pasados, presentes o futuros— pueden resistir en pie contra nosotros.

En el **Salmo 104.19-24** el salmista alabó a Dios por su maravilloso dominio sobre el mundo creado. Dios usa el sol para regular el ciclo de los días y las noches, y la luna para marcar las estaciones. Un poder y control como estos sobre el mundo físico debe animarnos a confiar en que cuando encomendamos nuestra vida a Dios, nos hemos entregado a alguien que tiene poder para ayudarnos.

En el **Salmo 109.16-20** David habló con Dios sobre los inmerecidos ataques que fue obligado a soportar. Todos hemos sufrido injusticias; todos conocemos los sentimientos que acompañan al sufrimiento del inocente. Cuando nos lastiman sin causa justificada, quizá sintamos la tentación de responder vengativamente. Esto nunca eliminará nuestro dolor ni sanará nuestras heridas. Necesitamos deshacernos de la ira que nos domine, pues en caso contrario esa ira nos hará sufrir más. Podemos confiar en Dios para que aplique su justicia en su momento indicado. A fin de cuentas, él devolverá a los culpables el mismo tipo de mal que ellos le hicieron al inocente. Dios es el mejor juez; es mejor dejar en sus manos el juicio contra los pecados de otros.

## ✽ *perspectivas* SOBRE EL PERDÓN DE DIOS

En el **Salmo 103.8-12** David alabó a Dios por su gran amor y misericordia. Nos debe alentar el saber que Dios nos ama lo suficiente no sólo para perdonar nuestros pecados sino también para olvidarlos para siempre: como «está lejos el oriente del occidente, hizo alejar de nosotros nuestras rebeliones». Todos hemos fallado; nuestros errores han lastimado a otras personas y dañado o destruido nuestras relaciones de amistad. Algunas veces, a otros les cuesta trabajo perdonarnos, aun cuando busquemos reparar el daño que podamos haber causado. Dios, por otro lado, está esperando para darnos su perdón. Todo lo que tenemos que hacer es confesar nuestros pecados y entregarle nuestra vida. Saber que Dios nos ha perdonado debe darnos el valor para seguir buscando la reconciliación con las personas a las que hayamos lastimado.

## ✽ *perspectivas* SOBRE EL VALOR DE LA CONFESIÓN

En el **Salmo 15.1-5** David reflexionó sobre el hecho de que la manera que Dios tiene de hacer las cosas conduce a la estabilidad y la paz. Si queremos progresar en nuestra recuperación, nunca debemos hacer concesiones al pecado, ya sea nuestro o el de otra persona. No importa lo doloroso que pueda ser, debemos confesar el pecado que haya en nuestra vida o, en algunos casos, confrontar a otros con el de ellos. En muchas ocasiones nuestros pecados habían causado gran dolor y pérdida a las personas más allegadas a nosotros. Necesitamos ser más sensibles al daño que hayamos causado y ser específicos al hacer nuestro inventario moral personal. Esto nos ayudará a romper el ciclo de pecado en el que nos encontremos y protegerá a nuestros seres queridos de un daño mayor.

En el **Salmo 18.25-29** David reconoció el deseo de Dios de hacer misericordia con aquellos que son misericordiosos con otros y se arrepienten de sus pecados. Cuando estamos listos para confesar nuestras faltas al Señor y a otros, y cuando mostramos misericordia hacia los demás, Dios tiene misericordia de nosotros. Nos hacemos mucho daño a nosotros mismos y a otros cuando somos tan orgullosos que no aceptamos nuestros fracasos. Pero Dios siempre está listo para ayudarnos cuando reconozcamos quién es él.

En el **Salmo 19.12-14** David le pidió a Dios que le revelara los pecados ocultos en su vida, para así superar cualquier actitud de rechazo que pudiera asumir. Él estaba haciendo su inventario moral y le rogó a Dios que lo ayudara a hacerlo con absoluta sinceridad. Puesto que tendemos a cegarnos ante nuestra disposición al pecado, necesitamos que Dios aclare nuestro pensamiento; o sea, que nos revele cualquier pecado que esté tramando a escondidas su engaño y que nos libere de pecar deliberadamente. Cuando nuestros pensamientos estén en sintonía con Dios, nuestras acciones también lo estarán.

En el **Salmo 38.9-16** el salmista reconoció lo abominable que se había vuelto a causa de sus pecados. Por eso, se volvió al único que estaba oyendo; de hecho, al único que podía ayudar: Dios. Mientras más tiempo permanezcamos en pecado, más incapaces nos volvemos. Nuestro corazón late con temor, nuestras energías menguan y nuestra habilidad para vernos tal cual somos se distorsiona. Aun los amigos íntimos y los familiares se alejan de nosotros por miedo a que podamos arrastrarlos en nuestra caída. Debemos reconocer lo impotentes que somos ante nuestros problemas y pedirle ayuda a Dios. Él siempre está listo para ofrecernos una mano amiga.

David escribió el **Salmo 51.16-19** después de que el profeta Natán le hizo ver su pecado. Él se dio cuenta de que por muchos sacrificios que hiciera no podría obtener el perdón si no se arrepentía de lo que había hecho. David sabía que el Señor lo perdonaría si confesaba sinceramente sus pecados. No nos ganamos el perdón de Dios. Él se complace en concederlo si tan sólo reconocemos nuestros fracasos e intentamos hacer cambios en nuestra vida. A Dios le interesan más nuestras profundas emociones que los actos externos de arrepentimiento que no reflejen nuestros verdaderos sentimientos. Nunca podemos engañar a Dios con actos hipócritas de arrepentimiento. Él quiere que asumamos la responsabilidad por nuestros pecados, y busquemos perdón y restauración. Siempre hay esperanza para nosotros si estamos dispuestos a arrepentirnos y a buscar el perdón divino, como lo hizo David. Dios está buscando personas con corazón humilde, no con vidas intachables.

## ✻ *perspectivas* SOBRE EL VALOR DE LA ALABANZA

En el **Salmo 30.10-12** David concluyó su petición de liberación con palabras de alabanza a Dios. Mantenernos cerca de Dios por medio de la oración y la meditación es parte importante de la recuperación. Dios quiere que tengamos éxito en nuestra recuperación; él lo desea aún más que nosotros. El Señor anhela que tengamos una vida llena de propósito y gozo. Cuando Dios nos ayuda, no debemos dudar en alabarlo; al igual que David, debemos decir «cantaré [a Dios], gloria mía, y no estaré callado». Alabar a Dios en voz alta es una manera excelente de contar a otros sobre su obra en nuestra vida. Hablar de nuestras experiencias de liberación animará a otros a perseverar en la recuperación y también fortalecerá nuestras propias decisiones.

Después de experimentar la liberación divina, David habló en el **Salmo 40.9-10** sobre cómo compartió con otros estas buenas nuevas. Necesitamos comunicar la buena noticia sobre nuestra liberación a otros que todavía están luchando. Dios es justo, fiel y capaz de liberar a otros de su esclavitud, de la misma manera como nos liberó a nosotros. Al hablar a otros de nuestras victorias, descubriremos que no sólo ellos recibirán aliento, sino que también nosotros seremos fortalecidos.

Con el **Salmo 111.1-8,** el salmista ilustró lo que significa completar los Doce Pasos en la recuperación. La obra de Dios en nuestra vida tiene dos propósitos: conseguir nuestra liberación de la esclavitud y mostrar el poder de Dios a otros que necesitan su ayuda. Contar a otros las buenas nuevas de liberación los ayudará a ellos y también nos fortalecerá a nosotros, dándonos el estímulo que necesitamos para evitar las recaídas.

En el **Salmo 112.1-4** el salmista entonó una majestuosa alabanza al Señor. Cuando decidamos entregar nuestra vida a Dios y comprometernos a hacer su voluntad, experimentaremos el gozo del que habla este pasaje. Nuestros hijos y nietos también cosecharán los beneficios de una herencia piadosa. En lo que a nosotros respecta, necesitamos contar a otros sobre lo que Dios nos ha dado. Esto no sólo llevará esperanza a otras personas que sufren, sino que también fortalecerá nuestro propio plan de recuperación.

# PROVERBIOS

Sentido común: la idea resulta muy popular y sencilla. Sin embargo, por extraño que suene, parece que cada vez tenemos menos de ese «sentido común». Quizás sea porque estemos demasiado ocupados o distantes de nuestros padres y abuelos para aprender de ellos. De la misma manera que el sentido común es tan inusual, la sabiduría piadosa es también una virtud difícil de encontrar. El libro de Proverbios puede ser un recurso útil para llenar el vacío dejado por la falta de sabiduría y sentido común en nuestra sociedad actual. Al leer y prestar oído a las sabias palabras de Proverbios, podemos evitar muchos de los errores comunes y perjudiciales que llegan como consecuencia natural de nuestra ignorancia, actitud negativa y orgullo.

A pesar de que cometió muchos errores que le costaron muy caro, Salomón fue la persona más sabia que jamás haya vivido. Puesto que Salomón tenía a la sabiduría en tan alta estima, coleccionó muchos acertados proverbios y los compiló en una guía de profundas ideas y consejos. Salomón no fue, en absoluto, el único hombre sabio de su tiempo. A Agur y a Lemuel, también conocidos por su sabiduría, se les atribuyen los últimos capítulos del libro.

Salomón era particularmente consciente de la necesidad de que los jóvenes se fijaran prioridades, límites y patrones de conducta adecuados. Pero los jóvenes no constituían la única preocupación de Salomón. Su colección de dichos sabios es invaluable para personas de todas las edades y ocupaciones. Años más tarde, el rey Ezequías consideró que la colección era tan importante que asignó a algunos hombres para que editaran una porción de los proverbios de Salomón (véase 25.1), que tienen que ver con asuntos como la honestidad, el establecimiento de límites y las relaciones saludables.

Al hacerse más común en la sociedad el pensamiento y las relaciones disfuncionales, se necesita con más urgencia la sabiduría piadosa ofrecida en Proverbios. Sus valiosos consejos en cápsulas, que cambian

## EN ESENCIA

PROPÓSITO: Ofrecer sabiduría divina para protección contra conductas disfuncionales y prácticas impías. AUTOR: Salomón coleccionó o escribió la mayor parte del libro; Agur y Lemuel son autores de los últimos capítulos. DESTINATARIO: El pueblo de Israel. FECHA: Gran parte del libro fue compilado durante el reinado de Salomón (970-931 a.C.); probablemente tomó forma final durante el reinado de Ezequías (716-687 a.C.). ESCENARIO: Este es un libro de dichos sabios relacionados con las prioridades y problemas de la vida cotidiana. VERSÍCULO CLAVE: «El principio de la sabiduría es el temor de Jehová; los insensatos desprecian la sabiduría y la enseñanza» (1.7). PERSONAS Y RELACIONES CLAVE: Padres e hijos, esposos y esposas, líderes y ciudadanos, seres humanos y Dios, con advertencias sobre relaciones pecaminosas y enfermizas.

vidas, están ahí para que los descubramos y los usemos. Todos nosotros, sin importar lo serio de nuestros fracasos o de nuestras heridas, podemos llegar mucho más lejos en el camino de la sanidad si seguimos la sabiduría dada por Dios en este libro de Proverbios.

## TEMAS SOBRE RECUPERACIÓN

*La importancia del sentido común:* Cualquier buen programa de recuperación está lleno de sentido común y de sabiduría. Si nuestra conducta adictiva echó sus raíces en nuestra temprana edad, tal vez perdimos la oportunidad de adquirir sentido común y sabiduría. Durante el proceso de recuperación tratamos de ganar eso que nos hemos perdido; el libro de Proverbios es la principal fuente para lograrlo. En oposición a la persona con sentido común está el insensato, al que se describe como persona voluntariosa y terca que aborrece a Dios o no lo toma en cuenta. Nuestro camino de recuperación debería estar pavimentado con el sentido común del que habla Proverbios.

*El poder de las prioridades:* Todos tenemos prioridades, ya sea que seamos conscientes de ello o no. No se trata, pues, de tener prioridades o de no tenerlas, sino de organizarlas como es debido. Buena parte del proceso de recuperación consiste en clasificar nuestras prioridades, entregarlas a Dios y hacer que se adapten a su voluntad. A medida que nuestras prioridades lleguen a ser reflejo de la voluntad de Dios, progresaremos en la recuperación y evitaremos dolorosas recaídas. El libro de Proverbios contiene mucha sabiduría y consejos prácticos que reflejan lo que Dios desea para nosotros. Si seguimos esos consejos, descubriremos buena parte de la voluntad de Dios para nuestra vida.

*La función de los límites:* Al establecer límites personales en nuestra vida es muy importante determinar cómo y cuándo decir que no. Salomón describió muchas situaciones en las que decir «no» fue la decisión más sabia: en contextos familiares, de relaciones sexuales, monetarios, de negocios y sociales. Al examinar estos proverbios y hacerlos parte de nosotros, podremos establecer límites más definidos y tendremos mucho más claro cuáles son aquellas situaciones en las que debemos decir «no».

*Cómo entablar relaciones personales saludables:* El proceso de recuperación será tan exitoso como sanas sean nuestras relaciones personales. Quizás tengamos las mejores intenciones, pero si estamos rodeados de amistades poco saludables, no vamos a llegar a ninguna parte. El libro de Proverbios nos da un atinado consejo para entablar relaciones saludables con amigos, familiares y compañeros de trabajo. Debemos ser consecuentes y discretos, además, disciplinados. Si aspiramos a establecer relaciones que nos ayuden a amar y a obedecer a Dios, es esencial tener altos estándares morales, tanto para nosotros como para los que sean parte de nuestro entorno.

---

## Motivo de los proverbios

**1** ¹ Los proverbios de Salomón,ᵃ
  hijo de David, rey de Israel.
² Para entender sabiduría y doctrina,
  Para conocer razones prudentes,
³ Para recibir el consejo de prudencia,
  Justicia, juicio y equidad;
⁴ Para dar sagacidad a los simples,
  Y a los jóvenes inteligencia y cordura.
⁵ Oirá el sabio, y aumentará el saber,
  Y el entendido adquirirá consejo,
⁶ Para entender proverbio y declaración,

Palabras de sabios, y sus
  dichos profundos.
⁷ El principio de la sabiduría es el temor
  de Jehová;ᵇ
Los insensatos desprecian la sabiduría
  y la enseñanza.

## Amonestaciones de la Sabiduría

⁸ Oye, hijo mío, la instrucción de tu padre,
  Y no desprecies la dirección de tu madre;
⁹ Porque adorno de gracia serán a tu cabeza,
  Y collares a tu cuello.

**1.1** ᵃ 1 R. 4.32.   **1.7** ᵇ Job 28.28; Sal. 111.10; Pr. 9.10.

---

**1.2-9** El propósito que se perseguía al escribir estos proverbios era enseñar al pueblo principios fundamentales acerca de la sabiduría, la disciplina y la buena conducta, y acerca de hacer lo que es correcto, justo y honesto. El primer paso para alcanzar este tipo de sabiduría es el más difícil: confiar en Dios y mostrarle reverencia (temor). Esto significa, en primer lugar, reconocer que necesitamos ayuda y luego permitir que el Señor nos dirija y nos cuide (véanse 3.5; 9.10; 14.26-27; 15.16,33; 19.23).

**10** Hijo mío, si los pecadores te quisieren engañar,
No consientas.
**11** Si dijeren: Ven con nosotros;
Pongamos asechanzas para derramar sangre,
Acechemos sin motivo al inocente;
**12** Los tragaremos vivos como el Seol,
Y enteros, como los que caen
en un abismo;
**13** Hallaremos riquezas de toda clase,
Llenaremos nuestras casas de despojos;
**14** Echa tu suerte entre nosotros;
Tengamos todos una bolsa.
**15** Hijo mío, no andes en camino con ellos.
Aparta tu pie de sus veredas,
**16** Porque sus pies corren hacia el mal,
Y van presurosos a derramar sangre.
**17** Porque en vano se tenderá la red
Ante los ojos de toda ave;
**18** Pero ellos a su propia sangre ponen
asechanzas,
Y a sus almas tienden lazo.
**19** Tales son las sendas de todo el que
es dado a la codicia,
La cual quita la vida de
sus poseedores.
**20** La sabiduría clama en las calles,
Alza su voz en las plazas.
**21** Clama en los principales lugares
de reunión;
En las entradas de las puertas
de la ciudad dice sus razones.c
**22** ¿Hasta cuándo, oh simples, amaréis
la simpleza,
Y los burladores desearán el burlar,
Y los insensatos aborrecerán la ciencia?
**23** Volveos a mi represión;
He aquí yo derramaré mi espíritu sobre
vosotros,
Y os haré saber mis palabras.
**24** Por cuanto llamé, y no quisisteis oír,
Extendí mi mano, y no hubo quien atendiese,
**25** Sino que desechasteis todo consejo mío
Y mi represión no quisisteis,

**26** También yo me reiré en vuestra calamidad,
Y me burlaré cuando os viniere lo
que teméis;
**27** Cuando viniere como una destrucción
lo que teméis,
Y vuestra calamidad llegare como
un torbellino;
Cuando sobre vosotros viniere tribulación
y angustia.
**28** Entonces me llamarán, y no responderé;
Me buscarán de mañana, y no me hallarán.
**29** Por cuanto aborrecieron la sabiduría,
Y no escogieron el temor de Jehová,
**30** Ni quisieron mi consejo,
Y menospreciaron toda represión mía,
**31** Comerán del fruto de su camino,
Y serán hastiados de sus propios consejos.
**32** Porque el desvío de los ignorantes los matará,
Y la prosperidad de los necios los
echará a perder;
**33** Mas el que me oyere, habitará confiadamente
Y vivirá tranquilo, sin temor del mal.

## Excelencias de la sabiduría

**2** **1** Hijo mío, si recibieres mis palabras,
Y mis mandamientos guardares dentro de ti,
**2** Haciendo estar atento tu oído a la sabiduría;
Si inclinares tu corazón a la prudencia,
**3** Si clamares a la inteligencia,
Y a la prudencia dieres tu voz;
**4** Si como a la plata la buscares,
Y la escudriñares como a tesoros,
**5** Entonces entenderás el temor de Jehová,
Y hallarás el conocimiento de Dios.
**6** Porque Jehová da la sabiduría,
Y de su boca viene el conocimiento
y la inteligencia.
**7** El provee de sana sabiduría a los rectos;
Es escudo a los que caminan rectamente.
**8** Es el que guarda las veredas del juicio,
Y preserva el camino de sus santos.
**9** Entonces entenderás justicia, juicio
Y equidad, y todo buen camino.

---

**1.20-21** c Pr. 8.1-3.

---

**1.20-23** Aquí se personifica la sabiduría, que llama a todos los que quisieran seguirla. No hay un secreto para alcanzar la sabiduría; todo lo que tenemos que hacer es pedirla. «Si alguno de vosotros tiene falta de sabiduría, pídala a Dios, el cual da a todos abundantemente y sin reproche, y le será dada» (Santiago 1.5). A diferencia de la experiencia, que nunca la obtenemos sino hasta *después* que la necesitamos, la sabiduría de Dios está disponible para nosotros tan pronto como estemos dispuestos a oír y obedecer el plan divino para nuestra vida.
**2.1-9** La sabiduría es como un tesoro escondido que sólo encuentran los que lo buscan. Dios nos concederá sabiduría y sentido común. También nos protegerá y nos instruirá sobre cómo tomar buenas decisiones. Tal vez no hayamos tomado buenas decisiones en el pasado y ahora estemos sufriendo las consecuencias de las pobres decisiones que sí tomamos. Pero cuando ponemos nuestra confianza en Dios, él nos guiará respecto de las decisiones que debamos tomar para que así podamos experimentar una completa recuperación.

**10** Cuando la sabiduría entrare en tu corazón,
Y la ciencia fuere grata a tu alma,
**11** La discreción te guardará;
Te preservará la inteligencia,
**12** Para librarte del mal camino,
De los hombres que hablan perversidades,
**13** Que dejan los caminos derechos,
Para andar por sendas tenebrosas;
**14** Que se alegran haciendo el mal,
Que se huelgan en las perversidades del vicio;
**15** Cuyas veredas son torcidas,
Y torcidos sus caminos.
**16** Serás librado de la mujer extraña,
De la ajena que halaga con sus palabras,
**17** La cual abandona al compañero
de su juventud,
Y se olvida del pacto de su Dios.
**18** Por lo cual su casa está inclinada
a la muerte,
Y sus veredas hacia los muertos;
**19** Todos los que a ella se lleguen, no volverán,
Ni seguirán otra vez los senderos de la vida.
**20** Así andarás por el camino de los buenos,
Y seguirás las veredas de los justos;
**21** Porque los rectos habitarán la tierra,
Y los perfectos permanecerán en ella,
**22** Mas los impíos serán cortados de la tierra,
Y los prevaricadores serán de ella
desarraigados.

## Exhortación a la obediencia

**3** **1** Hijo mío, no te olvides de mi ley,
Y tu corazón guarde mis mandamientos;
**2** Porque largura de días y años de vida
Y paz te aumentarán.
**3** Nunca se aparten de ti la misericordia
y la verdad;

Atalas a tu cuello,
Escríbelas en la tabla de tu corazón;
**4** Y hallarás gracia y buena opinión
Ante los ojos de Dios y de los hombres.*a*
**5** Fíate de Jehová de todo tu corazón,
Y no te apoyes en tu propia prudencia.
**6** Reconócelo en todos tus caminos,
Y él enderezará tus veredas.
**7** No seas sabio en tu propia opinión;*b*
Teme a Jehová, y apártate del mal;
**8** Porque será medicina a tu cuerpo,
Y refrigerio para tus huesos.
**9** Honra a Jehová con tus bienes,
Y con las primicias de todos tus frutos;
**10** Y serán llenos tus graneros con abundancia,
Y tus lagares rebosarán de mosto.
**11** No menosprecies, hijo mío, el castigo
de Jehová,
Ni te fatigues de su corrección;*c*
**12** Porque Jehová al que ama castiga,*d*
Como el padre al hijo a quien quiere.*e*
**13** Bienaventurado el hombre que halla la
sabiduría,
Y que obtiene la inteligencia;
**14** Porque su ganancia es mejor que la
ganancia de la plata,
Y sus frutos más que el oro fino.
**15** Más preciosa es que las piedras preciosas;
Y todo lo que puedes desear, no se puede
comparar a ella.
**16** Largura de días está en su mano derecha;
En su izquierda, riquezas y honra.
**17** Sus caminos son caminos deleitosos,
Y todas sus veredas paz.
**18** Ella es árbol de vida a los que de ella
echan mano,
Y bienaventurados son los que la retienen.

**3.4** *a* Lc. 2.52; Ro. 12.17; 2 Co. 8.21.   **3.7** *b* Ro. 12.16.   **3.11** *c* Job 5.17.   **3.12** *d* Ap. 3.19.   **3.11-12** *e* He. 12.5-6.

**2.20-22** Aunque tratemos de hacer el bien, nuestras dependencias son totalmente nocivas. Sabemos cuál ha sido el costo de nuestras adicciones: nuestros trabajos, amigos, familia, salud y sano juicio. Ahora queremos cambiar nuestra vida para liberarnos de nuestra esclavitud. En estos versículos Dios nos dice que si volvemos al buen camino, tendremos la posibilidad de disfrutar la vida al máximo. Quizás a veces nos sintamos tentados a apartarnos de la senda de la recuperación, pero aquí se nos recuerda que a fin de cuentas nuestras adicciones nos llevarán a la destrucción. La recuperación es la única opción real que tenemos.
**3.5-6** ¡Qué promesa! Dios nos guiará por el buen camino de la vida si ponemos en él nuestra confianza en lugar de seguir nuestro propio camino. Poner a Dios en primer lugar significa entregarle nuestra vida y voluntad. Rendirnos a su liderato puede parecernos humillante, pero es la única forma que tenemos de vivir una buena vida.
**3.11-12** Cuando Dios nos castiga, no lo hace porque nos aborrezca o porque le guste vernos sufrir. Él nos corrige porque nos ama y no quiere que sigamos en el camino del pecado. A quienes hayamos tenido padres abusivos tal vez no se nos haga fácil asimilar el concepto de un Dios amoroso y protector, pues las figuras paternales que habremos conocido fueron de todo menos amorosas. Para ayudarnos a percibir la verdadera naturaleza de Dios, necesitamos estudiar los evangelios y ver allí el amor que Jesús sintió por otros. Cuando entendemos que Jesús es, como Hijo de Dios, Dios mismo, entonces podemos entender fácilmente que Dios nos ama y que, al ponernos en disciplina, tiene en mente lo mejor para nosotros.

*SEÑOR, concédeme serenidad para aceptar las cosas que no puedo cambiar, valor para cambiar las que sí puedo y sabiduría para reconocer la diferencia entre ambas. AMÉN*

En la etapa de recuperación nos damos cuenta de la influencia que recibimos de la gente que está cerca de nosotros. Debemos aceptar de buena gana la ayuda de quienes tienen más experiencia que nosotros en el camino de la recuperación. Podemos depender en gran medida del aliento que nos den nuestros mentores u otras personas que apoyen nuestro nuevo estilo de vida.

También nos daremos cuenta de la influencia negativa que ejerce el asociarnos con personas que todavía están viviendo el tipo de vida del que estamos tratando de escapar. Parte de nuestro inventario personal debe incluir evaluar a las personas con las que decidamos pasar nuestro tiempo y cómo tales decisiones contribuyen a nuestro progreso en la recuperación. En Proverbios se nos dice que «cuando la sabiduría entrare en tu corazón, y la ciencia fuere grata a tu alma, la discreción te guardará; te preservará la inteligencia, para librarte del mal camino, de los hombres que hablan perversidades, que dejan los caminos derechos, para andar por sendas tenebrosas; que se alegran haciendo el mal, que se huelgan en las perversidades del vicio» (Proverbios 2.10-14). Además se nos recuerda: «Así andarás por el camino de los buenos, y seguirás las veredas de los justos; porque los rectos habitarán la tierra, y los perfectos permanecerán en ella, mas los impíos serán cortados de la tierra, y los prevaricadores serán de ella desarraigados» (Proverbios 2.20-22).

¿Somos sabios y seguimos los pasos de los que llevan el tipo de vida que verdaderamente deseamos? Si lo somos, nuestra vida se llenará de gozo. También nos libraremos de la pérdida y destrucción que les esperan a los que continúan por caminos oscuros y no inician su recuperación. ***Vaya a la página 569, Proverbios 3.***

---

19 Jehová con sabiduría fundó la tierra;
Afirmó los cielos con inteligencia.

20 Con su ciencia los abismos fueron
divididos,
Y destilan rocío los cielos.

21 Hijo mío, no se aparten estas cosas
de tus ojos;
Guarda la ley y el consejo,

22 Y serán vida a tu alma,
Y gracia a tu cuello.

23 Entonces andarás por tu camino
confiadamente,
Y tu pie no tropezará.

24 Cuando te acuestes, no tendrás temor,
Sino que te acostarás, y tu sueño será grato.

25 No tendrás temor de pavor repentino,
Ni de la ruina de los impíos cuando
viniere,

26 Porque Jehová será tu confianza,
Y él preservará tu pie de quedar preso.

27 No te niegues a hacer el bien a quien
es debido,
Cuando tuvieres poder para hacerlo.

28 No digas a tu prójimo: Anda, y vuelve,
Y mañana te daré,
Cuando tienes contigo qué darle.

29 No intentes mal contra tu prójimo
Que habita confiado junto a ti.

30 No tengas pleito con nadie sin razón,
Si no te han hecho agravio.

**31** No envidies al hombre injusto,
Ni escojas ninguno de sus caminos.
**32** Porque Jehová abomina al perverso;
Mas su comunión íntima es con los justos.
**33** La maldición de Jehová está en la casa
del impío,
Pero bendecirá la morada de los justos.
**34** Ciertamente él escarnecerá a los
escarnecedores,
Y a los humildes dará gracia.[f]
**35** Los sabios heredarán honra,
Mas los necios llevarán ignominia.

## Beneficios de la sabiduría

**4** **1** Oíd, hijos, la enseñanza de un padre,
Y estad atentos, para que conozcáis cordura.
**2** Porque os doy buena enseñanza;
No desamparéis mi ley.
**3** Porque yo también fui hijo de mi padre,
Delicado y único delante de mi madre.
**4** Y él me enseñaba, y me decía:
Retenga tu corazón mis razones,
Guarda mis mandamientos, y vivirás.
**5** Adquiere sabiduría, adquiere inteligencia;
No te olvides ni te apartes de las razones
de mi boca;
**6** No la dejes, y ella te guardará;
Amala, y te conservará.
**7** Sabiduría ante todo; adquiere sabiduría;
Y sobre todas tus posesiones adquiere
inteligencia.
**8** Engrandécela, y ella te engrandecerá;
Ella te honrará, cuando tú la hayas abrazado.
**9** Adorno de gracia dará a tu cabeza;
Corona de hermosura te entregará.
**10** Oye, hijo mío, y recibe mis razones,
Y se te multiplicarán años de vida.
**11** Por el camino de la sabiduría te he
encaminado,
Y por veredas derechas te he hecho andar.
**12** Cuando anduvieres, no se estrecharán
tus pasos,
Y si corrieres, no tropezarás.

**13** Retén el consejo, no lo dejes;
Guárdalo, porque eso es tu vida.
**14** No entres por la vereda de los impíos,
Ni vayas por el camino de los malos.
**15** Déjala, no pases por ella;
Apártate de ella, pasa.
**16** Porque no duermen ellos si no han
hecho mal,
Y pierden el sueño si no han hecho caer
a alguno.
**17** Porque comen pan de maldad, y beben vino
de robos;
**18** Mas la senda de los justos es como la luz
de la aurora,
Que va en aumento hasta que el día
es perfecto.
**19** El camino de los impíos es como
la oscuridad;
No saben en qué tropiezan.
**20** Hijo mío, está atento a mis palabras;
Inclina tu oído a mis razones.
**21** No se aparten de tus ojos;
Guárdalas en medio de tu corazón;
**22** Porque son vida a los que las hallan,
Y medicina a todo su cuerpo.
**23** Sobre toda cosa guardada, guarda
tu corazón;
Porque de él mana la vida.
**24** Aparta de ti la perversidad de la boca,
Y aleja de ti la iniquidad de los labios.
**25** Tus ojos miren lo recto,
Y diríjanse tus párpados hacia lo
que tienes delante.
**26** Examina la senda de tus pies,[a]
Y todos tus caminos sean rectos.
**27** No te desvíes a la derecha ni a la izquierda;
Aparta tu pie del mal.

## Amonestación contra la impureza

**5** **1** Hijo mío, está atento a mi sabiduría,
Y a mi inteligencia inclina tu oído,
**2** Para que guardes consejo,
Y tus labios conserven la ciencia.

---

**3.34** [f] Stg. 4.6; 1 P. 5.5.   **4.26** [a] He. 12.13.

---

**4.11-19** Todos somos influidos por nuestro medio ambiente. Llegamos a ser lo mismo que nuestros amigos. Esta es la razón por la que se nos advierte aquí que nos mantengamos alejados de los que hacen maldad. Es fácil insensibilizarnos ante el pecado. Si pasamos demasiado tiempo con gente cuya moral es relajada, comenzaremos a pensar y actuar de igual manera. Recaer en nuestra dependencia sería entonces algo muy natural. Sin embargo, si pasamos tiempo con gente piadosa, recibiremos la fuerza de ánimo que necesitamos para continuar nuestra recuperación y disfrutar la vida que Dios desea para nosotros.

**4.23-27** La advertencia de guardar nuestro corazón es también una advertencia para no caer en la tentación de ningún tipo de placer pecaminoso. Abandonarse al pecado puede resultar placentero al principio, pero al final lo que promete es vacío y amargo. El pecado puede satisfacer deseos a corto plazo, pero sus consecuencias son a largo plazo. Recaer en nuestra adicción quizás nos haga sentir mejor por el momento, pero afectará nuestro progreso en el proceso de recuperación, y tal vez destruya lo logrado.

SEÑOR, concédeme serenidad para aceptar las cosas que no puedo cambiar, valor para cambiar las que sí puedo y sabiduría para reconocer la diferencia entre ambas. AMÉN

**N**inguno de nosotros se propuso volverse adicto a algo. De hecho, buscábamos otra cosa -quizás escapar del dolor, o algo que compensara nuestras pérdidas y quebrantamiento- o tal vez teníamos un impulso subconsciente de autodestrucción.

Lamentablemente, nos involucramos en cosas que no podían satisfacer nuestras necesidades ni nuestros deseos más profundos. Nuestras necesidades son legítimas. Lo que debemos cambiar es la tendencia a tomar el camino equivocado al tratar de satisfacerlas. La Biblia dice: «Hijo mío, no se aparten estas cosas de tus ojos; guarda la ley y el consejo, y serán vida a tu alma, y gracia a tu cuello. Entonces andarás por tu camino confiadamente, y tu pie no tropezará» (Proverbios 3.21-23).

La sabiduría divina produce grandes beneficios en esta vida. Al buscarla, encontraremos también las otras cosas que deseamos. «Bienaventurado el hombre que halla la sabiduría, y que obtiene la inteligencia; porque su ganancia es mejor que la ganancia de la plata, y sus frutos más que el oro fino. Más preciosa es que las piedras preciosas; y todo lo que puedes desear, no se puede comparar a ella. Largura de días está en su mano derecha; en su izquierda, riquezas y honra. Sus caminos son caminos deleitosos, y todas sus veredas paz» (Proverbios 3.13-17). Al cambiar nuestro centro de interés y comenzar a buscar la sabiduría, descubriremos que nuestra vida es más plena y segura. La sabiduría divina también nos ayudará a evitar las sendas peligrosas que ya antes habíamos tomado en nuestro intento de saciar nuestras necesidades y deseos insatisfechos. *Vaya a la página 571, Proverbios 4.*

---

3 Porque los labios de la mujer extraña
destilan miel,
Y su paladar es más blando
que el aceite;

4 Mas su fin es amargo como el ajenjo,
Agudo como espada de dos filos.

5 Sus pies descienden a la muerte;
Sus pasos conducen al Seol.

6 Sus caminos son inestables;
no los conocerás,
Si no considerares el camino de vida.

7 Ahora pues, hijos, oídme,
Y no os apartéis de las razones de mi boca.

8 Aleja de ella tu camino,
Y no te acerques a la puerta de su casa;

9 Para que no des a los extraños tu honor,
Y tus años al cruel;

10 No sea que extraños se sacien de tu fuerza,
Y tus trabajos estén en casa del extraño;

11 Y gimas al final,
Cuando se consuma tu carne
y tu cuerpo,

---

**5.1-23** La tentación sexual con frecuencia es muy difícil de resistir, aun cuando seamos conscientes de los peligros y de las consecuencias del sexo promiscuo. La relación sexual fuera del matrimonio está en contra de la ley de Dios, ya sea que estemos casados o no. A lo largo de todo el libro de Proverbios hay advertencias contra la promiscuidad (véanse 2.16-19; 6.25-35; 7.6-27; 22.14; 23.27-28). La infidelidad puede destruir la vida familiar y la salud física, y puede resultar en un embarazo no deseado. Si el placer

**12** Y digas: ¡Cómo aborrecí el consejo,
Y mi corazón menospreció la represión;

**13** No oí la voz de los que me instruían,
Y a los que me enseñaban no incliné mi oído!

**14** Casi en todo mal he estado,
En medio de la sociedad y de la congregación.

**15** Bebe el agua de tu misma cisterna,
Y los raudales de tu propio pozo.

**16** ¿Se derramarán tus fuentes por las calles,
Y tus corrientes de aguas por las plazas?

**17** Sean para ti solo,
Y no para los extraños contigo.

**18** Sea bendito tu manantial,
Y alégrate con la mujer de tu juventud,

**19** Como cierva amada y graciosa gacela.
Sus caricias te satisfagan en todo tiempo,
Y en su amor recréate siempre.

**20** ¿Y por qué, hijo mío, andarás ciego con la mujer ajena,
Y abrazarás el seno de la extraña?

**21** Porque los caminos del hombre están ante los ojos de Jehová,
Y él considera todas sus veredas.

**22** Prenderán al impío sus propias iniquidades,
Y retenido será con las cuerdas
de su pecado.

**23** El morirá por falta de corrección,
Y errará por lo inmenso de su locura.

## Amonestación contra la pereza y la falsedad

**6** **1** Hijo mío, si salieres fiador por tu amigo,
Si has empeñado tu palabra a un extraño,

**2** Te has enlazado con las palabras de tu boca,
Y has quedado preso en los dichos
de tus labios.

**3** Haz esto ahora, hijo mío, y líbrate,
Ya que has caído en la mano de tu prójimo;
Ve, humíllate, y asegúrate de tu amigo.

**4** No des sueño a tus ojos,
Ni a tus párpados adormecimiento;

**5** Escápate como gacela de la mano
del cazador,
Y como ave de la mano del que arma lazos.

**6** Ve a la hormiga, oh perezoso,
Mira sus caminos, y sé sabio;

**7** La cual no teniendo capitán,
Ni gobernador, ni señor,

**8** Prepara en el verano su comida,
Y recoge en el tiempo de la siega
su mantenimiento.

**9** Perezoso, ¿hasta cuándo has de dormir?
¿Cuándo te levantarás de tu sueño?

**10** Un poco de sueño, un poco de dormitar,
Y cruzar por un poco las manos para reposo;

**11** Así vendrá tu necesidad como caminante,
Y tu pobreza como hombre armado.[a]

**12** El hombre malo, el hombre depravado,
Es el que anda en perversidad de boca;

**13** Que guiña los ojos, que habla con los pies,
Que hace señas con los dedos.

**14** Perversidades hay en su corazón; anda
pensando el mal en todo tiempo;
Siembra las discordias.

**15** Por tanto, su calamidad vendrá de repente;
Súbitamente será quebrantado, y no habrá
remedio.

**16** Seis cosas aborrece Jehová,
Y aun siete abomina su alma:

**17** Los ojos altivos, la lengua mentirosa,
Las manos derramadoras de sangre
inocente,

**18** El corazón que maquina pensamientos
inicuos,
Los pies presurosos para correr al mal,

**19** El testigo falso que habla mentiras,
Y el que siembra discordia entre hermanos.

## Amonestación contra el adulterio

**20** Guarda, hijo mío, el mandamiento
de tu padre,
Y no dejes la enseñanza de tu madre;

**21** Atalos siempre en tu corazón,
Enlázalos a tu cuello.

**22** Te guiarán cuando andes; cuando duermas
te guardarán;
Hablarán contigo cuando despiertes.

**6.10-11** [a] Pr. 24.33-34.

sexual es una de nuestras adicciones, debemos *huir* de cualquier situación en la que podamos caer en la tentación. También debemos buscar la ayuda de un grupo de apoyo o de un consejero.
**6.16-19** Las siete cosas que abomina Dios son acciones que también son obstáculos para nuestra recuperación. Cada una de ellas viola nuestro bienestar. La altivez consiste en ser demasiado orgullosos para comenzar la recuperación con el reconocimiento de que necesitamos la ayuda de Dios (Paso Uno). La mentira es no hacer el inventario moral de nuestra vida y no confesar nuestras maldades (Pasos Cuatro y Cinco). Hacer planes de maldad es ir en la dirección contraria a los que se arrepienten de sus pecados y le piden a Dios que limpie sus corazones (Pasos Seis y Siete). El asesinato es lo contrario a pedir perdón y reparar el daño causado (Pasos Ocho y Nueve). Apresurarse a hacer el mal es lo opuesto a tener el anhelo de hacer lo correcto tratando de conocer a Dios y hacer su voluntad (Paso Once). Emitir falso testimonio y sembrar discordia entre los hermanos es contrario a llevar el verdadero mensaje de paz a quienes están sufriendo (Paso Doce).

SEÑOR, concédeme serenidad para aceptar las cosas que no puedo cambiar, valor para cambiar las que sí puedo y sabiduría para reconocer la diferencia entre ambas. AMÉN

**M**uchos de nosotros crecimos en familias disfuncionales. Nuestros padres apenas parecían preocuparse por nosotros, y mucho menos nos proveían de una sabia orientación.
Esta carencia pudo hacer –o puede hacer– que nos preguntemos cómo llenar este vacío en nuestra vida.

Algunas personas crecieron en el seno de familias donde recibieron sabios consejos y donde los padres transmitieron sabiduría. Pero si este no fue nuestro caso, podemos sentir que hemos pasado inadvertidos para el resto de la humanidad. Algunos podemos sentir ira, resentimiento y vergüenza porque recibimos muy poca orientación y nunca aprendimos a tomar decisiones sabias. Es posible que nos preguntemos: ¿Acaso no se supone que alguien me hubiera mostrado el camino? Idealmente, todos debimos haber recibido una educación sabia y piadosa. El libro de Proverbios registra la enseñanza piadosa de un padre a su hijo: «Porque yo también fui hijo de mi padre, delicado y único delante de mi madre. Y él me enseñaba, y me decía: Retenga tu corazón mis razones, guarda mis mandamientos, y vivirás. Adquiere sabiduría, adquiere inteligencia; no te olvides ni te apartes de las razones de mi boca; no la dejes, y ella te guardará; ámala, y te conservará» (Proverbios 4.3-6).

Para quienes no fuimos bien atendidos y recibimos poca o ninguna orientación de nuestros padres, no es demasiado tarde. Tenemos un Padre en el cielo que está ansioso por darnos la sabiduría que necesitamos. Santiago aconsejó: «Y si alguno de vosotros tiene falta de sabiduría, pídala a Dios, el cual da a todos abundantemente y sin reproche, y le será dada» (Santiago 1.5). Nuestro Padre celestial nos ama tiernamente, como debe hacerlo un padre. Él está listo a ayudarnos en todo momento y a darnos la sabiduría que necesitamos siempre que se la pidamos. ***Fin del Plan de lectura de Devocionales de Oración por la Serenidad.***

---

**23** Porque el mandamiento es lámpara,
y la enseñanza es luz,
Y camino de vida las represiones
que te instruyen,
**24** Para que te guarden de la mala mujer,
De la blandura de la lengua de la mujer
extraña.
**25** No codicies su hermosura en tu corazón,
Ni ella te prenda con sus ojos;
**26** Porque a causa de la mujer ramera el
hombre es reducido a un bocado de pan;
Y la mujer caza la preciosa alma del varón.

**27** ¿Tomará el hombre fuego en su seno
Sin que sus vestidos ardan?
**28** ¿Andará el hombre sobre brasas
Sin que sus pies se quemen?
**29** Así es el que se llega a la mujer
de su prójimo;
No quedará impune ninguno
que la tocare.
**30** No tienen en poco al ladrón si hurta
Para saciar su apetito cuando tiene hambre;
**31** Pero si es sorprendido, pagará siete veces;
Entregará todo el haber de su casa.

**32** Mas el que comete adulterio es falto
de entendimiento;
Corrompe su alma el que tal hace.
**33** Heridas y vergüenza hallará,
Y su afrenta nunca será borrada.
**34** Porque los celos son el furor del hombre,
Y no perdonará en el día de la venganza.
**35** No aceptará ningún rescate,
Ni querrá perdonar, aunque multipliques
los dones.

## Las artimañas de la ramera

**7** **1** Hijo mío, guarda mis razones,
Y atesora contigo mis mandamientos.
**2** Guarda mis mandamientos y vivirás,
Y mi ley como las niñas de tus ojos.
**3** Lígalos a tus dedos;
Escríbelos en la tabla de tu corazón.
**4** Di a la sabiduría: Tú eres mi hermana,
Y a la inteligencia llama parienta;
**5** Para que te guarden de la mujer ajena,
Y de la extraña que ablanda sus palabras.
**6** Porque mirando yo por la ventana
de mi casa,
Por mi celosía,
**7** Vi entre los simples,
Consideré entre los jóvenes,
A un joven falto de entendimiento,
**8** El cual pasaba por la calle, junto a la esquina,
E iba camino a la casa de ella,
**9** A la tarde del día, cuando ya oscurecía,
En la oscuridad y tinieblas de la noche.
**10** Cuando he aquí, una mujer le sale al
encuentro,
Con atavío de ramera y astuta de corazón.
**11** Alborotadora y rencillosa,
Sus pies no pueden estar en casa;
**12** Unas veces está en la calle,
otras veces en las plazas,
Acechando por todas las esquinas.
**13** Se asió de él, y le besó.
Con semblante descarado le dijo:
**14** Sacrificios de paz había prometido,
Hoy he pagado mis votos;
**15** Por tanto, he salido a encontrarte,
Buscando diligentemente tu rostro,
y te he hallado.
**16** He adornado mi cama con colchas
Recamadas con cordoncillo de Egipto;
**17** He perfumado mi cámara
Con mirra, áloes y canela.
**18** Ven, embriaguémonos de amores hasta
la mañana;
Alegrémonos en amores.

**19** Porque el marido no está en casa;
Se ha ido a un largo viaje.
**20** La bolsa de dinero llevó en su mano;
El día señalado volverá a su casa.
**21** Lo rindió con la suavidad de sus
muchas palabras,
Le obligó con la zalamería de sus labios.
**22** Al punto se marchó tras ella,
Como va el buey al degolladero,
Y como el necio a las prisiones
para ser castigado;
**23** Como el ave que se apresura a la red,
Y no sabe que es contra su vida,
Hasta que la saeta traspasa su corazón.
**24** Ahora pues, hijos, oídme,
Y estad atentos a las razones de mi boca.
**25** No se aparte tu corazón a sus caminos;
No yerres en sus veredas.
**26** Porque a muchos ha hecho caer heridos,
Y aun los más fuertes han sido muertos
por ella.
**27** Camino al Seol es su casa,
Que conduce a las cámaras
de la muerte.

## Excelencia y eternidad de la Sabiduría

**8** **1** ¿No clama la sabiduría,
Y da su voz la inteligencia?
**2** En las alturas junto al camino,
A las encrucijadas de las veredas se para;
**3** En el lugar de las puertas, a la entrada
de la ciudad,
A la entrada de las puertas da voces:*a*
**4** Oh hombres, a vosotros clamo;
Dirijo mi voz a los hijos de los hombres.
**5** Entended, oh simples, discreción;
Y vosotros, necios, entrad en cordura.
**6** Oíd, porque hablaré cosas excelentes,
Y abriré mis labios para cosas rectas.
**7** Porque mi boca hablará verdad,
Y la impiedad abominan mis labios.
**8** Justas son todas las razones de mi boca;
No hay en ellas cosa perversa ni torcida.
**9** Todas ellas son rectas al que entiende,
Y razonables a los que han hallado
sabiduría.
**10** Recibid mi enseñanza, y no plata;
Y ciencia antes que el oro escogido.
**11** Porque mejor es la sabiduría que
las piedras preciosas;
Y todo cuanto se puede desear, no es de
compararse con ella.
**12** Yo, la sabiduría, habito con la cordura,
Y hallo la ciencia de los consejos.

**8.1-3** *a* Pr. 1.20-21.

**13** El temor de Jehová es aborrecer el mal;
   La soberbia y la arrogancia, el mal camino,
   Y la boca perversa, aborrezco.

**14** Conmigo está el consejo y el buen juicio;
   Yo soy la inteligencia; mío es el poder.

**15** Por mí reinan los reyes,
   Y los príncipes determinan justicia.

**16** Por mí dominan los príncipes,
   Y todos los gobernadores juzgan la tierra.

**17** Yo amo a los que me aman,
   Y me hallan los que temprano me buscan.

**18** Las riquezas y la honra están conmigo;
   Riquezas duraderas, y justicia.

**19** Mejor es mi fruto que el oro, y que
   el oro refinado;
   Y mi rédito mejor que la plata escogida.

**20** Por vereda de justicia guiaré,
   Por en medio de sendas de juicio,

**21** Para hacer que los que me aman
   tengan su heredad,
   Y que yo llene sus tesoros.

**22** Jehová me poseía en el principio,
   Ya de antiguo, antes de sus obras.*b*

**23** Eternamente tuve el principado,
   desde el principio,
   Antes de la tierra.

**24** Antes de los abismos fui engendrada;
   Antes que fuesen las fuentes
   de las muchas aguas.

**25** Antes que los montes fuesen formados,
   Antes de los collados, ya había sido
   yo engendrada;

**26** No había aún hecho la tierra, ni los campos,
   Ni el principio del polvo del mundo.

**27** Cuando formaba los cielos, allí estaba yo;
   Cuando trazaba el círculo sobre la faz del
   abismo;

**28** Cuando afirmaba los cielos arriba,
   Cuando afirmaba las fuentes del abismo;

**29** Cuando ponía al mar su estatuto,
   Para que las aguas no traspasasen
   su mandamiento;

Cuando establecía los fundamentos
   de la tierra,

**30** Con él estaba yo ordenándolo todo,
   Y era su delicia de día en día,
   Teniendo solaz delante de él
   en todo tiempo.

**31** Me regocijo en la parte habitable
   de su tierra;
   Y mis delicias son con los hijos
   de los hombres.

**32** Ahora, pues, hijos, oídme,
   Y bienaventurados los que guardan
   mis caminos.

**33** Atended el consejo, y sed sabios,
   Y no lo menospreciéis.

**34** Bienaventurado el hombre que me escucha,
   Velando a mis puertas cada día,
   Aguardando a los postes de mis puertas.

**35** Porque el que me halle, hallará la vida,
   Y alcanzará el favor de Jehová.

**36** Mas el que peca contra mí, defrauda
   su alma;
   Todos los que me aborrecen aman
   la muerte.

## La Sabiduría y la mujer insensata

**9** **1** La sabiduría edificó su casa,
   Labró sus siete columnas.

**2** Mató sus víctimas, mezcló su vino,
   Y puso su mesa.

**3** Envió sus criadas;
   Sobre lo más alto de la ciudad clamó.

**4** Dice a cualquier simple: Ven acá.
   A los faltos de cordura dice:

**5** Venid, comed mi pan,
   Y bebed del vino que yo he mezclado.

**6** Dejad las simplezas, y vivid,
   Y andad por el camino de la inteligencia.

**7** El que corrige al escarnecedor,
   se acarrea afrenta;
   El que reprende al impío,
   se atrae mancha.

---

**8.22** *b* Ap. 3.14.

---

**8.22-36** Salomón presentó la sabiduría como un ser personal que existía con Dios antes de la creación de la tierra y que fue la arquitecta de la creación. Esto puede ser una alusión a Jesús el Mesías, quien, según el libro de Juan, era el Verbo [la Palabra] que no sólo «era [estaba] en el principio con Dios» sino que «era Dios»; además «todas las cosas por él fueron hechas» (Juan 1.1-3). Colosenses 1.16 dice que «en él [Cristo] fueron creadas todas las cosas, las que hay en los cielos y las que hay en la tierra». Los que con fe escuchan a Cristo y siguen su sabiduría tendrán vida eterna y el favor de Dios (véase Juan 5.24). Seguir las instrucciones de Cristo para nuestra vida es nuestro único medio de recuperación.
**9.7-8** Cuando alguien trate de ayudarnos y corregirnos tenemos dos alternativas. Podemos oír y aprender, como hace el sabio, o podemos enojarnos y rebelarnos, como hace el escarnecedor. Burlarse de los que se preocupan por nosotros y aborrecerlos es negar que tenemos un problema. Si somos sabios, seremos lo suficientemente sinceros para reconocer que, en efecto, tenemos un problema y necesitamos ayuda. Esta actitud posibilita la recuperación. Los escarnecedores rechazarán el buen consejo y serán dominados por sus pecados.

**8** No reprendas al escarnecedor,
para que no te aborrezca;
Corrige al sabio, y te amará.

**9** Da al sabio, y será más sabio;
Enseña al justo, y aumentará su saber.

**10** El temor de Jehová es el principio
de la sabiduría,*a*
Y el conocimiento del Santísimo
es la inteligencia.

**11** Porque por mí se aumentarán tus días,
Y años de vida se te añadirán.

**12** Si fueres sabio, para ti lo serás;
Y si fueres escarnecedor, pagarás tú solo.

**13** La mujer insensata es alborotadora;
Es simple e ignorante.

**14** Se sienta en una silla a la puerta de su casa,
En los lugares altos de la ciudad,

**15** Para llamar a los que pasan por el camino,
Que van por sus caminos derechos.

**16** Dice a cualquier simple: Ven acá.
A los faltos de cordura dijo:

**17** Las aguas hurtadas son dulces,
Y el pan comido en oculto es sabroso.

**18** Y no saben que allí están los muertos;
Que sus convidados están en lo profundo
del Seol.

### Contraste entre el justo y el malvado

**10** **1** Los proverbios de Salomón.
El hijo sabio alegra al padre,
Pero el hijo necio es tristeza de su madre.

**2** Los tesoros de maldad no serán de provecho;
Mas la justicia libra de muerte.

**3** Jehová no dejará padecer hambre al justo;
Mas la iniquidad lanzará a los impíos.

**4** La mano negligente empobrece;
Mas la mano de los diligentes enriquece.

**5** El que recoge en el verano es hombre
entendido;
El que duerme en el tiempo de la siega es
hijo que avergüenza.

**6** Hay bendiciones sobre la cabeza del justo;
Pero violencia cubrirá la boca de los impíos.

**7** La memoria del justo será bendita;
Mas el nombre de los impíos se pudrirá.

**8** El sabio de corazón recibirá
los mandamientos;
Mas el necio de labios caerá.

**9** El que camina en integridad anda confiado;
Mas el que pervierte sus caminos
será quebrantado.

**10** El que guiña el ojo acarrea tristeza;
Y el necio de labios será castigado.

**11** Manantial de vida es la boca del justo;
Pero violencia cubrirá la boca de los impíos.

**12** El odio despierta rencillas;
Pero el amor cubrirá todas las faltas.*a*

**13** En los labios del prudente se halla sabiduría;
Mas la vara es para las espaldas del falto
de cordura.

**14** Los sabios guardan la sabiduría;
Mas la boca del necio es calamidad cercana.

**15** Las riquezas del rico son su ciudad
fortificada;
Y el desmayo de los pobres es su pobreza.

**16** La obra del justo es para vida;
Mas el fruto del impío es para pecado.

**17** Camino a la vida es guardar la instrucción;
Pero quien desecha la represión, yerra.

**18** El que encubre el odio es de labios
mentirosos;
Y el que propaga calumnia es necio.

**19** En las muchas palabras no falta pecado;
Mas el que refrena sus labios es prudente.

**20** Plata escogida es la lengua del justo;
Mas el corazón de los impíos es como nada.

**21** Los labios del justo apacientan a muchos,
Mas los necios mueren por falta de
entendimiento.

**22** La bendición de Jehová es la que enriquece,
Y no añade tristeza con ella.

**23** El hacer maldad es como una diversión
al insensato;
Mas la sabiduría recrea al hombre
de entendimiento.

**24** Lo que el impío teme, eso le vendrá;
Pero a los justos les será dado lo que desean.

**25** Como pasa el torbellino, así el malo
no permanece;
Mas el justo permanece para siempre.

---

**9.10** *a* Job 28.28; Sal. 111.10; Pr. 1.7.   **10.12** *a* Stg. 5.20; 1 P. 4.8.

---

**10.6** En este y otros muchos proverbios, Salomón contrasta al justo con el impío por la forma en que viven y las consecuencias que sufren. Este principio básico se repite con frecuencia: vivir moralmente es bueno para nosotros. Una clave para hacer lo que es correcto es tener un atinado concepto de nosotros mismos. Cuando comencemos a vernos de la forma en que Dios nos ve, reconoceremos que somos amados y valorados y querremos aplicar los principios de la sabiduría a nuestra vida.

**10.25** El fundamento de un edificio evita que se caiga en una tormenta o por los fuertes vientos. Sin una base sólida y duradera, los edificios altos no durarían mucho. A lo largo del camino de la recuperación encontramos todo tipo de «torbellinos». El que podamos o no permanecer en pie ante las muchas tormentas que encontremos dependerá de la solidez de nuestro «fundamento» de fe. Este fundamento,

**26** Como el vinagre a los dientes, y como
el humo a los ojos,
Así es el perezoso a los que lo envían.

**27** El temor de Jehová aumentará los días;
Mas los años de los impíos serán acortados.

**28** La esperanza de los justos es alegría;
Mas la esperanza de los impíos perecerá.

**29** El camino de Jehová es fortaleza al perfecto;
Pero es destrucción a los que hacen maldad.

**30** El justo no será removido jamás;
Pero los impíos no habitarán la tierra.

**31** La boca del justo producirá sabiduría;
Mas la lengua perversa será cortada.

**32** Los labios del justo saben hablar lo que
agrada;
Mas la boca de los impíos habla perversidades.

**11** **1** El peso falso es abominación a Jehová;
Mas la pesa cabal le agrada.

**2** Cuando viene la soberbia, viene
también la deshonra;
Mas con los humildes está la sabiduría.

**3** La integridad de los rectos los encaminará;
Pero destruirá a los pecadores la perversidad
de ellos.

**4** No aprovecharán las riquezas en el día
de la ira;
Mas la justicia librará de muerte.

**5** La justicia del perfecto enderezará
su camino;
Mas el impío por su impiedad caerá.

**6** La justicia de los rectos los librará;
Mas los pecadores serán atrapados
en su pecado.

**7** Cuando muere el hombre impío,
perece su esperanza;
Y la expectación de los malos perecerá.

**8** El justo es librado de la tribulación;
Mas el impío entra en lugar suyo.

**9** El hipócrita con la boca daña a su prójimo;
Mas los justos son librados con la sabiduría.

**10** En el bien de los justos la ciudad se alegra;
Mas cuando los impíos perecen hay fiesta.

**11** Por la bendición de los rectos la ciudad
será engrandecida;
Mas por la boca de los impíos
será trastornada.

**12** El que carece de entendimiento
menosprecia a su prójimo;
Mas el hombre prudente calla.

**13** El que anda en chismes descubre el secreto;
Mas el de espíritu fiel lo guarda todo.

**14** Donde no hay dirección sabia,
caerá el pueblo;
Mas en la multitud de consejeros hay
seguridad.

**15** Con ansiedad será afligido el que sale
por fiador de un extraño;
Mas el que aborreciere las fianzas vivirá
seguro.

**16** La mujer agraciada tendrá honra,
Y los fuertes tendrán riquezas.

**17** A su alma hace bien el hombre
misericordioso;
Mas el cruel se atormenta a sí mismo.

**18** El impío hace obra falsa;
Mas el que siembra justicia
tendrá galardón firme.

**19** Como la justicia conduce a la vida,
Así el que sigue el mal lo hace
para su muerte.

**20** Abominación son a Jehová los perversos
de corazón;
Mas los perfectos de camino le son agradables.

**21** Tarde o temprano, el malo será castigado;
Mas la descendencia de los justos
será librada.

**22** Como zarcillo de oro en el hocico
de un cerdo
Es la mujer hermosa y apartada de razón.

**23** El deseo de los justos es solamente el bien;
Mas la esperanza de los impíos es el enojo.

**24** Hay quienes reparten, y les es añadido más;
Y hay quienes retienen más de lo que es
justo, pero vienen a pobreza.

---

es decir, nuestra confianza en Dios, nos sostendrá y nos mantendrá estables para que podamos resistir los más fuertes ciclones. Cuando enfrentamos dificultades, es un gran reto superar la tormenta y aprender lo que Dios nos está enseñando a través de ella. Para la gente de fe, tales pruebas son oportunidades de crecimiento personal (véase Santiago 1.2-4).

**11.1-3** Estos versículos resaltan la importancia de ser honrados. En la recuperación, necesitamos ser sinceros con nosotros mismos y con los demás. Necesitamos reconocer con franqueza que no podemos controlar nuestra adicción (Paso Uno). Necesitamos ser sinceros al hacer nuestro inventario moral (Pasos Cuatro y Diez). Necesitamos reconocer sin reservas, ante Dios y ante otras personas qué es exactamente lo que hemos hecho mal (Paso Cinco).

**11.24-25** Quizás algunos nos preguntemos cómo alguien puede esperar que nosotros distribuyamos algo. Quizás hayamos perdido todo o tal vez nos sintamos demasiado vacíos o cansados para extender una mano a alguien. Puede resultar refrescante darnos cuenta de que tenemos un regalo especial para dar a otros que también estén en recuperación: aliento. Cuando hablemos de nuestras victorias, y aun de nuestros fracasos, otros serán fortalecidos para las batallas que tienen por delante. De esto se trata el Paso Doce. Al llevar

**25** El alma generosa será prosperada;
Y el que saciare, él también será saciado.

**26** Al que acapara el grano, el pueblo
lo maldecirá;
Pero bendición será sobre la cabeza
del que lo vende.

**27** El que procura el bien buscará favor;
Mas al que busca el mal, éste le vendrá.

**28** El que confía en sus riquezas caerá;
Mas los justos reverdecerán como ramas.

**29** El que turba su casa heredará viento;
Y el necio será siervo del sabio de corazón.

**30** El fruto del justo es árbol de vida;
Y el que gana almas es sabio.

**31** Ciertamente el justo será recompensado
en la tierra;
¡Cuánto más el impío y el pecador!*a*

# 12

**1** El que ama la instrucción
ama la sabiduría;
Mas el que aborrece la reprensión
es ignorante.

**2** El bueno alcanzará favor de Jehová;
Mas él condenará al hombre de malos
pensamientos.

**3** El hombre no se afirmará por medio
de la impiedad;
Mas la raíz de los justos no será removida.

**4** La mujer virtuosa es corona de su marido;
Mas la mala, como carcoma en sus huesos.

**5** Los pensamientos de los justos son rectitud;
Mas los consejos de los impíos, engaño.

**6** Las palabras de los impíos son asechanzas
para derramar sangre;
Mas la boca de los rectos los librará.

**7** Dios trastornará a los impíos, y no serán más;
Pero la casa de los justos permanecerá firme.

**8** Según su sabiduría es alabado el hombre;
Mas el perverso de corazón será
menospreciado.

**9** Más vale el despreciado que tiene
servidores,
Que el que se jacta, y carece de pan.

**10** El justo cuida de la vida de su bestia;
Mas el corazón de los impíos es cruel.

**11** El que labra su tierra se saciará de pan;
Mas el que sigue a los vagabundos es falto
de entendimiento.

**12** Codicia el impío la red de los malvados;
Mas la raíz de los justos dará fruto.

**13** El impío es enredado en la prevaricación
de sus labios;
Mas el justo saldrá de la tribulación.

**14** El hombre será saciado de bien del fruto
de su boca;
Y le será pagado según la obra de sus manos.

**15** El camino del necio es derecho
en su opinión;
Mas el que obedece al consejo es sabio.

**16** El necio al punto da a conocer su ira;
Mas el que no hace caso de la injuria es
prudente.

**17** El que habla verdad declara justicia;
Mas el testigo mentiroso, engaño.

**18** Hay hombres cuyas palabras son como
golpes de espada;
Mas la lengua de los sabios es medicina.

**19** El labio veraz permanecerá para siempre;
Mas la lengua mentirosa sólo
por un momento.

**20** Engaño hay en el corazón de los
que piensan el mal;
Pero alegría en el de los que piensan
el bien.

**21** Ninguna adversidad acontecerá al justo;
Mas los impíos serán colmados de males.

**22** Los labios mentirosos son abominación
a Jehová;
Pero los que hacen verdad son su
contentamiento.

**23** El hombre cuerdo encubre su saber;
Mas el corazón de los necios publica
la necedad.

**24** La mano de los diligentes señoreará;
Mas la negligencia será tributaria.

**11.31** *a* 1 P. 4.18.

---

nuestro mensaje a otros que estén en recuperación, ellos recibirán la perspectiva y el aliento que necesitan para su éxito personal. Nosotros, a cambio, recibiremos ánimo para mantenernos alejados de nuestra dependencia debido a lo que ha llegado a representar para otros nuestra propia recuperación.

**12.15** Cambiar los patrones de conducta que nos convirtieron en esclavos o recuperarnos de los traumas emocionales requiere la ayuda de personas en las que confiemos y a las que respetemos (véanse 12.26; 15.22; 19.20). No podemos vivir exitosamente si estamos solos. La persona sabia oye el buen consejo de otros; el necio no lo hace. Alcanzar la madurez espiritual y emocional es un proceso que requiere la ayuda de personas dignas de confianza que nos guíen con sus cuidados y nos hagan rendir cuentas mientras tratamos de cambiar.

**12.16** Es una necedad perder la calma cuando nos insulten. Demostramos madurez cuando tenemos dominio propio y conservamos la calma. Al responder así, podremos ofrecer al ofensor con cariño, la corrección necesaria. Podremos también darnos la oportunidad de desarrollar con él una más estrecha relación y mantener nuestro corazón libre de resentimiento.

**25** La congoja en el corazón del hombre lo abate;
Mas la buena palabra lo alegra.

**26** El justo sirve de guía a su prójimo;
Mas el camino de los impíos les hace errar.

**27** El indolente ni aun asará lo que ha cazado;
Pero haber precioso del hombre
es la diligencia.

**28** En el camino de la justicia está la vida;
Y en sus caminos no hay muerte.

# 13

**1** El hijo sabio recibe el consejo del padre;
Mas el burlador no escucha
las represiones.

**2** Del fruto de su boca el hombre comerá
el bien;
Mas el alma de los prevaricadores hallará
el mal.

**3** El que guarda su boca guarda su alma;
Mas el que mucho abre sus labios tendrá
calamidad.

**4** El alma del perezoso desea, y nada alcanza;
Mas el alma de los diligentes será
prosperada.

**5** El justo aborrece la palabra de mentira;
Mas el impío se hace odioso e infame.

**6** La justicia guarda al de perfecto camino;
Mas la impiedad trastornará al pecador.

**7** Hay quienes pretenden ser ricos, y no tienen
nada;
Y hay quienes pretenden ser pobres,
y tienen muchas riquezas.

**8** El rescate de la vida del hombre
está en sus riquezas;
Pero el pobre no oye censuras.

**9** La luz de los justos se alegrará;
Mas se apagará la lámpara de los impíos.

**10** Ciertamente la soberbia concebirá
contienda;
Mas con los avisados está la sabiduría.

**11** Las riquezas de vanidad disminuirán;
Pero el que recoge con mano laboriosa
las aumenta.

**12** La esperanza que se demora es tormento
del corazón;
Pero árbol de vida es el deseo cumplido.

**13** El que menosprecia el precepto perecerá
por ello;
Mas el que teme el mandamiento será
recompensado.

**14** La ley del sabio es manantial de vida
Para apartarse de los lazos de la muerte.

**15** El buen entendimiento da gracia;
Mas el camino de los transgresores es duro.

**16** Todo hombre prudente procede con
sabiduría;
Mas el necio manifestará necedad.

**17** El mal mensajero acarrea desgracia;
Mas el mensajero fiel acarrea salud.

**18** Pobreza y vergüenza tendrá el que
menosprecia el consejo;
Mas el que guarda la corrección recibirá
honra.

**19** El deseo cumplido regocija el alma;
Pero apartarse del mal es abominación
a los necios.

**20** El que anda con sabios, sabio será;
Mas el que se junta con necios será
quebrantado.

**21** El mal perseguirá a los pecadores,
Mas los justos serán premiados con el bien.

**22** El bueno dejará herederos a los hijos
de sus hijos;
Pero la riqueza del pecador está guardada
para el justo.

**23** En el barbecho de los pobres hay
mucho pan;
Mas se pierde por falta de juicio.

---

**13.6** No debe sorprendernos que las malas acciones destruyan a la gente y que el pecado tenga dolorosas consecuencias. El abuso de las drogas y el alcohol destruirá el cuerpo; la mentira arruinará la reputación de alguien; las apuestas harán que uno termine en una casa de beneficencia. Para evitar las inevitables consecuencias de una conducta pecaminosa, necesitamos entregarle nuestra vida al Señor, quien puede darnos la victoria sobre nuestras adicciones y compulsiones. Seguir el camino de Dios nos lleva a la felicidad y nos garantiza una dirección sabia para nuestra vida.

**13.9** Dejar atrás un pasado destructivo para relacionarnos con un programa de recuperación basado en los principios de Dios es como salir de la oscuridad y llegar a la luz. Los que entran en la luz se percatan de su necesidad de ayuda y de la realidad de un Dios amoroso que quiere ayudarlos. Ya no pueden ocultar sus acciones en la oscuridad del rechazo y del engaño. Tienen que lidiar con sinceridad con los asuntos que la luz ha puesto de manifiesto.

**13.20** Puesto que llegamos a parecernos a la gente con la que andamos, es importante que tengamos amigos sabios y piadosos a los que respetemos. Involucrarse en un grupo de apoyo es muy importante para el crecimiento personal y para la recuperación. Cuando estemos luchando con ciertos aspectos de nuestra vida, será muy útil saber que no estamos solos y que hay otros que comparten nuestro dolor. También nos ayudaría ver que compañeros que luchan igualmente por su recuperación están moldeando en sus vidas las cualidades que nos ayudarán a vencer nuestros obstáculos: sinceridad, perseverancia y responsabilidad hacia otros.

24 El que detiene el castigo, a su hijo aborrece;
Mas el que lo ama, desde temprano
lo corrige.

25 El justo come hasta saciar su alma;
Mas el vientre de los impíos tendrá
necesidad.

# 14

1 La mujer sabia edifica su casa;
Mas la necia con sus manos la derriba.

2 El que camina en su rectitud teme a Jehová;
Mas el de caminos pervertidos
lo menosprecia.

3 En la boca del necio está la vara de la soberbia;
Mas los labios de los sabios los guardarán.

4 Sin bueyes el granero está vacío;
Mas por la fuerza del buey hay abundancia
de pan.

5 El testigo verdadero no mentirá;
Mas el testigo falso hablará mentiras.

6 Busca el escarnecedor la sabiduría
y no la halla;
Mas al hombre entendido la sabiduría
le es fácil.

7 Vete de delante del hombre necio,
Porque en él no hallarás labios de ciencia.

8 La ciencia del prudente está en entender
su camino;
Mas la indiscreción de los necios es engaño.

9 Los necios se mofan del pecado;
Mas entre los rectos hay buena voluntad.

10 El corazón conoce la amargura de su alma;
Y extraño no se entremeterá en su alegría.

11 La casa de los impíos será asolada;
Pero florecerá la tienda de los rectos.

12 Hay camino que al hombre le parece derecho;
Pero su fin es camino de muerte.*a*

13 Aun en la risa tendrá dolor el corazón;
Y el término de la alegría es congoja.

14 De sus caminos será hastiado el necio
de corazón;
Pero el hombre de bien estará contento
del suyo.

15 El simple todo lo cree;
Mas el avisado mira bien sus pasos.

16 El sabio teme y se aparta del mal;
Mas el insensato se muestra insolente
y confiado.

17 El que fácilmente se enoja hará locuras;
Y el hombre perverso será aborrecido.

18 Los simples heredarán necedad;
Mas los prudentes se coronarán de sabiduría.

19 Los malos se inclinarán delante de los buenos,
Y los impíos a las puertas del justo.

20 El pobre es odioso aun a su amigo;
Pero muchos son los que aman al rico.

21 Peca el que menosprecia a su prójimo;
Mas el que tiene misericordia de los pobres
es bienaventurado.

22 ¿No yerran los que piensan el mal?
Misericordia y verdad alcanzarán
los que piensan el bien.

23 En toda labor hay fruto;
Mas las vanas palabras de los labios
empobrecen.

24 Las riquezas de los sabios son su corona;
Pero la insensatez de los necios es infatuación.

25 El testigo verdadero libra las almas;
Mas el engañoso hablará mentiras.

26 En el temor de Jehová está la fuerte
confianza;
Y esperanza tendrán sus hijos.

27 El temor de Jehová es manantial de vida
Para apartarse de los lazos de la muerte.

28 En la multitud del pueblo está la gloria del rey;
Y en la falta de pueblo la debilidad
del príncipe.

29 El que tarda en airarse es grande
de entendimiento;
Mas el que es impaciente de espíritu
enaltece la necedad.

30 El corazón apacible es vida de la carne;
Mas la envidia es carcoma de los huesos.

31 El que oprime al pobre afrenta a su Hacedor;
Mas el que tiene misericordia del pobre,
lo honra.

32 Por su maldad será lanzado el impío;
Mas el justo en su muerte tiene esperanza.

14.12 *a* Pr. 16.25.

**14.15** Confiar en que Dios nos va a dirigir a través del consejo de otros es un paso importante en la recuperación. No obstante, Salomón aquí hace sonar una sabia nota de advertencia: no confíes ciegamente en otras personas. La sana confianza en otros se va desarrollando gradual y cuidadosamente. Esto sólo puede ocurrir cuando decidamos si ya estamos listos para hacernos vulnerables y si la dirección que estamos recibiendo es piadosa. Si un consejo cualquiera se opone a la verdad revelada en la Biblia, debe descartarse sin importar quién lo haya dado.

**14.26-27** «El temor de Jehová» es una parte integral de cualquier programa de Doce Pasos. Los Pasos Dos, Tres, Seis, Siete y Once tienen que ver directamente con confiar en Dios y estrechar nuestra relación con él. El Señor nos dará la fuerza y el poder que nunca experimentaríamos si nos hubiéramos negado a seguir su plan para nosotros. Él es nuestra seguridad, nuestra fortaleza y nuestra fuente de vida. Si todavía no hemos entregado nuestra vida a Jesús, debemos hacerlo ahora. Cualquier esperanza de recuperación depende de la relación con él.

33 En el corazón del prudente reposa la sabiduría;
Pero no es conocida en medio de los necios.

34 La justicia engrandece a la nación;
Mas el pecado es afrenta de las naciones.

35 La benevolencia del rey es para con el
servidor entendido;
Mas su enojo contra el que lo avergüenza.

**15** 1 La blanda respuesta quita la ira;
Mas la palabra áspera hace subir el furor.

2 La lengua de los sabios adornará la sabiduría;
Mas la boca de los necios hablará sandeces.

3 Los ojos de Jehová están en todo lugar,
Mirando a los malos y a los buenos.

4 La lengua apacible es árbol de vida;
Mas la perversidad de ella es
quebrantamiento de espíritu.

5 El necio menosprecia el consejo de su padre;
Mas el que guarda la corrección vendrá a ser
prudente.

6 En la casa del justo hay gran provisión;
Pero turbación en las ganancias del impío.

7 La boca de los sabios esparce sabiduría;
No así el corazón de los necios.

8 El sacrificio de los impíos es abominación a
Jehová;
Mas la oración de los rectos es su gozo.

9 Abominación es a Jehová el camino del impío;
Mas él ama al que sigue justicia.

10 La reconvención es molesta al que deja el
camino;
Y el que aborrece la corrección morirá.

11 El Seol y el Abadón están delante de Jehová;
¡Cuánto más los corazones de los hombres!

12 El escarnecedor no ama al que le reprende,
Ni se junta con los sabios.

13 El corazón alegre hermosea el rostro;
Mas por el dolor del corazón el espíritu se abate.

14 El corazón entendido busca la sabiduría;
Mas la boca de los necios se alimenta de
necedades.

15 Todos los días del afligido son difíciles;
Mas el de corazón contento tiene un
banquete continuo.

16 Mejor es lo poco con el temor de Jehová,
Que el gran tesoro donde hay turbación.

17 Mejor es la comida de legumbres donde
hay amor,
Que de buey engordado donde hay odio.

# Autoprotección

LEA PROVERBIOS 15.16-33

Cuando estamos en recuperación aprendemos nuevas maneras de ver las cosas, nuevas formas de responder y nuevos principios en que basar decisiones. Los viejos patrones por los que regimos nuestro pensamiento y nuestra vida no funcionaron muy bien. Ahora que estamos adoptando nuevos patrones, necesitaremos consejeros sabios. Ellos nos escucharán mientras les hablamos de nuestras luchas, y nos ofrecerán el apoyo y la sabiduría que necesitamos.

El rey Salomón dio este consejo: «Los pensamientos son frustrados donde no hay consejo; mas en la multitud de consejeros se afirman» (Proverbios 15.22). «En la multitud de consejeros hay seguridad» (Proverbios 11.14). El rey David buscó consejo de sabio en la palabra de Dios: «Pues tus testimonios son mis delicias y mis consejeros» (Salmo 119.24). Isaías profetizó sobre Jesús el Mesías diciendo: «Porque un niño nos es nacido, hijo nos es dado, y el principado sobre su hombro; y se llamará su nombre Admirable, Consejero, Dios Fuerte, Padre Eterno, Príncipe de Paz» (Isaías 9.6). Dios es nuestra fuente insuperable de sabios consejos.

Cuando nos rodeamos de consejeros sabios y confiables estamos creando un muro de seguridad. El buen consejo puede venir de la Biblia o de personas piadosas. Cuando confesamos nuestros errores a otras personas, ellas pueden convertirse en nuestra fuente de consejos. Puede tratarse de profesionales que entienden la adicción y el proceso de recuperación. O de personas que nos conocen y basan su consejo en principios piadosos. O tal vez sean personas que han experimentado lo mismo que nosotros estamos experimentando ahora. ¡Busque a alguien! Pero sobre todo, confíe en Dios como la fuente suprema de sabios consejos. ***Fin del Plan de lectura de Devocionales sobre los Principios de Recuperación.***

---

**15.14** Debemos ser cuidadosos con el alimento que le damos a nuestra mente. Si «buscamos la sabiduría» no sólo viviremos de acuerdo con el plan de Dios, sino que también amaremos y estudiaremos su Palabra, que es «mejor... que millares de oro y plata» (Salmo 119.72). Cuando nuestra mente se pose en cosas enfermizas –que son todas las cosas que nos alejan de Dios– entonces «se alimenta de necedades». Llenar nuestra mente y nuestro corazón con pensamientos, palabras o imágenes malignos sólo nos dificultará el proceso de recuperación. En vez de esto, se nos ordena pensar en «todo lo que es verdadero, todo lo honesto, todo lo justo, todo lo puro, todo lo amable, todo lo que es de buen nombre» (Filipenses 4.8).

18 El hombre iracundo promueve contiendas;
Mas el que tarda en airarse apacigua
la rencilla.

19 El camino del perezoso es como seto
de espinos;
Mas la vereda de los rectos, como una calzada.

20 El hijo sabio alegra al padre;
Mas el hombre necio menosprecia
a su madre.

21 La necedad es alegría al falto
de entendimiento;
Mas el hombre entendido endereza
sus pasos.

22 Los pensamientos son frustrados donde
no hay consejo;
Mas en la multitud de consejeros se afirman.

23 El hombre se alegra con la respuesta
de su boca;
Y la palabra a su tiempo, ¡cuán buena es!

24 El camino de la vida es hacia arriba al
entendido,
Para apartarse del Seol abajo.

25 Jehová asolará la casa de los soberbios;
Pero afirmará la heredad de la viuda.

26 Abominación son a Jehová los
pensamientos del malo;
Mas las expresiones de los limpios
son limpias.

27 Alborota su casa el codicioso;
Mas el que aborrece el soborno vivirá.

28 El corazón del justo piensa para responder;
Mas la boca de los impíos derrama malas
cosas.

29 Jehová está lejos de los impíos;
Pero él oye la oración de los justos.

30 La luz de los ojos alegra el corazón,
Y la buena nueva conforta los huesos.

31 El oído que escucha las amonestaciones
de la vida,
Entre los sabios morará.

32 El que tiene en poco la disciplina
menosprecia su alma;
Mas el que escucha la corrección tiene
entendimiento.

33 El temor de Jehová es enseñanza
de sabiduría;
Y a la honra precede la humildad.

## Proverbios sobre la vida y la conducta

**16** 1 Del hombre son las disposiciones
del corazón;
Mas de Jehová es la respuesta de la lengua.

2 Todos los caminos del hombre son limpios
en su propia opinión;
Pero Jehová pesa los espíritus.

3 Encomienda a Jehová tus obras,
Y tus pensamientos serán afirmados.

4 Todas las cosas ha hecho Jehová para
sí mismo,
Y aun al impío para el día malo.

5 Abominación es a Jehová todo altivo
de corazón;
Ciertamente no quedará impune.

6 Con misericordia y verdad se corrige
el pecado,
Y con el temor de Jehová los hombres
se apartan del mal.

7 Cuando los caminos del hombre son
agradables a Jehová,
Aun a sus enemigos hace estar en paz con él.

8 Mejor es lo poco con justicia
Que la muchedumbre de frutos sin derecho.

9 El corazón del hombre piensa su camino;
Mas Jehová endereza sus pasos.

---

**15.31-32** Si realmente queremos aprender y crecer, debemos estar dispuestos a dar cuenta de nuestras acciones, y esto lo hacemos recibiendo la crítica constructiva de otros (véanse 13.18; 15.5; 25.12). Para muchos de nosotros es difícil recibir la amonestación de alguien, porque aun cuando se nos dé con amor, nos duele. Nuestra tendencia puede ser la de no prestar oídos a la corrección, para evitar el dolor o para no colapsar emocionalmente ya que nos sentimos devastados aun ante una palabra de crítica constructiva. Sería muy sabio pedir la opinión de las personas que respetamos, para así aprender de nuestros errores y crecer en entendimiento y madurez.

**16.2** Somos increíblemente buenos a la hora de racionalizar nuestras acciones y nuestros motivos para que los demás no sepan por qué estamos haciendo las cosas. Esto es peligroso porque llegamos a creernos lo que le estamos diciendo a los demás. A los que tenemos problema con la bebida, por ejemplo, nos resulta muy fácil negarlo. Afirmamos que realmente no tenemos que beber o que sólo lo hacemos porque somos sociables. Quizás hasta le hayamos «probado» a todo el mundo que no tenemos ningún problema; a todo el mundo, claro está, excepto a Dios. Él conoce todas nuestras acciones, nuestros motivos y nuestras excusas. Él es el único que puede hacer posible una completa recuperación.

**16.9** Es importante que encomendemos a Dios nuestro futuro, pero también tenemos que hacer planes; planes para las varias etapas en el proceso de nuestra recuperación, para nuestros ahorros de jubilación, para nuestra vida. Confiar responsablemente en Dios significa actuar para conseguir lo que necesitamos en la vida, mientras permitimos que la palabra de Dios y su Espíritu nos dirijan en nuestros preparativos. Decir «Dios proveerá» y luego sentarnos a esperar que él haga lo que a nosotros nos corresponde hacer es, con frecuencia, una excusa para la vagancia. Necesitamos seguir trabajando y permitir que Dios nos dirija en el proceso.

**10** Oráculo hay en los labios del rey;
En juicio no prevaricará su boca.

**11** Peso y balanzas justas son de Jehová;
Obra suya son todas las pesas de la bolsa.

**12** Abominación es a los reyes hacer impiedad,
Porque con justicia será afirmado el trono.

**13** Los labios justos son el contentamiento de
los reyes,
Y éstos aman al que habla lo recto.

**14** La ira del rey es mensajero de muerte;
Mas el hombre sabio la evitará.

**15** En la alegría del rostro del rey está la vida,
Y su benevolencia es como nube de lluvia
tardía.

**16** Mejor es adquirir sabiduría que oro preciado;
Y adquirir inteligencia vale más que la plata.

**17** El camino de los rectos se aparta del mal;
Su vida guarda el que guarda su camino.

**18** Antes del quebrantamiento es la soberbia,
Y antes de la caída la altivez de espíritu.

**19** Mejor es humillar el espíritu con los
humildes
Que repartir despojos con los soberbios.

**20** El entendido en la palabra hallará el bien,
Y el que confía en Jehová es
bienaventurado.

**21** El sabio de corazón es llamado prudente,
Y la dulzura de labios aumenta el saber.

**22** Manantial de vida es el entendimiento
al que lo posee;
Mas la erudición de los necios es necedad.

**23** El corazón del sabio hace prudente su boca,
Y añade gracia a sus labios.

**24** Panal de miel son los dichos suaves;
Suavidad al alma y medicina para los huesos.

**25** Hay camino que parece derecho al hombre,
Pero su fin es camino de muerte.*a*

**26** El alma del que trabaja, trabaja para sí,
Porque su boca le estimula.

**27** El hombre perverso cava en busca del mal,
Y en sus labios hay como llama de fuego.

**28** El hombre perverso levanta contienda,
Y el chismoso aparta a los mejores amigos.

**29** El hombre malo lisonjea a su prójimo,
Y le hace andar por camino no bueno.

**30** Cierra sus ojos para pensar perversidades;
Mueve sus labios, efectúa el mal.

**31** Corona de honra es la vejez
Que se halla en el camino de justicia.

**32** Mejor es el que tarda en airarse que el fuerte;
Y el que se enseñorea de su espíritu, que el
que toma una ciudad.

**33** La suerte se echa en el regazo;
Mas de Jehová es la decisión de ella.

## 17

**1** Mejor es un bocado seco, y en paz,
Que casa de contiendas llena
de provisiones.

**2** El siervo prudente se enseñoreará del hijo
que deshonra,
Y con los hermanos compartirá la herencia.

**3** El crisol para la plata, y la hornaza
para el oro;
Pero Jehová prueba los corazones.

**4** El malo está atento al labio inicuo;
Y el mentiroso escucha la lengua detractora.

**5** El que escarnece al pobre afrenta
a su Hacedor;
Y el que se alegra de la calamidad no
quedará sin castigo.

**6** Corona de los viejos son los nietos,
Y la honra de los hijos, sus padres.

**7** No conviene al necio la altilocuencia;
¡Cuánto menos al príncipe el labio mentiroso!

**8** Piedra preciosa es el soborno para
el que lo practica;
Adondequiera que se vuelve, halla
prosperidad.

**9** El que cubre la falta busca amistad;
Mas el que la divulga, aparta al amigo.

**10** La represión aprovecha al entendido,
Más que cien azotes al necio.

**11** El rebelde no busca sino el mal,
Y mensajero cruel será enviado contra él.

**12** Mejor es encontrarse con una osa a la cual
han robado sus cachorros,
Que con un fatuo en su necedad.

---

**16.25** *a* Pr. 14.12.

---

**16.33** No existe tal cosa como la suerte. Todo lo que nos pasa, aun lo que parezca como tirar los dados al azar, está bajo el ojo vigilante y la mano orientadora de nuestro soberano Dios. Es un desafío para nuestra fe confiar en que Dios tiene verdaderamente el mando y se preocupa por todos los detalles de nuestra vida. Pero es alentador recordar que «a los que aman a Dios, todas las cosas les ayudan a bien, esto es, a los que conforme a su propósito son llamados» (Romanos 8.28).

**17.9** Lo último que necesitamos oír en la recuperación es cómo hemos echado a perder nuestra vida. Somos muy conscientes de nuestros errores y sentimos vergüenza por algunas cosas que hemos hecho. Pero al confesar nuestros pecados y arrepentirnos, recibimos la purificación y el perdón de Dios. Él ha perdonado nuestros pecados y los ha alejado de nosotros así como «está lejos el oriente del occidente» (Salmo 103.12). Si Dios ha perdonado y olvidado nuestros errores pasados, no hay necesidad de que nos los recuerden. Si los amigos nos mencionan nuestro pasado, no debemos hacerles caso ni sentirnos culpables por lo que hayamos hecho. La culpa que sintamos podría arrastrarnos otra vez a nuestro antiguo estilo de vida.

**13** El que da mal por bien,
No se apartará el mal de su casa.
**14** El que comienza la discordia es como quien
suelta las aguas;
Deja, pues, la contienda, antes que se enrede.
**15** El que justifica al impío, y el que condena
al justo,
Ambos son igualmente abominación
a Jehová.
**16** ¿De qué sirve el precio en la mano del necio
para comprar sabiduría,
No teniendo entendimiento?
**17** En todo tiempo ama el amigo,
Y es como un hermano en tiempo de angustia.
**18** El hombre falto de entendimiento presta
fianzas,
Y sale por fiador en presencia de su amigo.
**19** El que ama la disputa, ama la transgresión;
Y el que abre demasiado la puerta busca su
ruina.
**20** El perverso de corazón nunca hallará el bien,
Y el que revuelve con su lengua caerá
en el mal.
**21** El que engendra al insensato, para su tristeza
lo engendra;
Y el padre del necio no se alegrará.
**22** El corazón alegre constituye buen remedio;
Mas el espíritu triste seca los huesos.
**23** El impío toma soborno del seno
Para pervertir las sendas de la justicia.
**24** En el rostro del entendido aparece la
sabiduría;
Mas los ojos del necio vagan hasta el
extremo de la tierra.
**25** El hijo necio es pesadumbre de su padre,
Y amargura a la que lo dio a luz.
**26** Ciertamente no es bueno condenar al justo,
Ni herir a los nobles que hacen lo recto.
**27** El que ahorra sus palabras tiene sabiduría;
De espíritu prudente es el hombre
entendido.

**28** Aun el necio, cuando calla, es contado
por sabio;
El que cierra sus labios es entendido.

**18** **1** Su deseo busca el que se desvía,
Y se entremete en todo negocio.
**2** No toma placer el necio en la inteligencia,
Sino en que su corazón se descubra.
**3** Cuando viene el impío, viene también
el menosprecio,
Y con el deshonrador la afrenta.
**4** Aguas profundas son las palabras de la boca
del hombre;
Y arroyo que rebosa, la fuente de la sabiduría.
**5** Tener respeto a la persona del impío,
Para pervertir el derecho del justo,
no es bueno.
**6** Los labios del necio traen contienda;
Y su boca los azotes llama.
**7** La boca del necio es quebrantamiento
para sí,
Y sus labios son lazos para su alma.
**8** Las palabras del chismoso son como
bocados suaves,
Y penetran hasta las entrañas.
**9** También el que es negligente en su trabajo
Es hermano del hombre disipador.
**10** Torre fuerte es el nombre de Jehová;
A él correrá el justo, y será levantado.
**11** Las riquezas del rico son su ciudad
fortificada,
Y como un muro alto en su imaginación.
**12** Antes del quebrantamiento se eleva
el corazón del hombre,
Y antes de la honra es el abatimiento.
**13** Al que responde palabra antes de oír,
Le es fatuidad y oprobio.
**14** El ánimo del hombre soportará su
enfermedad;
Mas ¿quién soportará al ánimo angustiado?
**15** El corazón del entendido adquiere sabiduría;
Y el oído de los sabios busca la ciencia.

---

**17.17** El verdadero amigo permanecerá a nuestro lado durante los momentos difíciles. Si no mantenemos relaciones con amigos de este tipo, la recuperación y el crecimiento no podrán lograrse. Todos necesitamos poder expresar nuestras necesidades y preocupaciones a alguien que se interese por nosotros y nos anime en nuestros esfuerzos por cambiar.

**18.1** Quien es indulgente consigo mismo carece de habilidad para postergar las expresiones de satisfacción personal. Si somos así, terminamos satisfaciendo nuestros caprichos pero no nuestras verdaderas necesidades. En lugar de demandar que las cosas se hagan a nuestra manera, es más saludable tomar tiempo para reflexionar sobre lo que es verdaderamente importante para nosotros y buscar satisfacer así esas necesidades de forma apropiada.

**18.12** Cuando estamos llenos de orgullo no podemos ver nuestras debilidades. Levantamos muros de rechazo que son casi impenetrables. Si no podemos reconocer nuestros defectos, nunca los corregiremos y sufriremos las consecuencias. Por otro lado, la humildad abre las puertas a la corrección. Cuando evaluamos sinceramente nuestra vida, podemos ver nuestras debilidades y dar los pasos necesarios para corregirlas y mejorar. Esto puede ser doloroso ahora, pero será mucho más llevadero que el dolor de una vida destruida por dependencias y compulsiones.

16 La dádiva del hombre le ensancha el camino
Y le lleva delante de los grandes.

17 Justo parece el primero que aboga
por su causa;
Pero viene su adversario, y le descubre.

18 La suerte pone fin a los pleitos,
Y decide entre los poderosos.

19 El hermano ofendido es más tenaz
que una ciudad fuerte,
Y las contiendas de los hermanos
son como cerrojos de alcázar.

20 Del fruto de la boca del hombre se llenará
su vientre;
Se saciará del producto de sus labios.

21 La muerte y la vida están en poder de la lengua,
Y el que la ama comerá de sus frutos.

22 El que halla esposa halla el bien,
Y alcanza la benevolencia de Jehová.

23 El pobre habla con ruegos,
Mas el rico responde durezas.

24 El hombre que tiene amigos ha de mostrarse
amigo;
Y amigo hay más unido que un hermano.

# 19

1 Mejor es el pobre que camina
en integridad,
Que el de perversos labios y fatuo.

2 El alma sin ciencia no es buena,
Y aquel que se apresura con los pies, peca.

3 La insensatez del hombre tuerce su camino,
Y luego contra Jehová se irrita su corazón.

4 Las riquezas traen muchos amigos;
Mas el pobre es apartado de su amigo.

5 El testigo falso no quedará sin castigo,
Y el que habla mentiras no escapará.

6 Muchos buscan el favor del generoso,
Y cada uno es amigo del hombre que da.

7 Todos los hermanos del pobre le aborrecen;
¡Cuánto más sus amigos se alejarán de él!
Buscará la palabra, y no la hallará.

8 El que posee entendimiento ama su alma;
El que guarda la inteligencia hallará el bien.

9 El testigo falso no quedará sin castigo,
Y el que habla mentiras perecerá.

10 No conviene al necio el deleite;
¡Cuánto menos al siervo ser señor
de los príncipes!

11 La cordura del hombre detiene su furor,
Y su honra es pasar por alto la ofensa.

12 Como rugido de cachorro de león es la ira
del rey,
Y su favor como el rocío sobre la hierba.

13 Dolor es para su padre el hijo necio,
Y gotera continua las contiendas
de la mujer.

14 La casa y las riquezas son herencia
de los padres;
Mas de Jehová la mujer prudente.

15 La pereza hace caer en profundo sueño,
Y el alma negligente padecerá hambre.

16 El que guarda el mandamiento guarda
su alma;
Mas el que menosprecia sus caminos morirá.

17 A Jehová presta el que da al pobre,
Y el bien que ha hecho, se lo volverá a pagar.

18 Castiga a tu hijo en tanto que hay
esperanza;
Mas no se apresure tu alma para destruirlo.

19 El de grande ira llevará la pena;
Y si usa de violencias, añadirá nuevos males.

20 Escucha el consejo, y recibe la corrección,
Para que seas sabio en tu vejez.

21 Muchos pensamientos hay en el corazón
del hombre;
Mas el consejo de Jehová permanecerá.

22 Contentamiento es a los hombres hacer
misericordia;
Pero mejor es el pobre que el mentiroso.

23 El temor de Jehová es para vida,
Y con él vivirá lleno de reposo el hombre;
No será visitado de mal.

24 El perezoso mete su mano en el plato,
Y ni aun a su boca la llevará.

25 Hiere al escarnecedor, y el simple se hará
avisado;
Y corrigiendo al entendido, entenderá ciencia.

26 El que roba a su padre y ahuyenta a su madre,
Es hijo que causa vergüenza y acarrea oprobio.

27 Cesa, hijo mío, de oír las enseñanzas
Que te hacen divagar de las razones
de sabiduría.

28 El testigo perverso se burlará del juicio,
Y la boca de los impíos encubrirá la
iniquidad.

29 Preparados están juicios para
los escarnecedores,
Y azotes para las espaldas de los necios.

---

**19.19** Si rescatamos de sus problemas una vez a nuestros amigos impacientes, probablemente tengamos que rescatarlos en repetidas ocasiones. Se acostumbrarán a que alguien venga a su rescate y vivirán irresponsablemente sin sufrir las consecuencias de su conducta. Quizás nos volvamos codependientes; adictos a no pensar en nuestras propias necesidades y, de paso, obteniendo una sensación de importancia al ayudar a otros en sus necesidades. Esto nos hace daño a nosotros y a las personas que necesitan nuestra ayuda. Aunque duela hacer esto, necesitamos dejar que los demás sientan los efectos de su adicción. El dolor de esas experiencias puede hacer que reconozcan sus problemas y busquen recuperarse.

# 20

1 El vino es escarnecedor,
   la sidra alborotadora,
Y cualquiera que por ellos yerra no es sabio.

2 Como rugido de cachorro de león
   es el terror del rey;
El que lo enfurece peca contra sí mismo.

3 Honra es del hombre dejar la contienda;
Mas todo insensato se envolverá en ella.

4 El perezoso no ara a causa del invierno;
Pedirá, pues, en la siega, y no hallará.

5 Como aguas profundas es el consejo
   en el corazón del hombre;
Mas el hombre entendido lo alcanzará.

6 Muchos hombres proclaman cada uno
   su propia bondad,
Pero hombre de verdad, ¿quién lo hallará?

7 Camina en su integridad el justo;
Sus hijos son dichosos después de él.

8 El rey que se sienta en el trono de juicio,
Con su mirar disipa todo mal.

9 ¿Quién podrá decir: Yo he limpiado
   mi corazón,
Limpio estoy de mi pecado?

10 Pesa falsa y medida falsa,
Ambas cosas son abominación a Jehová.

11 Aun el muchacho es conocido por sus hechos,
Si su conducta fuere limpia y recta.

12 El oído que oye, y el ojo que ve,
Ambas cosas igualmente ha hecho Jehová.

13 No ames el sueño, para que no te
   empobrezcas;
Abre tus ojos, y te saciarás de pan.

14 El que compra dice: Malo es, malo es;
Mas cuando se aparta, se alaba.

15 Hay oro y multitud de piedras preciosas;
Mas los labios prudentes son joya preciosa.

16 Quítale su ropa al que salió por fiador
   del extraño,
Y toma prenda del que sale fiador
   por los extraños.

17 Sabroso es al hombre el pan de mentira;
Pero después su boca será llena de cascajo.

18 Los pensamientos con el consejo
   se ordenan;
Y con dirección sabia se hace la guerra.

19 El que anda en chismes descubre el secreto;
No te entremetas, pues, con el suelto
   de lengua.

20 Al que maldice a su padre o a su madre,
Se le apagará su lámpara en oscuridad
   tenebrosa.

21 Los bienes que se adquieren de prisa
   al principio,
No serán al final bendecidos.

22 No digas: Yo me vengaré;
Espera a Jehová, y él te salvará.

23 Abominación son a Jehová las pesas falsas,
Y la balanza falsa no es buena.

24 De Jehová son los pasos del hombre;
¿Cómo, pues, entenderá el hombre
   su camino?

25 Lazo es al hombre hacer apresuradamente
   voto de consagración,
Y después de hacerlo, reflexionar.

26 El rey sabio avienta a los impíos,
Y sobre ellos hace rodar la rueda.

27 Lámpara de Jehová es el espíritu del hombre,
La cual escudriña lo más profundo
   del corazón.

28 Misericordia y verdad guardan al rey,
Y con clemencia se sustenta su trono.

29 La gloria de los jóvenes es su fuerza,
Y la hermosura de los ancianos es su vejez.

30 Los azotes que hieren son medicina
   para el malo,
Y el castigo purifica el corazón.

---

**20.9** Ninguno de nosotros está limpio de pecado, pero podemos recibir el perdón de Dios por medio de la confesión y el arrepentimiento. Un paso importante en la recuperación es hacer un inventario moral de nuestra vida. ¡Esta es una tarea tremenda! Cometimos muchos de nuestros pecados inconscientemente y se necesitará una verdadera búsqueda en el alma para sacarlos a la luz. Como tenemos una tendencia tan fuerte hacia el pecado, necesitaremos hacer varios inventarios. Podemos estar seguros, sin embargo, de que cada vez que confesemos a Dios nuestros pecados, él será fiel en perdonarnos.

**20.22** Tratar de vengarnos de las personas que nos han lastimado nunca va a satisfacer nuestra rabia; sólo le añadirá leña al fuego. El ciclo de represalias con frecuencia dura mucho tiempo; a veces pasan años hasta que ambas partes ya se hayan olvidado del origen del conflicto. Para superar nuestra furia, necesitamos comenzar de inmediato el proceso de perdón. Quizás necesitemos confrontar, con amor, a nuestro ofensor y tratar de resolver el conflicto por medio de un entendimiento mutuo. Si no es posible la reconciliación, lo mejor es poner el asunto en las manos de Dios y su perfecta justicia. En cualquiera de los casos, necesitamos dejar atrás el pecado y seguir adelante con nuestra vida.

**20.27** El propósito de Dios es que nuestra conciencia sea como una lámpara que ilumine nuestra vida, ayudándonos a hacer nuestro inventario moral. Cuando se expone el pecado, la conciencia piadosa no condena ni culpa, pero tampoco lo disculpa. En lugar de esto, reconoce que el pecado no es bueno para nosotros y causa dolor a otros. Cuando sentimos que algo no anda bien con respecto a nuestras acciones, posiblemente nuestra conciencia nos esté hablando, alumbrando nuestros pecados con su luz. Una vez que sepamos que los pecados están ahí, podremos confesarlos, arrepentirnos y recibir el perdón.

# 21

¹ Como los repartimientos de las aguas,
Así está el corazón del rey en la mano
de Jehová;
A todo lo que quiere lo inclina.

² Todo camino del hombre es recto
en su propia opinión;
Pero Jehová pesa los corazones.

³ Hacer justicia y juicio es a Jehová
Más agradable que sacrificio.

⁴ Altivez de ojos, y orgullo de corazón,
Y pensamiento de impíos, son pecado.

⁵ Los pensamientos del diligente ciertamente
tienden a la abundancia;
Mas todo el que se apresura alocadamente,
de cierto va a la pobreza.

⁶ Amontonar tesoros con lengua mentirosa
Es aliento fugaz de aquellos que buscan
la muerte.

⁷ La rapiña de los impíos los destruirá,
Por cuanto no quisieron hacer juicio.

⁸ El camino del hombre perverso es torcido
y extraño;
Mas los hechos del limpio son rectos.

⁹ Mejor es vivir en un rincón del terrado
Que con mujer rencillosa en casa espaciosa.

¹⁰ El alma del impío desea el mal;
Su prójimo no halla favor en sus ojos.

¹¹ Cuando el escarnecedor es castigado,
el simple se hace sabio;
Y cuando se le amonesta al sabio,
aprende ciencia.

¹² Considera el justo la casa del impío,
Cómo los impíos son trastornados
por el mal.

¹³ El que cierra su oído al clamor del pobre,
También él clamará, y no será oído.

¹⁴ La dádiva en secreto calma el furor,
Y el don en el seno, la fuerte ira.

¹⁵ Alegría es para el justo el hacer juicio;
Mas destrucción a los que hacen iniquidad.

¹⁶ El hombre que se aparta del camino
de la sabiduría
Vendrá a parar en la compañía
de los muertos.

¹⁷ Hombre necesitado será el que ama
el deleite,
Y el que ama el vino y los ungüentos
no se enriquecerá.

¹⁸ Rescate del justo es el impío,
Y por los rectos, el prevaricador.

¹⁹ Mejor es morar en tierra desierta
Que con la mujer rencillosa e iracunda.

²⁰ Tesoro precioso y aceite hay en la casa
del sabio;
Mas el hombre insensato todo lo disipa.

²¹ El que sigue la justicia y la misericordia
Hallará la vida, la justicia y la honra.

²² Tomó el sabio la ciudad de los fuertes,
Y derribó la fuerza en que ella confiaba.

²³ El que guarda su boca y su lengua,
Su alma guarda de angustias.

²⁴ Escarnecedor es el nombre del soberbio
y presuntuoso
Que obra en la insolencia de su presunción.

²⁵ El deseo del perezoso le mata,
Porque sus manos no quieren trabajar.

²⁶ Hay quien todo el día codicia;
Pero el justo da, y no detiene su mano.

²⁷ El sacrificio de los impíos es abominación;
¡Cuánto más ofreciéndolo con maldad!

²⁸ El testigo mentiroso perecerá;
Mas el hombre que oye, permanecerá
en su dicho.

²⁹ El hombre impío endurece su rostro;
Mas el recto ordena sus caminos.

³⁰ No hay sabiduría, ni inteligencia,
Ni consejo, contra Jehová.

³¹ El caballo se alista para el día de la batalla;
Mas Jehová es el que da la victoria.

# 22

¹ De más estima es el buen nombre
que las muchas riquezas,
Y la buena fama más que la plata y el oro.

² El rico y el pobre se encuentran;
A ambos los hizo Jehová.

³ El avisado ve el mal y se esconde;
Mas los simples pasan y reciben el daño.

⁴ Riquezas, honra y vida
Son la remuneración de la humildad
y del temor de Jehová.

⁵ Espinos y lazos hay en el camino
del perverso;
El que guarda su alma se alejará de ellos.

⁶ Instruye al niño en su camino,
Y aun cuando fuere viejo no se apartará de él.

⁷ El rico se enseñorea de los pobres,
Y el que toma prestado es siervo del que presta.

**21.5** ¡La recuperación implica P-A-C-I-E-N-C-I-A! Con frecuencia sentimos que caminamos con dificultad, y damos sólo un paso a la vez. A veces hasta tenemos que repetir los pasos que ya hemos recorrido. Experimentar un cambio real en nuestra vida casi siempre será un proceso lento. Toma tiempo poner en práctica los principios de la recuperación. Un programa de recuperación de «remedios rápidos» no tendrá resultados duraderos porque nunca nos da el tiempo que necesitamos para hacer que los pasos se conviertan en una parte integral de nuestra vida.

**22.6** La parte más importante de ser padres es enseñar a nuestros hijos a seguir un estilo de vida piadoso. Si los niños aprenden a respetar la autoridad y obedecer a Dios mientras todavía son pequeños, se

8 El que sembrare iniquidad, iniquidad segará,
Y la vara de su insolencia se quebrará.

9 El ojo misericordioso será bendito,
Porque dio de su pan al indigente.

10 Echa fuera al escarnecedor, y saldrá la contienda,
Y cesará el pleito y la afrenta.

11 El que ama la limpieza de corazón,
Por la gracia de sus labios tendrá la amistad del rey.

12 Los ojos de Jehová velan por la ciencia;
Mas él trastorna las cosas de los prevaricadores.

13 Dice el perezoso: El león está fuera;
Seré muerto en la calle.

14 Fosa profunda es la boca de la mujer extraña;
Aquel contra el cual Jehová estuviere airado caerá en ella.

15 La necedad está ligada en el corazón del muchacho;
Mas la vara de la corrección la alejará de él.

16 El que oprime al pobre para aumentar sus ganancias,
O que da al rico, ciertamente se empobrecerá.

## Preceptos y amonestaciones

17 Inclina tu oído y oye las palabras de los sabios,
Y aplica tu corazón a mi sabiduría;

18 Porque es cosa deliciosa, si las guardares dentro de ti;
Si juntamente se afirmaren sobre tus labios.

19 Para que tu confianza sea en Jehová,
Te las he hecho saber hoy a ti también.

20 ¿No te he escrito tres veces
En consejos y en ciencia,

21 Para hacerte saber la certidumbre de las palabras de verdad,
A fin de que vuelvas a llevar palabras de verdad a los que te enviaron?

22 No robes al pobre, porque es pobre,
Ni quebrantes en la puerta al afligido;

23 Porque Jehová juzgará la causa de ellos,
Y despojará el alma de aquellos que los despojaren.

24 No te entremetas con el iracundo,
Ni te acompañes con el hombre de enojos,

25 No sea que aprendas sus maneras,
Y tomes lazo para tu alma.

26 No seas de aquellos que se comprometen,
Ni de los que salen por fiadores de deudas.

27 Si no tuvieres para pagar,
¿Por qué han de quitar tu cama de debajo de ti?

28 No traspases los linderos antiguos
Que pusieron tus padres.

29 ¿Has visto hombre solícito en su trabajo?
Delante de los reyes estará;
No estará delante de los de baja condición.

**23** 1 Cuando te sientes a comer con algún señor,
Considera bien lo que está delante de ti,

2 Y pon cuchillo a tu garganta,
Si tienes gran apetito.

3 No codicies sus manjares delicados,
Porque es pan engañoso.

4 No te afanes por hacerte rico;
Sé prudente, y desiste.

5 ¿Has de poner tus ojos en las riquezas, siendo ningunas?
Porque se harán alas
Como alas de águila, y volarán al cielo.

6 No comas pan con el avaro,
Ni codicies sus manjares;

7 Porque cual es su pensamiento en su corazón, tal es él.
Come y bebe, te dirá;
Mas su corazón no está contigo.

8 Vomitarás la parte que comiste,
Y perderás tus suaves palabras.

9 No hables a oídos del necio,
Porque menospreciará la prudencia de tus razones.

10 No traspases el lindero antiguo,
Ni entres en la heredad de los huérfanos;

---

mantendrán en ese camino cuando sean mayores. Si crecimos en una familia disfuncional, donde se rechazaban los valores cristianos o se burlaban de ellos, ahora podemos entender cómo esto nos condujo a un estilo de vida codependiente. Pero nuestros hijos merecen algo mejor. Ellos necesitan todas las ventajas de un ambiente familiar lleno de amor y de principios morales.

**22.17-19** Aquí Salomón repitió uno de sus temas favoritos en Proverbios: el de la confianza en el Señor. Sólo él es la fuente del perfecto amor y de la verdad. Sólo cuando nos rindamos a él podremos experimentar amor verdadero y descubrir cómo debemos vivir nuestra vida.

**23.4-5** Quizás la adicción más común e ignorada por nuestra cultura sea la avaricia o el materialismo. Mucha gente se agota física y espiritualmente tratando de obtener más y más dinero para poder comprar más bienes y hacer más cosas. El placer que ese dinero compra es sólo temporal y no satisface los anhelos de nuestro corazón. La persona prudente descubre el secreto de aplazar ese tipo de satisfacción y resiste los impulsos insaciables que producen placeres rápidos y efímeros. En lugar de esto, tratan de satisfacer sus necesidades por medio de una saludable relación con Dios y con otras personas.

**11** Porque el defensor de ellos es el Fuerte,
El cual juzgará la causa de ellos contra ti.
**12** Aplica tu corazón a la enseñanza,
Y tus oídos a las palabras de sabiduría.
**13** No rehúses corregir al muchacho;
Porque si lo castigas con vara, no morirá.
**14** Lo castigarás con vara,
Y librarás su alma del Seol.
**15** Hijo mío, si tu corazón fuere sabio,
También a mí se me alegrará el corazón;
**16** Mis entrañas también se alegrarán
Cuando tus labios hablaren cosas rectas.
**17** No tenga tu corazón envidia
de los pecadores,
Antes persevera en el temor de Jehová
todo el tiempo;
**18** Porque ciertamente hay fin,
Y tu esperanza no será cortada.
**19** Oye, hijo mío, y sé sabio,
Y endereza tu corazón al camino.
**20** No estés con los bebedores de vino,
Ni con los comedores de carne,
**21** Porque el bebedor y el comilón empobrecerán,
Y el sueño hará vestir vestidos rotos.
**22** Oye a tu padre, a aquel que te engendró;
Y cuando tu madre envejeciere, no la
menosprecies.
**23** Compra la verdad, y no la vendas;
La sabiduría, la enseñanza y la inteligencia.
**24** Mucho se alegrará el padre del justo,
Y el que engendra sabio se gozará con él.
**25** Alégrense tu padre y tu madre,
Y gócese la que te dio a luz.
**26** Dame, hijo mío, tu corazón,
Y miren tus ojos por mis caminos.
**27** Porque abismo profundo es la ramera,
Y pozo angosto la extraña.
**28** También ella, como robador, acecha,
Y multiplica entre los hombres
los prevaricadores.

**29** ¿Para quién será el ay? ¿Para quién el dolor?
¿Para quién las rencillas?
¿Para quién las quejas? ¿Para quién
las heridas en balde?
¿Para quién lo amoratado de los ojos?
**30** Para los que se detienen mucho en el vino,
Para los que van buscando la mistura.
**31** No mires al vino cuando rojea,
Cuando resplandece su color en la copa.
Se entra suavemente;
**32** Mas al fin como serpiente morderá,
Y como áspid dará dolor.
**33** Tus ojos mirarán cosas extrañas,
Y tu corazón hablará perversidades.
**34** Serás como el que yace en medio del mar,
O como el que está en la punta de un
mastelero.
**35** Y dirás: Me hirieron, mas no me dolió;
Me azotaron, mas no lo sentí;
Cuando despertare, aún lo volveré
a buscar.

# 24

**1** No tengas envidia de los hombres
malos,
Ni desees estar con ellos;
**2** Porque su corazón piensa en robar,
E iniquidad hablan sus labios.
**3** Con sabiduría se edificará la casa,
Y con prudencia se afirmará;
**4** Y con ciencia se llenarán las cámaras
De todo bien preciado y agradable.
**5** El hombre sabio es fuerte,
Y de pujante vigor el hombre docto.
**6** Porque con ingenio harás la guerra,
Y en la multitud de consejeros está la
victoria.
**7** Alta está para el insensato la sabiduría;
En la puerta no abrirá él su boca.
**8** Al que piensa hacer el mal,
Le llamarán hombre de malos
pensamientos.

---

**23.10-11** Lamentablemente, si no cuidaron bien de nosotros cuando éramos niños, con frecuencia otros pueden aprovecharse de nosotros al llegar a adultos. Puesto que fuimos abandonados, descuidados y hechos objeto de abuso por personas que debían amarnos y cuidarnos, ahora quizás tengamos problemas para discernir cuándo es seguro confiar en otros. A menudo permitimos que otros abusen de nuestros derechos para así caerles bien. Necesitamos ayuda para aprender a establecer límites y protegernos de personas que puedan aprovecharse de nuestra vulnerabilidad. Necesitamos encontrar personas piadosas que nos ayuden a trazar límites saludables en nuestra vida.

**23.26-35** Tres mil años no han cambiado el hecho de que el alcohol y el sexo son todavía dos de las adicciones más seductoras y destructivas. Ambas prometen darnos placer y librarnos de nuestros problemas; pero su final es vergüenza y turbación. La única escapatoria real de nuestros problemas, incluyendo el abuso del alcohol y el pecado sexual, es Jesucristo. Cuando le entregamos nuestra vida y nos alejamos de nuestros pecados, adicciones y dependencias, somos liberados para poder llevar un estilo de vida piadoso. La tentación todavía estará ahí, pero ahora tenemos a Dios a nuestro lado para ayudarnos a resistirla. Él nos ayudará a perseverar en nuestro programa de recuperación.

**24.8** Este versículo no está diciendo que planificar y hacer el mal son la misma cosa. Sin embargo, el mal nace de motivos equivocados. Es sabio hacer un inventario moral, pero no sólo de nuestras acciones sino también de nuestras motivaciones. Confesar una *acción* pecaminosa es como arrancar la hierba mala y dejar

**9** El pensamiento del necio es pecado,
Y abominación a los hombres
el escarnecedor.
**10** Si fueres flojo en el día de trabajo,
Tu fuerza será reducida.
**11** Libra a los que son llevados a la muerte;
Salva a los que están en peligro de muerte.
**12** Porque si dijeres: Ciertamente no lo
supimos,
¿Acaso no lo entenderá el que pesa los
corazones?
El que mira por tu alma, él lo conocerá,
Y dará al hombre según sus obras.
**13** Come, hijo mío, de la miel, porque es buena,
Y el panal es dulce a tu paladar.
**14** Así será a tu alma el conocimiento
de la sabiduría;
Si la hallares tendrás recompensa,
Y al fin tu esperanza no será cortada.
**15** Oh impío, no aceches la tienda del justo,
No saquees su cámara;
**16** Porque siete veces cae el justo, y vuelve
a levantarse;
Mas los impíos caerán en el mal.
**17** Cuando cayere tu enemigo, no te regocijes,
Y cuando tropezare, no se alegre tu corazón;
**18** No sea que Jehová lo mire, y le desagrade,
Y aparte de sobre él su enojo.
**19** No te entremetas con los malignos,
Ni tengas envidia de los impíos;
**20** Porque para el malo no habrá buen fin,
Y la lámpara de los impíos será apagada.
**21** Teme a Jehová, hijo mío, y al rey;
No te entremetas con los veleidosos;
**22** Porque su quebrantamiento vendrá
de repente;
Y el quebrantamiento de ambos,
¿quién lo comprende?
**23** También estos son dichos de los sabios:
Hacer acepción de personas en el juicio
no es bueno.
**24** El que dijere al malo: Justo eres,
Los pueblos lo maldecirán, y le detestarán
las naciones;

**25** Mas los que lo reprendieren tendrán
felicidad,
Y sobre ellos vendrá gran bendición.
**26** Besados serán los labios
Del que responde palabras rectas.
**27** Prepara tus labores fuera,
Y disponlas en tus campos,
Y después edificarás tu casa.
**28** No seas sin causa testigo contra
tu prójimo,
Y no lisonjees con tus labios.
**29** No digas: Como me hizo, así le haré;
Daré el pago al hombre según su obra.
**30** Pasé junto al campo del hombre perezoso,
Y junto a la viña del hombre falto de
entendimiento;
**31** Y he aquí que por toda ella habían crecido
los espinos,
Ortigas habían ya cubierto su faz,
Y su cerca de piedra estaba ya destruida.
**32** Miré, y lo puse en mi corazón;
Lo vi, y tomé consejo.
**33** Un poco de sueño, cabeceando otro poco,
Poniendo mano sobre mano otro poco
para dormir;
**34** Así vendrá como caminante tu necesidad,
Y tu pobreza como hombre armado.*ᵃ*

## Comparaciones y lecciones morales

**25** **1** También estos son proverbios de Salomón, los cuales copiaron los varones de Ezequías, rey de Judá:
**2** Gloria de Dios es encubrir un asunto;
Pero honra del rey es escudriñarlo.
**3** Para la altura de los cielos, y para la
profundidad de la tierra,
Y para el corazón de los reyes, no hay
investigación.
**4** Quita las escorias de la plata,
Y saldrá alhaja al fundidor.
**5** Aparta al impío de la presencia del rey,
Y su trono se afirmará en justicia.
**6** No te alabes delante del rey,
Ni estés en el lugar de los grandes;

---

**24.33-34** *ᵃ* Pr. 6.10-11.

---

las raíces; con el tiempo reaparecerá. Confesar un *motivo* pecaminoso es arrancar la hierba mala de raíz; entonces sí desaparece la fuente del problema.
**24.15-16** La recuperación es un proceso de restauración reiterada. Aunque quizás el pecado nos eche una zancadilla o caigamos muchas veces, los que pertenecen a Dios tendrán la fortaleza y la ayuda para levantarse otra vez y seguir adelante. Dios es perdonador y paciente con nosotros en nuestras caídas, y está presto a ayudarnos a ponernos de pie.
**24.30-34** Así como la pobreza económica cae sobre los perezosos, también el empobrecimiento espiritual abate a quienes descuidan su desarrollo personal. Si cultivamos nuestra vida, arrancando la hierba mala de las conductas destructivas y sembrando los principios de nuestra recuperación, segaremos lo que hemos plantado: crecimiento y una vida recuperada. Los que seamos perezosos, sin embargo, descubriremos que la hierba mala nos habrá asfixiado.

7 Porque mejor es que se te diga: Sube acá,
   Y no que seas humillado delante
      del príncipe
   A quien han mirado tus ojos.*a*

8 No entres apresuradamente en pleito,
   No sea que no sepas qué hacer al fin,
   Después que tu prójimo te haya
      avergonzado.

9 Trata tu causa con tu compañero,
   Y no descubras el secreto a otro,

10 No sea que te deshonre el que lo oyere,
   Y tu infamia no pueda repararse.

11 Manzana de oro con figuras de plata
   Es la palabra dicha como conviene.

12 Como zarcillo de oro y joyel de oro fino
   Es el que reprende al sabio que tiene
      oído dócil.

13 Como frío de nieve en tiempo de la siega,
   Así es el mensajero fiel a los que lo envían,
   Pues al alma de su señor da refrigerio.

14 Como nubes y vientos sin lluvia,
   Así es el hombre que se jacta de falsa
      liberalidad.

15 Con larga paciencia se aplaca el príncipe,
   Y la lengua blanda quebranta los huesos.

16 ¿Hallaste miel? Come lo que te basta,
   No sea que hastiado de ella la vomites.

17 Detén tu pie de la casa de tu vecino,
   No sea que hastiado de ti te aborrezca.

18 Martillo y cuchillo y saeta aguda
   Es el hombre que habla contra su prójimo
      falso testimonio.

19 Como diente roto y pie descoyuntado
   Es la confianza en el prevaricador en tiempo
      de angustia.

20 El que canta canciones al corazón afligido
   Es como el que quita la ropa en tiempo de
      frío, o el que sobre el jabón echa vinagre.

21 Si el que te aborrece tuviere hambre, dale de
      comer pan,
   Y si tuviere sed, dale de beber agua;

22 Porque ascuas amontonarás
      sobre su cabeza,*b*
   Y Jehová te lo pagará.

23 El viento del norte ahuyenta la lluvia,
   Y el rostro airado la lengua detractora.

24 Mejor es estar en un rincón del terrado,
   Que con mujer rencillosa en casa
      espaciosa.

25 Como el agua fría al alma sedienta,
   Así son las buenas nuevas de lejanas tierras.

26 Como fuente turbia y manantial
      corrompido,
   Es el justo que cae delante del impío.

27 Comer mucha miel no es bueno,
   Ni el buscar la propia gloria es gloria.

28 Como ciudad derribada y sin muro
   Es el hombre cuyo espíritu no tiene
      rienda.

# 26

1 Como no conviene la nieve en el
      verano, ni la lluvia en la siega,
   Así no conviene al necio la honra.

2 Como el gorrión en su vagar, y como
      la golondrina en su vuelo,
   Así la maldición nunca vendrá sin causa.

3 El látigo para el caballo, el cabestro
      para el asno,
   Y la vara para la espalda del necio.

4 Nunca respondas al necio de acuerdo
      con su necedad,
   Para que no seas tú también como él.

5 Responde al necio como merece
      su necedad,
   Para que no se estime sabio en su propia
      opinión.

6 Como el que se corta los pies y bebe
      su daño,
   Así es el que envía recado por mano
      de un necio.

7 Las piernas del cojo penden inútiles;
   Así es el proverbio en la boca del necio.

8 Como quien liga la piedra en la honda,
   Así hace el que da honra al necio.

9 Espinas hincadas en mano del embriagado,
   Tal es el proverbio en la boca de los necios.

10 Como arquero que a todos hiere,
   Es el que toma a sueldo insensatos
      y vagabundos.

---

**25.6-7** *a* Lc. 14.8-10.  **25.21-22** *b* Ro. 12.20.

---

**25.17** Todos hemos conocido personas que son como ventosas: se «pegan» a cualquiera que parezca preocuparse por ellas. Se trata, generalmente, de personas a las que han privado de comprensión, amor y respeto. La persona a la que se aferran termina sintiéndose abrumada y se aleja, lo que confirma la inseguridad original de la persona que no quiere soltarla. Las relaciones nuevas y compasivas no nos compensan en sí mismas por nuestras pasadas relaciones negativas. Recuperarse de las carencias en la niñez es un proceso que también debe incluir tratar problemas pasados. De otra manera, nuestras nuevas relaciones seguirán los mismos patrones destructivos no superados.

**25.20** Las personas afligidas necesitan empatía, y no sólo tibios intentos de animarlos. Al mostrarles que entendemos y que nos interesan sinceramente sus sentimientos, los alentamos y les damos fortaleza para hacer los cambios necesarios en sus vidas.

**11** Como perro que vuelve a su vómito,*ª*
Así es el necio que repite su necedad.

**12** ¿Has visto hombre sabio en su propia
opinión?
Más esperanza hay del necio que de él.

**13** Dice el perezoso: El león está en el camino;
El león está en las calles.

**14** Como la puerta gira sobre sus quicios,
Así el perezoso se vuelve en su cama.

**15** Mete el perezoso su mano en el plato;
Se cansa de llevarla a su boca.

**16** En su propia opinión el perezoso es más sabio
Que siete que sepan aconsejar.

**17** El que pasando se deja llevar de la ira en
pleito ajeno
Es como el que toma al perro por las orejas.

**18** Como el que enloquece, y echa llamas
Y saetas y muerte,

**19** Tal es el hombre que engaña a su amigo,
Y dice: Ciertamente lo hice por broma.

**20** Sin leña se apaga el fuego,
Y donde no hay chismoso, cesa la contienda.

**21** El carbón para brasas, y la leña para el fuego;
Y el hombre rencilloso para encender
contienda.

**22** Las palabras del chismoso son como
bocados suaves,
Y penetran hasta las entrañas.

**23** Como escoria de plata echada sobre el tiesto
Son los labios lisonjeros y el corazón malo.

**24** El que odia disimula con sus labios;
Mas en su interior maquina engaño.

**25** Cuando hablare amigablemente, no le creas;
Porque siete abominaciones hay
en su corazón.

**26** Aunque su odio se cubra con disimulo,
Su maldad será descubierta
en la congregación.

**27** El que cava foso caerá en él;
Y al que revuelve la piedra, sobre
él le volverá.

**28** La lengua falsa atormenta al que ha
lastimado,
Y la boca lisonjera hace resbalar.

**27** **1** No te jactes del día de mañana;
Porque no sabes qué dará de sí el día.*ª*

**2** Alábete el extraño, y no tu propia boca;
El ajeno, y no los labios tuyos.

**3** Pesada es la piedra, y la arena pesa;
Mas la ira del necio es más pesada
que ambas.

**4** Cruel es la ira, e impetuoso el furor;
Mas ¿quién podrá sostenerse delante
de la envidia?

**5** Mejor es represión manifiesta
Que amor oculto.

**6** Fieles son las heridas del que ama;
Pero importunos los besos del que aborrece.

**7** El hombre saciado desprecia el panal
de miel;
Pero al hambriento todo lo amargo es dulce.

**8** Cual ave que se va de su nido,
Tal es el hombre que se va de su lugar.

**9** El ungüento y el perfume alegran
el corazón,
Y el cordial consejo del amigo, al hombre.

**10** No dejes a tu amigo, ni al amigo de tu padre;
Ni vayas a la casa de tu hermano
en el día de tu aflicción.
Mejor es el vecino cerca que el hermano
lejos.

**11** Sé sabio, hijo mío, y alegra mi corazón,
Y tendré qué responder al que me agravie.

**12** El avisado ve el mal y se esconde;
Mas los simples pasan y llevan el daño.

**13** Quítale su ropa al que salió fiador
por el extraño;
Y al que fía a la extraña, tómale prenda.

**14** El que bendice a su amigo en alta voz,
madrugando de mañana,
Por maldición se le contará.

**15** Gotera continua en tiempo de lluvia
Y la mujer rencillosa, son semejantes;

**16** Pretender contenerla es como refrenar
el viento,
O sujetar el aceite en la mano derecha.

**17** Hierro con hierro se aguza;
Y así el hombre aguza el rostro de su amigo.

---

**26.11** *ª* 2 P. 2.22.   **27.1** *ª* Stg. 4.13-16.

---

**26.11** Casi invariablemente repetimos los patrones del pasado; los viejos problemas nos vuelven a visitar una y otra vez. Es fácil caer de nuevo en nuestra adicción, y por esto tenemos que ser diligentes en el proceso de recuperación. Cuando dejamos de seguir con firmeza nuestro programa de recuperación, estamos creando las condiciones para volver de nuevo a nuestro antiguo estilo de vida. Sólo con perseverancia seremos capaces de superar nuestra dependencia.
**27.10** Las amistades son recursos importantes en la recuperación. Necesitamos amigos a los que podamos rendir cuentas y a los que podamos acudir en momentos de necesidad; amigos que sean sinceros y se interesen verdaderamente por nosotros. Así como queremos que nuestros amigos se mantengan cerca de nosotros en tiempos de crisis, también nosotros debemos apoyarlos cuando ellos necesiten ayuda. Si estamos disponibles para ayudar a otros, nuestra propia red de apoyo estará lista cuando necesitemos ayuda.

**18** Quien cuida la higuera comerá su fruto,
Y el que mira por los intereses de su señor,
tendrá honra.

**19** Como en el agua el rostro corresponde al
rostro,
Así el corazón del hombre al del hombre.

**20** El Seol y el Abadón nunca se sacian;
Así los ojos del hombre nunca están
satisfechos.

**21** El crisol prueba la plata, y la hornaza el oro,
Y al hombre la boca del que lo alaba.

**22** Aunque majes al necio en un mortero entre
granos de trigo majados con el pisón,
No se apartará de él su necedad.

**23** Sé diligente en conocer el estado
de tus ovejas,
Y mira con cuidado por tus rebaños;

**24** Porque las riquezas no duran para siempre;
¿Y será la corona para perpetuas
generaciones?

**25** Saldrá la grama, aparecerá la hierba,
Y se segarán las hierbas de los montes.

**26** Los corderos son para tus vestidos,
Y los cabritos para el precio del campo;

**27** Y abundancia de leche de las cabras para tu
mantenimiento, para mantenimiento
de tu casa,
Y para sustento de tus criadas.

## Proverbios antitéticos

# 28
**1** Huye el impío sin que nadie lo persiga;
Mas el justo está confiado como un león.

**2** Por la rebelión de la tierra sus príncipes son
muchos;
Mas por el hombre entendido y sabio
permanece estable.

**3** El hombre pobre y robador de los pobres
Es como lluvia torrencial que deja sin pan.

**4** Los que dejan la ley alaban a los impíos;
Mas los que la guardan contenderán con ellos.

**5** Los hombres malos no entienden el juicio;
Mas los que buscan a Jehová entienden
todas las cosas.

**6** Mejor es el pobre que camina en su
integridad,
Que el de perversos caminos y rico.

**7** El que guarda la ley es hijo prudente;
Mas el que es compañero de glotones
avergüenza a su padre.

**8** El que aumenta sus riquezas con usura
y crecido interés,
Para aquel que se compadece de los pobres
las aumenta.

**9** El que aparta su oído para no oír la ley,
Su oración también es abominable.

**10** El que hace errar a los rectos por el mal
camino,
El caerá en su misma fosa;
Mas los perfectos heredarán el bien.

**11** El hombre rico es sabio en su propia opinión;
Mas el pobre entendido lo escudriña.

**12** Cuando los justos se alegran,
grande es la gloria;
Mas cuando se levantan los impíos, tienen
que esconderse los hombres.

**13** El que encubre sus pecados no prosperará;
Mas el que los confiesa y se aparta alcanzará
misericordia.

**14** Bienaventurado el hombre que siempre
teme a Dios;
Mas el que endurece su corazón
caerá en el mal.

**15** León rugiente y oso hambriento
Es el príncipe impío sobre el pueblo pobre.

**16** El príncipe falto de entendimiento
multiplicará la extorsión;
Mas el que aborrece la avaricia prolongará
sus días.

**17** El hombre cargado de la sangre de alguno
Huirá hasta el sepulcro, y nadie le detendrá.

---

**27.20** Los apetitos de que se habla aquí son la lujuria o la avaricia: deseos desordenados de cosas como el placer sexual, la posesión de bienes materiales, el poder o el prestigio. Aunque satisfacer estos deseos pueda ser placentero, a largo plazo no nos satisfarán porque son sustitutos falsos de la verdadera satisfacción de necesidades más profundas, como el amor, la intimidad y la seguridad. Según pase el tiempo necesitaremos más y más de las «drogas» que hayamos elegido para que nos hagan sentir bien, y gradualmente nos volveremos esclavos de nuestros impulsos.

**27.21** Una manera de evaluar la percepción que tenemos de nosotros mismos es examinando nuestras reacciones cuando otros nos alaban. Si hacemos caso omiso de los elogios, eso probablemente signifique que sufrimos de una pobre imagen personal. La respuesta saludable a los elogios es recibirlos con gentileza y compensarlos con un humilde reconocimiento de nuestras debilidades.

**28.13** Este versículo contiene una verdad esencial para la recuperación y el cambio. Debemos avanzar en nuestra recuperación evaluando sinceramente nuestros errores, confesando nuestras maldades a Dios y los unos a los otros, decidiendo evitar esos errores en el futuro y pidiéndole al Señor que cambie nuestro corazón. Es humillante reconocer y confesar nuestros pecados, y es inquietante comprometernos a cambiar; pero esa es la única manera como podemos recuperarnos de nuestra dependencia y tener otra oportunidad en la vida.

**18** El que en integridad camina será salvo;
Mas el de perversos caminos caerá
en alguno.

**19** El que labra su tierra se saciará de pan;
Mas el que sigue a los ociosos se llenará
de pobreza.

**20** El hombre de verdad tendrá muchas
bendiciones;
Mas el que se apresura a enriquecerse no
será sin culpa.

**21** Hacer acepción de personas no es bueno;
Hasta por un bocado de pan prevaricará
el hombre.

**22** Se apresura a ser rico el avaro,
Y no sabe que le ha de venir pobreza.

**23** El que reprende al hombre, hallará después
mayor gracia
Que el que lisonjea con la lengua.

**24** El que roba a su padre o a su madre,
y dice que no es maldad,
Compañero es del hombre destruidor.

**25** El altivo de ánimo suscita contiendas;
Mas el que confía en Jehová prosperará.

**26** El que confía en su propio corazón es necio;
Mas el que camina en sabiduría será librado.

**27** El que da al pobre no tendrá pobreza;
Mas el que aparta sus ojos tendrá muchas
maldiciones.

**28** Cuando los impíos son levantados
se esconde el hombre;
Mas cuando perecen, los justos se multiplican.

# 29

**1** El hombre que reprendido
endurece la cerviz,
De repente será quebrantado, y no habrá
para él medicina.

**2** Cuando los justos dominan, el pueblo
se alegra;
Mas cuando domina el impío,
el pueblo gime.

**3** El hombre que ama la sabiduría alegra
a su padre;
Mas el que frecuenta rameras perderá
los bienes.

**4** El rey con el juicio afirma la tierra;
Mas el que exige presentes la destruye.

**5** El hombre que lisonjea a su prójimo,
Red tiende delante de sus pasos.

**6** En la transgresión del hombre malo hay lazo;
Mas el justo cantará y se alegrará.

**7** Conoce el justo la causa de los pobres;
Mas el impío no entiende sabiduría.

**8** Los hombres escarnecedores ponen
la ciudad en llamas;
Mas los sabios apartan la ira.

**9** Si el hombre sabio contendiere con el necio,
Que se enoje o que se ría, no tendrá reposo.

**10** Los hombres sanguinarios aborrecen
al perfecto,
Mas los rectos buscan su contentamiento.

**11** El necio da rienda suelta a toda su ira,
Mas el sabio al fin la sosiega.

**12** Si un gobernante atiende la palabra mentirosa,
Todos sus servidores serán impíos.

**13** El pobre y el usurero se encuentran;
Jehová alumbra los ojos de ambos.

**14** Del rey que juzga con verdad a los pobres,
El trono será firme para siempre.

**15** La vara y la corrección dan sabiduría;
Mas el muchacho consentido avergonzará
a su madre.

**16** Cuando los impíos son muchos, mucha
es la transgresión;
Mas los justos verán la ruina de ellos.

**17** Corrige a tu hijo, y te dará descanso,
Y dará alegría a tu alma.

**18** Sin profecía el pueblo se desenfrena;
Mas el que guarda la ley es bienaventurado.

**19** El siervo no se corrige con palabras;
Porque entiende, mas no hace caso.

**20** ¿Has visto hombre ligero en sus palabras?
Más esperanza hay del necio que de él.

**21** El siervo mimado desde la niñez por su amo,
A la postre será su heredero.

**22** El hombre iracundo levanta contiendas,
Y el furioso muchas veces peca.

**23** La soberbia del hombre le abate;
Pero al humilde de espíritu sustenta la honra.

**24** El cómplice del ladrón aborrece
su propia alma;
Pues oye la imprecación y no dice nada.

---

**29.15,17** Los niños no pueden convertirse en adultos responsables si no son disciplinados, corregidos, y si no se les hace responsables de sus acciones. Los niños a los que no se les exige que rindan cuentas no aprenden a protegerse de las influencias negativas del pecado. Los niños a los que se castiga inconsecuentemente, con ira o sin compasión, se rebelarán contra la autoridad y se resistirán a asumir responsabilidad por sus acciones (véanse 22.15; 23.13-14). Debemos ser consecuentes y justos al disciplinar a nuestros niños si queremos cosechar beneficios.

**29.23** La soberbia siempre nos pone trampas para nuestra humillación. La soberbia nos dice: «Soy fuerte, no necesito la ayuda de nadie.» Nos ciega ante nuestras debilidades y evita que busquemos a las personas y la ayuda que necesitamos. La humildad dice: «Necesito mejorar, ¿puedes ayudarme?» Los que se mantengan humildes, reconociendo que son débiles y vulnerables, buscarán la ayuda y el apoyo que necesiten para una recuperación exitosa. La humildad nos protegerá de la devastación de una recaída.

**25** El temor del hombre pondrá lazo;
Mas el que confía en Jehová será exaltado.
**26** Muchos buscan el favor del príncipe;
Mas de Jehová viene el juicio de cada uno.
**27** Abominación es a los justos el hombre
inicuo;
Y abominación es al impío el de caminos
rectos.

## Las palabras de Agur

**30** **1** Palabras de Agur, hijo de Jaqué; la profecía que dijo el varón a Itiel, a Itiel y a Ucal.
**2** Ciertamente más rudo soy yo que ninguno,
Ni tengo entendimiento de hombre.
**3** Yo ni aprendí sabiduría,
Ni conozco la ciencia del Santo.
**4** ¿Quién subió al cielo, y descendió?
¿Quién encerró los vientos en sus puños?
¿Quién ató las aguas en un paño?
¿Quién afirmó todos los términos
de la tierra?
¿Cuál es su nombre, y el nombre de su hijo,
si sabes?
**5** Toda palabra de Dios es limpia;
El es escudo a los que en él esperan.
**6** No añadas a sus palabras, para que no te
reprenda,
Y seas hallado mentiroso.
**7** Dos cosas te he demandado;
No me las niegues antes que muera:
**8** Vanidad y palabra mentirosa aparta de mí;
No me des pobreza ni riquezas;
Manténme del pan necesario;
**9** No sea que me sacie, y te niegue, y diga:
¿Quién es Jehová?
O que siendo pobre, hurte,
Y blasfeme el nombre de mi Dios.
**10** No acuses al siervo ante su señor,
No sea que te maldiga, y lleves el castigo.
**11** Hay generación que maldice a su padre
Y a su madre no bendice.

**12** Hay generación limpia en su propia opinión,
Si bien no se ha limpiado de su inmundicia.
**13** Hay generación cuyos ojos son altivos
Y cuyos párpados están levantados en alto.
**14** Hay generación cuyos dientes son espadas, y
sus muelas cuchillos,
Para devorar a los pobres de la tierra, y a los
menesterosos de entre los hombres.
**15** La sanguijuela tiene dos hijas que dicen:
¡Dame! ¡dame!
Tres cosas hay que nunca se sacian;
Aun la cuarta nunca dice: ¡Basta!
**16** El Seol, la matriz estéril,
La tierra que no se sacia de aguas,
Y el fuego que jamás dice: ¡Basta!
**17** El ojo que escarnece a su padre
Y menosprecia la enseñanza de la madre,
Los cuervos de la cañada lo saquen,
Y lo devoren los hijos del águila.
**18** Tres cosas me son ocultas;
Aun tampoco sé la cuarta:
**19** El rastro del águila en el aire;
El rastro de la culebra sobre la peña;
El rastro de la nave en medio del mar;
Y el rastro del hombre en la doncella.
**20** El proceder de la mujer adúltera es así:
Come, y limpia su boca
Y dice: No he hecho maldad.
**21** Por tres cosas se alborota la tierra,
Y la cuarta ella no puede sufrir:
**22** Por el siervo cuando reina;
Por el necio cuando se sacia de pan;
**23** Por la mujer odiada cuando se casa;
Y por la sierva cuando hereda a su señora.
**24** Cuatro cosas son de las más pequeñas
de la tierra,
Y las mismas son más sabias que los sabios:
**25** Las hormigas, pueblo no fuerte,
Y en el verano preparan su comida;
**26** Los conejos, pueblo nada esforzado,
Y ponen su casa en la piedra;

---

**30.5** Las palabras de Dios, incluidos estos principios que se nos dan en Proverbios, son ciertas y ofrecen protección a los que viven de acuerdo con ellas. Vivir según la verdad de Dios exige que reconozcamos sinceramente nuestra necesidad de sabiduría divina y que tratemos de vivir de acuerdo con ella. Esto no será fácil y quizás no sea muy popular. Sin embargo, caminar en la luz divina nos colocará bajo la protección y el cuidado de Dios, que es de primerísima importancia para cualquier recuperación exitosa.

**30.11-12** Es más fácil culpar a otros de nuestros problemas que aceptar que somos los responsables. Muchos de nuestros problemas tienen ciertamente sus raíces en los fracasos de otros. Tal vez nuestros padres no nos hayan amado ni nos hayan disciplinado como debieran haberlo hecho. Pero tales problemas quizás se hayan ido complicando a causa de las malas decisiones que nosotros hayamos tomado. Nuestros sufrimientos usualmente son el resultado de una combinación de factores, incluyendo los pecados de otros y los nuestros. No podemos cambiar los fracasos de otros. No podemos culpar a nuestro padre o a nuestra madre por nuestras malas decisiones. La culpa no hace nada por acelerar nuestro proceso de recuperación. Sin embargo, sí podemos cambiar nuestras actitudes y las acciones que han perpetuado el sufrimiento. La madurez se adquiere al asumir la responsabilidad por nuestros problemas, perdonando a los que nos hayan lastimado y buscando el perdón por nuestros propios pecados.

27 Las langostas, que no tienen rey,
   Y salen todas por cuadrillas;
28 La araña que atrapas con la mano,
   Y está en palacios de rey.
29 Tres cosas hay de hermoso andar,
   Y la cuarta pasea muy bien:
30 El león, fuerte entre todos los animales,
   Que no vuelve atrás por nada;
31 El ceñido de lomos; asimismo el macho
      cabrío;
   Y el rey, a quien nadie resiste.
32 Si neciamente has procurado enaltecerte,
   O si has pensado hacer mal,
   Pon el dedo sobre tu boca.
33 Ciertamente el que bate la leche sacará
      mantequilla,
   Y el que recio se suena las narices
      sacará sangre;
   Y el que provoca la ira causará
      contienda.

## Exhortación a un rey

# 31
1 Palabras del rey Lemuel; la profecía con que le enseñó su madre.
2 ¿Qué, hijo mío? ¿y qué, hijo de mi vientre?
   ¿Y qué, hijo de mis deseos?
3 No des a las mujeres tu fuerza,
   Ni tus caminos a lo que destruye a los reyes.
4 No es de los reyes, oh Lemuel, no es de los
      reyes beber vino,
   Ni de los príncipes la sidra;
5 No sea que bebiendo olviden la ley,
   Y perviertan el derecho de todos
      los afligidos.
6 Dad la sidra al desfallecido,
   Y el vino a los de amargado ánimo.
7 Beban, y olvídense de su necesidad,
   Y de su miseria no se acuerden más.
8 Abre tu boca por el mudo
   En el juicio de todos los desvalidos.
9 Abre tu boca, juzga con justicia,
   Y defiende la causa del pobre
      y del menesteroso.

## Elogio de la mujer virtuosa

10 Mujer virtuosa, ¿quién la hallará?
   Porque su estima sobrepasa largamente a la
      de las piedras preciosas.

11 El corazón de su marido está en ella
      confiado,
   Y no carecerá de ganancias.
12 Le da ella bien y no mal
   Todos los días de su vida.
13 Busca lana y lino,
   Y con voluntad trabaja con sus manos.
14 Es como nave de mercader;
   Trae su pan de lejos.
15 Se levanta aun de noche
   Y da comida a su familia
   Y ración a sus criadas.
16 Considera la heredad, y la compra,
   Y planta viña del fruto de sus manos.
17 Ciñe de fuerza sus lomos,
   Y esfuerza sus brazos.
18 Ve que van bien sus negocios;
   Su lámpara no se apaga de noche.
19 Aplica su mano al huso,
   Y sus manos a la rueca.
20 Alarga su mano al pobre,
   Y extiende sus manos al menesteroso.
21 No tiene temor de la nieve por su familia,
   Porque toda su familia está vestida
      de ropas dobles.
22 Ella se hace tapices;
   De lino fino y púrpura es su vestido.
23 Su marido es conocido en las puertas,
   Cuando se sienta con los ancianos
      de la tierra.
24 Hace telas, y vende,
   Y da cintas al mercader.
25 Fuerza y honor son su vestidura;
   Y se ríe de lo por venir.
26 Abre su boca con sabiduría,
   Y la ley de clemencia está en su lengua.
27 Considera los caminos de su casa,
   Y no come el pan de balde.
28 Se levantan sus hijos y la llaman
      bienaventurada;
   Y su marido también la alaba:
29 Muchas mujeres hicieron el bien;
   Mas tú sobrepasas a todas.
30 Engañosa es la gracia, y vana la hermosura;
   La mujer que teme a Jehová, ésa será
      alabada.
31 Dadle del fruto de sus manos,
   Y alábenla en las puertas sus hechos.

---

**31.10-31** Algunas mujeres se comparan con la esposa descrita en este capítulo y se sienten imperfectas. Realmente, la mujer de Proverbios 31 es una descripción de la esposa *ideal*. Ninguna esposa ha alcanzado jamás, ni llegará a alcanzar, los niveles de estos estándares. Ninguna esposa debería caer en la trampa de la mujer perfeccionista, es decir, no debería caer en la trampa de luchar por alcanzar estos ideales. Si lo hiciera, terminaría frustrada y desesperada. En lugar de esto, la mujer debería aceptarse tal y como es, y comprometerse a permitir que Dios la transforme para parecerse más y más a él. Al parecerse más a él, mostrará de forma natural muchas de las características de esta esposa ideal.

# REFLEXIONES SOBRE

# PROVERBIOS

## ✴ *perspectivas* SOBRE NUESTRAS RELACIONES CON DIOS Y CON OTRAS PERSONAS

Como vemos en **Proverbios 1.29-33,** muchas personas deciden vivir a su manera. Ceden a sus impulsos pecaminosos sin pensar en la voluntad de Dios para ellos. Es una tontería ceder a la tentación sólo para sentirse bien momentáneamente o para escapar por un rato de alguna pena. Ese camino sólo conducirá a la adicción y al miedo. También nos alejará de Dios, el único que realmente puede satisfacer nuestras necesidades más profundas. El camino a la verdadera libertad y a la paz es estrecho y exige que prestemos atención a la sabiduría de Dios y practiquemos el dominio propio. La recuperación es un proceso, no un «remedio instantáneo».

De acuerdo con **Proverbios 10.4-5,** hay poca esperanza para la gente que no está dispuesta a trabajar con ahínco. Recuperarse de las emociones dañadas y de patrones adictivos es un trabajo arduo. Requiere perseverancia en cada etapa del proceso. Pero en la recuperación descubriremos que el esfuerzo solo no es suficiente. Necesitamos fe para alcanzar y aprovechar las oportunidades que Dios ponga en nuestro camino. Dios nos muestra su gracia y su bondad dándonos oportunidades para ejercer nuestra fe. Él también nos provee de apoyo espiritual, sabiduría y ánimo cuando tratamos de obedecer su voluntad para nuestra vida.

**Proverbios 12.25** nos recuerda el valor de dar o recibir ánimo. Cuando las personas se sienten abatidas o sobrecargadas, pocas cosas pueden ayudarles más que unas cuantas palabras de aliento. No tenemos que darles necesariamente un discurso enérgico o del tipo «todo va a estar bien». Sólo dejarles saber que estamos a su lado, que los amamos y que estamos orando por ellos, quizás sea todo lo que necesiten. El verdadero aliento viene de sentir que nos entienden, no del uso de palabras huecas y clichés.

En **Proverbios 13.17** se nos recuerda la importancia de la comunicación confiable. Este es un ingrediente esencial de cualquier programa de recuperación exitoso. Necesitamos ser sinceros con nosotros mismos, con Dios y con la gente que nos está ayudando. Si ocultamos cualquier cosa, los demás no podrán ayudarnos de manera cabal. Si mantenemos en secreto cualquier aspecto de nuestra adicción, se arruinará el progreso que ya hayamos hecho. De la misma manera que una guerra no puede ganarse con informes de espionaje inexactos, dar información imprecisa a quienes nos ayudan en la recuperación evitará que venzamos nuestra dependencia.

Vemos en **Proverbios 14.2** que el pecado trae deshonra a Dios. Esta es una de las motivaciones más importantes que tenemos para tratar de recuperarnos de nuestra dependencia. Si estamos buscando a Dios verdaderamente, desearemos obedecerlo y honrarlo. Como niños que quieren complacer a sus padres, deberíamos desear recuperarnos para así agradar a Dios, nuestro Padre celestial.

## ✴ *perspectivas* PARA LA VIDA DIARIA Y LA RECUPERACIÓN

Las palabras de **Proverbios 10.24** hablan de una profecía que se cumple por el hecho de desear que se cumpla: lo que anhelamos que pase, pasará. La manera como percibimos la vida con frecuencia afecta lo que realmente pasa en nuestra vida. Si asumimos que nuestras posibilidades de recuperación son mínimas, ya hemos condenado al fracaso nuestro programa de recuperación. Pero si enfrentamos los retos de nuestra recuperación con una perspectiva positiva, confiando en que Dios nos ayudará, alcanzaremos el éxito que deseamos.

**Proverbios 13.11** pone énfasis en la importancia del trabajo arduo. Así como el trabajo tesonero produce riquezas materiales, el mismo esfuerzo también puede producir riquezas espirituales. Sin embargo, sólo unos pocos están dispuestos a perseverar en medio del dolor y las dificultades hasta que la tarea esté concluida. Es más fácil lanzar los dados y buscar el «remedio instantáneo». No hay atajos en la ruta hacia la recuperación o la madurez. Los caminos que conducen a estas metas son largos, y hay que dar muchos pasos cortos, uno tras otro, una y otra vez.

Como vemos en **Proverbios 13.16,** es muy sabio que analicemos primero nuestros pensamientos y sentimientos antes de actuar (véase también 14.8). Actuar por impulso puede meternos en problemas. Esto lo saben muy bien los que luchan con adicciones como las drogas, la comida, el sexo, el trabajo, las apuestas o las compras. Estos tipos de adicciones comienzan cuando cedemos a impulsos que nos hacen sentir bien por el momento. El único problema es que el momento no dura mucho, porque las conductas compulsivas no satisfacen nuestras verdaderas necesidades. Es importante evaluar nuestras necesidades reales y encontrar formas constructivas de satisfacerlas, de modo que podamos superar nuestras conductas adictivas y así encontrar paz.

Una cosa es segura en la vida: Enfrentaremos cambios constantes. Como vivimos en un mundo cambiante, es importante que aprendamos a aceptar las cosas que no podemos cambiar. **Proverbios 14.30** nos recuerda lo importante que es para nosotros encontrar serenidad emocional en esta vida. Esto resulta imposible si no aceptamos las cosas que no podemos cambiar o dominar. No podemos cambiar el pasado, pero debemos hacer las paces con él al buscar que nos perdonen y al perdonar luego a otros. Es cierto, es más fácil seguir siendo víctimas del pasado, y sentir celos y acumular amargura contra los que recibieron privilegios que nosotros no tuvimos. No obstante, al ser liberados de nuestro pasado, podremos concentrar más energías en hacer cambios positivos para el futuro.

El ojo y el oído de los que nos habla Salomón en **Proverbios 20.12** son la percepción y el entendimiento. Percibir acertadamente qué está pasando en nuestro interior y a nuestro alrededor es el punto de partida para recuperarnos de un estilo de vida adictivo o enfermizo en el que se evitan o reprimen el dolor y los sentimientos. Sólo si permitimos que las dolorosas realidades de nuestra vida nos toquen, seremos capaces de reconocer que necesitamos ayuda y comenzaremos el proceso de sanidad y recuperación.

Sería muy prudente oír la advertencia de **Proverbios 20.25.** Las promesas de cambiar hechas impulsivamente no funcionan porque no se hacen de todo corazón. Las hacen personas que saben lo que deben hacer pero que realmente no quieren cambiar. Calcular el costo incluye examinar seriamente qué exige de nosotros la promesa y estar luego dispuestos a cumplirla. Si no queremos cambiar pero nos damos cuenta de que necesitamos hacerlo, nos ayudará pedirle a Dios que nos dé la disposición para lograrlo. Sólo cuando deseemos de verdad cumplir nuestras promesas seremos capaces de hacerlo. Con frecuencia miramos con envidia a las personas que se entregan a los placeres pecaminosos. **Proverbios 23.17-18** nos advierte que no cedamos a la tentación de asumir esa actitud. Tales personas hacen lo que les place sin preocuparse de cómo sus acciones afectan a otros (véanse 24.1, 19-20). Parecen vivir cómoda y placenteramente. Sin embargo, pareciera que los que viven rectamente pasan más trabajos; por lo menos al principio. Pero al seguir avanzando por el camino de la vida piadosa, sus vidas se vuelven más plenas y significativas. Hay también una perspectiva eterna que debemos considerar: los que sigan al Señor recibirán bendiciones en el cielo, pero los que vivan para ellos mismos enfrentarán la separación eterna de Dios.

# ÍNDICE TEMÁTICO

Este índice localiza notas, reseñas, lecturas devocionales y temas sobre recuperación relacionados con asuntos clave en cuanto al tema. Se dan los números de página para hacer fácil el encuentro de todas las cosas enumeradas. En paréntesis se indican temas afines para que ampliar el estudio de cualquier tema sea una tarea sencilla. Para obtener información adicional, vea los índices que siguen a este índice temático: Reseñas Biográficas de Recuperación, Devocionales sobre los Doce Pasos, Devocionales sobre los Principios de Recuperación, Devocionales de Oración por la Serenidad, Reflexiones para la Recuperación.

## ÁNIMO (*vea* Esperanza)

## ANTEPASADOS (*vea* Familia, Herencia)

## APLAZAMIENTO (*vea también* Racionalización)

## ARREPENTIMIENTO (*vea también* Inventario, Perdón)

## ARROGANCIA (*vea* Orgullo)

## ATADURA (*vea también* Libertad)

## RECUENTO (*vea también* Arrepentimiento)
NOTAS

DEVOCIONALES SOBRE LOS DOCE PASOS

DEVOCIONAL DE ORACIÓN POR LA SERENIDAD

TEMAS SOBRE RECUPERACIÓN EN...

## REDENCIÓN (*vea también* Salvación)
NOTAS

## RELACIONES (*vea también* Matrimonio)
NOTAS

RESEÑAS BIOGRÁFICAS

DEVOCIONAL SOBRE LOS DOCE PASOS

DEVOCIONALES SOBRE LOS PRINCIPIOS
DE RECUPERACIÓN

DEVOCIONAL DE ORACIÓN POR LA SERENIDAD

TEMAS SOBRE RECUPERACIÓN EN...

## REMEMBRANZA (*vea también* Herencia)
NOTAS

DEVOCIONALES SOBRE LOS DOCE PASOS

DEVOCIONAL SOBRE LOS PRINCIPIOS
DE RECUPERACIÓN

## REPARACIÓN DE DAÑOS (*vea* Restitución)

## REPUTACIÓN
NOTAS

RESEÑA BIOGRÁFICA

DEVOCIONAL SOBRE LOS DOCE PASOS

## RESPONSABILIDAD ANTE OTROS
NOTAS

## RESTAURACIÓN (*vea también* Perdón, Reconciliación)

## RESTITUCIÓN

## SABIDURÍA (*vea también* Verdad)

**TOCAR FONDO** (*vea también* Consecuencias, Desánimo)

**TRAICIÓN** (*vea* Rechazo)

**TRANSFORMACIÓN** (*vea también* Poder de Dios, Salvación)
NOTAS

**TRANSIGIR** (*vea también* Presión de grupo)
NOTAS

**TRATO INJUSTO** (*vea* Abuso, Opresión)

**TRISTEZA** (*vea también* Desánimo, Rechazo)
NOTAS

**UNIDAD** (*vea* Comunión, Reconciliación)

**VALOR** (*vea también* Temor)
NOTAS

# ÍNDICE DE RESEÑAS BIOGRÁFICAS DE RECUPERACIÓN

# 1 2 3 4 5

# ÍNDICE DE DEVOCIONALES
# SOBRE LOS DOCE PASOS

# ÍNDICE DE DEVOCIONALES SOBRE LOS PRINCIPIOS DE RECUPERACIÓN

*serenidad*

# ÍNDICE DE DEVOCIONALES DE ORACIÓN POR LA SERENIDAD

# ÍNDICE DE LAS REFLEXIONES PARA LA RECUPERACIÓN

# Cómo Encontrar Ayuda En La Biblia

- **Cómo ser un buen amigo**
  Proverbios 17.17;
  San Lucas 10.25-37;
  San Juan 15.11-17;
  Romanos 16.1-2

- **Cómo ser líder**
  1 Timoteo 3.1-7;
  2 Timoteo 2.14-26;
  Tito 1.5-9

- **Cómo cuidar a las viudas y a los ancianos**
  Proverbios 23.22;
  1 Timoteo 5.3-8

- **Cómo celebrar el nacimiento o la adopción de un niño**
  Salmo 100;
  Proverbios 22.6;
  San Lucas 18.15-17;
  San Juan 16.16-22

- **Cómo celebrar una graduación**
  Salmo 119.105;
  Proverbios 9.10-12;
  Gálatas 5.16-26;
  Filipenses 4.4-9

- **Cómo celebrar una boda**
  Efesios 5.21-33;
  Colosenses 2.6-7

- **Cómo celebrar un aniversario de boda**
  Salmo 100;
  1 Corintios 13

- **Cómo controlar el temperamento**
  Proverbios 14.17,29; 15.18; 19.11; 29.22;
  Gálatas 5.16-26

- **Cómo controlar la lengua**
  Salmo 12; 19.14;
  Proverbios 11.13; 26.20;
  2 Tesalonicenses 2.16-17;
  Santiago 3.1-12

- **Cómo descubrir la voluntad de Dios**
  Salmo 15;
  San Mateo 5.14-16;
  San Lucas 9.21-27;
  Romanos 13.8-14;
  2 Pedro 1.3-9;
  1 San Juan 4.7-21

- **Cómo enfrentar a los falsos profetas**
  San Mateo 7.15-20;
  2 Pedro 2;
  1 San Juan 4.1-6;
  Judas

- **Cómo enfrentar la presión de los compañeros**
  Proverbios 1.7-19;
  Romanos 12.1-2;
  Gálatas 6.1-5;
  Efesios 5.1-20

- **Al entrar a la universidad**
  Proverbios 2.1-8; 3.1-18; 4.1-27; 23.12;
  Romanos 8.1-17;
  1 Corintios 1.18-31

- **Al entrar al servicio militar**
  Salmo 91;
  Efesios 6.10-20;
  2 Timoteo 2.1-13

- **Cómo confrontar la muerte de un ser querido**
  San Juan 11.25-27; 14.1-7;
  Romanos 8.31-39; 14.7-9;
  1 Tesalonicenses 4.13-18

- **Cómo confrontar la enfermedad**
  Salmo 23;
  San Marcos 1.29-34; 6.53-56;
  Santiago 5.14-16

- **Cómo confrontar el sufrimiento y la persecución**
  Salmo 109; 119.153-160;
  San Mateo 5.3-12;
  San Juan 15.18—16.4;
  Romanos 8.18-30;
  2 Corintios 4.1-15;
  Hebreos 12.1-11;
  1 Pedro 4.12-19

- **Al tomar una decisión difícil**
  Salmo 139;
  Colosenses 3.12-17

- **Cómo enfrentar el divorcio**
  Salmo 25;
  San Mateo 19.1-9;
  Filipenses 3.1-11

- **Cómo confrontar el desamparo**
  Salmo 90.1-2;
  San Lucas 9.57-62;
  Apocalipsis 21.1-4

- **Cómo enfrentar la cárcel**
  San Mateo 25.31-46;
  San Lucas 4.16-21

- **Ante una vida solitaria**
  1 Corintios 7.25-38; 12.1-31

- **Cómo enfrentar un desastre natural**
  Salmos 29; 36.5-9; 124;
  Romanos 8.31-39;
  1 Pedro 1.3-12

- **Ante un juicio o demanda judicial**
  Salmo 26;
  San Mateo 5.25-26;
  San Lucas 18.1-8

- **Ante la pérdida del trabajo**
  San Lucas 16.1-13;
  Filipenses 4.10-13

- **Ante la pérdida de las posesiones**
  Romanos 8.18-39

- **Cómo aprovechar el tiempo**
  Proverbios 12.11; 28.19;
  San Marcos 13.32-37;
  San Lucas 21.34-36;
  Timoteo 4.11-16;
  Tito 3.8-14

- **Al mudarse a una nueva casa**
  Salmo 127.1-2;
  Proverbios 24.3-4;
  San Juan 14.1-7;
  Efesios 3.14-21;
  Apocalipsis 3.20-21

- **Cómo sobreponerse a la adicción**
  Salmo 40.1-5,11-17;
  Salmo 116.1-7;
  2 Corintios 5.16-21;
  Efesios 4.22-24

- **Cómo evitar una rencilla**
  San Mateo 5.23-26;
  San Lucas 6.27-36;
  Efesios 4.25-32

- **Cómo superar los prejuicios**
  San Mateo 7.1-5;
  Hechos 10.34-36;
  Gálatas 3.26-29;
  Efesios 2.11-22;
  Colosenses 3.5-11;
  Santiago 2.1-13

- **Para aplacar el orgullo**
  Salmo 131;
  San Marcos 9.33-37;
  San Lucas 14.7-11; 18.9-14; 22.24-27;
  Romanos 12.14-16;
  1 Corintios 1.18-31;
  2 Corintios 12.1-10

- **No dejes para mañana lo que puedas hacer hoy**
  San Mateo 22.1-14; 25.1-13;
  2 Corintios 6.1-2

- **Cómo instruir a los niños**
  Proverbios 22.6;
  Efesios 6.4;
  Colosenses 3.21

- **El respeto a la autoridad civil**
  San Marcos 12.13-17;
  Romanos 13.1-7;
  Tito 3.1-2;
  1 Pedro 2.13-17

- **El respeto a los padres**
  Efesios 6.1-3;
  Colosenses 3.20

- **Al jubilarse**
  Salmo 145;
  San Mateo 25.31-46;
  Romanos 12.1-2;
  Filipenses 3.12-21;
  2 Pedro 1.2

- **Cómo obtener perdón**
  Salmo 32.1-5; 51;
  Proverbios 28.13;
  San Mateo 6.14-15;
  San Lucas 15;
  Filemón;
  Hebreos 4.14-16;
  1 San Juan 1.5-10

- **Cómo encontrar la ayuda de Dios**
  Salmos 5; 57; 86; 121; 130; 119.169-176;
  San Mateo 7.7-12

- **Dónde encontrar justicia**
  Salmos 10; 17; 75; 94;

- **Dónde encontrar salvación**
  San Juan 3.1-21;
  Romanos 1.16-17; 3.21-31;
    5.1-11; 10.5-13;
  Efesios 1.3-14; 2.1-10

- **Dónde encontrar fortaleza**
  Salmos 46; 138;
  Efesios 6.10-20;
  2 Tesalonicenses 2.16-17

- **Dónde encontrar la verdad**
  Salmo 119.153-160;
  San Juan 8.31-47; 14.6-14; 16.4b-15;
  1 Timoteo 2.1-7

- **Cómo ejercer los dones**
  San Lucas 21.1-4;
  Hechos 2.43-47; 4.32-37;
  Romanos 12.9-13;
  1 Corintios 16.1-4;
  2 Corintios 8.1-15; 9.6-15

- **Al comenzar un nuevo trabajo**
  Romanos 12.3-11;
  1 Tesalonicenses 5.12-18;
  2 Tesalonicenses 3.6-13;
  1 Pedro 4.7-11

- **Para entender la relación con Dios**
  Salmo 139;
  San Juan 15.1-17;
  Romanos 5.1-11; 8.1-17

- **Para entender la relación con los demás**
  San Mateo 18.15-17; 18.21-35;
  Romanos 14.13-23; 15.1-6;
  Gálatas 6.1-10;
  Colosenses 3.12-17;
  1 San Juan 4.7-12

- **Confianza en el futuro**
  1 Pedro 1.3-5;
  Apocalipsis 21.1-8

- **Preocupación por la vejez**
  Salmo 37.23-29;

- **El afán por el dinero**
  San Mateo 6.24-34;
  San Lucas 12.13-21;
  1 Timoteo 6.6-10

- **¿Tiene miedo?**
  Salmos 27; 91;
  San Marcos 4.35-41;
  Hebreos 13.5-6;
  1 San Juan 4.13-18

- **¿Tiene miedo a la muerte?**
  Salmo 23; 63.1-8;
  San Juan 6.35-40;
  Romanos 8.18-39;
  1 Corintios 15.35-57;
  2 Corintios 5.1-10;
  2 Timoteo 1.8-10

- **¿Está enojado?**
  Proverbios 15,1;
  San Mateo 5.21-24;
  Efesios 4.26-32;
  Santiago 1.19-21

- **¿Está ansioso y afligido?**
  Salmo 25;
  San Mateo 6.24-34; 10.26-31;
  1 Pedro 1.3-5; 5.7

- **¿Se siente deprimido?**
  Salmos 16; 43; 130;
  San Juan 3.14-17;
  Efesios 3.14-21

- **¿Se siente frustrado o engañado?**
  Salmo 55; 62.1-8;

- **¿Está desanimado?**
  Salmo 34;
  Romanos 15.13;
  2 Corintios 4.16-18;
  Filipenses 4.10-13;
  Colosenses 1.9-14;
  Hebreos 6.9-12

- **¿Duda de su fe en Dios?**
  Salmos 8; 146;
  Proverbios 30.5
  San Mateo 7.7-12;
  San Lucas 17.5-6;
  San Juan 20.24-31;
  Romanos 4.13-25;

  Hebreos 11;
  1 San Juan 5.13-15

- **¿Está frustrado?**
  San Mateo 7.13-14

- **¿Es usted impaciente?**
  Salmo 13; 37.1-7; 40.1-5;
  Hebreos 6.13-20;
  Santiago 5.7-11

- **¿Es usted inseguro? ¿Le falta estima propia?**
  Salmo 73.21-26; 108;
  Filipenses 4.10-20;
  1 San Juan 3.19-24

- **¿Es usted celoso?**
  Salmo 49;
  Proverbios 23.17;
  Santiago 3.13-18

- **¿Se siente solo?**
  Salmos 22; 42;
  San Juan 14.15-31a

# Historias del Nuevo Testamento

**La vida de Jesús**
**El nacimiento de Jesús**
San Mateo 1.18—2.15
San Lucas 2.1-20

**Jesús es presentado en el Templo**
San Lucas 2.21-40

**El joven Jesús**
San Lucas 2.41-52

**El bautismo de Jesús**
San Mateo 3
San Marcos 1.1-11
San Lucas 3.21,22

**La tentación de Jesús**
San Mateo 4.1-11
San Marcos 1.12-13
San Lucas 4.1-13

**Jesús llama a sus primeros
discípulos**
San Mateo 4.18-22
San Marcos 1.16-20
San Lucas 5.1-11

**Jesús escoge a los doce apóstoles**
San Mateo 10.1-4
San Marcos 3.13-19
San Lucas 6.12-16

**La transfiguración de Jesús**
San Mateo 17.1-13
San Marcos 9.2-13

**La muerte y la resurrección de Jesús**
**La entrada triunfal en Jerusalén**
San Mateo 21.1-1 1
San Marcos 11.1-11
San Lucas 19.29-44
San juan 12.12-19

**La última cena de Jesús**
San Mateo 26.17-35
San Marcos 14.12-26
San Lucas 22.1-38

**Jesús ora en Getsemaní**
San Mateo 26.36-46
San Marcos 14.32-42
San Lucas 22.39-46

**Juicio y crucifixión de Jesús**
San Mateo 26.47—27.66
San Marcos 14.43—15.47
San Lucas 22.47—23.56
San Juan 18; 19

**La resurrección de Jesús**
San Mateo 28.1-10
San Marcos 16
San Lucas 24.1-12
San Juan 20

**La gran comisión**
San Mateo 28.16-20

**La ascensión de Jesús**
San Lucas 24.50-53
Hechos 1.1-12

**Milagros y curaciones de Jesús**

**Jesús convierte el agua en vino**
San Juan 2.1-11

**Jesús da de comer a mucha gente**
San Mateo 14.13-21
San Marcos 6.30-44
San Lucas 9.10-17
San Juan 6.1-15
San Mateo 15.32-39
San Marcos 8.1-10

**Jesús calma la tempestad**
San Mateo 8.23-27
San Marcos 4.35-41
San Lucas 8.22-25

**La pesca milagrosa**
San Lucas 5.1-11

**Jesús camina sobre el agua**
San Mateo 14.22-33
San Marcos 6.45-52
San Juan 6.16-21

**Jesús sana a un leproso**
San Mateo 8.1-4
San Marcos 1.40-45
San Lucas 5.12-16; 17.1-19

**Jesús echa fuera demonios**
San Mateo 8.28-34
San Marcos 5.1-20
San Lucas 8.26-39
San Mateo 12.22-37
San Marcos 3.20-30
San Lucas 1 1.14-23
San Mateo 17.14-21
San Marcos 9.14-29
San Lucas 9.37-43
San Marcos 1.21-28
San Lucas 4.31-37

**Jesús da vista a los ciegos**
San Mateo 9.27-31
San Mateo 20.29-34
San Marcos 10.46-52
San Lucas 18.35-43

**Jesús sana a un sordomudo**
San Marcos 7.31-37

**Jesús sana a paralíticos y lisiados**
San Mateo 12.9-14
San Marcos 3.1-6
San Lucas 6.6-11
San Juan 5.1-8

San Lucas 14.1-6
San Mateo 9.1-8
San Marcos 2.1-12
San Lucas 5.17-26

**Jesús sana a muchas mujeres**
San Mateo 9.1 8-26
San Marcos 5.21-43
San Lucas 8.13
San Lucas 8.40-56
San Lucas 13.10-17
San Mateo 15.21-28
San Marcos 7.24-30

**Jesús sana al siervo de un capitán romano**
San Mateo 8.5-13
San Lucas 7.1-10

**Jesús sana a la suegra de Pedro**
San Mateo 8.14,15
San Marcos 1.29-31
San Lucas 4.38,39

**Jesús sana al hijo de un oficial**
San Juan 4.46-54.

**Jesús revive a la hija de un oficial**
San Mateo 9.18-19,23-26
San Marcos 5.21-24,35-42
San Lucas 8.40-42,49-56

**Jesús levanta a los muertos**
San Lucas 7.11-17
San Juan 11.1-44

**Parábolas y enseñanzas de Jesús**

**El sermón del monte**
San Mateo 5—7
San Lucas 6.20-49

**Las bienaventuranzas**
San Mateo 5.3-11
San Lucas 6.20-26

**El gran mandamiento**
San Mateo 22.37-39
San Marcos 12.29-31
San Lucas 10.27

**La Regla de Oro**
San Mateo 7.12
San Lucas 6.31

**La semilla de mostaza**
San Mateo 13.31-32
San Marcos 4.30-32
San Lucas 13.18-19